Pemsel

Weltgeschichte der Seefahrt

Helmut Pemsel

Weltgeschichte der Seefahrt

Band I
Geschichte der zivilen Schiffahrt
Von den Anfängen der Seefahrt bis zum Ende des Mittelalters

Band II
Geschichte der zivilen Schiffahrt
Vom Beginn der Neuzeit bis zum Jahr 1800
mit der Frühzeit von Asien und Amerika

Band III
Geschichte der zivilen Schiffahrt
Von 1800 bis 2002
Die Zeit der Dampf- und Motorschiffahrt

Band IV
Biographisches Lexikon
Admirale, Seehelden, Kapitäne, Seeflieger,
Seefahrer, Reeder, Ingenieure, Kartographen,
Ozeanographen, Politiker und Historiker
Von der Antike bis zur Gegenwart

Band V
Seeherrschaft
Seekriege und Seepolitik von den Anfängen bis 1650

Band VI
Seeherrschaft
Seekriege und Seepolitik von 1650 bis 1914

Band VII
Seeherrschaft
Seekriege und Seepolitik von 1914 bis 2005

Helmut Pemsel

Weltgeschichte der Seefahrt

Band VI

Seeherrschaft II

Seekriege und Seepolitik
von 1650 bis 1914

Koehler

MARINE

Wien · Graz 2005

Bibliografische Information Der Deutschen Bibliothek
Die Deutsche Bibliothek verzeichnet diese Publikation in der Deutschen Nationalbibliographie; detaillierte bibliografische Daten sind im Internet über http://dnb.ddb.de abrufbar.

Gedruckt mit Unterstützung des Bundesministeriums für Bildung, Wissenschaft und Kultur in Wien

Zu der Abbildung auf dem Schutzumschlag:
August Freiherr von Ramberg: k. u. k. Eskadre in der Adria, österreichisch-ungarisches Flaggschiff „Viribus Unitis", Sommermanöver 1913 (© Heeresgeschichtliches Museum, Wien)

Alle Rechte vorbehalten.

Veröffentlichung in Deutschland:
ISBN 3-7822-0838-2
Koehlers Verlagsgesellschaft mbH, Hamburg
Internet: www.koehler-mittler.de

Veröffentlichung in Österreich:
ISBN 3-7083-0026-2
Neuer Wissenschaftlicher Verlag GmbH
Argentinierstraße 42/6, A-1040 Wien
Telefon: (++43/1) 535 61 03-24
Telefax: (++43/1) 535 61 03-25
e-mail: office@nwv.at

Geidorfgürtel 20, A-8010 Graz
e-mail: office@nwv.at

www.nwv.at

© NWV Neuer Wissenschaftlicher Verlag, Graz · Wien 2005

„Whosoever commands the sea commands the trade, whosoever commands the trade of the world commands the riches of the world and consequently the world itself."

Sir Walter Raleigh,
1617

Hinweise für den Benutzer

Abkürzungen

Adm.	Admiral
BRT	Brutto Register Tonne
Com.	Commodore
F	Flaggschiff; bei Schiffsnamen
FM	Feldmarschall
Gen.	General
GenLt.	Generalleutnant
GenMj.	Generalmajor
KAdm.	Konteradmiral
kn	Knoten (Geschwindigkeit in Seemeilen/Stunde)
Kpt.	Kapitän
t	Tonnen (Wasserverdrängung)
VAdm.	Vizeadmiral

(E), (F), (H) usw. hinter dem Namen: Nationalität (England/Großbritannien), (Frankreich), (Niederlande) usw.

Die Zahlen in Klammer hinter dem Schiffsnamen bedeuten bei frühen Segelschiffen das ungefähre Fassungsvermögen in Raumtonnen, bei Segelkriegsschiffen die Anzahl der Kanonen, bei den Dampf- und Motorschiffen die Wasserverdrängung in Gewichtstonnen und bei Flugzeugträgern die Anzahl der an Bord befindlichen Flugzeuge oder die Tonnage.

Maßstab der Schiffsskizzen

bis 1850   1:1000
ab 1850   1:2000
Bei einem anderem Maßstab ist dieser an der Zeichnung angegeben.

Inhaltsverzeichnis

Hinweise für den Benutzer .... *VI*

Vorwort .... *XIII*

Zeittafeln .... *XIV*

Die Seekriege in der zweiten Hälfte des 17. Jahrhunderts 489

    Der erste Seekrieg England gegen die Niederlande 498
        Die Kämpfe im Mittelmeer 504
    Der Krieg Dänemarks gegen Schweden 506
    Seekrieg der Niederlande gegen Portugal 510
    Der zweite Seekrieg England gegen die Niederlande 514
        Übersee 522
    Der dritte Seekrieg England gegen die Niederlande
    (Koalitionskrieg gegen die Niederlande) 524
        Die Kämpfe im Mittelmeer 530
        Letzte Kämpfe vor Westeuropa 532
        Die Kämpfe in Westindien 534
        Die Kämpfe in Ostindien 534
    Der Schonensche Krieg 536
    Der Pfälzische Erbfolgekrieg (Krieg der Liga von Augsburg) 544
    Der Krieg um Morea/Peloponnes 560
    Oman erobert Ostafrika 562

Die Seekriege der ersten Hälfte des 18. Jahrhunderts 565

    Der spanische Erbfolgekrieg 572
    Der große Nordische Krieg 582
    Krieg der Türkei gegen Venedig und Österreich (ab 1716) 590
    Krieg um Sizilien 592
    Polnischer Thronfolgekrieg 596
    Österreichischer Erbfolgekrieg 598
    Die Kämpfe in den europäischen Gewässern 598
    Seekrieg in den Kolonien 602
    Krieg Schwedens gegen Rußland 604

Die Seekriege in der zweiten Hälfte des 18. Jahrhunderts 607

    Der Siebenjährige Krieg... 613
    Der Seekrieg in Europa 613
    Der Seekrieg im Indischen Ozean 622
    Der Seekrieg in Amerika 624
    Krieg Rußland gegen die Türkei 628
    Die Erschließung des pazifischen Raumes 632
    Der Nordamerikanische Unabhängigkeitskrieg.. 634
    Der Seekrieg in Nordamerika und Westindien 640
    Der Seekrieg in Ostindien 652
    Krieg Rußland und Österreich gegen die Türkei 656
    Krieg Rußland gegen Schweden 660

Die Seekriege von 1792 bis 1815...669

    Der Seekrieg Großbritanniens gegen die französische Republik 676
        Die Kämpfe in Übersee 704
    Krieg der USA gegen Tripolis... 708
    Der Seekrieg Großbritanniens gegen das französische Kaiserreich
    (und die Nebenkriege)... 710
        Die britisch-französischen Flottenbewegungen 712
    Krieg Rußland gegen Schweden 726
    Fortsetzung des Krieges gegen Napoleon 728
    Krieg der USA gegen Großbritannien 734
    Die Kämpfe gegen Frankreich und Spanien in Übersee................................. 738

Die Seekriege in der ersten Hälfte des 19. Jahrhunderts 745

    Unabhängigkeitskämpfe der spanischen Kolonien in Südamerika................. 750
    Unabhängigkeitskampf im Vizekönigreich Neugranada................................ 750
    Unabhängigkeitskampf im Vizekönigreich La Plata...................................... 752
    Unabhängigkeitskampf im Vizekönigreich Peru.. 754
    Krieg Schwedens gegen Norwegen 756
    Griechischer Freiheitskrieg 758
    Unabhängigkeitskampf von Brasilien 761
    Krieg Brasilien gegen Argentinien 762
    Bürgerkrieg in Portugal 764

Krieg der Türkei gegen Ägypten 766
Krieg Mexiko gegen Texas 766
Opiumkrieg Großbritannien gegen China 768
Eingreifen von Großbritannien und Frankreich in Südamerika 770
Krieg der USA gegen Mexiko 770
Erster deutsch-dänischer Krieg 772

Zeit der Dampfschiffe 773

Die Entwicklung der Dampfkriegsschiffe 773

Die Ereignisse zur See in der zweiten Hälfte des 19. Jahrhunderts 781
    Der Krimkrieg 796
    Krieg Großbritannien und Frankreich gegen China 800
    Frankreich erobert Indochina 802
    Krieg Österreichs gegen Sardinien und Frankreich 804
    Der amerikanische Sezessionskrieg 806
    Bürgerkrieg in Japan 812
    Zweiter Krieg Deutschland gegen Dänemark 814
    Krieg Peru und Chile gegen Spanien 814
    Krieg Paraguay gegen die Tripelallianz 816
    (Brasilien, Argentinien, Uruguay) 816
    Krieg Österreichs und Verbündete gegen Italien und Preußen 818
    Ende des Bürgerkrieges in Japan 824
    Krieg zwischen Frankreich und Deutschland 824
    Bürgerkrieg in Spanien 830
    Krieg Serbien und Rußland gegen die Türkei 832
    Krieg Chile gegen Peru und Bolivien 834
    Frankreich erobert Tunesien 834
    Krieg zwischen Frankreich und China 836
    Bürgerkrieg in Chile 840
    Bürgerkrieg in Brasilien 842
    Der Seekrieg Japan gegen China 842
    Der Seekrieg USA gegen Spanien 848

Die Entwicklung der Kriegsschiffe von 1850 bis ~1900 853

Der Beginn des 20. Jahrhunderts 863
    Kämpfe anläßlich der Boxerunruhen 874
    Der Krieg Japan gegen Rußland 876
    Der Seekrieg Italien gegen die Türkei 890
    Der erste Balkankrieg 892

Anhang *897*
    5. Die britische Flotte in der Seeschlacht bei Outer Gabbard, 1653 897
    6. Flotten in der Seeschlacht bei Malaga, 1704 900
    7. Verluste von England/Großbritannien an großen Kriegsschiffen 1688–1714 902
    8. Spanische Flotte beim Angriff auf Sizilien, 1718 903
    9. Artillerie der britischen Schiffe 1743/57 904
    10. Geschwader der Seeschlacht bei Toulon, 1744 905
    11. Beteiligte an den Seeschlachten vor Kap Finisterre 906
    12. Die Briten vor Havanna, 1762 907
    13. Verluste an großen Kriegsschiffen 1714–1763 908
    14. Flottenverteilung von Spanien (Eintritt in den amerikanischen
         Unabhängigkeitskrieg) Linienschiffe mit Namen 912
    15. Die Flotten in der Seeschlacht bei Quessant, 1778 913
    16. Verluste an großen Kriegsschiffen 1775–1783 914
    17. Französische Linienschiffe für die Expedition nach Irland 1796–1797 915
    18. Angriff auf Kopenhagen 1801 916
    19. Verluste an großen Kriegsschiffen 1793 - 1815 918
    20. Wichtige britische Marinegeschütze Anfang des 19. Jahrhunderts 923
    21. Bombardement von Algier 1816 923
    22. Flotte vor der Küste von Syrien 1840 924
    23. Bombardement von Sewastopol, 17. Oktober 1854 925
    24. Beschießung von Alexandria durch die Briten, 11. Juli 1882 926

Literaturhinweise *927*

Index Band V *931*

Ergänzungen und Korrekturen *963*

Inhaltsverzeichnis von Band V (Hauptkapitel)

Die prähistorische Seefahrt 1

Die Zeit der Riemenschiffe 7

Die frühen Hochkulturen 7

Die Seekriege der Griechen (500–240)..29

Die Seekriege von Rom (und seiner Vorläufer) 1100 vor bis 630 nach Chr..............................69

Die Araber im Mittelmeer (7.–10. Jh.) 129

Die Seezüge der Germanen und Wikinger...161

Die Seekriege im Mittelmeer (11.–14. Jh.) 183

Die Seekriege im Ärmelkanal und der Biskaya (12.–15. Jh.) 237

Deutsches Reich, Skandinavien und die deutsche Hanse (12.–15. Jh.)....................................251

Die Seekriege im Mittelmeer (15. - 16.Jh.) 263

Die Seekriege in Süd- und Ostasien (bis zum 16. Jh.) 303

Zeit der Segelschiffe 329

Die Fahrten der Entdecker (15. und 16. Jh.) 331

Spanien und Portugal erobern ihre Überseereiche (16. Jh.)...343

Mittel- und Westeuropa im 16. Jahrhundert (Reformation)...363

Nord- und Osteuropa im 16. Jahrhundert...383

Die Seekriege zur Zeit des Dreißigjährigen Krieges..393

Inhaltsverzeichnis von Band VII

Der Erste Weltkrieg

Die Zeit zwischen den beiden Weltkriegen

    Der Bürgerkrieg in Rußland/Sowjetunion

    Der Spanische Bürgerkrieg

Der Zweite Weltkrieg

Das Elektronische Zeitalter

Die neuen Kriegsschiffe

Die Ereignisse zur See vom Zweiten Weltkrieg bis 1990

    Der Koreakrieg

    Der Seekrieg vor Vietnam

    Der Seekrieg Indien gegen Pakistan

    Der Erste Golfkrieg

Der Weg in das dritte Jahrtausend

    Der Zweite Golfkrieg

    Der Dritte Golfkrieg (Irakkrieg)

Ausblick

Geschichte der Taktik zur See

Gesamt-Literaturverzeichnis

Index

Vorwort

Dieser sechste Band der Weltgeschichte der Seefahrt ist zugleich der zweite Band der Geschichte der Seekriege. Der erste (fünfte) Band behandelt die Seekriege von ca. 1200 vor bis 1650 nach der Zeitenwende, das ist ein Zeitraum von ungefähr fast 3000 Jahren. Dieser sechste Band, der von 1650 bis 1914 reicht, schildert die Seekriege von 264 Jahren und der nächste und letzte Band dieser Weltgeschichte reicht bis 2005 und ist daher für das 20. Jahrhundert oder 91 Jahre zuständig. Es sind in den späteren Bänden nicht nur immer mehr Ereignisse und Details zu schildern, sondern es gibt für die letzten fünfhundert Jahre auch viel genauere Aufzeichnungen.

Der hier vorliegende Band beschreibt nun die großen Seekriege zwischen England und den Niederlanden, die um den Welthandel des 17. Jahrhunderts ausgefochten worden sind. Es folgt im 18. Jahrhundert der Zweikampf zwischen Großbritannien und Frankreich um die Vorherrschaft in Europa und Übersee, im 19. Jahrhundert beherrscht die Royal Navy allein die Weltmeere.

In dieser Zeit ereignen sich auch die großen Zweikämpfe der mächtigen Segellinienschiffe mit ihren Breitseiten von 40 bis 50 Kanonen. Dann fällt in die Zeit dieses Bandes auch der Übergang vom Segel- zum Dampfkriegsschiff. Es erscheinen die ersten Panzerschiffe und bis zum Ende dieses Bandes sind die neuen Schlachtschiffe fertig entwickelt. Auf den letzten Seiten dieses Buches erscheinen auch die ersten Torpedoboote, Tauchboote (Unterseeboote), Minenleger- und Minensucher und ab 1912 die ersten Flugzeuge im Kriegseinsatz. Ebenfalls um die Jahrhundertwende wird die Elektrizität auf den Schiffen nutzbar gemacht und die Funkentelegraphie vergrößert die Reichweite der Einsatzmöglichkeiten beträchtlich.

In der Zeit dieses Bandes wird auch die Organisation der Kriegsflotten auf eine solide Basis gestellt. Vorher sind die vorhandenen Schiffe irgend einer Persönlichkeit mit guten Kontakten zum jeweiligen Herrscher zum Kriegseinsatz übergeben worden. Nun werden feste Strukturen entwickelt mit permanenten Rängen für Matrosen, Offizieren und Admiralen, die mit einheitlichen Uniformen und Rangabzeichen kenntlich gemacht waren. Dazu kamen Regeln für Verpflegung und Ausrüstung, die nun von der Marineverwaltung beigestellt worden sind, und nicht mehr dem Einzelnen überlassen waren. Auch Kriegsschiffbau und Reparaturen waren nun in der Hand der jeweiligen Führung der Kriegsmarinen. All diese Änderungen waren zu Ende dieses Bandes abgeschlossen.

Zur besseren Illustration sind dem Kapitel über die zweite Hälfte des 19. Jh. Schiffsskizzen von Panzerschiffen, Kreuzern und Kanonenbooten angeschlossen, welche die rasche Entwicklung dieser Schiffstypen innerhalb von 50 Jahren aufzeigen.

Rund 270 Seiten dieses Bandes stammen aus der letzten Ausgabe, die übrigen rund 130 Seiten sind neu hinzugekommen.

Über den Zweck dieser Weltgeschichte und deren Aufbau kann man im Vorwort des fünften Bandes nachlesen.

Wien im Frühjahr 2005   Helmut Pemsel

Zeittafeln

Erdgeschichte, Urgeschichte und frühe Hochkulturen

Zeit	Epoche	Geologie/Geografie	Leben/Kultur
3000 Mill. Jahre	Erdurgeschichte (Kryptozoikum)	Bildung der Erdkruste	Entstehung des Lebens Einzeller
570 Mill.	Erdaltertum (Paläozoikum)	Bildung von Land und Meer	Algen Meerestiere Amphibien
230 Mill.	Erdmittelalter (Mesozoikum)	Bildung der Bodenschätze (Erze, Salz, Steinkohle, Erdöl)	Landtiere Dinosaurier
70 Mill.	Erdneuzeit Tertiär (Neozoikum)	Bildung der heutigen Kontinente	Säugetiere Prähominiden
2 Mill.	Quartär		erste Menschen „Faustkeile"
600.000	Ältere Altsteinzeit (Altpaläolithikum)	Günz-Eiszeit Mindel-Eiszeit	erste Werkzeuge älteste Speere
120.000	Mittlere Altsteinzeit (Mittelpaläolithikum)	Riß-Eiszeit Würm-Eiszeit	Holz zur Schwimmhilfe?
50.000	Jüngere Altsteinzeit (Jungpaläolithikum)		Fischer Bootsbauer?
10.000	Mittelsteinzeit	Ende der Eiszeiten	„Seefahrer" Segel?
6000	(Mesolithikum)	Ostsee ein Binnenmeer	Boote gepaddelt
5000	Jungsteinzeit (Neolithikum)	südliche Nordsee trocken	früheste Schiffsdarstellungen
4000		Ärmelkanal entsteht	früher Kulturaustausch über See
3000	Bronzezeit bei frühen Hochkulturen	Ägypten Mesopotamien	Schiffe gerudert Seehandel von
2000		Seemacht Kreta	Mesopotamien nach Indien
1500	Eisenzeit bei den frühen Hochkulturen	*Hatschepsut* Mykenä	Seehandel nach Ostafrika (Punt)
1200		*Ramses II.* Seeschlacht im Nildelta	Seevölkersturm
1000	Bronzezeit in Europa	Phöniker	Rammsporn
500	Eisenzeit in Europa	*Polykrates* Afrika umfahren?	Trieren

Zeit der Riemenschiffe

500	Perserkriege Peloponnesischer Krieg	Salamis Syrakus, Aigospotamoi	*Themistokles*
400			
300	Erster Punischer Krieg Zweiter Punischer Krieg	Eknomos, Ägatische Inseln	Enterbrücke *Gaius Duilius*
200	Makedonische Kriege		
100	Seeräuberkrieg römische Bürgerkriege	Actium	*Sextus Pompeius* *Agrippa*
Zeitenwende			
100			
200	Gotenkriege		
300		Seeschlacht im Hellespont	
400	Völkerwanderung Seeherrschaft der Vandalen	Seeschlacht bei Kap Bon	*Geiserich*
500	Gotenkrieg von Ostrom		
600	Vorstoß der Araber	Seeschlacht der Masten Konstantinopel	*Herakleios I.*
700	Araber in Sizilien Araber in Spanien		
800	Araber in Sizilien Wikinger in der Normandie		Wikingerschiffe
900	Waräger/Russen im Schwarzen Meer		
1000	Normannen in England	Landung in England Wikinger in Grönland	*Wilhelm der* *Eroberer*
1100	Kreuzzüge Normannen in Süditalien	Wikinger in Amerika	*Leif Eriksson*
1200	Mongolen in China Venedig gegen Genua	Kamikaze = Götterwind	Heckruder Kompaß
1300	Frankreich gegen England deutsche Hanse	Sluis Chioggia	
1400	Hanse gegen Dänemark	*Zheng He/Cheng Ho* im Indischen Ozean	Kanonen
1500	Portugiesen in Indien Spanier in Amerika	Entdeckungsfahrten der Europäer	*Bartolomeu Diaz* *Chr. Kolumbus*
1600	Türken im Mittelmeer	Lepanto	*Don Juan d'Austria*

Zeit der Segelschiffe

Jahr			
1580	Freiheitskampf der Niederlande	spanische Armada	*Howard Drake*
1590	Freiheitskampf der Niederlande		
1600	Freiheitskampf der Niederlande	Riemenflotten nur mehr in Küstengewässern	Galeone
1610		>Sovereign of the Seas<	
1620	Freiheitskampf der Niederlande	Seeschlacht in den Downs	*Tromp d. Ä.*
1630	Dreißigjähriger Krieg	Niederländer und Engländer in Ostindien	
1640	Freiheitskampf der Niederlände		
1650	1. engl.-niederl. Seekrieg Dänemark - Schweden	3-Tage-Schlacht im Kanal Seeschlacht bei Outer Gabbard	*Blake* >Brederode<
1660	2. engl.-niederl. Seekrieg	Seeschlacht bei Texel	*de Ruyter*
1670	3. engl.-niederl. Seekrieg Schonensche Krieg	Seeschlacht in der Kjögebucht	*Niels Juel*
1680			Schiffsklassen
1690	Pfälzischer Erbfolgekrieg	Seeschlacht bei Beachy Head und Barfleur-La Hougue	*Tourville* >Soleil Royal< I
1700	Spanischer Erbfolgekrieg	Seeschlacht bei Malaga	Handelskrieg
1710		Seeschlacht bei Kap Passaro	Linienschiffe
1720			Fregatten
1730			
1740	Österreichischer Erbfolgekrieg	Seeschlacht bei Toulon	
1750			
1760	Siebenjähriger Krieg	Seeschlacht bei Quiberon	*Hawke* Blockadekrieg
1770	nordamerikanischer		
1780	Unabhängigkeitskrieg	Seeschlacht bei Kap Henry Seeschlacht bei Dominica	*Rodney* bew. Neutralität
1790	Seekriege Englands gegen Frankreich	Seeschlacht bei Quessant Seeschlacht bei Aboukir	*Howe* *Nelson*
1800	Seekriege Englands gegen Frankreich	Trafalgar, >Victory< Kontinentalsperre	Blockadekrieg
1810	*Napoleons* Ende	erste Dampfschiffe	>City of Clermont<
1820	griechischer Freiheitskampf	Seeschlacht bei Navarino	
1830			Schiffsschraube
1840	1.Opiumkrieg USA – Mexiko	Ende der britischen Navigationsakte	Granate Seekabel

Zeit der Dampf- und Motorschiffe

Jahr			
1850	Krimkrieg 2. Opiumkrieg	Bombardement von Kinburn	>Napoleon< Granaten Panzerung
1860	Sezessionskrieg der USA Österreich – Italien	Gefecht Chesapeake-Bucht *Farragut* Lissa ... *Tegetthoff*	>Gloire< >Monitor< Seeminen Ramme Suezkanal
1870	Frankreich erobert Indochina	Salpeterkrieg	Dampfmaschine statt Segel >Duilio<
1880	Pazifikkrieg Südamerika	Beschießung von Alexandria	Einsatz Fischtorpedo
1890	Bürgerkrieg in Chile Japan – China USA – Spanien	>Blanco Encalada< + Seeschlacht vor dem Yalu ... *Ito* Seeschlacht bei Santiago/Kuba	Torpedoboote, Linienschiffe Gefechtsentfernung 6000 Meter Panzerkreuzer
1900	China, „Boxerunruhen" Japan – Rußland	Seeschlacht bei Tsushima *Togo*	Funkentelegraphie U-Boote >Dreadnought<
1910	Balkankriege Erster Weltkrieg	X Skagerrak ... *Scheer* U-Bootkrieg ... *Jellicoe*	>Seydlitz< Handelskrieg U-Boot-Krieg erste Flugzeuge >Hermes<
1920	russischer Bürgerkrieg	Flottenabkommen von Washington	>Nelson<
1930	spanischer Bürgerkrieg Japan – China	Flottenvertrag von London zwischen Großbritannien und Deutschland	Flugzeugträger Reichweite: Artillerie ... 40 km Flugzeug ... 400 km
1940	Zweiter Weltkrieg	>Bismarck< ... *Lütjens* X Tarent ... *Cunningham* X Pearl Harbor ... *Yamamoto* X Midway ... *Nimitz* X Leyte	>Enterprise< I >Yamato< Radar Landungsschiffe Atombombe

Elektronisches Zeitalter

1950	Koreakrieg	*MacArthur* Landung bei Inchon	>Nautilus< Atomantrieb Raketen >G. Washington< SSBN
1960	Krieg in Vietnam	Raumschiff um die Erde	>Enterprise< II RBN
1970	Indien – Pakistan	Raumschiff landet am Mond ... *Gorschkow* SALT I	Raketen statt Artillerie >Nimitz<
1980	Erster Golfkrieg Falklandkrieg Erster Golfkrieg	UN Seerechtskonvention unterzeichnet	>Invincible<
1990	Zweiter Golfkrieg Krieg am Balkan 1 Krieg am Balkan 2	Zerfall der UdSSR Zerfall von Jugoslawien Vertrag Rußland-Ukraine	FK „Tomahawk" >Charles de Gaulle< RB
2000	Krisen Irak, Palästina Krieg in Afghanistan Dritter Golfkrieg	Bau internationaler Weltraumstation ISS	Untergang der >Kursk< 11. September 2001, Terroranschläge

Die Seekriege in der zweiten Hälfte des 17. Jahrhunderts

In der zweiten Hälfte des 17. Jahrhunderts fand eine Reihe bedeutender Seekriege statt, in denen die damals modernen Segelschiffsflotten, die die großen Seekriege des folgenden Jahrhunderts austrugen, entwickelt wurden. Es waren dies die drei englisch-niederländischen Seekriege, deren letzter nur ein Teil des Krieges von Frankreich gegen die Niederlande war; dann die Kriege Schwedens gegen Dänemark (1657–1660) und der Schonensche Krieg. Ferner der Eroberungskrieg Frankreichs, im deutschen Sprachraum bekannt als der Pfälzische Erbfolgekrieg. Im englischen wird er meist als der Krieg der Liga von Augsburg bezeichnet.
Im Mittelmeer traten immer mehr die Flotten der großen westeuropäischen Seemächte im Kampf um die Seeherrschaft auf, der einzige ausschließlich zwischen Mächten des Mittelmeeres ausgetragene Seekrieg war der Krieg um Morea/Peloponnes.
Schon in diesem Jahrhundert und noch mehr in den folgenden beherrschten die politischen Auseinandersetzungen die Ereignisse auf den Weltmeeren, weshalb sie in dieser Weltgeschichte immer mehr Raum beanspruchen. Die übrigen Ereignisse sind ohne eine separate Kapiteleinteilung zeitlich zwischen diesen großen Seekriegen eingeschoben.
Wie schon im vorigen Kapitel erwähnt, brachte der englische Bürgerkrieg (1642–1646) Oliver Cromwell an die Spitze des neuen **Commenwealth**, das er als „Lord Protektor" ab 1653 mit diktatorischen Vollmachten bis zu seinem Tod 1658 leitete.
Nach der Hinrichtung des englischen Königs Karl I. (30. Jänner/10. Februar 1649) wurde die republikanische Regierung zunächst nicht anerkannt. Cromwell erkannte klar, daß er nur aus einer Position der Stärke diese Anerkennung erlangen konnte. Das einzige Mittel dazu war die Kriegsflotte, welche die Flagge auf allen Weltmeeren zeigen konnte und nun mit größter Anstrengung aufgerüstet wurde. Da das Offizierskorps teilweise royalistisch war, wurden bewährte Obristen von Cromwells „Eisenseiten" mit der Führung der Flotte betraut. Neben Popham und Dean war es vor allem Robert Blake, der zu einem der bedeutendsten Flottenführer von England wurde. Seinem Organisationstalent und seiner Führerpersönlichkeit war es zu verdanken, daß die Anerkennung von Cromwells Herrschaft in kurzer Zeit erreicht werden konnte.
Die feindselige Haltung Frankreichs führte praktisch zu einem unerklärten Krieg im Ärmelkanal. Da Spanien sich noch immer im Krieg mit Frankreich befand, konnte Blake bei seinem Vorgehen gegen das Geschwader der Royalisten vor Portugal auf spanische Unterstützung zählen. Sein festes Auftreten gegen die Royalisten zeigte rasch, daß mit der Flotte des Commonwealth zu rechnen sei. Neben der politischen Anerkennung stand Cromwell aber auch vor den Problemen der Anerkennung seiner Politik im Inneren und der Behebung der wirtschaftlichen Schäden, die durch den Bürgerkrieg entstanden waren.
Beides konnte mit einer aggressiven Außenpolitik erreicht werden. Die Mittel konnten durch eine Ausweitung des Überseehandels errungen werden, der sich aber damals fast vollständig in der Hand der Niederlande befand. Diese verfügten im Jahr 1650 über 16.000 Handelsschiffe, davon 6000 Hochseeschiffe. Die englische Handelsflotte zählte dagegen nicht einmal 1000 Schiffe insgesamt. Ein Einbruch in den niederländischen Überseehandel mußte die einflußreichen Handelskreise für die Regierung einnehmen und damit die nötige Unterstützung in dem mit Sicherheit zu erwartenden Krieg gegen die Niederlande bringen. Cromwell hielt sich dabei an den 50 Jahre alten Ausspruch von Walter Raleigh: „Wer die See beherrscht, beherrscht den Handel dieser Welt, wer den Handel dieser Welt beherrscht, verfügt über die Reichtümer dieser Welt und beherrscht damit sie selbst."

Die großen **Geleitzüge** der Niederlande mit meist über 100 Handelsschiffen mußten die englischen Küsten entlang laufen und unterstrichen die Bedeutung dieses Handelsverkehrs, aber auch seine Verwundbarkeit durch die strategisch günstige Lage Englands. Die Ostseegeleite und die Fischerflotten mußten den Hoofden passieren, die Ostindiengeleite und Amerikafahrer den ganzen Ärmelkanal passieren.

Für die zu erwartenden Auseinandersetzungen wurden in England in wenigen Jahren fast 100 Kriegsschiffe gebaut, viele davon waren bereits einheitliche Linienschiffe mit guten Segeleigenschaften und starker Bewaffnung, womit sie den niederländischen Kriegsschiffen, die wegen der vielen Untiefen an ihren Küsten einen geringeren Tiefgang hatten und daher leichter bewaffnet waren und nicht so gut am Wind segelten, Schiff gegen Schiff überlegen waren. Die Kriegsflotte der Niederländer war bei weitem nicht auf einen Kampf mit den Engländern vorbereitet. Bei ihnen fehlte es vor allem an der einheitlichen Führung. Jede der fünf Seeprovinzen hatte ihre eigene Admiralität und stellte ihr eigenes Geschwader auf. Da bei Kriegsbeginn viel zu wenig Kriegsschiffe in Dienst waren, mußten bewaffnete Handelsschiffe in die Flotten eingereiht werden. Dazu eigneten sich am besten die großen, stark gebauten Ostindienfahrer, die im ersten Krieg noch einen wesentlichen Teil der Kämpfe zu tragen hatten. Auch die Engländer reihten am Anfang notgedrungen bewaffnete Handelsschiffe in die Flotte ein, verfügten aber bei weitem nicht über eine so große Zahl an dafür geeigneten Schiffen.

Im Oktober 1651 erließ Cromwell die **Navigationsakte**, deren Bestimmungen für die Niederländer unannehmbar erschienen und daher den letzten Anlaß zum Krieg gaben. Sie besagten, daß Waren von und nach England nur von englischen Schiffen oder den Schiffen des Ursprungslandes transportiert werden dürfen. Dies war ein schwerer Schlag für den Zwischenhandel der Niederländer. Eine weitere Bestimmung war der Flaggengruß. Danach mußten alle Schiffe, auch ganze Flotten, in den Gewässern um England englische Schiffe durch Dippen der Flagge und fieren der obersten Rah zuerst grüßen. Die dritte für die Niederländer schmachvolle Bestimmung war, daß sich alle Schiffe, auch Kriegsschiffe, von den Engländern nach Anhängern der Royalisten oder nach Kontrabande durchsuchen lassen sollten. Von den Niederländern waren nämlich eine ganze Reihe privat ausgerüsteter royalistischer Kaperschiffe gegen den englischen Seehandel tätig. Als im Ärmelkanal der niederländische Admiral Tromp d. Ä. die Aufforderung eines englischen Geschwaders zum Flaggengruß nicht befolgte und einen scharfen Warnschuß der Engländer mit einer Breitseite beantwortete, war der Krieg da.

Es handelte sich um einen **reinen Seekrieg**, der nur mit den Kriegsflotten ausgefochten wurde. Strategisch drehte er sich um die großen niederländischen Geleitzüge, die die Engländer abzufangen versuchten und welche die Niederländer durchbringen mußten, um ihre Wirtschaft und ihren Fernhandel über die Wasserwege in das Innere von Europa in Gang zu halten. Für den Unterhalt der Flotte waren die Niederländer auf den Import von vielen Rohstoffen wie Holz und Teer angewiesen, für die Ernährung waren die Anlandungen der großen Fischerflotten von der Nordsee wichtig.

Die großen Kriegsflotten waren bei der noch mangelhaften Organisation und dem rudimentären Signalwesen schwer zu führen. Die einzelnen Geschwader richteten sich meistens nach der Flagge des Führerschiffes (Flaggschiff) und die Kämpfe mündeten in einem Kampf Schiff gegen Schiff in ungeregelten Haufen (Meleé) und ohne jede Taktik. Die Seeschlachten der drei englisch-niederländischen Seekriege zählten durch die Erbitterung, mit der gekämpft wurde, zu den blutigsten der Seekriegsgeschichte.

England war zu dieser Zeit noch ein reiner Agrarstaat, der über ausreichend Bodenschätze verfügte und daher von Einfuhren weitgehend unabhängig war. Seine Flotte konnte daher so-

fort die Offensive ergreifen und den Angriff auf die niederländischen Geleite und Fischerflotten aufnehmen. Daraus entwickelten sich die Seeschlachten zu Kriegsbeginn. Bald erkannten die Engländer jedoch, daß das Ziel, den Seeverkehr der Niederlande lahmzulegen, besser erreicht werden könnte, wenn es gelänge, die Flotte der Niederlande zu vernichten, da dann die Küsten der Niederlande ungeschützt der englischen Flotte preisgegeben wären. Somit wurden die letzten Seeschlachten reine Kämpfe um die **Seeherrschaft im Ärmelkanal**.
In diesem Krieg stand England den Spaniern noch freundlich gegenüber (für die Unterstützung gegen die Royalisten). Ein Geschwader unter Admiral Blake vertrieb so nebenbei das französische Blockadegeschwader vor dem noch spanischen Dünkirchen und erhielt dadurch den Spaniern diesen wichtigen Hafen (Pyrenäenfriede erst 1659). Nach jeder großen Seeschlacht, wenn die Engländer ihre Gefechtsschäden ausbessern und Verwundete landen mußten, konnten die Niederländer immer wieder einige Geleitzüge einbringen. Trotzdem waren ihre Verluste an Handelsschiffen vor allem durch englische Kaper groß.
Durch ihre guten Beziehungen zu Dänemark konnten die Niederländer den englischen Handelsverkehr mit den Ostseeländern unterbinden. Diese begannen daher Holz und andere Schiffbaumaterialien aus ihren jungen **Kolonien in Nordamerika** zu importieren, was die Kolonien deutlich aufwertete. Im Mittelmeer gelang es dem Geschwader der Niederländer innerhalb eines Jahres die beiden dort stationierten englischen Geschwader aufzureiben und den englischen Levantehandel, der nach dem Auftreten von Admiral Blake begann einen Aufschwung zu nehmen, wieder zu unterbinden. Dieser Umstand sowie Unruhen in der Flotte wegen des schweren Seedienstes – es mußten aus Mangel an seeerfahrener Bevölkerung Landsoldaten auf die Schiffe kommandiert werden – bewogen Cromwell, den Frieden von Westminster (April 1654) zu unterzeichnen. Darin wurde auf das Untersuchungsrecht der Schiffe der Niederlande verzichtet, die übrigen Bestimmungen mußten aber von den Niederländern fast unverändert anerkannt werden. Dieser Kompromißfriede stellte keine der beiden Seiten zufrieden. Deshalb mußte mit einem baldigen neuerlichen Ausbruch des Krieges gerechnet werden. England hatte nicht, wie erhofft, einen großen Teil des Seehandels an sich bringen können, die Niederländer waren aber als die bisher größte Seemacht schwer gedemütigt worden.
Das militärische **Seewesen** machte in diesen Jahren große Fortschritte. Für die Kämpfe gab Admiral Blake taktische Instruktionen heraus, in denen unter anderem die rangierte Kiellinie und der Angriff aus der Luvstellung empfohlen wurden. Die in die Flotte eingereihten bewaffneten Handelsschiffe, welche die taktischen Manöver behinderten, wurden nach Möglichkeit wieder aus den Kampfgeschwadern genommen und für Nebenaufgaben verwendet. England teilte als erster Staat die Kriegsschiffe in sechs Rangklassen ein, wobei zunächst die Stärke der Besatzung gewertet wurde. Ab dem 18. Jahrhundert wurde die Anzahl der Kanonen für diese Klassifizierung herangezogen, die dann auch von den übrigen Nationen übernommen wurde. Mit geringen Änderungen war die Einteilung in England wie folgt:

1st rate	Schiff mit über	100 Kanonen
2nd rate	Schiff mit über	90 Kanonen
3rd rate	Schiff mit	60–80 Kanonen
4th rate	Schiff mit	38–50 Kanonen
5th rate	Schiff mit	18–40 Kanonen
6th rate	Schiff mit unter	24 Kanonen

Nur die Schiffe der ersten drei Klassen waren zum Kampf in der Schlachtlinie geeignet, sie wurden daher in der Folge **Linienschiffe** genannt. Die Schiffe der ersten beiden Klassen und die 80 Kanonenschiffe der dritten Klasse waren später meist Dreidecker, d.h. Schiffe mit drei Artilleriedecks übereinander, die übrigen Schiffe der dritten Klasse waren meist Zweidecker. Die vierte Klasse hieß anfangs meist einfach „Ship", später waren die **Fregatten** zunächst Schiffe der fünften, später der vierten Klasse. Die Schiffe der sechsten Klasse hießen in England Sloops, am Kontinent Korvetten.

Nach der allgemeinen Anerkennung des Commonwealth wechselte Cromwell wieder die Bündnisse. Er bereitete England auf einen **Krieg mit Spanien** vor. Mit Portugal wurde ein Bündnis geschlossen, wodurch diese Nation in ihrem noch immer andauernden Kampf um die Unabhängigkeit von Spanien unterstützt wurde. Cromwell näherte sich Frankreich an, das noch immer im Krieg mit Spanien lag, und bereitete zwei Expeditionen, eine in das Mittelmeer unter Blake und eine nach Westindien unter Penn, vor. Letzterer sollte den englischen Einfluß in Westindien ausbauen und dadurch das Handelsmonopol der Spanier weiter zurückdrängen. Blake war beauftragt, das Ansehen der englischen Flagge, das im Krieg gegen die Niederlande im Mittelmeer gelitten hatte, dort wieder herzustellen und bei Beginn der Feindseligkeiten in Westindien Cádiz zu blockieren. Beide Admirale konnten ihre Aufgabe erfüllen. In Flandern wurden die Franzosen, die noch wenige Jahre vorher an der Eroberung von Dünkirchen gehindert wurden, nun bei dessen Einnahme unterstützt.

Der Überseehandel der **Niederlande** erholte sich rasch von dem ersten Rückschlag im vergangenen Krieg. In den folgenden drei Jahrzehnten gelang es der Vereinigten Ostindischen Kompanie, die Kontrolle über beinahe den gesamten Seeverkehr im Indischen Ozean und in Insulinde zu erlangen. Die Portugiesen wurden zu dieser Zeit aus ihren letzten Stützpunkten vertrieben.

Nach dem Pyrenäenfrieden mit Spanien (1659) wurde **Frankreich** unter Ludwig XIV. rasch zur stärksten Landmacht in Europa. Gleichzeitig baute sein Minister Jean B. Colbert bis zu seinen Tode (1683) die französische Flotte zu einem erstrangigen Machtinstrument aus und wies seinem Land den Weg nach Übersee. Unter seiner Leitung wurden Brest, Rochefort und Toulon zu Marinestützpunkten ausgebaut, Werften und Schulen errichtet, die Verwaltung organisiert sowie Stützpunkte in Kanada, Westindien und Ostindien angelegt.

In **England** war 1658 Oliver Cromwell gestorben, bereits ein Jahr später versank das Land in Chaos. Admiral Monk ließ ein neues Parlament wählen, in dem die Royalisten über die Mehrheit verfügten. Das Parlament rief die Stuarts zurück, und Karl II. bestieg 1660 den Thron. Er übernahm die bewährte Organisation der Flotte, ernannte seinen Bruder Jakob, den Herzog von York, zum Lord High Admiral, des weiteren Monk zum Herzog von Albermarle und beließ die meisten Admirale in ihren Stellungen. Für die militärischen Aufgaben in Übersee wurde eine eigene Truppe, das Marine Corps, aufgestellt.

Gegen die immer stärkere Vormachtstellung von **Schweden** unter König Karl X. Gustav lehnte sich Dänemark auf und erklärte schließlich 1657 den Krieg. Die Schweden eroberten jedoch die dänischen Provinzen im heutigen Südschweden und zwangen Dänemark zu deren Abtretung im Frieden von Roskilde (1658). Da über dessen Durchführung keine Einigung erzielt wurde, setzte Schweden den Krieg fort, eroberte Seeland und belagerte Kopenhagen. Für die Niederländer war der ungehinderte Schiffsverkehr durch den Öresund so wichtig, daß es nicht untätig zusehen konnte, wie beide Seiten dieser Meeresenge erneut unter die Kontrolle einer einzigen Macht gerieten. Der Leiter der niederländischen Politik, der Ratspensionär Jan de Witt, griff daher offen in den Krieg ein, nachdem schon vorher Dänemark unterstützt worden war. Ein starkes niederländisches Geschwader wurde nach Kopenhagen geschickt, das nach einem blutigen Sieg über die schwedische Flotte die dänische Hauptstadt von der Belagerung befreite und dadurch dem Krieg eine neue Wendung gab.

Auch die Engländer, die am Verkehr in die Ostsee ebenfalls interessiert waren, entsandten ein Geschwader in das Kattegat, mußten aber bald wieder heimkehren, da gerade die Restauration der Stuarts im Gange war und daher die Innenpolitik für kurze Zeit auch für die Flotte Vorrang hatte. In einer Konferenz in Den Haag einigten sich England, Frankreich und die Niederlande über das Vorgehen in Dänemark. Truppen der Verbündeten griffen aktiv in die Kämpfe ein. Nach dem Tod von König Gustav X. kam es zum Frieden von Kopenhagen, in dem Dänemark auf die Besitzungen in Südschweden verzichten mußte, der aber im übrigen vorteilhaft für Dänemark war. Der Sund war nun als internationale Wasserstraße anerkannt und abgabenfrei zu passieren.

Die **Niederlande** konnten in der Folge mit Frankreich einen Beistandspakt schließen, mit England gerieten sie jedoch schnell wieder an den Rand eines Krieges. König Karl II. war ein entschiedener Gegner des Republikaners Jan de Witt. Zu dieser persönlichen Abneigung kamen der alte Handelsgegensatz und die rücksichtslose Behandlung der englischen Kaufleute vor allem in Insulinde. Als Repressalie ließ König Karl II. 1664 von der Flotte die niederländischen Besitzungen an der Guineaküste von Westafrika und Neu-Amsterdam in Nordamerika, das in New York umbenannt wurde, wegnehmen. Ein niederländisches Geschwader unter de Ruyter eroberte die Besitzungen wieder zurück. Als zu Jahresende die Engländer in der Straße von Gibraltar einen niederländischen Geleitzug aus Smyrna überfielen, brach der Krieg auch in Europa in voller Stärke aus.

Dieser Krieg war wie der erste zwischen den beiden Ländern ein reiner See- und Handelskrieg. Auch strategisch war die Lage analog. Die Entscheidung mußte im Kampf um die Seeherrschaft in den „Narrow Seas", den Gewässern beiderseits der Kanalenge fallen. Beide Länder hatten in Erwartung des Kampfes ihre Kriegsflotte verstärkt. Schnelle Aufklärungs- und Depeschenschiffe, die Avisos, waren gebaut worden.

Frankreich zögerte trotz des Bündnisvertrages lange mit der Unterstützung der Niederlande. Es erklärte England im Jänner 1665 aber doch den Krieg. Weder das französische Heer noch die Flotte griffen jedoch ernsthaft in die Kämpfe ein. Aber allein mit ihrem Auftreten im westlichen Ärmelkanal übte die französische Flotte eine Diversionswirkung aus und zog ein englisches Geschwader vom Brennpunkt der Kämpfe ab, bis die Engländer den mangelnden Kampfeswillen der Franzosen erkannten und ihre Flotte wieder konzentrieren konnten. Ludwig XIV. war mit seinen Sympathien mehr auf der Seite des royalistischen Englands als der republikanischen Niederlande und hatte wahrscheinlich in einem Geheimbefehl seiner Flotte Zurückhaltung auferlegt. Dänemark trat ebenfalls auf der Seite der Niederlände in den Krieg ein. Dadurch wurde den Engländern der Weg in die Ostsee erneut versperrt.

In den großen Seeschlachten waren die stärkeren englischen Schiffe im allgemeinen im Vorteil. Vor allem die bessere Disziplin der englischen Kapitäne und der geschlossenere Einsatz der Geschwader gaben den Engländern immer wieder ein Übergewicht, das auf der Seite der Niederländer nur durch die überragende Führerpersönlichkeit von Admiral de Ruyter einigermaßen ausgeglichen wurde. Die Pest in England und der große Brand von London zwangen die Engländer jedoch an den Verhandlungstisch. Und als de Ruyter sogar auf der Themse erschien, kam es zum Frieden von Breda, in dem sich die Niederlande zur Abtretung von Neu-Amsterdam/New York bereit erklärten, dafür aber eine Erleichterung der Navigationsakte erreichten. Für England bestimmte Waren, die auf dem Rhein nach den Niederlanden kamen, durften nun auch wieder auf niederländischen Schiffen weitertransportiert werden. Die alte Handelsrivalität blieb jedoch bestehen.

Die neueren Linienschiffe hatten bereits eine große Standfestigkeit erlangt und waren durch Artillerie allein kaum zu versenken. **Brander** spielten in diesem Krieg daher eine große Rolle. Die Engländer kämpften dank ihrer stärkeren Artillerie wenn möglich in eng geschlossener Kiellinie, wo ihre Breitseiten voll zur Wirkung kamen. De Ruyter versuchte daher mit seinen leichteren Schiffen den Nahkampf und das Meleé. Trotz größten Bemühens gelang es ihm jedoch oft nicht, seine Unterführer von Einzelaktionen abzuhalten.

Nach dem Tod des spanischen Königs Philipp IV. (September 1665) erhob Ludwig XIV. im Namen seiner Frau Erbansprüche auf Teile der spanischen Niederlande nach dem Devolutionsrecht, einer besonderen Art der dortigen Erbfolge. Auch aus diesem Grund hatte Ludwig XIV. die Niederlande in ihrem Krieg gegen England nur unzureichend unterstützt, da er sich bereits auf einen neuen Krieg gegen das geschwächte Spanien vorbereitete. Er schloß mit Portugal ein Bündnis und begann im Sommer 1667 den sogenannten **Devolutionskrieg** gegen Spanien mit Eroberungen in deren Niederlanden. Die spanischen Niederlande in den Händen Frankreichs war jedoch sowohl für England als auch für die Niederlande unannehmbar. Diese beiden Länder schlossen sich daher mit Schweden zur sogenannten Tripelallianz zusammen, die Frankreich zum Vertrag von Aix-la-Chapelle/Aachen (Mai 1668) nötigte. Darin durfte Frankreich einige der Eroberungen behalten, mußte im übrigen aber mit Spanien Frieden schließen. Spanien mußte in diesem Vertrag auch die Unabhängigkeit von Portugal anerkennen, womit dessen fast 30jähriger Unabhängigkeitskampf zu einem Abschluß kam.

Ludwig XIV. machte für diesen für ihn schmachvollen (wenn auch einträglichen) Frieden die Niederlande verantwortlich. Gegen die von ihm ohnehin verachteten Republikaner begann er nun eine Einkreisungspolitik, die schließlich zum **Koalitionskrieg** gegen die Niederlande führte.

Zuerst gelang Ludwig XIV. ein Geheimvertrag mit England, wonach die beiden Monarchien sich die Niederlande aufteilen sollten. Zwei Jahre später schloß er ein Bündnis mit Karl XI. von Schweden und vollendete schließlich die Einkreisung durch die Bündnisse mit den Reichsbischöfen von Köln und Münster. Zunächst begann Frankreich einen Wirtschaftskrieg gegen die Niederlande mit Zöllen und Handelsbeschränkungen für die Schiffahrt. Schließlich setzten die englischen Kampfhandlungen mit dem Überfall auf einen Geleitzug der Niederlande im Ärmelkanal ein. Die Kriegserklärungen folgten kurz darauf. Die Truppen Frankreichs und der Fürstbischöfe von Köln und Münster drangen von Osten in den Süden der Niederlande ein, die sich nur durch Öffnen der Dämme und Überfluten des flachen Landes zunächst eine Atempause verschaffen konnten. Der Koalition der beiden Großmächte und der Bischöfe standen die Niederlande fast allein gegenüber. Sie wurden lediglich von Brandenburg unterstützt und mußten sich daher diesmal nicht nur zur See gegen die beiden stärksten Flotten verteidigen, sondern auch einen kräftezehrenden Landkrieg führen.

Bereits zu Jahresbeginn 1672 wurde der junge Prinz Wilhelm III. von Oranien zum Oberbefehlshaber des Heeres ernannt, als aber die republikanische Regierung mit Verhandlungen über eine mögliche Kapitulation begann, wurde Wilhelm III. zum Statthalter der Niederlande mit fast diktatorischen Vollmachten berufen. Trotz seiner großen Verdienste um die Niederlande wurde im August der ehemalige republikanische Regierungschef Jan de Witt mit seinem Bruder vom Pöbel in Den Haag ermordet.

Wilhelm III. gelang es innerhalb weniger Tage, die innenpolitischen Spannungen auszugleichen und das Volk zur nationalen Verteidigung hinter sich zu vereinen. Dazu kam ihm entgegen, daß sich wegen der Eroberungspolitik von Ludwig XIV. eine Reihe europäischer Staaten gegen Frankreich wandte. Der deutsche Kaiser mit seiner österreichischen Hausmacht sowie Dänemark traten noch im selben Jahr an die Seite der Niederlande. Spanien trat im folgenden Jahr zum Schutz seiner Niederlande in den Krieg ein, und die französischen Truppen wurden zum Rückzug aus den Niederlanden genötigt. Admiral de Ruyter gelang es mit der niederländischen Flotte, die Küste zu decken, wodurch verhindert werden konnte, daß die Feinde durch Landungen eine zweite Front eröffnen. Durch den Regierungswechsel in den Niederlanden war für die englische Krone der triftigste Grund am Krieg teilzunehmen weggefallen. Das englische Volk hatte schon immer mehr Sympathien für die protestantischen Niederlande als für das gefährlich werdende katholische Frankreich. Als nun auch die französische Flotte die englische in den Seeschlachten nur sehr mangelhaft unterstützte, kam es im Februar 1674 zum Frieden von Westminster zwischen England und den Niederlanden.

Frankreich sah sich nun seinerseits einer starken Koalition gegenüber. Die Niederlande gingen sofort zur Offensive über. Ein Geschwader blockierte die französische Westküste, ein weiteres ging in das Mittelmeer und unterstützte dort die Spanier gegen die auf Sizilien gelandeten Franzosen. Sowohl der Landkrieg als auch der Seekrieg brachten keine rasche Entscheidung, und mit Fortdauer des Kriegs konnten die englischen Kaufleute und jene der anderen Nationen verstärkt in den niederländischen Überseehandel einbrechen. Die Niederlande schlossen daher im August 1678 mit Frankreich den Frieden von Nimwegen, in dem sie ihren Besitzstand halten konnten.

Im folgenden Jahr unterzeichnete Spanien den Vertrag, in dem es große Gebiete im heutigen Frankreich abtrat. Erst im Februar 1679 verzichtete das Deutsche Reich auf Teile des Elsaß und auf den Breisgau.

Strategisch war der erste englisch-niederländische Krieg ein reiner Seekrieg mit Kampf um den Seehandel der Niederlande. Im zweiten Seekrieg zwischen den beiden stand der Kampf der Schlachtflotten um die Seeherrschaft im Vordergrund. Der dritte Krieg war ein kombinierter See- und Landkrieg, in dem die Verbündeten vergeblich versuchten, Landungsoperationen an der Küste der Niederlande durchzuführen. In diesem letzten der drei Seekriege wurde die Taktik bereits auf eine hohe Stufe gebracht. Durch das Ausscheiden der bewaffneten Kauffahrer aus den Schlachtflotten bestanden die Geschwader aus einheitlichem Schiffsmaterial. Durch das enge Zusammenhalten der Linien hatten Brander nur mehr Erfolge gegen Havaristen und verankerte Schiffe (Palermo 1676).

Mit der Auseinandersetzung zwischen Frankreich und den Niederlanden stand der Seekrieg in der Ostsee zwischen Schweden und Dänemark in enger Verbindung. Dieser Krieg wird als der **Schonensche Krieg** bezeichnet, da darin Dänemark versuchte, diese im letzten Krieg gegen Schweden verlorene Provinz in Südschweden zurückzugewinnen. Schweden war seit dem Dreißigjährigen Krieg die dominierende Macht im Ostseeraum. Es verfügte über Außenbesitzungen im Baltikum und in Norddeutschland und hatte im Frieden von Roskilde 1658 die dänischen Provinzen in Südschweden gewonnen. Die Niederländer, die zwei Drittel des Seehandels in, von und nach der Ostsee kontrollierten, aber auch die Engländer waren an einem Gleichgewicht der Kräfte in der Ostsee interessiert und beobachteten mißtrauisch die Machtausweitung der Schweden.

Als nun 1675 Schweden aufgrund seines Bündnisvertrages mit Frankreich, das gegen die Niederlande kämpfte, Brandenburg angriff, wurde auch das Ostseegebiet in die Auseinandersetzung hineingezogen. Nach der Niederlage des schwedischen Heeres gegen die Brandenburger bei Fehrbellin griff Dänemark, unterstützt von den Niederländern, Schweden an. Durch den

Friedensschluß mit den Engländern im Jahr vorher konnte die Flotte der Niederlande nicht nur im Atlantik die Initiative ergreifen und im Mittelmeer den Franzosen die Stirn bieten, sondern auch ein Geschwader in die Ostsee senden, um die Dänen dort aktiv zu unterstützen.

In diesem kombinierten Land- und Seekrieg verfügten die Dänen in Niels Juel über ihren bedeutendsten Flottenbefehlshaber, der ihnen die Seeherrschaft erringen konnte. Auch Brandenburg war nicht nur zu Land erfolgreich, sondern es suchte auch zur See eine Rolle zu spielen. Diese Bestrebungen blieben jedoch nur Episode. Trotz der Rückschläge kam Schweden im Frieden von Lund 1679 dank der Diplomatie Ludwigs XIV. fast ohne Gebietsverluste weg. Die dänische Flotte hatte sich dank Juel der niederländischen in diesem Krieg durchaus gleichwertig gezeigt.

Frankreich, dessen Heere in Europa gegen eine ganze Koalition bestanden hatten, war nun am Höhepunkt seiner Macht. Das von Colbert geschaffene Flottenbauprogramm trug seine Früchte. Die besten Linienschiffe wurden auf den französischen Werften gebaut, der französische Handel begann sich über die ganze Welt auszubreiten und Ludwig XIV. betrachtete sich dem deutschen Kaiser an Ansehen zumindest als ebenbürtig. Französische Geschwader erzwangen mehrfach von spanischen und niederländischen Geschwadern den Flaggengruß.

Der gefährlichste Gegner erwuchs Frankreich weder im herabgekommenen Spanien noch im zerrissenen Kaiserreich, sondern in der Vereinigung der beiden protestantischen Nachbarn im Norden. Was Cromwell angestrebt hatte, ihm aber nicht gelungen war, das brachte nun der Druck Frankreichs zustande: die Vereinigung von **England und den Niederlanden** in Personalunion.

Nach dem Tod König Karls II. von England 1685 kam dessen Bruder, der zum Katholizismus übergetretene Herzog von York, als Jakob II. auf den Thron. Die Heirat des Statthalters der Niederlande, Wilhelm III. von Oranien, mit der protestantischen Tochter aus der ersten Ehe des englischen Königs und das Widerrufen des Edikts von Nantes in Frankreich, das Scharen von Protestanten zur Emigration aus Frankreich zwang, brachten eine immer stärkere Annäherung Englands und den Niederlanden. Nur die Interessen des katholischen Königs von England stimmten mit jenen von Ludwig XIV. überein, ganz im Gegensatz zum Großteil der Bevölkerung von England.

Am Kontinent hatte sich mittlerweile gegen die ständigen Eingriffe in die innerdeutschen Angelegenheiten die Liga von Augsburg gebildet, der neben Reichslanden auch die Niederlande und Spanien angehörten. Als Ludwig XIV. im Erbfolgestreit in der Pfalz im Interesse seiner Nichte dort einrückte, kam es zum Krieg, der als **Pfälzischer Erbfolgekrieg** oder Krieg der Liga von Augsburg bekannt ist.

Wilhelm III. von Oranien nützte die Gelegenheit, ließ sich vom englischen Parlament ins Land rufen und bestieg mit seiner Frau den englischen Thron („**Glorious Revolution**"). Englands Volk, Heer und Marine nahmen die beiden willig und kampflos auf. Jakob II. floh nach Frankreich in die Emigration. Ludwig XIV. hatte verabsäumt, die Landung der Niederländer in England zu verhindern, obwohl eine Flotte dazu durchaus imstande gewesen wäre. Anfang 1689 war dadurch die unblutige „Revolution" in England zu Ende und Wilhelm III. griff sofort mit seinen beiden Seemächten, wegen der Unterstützung von Jakob II. durch Frankreich, in den Pfälzischen Erbfolgekrieg ein. Frankreich stand nun der „Großen Allianz" von Österreich, Spanien, den Niederlanden, England und einigen weiteren kleineren Staaten gegenüber.

Frankreich legte das Schwergewicht auf den Landkrieg und verwendete die Flotte zum Küstenschutz, Handelskrieg und eventuell zur Deckung von Landungsoperationen. Die Seemächte dagegen legten das Schwergewicht auf die Blockade der französischen Küsten und auf den

Krieg in Übersee. Zunächst konnte die französische Flotte Jakob II. in Irland landen, sie war aber nicht imstande, die Seeverbindung von Irland nach England zu unterbrechen, so daß Wilhelm III. Jakob II. wieder vertreiben konnte.

Der Versuch Frankreichs, den Krieg durch eine Invasion direkt nach England zu tragen, wurde in der Seeschlacht bei Barfleur und La Hougue zunichte gemacht. Diese Niederlage bedeutete nicht nur eine Wende des Krieges, sondern bildete seither ein ständiges Trauma für die französische Flotte und gab ihr ein Gefühl der Unterlegenheit. Die restlichen Jahre des Krieges verlegte sie sich auf den Kaperkrieg, der mit viel Erfolg betrieben wurde und der auch in den späteren Kriegen ein Schwerpunkt der französischen Seekriegsführung war.

In den folgenden Jahren ging der Großteil der englischen Flotte in das Mittelmeer, wo die Spanier unterstützt wurden. Doch wurden die französischen Kaperschiffe im Ärmelkanal aufgrund des entstandenen Vakuums zu einer unerträglichen Plage. Erst die Rückkehr der Flotte brachte wieder einigermaßen Sicherheit.

In den Kolonien kämpften kleine Geschwader der Kolonisten von New York, Neuengland und der Hudson-Bucht gegeneinander. Im Indischen Ozean eroberte 1693 ein Geschwader der Niederlande von 23 Schiffen den französischen Stützpunkt Pondicherry. Frankreich wurde schließlich im Frieden von Rijswijk genötigt, alle Eroberungen in Katalonien und in den spanischen Niederlanden wieder herauszugeben, auf die Erbansprüche in der Pfalz zu verzichten und alle rechtsrheinischen Ansprüche aufzugeben. Straßburg und das Elsaß durfte es aber behalten.

In diesem Krieg zeigte sich die unauffällige Wirkung einer Seeblockade durch eine überlegene Seemacht. Nach diesem Krieg begann auch der allmähliche Niedergang der Seegeltung der Niederlande. Nur mehr Großmächte, zu denen die Niederlande bald nicht mehr zählten, konnten sich Flotten in der Größe leisten, mit denen sie in den Kampf um die Weltmeere eingreifen konnten.

Im **Mittelmeer** waren die Seemächte in zunehmendem Maße gezwungen, gegen die Piraterie der Barbareskenstaaten vorzugehen. Während der Seekriege in Westeuropa, wo deren Flotten im Kampf gegeneinander beschäftigt waren, nahmen deren Aktionen immer größere Ausmaße an. Nach jedem Friedensschluß mußten die Kriegsflotten daher im Mittelmeer gegen die Piratenstützpunkte vorgehen. In regelrechten Seekriegen wurden die einzelnen Beys zu Übereinkommen genötigt, an die sie sich jedoch niemals hielten. Die kleineren seefahrenden Nationen waren oft gezwungen, durch jährliche Tributzahlungen ihren Handelsschiffen Bewegungsfreiheit zu erkaufen.

Nach der Niederlage der Türken vor Wien (1683) trat Venedig der „**Heiligen Liga**" (Kirchenstaat, Österreich, Polen) gegen das Osmanische Reich bei. Kriegsziel von Venedig war die Eroberung der Halbinsel Morea/Peloponnes. Im Gegensatz zum Krieg um Kreta bestand nun der Kern der Flotten auch in der Levante aus Segellinienschiffen. Die noch vorhandenen Galeerengeschwader spielten nur mehr eine Nebenrolle. Auf der Seite Venedigs kämpften zeitweise Schiffe aus Spanien, Portugal, Malta, der Toskana und des Kirchenstaates. In den zahlreichen Seeschlachten wurde zwar lange und manchmal heftig, doch fast immer ohne Entscheidung gekämpft. Rußland erklärte 1695 den Türken ebenfalls den Krieg und mit der Eroberung von Asow stieß das Zarenreich erstmals an das Schwarze Meer vor.

Nach der Niederlage der Türken bei Zenta durch die Österreicher unter Prinz Eugen mußten die Osmanen schließlich den Frieden von Karlowitz unterzeichnen, in dem Venedig die eroberte Peloponnes behalten durfte.

Die niederländische **Vereinigte Ostindische Kompanie (VOC)** war in der zweiten Hälfte des 17. Jahrhunderts am Höhepunkt ihrer Macht. Mit der Kontrolle der wichtigen Meerengen – der Straße von Malakka und der Sunda-Straße – beherrschte sie den Schiffsverkehr von Insulinde in den Indischen Ozean, damit den einträglichen Gewürzhandel und den Handel von China nach dem Westen. In kleinen Schritten wurde bis zum Ende des 19. Jahrhunderts das heutige Indonesien in den Besitz der Niederlande gebracht.

Die britische **Ostindische Kompanie (EIC)** begann mit dem Aufbau eines Netzes von Handelsstützpunkten in Vorderindien und Bengalen, mußte dabei aber einige Rückschläge hinnehmen. Mehrfach wurden die Faktoreien zu Lande und zur See von den Geschwadern der Einheimischen blockiert und manche Stützpunkte mußten vorübergehend geräumt werden.

Der in den chinesischen Bürgerkriegen zu Reichtum und Macht gelangte Freibeuter Koxinga (Guoxingye) vertrieb die Niederländer von der Insel **Taiwan/Formosa**, die von den Niederländern rund 30 Jahre kontrolliert wurde. Seine Nachkommen übergaben die Insel 20 Jahre später an China, wodurch sie erstmals in dessen Besitz gelangte.

Das **Sultanat Oman** am Persischen Golf errichtete in der Arabischen See eine lokale Seeherrschaft und konnte die Portugiesen aus Maskat und später auch aus deren ostafrikanischen Besitzungen vertreiben. Für fast 200 Jahre beherrschte es in der Folge den lokalen Handel in diesem Seegebiet.

Auf dem Gebiet der **Kultur** war die hier geschilderte Zeit jene des frühen Barock. Nach den großen Schäden durch den Dreißigjährigen Krieg stand in Deutschland der Wiederaufbau nach den großen Verwüstungen im Vordergrund. Durch den wirtschaftlichen Aufschwung entstanden vor allem Schlösser, Wallfahrtskirchen und Abteien. Bedeutende Beispiele für das Frühbarock in Europa sind das Kloster Banz am oberen Main (1698ff), das Berliner Schloß (1698ff), Stift Melk (1702ff), Schloß Schönbrunn in Wien (1695ff), Schloß Nymphenburg in München (1663ff), ferner Sant' Andrea al Quirinale in Rom (1642ff), San Ivo in Rom (1642–1660), San Lorenzo in Turin (1668ff), der Invalidendom in Paris (1675ff), die St.-Pauls-Kathedrale in London (1675ff), Schloß Versailles (1661ff) und Schloß Blenheim (1705ff) in England.

2. September 1650	**England.** „Lord Protektor" Oliver Cromwell siegt über die Schotten bei Dunbar und genau ein Jahr später bei Evesham. Er zieht dann im Triumph in London ein und ist unbestrittener Herrscher in England, Schottland und Irland.
1651	**Indien.** Die britische EIC erhält vom Mogulreich die Erlaubnis, mit Bengalen Handel zu treiben, und richtet am Fluß Hoogly eine Faktorei ein. 40 Jahre später wird in der Nähe die Stadt Kalkutta gegründet.

1652–1654 Der erste Seekrieg England gegen die Niederlande

Oktober 1651	**Navigationsakte.** Cromwell erläßt dieses Gesetzespaket, dessen Bestimmungen gegen die Niederlande gerichtet sind. Sie sind für die Niederlande unannehmbar und führen innerhalb kurzer Zeit zum Ausbruch des Krieges.
29. Mai 1652	**Seeschlacht bei Dover.** Admiral Tromp d. Ä. begegnet im Ärmelkanal einem englischen Geschwader unter Admiral Blake. Die Engländer sind mit rund 25 Schiffen gegen 40 der Niederländer an Zahl unterlegen. Trotzdem fordert Blake mit scharfem Schuß den Flaggengruß. Tromp antwortet mit einer Breitseite seines Flaggschiffes. Es folgt ein mehrstündiger Kampf, bei dem die Niederländer zwei Schiffe verlieren. Beide Länder rüsten nun für den Krieg.

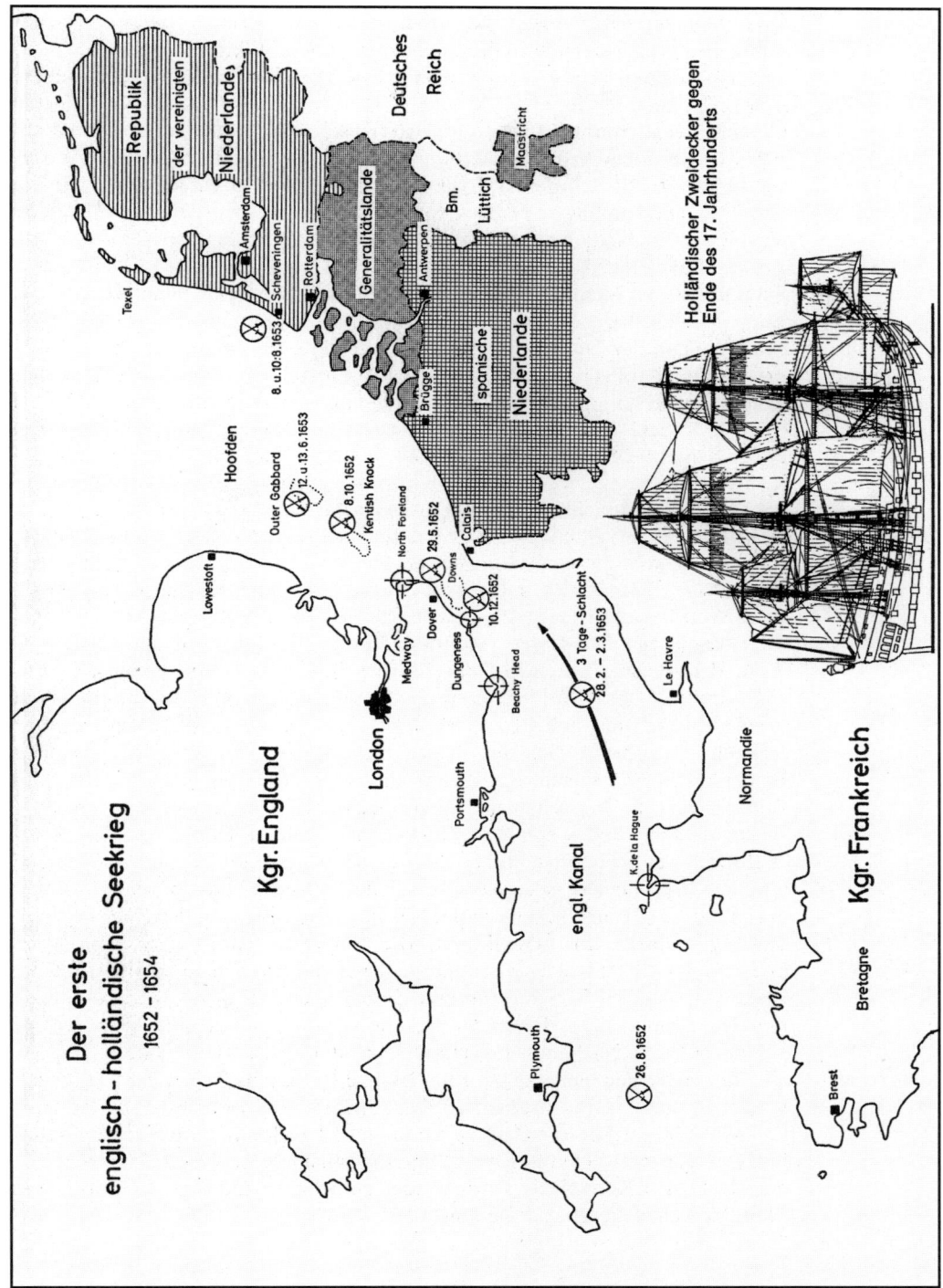

Juli 1652	Zwei Monate später erfolgt die offizielle Kriegserklärung. Die Niederländer sammeln ihre aus dem Westen kommenden Handelsschiffe vor Frankreich zu einem Geleitzug. In der Gegenrichtung wird ebenfalls bis zur Insel Quessant im Konvoi gefahren.
26. August 1652	**Gefecht bei Plymouth.** Vizeadmiral Michael de Ruyter deckt ein niederländisches Geleit nach dem Westen. Am Nachmittag versucht ein englisches Geschwader von 40 Schiffen und fünf Brandern unter Vizeadmiral Ayscue die Niederländer abzufangen. Mit seinen 30 Schiffen und sechs Brandern liefert de Ruyter den Engländern ein erfolgreiches Gefecht und drängt sie nach Plymouth zurück. Der Geleitzug gelangt sicher aus dem Ärmelkanal.
8. Oktober 1652	**Seeschlacht bei Kentish Knock.** Die niederländische Flotte unter Vizeadmiral Witte de With, Vizeadmirale de Ruyter und Jan Evertsen, läuft in den Ärmelkanal, um die in den Downs liegende englische Flotte anzugreifen. Admiral Blake mit Vizeadmiral Penn kommt de With entgegen und nimmt die Schlacht an. Die beiden Flotten sind mit je rund 65 Schiffen ungefähr gleich stark. Sie treffen bei Kentish Knock, einer Untiefe vor der Themsemündung, aufeinander, wobei einige englische Schiffe festlaufen. Die Schlacht zieht sich dann in südlicher Richtung hin. In regellosem Kampf wird von Gruppen und Einzelschiffen erbittert gerungen. Schließlich tragen die größeren englischen Schiffe den Sieg davon. Die Niederländer verlieren drei Schiffe, der Rest ist zum Teil schwer beschädigt. Cromwell glaubt die niederländische Flotte vernichtet und schickt Teile seiner Flotte zum Handelskrieg und Geleitschutz in die Nordsee und in den westlichen Ärmelkanal. Mit nur 45 Schiffen bleibt Blake in den Downs.
10. Dezember 1652	**Seeschlacht bei Dungeness.** Admiral Tromp d. Ä. soll mit der verstärkten Flotte der Niederlande einen Geleitzug von 300 Handelsschiffen nach La Rochelle bringen und von dort einen anderen Geleitzug abholen. Um sich den Weg freizukämpfen, geht Tromp Blake entgegen. Es kommt bei Dungeness zur Schlacht. Tromps 70 Schiffen stehen diesmal nur 37 englische gegenüber. Blake eröffnet mit seinem Flaggschiff >Triumph< (62) den Kampf. Zwei Engländer legen sich längsseits von Tromps Flaggschiff >Brederode< und versuchen zu entern. Ein zweites Schiff der Niederländer kommt Tromp zu Hilfe. Beide englischen Schiffe werden erobert. Blake verliert noch drei weitere Schiffe und muß den Weg für das niederländische Geleit freigeben. Tromp bringt es sicher nach La Rochelle und macht sich mit 150 Handelsschiffen auf den Rückweg.
28. Februar bis 2. März 1653	**Dreitageschlacht im Ärmelkanal.** Die Engländer haben nach der letzten Schlacht ihre Flotte wieder zusammengezogen und durch neue Schiffe verstärkt. Blake verfügt über 70 Schiffe in drei Geschwadern. Er selbst führt zusammen mit Gen. Dean auf der >Triumph< (62), die Vorhut wird von Gen. Monk auf der >Vanguard<, die Nachhut von Admiral Penn auf der >Speaker< geführt.
28. Februar	Die Flotten sichten einander bei Kap Barfleur (Cotentin). Tromp läßt das Geleit beidrehen und greift mit seinen 70 Kriegsschiffen an. Er selbst führt die Vorhut, Vizeadmiral Jan Evertsen die Mitte und Vizeadmiral de Ruyter die Nachhut. Den ganzen Nachmittag wird ohne Entscheidung gekämpft. Tromp läßt in der Nacht den Konvoi die Fahrt wieder aufnehmen und legt sich mit seiner Flotte zwischen diesen und die Engländer.

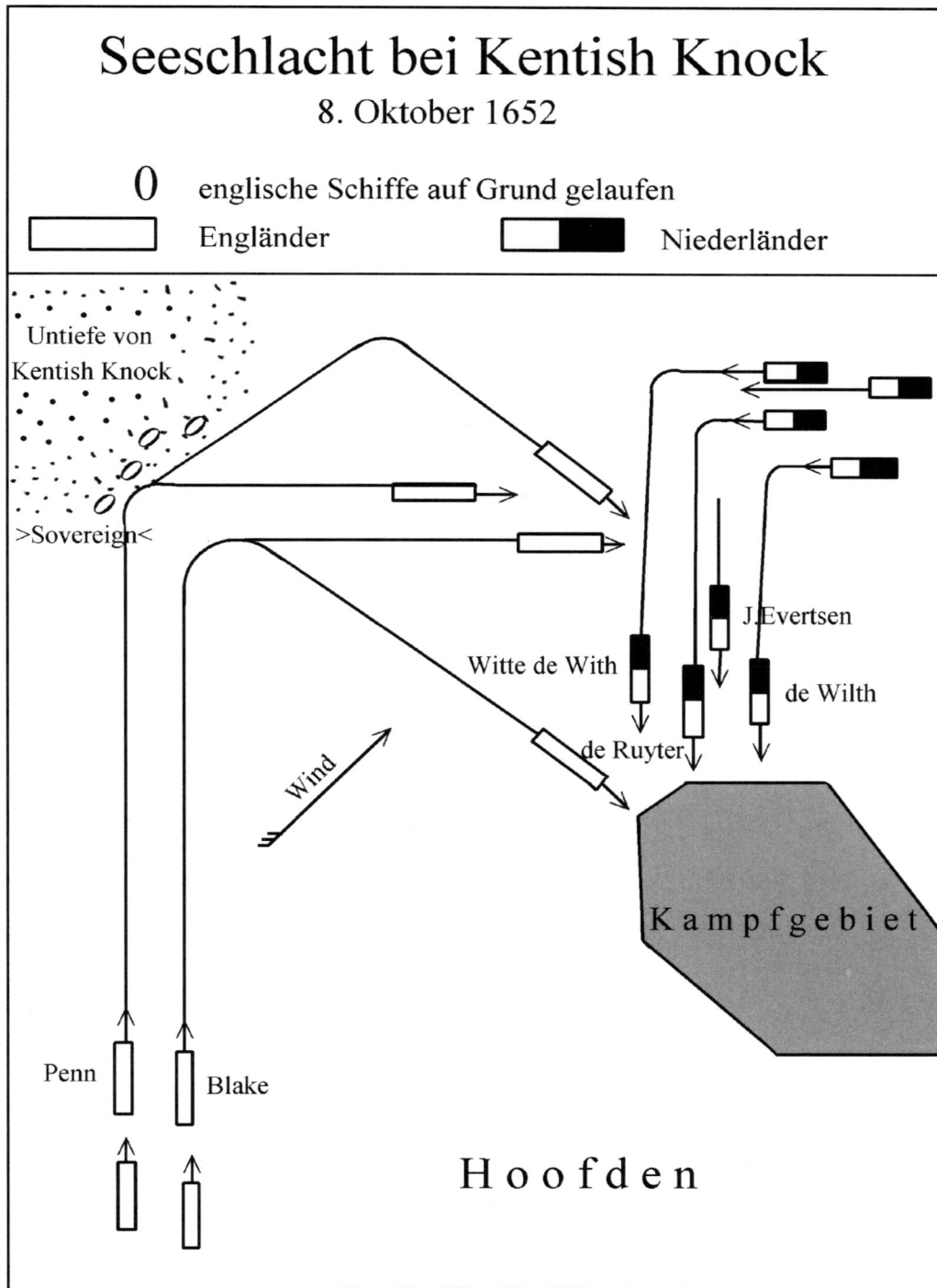

1. März	In einem Verfolgungskampf versuchen die Engländer immer wieder vergeblich an das Geleit heranzukommen. Nur einige Nachzügler fallen ihnen in die Hände. Bei einigen Kriegsschiffen der Niederländer geht bereits die Munition aus.
2. März	Am Morgen sind die Niederländer auf der Höhe von Beachy Head. Um 9 Uhr greift Blake erneut an. Tromp hat nur noch 30 voll einsatzfähige Schiffe bei sich. Den Engländern gelingt es nun, mit ihren schnellen Fregatten an den Geleitzug heranzukommen und eine Anzahl von Handelsschiffen zu erobern. Tromp kann sich nur mit Mühe der Engländer erwehren, einem Schiff nach dem anderen geht die Munition aus. Da bricht Blake aus unbekanntem Grund die Schlacht ab. Trotzdem ist der Erfolg der Engländer groß.
	Die Niederländer verlieren in den drei Tagen elf Kriegsschiffe, 30 Handelsschiffe und beklagen 2000 Tote, die Engländer nur ein Schiff, aber fast 1000 Mann. Blake ist verwundet, Monk übernimmt das Kommando. Mit dem Einbringen eines großen Teiles des Geleitzuges hat Tromp seine Aufgabe im wesentlichen erfüllt.
	Beide Länder rüsten kräftig weiter. Man sucht nun den Kampf um die Seeherrschaft. Im April löst Cromwell das „Lange Parlament" auf und beginnt seine Alleinregierung.
Mai 1653	Im Frühjahr befindet sich die niederländische Flotte wieder auf Kriegsstärke. Admiral Tromp läuft in das Kattegat und geleitet 200 Kauffahrer nach Hause. Anschließend beschießt er Dover und vernichtet in den Downs einige englische Handelsschiffe. Unmittelbar darauf trifft er auf die kampfbereite englische Flotte.
12. und 13. Juni 1653	**Seeschlacht bei Outer Gabbard** (North Foreland). Gen. Monk, Flaggschiff >Resolution< (88), führt die englische Flotte von 115 Schiffen, darunter fünf Brander und 30 bewaffnete Handelsschiffe, mit zusammen 3840 Kanonen und 16.300 Mann. Geschwaderkommandanten sind Admiral Penn mit der >James< (66) und Admiral Lawson mit der >George< (58). Die Flotte der Niederländer unter Tromp, Flaggschiff >Brederode<, Vizeadmiral de Ruyter und de With, zählt 104 Schiffe, darunter sechs Brander (Näheres im Anhang).
12. Juni	Monk hält zunächst seine Flotte zusammen und versucht, den Gegner mit seiner stärkeren Artillerie auf Distanz zu halten. Tromp gelingt es, die englische Nachhut unter Lawson zwischen seine Mitte und die Nachhut unter de Ruyter zu bekommen. Monk kann jedoch Lawson aus seiner schwierigen Lage befreien und es kommt zu einem allgemeinen Mêlée. Bis zum Abend können sich die Niederländer der stärkeren Gegner erwehren. Am Abend trifft Admiral Blake mit 18 Schiffen Verstärkung ein.
13. Juni	Am Vormittag macht sich die englische Übermacht geltend. Die ersten Schiffe der Niederländer werden überwältigt. Am Nachmittag beginnt der Rückzug hinter die flachen Sande von Flandern, wohin die größeren englischen Schiffe nicht folgen können. Die Niederländer verlieren 20 Schiffe, wovon elf erobert werden, und 1400 Mann. Der Verlust der Engländer beträgt rund 400 Mann, aber kein Schiff.
Juni–Juli	Die Küste der Niederlande wird nun von der englischen Flotte eng blockiert. Der gesamte niederländische Seeverkehr ist unterbunden. Es werden daher unter Tromp in der Maas und unter de With in Texel neue Geschwader ausgerüstet.

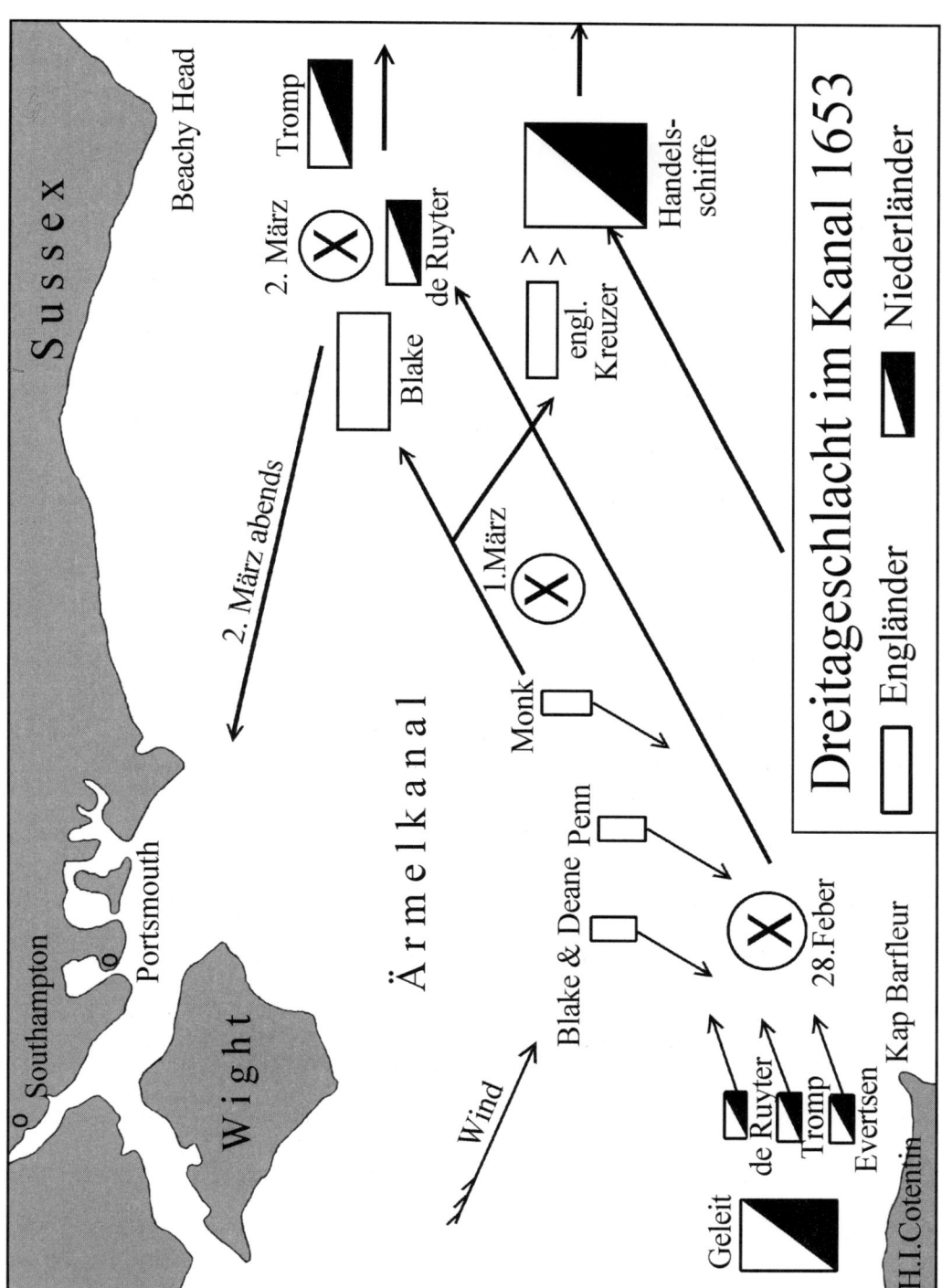

8. und 10. August 1653	**Seeschlacht bei Katwyk-Scheveningen.** Admiral Tromp läuft aus der Maas aus, um sich mit Admiral de With bei Texel zu vereinigen. Sein Geschwader zählt 82 Kriegsschiffe und fünf Brander.
8. August	Bei Katwyk kommt Tromp mit den rund 100 Schiffen von Admiral Monk ins Gefecht. Tromp versucht mit Südkurs den überlegenen Gegner abzuschütteln. De With hört das Artilleriefeuer und läuft in der Nacht aus Texel aus, um Tromp zu unterstützen.
9. August	Ein heftiger Sturm verhindert alle Kampfhandlungen. Im Angesicht der englischen Flotte kann sich de With am Abend mit Tromp vereinigen.
10. August	In der Nacht bessert sich das Wetter. Bei leichtem Südwestwind beginnt am Morgen die Schlacht. Die Flotten passieren einander mehrere Male in schlecht geordneter Kiellinie. Von der Luvseite stoßen Schiffe der Niederländer in die englische Schlachtlinie und es beginnt ein allgemeines Mêlée. Admiral Tromp fällt von einer Musketenkugel getroffen. Bei den Engländern fallen mehrere Schiffe Brandern zum Opfer. Einige Schiffe werden versenkt, eine Fregatte fliegt in die Luft. Die Verluste der Niederländer sind jedoch größer. Mehrere Schiffe werden versenkt, die Flaggschiffe von de Ruyter und Jan Evertsen werden entmastet. Am Nachmittag fliehen 20 Schiffe der Niederländer. De With deckt mit dem Rest der Flotte den Rückzug nach Texel. Auch die Engländer haben so schwer gelitten, daß sie nicht ernsthaft verfolgen.
	Die genauen Verluste der Flotten sind aus den sich widersprechenden Berichten nicht festzustellen. Die Engländer müssen nach der Schlacht die Blockade der Küste aufheben, um ihre Schäden auszubessern.
	Die Niederländer können nach der Schlacht einige Geleitzüge durchbringen, darunter einen großen mit 400 Schiffen aus der Ostsee. Ihr Handel leidet aber schwer unter den englischen Kaperschiffen. Sie verlieren durch diesen Kreuzerkrieg in zwei Jahren 1500 Handelsschiffe.
23. Jänner 1654	**Ostindien.** Die Niederländer besiegen vor dem Persischen Golf ein Geschwader der Engländer, das zwei Schiffe verliert.

Die Kämpfe im Mittelmeer

Seit einiger Zeit unterhalten England und die Niederlande im Mittelmeer kleine Geschwader, um ihre Handelsschiffe vor den Angriffen der Barbaresken zu schützen. Das Geschwader der Niederländer besteht aus 14 Kriegsschiffen von 26 bis 30 Kanonen und wird von 22 bewaffneten Handelsschiffen verstärkt. Die Engländer verfügen über ein Geschwader von 15 Schiffen mit 30 bis 54 Kanonen. Es ist geteilt und befindet sich je zur Hälfte im westlichen Mittelmeer und in der Levante. Zu Kriegsbeginn suchen sich die Teile im Tyrrhenischen Meer zu vereinigen.

6. September 1652	**Gefecht bei Elba.** Der Geschwaderkommandant der Niederlande van Galen schlägt zunächst das Levantegeschwader, anschließend blockiert er die Engländer in den Häfen von Elba und in Livorno.

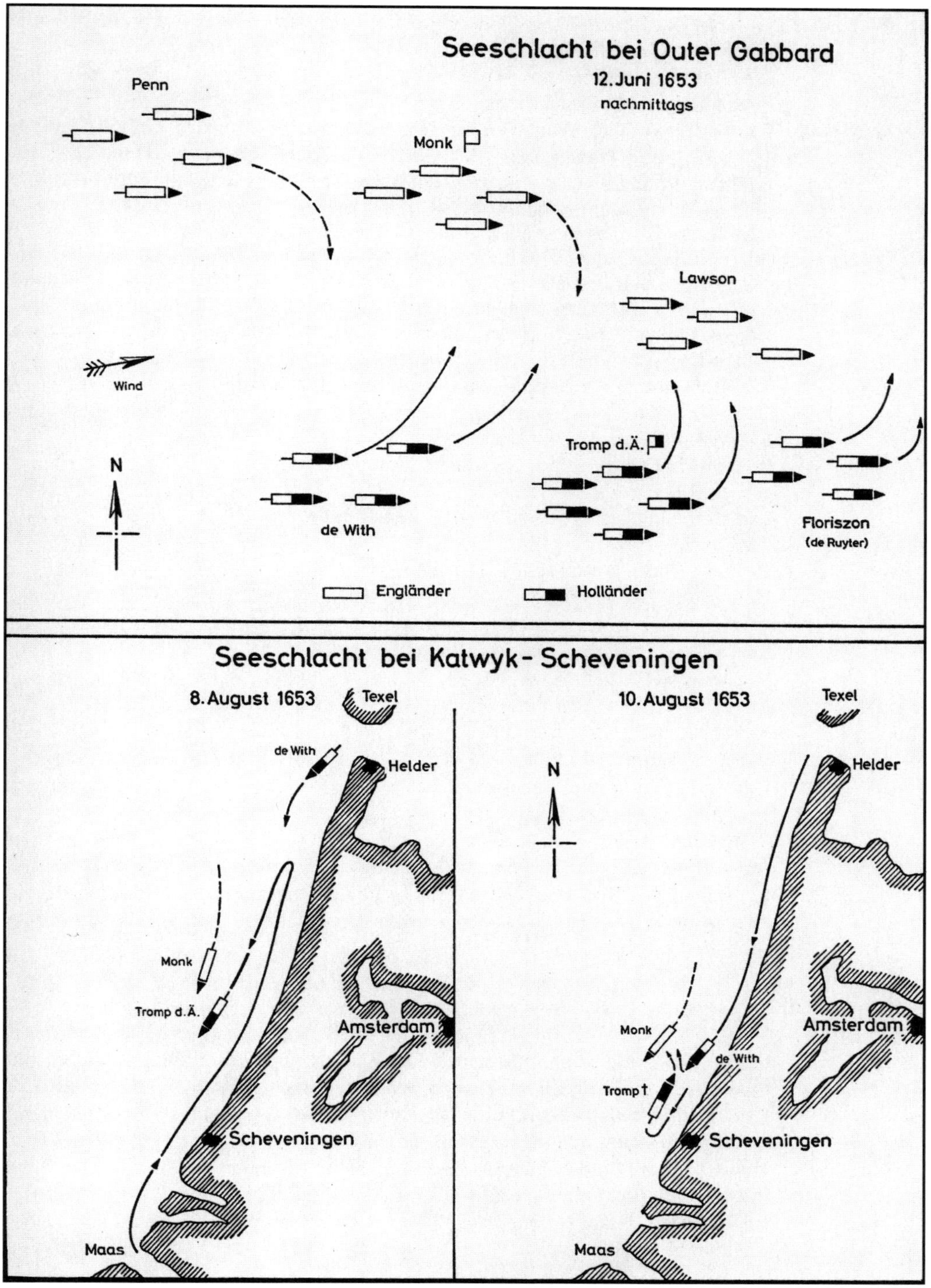
Seeschlacht bei Outer Gabbard
12. Juni 1653
nachmittags
Penn
Monk
Lawson
Wind
N
Tromp d.Ä.
de With
Floriszon
(de Ruyter)
Engländer
Holländer
Seeschlacht bei Katwyk-Scheveningen
8. August 1653
Texel
de With
Helder
Monk
Tromp d.Ä.
Amsterdam
Scheveningen
Maas
10. August 1653
Texel
N
Helder
Monk
de With
Tromp †
Amsterdam
Scheveningen
Maas

13. März 1653	**Gefecht bei Livorno.** Van Galen lockt das englische Geschwader aus Livorno und vernichtet es vollständig. Der zweite Teil des englischen Geschwaders in Elba räumt daraufhin das Mittelmeer. Die Niederländer legen den englischen Seehandel im Mittelmeer lahm.
15. April 1654	**Erster Friede von Westminster.** Die Niederländer erreichen nur eine geringe Milderung der Navigationsakte. Der Flaggengruß bleibt. England wird der Seehandel mit Ostasien gestattet. Die Insel St. Helena wird als Stützpunkt für die Ostindienfahrer an England abgetreten.
Jänner 1650	**Sultanat Oman.** Sultan Ibn Saif vertreibt die Portugiesen aus ihrem Stützpunkt Maskat und errichtet eine lokale Seeherrschaft im Arabischen Meer. Mit seiner Flotte erlangt Oman einen immer größeren Einfluß in Ostafrika.
1652	Ein Geschwader aus **Oman** plündert die Hafenstadt Sansibar auf der gleichnamigen Insel und kehrt mit reicher Beute heim.
April 1652	**Südafrika.** Die niederländische Ostindische Kompanie läßt durch ihren Arzt Jan van Riebeck Kapstadt gründen. Dort werden die Ostindienfahrer mit Frischgemüse gegen Skorbut versorgt.
23. März 1654	**Gefecht bei Colombo.** Im Kampf um die Insel Ceylon zwischen den Portugiesen und den Niederländern besiegt das portugiesische Ostindiengeschwader von fünf Schiffen drei Schiffe der Niederlande, verliert aber seinen tüchtigen Geschwaderführer Antonio Pereira.
2. bis 6. Mai 1654	**Gefecht südlich von Goa.** Die Portugiesen treffen auf die niederländische Hauptmacht von elf Schiffen und werden nach mehrtägigen Kämpfen alle vernichtet. Die Niederländer verlieren nur ein Schiff. Die Seeherrschaft von Portugal im Indischen Ozean ist endgültig zu Ende.
1654	**Wissenschaft.** Der Magdeburger Otto von Guericke führt dem Reichstag in Regensburg seine von ihm erfundene Luftpumpe vor. Mit der Entdeckung des Vakuums und des Luftdruckes unternimmt er den ersten Schritt in Richtung Dampfmaschine.
1655	**Ostafrika.** Die Flotte von Oman erobert ein erstes Mal Stadt und Hafen Mombasa und fährt Angriffe auf Stützpunkte der Europäer in Vorderindien.
1655	**Schweden.** König Karl X. Gustav (1654–1660) blockiert die Hafenstadt Danzig. Ein niederländisches Geschwader unter Admiral Jacob van Wassenaer mit 42 großen Schiffen erscheint daraufhin im folgenden Jahr vor dem Hafen und zwingt die Schweden die Blockade aufzuheben. Danzig wird anschließend zum Freihafen erklärt.

1657–1660 Der Krieg Dänemarks gegen Schweden

Gegen die Großmachtpläne von König Karl X. Gustav erklärt Dänemark mit Rückendeckung der Niederlande an Schweden den Krieg.

22. u. 23. September 1657	**Treffen bei Falsterbo.** Die schwedische Flotte von rund 40 Schiffen unter Admiral Bjelkenstjerna, Flaggschiff >Drake< (66), trifft auf die dänische Flotte unter Admiral Bjelke. Nach zwei Tagen Kampf trennen sich die Flotten ohne Entscheidung und ohne große Verluste.
1657	**Verbündete.** Brandenburg tritt von der Seite Schwedens auf jene von Dänemark und Polen über.

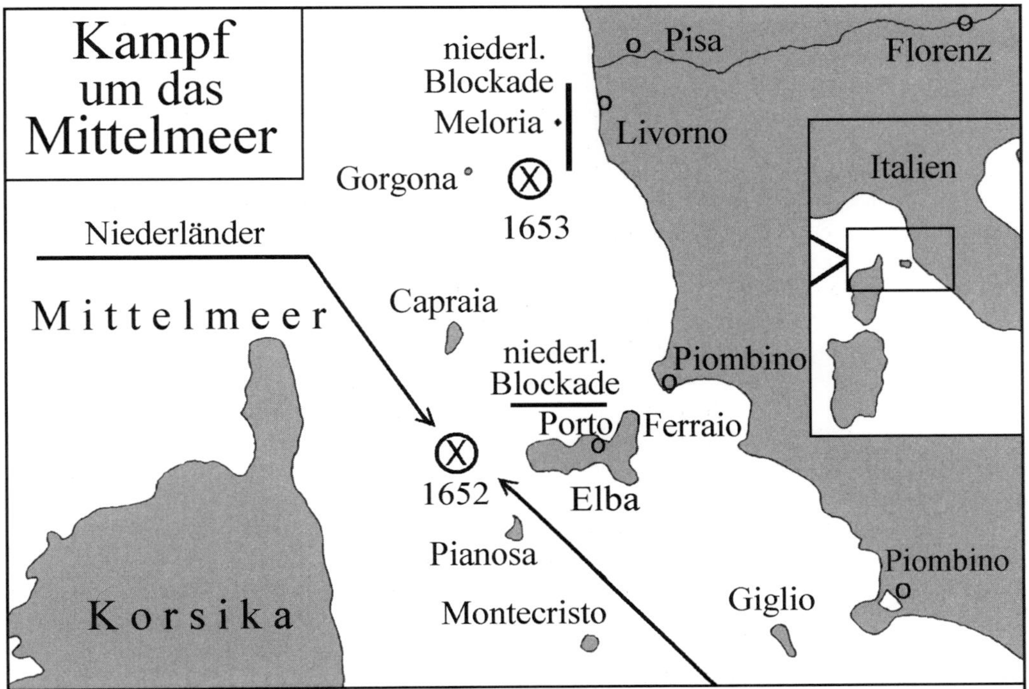
Kampf um das Mittelmeer
niederl. Blockade
Meloria
Gorgona
1653
Pisa
Florenz
Livorno
Italien
Niederländer
Mittelmeer
Capraia
niederl. Blockade
Piombino
Porto Ferraio
1652
Elba
Pianosa
Montecristo
Giglio
Piombino
Korsika

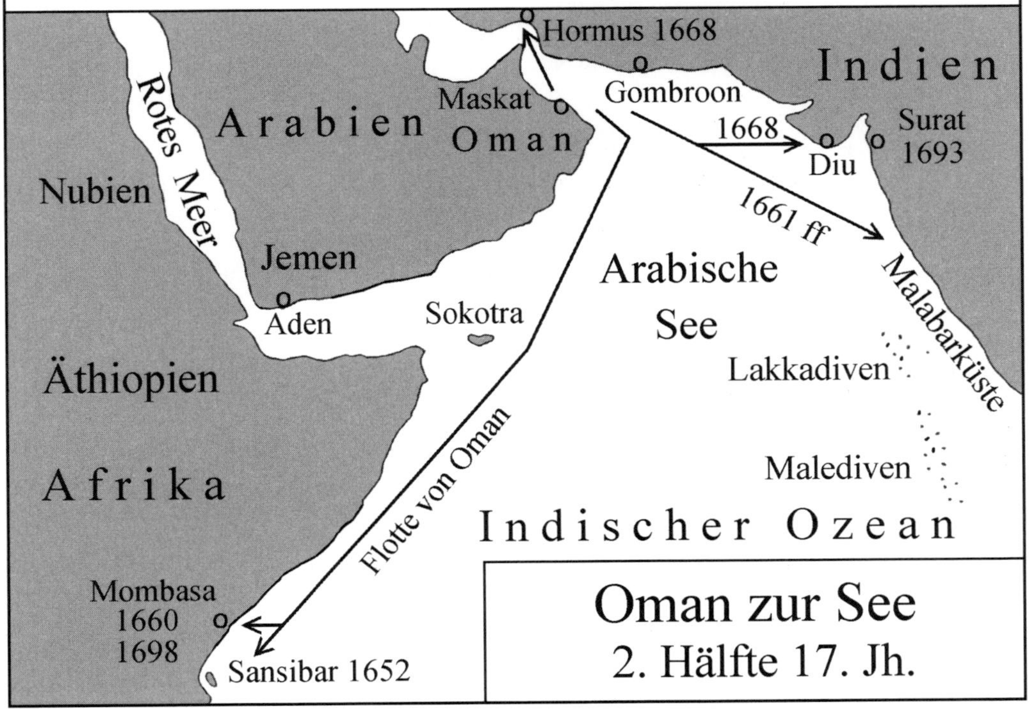
Hormus 1668
Indien
Gombroon
Maskat
Oman
Arabien
Rotes Meer
1668
Diu
Surat 1693
Nubien
1661 ff
Jemen
Arabische See
Malabarküste
Aden
Sokotra
Lakkadiven
Äthiopien
Malediven
Afrika
Flotte von Oman
Indischer Ozean
Mombasa 1660 1698
Sansibar 1652
Oman zur See
2. Hälfte 17. Jh.

Jänner–Februar 1658	**Dänemark.** Das schwedische Heer steht bereits in Jütland. In dem strengen Winter frieren die beiden Belte so zu, daß Karl X. mit seinem Heer über die dänischen Inseln bis vor Kopenhagen rücken kann.
Februar 1658	**Friede von Roskilde.** Dieser unterbricht die Kampfhandlungen nur für wenige Monate. König Karl X. will seinen Vorteil ausnützen.
August 1658	**Kopenhagen.** Die Stadt wird erneut zu Land vom schwedischen Heer und zur See von der Flotte unter Admiral Wrangel eingeschlossen. Die Niederlande senden deshalb ein starkes Hilfsgeschwader unter Admiral Wassenaer in den Sund.
8. November 1658	**Seeschlacht im Öresund.** Die schwedische Flotte unter Wrangel zählt 35 Linienschiffe und acht Fregatten mit 1800 Geschützen und 7500 Mann Besatzung. Neben Generaladmiral Wrangel, Flaggschiff >Victoria< (74), führen die anderen Divisionen Vizeadmiral Sjöhelm, Admiral Bjelkenstjerna und Vizeadmiral G. Wrangel. Die Flotte der Niederlande zählt 35 Linienschiffe mit 1400 Kanonen, 30 Transporter und 2000 Mann Landungstruppen. Neben Admiral Wassenaer, Flaggschiff >Eendracht< (72), führen die Vorhut Vizeadmiral de With und die Nachhut Vizeadmiral Floriszoon. Dazu kommen sechs dänische Linienschiffe unter Admiral Bjelke, Flaggschiff >Trefoldighed< (66). Die ganze Flotte ist mit 1700 Kanonen bewaffnet. Mit Nordwind segeln die Niederländer am Morgen in den Öresund. Bei Helsingör erwartet sie die schwedische Flotte. Im engen Fahrwasser beginnt um 8 Uhr ein erbitterter Kampf Schiff gegen Schiff. Die beiden Flaggschiffe >Victoria< und >Eendracht< sind bald kampfunfähig. Beide Flotten leiden schwer. Die Niederländer verlieren neben Tromps altem Flaggschiff >Brederode< mehrere kleine Schiffe, zwei Flaggoffiziere und 1700 Mann. Die Schweden verlieren fünf Schiffe, die blutigen Verluste dürften etwas geringer sein. Kopenhagen ist nun entsetzt, die Flotte der Niederländer beherrscht den Öresund.
Februar 1659	**Kopenhagen.** Das schwedische Heer versucht die Stadt im Sturm zu erobern und wird mit Verlusten zurückgeschlagen. In den Gewässern um die dänischen Inseln kommt es zwischen Flottillen der Verbündeten und der Schweden zu mehreren Gefechten. Einmal kann sogar ein schwedisches Linienschiff erobert werden. Die schwedischen Truppen auf Seeland können sich bis zum Kriegsschluß halten.
Anfang 1659	Ein englisches Geschwader von 21 Schiffen unter Admiral G. Ayscue erscheint zur Beobachtung vor dem Sund. Eine niederländische Hilfsflotte unter Vizeadmiral de Ruyter landet Truppen auf der Insel Fünen und hilft bei der Eroberung der Festung Nyborg.
10. Mai 1659	**Treffen in der Kieler Bucht.** 23 niederländische und drei dänische Schiffe unter Admiral Wassenaer treffen auf 24 schwedische Schiffe unter Bjelkenstjerna. Nach zweimaligem Passiergefecht trennen sich die Geschwader ohne Entscheidung.
2. August 1659	**Gefecht bei Jütland.** Ein Geschwader von sieben Schiffen der Schweden vernichtet an der Ostküste der Halbinsel ein Transportgeschwader der Verbündeten, wobei vier Schiffe erobert werden und eine Fregatte in die Luft fliegt.

Krieg Dänemark gegen Schweden
1657 – 1660
Schweden
Niederländer, Preußen u. Polen
Skagerrak
Skagen
Göteborg
Frederikshavn
Läsö
Halland
Aalborg
Kattegat
Limfjord
Anholt
Halmstad
Schonen
Aarhus
2. 8. 1659
Hälsingborg
Hälsingör
Jütland
Sund
11. 1658
Nordsee
Lund
Kopenhagen
Roskilde
Malmö
gr. Belt
Esbjerg
Fridericia
kl. Belt
Odense
Nyborg
Seeland
Korsør
Fünen
22/23.9.
1657
11. 1659
Sylt
Langeland
Moen
Ostsee
25. 12.
1658
Flensburg
Laaland
9. 4. 1659
Falster
Rügen
8. 1658
Schleswig
1657
10. 5. 1659
Fehmarn
Kieler Bucht
Stralsund
Kiel
Rostock
E. 1658
Elbe
Holstein
Lübeck
Wismar

Mai 1660	**Friede von Kopenhagen.** Dänemark kann seinen Landbesitz behalten. Die Sundsperre wird endgültig aufgehoben. Dänemark muß aber den Verlust der Provinzen Schonen und Halland erneut bestätigen. Im gleichzeitigen Frieden von Oliva wird die Lehenshoheit von Polen über Preußen beendet.
1658	**Indien.** Großmogul Aurangsib (1658–1707) tritt die Regierung an. Obwohl das Reich eine Reihe von Hafenstädten kontrolliert, stellt er keine eigene Hochseeflotte auf, sondern verläßt sich darauf, daß die Europäer die Schiffe seiner Untertanen im Küstenverkehr und bei der Pilgerfahrt nach Mekka nicht angreifen.

1656–1661 Seekrieg der Niederlande gegen Portugal

In einem wenig energisch geführten Seekrieg versuchen die Niederländer vergeblich, den Portugiesen die im Jahr 1654 verlorenen Besitzungen in Brasilien wieder abzunehmen.

1657	Admiral Wassenaer überrascht den portugiesischen Geleitzug mit Zucker aus Brasilien und kann alle 22 Schiffe erobern.
	Es finden keine weiteren größeren Kampfhandlungen statt.
1659–1660	**Indien.** In der Schlacht bei Khajwa (Jänner 1659) unterliegt im Kampf um den Thron des Großmoguls der Prinz Shuja seinem Bruder Aurangsib. Shuja gibt sich aber nicht geschlagen und führt den Kampf mit seiner Flotte auf dem Ganges weiter. In mehreren Gefechten mit dem kaiserlichen Geschwader (April, Mai, Juni, August 1659) ist die Flotte von Shuja teilweise erfolgreich. In seinem Dienst nehmen auch mehrere Schiffe der Portugiesen an den Kämpfen teil. Die Flotte von Shuja wird dann aber immer weiter den Ganges abwärts gedrängt, und mit dem Fall der Stadt Dacca (Mai 1660) ist der Kampf praktisch zu Ende.
1659	**China.** Der Freibeuter Koxinga (Guoxingye) unternimmt mit seiner Flotte von angeblich 3000 Dschunken einen Vorstoß bis Nanking (Nanjing), wird aber von der Flußflotte der Mandschus verlustreich abgewiesen. Diese verfolgt ihn bis auf die Hohe See, wo er sich bei der Insel Quemoy (Jinmen) mit seinen restlichen 400 Dschunken erneut zum Kampf stellt und dem Gegner mit seiner besseren Taktik eine Niederlage beibringt. Da seine Stützpunkte vor der Küste des Festlandes unhaltbar werden, sieht er sich nach einer neuen Operationsbasis um.
1661	**Formosa/Taiwan.** Koxinga erobert mit 900 Dschunken und 25.000 Mann die seit 1624 von den Niederländern beherrschte Insel. Er unterstützt die letzten Herrscher der Ming-Dynastie mit seiner starken Flotte seit 1645 in deren Abwehrkampf gegen die Mandschus.
1660	**England.** Ein Geschwader unter den Vizeadmiralen Montagu und Lawson bringt den englischen Thronprätendenten Karl II. von Scheveningen in den Niederlanden nach England, wo er mit Unterstützung von Admiral Monk den Thron besteigt. Des Königs Bruder Jakob, Herzog von York, wird zum Lord High Admiral ernannt. Im selben Jahr besteigt in Frankreich König Ludwig XIV. den Thron.

Reich der Großmoguln
in der zweiten Hälfte des 17. Jahrhunderts

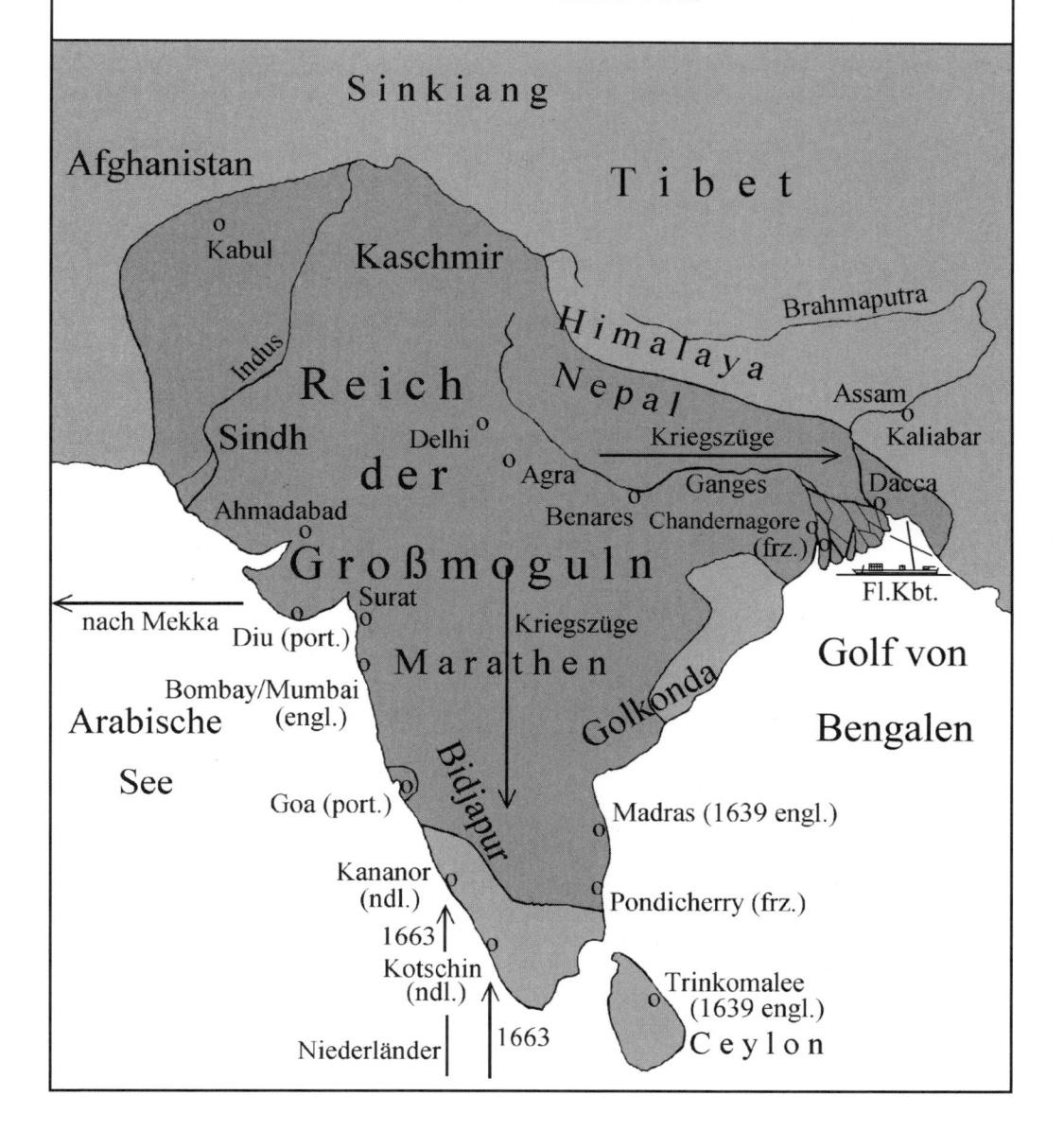

Sinkiang

Afghanistan

Tibet

Kabul

Kaschmir

Brahmaputra

Himalaya

Indus

Nepal

Assam

Reich

Sindh

Delhi

Kriegszüge →

Kaliabar

Agra

Ganges

Dacca

der

Ahmadabad

Benares

Chandernagore (frz.)

Großmoguln

Fl.Kbt.

Surat

nach Mekka

Diu (port.)

Kriegszüge

Marathen

Golf von

Bombay/Mumbai (engl.)

Golkonda

Bengalen

Arabische See

Bidjapur

Goa (port.)

Madras (1639 engl.)

Kananor (ndl.)

Pondicherry (frz.)

↑ 1663

Kotschin (ndl.)

Trinkomalee (1639 engl.)

Niederländer ↑ 1663

Ceylon

1660	**Vertrag von Madrid.** Spanien tritt die von den Engländern 1655 eroberte Insel Jamaika an diese mit der Auflage ab, bei der Bekämpfung des Piratenunwesens in Westindien mitzuhelfen.
1660–1661	**Ostafrika.** Die Flotte von Oman versucht Mombasa zu erobern, wird aber von den Portugiesen abgewiesen. Im folgenden Jahr unternimmt die Flotte von Oman einen Seezug gegen die restlichen portugiesischen Besitzungen in Vorderindien und wiederholt diese Operation in den nächsten Jahren.
1660	**England.** In London wird eine Handelskompanie für Westafrika gegründet. Sie liegt in ständigem Zwist mit der niederländischen VOC und kann sich daher nie so richtig entfalten.
1661	**Indien.** König Karl II. von England heiratet die portugiesische Prinzessin Katharina von Braganza. Als Mitgift bekommt der König Bombay und Tanger. Ersteres wird der EIC zur Verwaltung übergeben.
1661	**Schiffbruch.** Im Mittelmeer wütet ein besonders schwerer Sturm. Fast 150 Kriegs- und Handelsschiffe der verschiedensten Länder und rund 10.000 Personen gehen zugrunde.
1661–1663	**Vorderindien.** Die niederländische VOC erobert portugiesische Stützpunkte an der Malabarküste. Im ersten Jahr unternimmt ein Geschwader unter Rijkloff van Goens einen Vorstoß, bei dem zwei Plätze erobert werden.
März 1662	**Indien.** Die Flußflotte der Mogulen von Bengalen unternimmt einen Kriegszug gegen das Volk der Ahoms im heutigen Assam. Mit 320 Schiffen und Booten, unterstützt zu Land von 12.000 Mann Reiterei und 30.000 Infanteristen, rückt das Heer den Brahmaputra aufwärts. Bei Kaliabar im Bezirk Nowgong trifft es auf die Flotte der Ahoms. In einer Nachtschlacht können sich die Ahoms zunächst behaupten. Am Morgen kommt aber das Heer der Mogulen zu Hilfe und entscheidet den Kampf zu deren Gunsten.
Jänner 1663	**Eroberung von Kotschin.** Ein starkes niederländisches Geschwader segelt von Batavia ab und nimmt die Blockade von Kotschin auf. Nach mehrmonatigem Widerstand müssen die Portugiesen kapitulieren. Kurz darauf wird auch Kananor von den Niederländern erobert. Der im Dezember 1662 in Europa geschlossene Friede wird für die Portugiesen in Indien zu spät bekannt. Die Niederländer kontrollieren nun auch den wichtigen Pfefferhandel von Vorderindien.
1663	**Nordamerika.** Die Kolonie am St. Lorenz-Strom, die bisher von einer privaten Gesellschaft verwaltet worden ist, geht nun in staatliche Verwaltung unter einem Generalgouverneur über.
1663–1670	**Sumatra.** Die Niederländer bringen das Sultanat von Atjeh im Norden der Insel unter ihre Kontrolle. Atjeh ist ein wichtiger Exporteur von Pfeffer aus Sumatra und von Zinn aus Malaya.
1663	**Deutschland.** In Regensburg wird ein ständiger „Reichstag" als Fürstenparlament für das Reich eingerichtet. Ihm gehören acht Kurfürsten, 61 weltliche Fürsten, 33 geistliche Fürsten, 51 Reichsstädte, zwei Prälatenkurien und vier Grafenkurien durch ihre Delegierten an.
1664	**Indien.** Das Reich der Mogulen hat um diese Zeit unter dem Großmogul Aurangsib seine größte Ausdehnung erreicht. Nun beginnen bis 1670 die Plünderungen der reichen Hafenstadt Surat, dem Haupthafen der Mogulen durch die Marathen.

Kampf um Formosa in der 2. Hälfte des 17. Jahrhunderts

Stiller Ozean

Formosa/Taiwan
1661 an Koxinga
1683 an China

Chinesen 1683

Quemoy 1661
1683
1659

Pescadores Inseln

Fu-Zhou

China (Ming-, dann Mandschu- Dynastie)

Provinz Fukien

Provinz Kwantung

Kanton
Perlfluß
Insel Hongkong
Macao

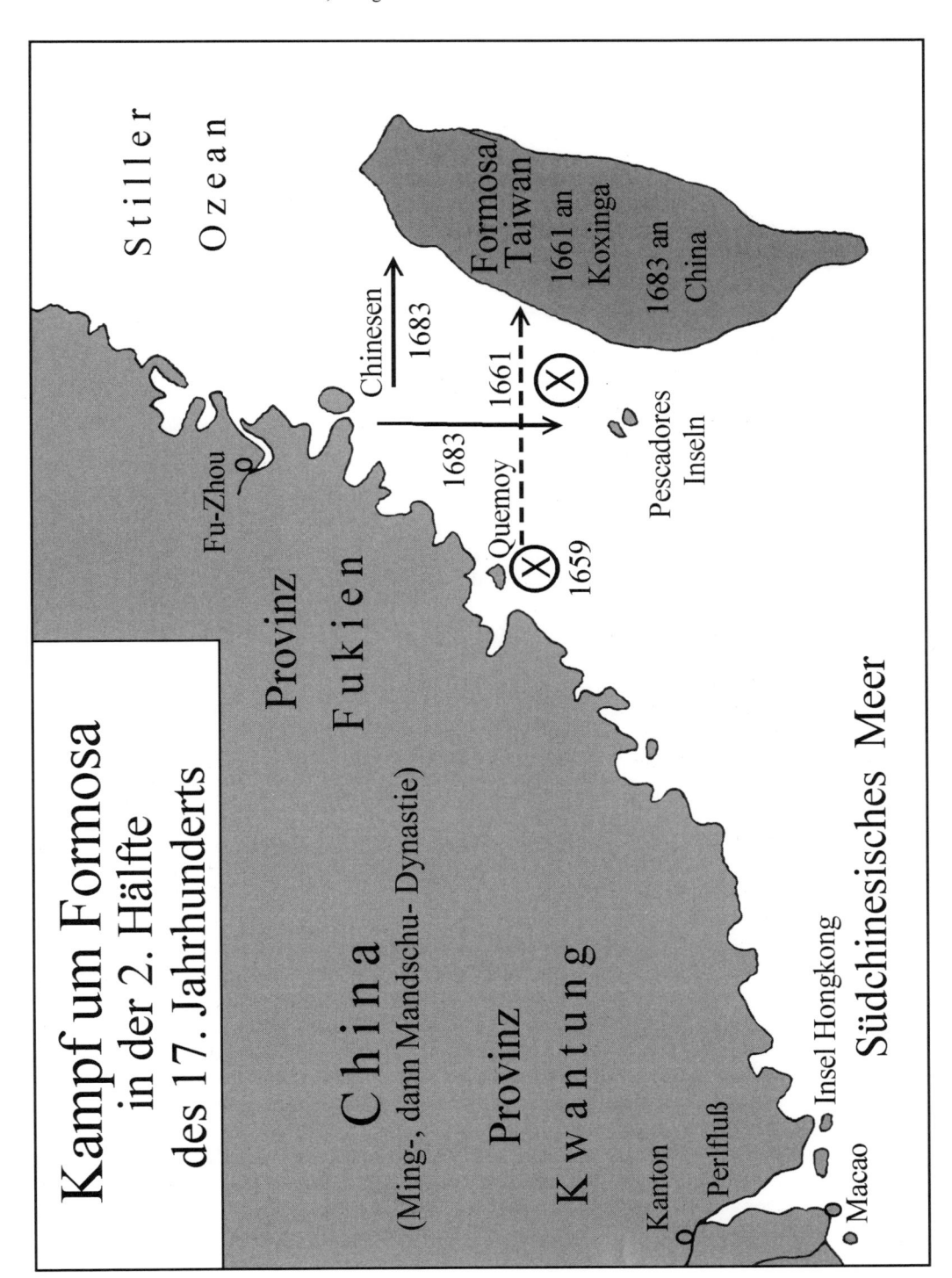

Südchinesisches Meer

1664	**Indien.** In Frankreich gründet Colbert die Ostindische Handelskompanie, die selbst bald Handelsstützpunkte in Chandernagore (1673) in Bengalen und in Pondicherry (1683) an der Koromandelküste anlegt.
1665	**Mittelmeer.** Französische Geschwader greifen mit einigem Erfolg die Stützpunkte der Barbaresken in Nordafrika an. Im vorangegangenen Jahr ist so ein Versuch gescheitert. Dauerhaften Erfolg bringen diese Operationen jedoch nicht.

1665–1667 Der zweite Seekrieg England gegen die Niederlande

Noch vor der offiziellen Kriegserklärung beginnen die Kampfhandlungen mit Operationen in Übersee. Vorwand für die Engländer sind Übergriffe der Niederländer gegen englische Kaufleute in Übersee und das Nichterfüllen der Bedingungen des Friedensvertrages von Westminster.

Jänner 1664	**Westafrika.** Ein kleines englisches Geschwader unter Kpt. Robert Holmes erobert den Stützpunkt Gorée, der Angriff auf das starke Elmina scheitert, mehrere andere Plätze werden zerstört.
August 1664	**Nordamerika.** Holmes überquert dann den Atlantik und erobert die Insel Manhattan und Neu-Amsterdam, das in New York umbenannt wird. Ein niederländisches Geschwader unter de Ruyter folgt Holmes nach Westafrika und Nordamerika und erobert fast alle Plätze wieder zurück. Er kapert in Westindien einige Handelsschiffe und ist bei Kriegsausbruch wieder am Rückweg.
29. Dezember 1664	**Straße von Gibraltar.** Die Engländer überfallen den Geleitzug der Niederlande aus der Levante. Dieser verliert zwar nur drei Schiffe, der offene Krieg ist nun aber unvermeidlich.
Jänner 1665	**Kriegserklärung.** Die Niederländer erklären England den Krieg, das seine Kriegserklärung erst zwei Monate später überreicht.
Februar 1665	**Gefecht in der Nordsee.** Die englischen Fregatten >Yarmouth< (44), >Diamond< (40) und >Mermaid< (22) kämpfen zwei niederländische Fregatten mit zusammen 54 Kanonen nieder.
30. Mai 1665	**Nordsee.** Auf der Doggerbank erobert ein niederländisches Geschwader unter Admiral Wassenaer einen großen englischen Geleitzug aus Hamburg.
13. Juni 1665	**Seeschlacht bei Lowestoft.** Der Bruder des englischen Königs, der Herzog von York, ist als Lord High Admiral Oberbefehlshaber der englischen Flotte, die aus 109 Schiffen, davon 35 Linienschiffe, 53 Kriegsschiffe 4.-6. Rate und 21 bewaffnete Kauffahrer, 21 Brander und sieben Avisos mit zusammen 4200 Kanonen und 21.000 Mann besteht. Neben dem Herzog von York in der >Royal Charles< (80), Stabschef Admiral William Penn, führen die Admirale Prinz Rupert die Vorhut und Edward Montagu die Nachhut. Die Flotte der Niederländer ist mit 103 Schiffen, elf Brandern und sieben Avisos etwas schwächer. Es sind mehr bewaffnete Handelsschiffe eingereiht und die Linienschiffe sind kleiner. Sie haben 4900 Kanonen von kleinerem Kaliber, die Besatzung zählt 21.000 Mann. Die Flotte ist in sieben Geschwader geteilt, das Flottenkommando hat Admiral Wassenaer auf der >Eendracht< (76) inne. Obwohl die Flotte noch nicht voll ausgerüstet ist, erhält Wassenaer von Ratspensionär Jan de Witt den bestimmten Auftrag, sofort auszulaufen.

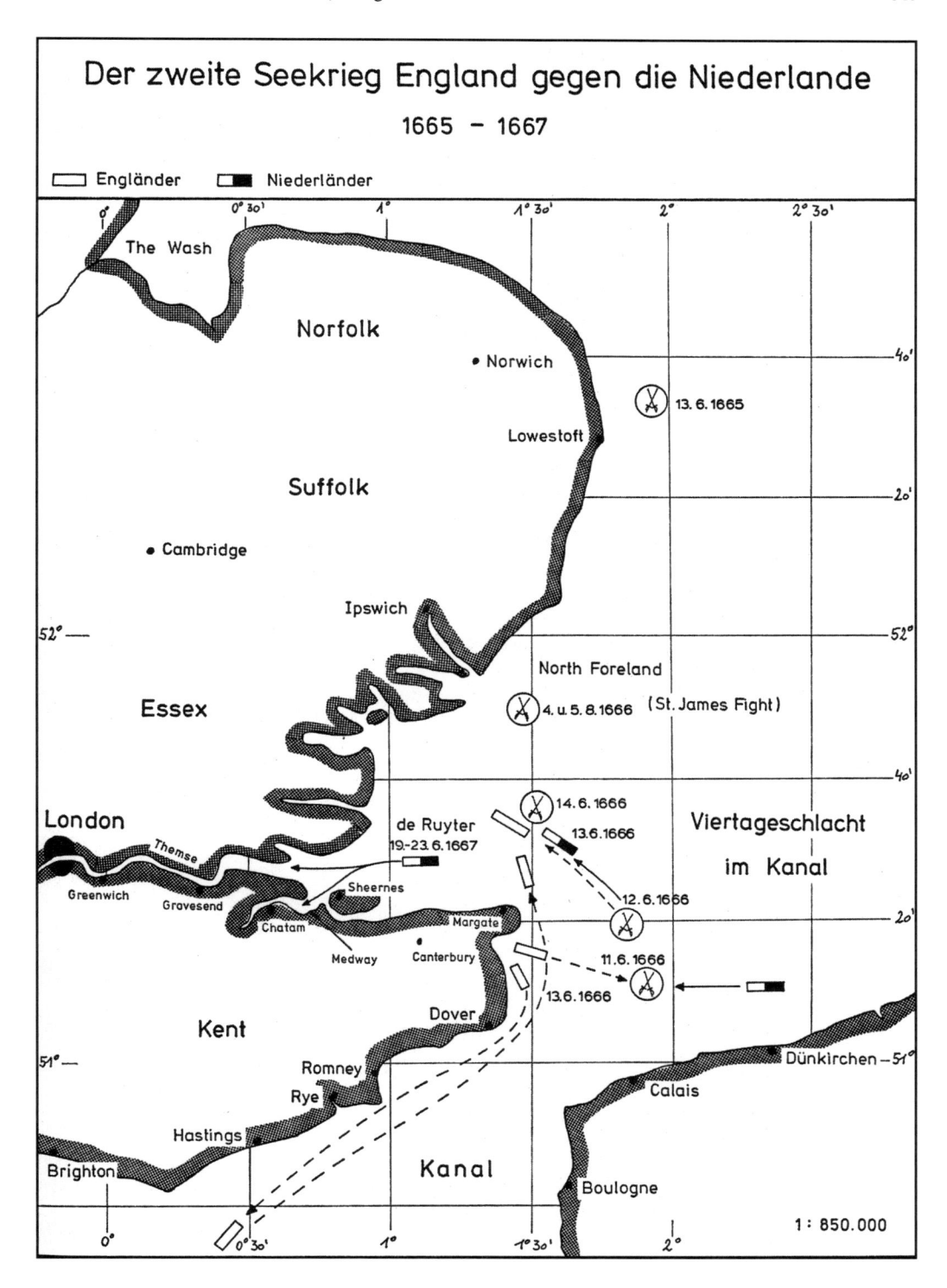

Der zweite Seekrieg England gegen die Niederlande
1665 – 1667

3 Uhr	In der Früh treffen die beiden Flotten aufeinander. Nach zweimaligem Passiergefecht auf Gegenkurs wendet die englische Flotte in der Höhe der Niederländer geschwaderweise.
10 Uhr	Es entwickelt sich ein laufendes Artilleriegefecht auf Südkurs. Am frühen Nachmittag wenden sich einige Schiffe der niederländischen Mitte zur Flucht.
15 Uhr	In die entstehende Lücke stoßen die Engländer nach. Die >Eendracht< wird von zwei Seiten unter Feuer genommen und fliegt in die Luft. Admiral Wassenaer fällt. Immer mehr Schiffe der Niederländer ergreifen daraufhin die Flucht. Admiral Jan Evertsen d. Ä. und Vizeadmiral Cornelis Tromp decken den Rückzug des Rests der Flotte. Die Niederländer verlieren durch Artillerie, Enterung und Brander 17 Schiffe, ferner fallen drei Admirale, darunter auch E. M. Cortenaer und 4000 Mann. Die englischen Verluste betragen zwei Schiffe, zwei Admirale und 800 Mann. Unter der Leitung von de Witt beginnt sofort die Wiederaufrüstung der Flotte.
3. August 1665	In Bergen liegen 70 niederländische Handelsschiffe fest. Die Engländer versuchen die Schiffe im Hafen zu kapern, die Niederländer wehren sich jedoch und können den Angriff abschlagen.
August 1665	**Nordsee.** Sobald er in der Heimat eintrifft, segelt de Ruyter mit der niederländischen Flotte nach Norwegen und bringt die Handelsschiffe aus Bergen in die Mündung der Ems. In einem Sturm wird seine Flotte zerstreut, die auf der Lauer liegenden Engländer können daher rund zehn Nachzügler abfangen. De Ruyter kreuzt anschließend vor der Themsemündung und blockiert das im Medway liegende Geschwader. Personalausfälle durch Krankheiten zwingen ihn zur Rückkehr.
Herbst 1665	**England.** Die Pest bricht aus und lähmt alle kriegerischen Unternehmungen.
Jänner 1666	**Frankreich.** König Ludwig XIV. erklärt England den Krieg. Die französische Flotte soll aktiv in die Kampfhandlungen eingreifen. De Ruyter hofft auf ein Eintreffen der Franzosen und geht zu deren Aufnahme an die Küste Flanderns. Admiral Monk muß auf königlichen Befehl Prinz Rupert mit 20 Schiffen in den westlichen Kanal beordern, um dort den Franzosen entgegenzutreten. Durch diese Entsendung ist die englische Hauptflotte um ein Drittel geschwächt.
25. Mai 1666	Ein kleines englisches Geschwader erobert vor dem nun ungeschützten Texel aus einem niederländischen Geleitzug sieben Schiffe.
11. bis 14. Juni 1666	**Die Viertageschlacht im Ärmelkanal.** De Ruyter ankert am Morgen des 11. Juni mit seiner Flotte vor Dünkirchen. Im Süden liegt die Vorhut unter Admiral Tromp d. J., in der Mitte de Ruyter mit dem Zentrum, im Norden die Vorhut unter Admiral Cornelis Evertsen d. Ä. Die Stärke der Flotte beträgt 84 Schiffe mit 4600 Geschützen und 22.000 Mann Besatzung. Die englische Flotte unter Admiral Monk zählt nach Abgang von Prinz Rupert 60 Schiffe mit 3200 Kanonen und rund 15.000 Mann. Kommandiert wird die englische Vorhut von Admiral Ayscue, die Nachhut von Vizeadmiral Allen. Sobald er von der Anwesenheit der niederländischen Flotte erfährt, geht Monk trotz seiner zahlenmäßigen Unterlegenheit zum Angriff über.
11. Juni 12 Uhr	In möglichst dicht geschlossener Kiellinie greift Monk das südlichste Geschwader der Niederländer unter Tromp an, der kaum die Ankertaue kappen und den Kampf auf südlichem Kurs aufnehmen kann. Er hat einige Stunden einen schweren Stand gegen die englische Flotte.

Seeschlacht bei Lowestoft
13. Juni 1665

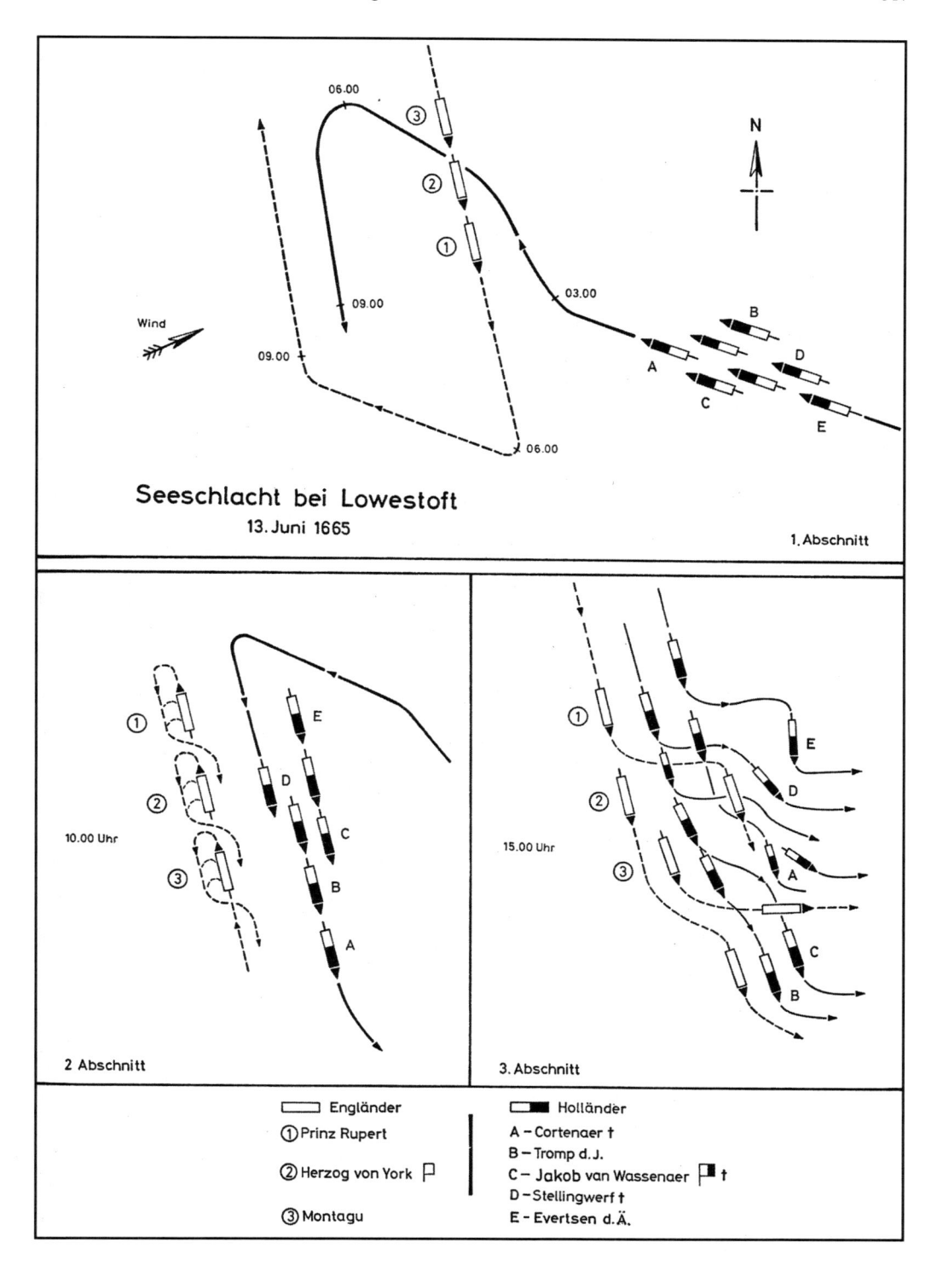

1. Abschnitt

2. Abschnitt

3. Abschnitt

☐ Engländer ■ Holländer
① Prinz Rupert A – Cortenaer †
② Herzog von York ⚑ B – Tromp d. J.
③ Montagu C – Jakob van Wassenaer ⚑ †
  D – Stellingwerf †
  E – Evertsen d. Ä.

16 Uhr	Schließlich muß Monk wegen der nahen flandrischen Küste auf Westkurs gehen, wodurch auch de Ruyter und Evertsen ins Gefecht kommen. Nun wirkt sich die größere Zahl der Niederländer aus. Die englische >Swifture< wird erobert, auf ihr fällt Konteradmiral Berkely. Vizeadmiral Harmann auf der >Henry< führt einen heroischen Kampf, weist den Angriff von mehreren Linienschiffen und Brandern ab, läßt die schon brennende Takelage löschen, tötet mit der letzten Salve seiner dezimierten Artillerie Admiral Evertsen und bringt sein zerschossenes Schiff in Sicherheit. Bis zum Abend verlieren beide Seiten noch einige Schiffe. In der Nacht bessern die Flotten ihre Schäden aus, kampfunfähige Schiffe werden entlassen. Die Vorhut der Niederländer übernimmt Vizeadmiral de Vries.
12. Juni	Am Morgen greift Monk wieder die auf Gegenkurs liegende niederländische Flotte an. 47 Engländern stehen 77 Niederländer gegenüber. Tromp versucht mit seiner Nachhut den Engländern die Luvseite abzugewinnen. Er gerät dabei wieder in eine äußerst kritische Lage. De Ruyter muß ihm mit den nächsten erreichbaren Schiffen zu Hilfe kommen. Die Ordnung der Niederländer löst sich dabei vollkommen auf. Monk kann durch seine zahlenmäßige Schwäche die Gunst der Lage jedoch nicht ausnützen. Beide Seiten verlieren wieder einige Schiffe. Monk bricht den Kampf ab und hofft auf das Eintreffen von Prinz Rupert.
13. Juni	Am Morgen zieht sich Monk mit nur mehr 30 kampffähigen Schiffen weiter nach Westen zurück, Prinz Rupert entgegen. De Ruyter kann ihn mit seinen beschädigten Schiffen nicht einholen, es werden nur wenige Schüsse gewechselt. Auf einer Untiefe kommt eines der stärksten Schiffe der Engländer, die >Royal Prince< (90), das Flaggschiff von Ayscue, fest. Von der feindlichen Flotte umstellt muß der Engländer die Flagge streichen. Das Schiff wird von den Niederländern verbrannt. Am Abend kann sich Monk mit dem zurückkehrenden Prinz Rupert vereinigen, 20 frische Schiffe verstärken seine Flotte.
14. Juni	Beide Seiten suchen die Entscheidung. Es werden westliche Kurse gesteuert, die Niederländer auf der Luvseite. Im beginnenden Kampf segelt die englische Vorhut etwas schneller und läßt eine Lücke zur Mitte entstehen, in die der niederländische Konteradmiral van Nes mit einem Teil der Vorhut hineinstößt. Gleichzeitig geht Tromp mit seiner Nachhut um das Ende der englischen Schlachtlinie, wodurch Mitte und Nachhut der Engländer von beiden Seiten angegriffen werden. De Ruyter bricht mit seinem Zentrum nun auch in die englische Linie ein. Im folgenden erbitterten Nahkampf erleiden beide Seiten schwere Verluste. Die Engländer brechen schließlich den Kampf ab. Am Abend endet eine der größten Seeschlachten der Geschichte. Die Niederländer sind nahezu verschossen und verlassen ebenfalls den Kampfplatz. Die Verluste der Schlacht betragen:

	Engländer	Niederländer
Schiffe	17	6
Mannschaften	5000	2000
Gefangene	3000	–

Obwohl de Ruyter einen großen Sieg erringt, ist die englische Flotte keineswegs ausgeschaltet.

Viertageschlacht im Kanal
11.–14. Juni 1666
1. Tag

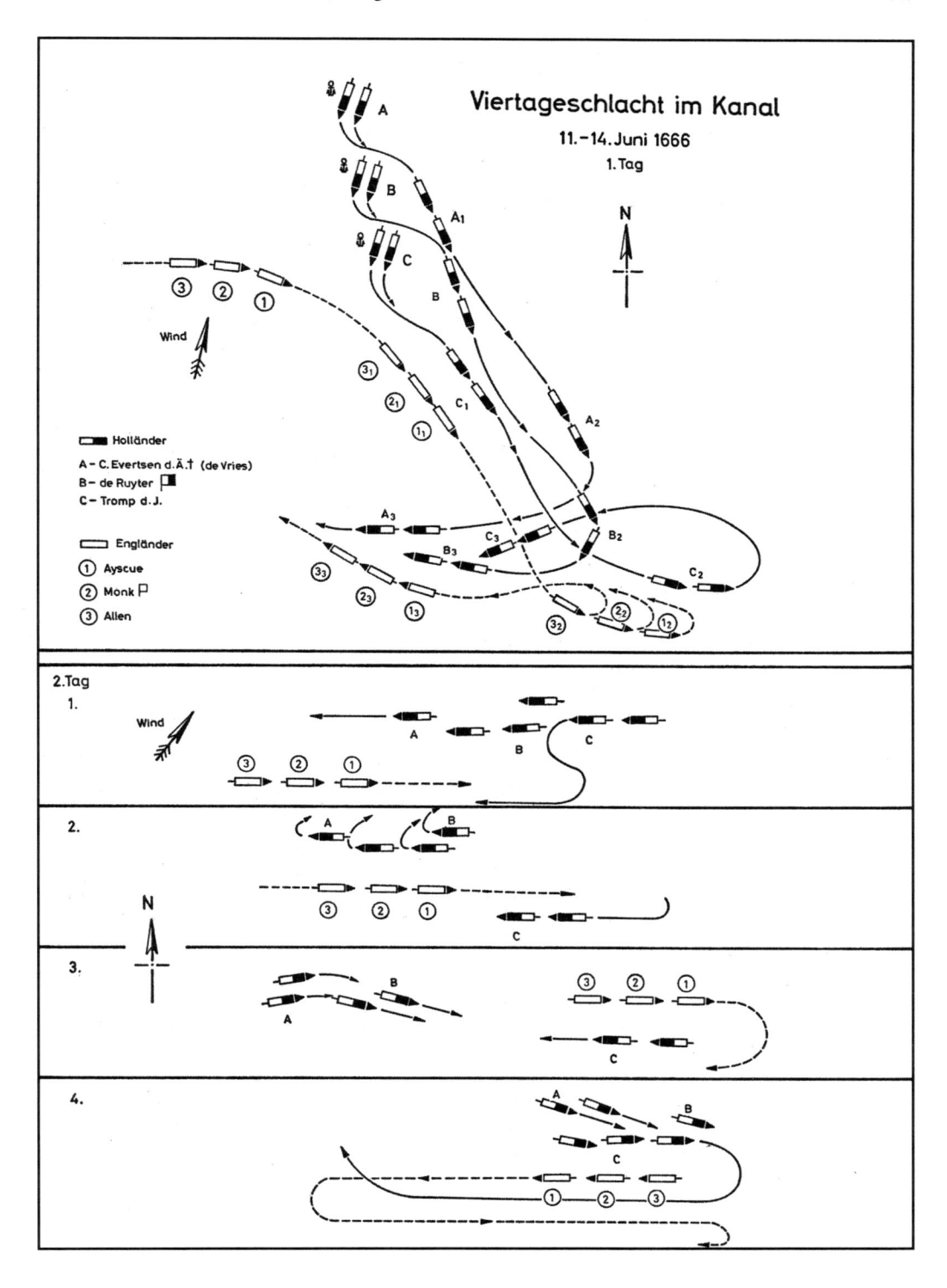

Holländer
A – C. Evertsen d. Ä. † (de Vries)
B – de Ruyter
C – Tromp d. J.

Engländer
① Ayscue
② Monk
③ Allen

2. Tag
1.
2.
3.
4.

Juli 1666	De Ruyter blockiert einige Zeit die Themse, doch schon am 2. August sticht die englische Flotte neu ausgerüstet wieder in See.
4. und 5. August 1666	**Seeschlacht bei North Foreland (St. James Fight).** Die beiden Flotten treffen mit einer Stärke von je rund 90 Kriegsschiffen und 20 Brandern aufeinander. Bei den Engländern führen Monk und Prinz Rupert gemeinsam in der >Royal Charles< den Oberbefehl. Bei den Niederländern führt de Ruyter das Zentrum, Tromp d. J. die Nachhut und Jan Evertsen die Vorhut.
Vormittag	Auf östlichem Kurs entwickelt sich ein laufendes Gefecht, die Engländer auf der Luvseite. Bei der niederländischen Vorhut fallen in kurzer Zeit alle Admirale. Das ganze Geschwader wendet sich daraufhin zur Flucht. Da Tromp gleichzeitig mit seiner Nachhut Jagd auf einige fliehende englische Schiffe macht, steht de Ruyters Zentrum allein der englischen Übermacht gegenüber. Mit rund 20 Schiffen deckt de Ruyter meisterhaft den Rückzug der niederländischen Flotte.
5. August morgens	Tromp ist vollkommen außer Sicht. Mit nur acht Schiffen sichert de Ruyter das Eintreffen der versprengten Schiffe hinter den flachen Sanden an der Küste der Niederlande. Tromp ist zeitweise in Gefahr, abgeschnitten zu werden, und trifft erst am nächsten Tag ein.
	Nach eigenen Angaben verlieren die Niederländer nur zwei Schiffe und rund 1000 Mann, die Engländer ein Schiff und 300 Mann. Die Meisterschaft von de Ruyter rettet die niederländische Flotte vor einer schweren Niederlage. Die Engländer beherrschen aber für die Folgezeit die See.
18. August 1666	**Nordsee.** Ein kleines englisches Geschwader unter Robert Holmes kann bei Texel 150 niederländische Handelsschiffe erobern und vernichten.
10. September 1666	**Der große Brand von London.** Dieses Ereignis, dem der Großteil der Stadt zum Opfer fällt, ferner die seit einem Jahr wütende Pest und die großen Kosten der Hofhaltung von König Karl II. zwingen zu besonderen Sparmaßnahmen, die vor allem die Flotte betreffen. Die Linienschiffe werden in den Werfthäfen an der Themsemündung aufgelegt und der Handelskrieg nur noch mit leichten Seestreitkräften geführt. Friedensverhandlungen werden begonnen. Die Niederlande nützen die ihnen kampflos zufallende Seeherrschaft.
4. Jänner 1667	**Gefecht in der Nordsee.** Sechs englische Kriegsschiffe erobern in einem Gefecht mit fünf niederländischen Schiffen drei der Gegner.
19. bis. 23.Juni 1667	**De Ruyter auf der Themse.** Mit 24 Linienschiffen, 20 Fregatten und 15 Brandern trifft die Flotte der Niederlande vor der Themse ein. De Ruyter bleibt mit der Hauptmacht zur Deckung der Operation in der Themsemündung liegen und sendet kleine Flottenteile zum Angriff.
19. Juni	Ein Angriff auf Gravesend scheitert wegen ungünstiger Windverhältnisse.
20. Juni	An diesem Tage wird Sheerness erobert und damit die Einfahrt in den Flußarm Medway erzwungen. Dort liegt ein Teil der außer Dienst gestellten englischen Flotte.
22. und 23. Juni	De Ruyter segelt den Medway hinauf. Die Linienschiffe bringen die Uferbatterien zum Schweigen. Von Bootsabteilungen werden die Flußsperren bei Upnor beseitigt oder zerstört. Dann werden neun der dort liegenden Linienschiffe teils erobert, teils verbrannt. Die >Royal Charles< (100), das Flaggschiff von Monk in den letzten Seeschlachten, wird als Beute nach den Niederlanden mitge-

Viertageschlacht
4. Tag

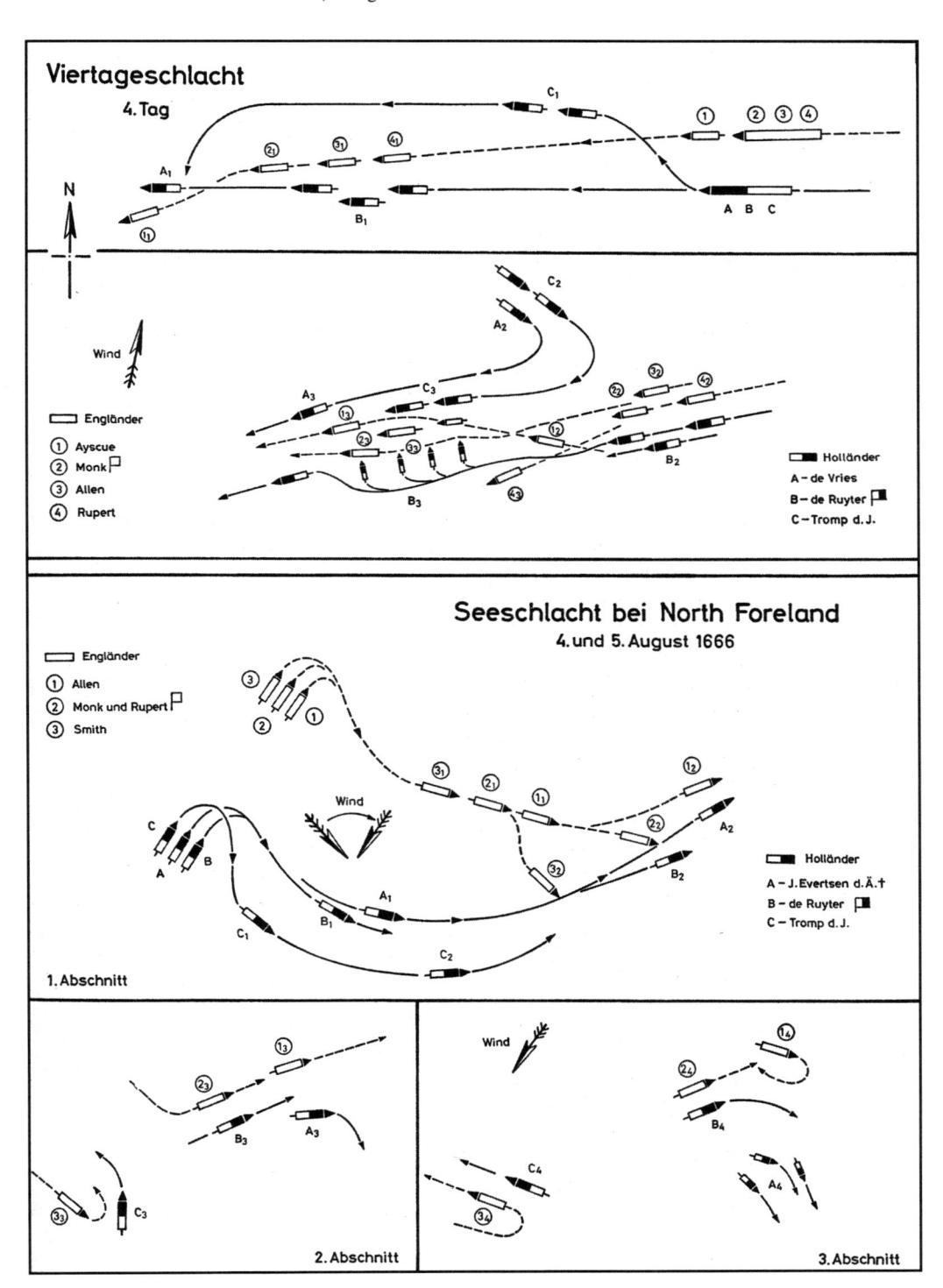

N

Engländer
① Ayscue
② Monk
③ Allen
④ Rupert

Wind

Holländer
A – de Vries
B – de Ruyter
C – Tromp d. J.

Seeschlacht bei North Foreland
4. und 5. August 1666

Engländer
① Allen
② Monk und Rupert
③ Smith

Wind

Holländer
A – J. Evertsen d. Ä. †
B – de Ruyter
C – Tromp d. J.

1. Abschnitt

2. Abschnitt

3. Abschnitt

6. Juli 1667	nommen. Anschließend geht de Ruyter wieder vor die Themsemündung und blockiert diesen wichtigen Seeweg, worauf es in London zum Mangel an vielen Gütern kommt. Um die Friedensverhandlungen zu beschleunigen, segelt de Ruyter noch einmal bis vor Gravesend, worauf in London eine Panik ausbricht.

Übersee

April 1666	**Westindien.** Ein französisches Geschwader erobert die Insel St. Kitts und im November gelingt auch die Eroberung des englischen Flottenstützpunkts auf der Insel Antigua.
Mai 1667	**Seeschlacht auf der Reede von Nevis.** Kurz vor Kriegsschluß greift ein niederländisch-französisches Geschwader von 17 Schiffen die englischen Besitzungen in Westindien an. Vor der Insel Nevis stellen sich ihnen zwölf englische Schiffe entgegen. Im folgenden Kampf verlieren die Engländer wohl drei Schiffe, verhindern aber die geplante Landung auf der Insel.
5. und 6. Juli 1667	**Gefecht vor Martinique.** Ein englisches Geschwader von neun Kriegsschiffen unter Konteradmiral John Harman vernichtet vor Martinique ein französisch-niederländisches Geschwader von 20 schwächeren Schiffen, von denen nur wenige entkommen.
21. Juli 1667	**Friede von Breda.** Die Niederlande treten Neu-Amsterdam ab und erreichen eine geringe Lockerung der Navigationsakte. Auch dieser Friedensschluß stellt beide Seiten nicht zufrieden.
Juni bis September 1666	**Portugal.** Spanien unternimmt einen weiteren Versuch, das abgefallene Land noch einmal unter seine Krone zu bringen. Das spanische Atlantikgeschwader unter Diego de Ibarra blockiert die Häfen Lissabon und Porto und beschießt die Städte Lagos, Sagres und Cacares.
1666–1670	**Insulinde.** Die Niederländer erobern das Sultanat von Makassar. Diese Herrschaft im südlichen Celebes/Sulawsi hat sich für die Niederländer zu einem Handelskonkurrenten im Gewürzhandel entwickelt. Ein niederländisches Geschwader unter Cornelis Speelman erobert das Sultanat und vertreibt die englischen, portugiesischen und dänischen Kaufleute von der Insel.
1667–1668	**„Devolutionskrieg".** Frankreich erhebt Erbansprüche auf spanisches Gebiet geltend und erobert Teile der spanischen Niederlande. Spanien zieht sein Atlantikgeschwader in Cádiz und das Mittelmeergeschwader in Port Mahon zusammen, doch kommt es zu keinen Kriegshandlungen zur See. Im Friedensschluß muß Spanien die Unabhängigkeit von Portugal anerkennen.
5. Mai 1668	**Schiffbruch.** Beim Einlaufen in den Hafen von Bahia/Salvador in Brasilien gerät das Flaggschiff des portugiesischen Brasiliengeschwaders, die >Sacramento< (60), im Sturm auf eine Untiefe und sinkt mit fast 800 Mann der Besatzung und 200 Passagieren.
1668	**Arabische See.** Die Flotte von Oman unternimmt einen erfolgreichen Plünderungszug gegen das portugiesische Diu und das bereits im Niedergang befindliche persische Hormus. Der Zug gegen Diu wird drei Jahre später wiederholt. Auch 1670 wehren die Portugiesen in Mosambique einen Angriff der Flotte von Oman ab.

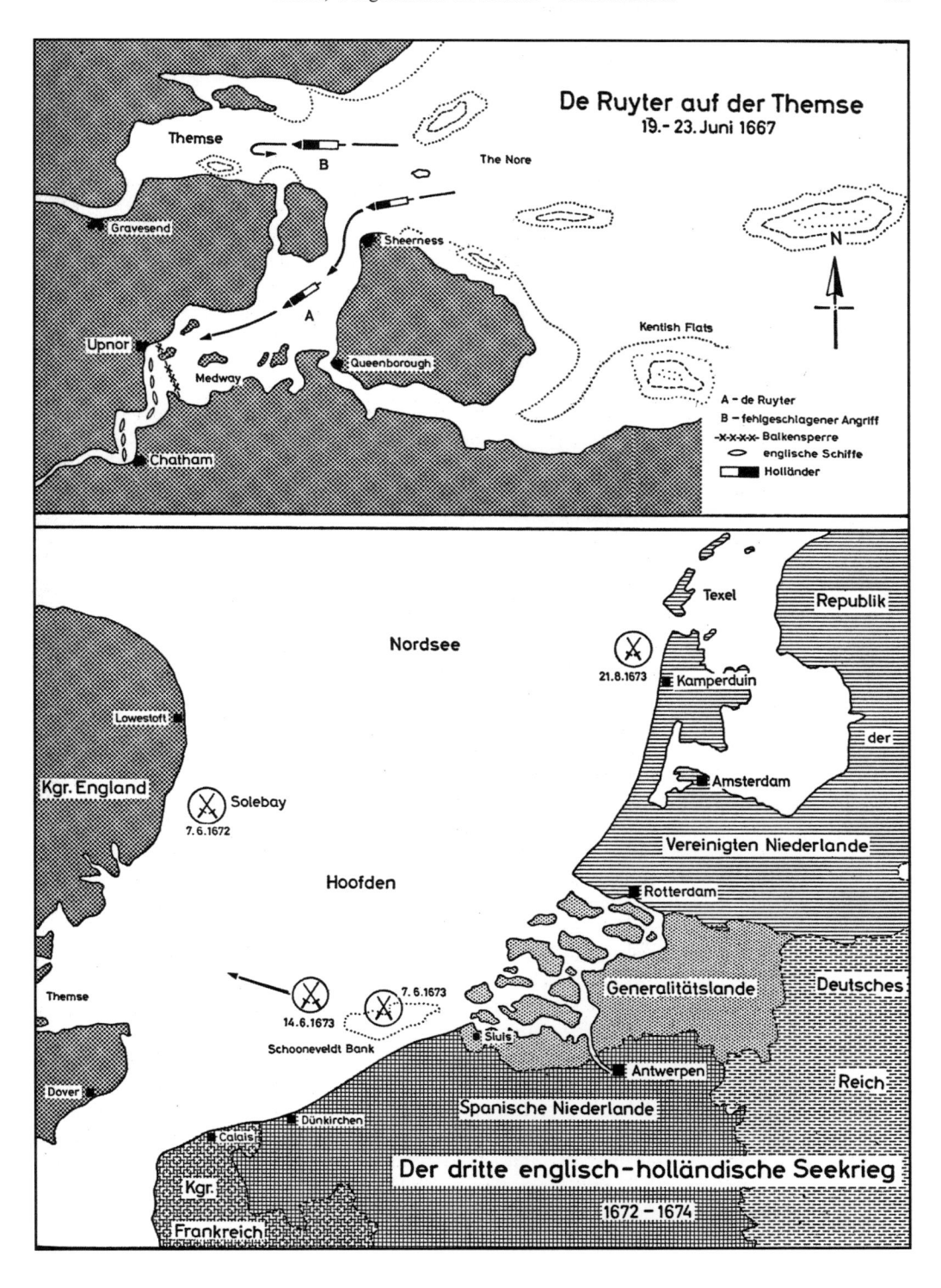

Pemsel, Weltgeschichte der Seefahrt – Seeherrschaft II 523

De Ruyter auf der Themse
19.– 23. Juni 1667

Themse
B
The Nore
Gravesend
Sheerness
Kentish Flats
Upnor
Queenborough
Medway
Chatham
A

A = de Ruyter
B = fehlgeschlagener Angriff
-x-x-x-x- Balkensperre
⌒ englische Schiffe
▬ Holländer

Nordsee
Texel
Republik
21.8.1673
Kamperduin
Lowestoft
Kgr. England
Amsterdam
der
Solebay
7.6.1672
Hoofden
Vereinigten Niederlande
Rotterdam
Generalitätslande
Deutsches
Themse
14.6.1673 7.6.1673
Schooneveldt Bank
Sluis
Antwerpen
Reich
Dover
Dünkirchen
Spanische Niederlande
Calais
Kgr.
Frankreich

Der dritte englisch-holländische Seekrieg
1672 – 1674

1669	**Frankreich.** Jean-Baptiste Colbert wird Marineminister. Unter ihm wird Toulon zu einem zeitgemäßen Kriegshafen ausgebaut, Rochefort wird ein neuer Flottenstützpunkt am Atlantik und in Dieppe, St. Malo und Rochefort werden Marineschulen eingerichtet. Unter Colbert wird die französische Flotte zur bestorganisierten der Welt.
Mai 1670	**England.** Der König erteilt der „Gesellschaft von Unternehmern von England, die mit der Hudson-Bucht Handel treiben" ein Privileg zum Handel und Erwerb von Pelzen und Metallen in den Ländern rund um die Hudson-Bucht.
August 1670	**Barbaresken.** Ein niederländisch-englisches Geschwader unter Admiral van Ghent erobert vor Tanger sieben Korsarenschiffe mit 28 bis 34 Kanonen pro Schiff und befreit zahlreiche christliche Galeerensklaven.
15. März 1671	**Unwetter.** Ein Wirbelsturm verwüstet den Hafen von Cádiz. Fast alle Häuser der Stadt und die im Hafen liegenden Schiffe werden vernichtet, rund 600 Personen finden den Tod.
Mai 1671	**Barbaresken.** In der Bucht von Bougie in Algerien vernichtet der spanische Admiral Spragge mit seinem Mittelmeergeschwader acht Piratenschiffe.
1673	**Levante.** Die Galeerenflotte der Johanniter von Malta, unterstützt von vier mit Kaperbriefen ausgestatteten Segelschiffen, erobert aus dem Alexandriageleit (Karavane) der Osmanen vier große Segelschiffe.

1672–1674/1678 Der dritte Seekrieg England gegen die Niederlande (Koalitionskrieg gegen die Niederlande)

März 1672	**Überfall auf Kanalgeleit.** Noch vor der Kriegserklärung greift ein englisches Geschwader von 18 Kriegsschiffen, davon zwölf Linienschiffe, ein niederländisches Geleit an. Letzteres besteht aus 72 Handelsschiffen, davon 24 bewaffnet, und fünf Kriegsschiffen unter dem Geleitführer de Haen, der sich so erfolgreich wehrt, daß die Engländer nur drei Handelsschiffe erobern können. Eines der niederländischen Kriegsschiffe sinkt, der Rest des Geleits erreicht den sicheren Hafen.
1672	**Niederlande.** Admiral de Ruyter übernimmt wieder den Oberbefehl über die Flotte. Da in diesem Krieg die Niederlande auch von der Landseite angegriffen werden, ist de Ruyter zu besonderer Vorsicht bei den Seeoperationen gezwungen, um die wertvolle Flotte nicht aufs Spiel zu setzen. Er hält sich mit seinen Geschwadern meist hinter den Untiefen an der eigenen Küste auf, ergreift aber jede Gelegenheit zu erfolgversprechenden Offensivvorstößen.
7. Juni 1672	**Seeschlacht in der Solebay.** Die Flotte der verbündeten Engländer und Franzosen liegen an der Küste von Suffolk südlich Lowestoft, um Wasser und Proviant zu ergänzen. Der Herzog von York, Flaggschiff >Royal Prince< (120), führt die Mitte, Admiral Montagu auf der >Royal James< (100) die Nachhut und Vizeadmiral d'Estrées (F) auf der >St. Philippe< (78) die aus dem französischen Kontingent bestehende Vorhut. Es sind insgesamt 71 Linienschiffe, davon 26 aus Frankreich, beteiligt. Mit den kleinen Kriegsfahrzeugen, Brandern und Transportern zählt die Flotte der Verbündeten 150 Schiffe mit 5100 Kanonen und 33.000 Mann. Die niederländische Flotte unter de Ruyter auf der >De Zeven Provincien< (82) ist rund 120 Schiffe stark, davon sind 61 Linien-

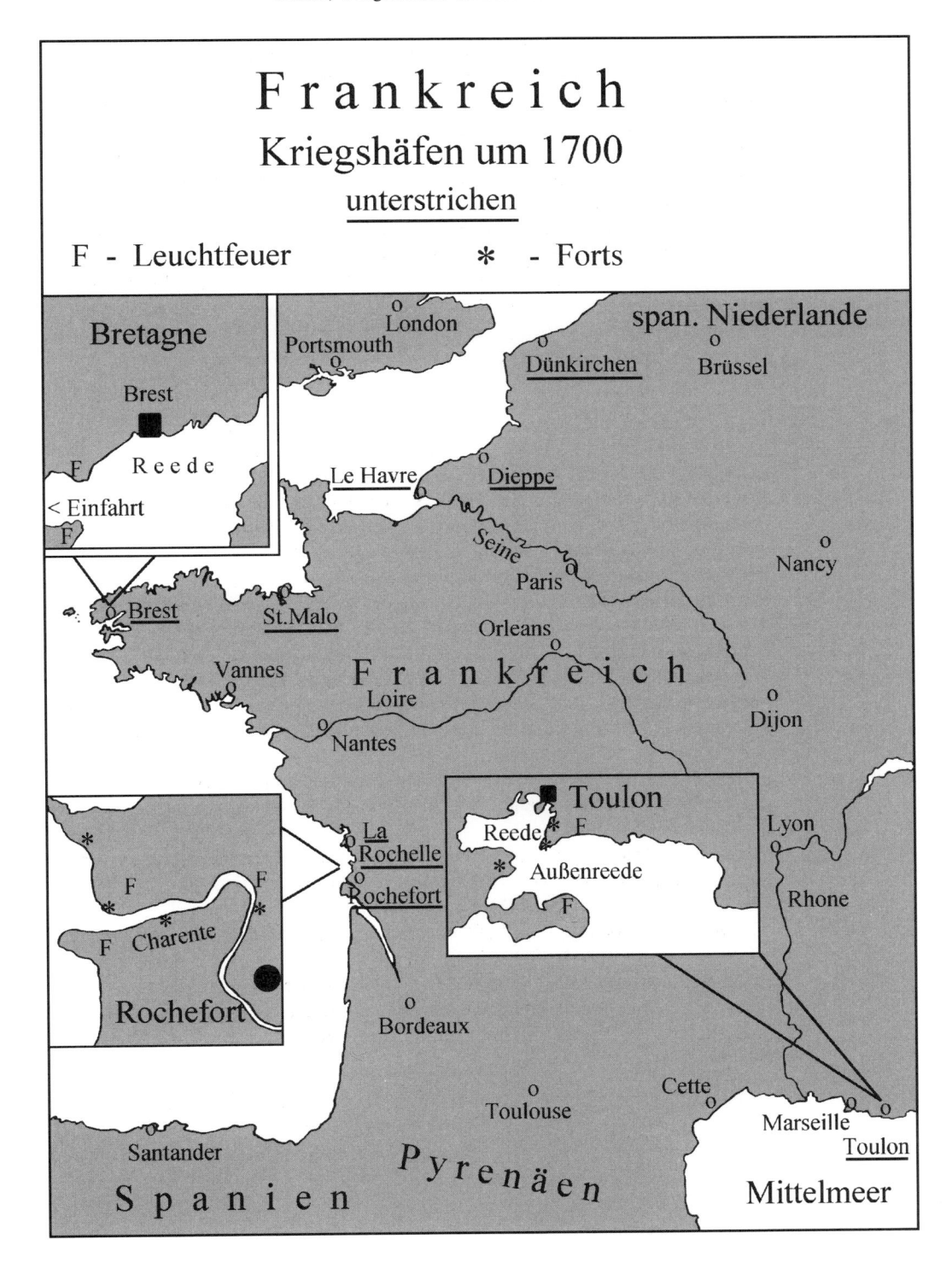

Frankreich
Kriegshäfen um 1700
unterstrichen

F - Leuchtfeuer   * - Forts

Bretagne
Brest
Reede
< Einfahrt
F

London
Portsmouth
span. Niederlande
Dünkirchen
Brüssel
Le Havre
Dieppe
Seine
Paris
Nancy
Brest
St. Malo
Vannes
Frankreich
Orleans
Loire
Dijon
Nantes

Rochefort
*
F   F
*   *
F Charente

La Rochelle
Rochefort

Toulon
Reede
*
* Außenreede
F
Lyon
Rhone

Bordeaux
Toulouse
Cette
Marseille
Toulon
Santander
Spanien   Pyrenäen   Mittelmeer

schiffe, mit zusammen 4500 Kanonen und 21.000 Mann. Admiral Banckers führt die Vorhut, Admiral van Ghent die Nachhut.

De Ruyter greift in breiter Formation die Verbündeten an, die nur mit Mühe bei dem herrschenden Ostwind von der Küste frei manövrieren können. D'Estrées geht mit seinem französischen Geschwader auf Südkurs und wird von Banckers mit einem Teil der Vorhut weiter abgedrängt und beschäftigt. Die Franzosen begnügen sich mit einem Geplänkel und greifen nicht ernsthaft in die Schlacht ein. Der Großteil der Niederländer wirft sich auf die Engländer, die mit Mühe Kiellinie mit Kurs Nord bilden. Im beginnenden Kampf fallen bald Montagu und van Ghent. Durch die Nähe der Küste sind die Flotten gegen Mittag gezwungen, auf Kurs Südost zu gehen. Bis zum Abend wird erbittert gekämpft. Banckers vereinigt sich noch vor Einbruch der Nacht wieder mit de Ruyter, erst die Dunkelheit beendet den Kampf. Die Verluste:

Engländer	4 Schiffe	2500 Mann
Niederländer	2 Schiffe	2000 Mann
Franzosen	-	-

De Ruyter verhindert mit dieser Seeschlacht eine geplante Landung der Verbündeten in den Niederlanden. Diese Seeschlacht und das Eingreifen von Brandenburg in die Landkämpfe retten die Niederlande, dessen Territorium schon zum großen Teil von den Verbündeten besetzt ist. Die Schlacht ist nicht nur ein taktischer, sondern auch ein strategischer Erfolg von de Ruyter.

Juli 1672 **„Innere Linie"**. De Ruyter nimmt mit der Flotte seine Wartestellung hinter den Untiefen wieder ein. Von dort kann er jede Seeschlacht nach Belieben annehmen oder ablehnen. Die Seefront der Niederlande ist dadurch gesichert. Die geschickte Durchführung dieser Strategie der „Inneren Linie" ist eine der größten Leistungen von de Ruyter neben seinen Seesiegen. Der Überseetransport und die Fischereiflotten der Niederlande bleiben dadurch aber ungeschützt.

Sommer 1672 **Nordsee**. Die Engländer nutzen ihre Seeherrschaft und vertreiben und erobern die Fischereiflotte der Niederlande aus dem Gebiet der Doggerbank und von der Küste vor Schottland.

Juli 1672 **Texel**. Eine starke Flotte der Verbündeten mit zahlreichen Truppentransportern erscheint vor der Insel. Mit der Flotte der Niederländer unter de Ruyter in der Flanke wagt man aber nicht das Landungsunternehmen.

Frühjahr 1673 **Allianzen**. Brandenburg schließt mit Frankreich Frieden, dafür treten Österreich und Spanien an die Seite der Niederländer.

7. Juni 1673 **Erste Seeschlacht bei Schooneveldt**. Die Verbündeten planen neuerlich eine Landung in den Niederlanden. Sie erscheinen mit der vereinigten Flotte vor der niederländischen Küste. Diesmal nimmt de Ruyter den Kampf an. Die Stärke der Flotten beträgt:

	Niederländer	Verbündete
Linienschiffe	52	81 (davon 27 frz.)
Fregatten	12	11
Brander	25	35

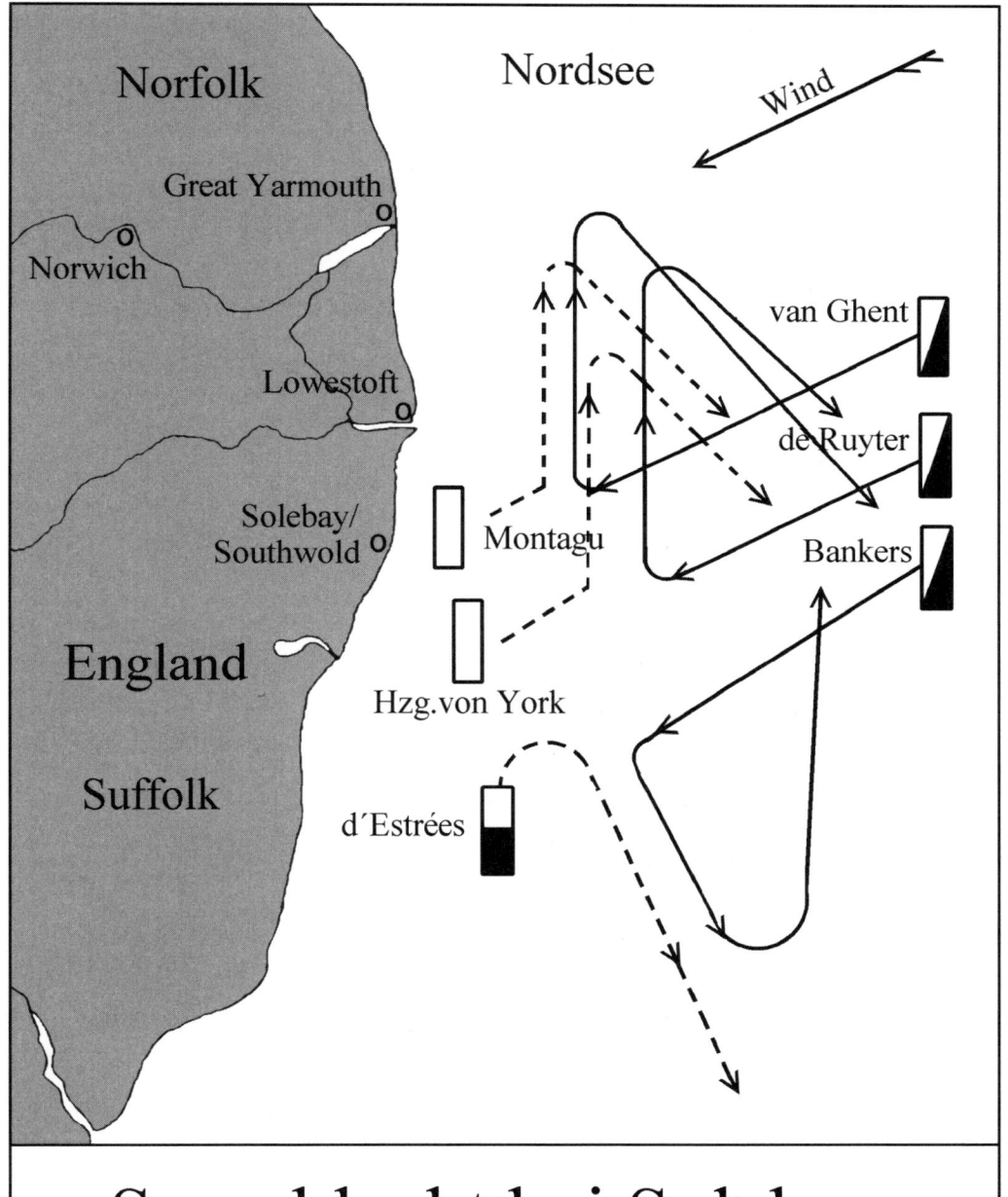

Seeschlacht bei Solebay
7. Juni 1672

Die Vizeadmirale von de Ruyter sind Tromp d. J. und Banckers. Die Flotte der Verbündeten steht unter dem Befehl von Prinz Rupert, der selbst die Vorhut führt, Unterführer sind d'Éstrées (Zentrum) und Spragge (Nachhut).

Die Flotte der Verbündeten nähert sich bei Westwind in breiter Dwarsformation (siehe Anhang Taktik). De Ruyter geht auf Nordkurs. Es entwickelt sich ein laufendes Gefecht. De Ruyter durchbricht schließlich das französische Zentrum, muß sich dann aber dem arg bedrängten Banckers zuwenden. Mittlerweile hat sich Tromp von der überlegenen englischen Vorhut abdrängen lassen und ist ebenfalls in schwieriger Lage. Er muß dreimal sein Flaggschiff wechseln. De Ruyter bricht daraufhin den Kampf mit der englischen Nachhut ab und kommt zusammen mit Banckers Tromp zu Hilfe. Am Abend trennen sich die Flotten. De Ruyter ankert vor der Küste; Prinz Rupert westlich davon in Sichtweite. Auf beiden Seiten sind nur einige kleinere Schiffe verloren gegangen.

14. Juni 1673 **Zweite Seeschlacht bei Schooneveldt.** Als der Wind überraschend nach Ost umspringt, wodurch die Niederländer in die Luvposition kommen, greift de Ruyter sofort an. Die Verbündeten sind nicht vorbereitet und versuchen auszuweichen. Der Kampf zieht sich bis zur englischen Küste hin. Nur zwischen Tromp und Spragge kommt es zu einem scharfen Kampf. Nach sechs Stunden bricht de Ruyter vor der englischen Küste den Kampf ab. Mit nur geringen Verlusten hat er den Landungsversuch vereitelt. Die Niederlande können außerdem wieder einige Geleitzüge einbringen.

Juli 1673 **Veränderte Kriegssituation.** De Ruyter kreuzt zehn Tage lang vor der Themse. Die Kriegslage an den Landfronten wird für die Niederlande zusehends ungünstiger. Mit einem kombinierten Angriff von Land und See wollen die Verbündeten das Land endgültig zu Fall bringen. Landungstruppen in der Stärke von 20.000 Mann werden in England bereitgestellt, davon wird fast die Hälfte als erste Welle auf der Flotte eingeschifft.

21. August 1673 **Seeschlacht bei Texel (Kamperduin).** Die Flotte der Verbündeten unter Prinz Rupert geht an die Küste von Nordholland bei Texel, um die Landungsoperation zu decken. Die Stärke der Flotten beträgt:

	Niederländer	Verbündete
Linienschiffe und Fregatten	75	90
Brander	30	30

Diesmal führt Prinz Rupert das Zentrum, d'Estrées die französische Vorhut und Spragge die Nachhut. Bei den Niederländern führt de Ruyter die Mitte, Banckers die Vorhut und Tromp d. J. die Nachhut.

Bei Ostwind gelingt es de Ruyter, sich in der Nacht zwischen den Gegner und die nahe Küste zu schieben, damit er zu Beginn der Schlacht in der Luvstellung steht.

8 Uhr De Ruyter geht mit seiner Flotte geschwaderweise an den Feind. Auf südlichem Kurs stehen sich Banckers und d'Estrées, de Ruyter und Prinz Rupert sowie Tromp und Spragge gegenüber. D'Estrées versucht die niederländische Vorhut zu umfassen, Banckers durchbricht jedoch die französische Linie und bringt sie vollkommen in Unordnung. Er läßt daraufhin einige Schiffe zur Beobachtung der Franzosen zurück und eilt mit dem Rest seiner Vorhut dem

Erste Seeschlacht bei Schooneveldt
7. Juni 1672

Nordsee

Niederländer
Franzosen
Engländer

Insel Walcheren
Scheldemündung
Sluis
Untiefen
Schooneveldt
Flandern
Tromp
de Ruyter
Bankers
Brügge
(Ostende)

Prinz Rupert
d'Estrees
Spragge

Wind

niederländischen Zentrum zu Hilfe. D'Estrées greift in den Kampf nicht mehr ein. Prinz Rupert dreht mit seinem Zentrum immer wieder nach Westen ab, um de Ruyter auf Distanz zu halten. Die beiden Nachhuten kommen sofort in engen Kontakt. Es wird erbittert Schiff gegen Schiff gekämpft. Admiral Spragge fällt.

12 Uhr Die beiden Flottenbefehlshaber wenden schließlich und kommen ihren Nachhuten zu Hilfe.

16 Uhr Auch Banckers greift noch in den Kampf ein. Erst am Abend, als auch d'Estrées wieder eintrifft, endet die Schlacht. Die englische Flotte segelt heim, der Landungsversuch wird aufgegeben. Keine der Flotten verliert ein Schiff, aber viele sind schwer beschädigt. Die Verbündeten verlieren rund 2000 Mann, die Niederländer rund die Hälfte.

Die Niederländer sind von der Bedrohung von der Seeseite befreit. Ein großer Ostindiengeleitzug kann eingebracht werden. England ist über die Zurückhaltung des französischen Geschwaders verärgert und zum Frieden mit den Niederlanden bereit.

Februar 1674 **Zweiter Friede von Westminster.** Durch das Ausscheiden des Hauptgegners zur See können sich die Niederlande nun auf den Kampf gegen Frankreich konzentrieren.

1674 **Flottenverlegung.** Die französische Flotte geht zum Großteil in das Mittelmeer zum Kampf gegen Spanien. Admiral Tromp d. J. blockiert daher mit einem Geschwader die Atlantikküste von Frankreich.

Die Kämpfe im Mittelmeer

Juli 1674 **Sizilien.** Messina revoltiert gegen die spanische Verwaltung von Sizilien. Ein französisches Geschwader bringt Nachschub in die belagerte Stadt.

16. August 1674 **Gefecht bei San Feliu.** Nordöstlich von Barcelona trifft das französische Mittelmeergeschwader von acht Linienschiffen und elf Galeeren unter Graf Vivonne auf ein gleich starkes spanisches Geschwader und kann ein spanisches Linienschiff erobern.

11. Februar 1675 **Gefecht bei den Liparischen Inseln.** Das französische Mittelmeergeschwader mit rund 20 Schiffen, darunter neun Linienschiffen, unter Graf Vivonne schlägt ein spanisches Geschwader unter Admiral de la Cueva. Das spanische Geschwader von 30 Schiffen besteht noch zum großen Teil aus Galeeren, ist daher dem Gegner nicht gewachsen und verliert mehrere Schiffe.

Juli 1675 **Adria.** Drei französische Schiffe unter Kpt. Tourville erobern im Hafen von Barletta ein spanisches Linienschiff und eine Fregatte.

17. August 1675 **Sizilien.** Das französische Mittelmeergeschwader von 29 Schiffen, 24 Galeeren und zwölf Brandern unter Vivonne erobert gegen geringen Widerstand die Hafenstadt Augusta.

Dezember 1675 **Niederlande.** Admiral de Ruyter verlegt mit einem Geschwader von 15 Linienschiffen und Fregatten in das Mittelmeer, um Spanien bei der Verteidigung von Sizilien zu unterstützen.

8. Jänner 1676 **Seeschlacht bei der Insel Stromboli.** De Ruyter trifft zum ersten Mal auf Admiral Duquesne, dem neuen Befehlshaber der französischen Flotte im Mit-

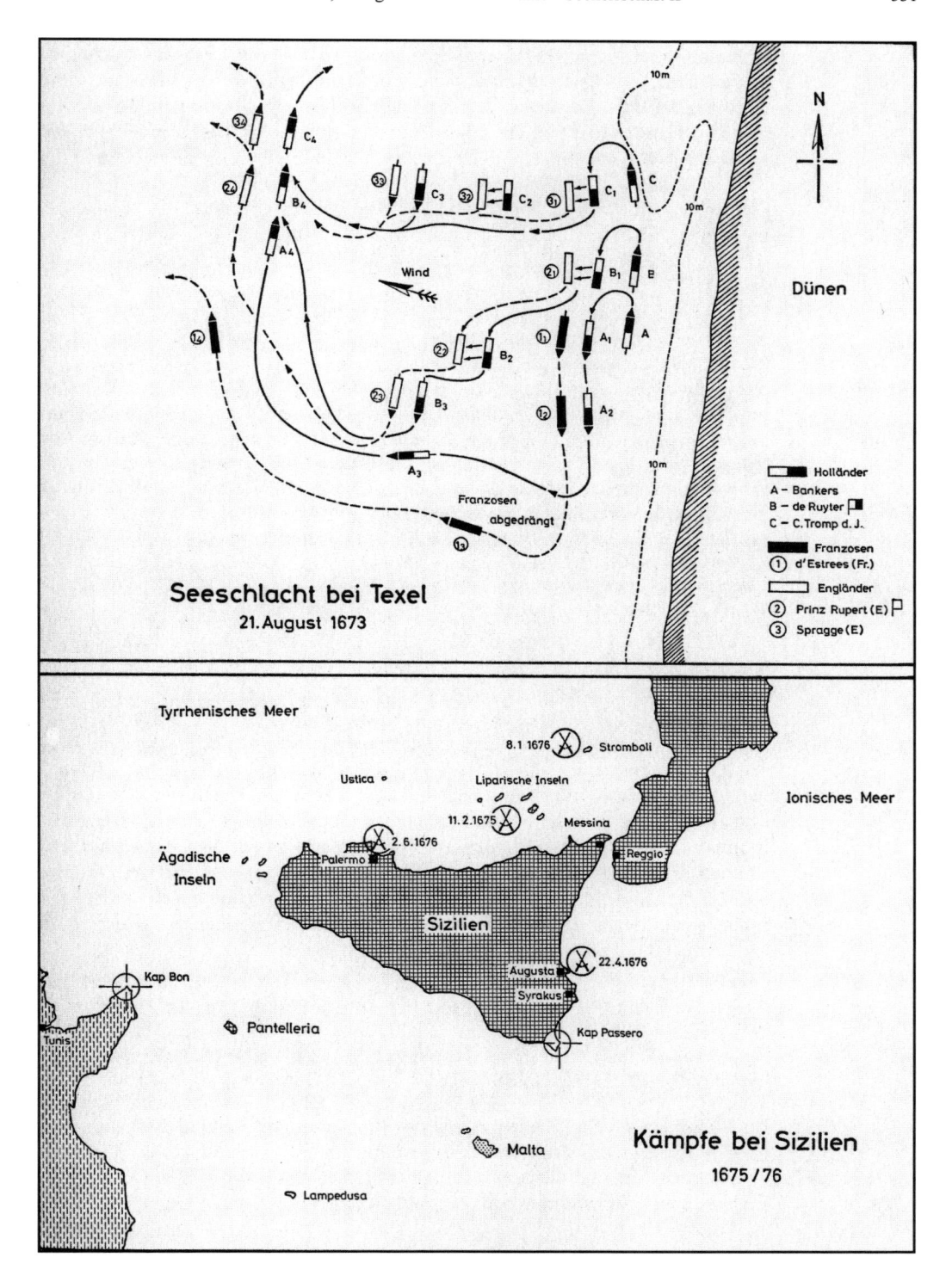

Seeschlacht bei Texel
21. August 1673

Holländer
A – Bankers
B – de Ruyter
C – C. Tromp d. J.

Franzosen
① d'Estrees (Fr.)

Engländer
② Prinz Rupert (E)
③ Spragge (E)

Dünen

Kämpfe bei Sizilien
1675/76

Tyrrhenisches Meer
Ustica
Liparische Inseln
8.1 1676 — Stromboli
11.2.1675
Messina
Reggio
Ionisches Meer
Ägadische Inseln
Palermo — 2.6.1676
Sizilien
Augusta — 22.4.1676
Syrakus
Kap Passero
Kap Bon
Pantelleria
Tunis
Malta
Lampedusa

telmeer. Duquesne verfügt über 20 Linienschiffe mit rund 1500 Geschützen, de Ruyter über 19 Linienschiffe (darunter ein spanisches) und Fregatten mit rund 1200 Geschützen. Duquesne greift von der Luvseite ungestüm an. De Ruyter hält sein Geschwader eng geschlossen und empfängt den stärkeren Gegner mit so wirkungsvollen Breitseiten, daß diesem ein Einbruch in die Schlachtlinie der Niederländer nicht gelingt. Am Abend endet der Kampf ohne Entscheidung. Die Franzosen verlieren drei Brander, am folgenden Tag sinkt ein schwer beschädigtes niederländisches Linienschiff. De Ruyter zeigt, wie sich eine schwächere Flotte in der Leeposition gegen den Gegner erfolgreich durchsetzen kann.

Die Leeposition wird in den folgenden Seekriegen vor allem von der französischen Flotte bevorzugt. Entscheidende Siege können aus dieser Stellung jedoch kaum errungen werden.

22. April 1676 **Seeschlacht bei Augusta.** Admiral Duquesne verfügt über 29 Linienschiffe mit 2200 Geschützen und 10.700 Mann. Die Flotte der verbündeten Niederländer und Spanier zählt 17 Linienschiffe (davon vier spanische), neun Fregatten (fünf spanische) mit zusammen 1330 Geschützen. Befehlshaber ist der spanische Admiral de la Cerda, de Ruyter führt die Vorhut, Vizeadmiral de Haen die Nachhut. Die Verbündeten greifen von der Luvseite an.

De Ruyter geht mit seiner Vorhut auf nächste Distanz an den Gegner heran und schießt einige Schiffe kampfunfähig. Das spanische Zentrum bleibt auf größerem Abstand, Duquesne kann daher de Ruyter zwischen zwei Feuer nehmen. Nur das energische Eingreifen von de Haen mit der Nachhut kann das Geschwader von de Ruyter retten. De Ruyter wird schwer verwundet und stirbt nach wenigen Tagen auf seinem Flaggschiff >Eendracht<. Die Schlacht endet nach mehreren Stunden ohne Entscheidung.

2. Juni 1676 **Seeschlacht bei Palermo.** Die Flotte der Verbündeten, 27 Schiffe und Fahrzeuge stark, liegt auf der Reede verankert und erwartet den Angriff der Franzosen. Die französische Flotte unter Vivonne erscheint mit 60 Schiffen, Fahrzeugen und Galeeren. Unter dem Feuerschutz von neun Linienschiffen bringen die Franzosen sechs Brander an die Flotte der Verbündeten. Diese sowie das Artilleriefeuer fügen den Verbündeten schwere Verluste zu. Sie verlieren sechs Linienschiffe, zwei Galeeren und einige Fahrzeuge. Sechs Admirale, darunter de la Cerda und de Haen sind gefallen, 2000 Mann tot oder verwundet. Die Franzosen erringen diesen Sieg fast ohne Verluste. Mit einem Schlag erobern sie die Seeherrschaft im Mittelmeer.

April 1678 **Sizilien.** Die Franzosen räumen die Insel, da sie mit dem Eintreffen einer englisch-niederländischen Flotte rechnen und darüber hinaus das Interesse an Sizilien verloren haben.

Letzte Kämpfe vor Westeuropa

1674 Ein niederländisches Geschwader von 36 Linienschiffen und Fregatten mit 3000 Mann Landungstruppen auf Transportern unter Admiral Tromp d. J. läuft zum Angriff auf die französische Atlantikküste aus. Angriffe auf die Inseln Belle Isle und Noirmoutier schlagen fehl. Tromp entläßt daher einen Teil seiner

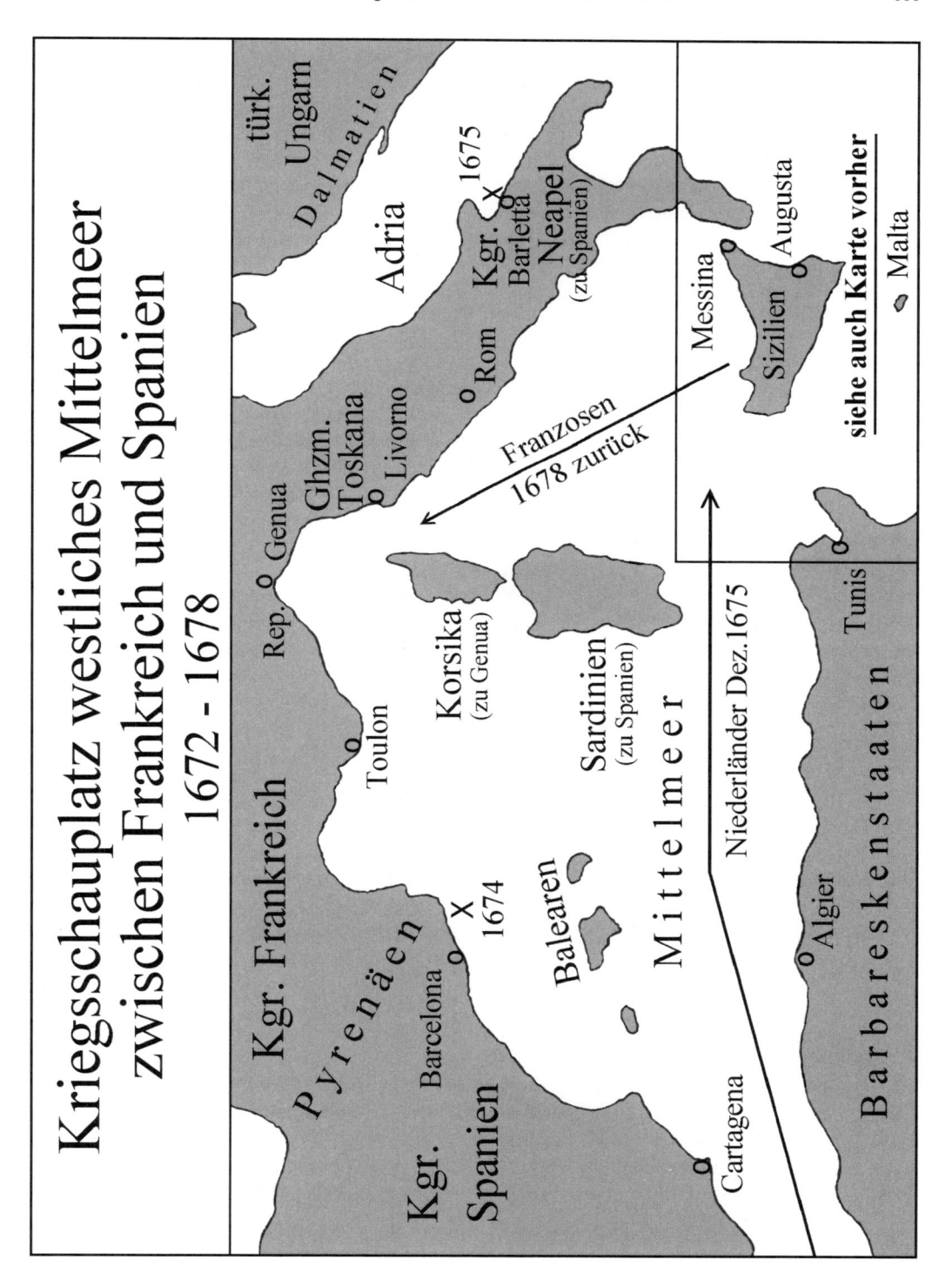

Kriegsschauplatz westliches Mittelmeer zwischen Frankreich und Spanien 1672 - 1678

Streitmacht zum Handelskrieg und geht mit dem größeren Teil der Schiffe in das Mittelmeer. Dort vertreibt er die französischen Blockadeschiffe vor Barcelona und Rosas. Da die Spanier sich nach Sizilien wenden, segelt er in die Niederlande zurück, wo er wegen Überschreitung seiner Befugnisse zur Verantwortung gezogen wird.

13. Juli 1677 Vor Quessant erobert Chateau-Renault (F) mit sieben Schiffen und zwei Geleitfahrzeugen fünf Handelsschiffe.

17. März 1678 **Gefecht westlich von Quessant.** Ein französisches Geschwader von sechs Linienschiffen unter Chateau-Renault trifft auf elf niederländische Linienschiffe unter Cornelis Evertsen III. Nach hartem Kampf müssen die Niederländer mit den größeren Schäden das Gefecht abbrechen und segeln nach Cádiz weiter.

Die Kämpfe in Westindien

Anfang 1673 **Handelskrieg.** Ein niederländisches Geschwader unter C. Evertsen III. und Jacob Binkes führt erfolgreich Handelskrieg gegen die Franzosen.

7. August 1673 **Eroberung.** Das gleiche Geschwader erobert New York und benennt es in Nieuw Oranje um. Nach dem Krieg muß die Siedlung allerdings den Engländern wieder zurückgegeben werden.

20. Juli 1674 **Martinique.** Ein niederländisches Geschwader von 18 Linienschiffen und Fregatten mit 24 Transportern mit 3400 Mann Landungstruppen unter Admiral de Ruyter greift die Festung Port Royal auf der Karibikinsel an. Die schwächere französische Besatzung wehrt sich so erfolgreich, daß die Niederländer den Angriff abbrechen müssen.

Mai 1676 **Eroberungen.** Konteradmiral Jakob Binkes erobert mit einen kleinen Geschwader der Niederlande die Insel Tobago in Westindien und Cayenne in Südamerika.

3. März 1677 **Gefecht bei Tobago.** Vizeadmiral d'Estrées (F) versucht vergeblich, den Niederländern Tobago wieder abzunehmen. In einem heftigen Gefecht mit dem Geschwader von Binkes verliert d'Estrées fünf von zehn seiner Schiffe, die Niederländer drei von sechs.

Dezember 1677 **Erfolg.** Mit einem verstärkten Geschwader kann d'Estrées Tobago doch noch erobern.

11. Mai 1678 **Schiffbruch.** Das französische Westindiengeschwader unter d'Estrées gerät auf der Fahrt nach Curaçao in der Nacht auf eine Reihe von Riffen. Dabei gehen insgesamt zwölf Schiffe, darunter sieben Linienschiffe, verloren.

Die Kämpfe in Ostindien

Die Seestreitkräfte der niederländischen VOC verteidigen erfolgreich ihre Vorherrschaft gegen die Konkurrenten der englischen und französischen Ostindischen Kompanien.

Juli 1672 **Ceylon.** Ein kleines Geschwader der Franzosen wird von den Niederländern aus dem Hafen Trinkomalee vertrieben und tritt dann nicht mehr in Erscheinung.

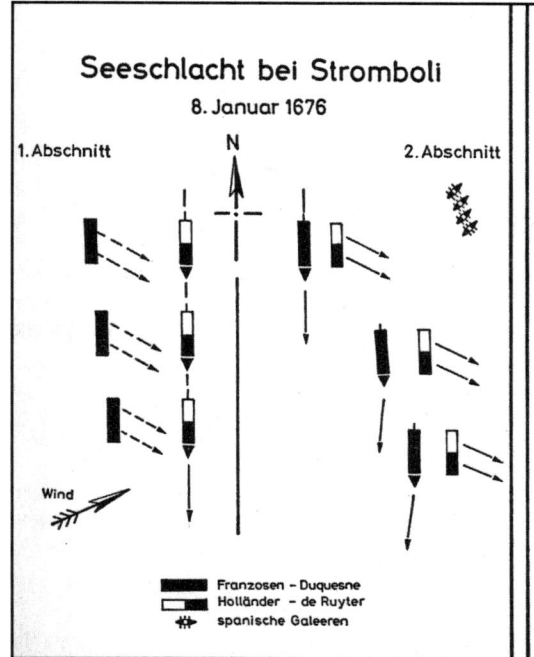

Seeschlacht bei Stromboli
8. Januar 1676

1. Abschnitt 2. Abschnitt

Wind

Franzosen – Duquesne
Holländer – de Ruyter
spanische Galeeren

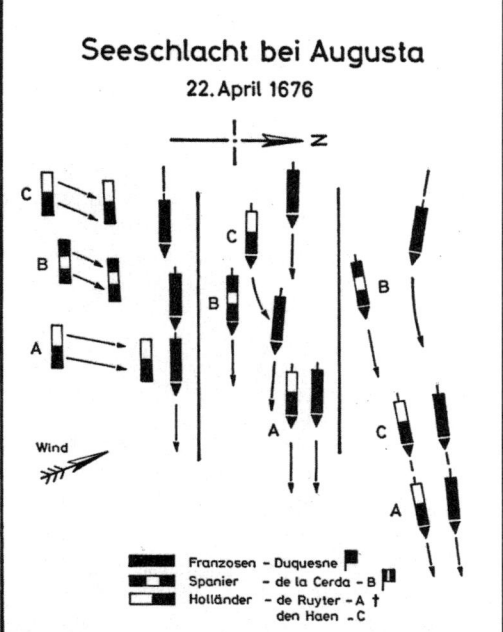

Seeschlacht bei Augusta
22. April 1676

Wind

Franzosen – Duquesne
Spanier – de la Cerda – B
Holländer – de Ruyter – A †
den Haen – C

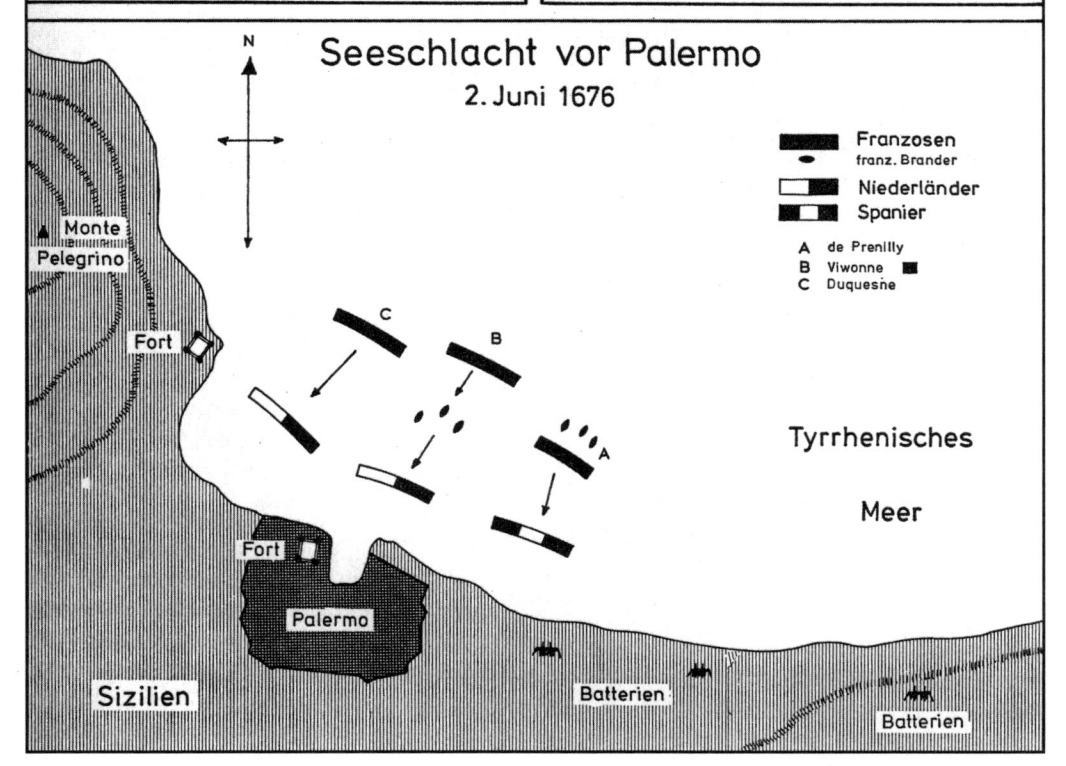

Seeschlacht vor Palermo
2. Juni 1676

Monte Pelegrino
Fort
Fort
Palermo
Sizilien
Batterien
Batterien
Tyrrhenisches Meer

Franzosen
franz. Brander
Niederländer
Spanier

A de Prenilly
B Viwonne
C Duquesne

1672–1673 **Insulinde.** Teile des Ostindiengeschwaders der VOC kontrollieren die Straße von Malakka und die Sunda-Straße und fangen alle englischen Handelsschiffe ab. Auch der Hafen Bantam mit einer Faktorei der EIC wird eng blockiert.

1. September 1673 **Seeschlacht bei Madras.** Nördlich der Stadt treffen die Geschwader der niederländischen VOC und der englischen EIC zum einzigen Mal zum Kampf aufeinander. Den 13 niederländischen Schiffen unter Admiral Cornelis van Quaelbergen stehen zehn englische unter Konteradmiral Basse gegenüber. Nach sechs Stunden Kampf wenden sich die Engländer zur Flucht. Sie verlieren drei Schiffe; zwei Flaggoffiziere und mehrere hundert Besatzungsmitglieder werden gefangengenommen. Die Schiffe der Niederländer sind für eine energische Verfolgung zu schwer beschädigt.

1672–1678 **Handelskrieg.** In den Gewässern um Frankreich führen niederländische und französische Kaperschiffe einen lebhaften Handelskrieg. Besonders erfolgreich sind die Kreuzer aus Dünkirchen.

5. Februar 1679 **Friede von Nimwegen.** Die Niederlande können ihren Besitzstand halten. Den Engländern gelingt es nach dem Friedensschluß mit den Niederländern in großem Umfang in deren Überseehandel einzudringen. In dieser Hinsicht sind sie Hauptgewinner des Seekrieges.

1675–1679 Der Schonensche Krieg

Auf Drängen von Frankreich greift das nicht vorbereitete Schweden Brandenburg an und sieht sich dabei auch der Seemacht von Dänemark gegenüber.

Juni 1675 **Landschlacht.** In der Schlacht bei Fehrbellin, 30 km nordwestlich von Berlin, siegen die Brandenburger über die Schweden und werfen sie bis an die Ostsee zurück.

1675 **Brandenburg.** Der niederländische Reeder Benjamin Raule erhält vom Kurfürsten Kaperbriefe für zehn Fregatten. Mit diesen kann Raule in der Nordsee 19 schwedische Handelsschiffe erobern und die Schweden praktisch aus der Nordsee vertreiben. Einige dieser Schiffe werden von Brandenburg noch mit Erfolg gegen die Besitzungen der Schweden in Pommern eingesetzt.

3. Mai 1676 Ein dänisches Geschwader unter Niels Juel jagt zwei schwedische Fregatten an die Küste von Schonen, eine kann von der eigenen Besatzung verbrannt werden, die zweite wird erobert.

3. und 4. Juni 1676 **Treffen bei Jasmund.** Erstes Zusammentreffen der dänisch-niederländischen Flotte unter Admiral Niels Juel, Flaggschiff >Churprinds< (76), mit der schwedischen Flotte unter Freiherrn von Creutz, Flaggschiff >Stora Kronan< (126). Die Verbündeten verfügen über 20 Linienschiffe und sieben Fregatten mit 1300 Geschützen, die Schweden über 27 Linienschiffe und elf Fregatten mit 2200 Geschützen.
Der Kampf beginnt am Abend und wird am folgenden Tag bis Mittag fortgesetzt. Beide Flotten beschränken sich auf ein Manövrieren in eine möglichst vorteilhafte Position. Das Treffen endet ohne wesentliche Verluste und ohne Entscheidung.

Karibik

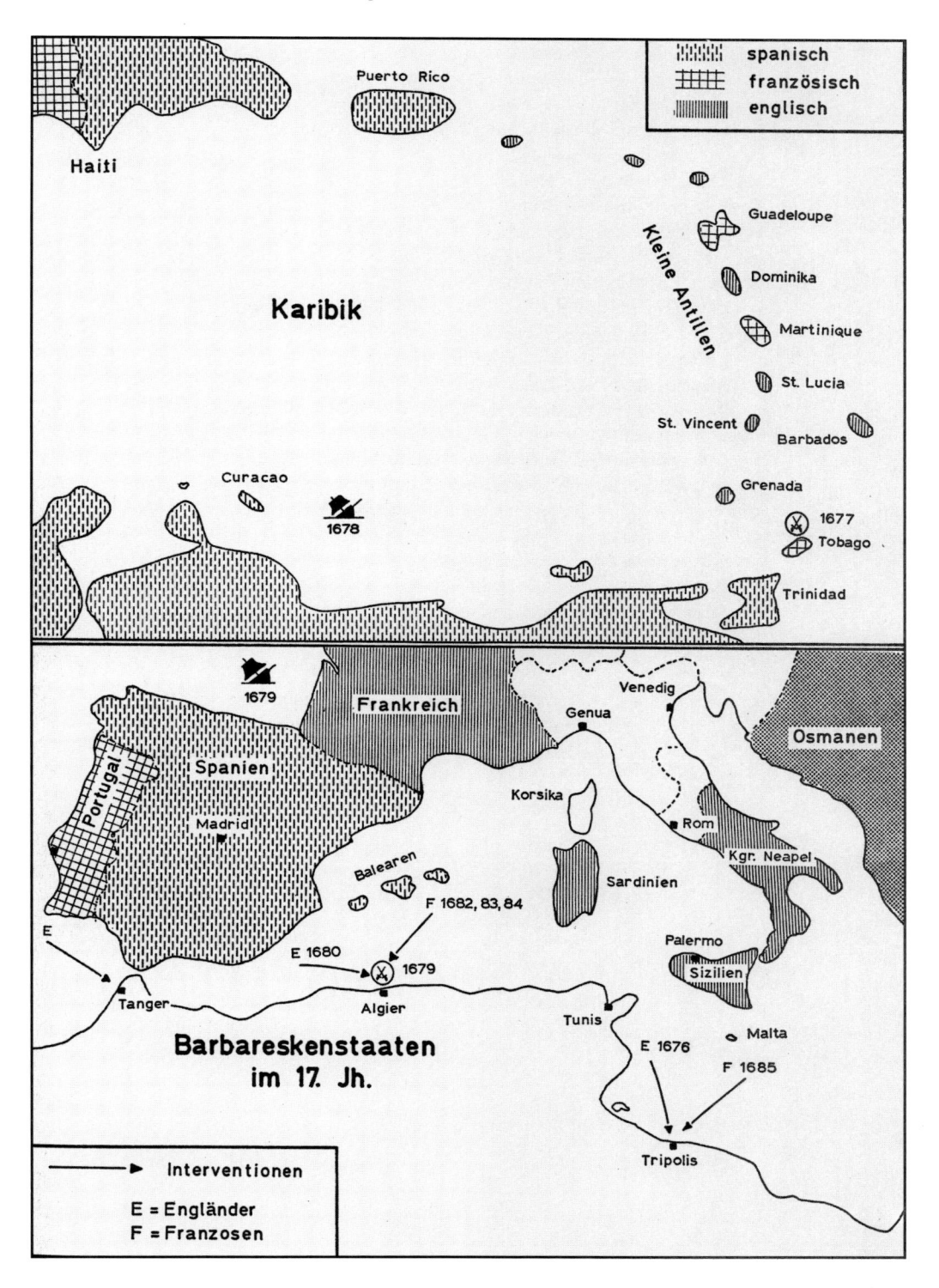

- spanisch
- französisch
- englisch

Haiti · Puerto Rico · Kleine Antillen · Guadeloupe · Dominika · Martinique · St. Lucia · St. Vincent · Barbados · Curacao · 1678 · Grenada · 1677 · Tobago · Trinidad

Barbareskenstaaten im 17. Jh.

1679 · Frankreich · Venedig · Genua · Osmanen · Portugal · Spanien · Korsika · Rom · Kgr. Neapel · Madrid · Balearen · F 1682, 83, 84 · Sardinien · Palermo · Sizilien · E 1680 · 1679 · E · Tanger · Algier · Tunis · Malta · E 1676 · F 1685 · Tripolis

— ▶ Interventionen

E = Engländer
F = Franzosen

5. Juni 1676	Admiral Cornelis Tromp übernimmt das Kommando über die Flotte der Verbündeten und wählt als sein Flaggschiff für das Zentrum das dänische Linienschiff >Christianus V.< (86).
11. Juni 1676	**Seeschlacht bei Öland.** Die Flotte der Verbündeten zählt 25 Linienschiffe, davon zehn niederländische, und zehn Fregatten mit zusammen 1700 Geschützen. Die Schweden verfügen über 27 Linienschiffe und elf Fregatten mit 2200 Geschützen. Admiral Tromp holt die mit Nordostkurs entlang der Küste von Öland segelnde schwedische Flotte ein und läuft an der Luvseite zum Liniengefecht auf. Admiral Creutz will mit seiner Vorhut wenden, um die feindliche Spitze zu doublieren. Bei dem herrschenden starken Wind kentert sein Flaggschiff >Stora Kronan< (126), das größte Kriegsschiff seiner Zeit, mitten in der Wendung. Das Flaggschiff des schwedischen Vizeadmirals Uggla, die >Svärd< (94), wird im Kampf mit mehreren Gegnern entmastet, von einem Feuerschiff in Brand gesteckt und fliegt in die Luft. Insgesamt verlieren die Schweden vier Linienschiffe, 2000 Mann an Toten und Verwundeten und 600 Gefangene. Auch Admiral Creutz fällt. Die Verbündeten haben nur unbedeutende Verluste.
11. Juni 1677	**Seeschlacht bei der Insel Moen.** Admiral Juel vernichtet mit einem dänischen Geschwader von neun Linienschiffen und zwei Fregatten ein fast gleich starkes schwedisches Geschwader unter Admiral Sjöblad. Die Dänen erobern fünf der sieben schwedischen Schiffe.
11. Juli 1677	**Seeschlacht in der Kjögebucht.** Die schwedische Flotte sucht den Kampf um die Seeherrschaft in der Ostsee, bevor ein erwartetes niederländisches Geschwader die Dänen neuerlich verstärkt. Die Stärke der Flotten beträgt:

	Schweden	Dänen
Linienschiffe	>Victoria< (84)	>Christianus V.< (84)
	Adm.Gen. Horn	Adm. Juel
	>Sol< (72)	>Anna Sophia< (58)
	Adm. Clerk	Adm. M. Rodstehn
	>Nyckel< (84)	>Tre Kroner< (68)
	Adm. Wachtmeister	Adm. J. Rodstehn
	>Mars< (72)	>Norske Love< (86)
	>Hieronymus< (72)	>Churprinds< (74)
	>Jupiter< (68)	>Enighed< (62)
	>Mercurius< (66)	>Tre Lover< (58)
	>Saturnus< (64)	>Svan< (58)
	>Drake< (64)	>Gyldenlove< (56)
	>Venus< (64)	>Christianus V.< (54)
	>Kalmar< (62)	>Christiana< (54)
	>Wrangel< (60)	>Fredericus III.< (52)
	>Cesar< (60)	>Nelleblad< (52)
	>Wismar< (58)	>Lindorm< (50)
	>Flygende Varg< (56)	>Delmenhorst< (50)
	>Herkules< (54)	>Charlotte Amalie< (44)
	>Andromeda< (52)	>Neptunus< (42)
	>Svenska Lejon< (52)	>Christiansand< (40)

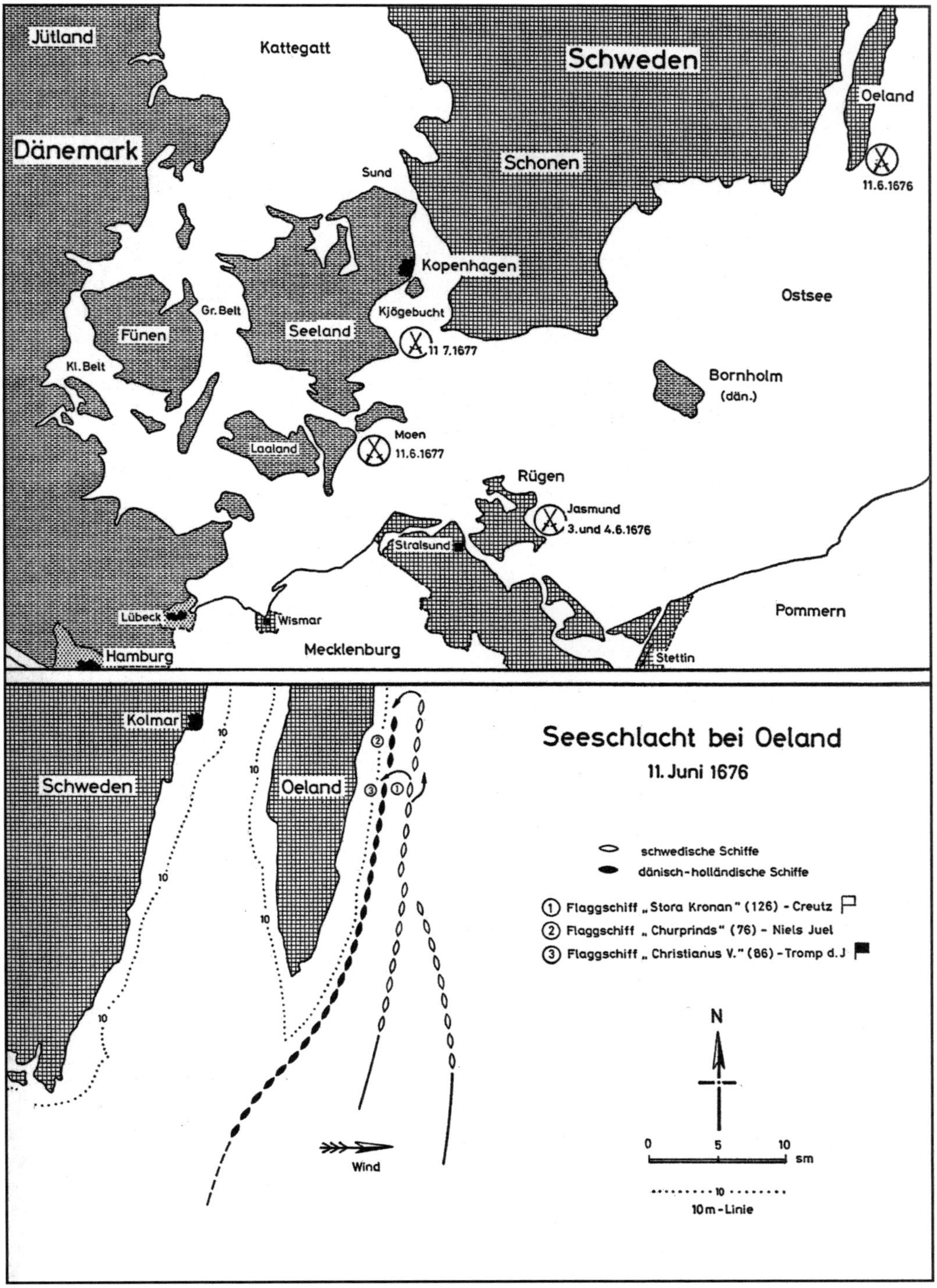
Jütland
Kattegatt
Schweden
Oeland
Dänemark
Sund
Schonen
11.6.1676
Kopenhagen
Ostsee
Gr. Belt
Kjögebucht
Fünen
Seeland
11 7.1677
Kl. Belt
Bornholm
(dän.)
Moen
11.6.1677
Laaland
Rügen
Jasmund
3. und 4.6.1676
Stralsund
Lübeck
Wismar
Pommern
Hamburg
Mecklenburg
Stettin
Kolmar
Seeschlacht bei Oeland
11. Juni 1676
Schweden
Oeland
schwedische Schiffe
dänisch-holländische Schiffe
① Flaggschiff „Stora Kronan" (126) - Creutz
② Flaggschiff „Churprinds" (76) - Niels Juel
③ Flaggschiff „Christianus V." (86) - Tromp d.J
N
Wind
0 5 10
sm
10m-Linie

	Schweden	Dänen
Linienschiffe	>Gustavus< (48)	>Svenske Falk< (40)
	>Spes< (46)	
	>Riga< (45)	
Fregatten	6	6
Brander	6	3
Geschütze	1700	1270
Besatzung	9000	6500

6 Uhr   Bei von Süd auf West drehendem Wind nähern sich die Flotten mit Nordwestkurs der Küste von Seeland.

7 Uhr   Ein schwedisches Linienschiff kommt dabei auf einer Untiefe fest. Horn läßt sechs weitere Schiffe zu dessen Deckung zurück und geht mit der Flotte auf Südostkurs, um wieder die freie See zu gewinnen. Admiral Juel schickt seinerseits sechs Linienschiffe zum Angriff auf die festsitzende >Drake<. Diese und zwei weitere Schiffe müssen sich bald ergeben, die restlichen vier können zunächst entkommen. Die sechs dänischen Schiffe folgen daraufhin der Hauptflotte, die ein laufendes Gefecht mit den Schweden führt, deren Schlachtlinie bald in Unordnung gerät.

11 Uhr   In eine Lücke hinter dem schwedischen Zentrum stößt Juel mit seiner Flotte hinein und trennt dadurch die schwedische Nachhut von der Hauptmacht.

15 Uhr   Als auch die sechs nachfolgenden dänischen Linienschiffe eintreffen und die schwedische Nachhut von der zweiten Seite unter Feuer nehmen, wendet sich die schwedische Flotte allmählich zur Flucht.

20 Uhr   In regellosem Kampf Schiff gegen Schiff werden die Schweden bis zur Dunkelheit (um diese Jahreszeit erst um ca. 23 Uhr) verfolgt. An den beiden folgenden Tagen werden auch die vier am Vormittag entkommenen Schiffe teils erobert, teils versenkt.

Die Schweden verlieren insgesamt acht Linienschiffe (sieben eroberte) und drei Brander, zwei Admirale, 1500 Mann sind tot oder verwundet und 3000 gefangen genommen worden. Bei den Dänen sind nur vier Schiffe ernstlich beschädigt, die blutigen Verluste betragen 350 Mann.

Die dänische Flotte beherrscht nun bis zum Kriegsschluß die westliche Ostsee. Niels Juels Führung der Flotte erinnert an die taktische Meisterschaft eines de Ruyter.

August 1677   Admiral Tromp trifft aus den Niederlanden mit einem starken Geschwader in der Ostsee ein und übernimmt den Oberbefehl.

11. September   **Rügen.** Eine dänische Landungsflotte unter Admiral Tromp und König Christian V. erobert mit Truppen aus Brandenburg die Insel Rügen.

18. September   **Brandenburg.** In diesem Jahr ist auch die kleine Flotte des Kurfürsten unter Klaus von Beveren besonders aktiv und beteiligt sich vor allem an der Belagerung von Stettin.

12. und 13. September 1678   **Rügen.** Die Dänen unter Niels Juel und König Christian V. sowie die Brandenburger unter Tromp und Kurfürst Friedrich Wilhelm landen mit 360 Booten auf der von den Schweden zurückeroberten Insel und bringen sie in wenigen Tagen erneut unter ihre Kontrolle.

Seeschlacht vor der Kjögebucht
11. Juli 1677
①

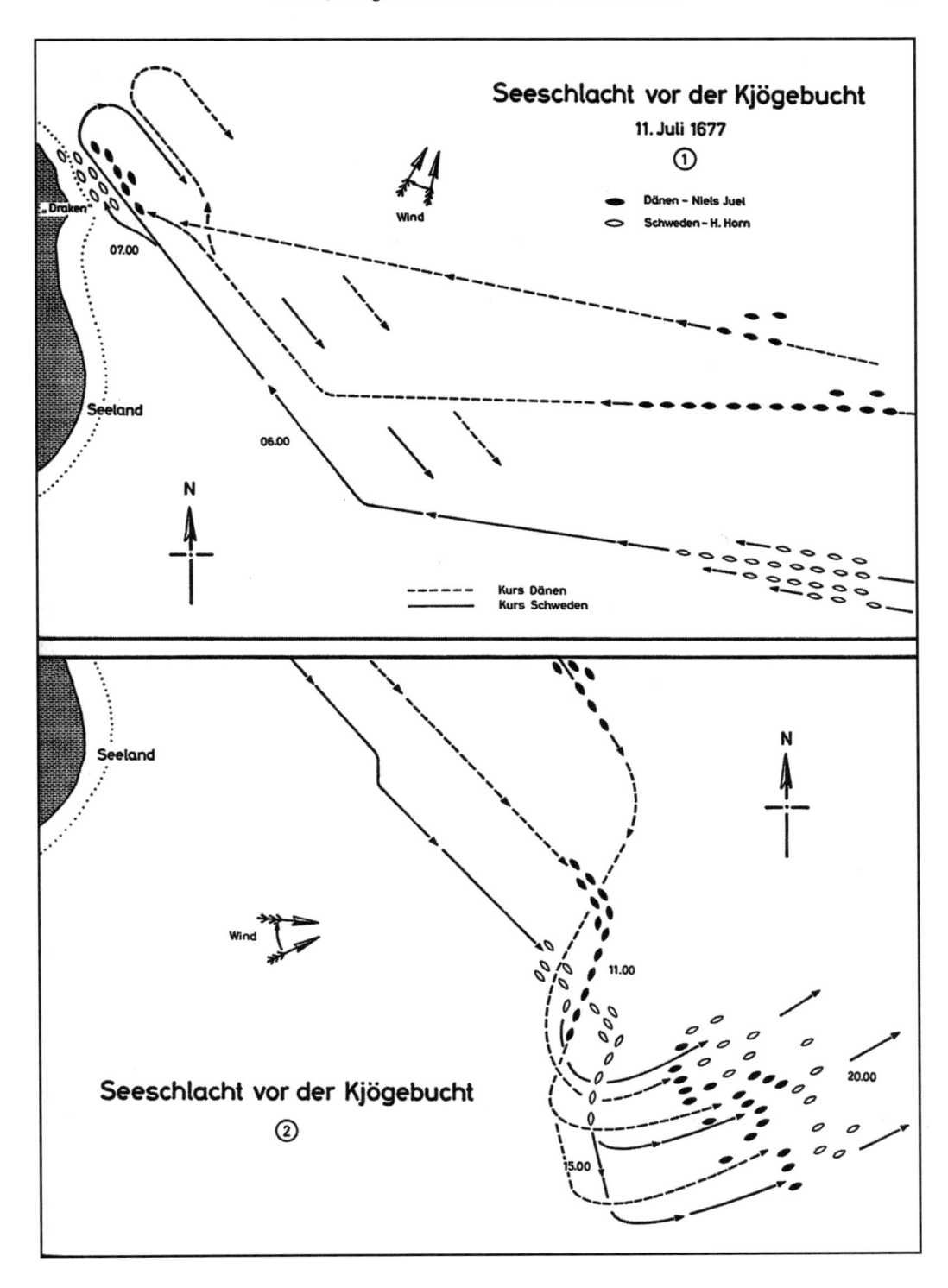

Dänen – Niels Juel
Schweden – H. Horn

Wind

Draken
07.00
Seeland
06.00
N

- - - - Kurs Dänen
——— Kurs Schweden

Seeschlacht vor der Kjögebucht
②

Seeland
Wind
N
11.00
15.00
20.00

6. Juli 1679	Vor Kalmar erobert die dänische Flotte unter Juel ein schwedisches Linienschiff, einen Monat später wird ein zweites gestellt und nach Kampf in Brand geschossen.
1679	**Friede von Lund.** Der Friede von Nimwegen im Westen führt auch zum Kriegsschluß im Schonenschen Krieg. Jedes Land darf seinen Besitzstand behalten. Die Erfolge der Dänen zur See werden durch Niederlagen zu Lande aufgewogen.
14. Jänner 1676	**Mittelmeer.** Der Engländer John Narborough greift mit den Schiffen >Harwich<, >Henrietta< und >Portsmouth< den unter Kontrolle der Barbaresken befindlichen Hafen von Tripolis an und vernichtet die dort liegenden Korsarenschiffe. Außerdem werden 128 englische Sklaven befreit und Hunderte von anderen Nationen freigekauft.
1678	**Insulinde.** Nachfolgekämpfe im Sultanat Mataram auf Java geben dem Gouverneur Rijkloff van Goens Gelegenheit, den Einfluß der Niederländer auf der Insel zu verstärken.
11. September 1678	**Nordsee.** Fünf französische Kriegsschiffe greifen vor der Elbemündung einen aus Island kommenden Geleitzug von Schiffen aus Hamburg an. Kapitän Karpfanger kann mit seiner >Kaiser Leopold I.< zwei der Angreifer vernichten, die übrigen fliehen.
1679	**Schiffbruch.** In der Biskaya gerät ein französisches Geschwader von vier Linienschiffen unter Tourville in einen Sturm. Zwei Schiffe sinken mit großem Menschenverlust, die beiden anderen können sich nur mit Mühe retten.
November 1679	**Barbaresken.** In einem kurzen Gefecht erobert das englische Mittelmeergeschwader fast die gesamte Flotte des Beys von Algier. Im folgenden April vernichten zwei englische Linienschiffe ein algerisches Geschwader von drei Schiffen. Nach mehreren weiteren Gefechten schließt der Bey von Algier einen formellen Frieden mit England. Diese Friedensschlüsse halten jedoch nie lange.
1680	**Wissenschaft.** Denis Papin erfindet seinen Kochtopf mit Sicherheitsventil und wendet sich der Konstruktion einer Dampfmaschine zu.
1680–1688	**Barbaresken.** Auch die Franzosen sind wiederholt gezwungen, gegen die Piraten aus Nordafrika vorzugehen. Im Juni 1681 vernichtet Duquesne in der Ägäis ein Geschwader des Beys von Tunesien. In den Jahren 1682 und 1683 beschießt Duquesne mehrmals Algier, und 1684 zwingt schließlich Tourville Algier zum Abschluß eines Friedensvertrages. 1685 beschießt d'Estrées d. J. Tripolis. Bis zum Beginn des Pfälzischen Erbfolgekrieges wird das französische Mittelmeergeschwader fast ständig gegen die Barbaresken eingesetzt.
1681	**Straßburg.** König Ludwig XIV. von Frankreich läßt die deutsche Stadt besetzen, die seither mit Unterbrechungen (1870–1914, 1940–1945) zu Frankreich gehört.
30. September 1681	**Gefecht bei Kap St. Vincent.** Wegen offener Geldforderungen an Spanien versucht ein Geschwader aus Brandenburg in Stärke von einigen Fregatten das spanische Geleit mit Edelmetall aus Amerika abzufangen. Es trifft jedoch auf ein spanisches Geschwader von zwölf Kriegsschiffen und zwei Brandern, dem es sich nach zwei Stunden Kampf ohne große Verluste entziehen kann. Die Silberflotte erreicht unterdessen Cádiz.

Kampf um Rügen 1675 - 1678

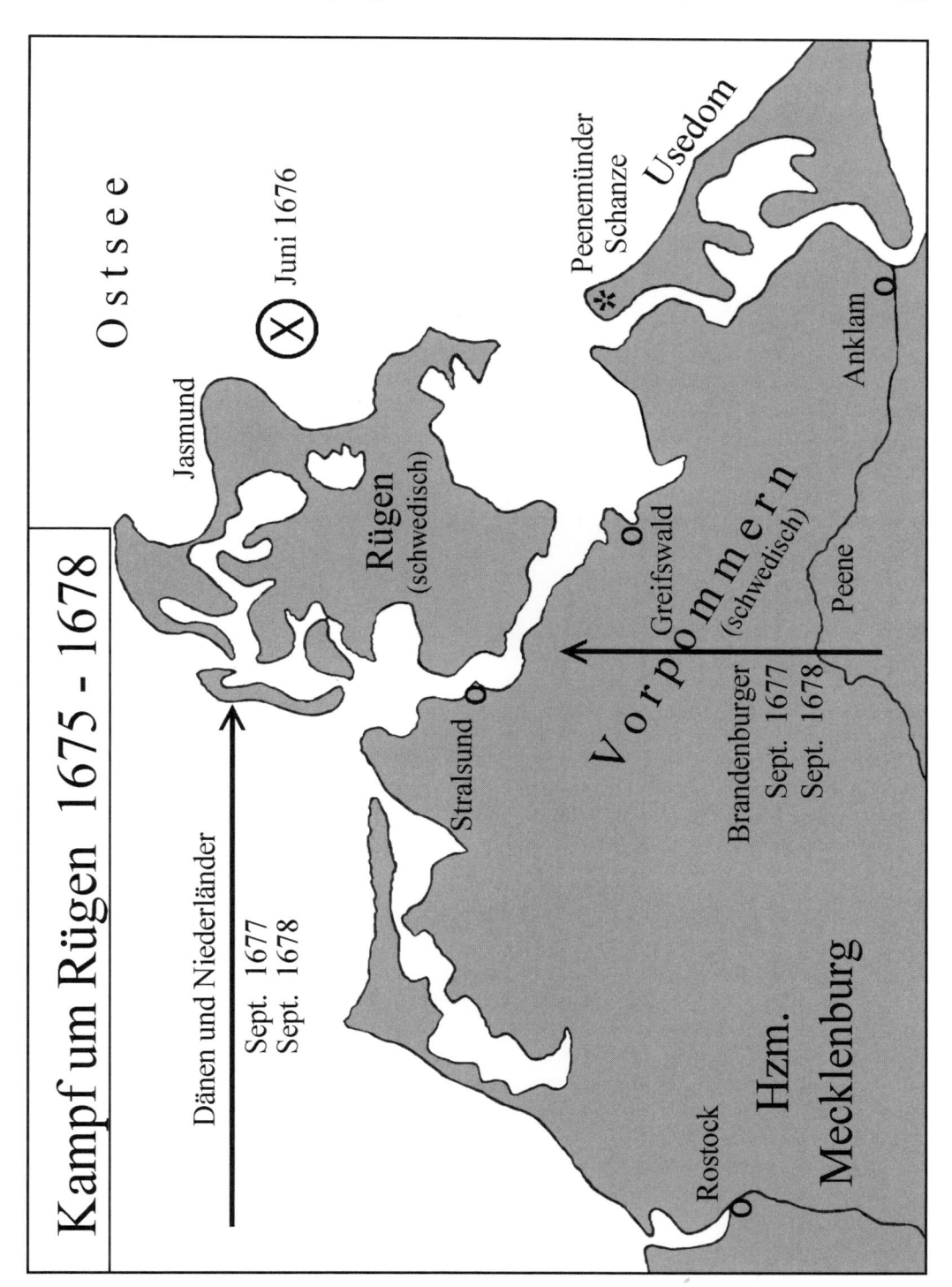

Dänen und Niederländer
Sept. 1677
Sept. 1678

Ostsee

X Juni 1676

Jasmund

Rügen (schwedisch)

Peenemünder Schanze

Usedom

Stralsund

Greifswald

V o r p o m m e r n (schwedisch)

Anklam

Peene

Brandenburger
Sept. 1677
Sept. 1678

Rostock

Hzm. Mecklenburg

1682–1684	**Insulinde.** Der Gouverneur von niederländisch Ostindien, Cornelis Speelman, bringt fast ganz Java unter die Kontrolle der VOC und vertreibt die englische EIC aus ihrem Stützpunkt in Bantam.
Juli–September 1683	**Wien.** Im neuen Türkenkrieg stößt das Heer der Osmanen bis zur Kaiserstadt vor und beginnt mit der Belagerung. Gegen diese Gefahr schließt Polen mit Österreich ein Bündnis. Die Reichstruppen unter dem FM Herzog Karl V. von Lothringen († 1690) und die Polen unter König Johann III. Sobieski (1674–1696) bringen den Osmanen eine vernichtende Niederlage bei und retten die von Graf Rüdiger von Starhemberg verteidigte Stadt. Im Frieden von Karlowitz erhält Österreich die großen eroberten Gebiete.
1683	**China erobert Formosa.** Nachdem sich die Mandschu-Kaiser fest in den Besitz von China gesetzt haben, bereiten sie die Eroberung von Formosa/Taiwan vor. Die Insel befindet sich noch im Besitz der Nachkommen des Piratenführers Koxinga. China besetzt zunächst die Pescadores-Inseln, dann wird die Flotte von Formosa in einem Seegefecht ausgeschaltet und mit den Landungen an der Westküste begonnen. Als die Lage von Formosa hoffnungslos erscheint, übergeben die Nachfolger von Koxinga die Insel an die Chinesen.
November 1683	**Schiffbruch.** Auf der Heimfahrt vom Kattegat verliert ein niederländisches Geschwader bei einer Serie von schweren Stürmen die acht Linienschiffe >Westfrisia< (80), >Hollandia< (76), >Wapen van Monnikendam< (72), >Woerden< (70), >Tijdverdrijf< (52), >Prins de Paard< (52), >Leeuwen< (50) und >Gouda< (42).
Mai 1684	**Beschießung von Genua.** Wegen der Hilfe für Spanien im letzten Krieg beschießt ein französisches Geschwader von 14 Linienschiffen, 20 Galeeren, Bombenfahrzeugen und 100 Hilfsschiffen unter Duquesne und Tourville die Hafenstadt. Der Erfolg ist am Aufwand gemessen mäßig.
1688	**England.** Die „Glorious Revolution" bringt einen unblutigen Regierungswechsel. Das Parlament ruft den Niederländer Wilhelm III. von Oranien ins Land, der ohne Widerstand mit seiner Gemahlin Maria (der Tochter von Jakob II.) landet und 1689 den englischen Thron besteigt. Die beiden protestantischen Staaten England und die Niederlande sind nun in Personalunion verbunden.

1688–1697 Der Pfälzische Erbfolgekrieg (Krieg der Liga von Augsburg)

März 1689	Ein französisches Geschwader von 30 Linienschiffen und sieben Fregatten landet den aus England vertriebenen König Jakob II. mit 8000 Mann in Irland. Der Großteil der Insel fällt zunächst Jakob zu, denn die katholischen Iren haben keine Sympathie für den protestantischen Niederländer.
11. Mai	**Treffen vor der Bantry Bay.** Ein englisches Geschwader von 18 Linienschiffen mit 1000 Geschützen unter Admiral Arthur Herbert, Flaggschiff >Elisabeth< (70), versucht eine weitere französische Landungsflotte vor der irischen Küste anzugreifen. Diese französische Flotte läuft mit Nachschub für Irland aus Brest aus und schifft die Truppen in der Bantry Bay aus, als das englische Geschwader angreift. Das Deckungsgeschwader der Franzosen unter Lieutnant-Géneral Chateau-Renault, Flaggschiff >Ardent< (66), umfaßt 24 Linien-

Die Niederländer auf Java im 17. Jahrhundert

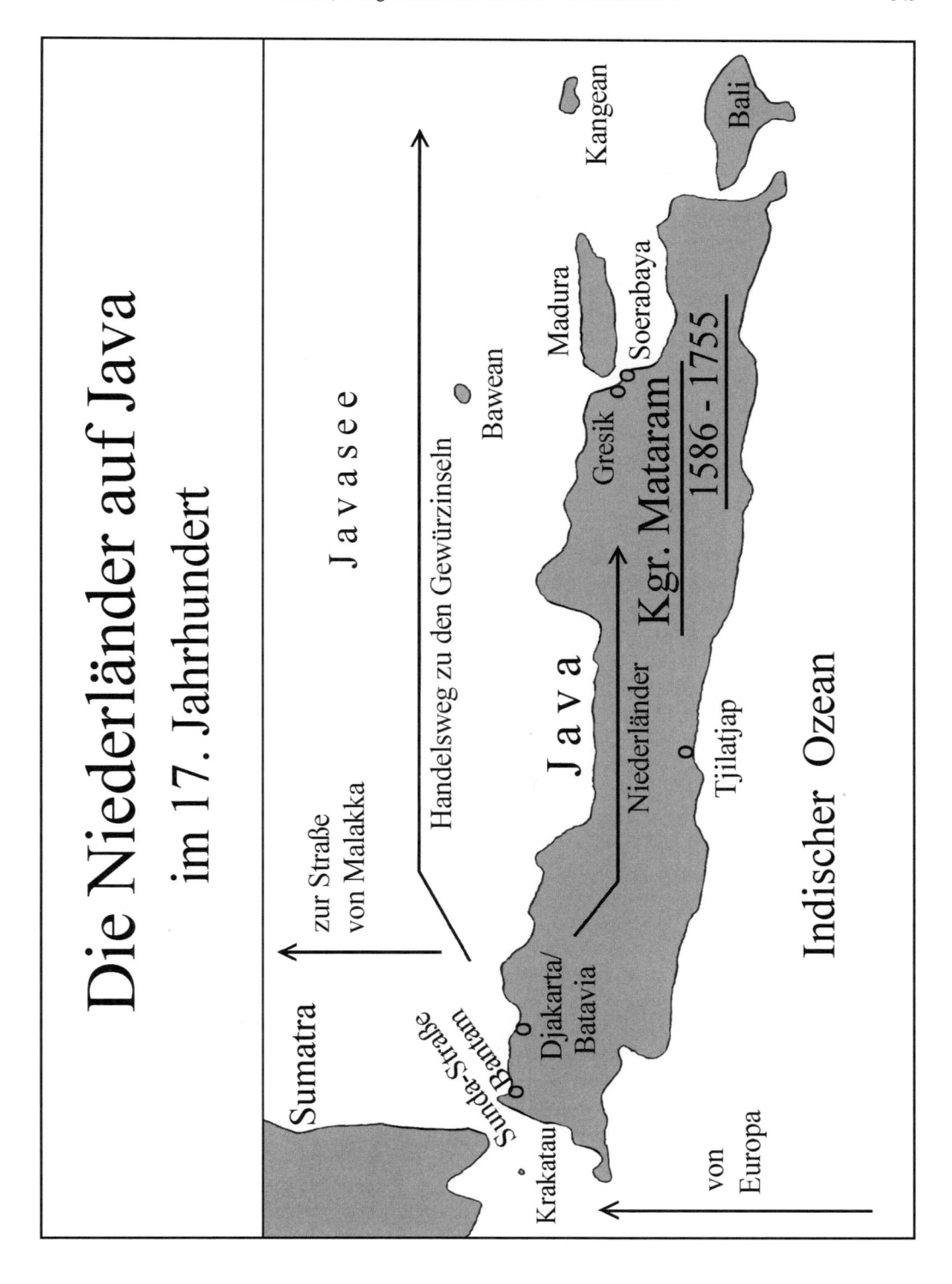

22. Mai	schiffe und zwei Fregatten. In einem laufenden Gefecht weisen die Franzosen die Angreifer ab und sichern die Entladung der Versorgungsgüter. **Ärmelkanal.** Bei den Kanalinseln greift das englische Linienschiff >Nonsuch< (42) einen französischen Geleitzug von 20 Handelsschiffen an. Dieser wird von zwei Korvetten, der >Railleuse< (24) und >Serpente< (16), gedeckt. Das Linienschiff kann beide Korvetten erobern, deren Kapitäne Jean Bart und Claude Forbin geraten in Gefangenschaft. Beide entkommen schon bald in einem kleinen Boot von Plymouth über den Ärmelkanal und werden zwei der erfolgreichsten französischen Kapitäne im Kreuzerkrieg.
Sommer	**Irland.** Jakob II. kann fast die ganze Insel erobern. Ein englisches Geschwader unter Kpt. George Rooke, Flaggschiff >Deptford< (54), kreuzt daraufhin in der Irischen See und verhindert vor allem die Einnahme des wichtigen Londonderry. Schließlich landet Wilhelm III. in der Nähe von Belfast und erobert in wenig mehr als einem Monat ganz Irland zurück.
1. Juli 1690	**Landkrieg.** In der Schlacht bei Fleurus im Hennegau siegen die Franzosen unter dem Herzog von Luxemburg über die Kaiserlichen, Niederländer und Spanier. Die Verbündeten verlieren 8000 Mann an Gefangenen.
10. Juli 1690	**Seeschlacht bei Beachy Head.**

Die Franzosen vereinigen in Brest ihr Atlantik- und Mittelmeergeschwader, um die Seeherrschaft im Ärmelkanal zu erringen. Vizeadmiral Anne-Hilarion de Tourville, der Befehlshaber der französischen Flotte, geht den verbündeten Engländern und Niederländern an die Südküste von England entgegen. Auf ausdrücklichen Befehl der Regierung in London nimmt Admiral Herbert mit seiner im Augenblick schwächeren Flotte die angebotene Schlacht an. Die Flotte der Verbündeten hat 35 englische und 22 niederländische Linienschiffe und 20 Brander mit zusammen 3700 Geschützen. Die Franzosen verfügen über 68 Linienschiffe und 18 Brander mit 4130 Geschützen. Bei den Verbündeten führt Admiral Cornelis Evertsen auf der >Hollandia< (74) die niederländische Vorhut, Admiral Herbert auf der >Royal Sovereign< (100) das Zentrum und Vizeadmiral Delaval auf der >Coronation< (90) die Nachhut.
Die Namen der Linienschiffe:

Verbündete		
Vorhut (Niederländer)	**Mitte (Engländer)**	**Nachhut (Engländer)**
>Wapen van Utrecht< (64)	>Plymouth< (60)	>Anne< (70)
>Wapen van Alkmaar< (50)	>Deptford< (50)	>Bonaventure< (48)
>Tholen< (60)	>Elisabeth< (70)	>Edgar< (64)
>West Friesland< (82)	>Sandwich< (90)	>Exeter< (70)
>Prinses Maria< (92)	>Expedition< (70)	>Breda< (70)
>Castricum< (50)	>Warspite< (70)	>St. Andrew< (96)
>Agatha< (50)	>Woolwich< (54)	>Coronation< (90), **Delaval**
>Stad en Landen< (52)	>Lion< (60)	>Royal Catherine< (82)
>Maagd van Enkhuizen< (72)	>Rupert< (66)	>Cambridge< (70)
>Noord Holland< (46)	>Albemarle< (90)	>Berwick< (70)

Der Pfälzische Erbfolgekrieg 1688–1697

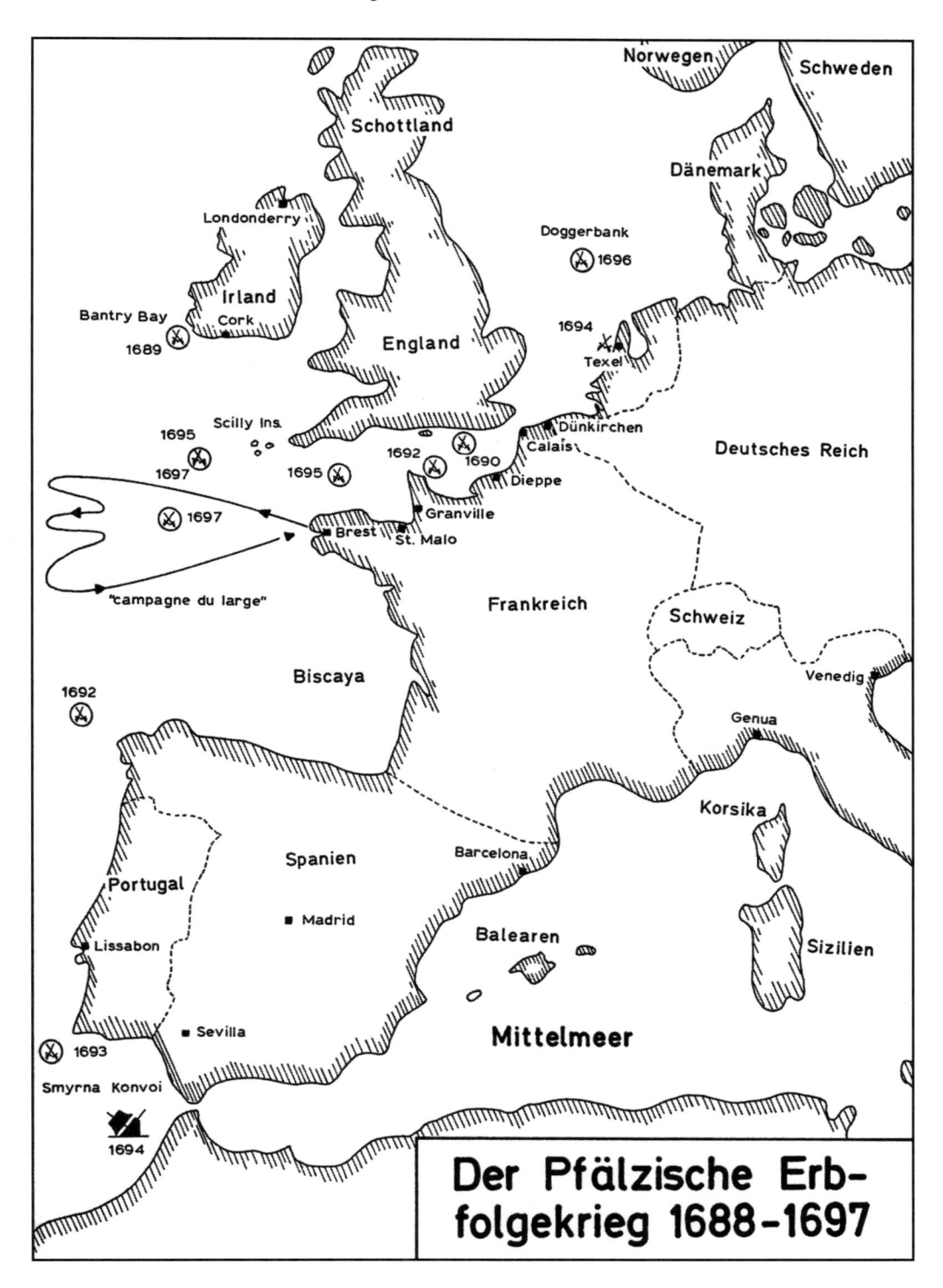

Verbündete		
Vorhut (Niederländer)	**Mitte (Engländer)**	**Nachhut (Engländer)**
>Maagd van Dordrecht< (68)	>Grafton< (70)	>Swallow< (48)
>Hollandia< (74), **C. Evertsen**	>Royal Sovereign<, **Herbert**	>Defiance< (64)
>Veluwe< (68)		>Captain< (70)
>Provincie van Utrecht< (50)	>Windsor Castle< (90)	
>Maze< (64)	>Lenox< (70)	
>Vriesland< (64)	>Stirling Castle< (70)	
>Elswout< (50)	>York< (60)	
>Reijgersberge< (74)	>Suffolk< (70)	
>Gehroonde Burg< (62)	>Hampton Court< (70)	
>Noord Holland II< (72)	>Duchess< (90)	
>Veere< (60)	>Hope< (70)	
>Cortienne< (50)	>Restoration< (70)	
	>Constant Warwick< (36)	

20 Brander
3700 Geschütze
23.000 Mann Besatzung

Franzosen		
Vorhut	**Mitte**	**Nachhut**
>Fier< (68)	>Brusque< (50)	>Comte< (40)
>Fort< (52)	>Arrogante< (54)	>Vigilante< (52)
>Maure< (52)	>Arc-en-Viel< (44)	>Parfait< (62)
>Eclatant< (64)	>Henri< (62)	>Triomphant< (70)
>Conquérant< (70)	>Souverain< (80)	>Bourbon< (62)
>Courtisan< (62)	>Brillant< (66)	>Vaillant< (48)
>Indien< (50)	>Neptune< (46)	>Duc< (48)
>Trident< (52)	>Sans Pareil< (58)	>Capable< (54)
>Hardi< (58)	>Fidele< (46)	>Brave< (54)
>Saint-Louis< (56)	>Diamant< (56)	>Francois< (46)
>Excellent< (56)	>Sérieux< (56)	>Agréable< (58)
>Pompeux< (74)	>Tonnant< (70)	>Agréable< (58)
>Dauphin Royal<, **Chateau-Renault**	>Soleil Royal< (98), **Tourville**	>Grand< (80), **d'Estrées d. J.**
>Ardent< (62)	>Saint-Philippe< (80)	>Belliqueux< (74)
>Bon< (52)	>Marquis< (80)	>Prince< (56)
>Fendant< (52)	>Furiaux< (60)	>Prudent< (52)
>Courageux< (60)	>Fortuné< (58)	>Modéré< (50)
>Couronne< (58)	>Apollon< (56)	>Fleuron< (54)
>Ferme< (54)	>Saint-Michel< (54)	>Aimable< (70)
>Téméraire< (52)	>Entrepenant< (56)	>Intrépide< (80)
>Solide< (48)	>Magnifique< (76)	>Glorieux< (60)
>Eole< (50)	>Content< (56)	>Illustre< (66)

Seeschlacht bei Beachy Head
10. Juli 1690

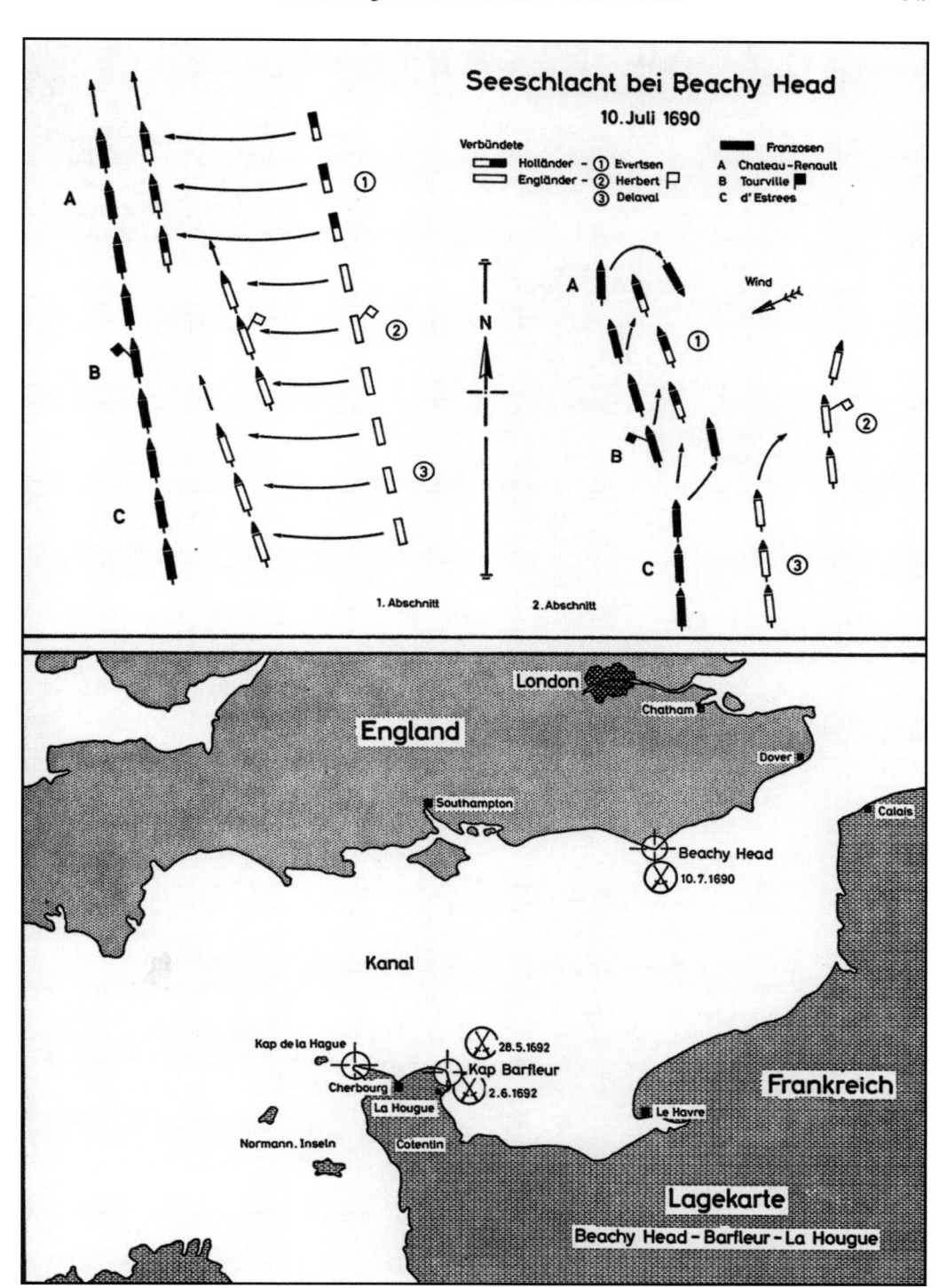

Verbündete
- Holländer – ① Evertsen
- Engländer – ② Herbert
- ③ Delaval

Franzosen
- A Chateau-Renault
- B Tourville
- C d'Estrees

1. Abschnitt

2. Abschnitt

Lagekarte
Beachy Head – Barfleur – La Hougue

London, Chatham, England, Dover, Southampton, Calais, Beachy Head 10.7.1690, Kanal, Kap de la Hague, Cherbourg, Kap Barfleur 28.5.1692, La Hougue 2.6.1692, Le Havre, Normann. Inseln, Cotentin, Frankreich

Franzosen (Fortsetzung)		
Vorhut	**Mitte**	**Nachhut**
	>Vermondois< (58)	>Terrible< (74)
	>Cheval Marin< (40)	
	>Fougueux< (58)	

3 Fregatten
18 Brander
4400 Geschütze
28.000 Mann Besatzung

Südlich von Beachy Head erwartet Tourville die von Osten heransegelnde Flotte der Verbündeten. Herbert manövriert von der Luvseite auf die französische Flotte zu und geht Geschwader für Geschwader auf parallelen Kurs. Die niederländische Vorhut nimmt auf kürzeste Distanz den Kampf auf. Auch die Nachhut geht auf Kanonenschußweite an den Gegner heran, das englische Zentrum dreht aber außer Reichweite bei und nimmt den Kampf nicht auf. Daraufhin greift Tourville auch mit seinem Zentrum das niederländische Geschwader der Vorhut an und nimmt es von zwei Seiten unter Feuer. Herbert kommt seinen Verbündeten nicht zu Hilfe. Evertsen kann sein Geschwader nur mit Mühe aus der Umklammerung befreien. Trotzdem ist es fürchterlich zusammengeschossen. Nur mehr drei Schiffe sind noch einsatzfähig. Die Flotte der Verbündeten beginnt sich zurückzuziehen. Die Franzosen nehmen die Verfolgung nur zögernd auf. Trotzdem müssen vom niederländischen Geschwader mehrere entmastete Linienschiffe versenkt oder auf Grund gesetzt werden, damit sie nicht den Franzosen in die Hände fallen. Insgesamt verlieren die Niederländer zehn Linienschiffe, bei energischer Verfolgung durch Tourville wäre wohl das ganze Geschwader verloren gewesen. Die Franzosen nutzen die im Ärmelkanal errungene Seeherrschaft nicht aus.

22. Oktober 1690 **Unglück.** Im Hafen von Cork in Irland fliegt das Linienschiff >Breda< (E, 70) mit fast der ganzen Besatzung in die Luft.

Februar 1691 **Geleitkampf.** Bei Kap Barfleur greifen die zwei englischen Linienschiffe >Happy Return< (54) und >St. Albans< (50) sowie einige Kaperschiffe einen französischen Geleitzug an, treiben drei französische Fregatten an den Strand und erobern 14 der 22 Handelsschiffe.

1691 **„Campagne du Large".** In diesem Jahr soll Admiral Tourville nach Möglichkeit eine Seeschlacht vermeiden und sich auf Handelskrieg und Küstenschutz beschränken. Er löst diese Aufgabe, indem er in einer wochenlangen Hochsee-Kreuzfahrt die Flotte der Verbündeten unter Admiral Russell hinter sich herzieht („Campagne du Large"), ohne sich zum Kampf stellen zu lassen. In der Zwischenzeit greifen die französischen Kaperschiffe mit doppeltem Erfolg den Seehandel der Verbündeten an. Ein erwartetes großes Geleit aus der Levante kann Tourville aber nicht abfangen. Bei der Rückkehr der Flotte der Verbündeten gehen vor der Küste von Cornwall in einem Sturm die Linienschiffe >Coronation< (90) und >Harwich< (74) verloren.

22. Juli 1691 Das französische Westindiengeschwader kann nach Kampf zwei starke englische Fregatten erobern.

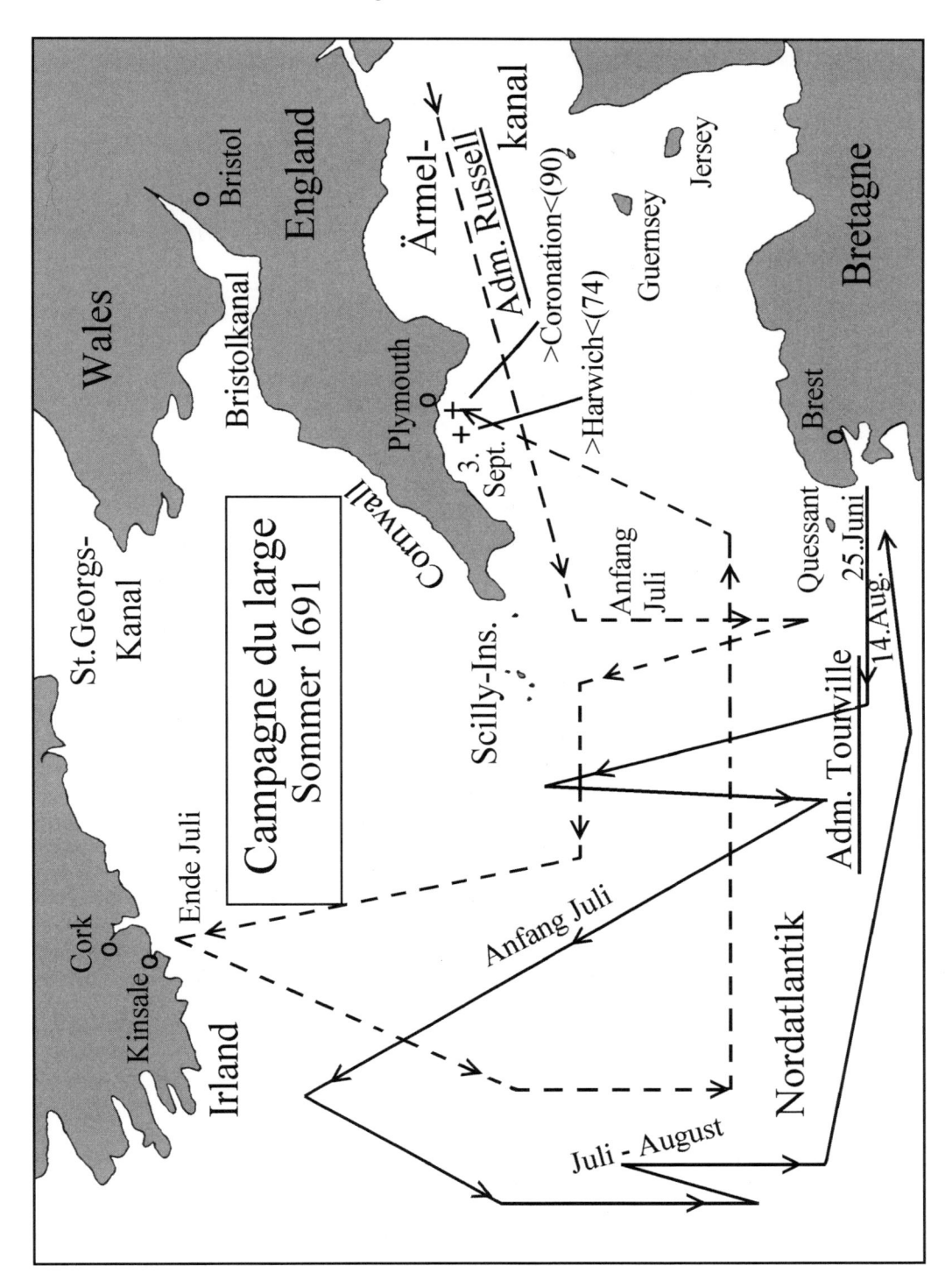

Campagne du large Sommer 1691

März 1692	**Treffen in der Karibik.** Com. Wrenn (E) trifft mit seinen fünf Linienschiffen und zwei bewaffneten Handelsschiffen und einem Geleitzug auf dem Weg nach Jamaika auf das französische Westindiengeschwader von 25 Schiffen, darunter 18 mit je über 40 Kanonen. Nach zweitägigem Kampf kann Wrenn seine Schiffe zurück nach Barbados in Sicherheit bringen.	
Anfang 1692	Ludwig XIV. zieht auf der Halbinsel Cotentin ein Heer von 30.000 Mann zusammen. Mit diesem soll in England gelandet und Jakob II. wieder auf seinen Thron gebracht werden. Tourville soll dazu wieder die Seeherrschaft im Ärmelkanal erringen. Zum Übersetzen der Truppen werden 500 Transportschiffe bereitgestellt. Das Mittelmeergeschwader, das die Atlantikflotte verstärken soll, verspätet sich jedoch. Tourville muß daher den Kampf mit dem Brestgeschwader allein wagen. Mitte Mai vereinigen sich die Geschwader von England und den Niederlanden bei Hastings.	
28. Mai bis 2. Juni 1692	**Seeschlacht bei Kap Barfleur und La Hougue.** Die Stärke der beiden Flotten beträgt:	

	Verbündete	Franzosen
Linienschiffe	98	45
Fregatten und Brander	37	13
Geschütze	6750	3240
Besatzungen	39.000	21.000

Die Führer der einzelnen Geschwader sind:

	Vorhut	Zentrum	Nachhut
Verbündete	Almonde (H)	Russell (E)	Ashby (E)
Franzosen	D'Amfreville	Tourville	de Garbaret

29. Mai 10 Uhr	Die Flotten treffen bei schwachem Südwestwind bei der Halbinsel Cotentin aufeinander. Seiner strikten Order gemäß greift Tourville seinen doppelt so starken Gegner sofort an. Von der Luvseite legt sich die französische Flotte Geschwader für Geschwader dem Gegner gegenüber. Um ein Umfassen an den Flügeln zu verhindern, wird die französische Linie fast auf die gleiche Länge der Schlachtlinien der Verbündeten auseinandergezogen. In dem beginnenden Kampf schlagen sich die Franzosen hervorragend. Die Verbündeten können zunächst keinen Vorteil erringen. D'Amfreville hält die niederländische Vorhut fest. Tourville legt seine >Soleil Royal< (110) Russells >Britannia< gegenüber und überschüttet sie mit einem Kugelhagel. Dem englischen Flaggschiff kommen seine beiden Nachbarschiffe zu Hilfe, so daß die >Soleil< nun mit drei Gegnern zu kämpfen hat.
14 Uhr	Die Schlachtlinien der beiden Zentren und der Nachhuten lösen sich schließlich in einem Kampf Schiff gegen Schiff auf.
15 Uhr	Die >Soleil< weist noch den Angriff von fünf Branden ab. Allmählich fällt dichter Nebel ein, worauf das Geschützfeuer fast ganz verstummt.
20 Uhr	Sobald sich der Nebel wieder zu lichten beginnt, kann Tourville sich bei leicht auffrischendem Wind vom Gegner lösen. Bis zu diesem Zeitpunkt hat sich die französische Flotte glänzend gehalten, nur die >Soleil< ist schwer beschädigt und fast manövrierunfähig.

Seeschlacht bei Kap Barfleur
29. Mai 1692

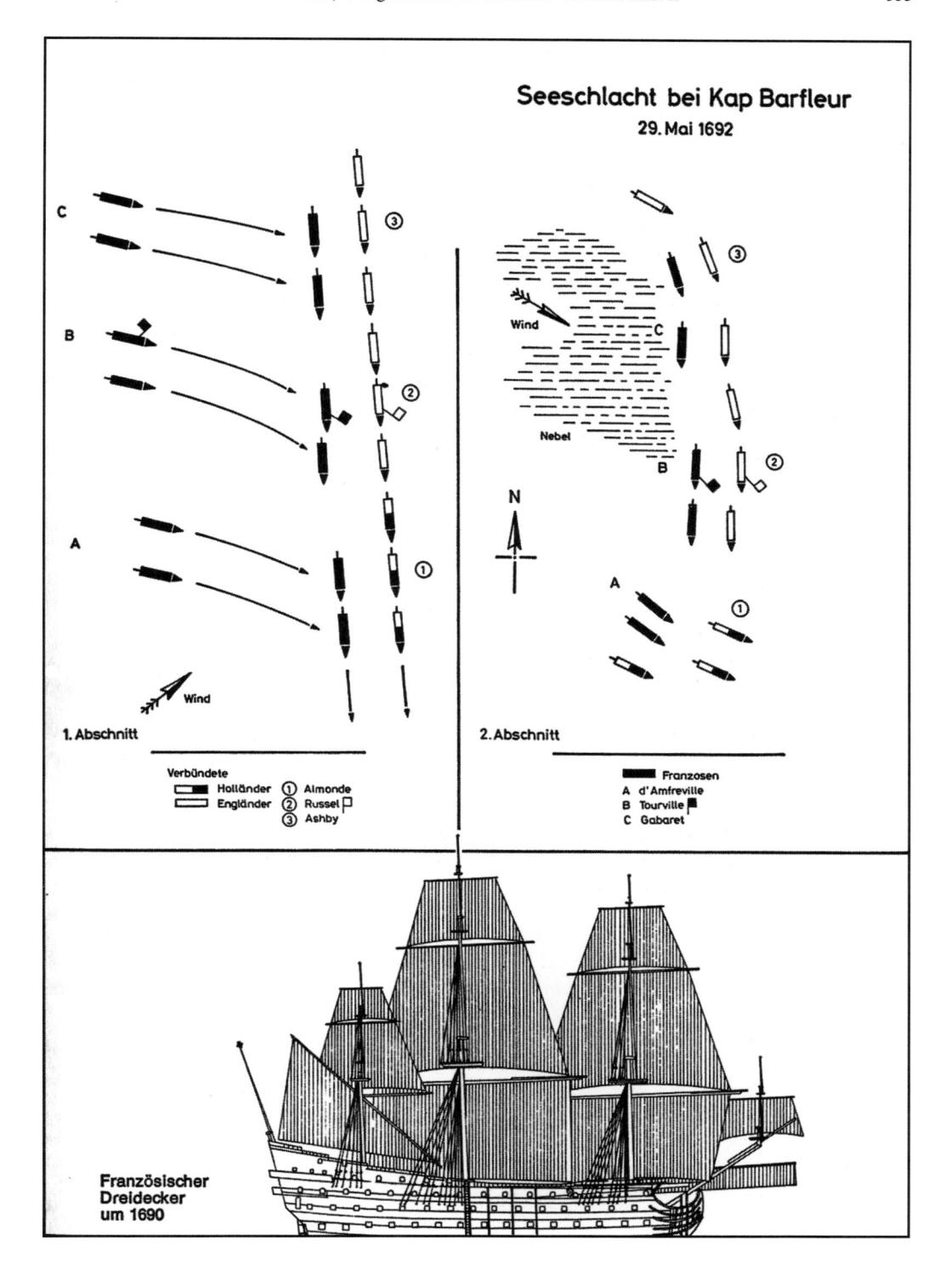

1. Abschnitt

Verbündete
- ▮ Holländer
- ▯ Engländer
- ① Almonde
- ② Russel
- ③ Ashby

2. Abschnitt

- ▮ Franzosen
- A d'Amfreville
- B Tourville
- C Gabaret

Französischer Dreidecker um 1690

30. Mai 7 Uhr 8 Uhr ab 23 Uhr 31. Mai früh 1. Juni 2. Juni ab 18 Uhr 3. Juni	Admiral Tourville kann noch 35 kampffähige Linienschiffe um sein Flaggschiff >Soleil Royal< versammeln. Die übrigen sind versprengt und erreichen unabhängig voneinander Brest. Admiral Russell sieht die französische Flotte und befiehlt „Allgemeine Jagd". Bei zeitweiser Windstille kommen die Flotten nur langsam voran. Tourville muß sein Flaggschiff wechseln. In der Nacht gelingt 20 französischen Linienschiffen die schwierige Durchfahrt zwischen der Halbinsel Cotentin und den Kanalinseln mit ihren vielen Riffen dazwischen. Die >Soleil Royal< kommt mit zwei weiteren Schiffen bei Cherbourg fest. Mit den restlichen zwölf Schiffen geht Tourville nach dem nahen La Hougue (heute St. Vaast de la Hougue), wo die Schiffe möglichst hoch am Strand aufgelegt werden. Die drei Schiffe bei Cherbourg werden durch einen Bootsangriff der Schiffe unter Vizeadmiral Ralph Delaval mit mehreren Brandern unter dem Feuerschutz von Linienschiffen gegen heftigen Widerstand vernichtet. Am nächsten Tag leitet Vizeadmiral George Rooke einen nächtlichen Angriff mit Brandern und den Beibooten der Linienschiffe auf die Schiffe der Franzosen bei La Hougue. Noch in der Nacht werden sechs der Linienschiffe verbrannt, obwohl die französischen Heerestruppen an der Küste sich an der Verteidigung beteiligen. Am folgenden Morgen werden die restlichen sechs Linienschiffe und zahlreiche kleinere Fahrzeuge an der Küste verbrannt. Dies alles geschieht unter den Augen von König Jakob II., der schon bei der Invasionsarmee auf der Halbinsel Cotentin weilt. Die Franzosen verlieren in dieser Schlacht 15 Linienschiffe im Angesicht ihres Landheeres. Diese Schmach lastet lang auf der französischen Flotte.
August 1692	**Ärmelkanal.** Die französischen Linienschiffe >Maure< (52), >Perle< (52) und >Modéré< (52) unter den Konteradmirälen des Augiers und Forbin zersprengen einen Geleitzug der Niederlande und erobern die beiden begleitenden Schiffe von 48 und 46 Kanonen.
5. August 1692	**Gefecht bei Finisterre.** Die französischen Linienschiffe >Neptune< (50), >Vermandoise< (58) und >François< ((52) unter La Caffinière treffen auf vier spanische Linienschiffe und können eines davon erobern.
November 1692	**Nordsee.** Kpt. Jean Bart erobert mit seinen drei Fregatten aus einem niederländischen Ostseegeleit an die 20 Handelsschiffe und eines der Begleitfahrzeuge.
27. bis 29. Juni 1693	**Seeschlacht um Levantegeleit.** Admiral Tourville liegt mit der ganzen französischen Flotte von 70 Linienschiffen bei Lagos in Erwartung des Geleitzuges aus dem Ärmelkanal mit Kurs Levante. Dieser besteht aus rund 300 englischen und niederländischen Handelsschiffen, gedeckt von 20 Linienschiffen und zwei Fregatten unter Admiral Rooke. Tourville kann fast 100 Handelsschiffe und zwei Linienschiffe erobern. Bei voller Unterstützung durch seine Geschwaderführer wäre der Erfolg Tourvilles noch viel größer gewesen. Der materielle Schaden für den Seehandel vor allem der Niederlande ist trotzdem enorm. Nach dieser **Katastrophe** läßt England zum Schutz seiner Mittelmeergeleite ständig ein Geschwader Linienschiffe in Cádiz überwintern.
16. bis 19. November 1693	**Angriff auf St. Malo.** Ein englisches Geschwader von vorwiegend kleinen, flachgehenden Schiffen und Mörserbooten unter Kpt. John Benbow auf der >Nonsuch< (48) beschießt den wichtigen Stützpunkt der französischen Handelskreuzer. Am letzten Tag wird ein mit Explosivstoffen gefülltes Schiff in

Der Angriff auf La Hougue
2. Juni 1692

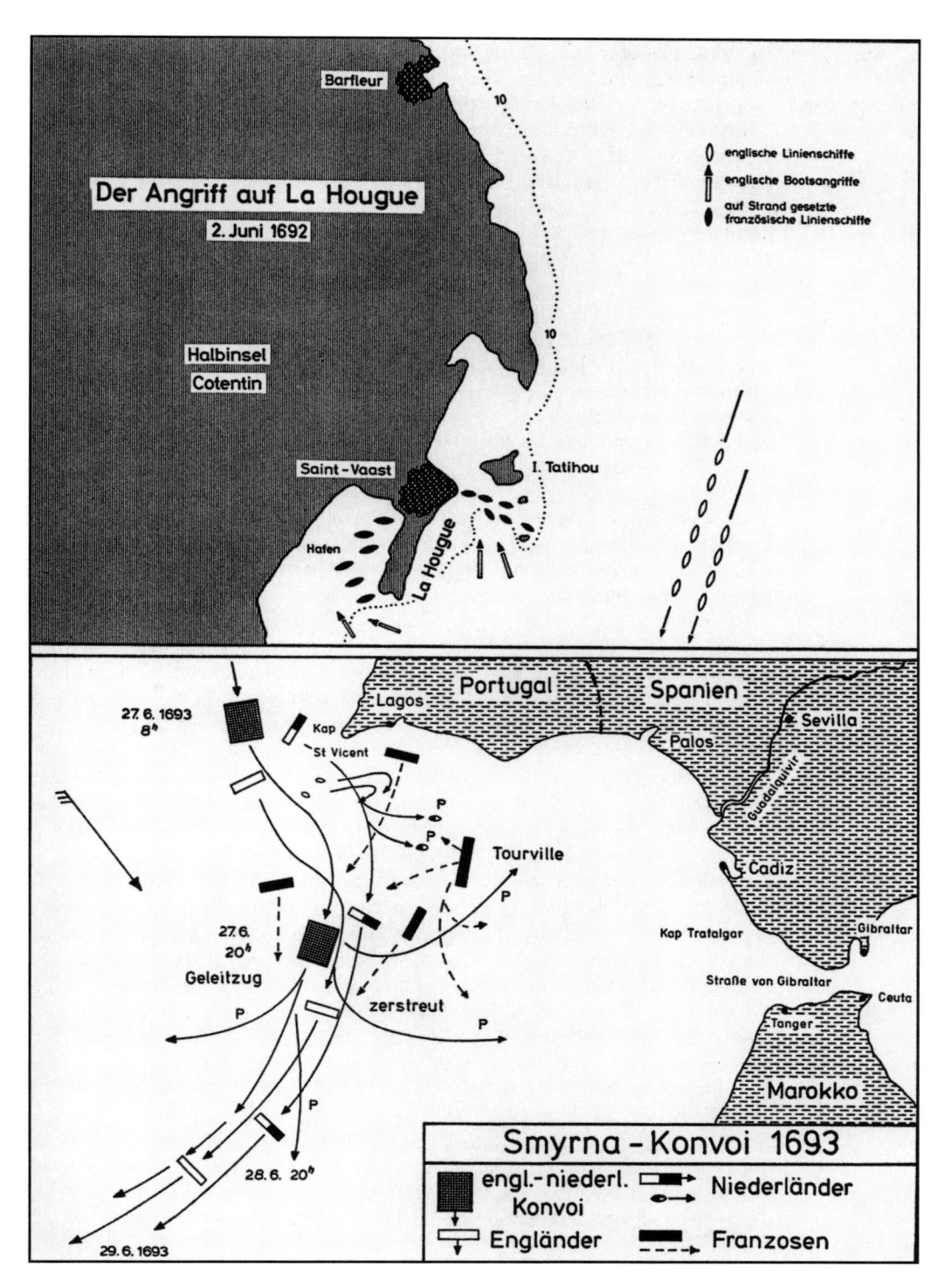

- englische Linienschiffe
- englische Bootsangriffe
- auf Strand gesetzte französische Linienschiffe

Barfleur

Halbinsel Cotentin

Saint-Vaast

I. Tatihou

Hafen

La Hougue

Smyrna-Konvoi 1693

27.6.1693 8ʰ

Lagos — Portugal — Spanien

Kap St Vicent

Palos

Sevilla

Guadalquivir

Tourville

Cadiz

Kap Trafalgar

Straße von Gibraltar

Gibraltar

Ceuta

Tanger

Marokko

27.6. 20ʰ
Geleitzug
zerstreut

28.6. 20ʰ

29.6.1693

- engl.-niederl. Konvoi
- Engländer
- Niederländer
- Franzosen

	Brand gesetzt, das im Hafen explodiert und viele Häuser und auch einige Befestigungen zerstört.
Februar 1694	**Schiffbruch.** Vor der Straße von Gibraltar verlieren die Engländer in einem schweren Sturm sechs Kriegsschiffe, darunter die Linienschiffe >Sussex< (80), >Cambridge< (70), >Lumley Castle< (56), und eine Anzahl an Handelsschiffen.
Februar bis Juni 1694	**Handelskrieg.** Jean Bart kann große Getreideflotten von der Ostsee nach Dünkirchen bringen und rettet dadurch Frankreich vor einer in diesem Jahr drohenden Hungersnot. Der Kaperkrieg aus den französischen Häfen, besonders aus Dünkirchen, blüht während des ganzen Krieges, besonders ab 1693, als Frankreich nicht mehr um die Seeherrschaft kämpft und sich auf den Handelskrieg verlegt.
Mai 1694	Ein englisches Geschwader von zwei Linienschiffen und einem Brander unter Kpt. Pickard vernichtet an der Küste der Biskaya rund 40 Handelsschiffe und mehrere Kriegsschiffe.
Mai 1694	Aus einem stark gesicherten französischen Geleitzug erobern fünf englische Kriegsschiffe, darunter das Linienschiff >Foresight< (48), zehn Handelsschiffe mit einer Getreideladung.
22. Mai 1694	**Scilly-Inseln.** Am Eingang des Ärmelkanals trifft der französische Kreuzerkommandant Kpt. Duguay-Trouin mit der >Diligente< (36) auf sechs englische Linienschiffe, denen er nicht entkommen kann, und gerät in Gefangenschaft. Es gelingt ihm aber bald, mit einigen Kameraden aus dem Gefängnis in Portsmouth zu entkommen und mit einem kleinen Boot den Ärmelkanal zu überqueren.
Juni 1694– September 1695	**Mittelmeer.** Der Großteil der englischen Home Fleet unter Admiral Russell verlegt in das Mittelmeer. Verstärkt durch niederländische und spanische Schiffe werden die Franzosen von der Küste Kataloniens vertrieben und der Handel im Mittelmeer geschützt. Eines der Geschwader überwintert wieder in Cádiz und übernimmt im folgenden Jahr den Schutz der spanischen Mittelmeerküste.
27. Juni 1694	**Ärmelkanal.** Die beiden englischen Linienschiffe >Dunkerk< (60) und >Weymouth< (48) erobern in einem zehnstündigen Gefecht die französische >Invincible< (54). Kpt. William Jumper von der >Weymouth< wird der erfolgreichste Kreuzerkommandant der Engländer in diesem Krieg.
Sommer 1694	**Ärmelkanal.** Das englische Kanalgeschwader greift die französischen Kanalhäfen mit unterschiedlichem Erfolg an. Ein Angriff im Juni auf Brest bleibt ohne Wirkung, im Juli wird Dieppe in Brand geschossen, im selben Monat wird auch Le Havre schwer getroffen. Wenig Erfolg bringen Angriffe auf Dünkirchen und Calais im September. Hinter den Erwartungen bleibt auch die Wirkung der bei diesen Gelegenheiten eingesetzten „**infernal maschines**", eine Art Kombination von Feuerschiffen und großen Treibminen, nach dem Muster, wie sie der Italiener Giambelli bei der Belagerung von Antwerpen 1585 verwendet hat.
29. Juni 1694	**Gefecht bei Texel.** Acht niederländische Fregatten erobern in der Nordsee ein französisches Geleit von 130 Getreideschiffen, bevor das französische Deckungsgeschwader von sechs Kreuzern unter Jean Bart eintrifft. Vor der Insel Texel greift Bart die Deckungsstreitkräfte an, erobert drei Schiffe und jagt den Rest in die Flucht. Die Getreideschiffe bringt er sicher nach Dünkirchen.

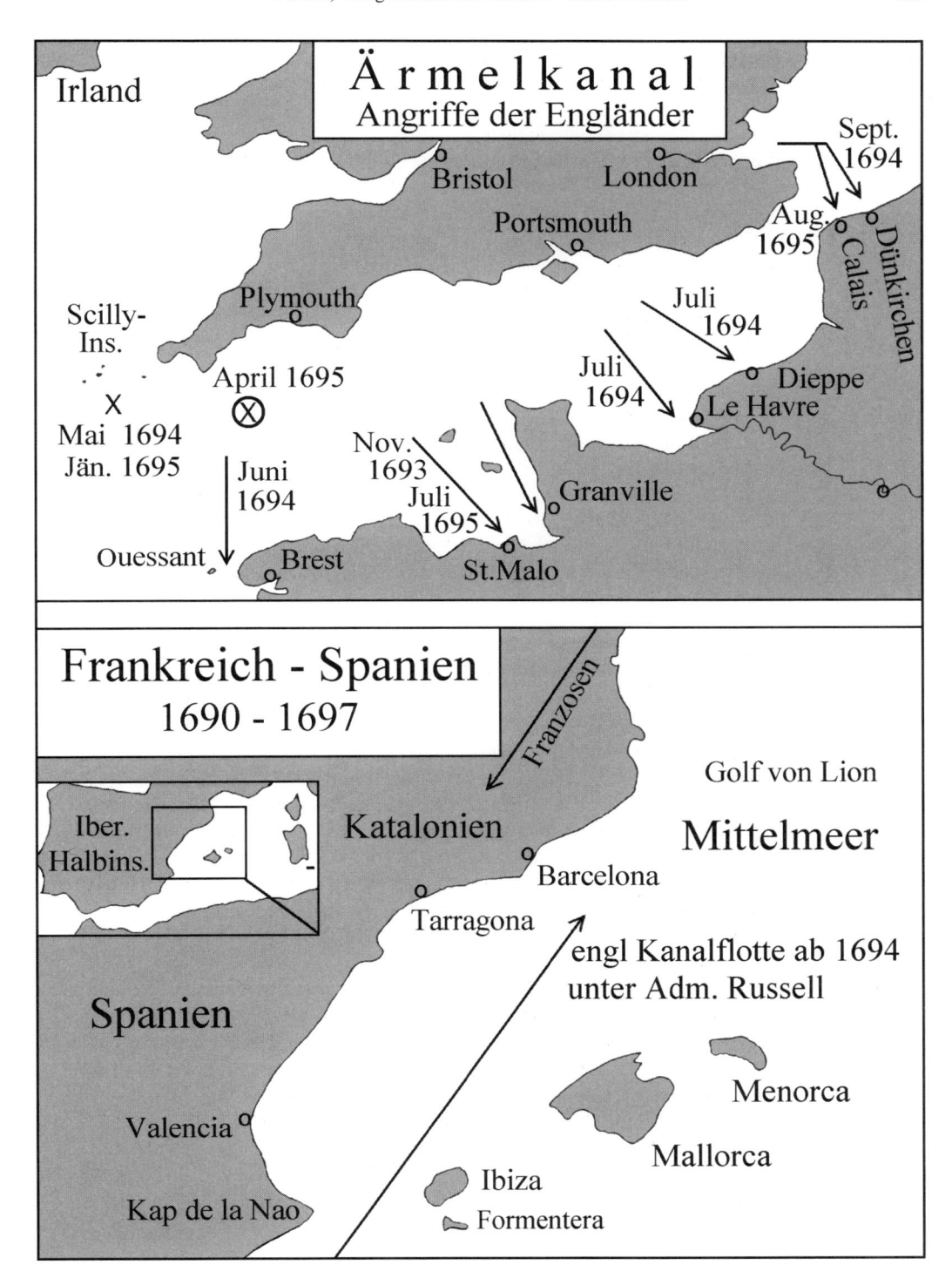

Ärmelkanal
Angriffe der Engländer

Irland
Bristol
London
Sept. 1694
Aug. 1695
Dünkirchen
Calais
Portsmouth
Juli 1694
Plymouth
Scilly-Ins.
Juli 1694
Dieppe
Le Havre
April 1695
Mai 1694
Jän. 1695
Nov. 1693
Juni 1694
Juli 1695
Granville
Ouessant
Brest
St. Malo

Frankreich - Spanien
1690 - 1697

Franzosen
Golf von Lion
Iber. Halbins.
Katalonien
Mittelmeer
Barcelona
Tarragona
engl Kanalflotte ab 1694 unter Adm. Russell
Spanien
Menorca
Mallorca
Valencia
Ibiza
Formentera
Kap de la Nao

Jänner 1695	**Gefecht bei den Scilly-Inseln.** Der französische Handelskreuzer >François< (48) unter Kpt. Duguay-Trouin greift einen kleinen englischen Geleitzug an und erobert nach heftigem Kampf das sichernde Linienschiff >Nonsuch< (48) und zwei weitere kleine Schiffe.
7.–8. Jänner 1695	**Gefecht bei Pantelleria.** Sechs englische Linienschiffe unter Kpt. James Killigrew mit der >Plymouth< (60) treffen auf zwei französische Linienschiffe, die sich zwei Tage gegen die Übermacht verteidigen. Dann müssen sie aber nach hartnäckiger Gegenwehr die Flagge streichen.
April 1695	**Gefecht im westlichen Kanal.** Ein französisches Geschwader von vier Linienschiffen unter Konteradmiral de Nesmond und der >François< unter Duguay-Trouin trifft auf einen Geleitzug mit Westkurs, gedeckt von zwei Linienschiffen und einem Brander. Die französischen Linienschiffe erobern eines der englischen Linienschiffe und Duguay-Trouin kann drei reich beladene Ostindienfahrer erobern.
Sommer 1695	**Ärmelkanal.** Auch in diesem Jahr beschießt das Kanalgeschwader der Verbündeten unter Admiral Berkely (E) und Admiral van Almonde (H) französische Kanalhäfen, im Juli St. Malo und Granville, im August Dünkirchen und Calais. Der Erfolg ist wieder mäßig.
Juni 1696	**Gefecht auf der Doggerbank.** Trotz enger Blockade läuft Jean Bart, >Maure< (54), mit weiteren sechs Handelskreuzern in dunkler Nacht aus Dünkirchen aus, vernichtet die fünf Begleitfahrzeuge eines niederländischen Ostseegeleites und erobert 25 Handelsschiffe. Als ein starkes englisches Geschwader unter Admiral Benbow erscheint, steckt er die eroberten Schiffe in Brand und entkommt.
Dezember 1696	Kapitän Jumper, der erfolgreiche Kreuzerführer, mit der >Weymouth< (48) und der >Dover< (48) unter Kpt. W. Cross, erobert die französische >Fougueux< (48), die kurz darauf sinkt.
3. Mai 1697	**Westindien.** Anfang 1697 läuft aus Brest ein französisches Geschwader von sieben Linienschiffen, zehn Fregatten und zahlreichen Transportern unter Admiral de Pointis nach Westindien aus. Dort stoßen noch acht Fregatten, französische Freibeuter unter du Casse, dazu. Nahe dem wichtigen und stark befestigten spanischen Hafen Cartagena werden 6000 Mann Truppen gelandet. Nach drei Wochen Kampf müssen die Spanier kapitulieren. Mit reicher Beute fahren die Franzosen wieder ab, werden in der Karibik vom englischen Westindiengeschwader unter Vizeadmiral Neville verfolgt und entkommen nach kurzem Feuerwechsel nur knapp.
15. Mai 1697	**Gefecht westlich der Scilly-Inseln.** Zwei französische Linienschiffe und zwei Fregatten greifen die gleich starke Sicherung eines englischen Geleites an. Sie erobern eine Fregatte, einen Brander und beschädigen zwei Linienschiffe schwer.
24. August 1697	**Gefecht vor dem Ärmelkanal.** Auf dem Heimweg trifft das französische Westindiengeschwader unter de Pointis auf ein gleich starkes englisches Geschwader. Nach drei Stunden Kampf auf große Distanz können die schnelleren französischen Schiffe ohne Verluste am folgenden Tag Brest erreichen.
5. September 1697	**Kanada.** Die französische >Pelican< (50) unter Kpt. d'Ibreville greift mit einigen bewaffneten Handelsschiffen vor Neufundland ein kleines englisches Geleit an und erobert das begleitende Linienschiff und einige weitere Schiffe.

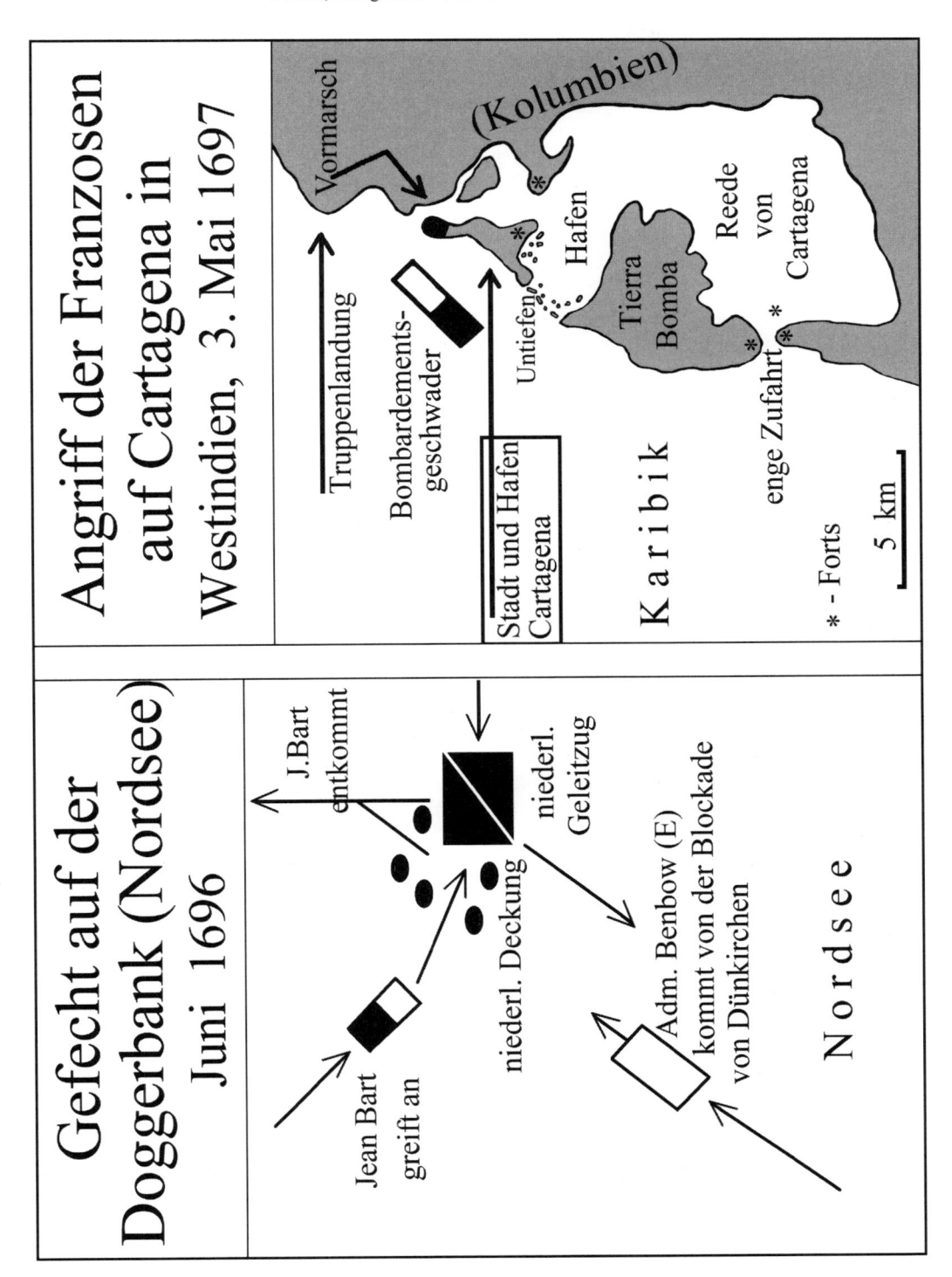

Angriff der Franzosen auf Cartagena in Westindien, 3. Mai 1697

Vormarsch
(Kolumbien)
Truppenlandung
Bombardements-geschwader
Untiefen
Hafen
Tierra Bomba
Reede von Cartagena
Stadt und Hafen Cartagena
K a r i b i k
enge Zufahrt
* - Forts
5 km

Gefecht auf der Doggerbank (Nordsee) Juni 1696

J. Bart entkommt
Jean Bart greift an
niederl. Deckung
niederl. Geleitzug
Adm. Benbow (E) kommt von der Blockade von Dünkirchen
N o r d s e e

Handelskrieg. Eine große Zahl an Handelskreuzern ist von den Franzosen und Engländern vor allem ab 1693 im Einsatz. Die französischen Kaper können 4000 Prisen einbringen. Trotzdem ist der Welthandel der Seemächte einträglich genug, um den Krieg zu finanzieren. Die Blockade der Küsten ruiniert jedoch den Seehandel von Frankreich gänzlich.

September 1697 **Friede von Rijswijk.** Frankreich muß alle Eroberungen zu Land außer Straßburg herausgeben.

1684–1698 Der Krieg um Morea/Peloponnes

1684 Die Venezianer unter Francesco Morosini erobern mit Unterstützung der Galeeren aus Malta und des Kirchenstaates die Insel St. Maura und die Stadt Prevesa.

Juni 1685 Die venezianische Flotte landet mit Unterstützung von Malta, des Kirchenstaates und der Toskana Truppen bei Koron und erobert nach längerer Belagerung die Stadt. Auch Kalamata fällt in die Hände der Venezianer.

Juni 1686 Die Flotte Venedigs unter Morosini erobert die Festung Naupaktos am Eingang zum Golf von Korinth.

4. Oktober 1686 **Gefecht bei Lesbos.** Ein gemischtes Geschwader von elf Schiffen aus Venedig kämpft ohne Entscheidung gegen ein etwas stärkeres Geschwader der Osmanen.

1686 Nach der Eroberung der Halbinsel Morea erlahmt der Angriffsschwung der Venezianer.

26. September 1687 **Athen.** Die Venezianer landen bei Piräus und beginnen mit dem Angriff auf Athen. Bei der Belagerung der Akropolis trifft eine Kanonenkugel das von den Türken als Munitionsdepot benutzte **Parthenon.** Der bis dahin fast unbeschädigte Tempel fliegt mit 300 Türken in die Luft. Morosini bringt die beiden ursprünglich aus Konstantinopel stammenden Löwen von Piräus nach Venedig, wo sie noch 2002 am Eingang des Arsenals stehen.

26. März 1689 Vor Malvasia an der Ostküste der Peloponnes überrascht ein türkisches Geschwader zwei venezianische Schiffe von 60 und 44 Kanonen. Eines fliegt in die Luft, das zweite wird erobert.

19. August 1691 **Landkrieg.** In der Schlacht bei Slankamen im südlichen Ungarn siegen die Österreicher unter Markgraf Ludwig von Baden gegen die doppelt so starke Armee der Türken unter Großwesir Mustapha Köpröli, der dabei umkommt.

9. Februar 1695 **Seeschlacht bei Chios.** Den 21 Segelschiffen und 26 Galeeren der Venezianer unter Flottenkommandant Antonio Zeno stehen 20 Segelschiffe und 24 Galeeren der Türken gegenüber. Drei venezianische Segelschiffe geraten in Brand und fliegen in die Luft, mit ihnen 1500 Mann. Die Türken verlieren nur drei Galeeren. Das vorher besetzte Chios wird von den Venezianern wieder geräumt.

15.–18. September 1695 **Treffen bei Lesbos.** Die Flotte Venedigs unter dem neuen Flottenbefehlshaber Alessandro Molino mit 25 Segelschiffen und dem Galeerengeschwader trifft auf die Türken unter dem Kapudan Pascha Mezzo Morto mit 20 türkischen Segelschiffen und zwölf oder 13 von den Barbaresken. Bei den Operationen werden die Segelschiffe von den Galeeren sehr behindert. Ein Segelschiff der Venezianer fliegt in die Luft, im übrigen sind die Schäden moderat.

Kampf um Morea 1684 - 1698

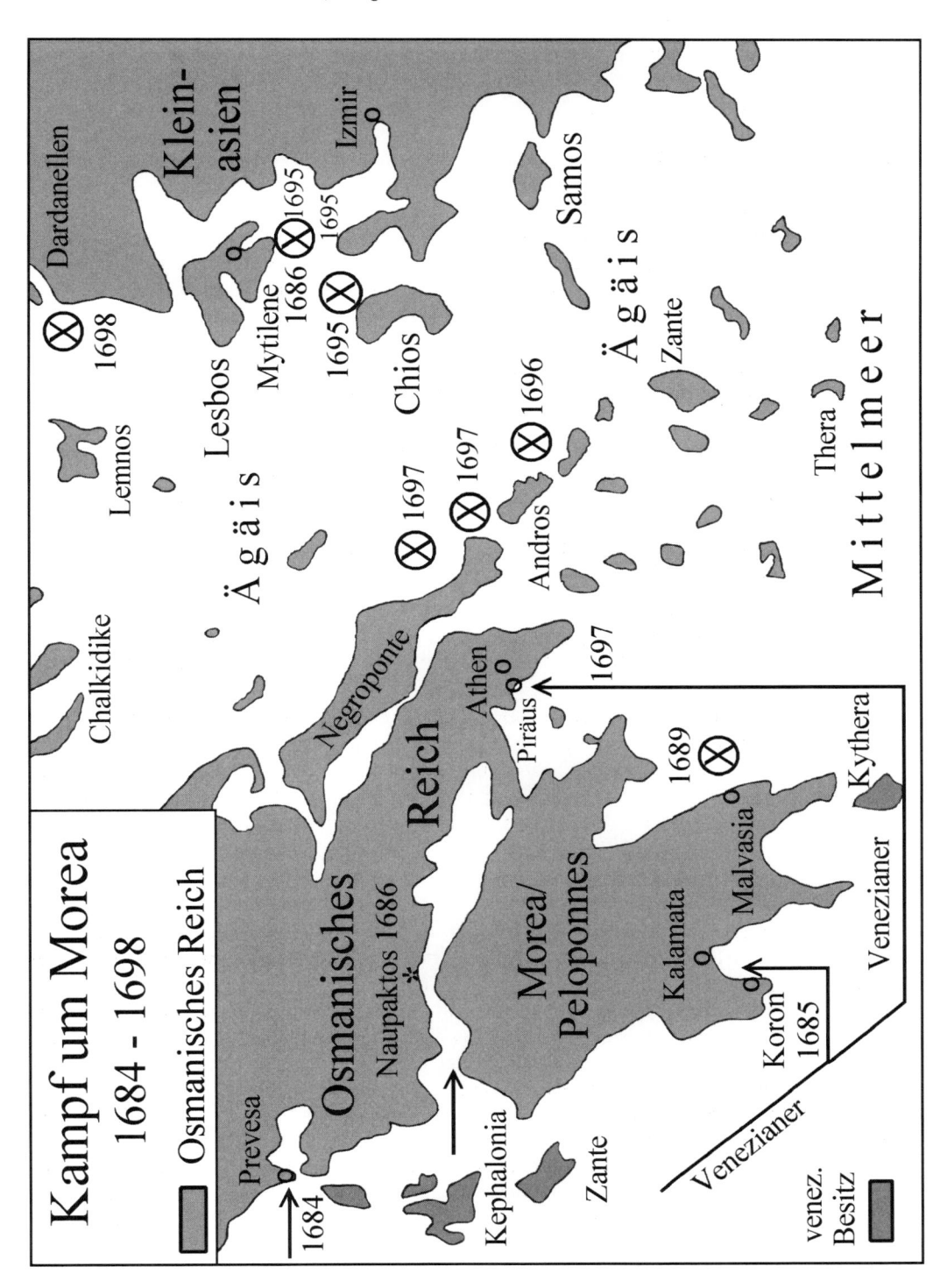

Osmanisches Reich

Venezianer

venez. Besitz

Prevesa 1684
Naupaktos 1686
Kephalonia
Zante
Kalamata
Koron 1685
Malvasia
Kythera
1689 ⊗
Athen
Piräus ← 1697
Negroponte
Chalkidike
Lemnos
Lesbos
Mytilene 1686 ⊗
⊗ 1695 1695
Izmir
Dardanellen
⊗ 1698
⊗ 1695
Chios
Samos
⊗ 1697
⊗ 1697
⊗ 1696
Andros
Zante
Thera

Morea/Peloponnes

Osmanisches Reich

Ägäis

Ägäis

Ägäis

Kleinasien

Mittelmeer

16. August 1696	**Gefecht auf der Donau.** Vor der Mündung der Theiß in die Donau kommt es zu einem Gefecht der österreichischen Donauflottille mit überlegenen türkischen Streitkräften. Nach Verlust von drei Galeeren müssen sich die Österreicher zurückziehen.
22. August 1696	**Treffen bei Andros.** Die beiden Flotten treffen in etwa der gleichen Stärke aufeinander. Nach längerem Manövrieren werden nur wenige Schüsse gewechselt.
1. und 20. September 1697	**Zwei Treffen bei Negroponte.** Die venezianische Segelflotte von 25 Schiffen unter B. Contarini trifft auf die türkische Flotte unter dem Kapudan Pascha. Contarini auf der >San Lorenzo Giustinian< ist hauptsächlich damit beschäftigt, das Galeerengeschwader zu schützen, dessen Hauptaufgabe es ist, die Segelschiffe bei Windstille zu schützen. Es entstehen keine größeren Verluste.
11. September 1697	**Landkrieg.** In der Schlacht bei Zenta, am Ufer der Theiß, siegen die Österreicher unter Prinz Eugen über ein doppelt so starkes Heer der Osmanen unter deren Großwesir.
20. September 1698	**Seeschlacht vor den Dardanellen.** Nach hartem Kampf trennen sich die beiden Flotten wieder ohne Entscheidung. Die Venezianer verlieren kein Schiff, aber müssen 1000 Mann an Toten und Verwundeten beklagen. Die Verluste der Türken sind wie meist nicht festzustellen.
Jänner 1699	**Friede von Karlowitz.** Venedig behält die eroberte Halbinsel Peloponnes/Morea.
1675–1711	**Schwarzes Meer.** Erster Versuch einer Flottengründung im Süden von Rußland. Zar Peter der Große läßt am Don Schiffe für fluß- und küstennahe Operationen bauen. Mit dem Verlust von Rostov geht wieder der Zugang zum Meer verloren und die Flußflotte verfällt.
1689	**Rußland.** Die Russen erreichen Sibirien durchquerend den Stillen Ozean durch Semen Deschnew (Beringstraße 1648), das Amurbecken durch Chabarow (1653) und zur Halbinsel Kamtschatka (1679). Im Vertrag von Nertschinsk wird erstmals von Europäern ein Grenzvertrag mit China unterzeichnet, in dem die Amurgrenze festgelegt und ein Handelsvertrag vereinbart wird.

1693–1700 Oman erobert Ostafrika

Bereits im Jahr 1650 war es nach dem Niedergang der portugiesischen Seemacht im Indischen Ozean den Arabern der südlichen arabischen Halbinsel gelungen, den Portugiesen den Stützpunkt Maskat zu entreißen. Die Sultane von Oman bauen nun systematisch eine begrenzte Seeherrschaft in der Arabischen See auf. Sie nutzen die Rivalität der europäischen Mächte geschickt aus, unternehmen Raubzüge entlang der Küste Persiens und greifen sogar die portugiesischen Stützpunkte Diu und Daman an.

1693	**Seezug.** Ein Geschwader von 24 großen und 28 kleinen Schiffen greift den Stützpunkt Surat an, erleidet aber durch ein portugiesisches Geschwader eine Niederlage. Die Omanis teilen daraufhin ihre Flotte. Ein Teil plündert die portugiesischen Faktoreien Daman, Salsett und Klung, der andere Teil blockiert den Hafen Gombroon/Bander Abbas, den Nachfolger des ausgeschalteten Hormus.

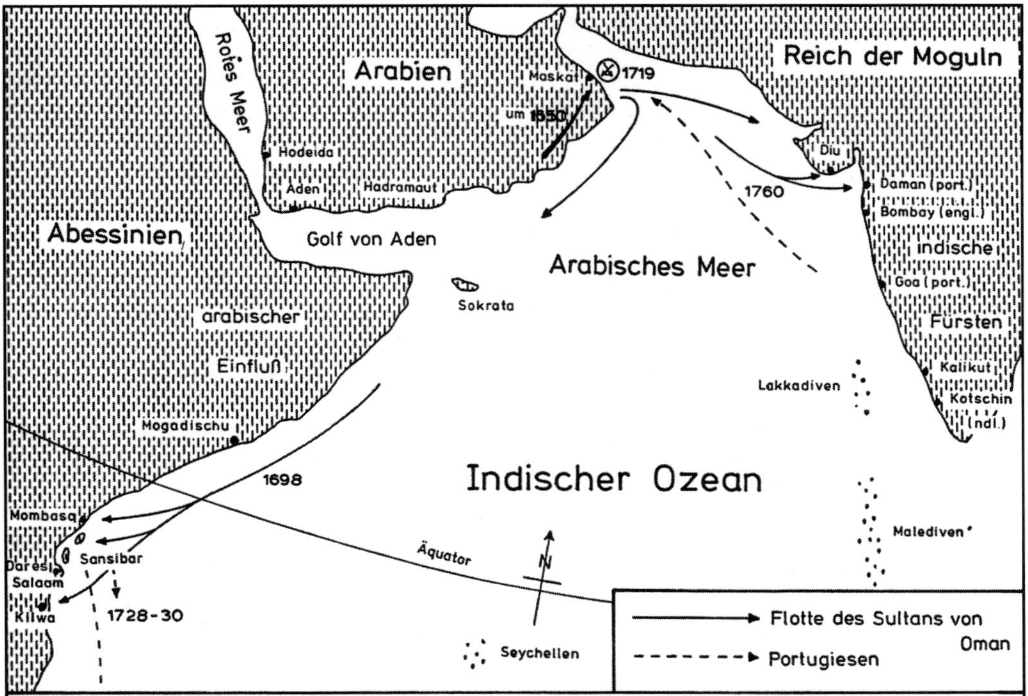
Rotes Meer
Arabien
Maskat
1719
Reich der Moguln
Hodeida
Aden
Hadramaut
Diu
Daman (port.)
Bombay (engl.)
1760
Abessinien
Golf von Aden
Arabisches Meer
indische
Goa (port.)
Sokrata
arabischer
Einfluß
Fürsten
Kalikut
Lakkadiven
Kotschin
(ndl.)
Mogadischu
1698
Indischer Ozean
Mombasa
Malediven
Sansibar
Daresi Salaam
Äquator
N
Kilwa
1728-30
Seychellen
Flotte des Sultans von Oman
Portugiesen

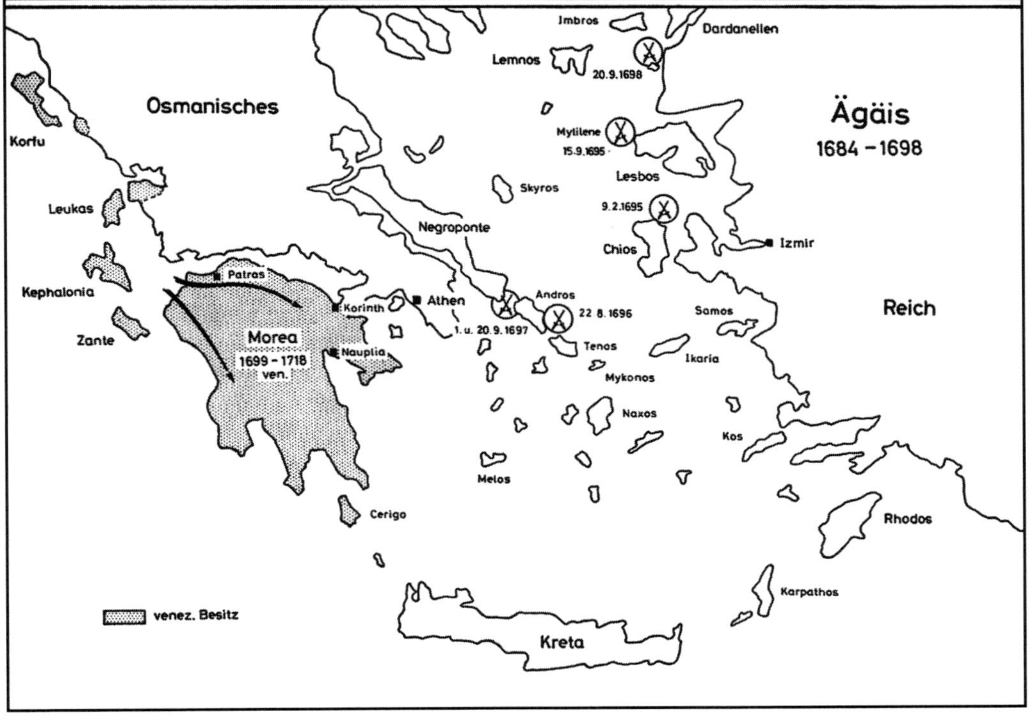
Imbros
Dardanellen
Lemnos
20.9.1698
Osmanisches
Ägäis
1684 – 1698
Korfu
Mytilene
15.9.1695
Lesbos
Skyros
Leukas
9.2.1695
Negroponte
Izmir
Chios
Patras
Kephalonia
Andros
Korinth
Athen
Reich
22.8.1696
Samos
Zante
Morea
1699 – 1718
ven.
1. u. 20.9.1697
Tenos
Nauplia
Ikaria
Mykonos
Naxos
Kos
Melos
Cerigo
Rhodos
Karpathos
venez. Besitz
Kreta

12. Dezember 1698	**Ostafrika.** Nach einer Belagerung von 33 Monaten erobert das Heer von Oman unter Sultan bin Saif I. das starke Fort Jesus vor Mombasa. Die Omanis sind mit einem Geschwader von 17 Schiffen und 3000 Mann 1696 nach Ostafrika ausgelaufen und haben mit zahlreichen Hilfskriegern in kurzer Zeit die portugiesischen Besitzungen Mombasa, Malindi, Pemba, Pate, Sansibar und Kilwa gegen geringen Widerstand erobert. Sie beherrschen nun bis zur Mitte des 19. Jahrhunderts die afrikanische Ostküste bis zum Kap Delgado. Bis dahin ist der wichtigste Exportartikel des Landes Sklaven.
September 1696	**Türkenkrieg.** Prinz Eugen von Savoyen siegt mit dem Heer der Habsburger über die Türken in der Schlacht bei Zenta, die zum Frieden von Karlowitz (1699) und zur Großmachtstellung von Österreich führt.
1697	**Literatur.** Aus diesem Jahr stammt das erste erhaltene Buch über Seetaktik vom Schiffskaplan der >Soleil Royal<, **Paul Hoste**. Er vertritt darin die Innehaltung der engen Flottenkiellinie, möglichst auf der Luvseite, gibt genaue Regeln über Angriff, Gefecht, Rückzug und Verfolgung. Er lehnt Doublieren und Einbrechen in die feindliche Linie ab. Sein Buch hat Einfluß auf die Segelschiffstaktik des folgenden Jahrhunderts.
1697–1698	**Rußland.** Zar Peter der Große (1689–1725) will Rußland zu einem modernen Staat machen. Dazu geht er selbst auf Studienreisen nach Westeuropa. In Amsterdam erlernt er den Schiffsbau und in London die Navigation.
1698	**Wissenschaft.** Der Engländer **Edmund Halley**, Astronom, fährt als nomineller Kapitän mit der >Paramour< in den südlichen Atlantik und nimmt dort Untersuchungen zur Feststellung von Längengraden vor. Dabei gelangt er bis zu 52° südlicher Breite.

Die Seekriege der ersten Hälfte des 18. Jahrhunderts

Dieses halbe Jahrhundert war die Zeit der großen Erbfolgekriege. Am Beginn stand der Spanische Erbfolgekrieg (1702–1713), dessen Folge der Krieg um Sizilien (1718–1720) war. Gleichzeitig, aber ohne unmittelbare Verbindung mit dem Spanischen Erbfolgekrieg wurde der große Nordische Krieg (1700–1721) ausgetragen. Ferner waren in dieser Zeitspanne für den Kampf um die Weltmeere noch der Krieg der Türkei gegen Venedig (1714–1718) und vor allem der Österreichische Erbfolgekrieg (1740–1748) von Bedeutung. Fast ausschließlich ein Landkrieg war der Polnische Erbfolgekrieg.

Der **Spanische Erbfolgekrieg** war die letzte große Kraftprobe zwischen dem Frankreich Ludwigs XIV. und der aus der Augsburger Liga hervorgegangenen „Großen Allianz". Diesmal stand allerdings Spanien auf der Seite Frankreichs, wie dann auch in den übrigen großen Kriegen dieses Jahrhunderts. Spanien besaß trotz des Rückganges seiner militärischen und wirtschaftlichen Macht noch immer die größten Besitzungen in Übersee: Außer im Mutterland herrschte der spanische König über die südlichen Niederlande (das heutige Belgien), das Königreich beider Sizilien, Sardinien, Mailand, den Großteil des amerikanischen Kontinents und die Philippinen.

Der letzte spanische Herrscher aus der Linie der Habsburger, Karl II., starb kinderlos im November 1700 und hatte in seinem Testament auf Betreiben der französischen Diplomatie den Herzog Philipp von Anjou, einen Enkel von Ludwig XIV., zum Erben seiner ungeteilten Besitzungen bestimmt. Da Ludwig XIV. nach dem Pyrenäenfrieden 1659 die Tochter des spanischen Königs geheiratet hatte, war Philipp ein direkter Nachkomme der spanischen Könige und die Erbberechtigung – trotz des Erbverzichtes seiner Großmutter – durchaus gegeben. Eine Vereinigung der Besitzungen Frankreichs und Spaniens in einer Dynastie hätte aber ein Imperium ergeben, das jenes von Kaiser Karl V. bei weitem übertroffen hätte, weshalb sie für die übrigen europäischen Mächte nicht annehmbar war.

Die österreichischen Habsburger wollten auf ihr altes Erbe nicht verzichten, und für England und die Niederlande war der Zugriff Frankreichs zu den spanischen Niederlanden und auf den Überseehandel eine unerträgliche Bedrohung. Sobald der Bourbone als Philipp V. den spanischen Thron bestiegen hatte, bildete sich rasch die „Große Allianz" gegen Ludwig XIV. neu. Sie umfaßte diesmal zunächst Österreich, England, die Niederlande, Preußen und Hannover, später auch Portugal (1702), das Deutsche Reich (1702) und Savoyen (1703). Frankreich konnte sich die Unterstützung von Bayern und Kurköln sichern. Der habsburgische Thronprätendent, der zweite Sohn von Kaiser Leopold I., Erzherzog Karl, fand als Karl III. von Spanien die allgemeine Anerkennung und Unterstützung der Koalition.

Die Anerkennung des Stuarts Jakob III. als englischen Thronprätendenten 1701 durch Ludwig XIV. band England umso fester an das Bündnis. Unmittelbar zu Kriegsbeginn, im März 1702, starb in England König Wilhelm III., der große Widersacher Ludwigs XIV., was aber keine Erleichterung für Frankreich brachte. In England wurde unter der Schwägerin von Wilhelm, Königin Anna, durch den Herzog von Marlborough die Politik des Oraniers weitergeführt. In den Niederlanden, die nun nicht mehr in Personalunion mit England verbunden waren, wurde zwar die Statthalterwürde nicht mehr erneuert, der „Ratspensionär" Heinsius folgte aber ebenfalls der schon von Wilhelm vorgezeichneten Linie in Übereinstimmung mit Marlborough. Der Landkrieg wurde vor allem in den Niederlanden, in Deutschland, in Oberitalien und in Spanien

geführt (die Feldherrn Prinz Eugen und Marlborough). Während dieses Krieges entstand durch die Union von England und Schottland **Großbritannien**.
Der Spanische Erbfolgekrieg war zwar in erster Linie ein kombinierter Land- und Seekrieg, das Schwergewicht der maritimen Operationen lag allerdings im Kampf um Stützpunkte und Seefestungen und im Handelskrieg. Das Hauptinteresse von England/Großbritannien lag in der Sicherung des Mittelmeeres. Es wurde daher von Katalonien aus versucht, dem Thronprätendenten Karl Zugang zu Spanien zu verschaffen. Die englische Flotte war daher vorwiegend im Mittelmeer eingesetzt, weshalb der Kampf um die Überseebesitzungen in diesem Krieg noch nicht die Bedeutung hatte wie in den folgenden Seekriegen.
Die englische Flotte umfaßte zu Kriegsbeginn rund 110 Linienschiffe, darunter bereits eine Anzahl Dreidecker mit über 90 Geschützen. Die Flotte der Niederlande zählte rund 50 Linienschiffe, die jedoch noch fast alle aus den letzten Seekriegen stammten. Die französische Flotte war mit rund 100 Linienschiffen wohl stark an Zahl, aber auch bei ihr waren die meisten Schiffe veraltet und zum Teil nicht in der Schlachtlinie einsetzbar. Die spanische Flotte war zu dieser Zeit sehr heruntergekommen und als Kampfinstrument kaum zu zählen.
Nach dem Erfolg der Flotte der Verbündeten in der Bucht von Vigo schloß sich auch Portugal der Allianz an. England konnte sich im Methuen-Vertrag mit Portugal Lissabon als Flottenstützpunkt sichern und ein günstiges Wirtschaftsabkommen schließen, das ihm großen Einfluß auf die Erschließung von Brasilien gab, wo gerade die ersten Goldfunde gemacht worden waren. Zunächst brachte 1704 die Flotte der Verbündeten den Thronprätendenten Karl III. nach Lissabon, im folgenden Jahr landete er mit einem starken Heer bei Barcelona. Karl konnte jedoch nie seinen Einflußbereich über Katalonien hinaus wesentlich ausweiten. Wegen des Auftretens der Flotte der Verbündeten im Mittelmeer ging der Herzog von Savoyen von der Seite Frankreichs zur Allianz über, deren Truppen daher in Südfrankreich eindringen konnten, worauf sich das französische Mittelmeergeschwader in Toulon 1707 selbst versenkte. Sardinien, die Balearen und Gibraltar konnten für Karl III. ohne Schwierigkeit in Besitz genommen werden, letzteres und Menorca wurden aber von den Engländern nicht mehr herausgegeben. Da die Flotten der Verbündeten in den folgenden Jahren keinen Gegner zur See mehr hatten, widmeten sie sich dem Handelskrieg. Nach kurzer Zeit war der Überseehandel Frankreichs und Spaniens unterbunden, die Handelsflotten ruiniert.
Nach dem Tod von Kaiser Joseph I. im Jahre 1711 wurde sein Bruder Karl sein Nachfolger in Österreich und als Karl VI. auch deutscher Kaiser. Die meisten Verbündeten von Österreich, vor allem England und die Niederlande, hatten nun ebensowenig ein Interesse, daß Österreich und Spanien unter den Habsburgern wieder vereinigt worden wären wie an einer Vereinigung von Frankreich und Spanien unter den Bourbonen. Es kam daher zum Frieden von Utrecht (ergänzt durch die Friedensschlüsse von Rastatt und Baden/Schweiz 1714), in denen das spanische Weltreich praktisch aufgeteilt wurde.
Philipp V. behielt das spanische Mutterland mit den Kolonien in Amerika und den Philippinen. Österreich erhielt die spanischen Niederlande, Mailand, Neapel und Sardinien, Savoyen wurde Königreich und erhielt Sizilien. Hauptgewinner war Großbritannien mit der Erwerbung von Neufundland, Neuschottland, dem Gebiet um die Hudson-Bucht, Gibraltar und Menorca. Die französische Vorherrschaft wurde damit beendet, Großbritannien begann seine Politik des Kräfteausgleichs auf dem europäischen Kontinent.
Nicht die Schlachtflotten der Verbündeten hatten diesen Krieg entschieden, sondern der Handelskrieg. Beide Seiten verloren je rund 1500 Handelsschiffe. Der französische Seehandel war damit ruiniert, das Land finanziell am Ende. Der britische Handel verschmerzte nicht nur die

Verluste, sondern brachte reichsten Gewinn. Für Großbritannien war dies der ertragreichste Krieg. Erstmalig in einem Seekrieg der Neuzeit wurden die Segelflotten in den Wintermonaten nicht aufgelegt. Großbritannien begann im Mittelmeer ständig ein Geschwader zu unterhalten, wofür mit Gibraltar und Menorca nun besonders gut geeignete Stützpunkte zur Verfügung standen. Bei den großen Schiffen wurde zu dieser Zeit der Kolderstock durch das praktischere Steuerrad ersetzt.

In **Nordeuropa** hatten zu Ende des 17. Jahrhunderts junge, tatkräftige Herrscher ihre Regierung angetreten. Zar Peter I. d. Gr. von Rußland (1682–1725) begann sein Land nach dem Westen zu orientieren, Karl XII. von Schweden (1697–1718) wollte seinem Land nicht nur die Herrschaft in der Ostsee erhalten, sondern womöglich noch vermehren. Friedrich IV. von Dänemark (1699–1730) wollte verlorene Gebiete in Südschweden und die alte Stellung seines Landes wiedergewinnen, und Polen unter August dem Starken von Sachsen (1697–1706, 1709–1733) wollte einen gesicherten Zugang zur Ostsee erwerben. Rußland, Dänemark und Polen schlossen ein Bündnis, das ein gemeinsames Vorgehen gegen Schweden vorsah. In der Ostsee verfügte Schweden über 42, Dänemark über 33 Linienschiffe, alle in gutem Zustand.

Dänemark eröffnete die Kampfhandlungen mit einem Einfall in das mit Schweden verbündete Holstein. Schweden kam seiner Bündnispflicht gegenüber Holstein nach, worauf auch Rußland und Polen den Kampf aufnahmen. Großbritannien und die Niederlande, die am Vorabend des Spanischen Erbfolgekrieges ihre wichtige Handelsschiffahrt in der Ostsee nicht gestört sehen wollten, nahmen gegen den Angreifer Dänemark Stellung und unterstützten die Schweden mit einem Geschwader im Öresund beim Gegenangriff und der Landung eines schwedischen Heeres auf Seeland. Sie zwangen jedoch im Frieden von Traventhal die Schweden, auf Eroberungen zu verzichten. Schweden verfügte aber nun im Kampf gegen die beiden anderen Gegner über die absolute Seeherrschaft in der Ostsee, denn die westlichen Seemächte zogen ihre Geschwader aus der Ostsee wieder ab, da der Spanische Erbfolgekrieg unmittelbar vor dem Ausbruch stand.

Karl XII. landete daraufhin in Livland und begann seinen Siegeszug durch das Baltikum, Polen und Rußland, der jedoch schließlich in der Katastrophe von Poltawa endete. In den Jahren davor hatte es die schwedische Flotte verabsäumt, den Aktivitäten der Russen im Finnischen Meerbusen energisch entgegenzutreten. Dort hatte Peter d. Gr. die neue Hauptstadt Petersburg gegründet, mit der Anlage der Seefestung Kronstadt auf der Insel Kotlin begonnen, mit seinen Fluß- und Seeflottillen auf dem Ladogasee, dem Peipussee und der Newa erste Erfolge errungen und den Grundstein zur neuen Seemacht in der Ostsee gelegt. Nach der Niederlage der Schweden bei Poltawa schloß sich Dänemark wieder der Koalition gegen Schweden an, wodurch der Krieg wieder zu einem kombinierten Land- und Seekrieg wurde. Mehrmals trafen die Hochseeflotten beider Länder aufeinander, doch brachte keine der Seeschlachten eine Entscheidung.

Seit dem Ende des Spanischen Erbfolgekrieges erschienen jährlich starke Geschwader aus Großbritannien und den Niederlanden in der Ostsee, um dort die Interessen ihrer Länder zu vertreten. Während sie zunächst die Dänen gegen die überlegenen Schweden unterstützten, griffen sie nach dem Tod von Karl XII. auf der Seite Schwedens gegen das aufstrebende Rußland – teilweise sogar aktiv – in die Kämpfe ein. In den folgenden Friedensschlüssen mußte Schweden auf seine Besitzungen in Deutschland zugunsten von Preußen und Hannover verzichten, das Baltikum mußte an Rußland abgetreten werden. Schweden wurde in der Folge von Rußland als stärkste Ostseemacht abgelöst.

In diesem Krieg wurde von den Flotten nicht um die Seeherrschaft gerungen, die Zusammentreffen ergaben sich nur im Zuge von Truppengeleiten. Die schwedische Flotte verabsäumte es, den Aufbau einer russischen Flottenorganisation zu stören. In den engen Schärengewässern hatten auch noch Riemenfahrzeuge bis zur Einführung der Dampfmaschine ihre Einsatzmöglichkeiten. Die Ostseemächte unterhielten daher immer eine Hochseeflotte aus Segelschiffen und eine Schärenflotte aus Riemenschiffen. Für die russische Kriegsflotte stand zunächst noch keine seefahrende Bevölkerung zur Verfügung, die starke Flotte war daher noch lange auf ausländische Offiziere und nur bedingt verwendbare Mannschaften angewiesen, ein Mangel, der erst ab dem 19. Jahrhundert behoben werden konnte.

Während seines Exils in der Türkei hatte König Karl XII. von Schweden die **Türkei** zur Kriegserklärung an Rußland gebracht. Die Osmanen hatten am Pruth 1711 gesiegt und die Russen im Frieden von Adrianopel 1713 zur Rückgabe von Asow genötigt. Mit Rückenfreiheit im Osten forderte die Türkei nun von Venedig die Rückgabe der Peloponnes und erklärte bei deren Ablehnung den Krieg. Während die osmanische Flotte durch Schiffe der nordafrikanischen Staaten beträchtlich verstärkt wurde, erhielt das schwächere Venedig zunächst fast keine Unterstützung durch den Westen. Erst nach dem Fall von Morea/Peloponnes im ersten Kriegsjahr wurde Venedig zu Lande von Österreich, zur See von den Johannitern aus Malta und ab 1717 auch von Portugal unterstützt. Die venezianische Flotte war auf den Waffengang überhaupt nicht vorbereitet und mußte zu Beginn die Seeherrschaft vollkommen den Türken überlassen. Die Seeschlachten in den letzten beiden Kriegsjahren konnten am Verlust von Morea nichts mehr ändern. Die glänzenden Siege Prinz Eugens zu Lande sicherten Österreich im Frieden von Passarowitz den Gewinn von Belgrad.

Spanien benützte die Bindung von Österreich im Türkenkrieg, um einige der im Erbfolgekrieg verlorenen Besitzungen in Italien zurückzugewinnen. Es besetzte fast kampflos Sardinien und eroberte rasch Sizilien bis auf Messina. Gegen diesen Friedensbruch bildete sich die „Quadrupelallianz" mit Großbritannien, Österreich, den Niederlanden und Frankreich. Ersteres sandte ein starkes Geschwader in das zentrale Mittelmeer, das mit der Vernichtung der spanischen Flotte bei Kap Passaro dem Kampf rasch eine entscheidende Wendung gab. Spanien mußte im Frieden von Den Haag auf die beiden Inseln verzichten, Österreich erhielt im Tauschweg für Sardinien das wertvollere Sizilien.

Der **Polnische Thronfolgekrieg** war fast ausschließlich ein Landkrieg, in dem es um die Nachfolge von König August des Starken ging und in dem Österreich das Königreich Neapel an eine Nebenlinie der Bourbonen verlor.

Kaiser Karl VI. bekam beim Kampf als spanischer Thronprätendent deutlich die Stärke einer Seemacht vor Augen geführt. Er versuchte daher auch **Österreich** an die See zu führen. In den von Spanien erhaltenen Niederlanden wurde eine Seehandelskompanie gegründet, Triest wurde zum Freihafen erklärt und die Straße nach Wien über den Semmeringpaß zu einer leistungsfähigen Verbindung ausgebaut (Denkmal auf der Paßhöhe). Nach dem Verlust des Königreichs Neapel wurde das Küstenland Österreichs wieder auf die nördliche Adria beschränkt. Im Interesse der Pragmatischen Sanktion wurden die Welthandelsbestrebungen wieder aufgegeben.

Nach dem Ende des Polnischen Thronfolgekrieges hatte **Rußland** wieder freie Hand für einen neuen Versuch, sein Herrschaftsgebiet bis zum Schwarzen Meer auszudehnen. Der Türkei wurde 1736 der Krieg erklärt, starke Heeresverbände stießen mit Unterstützung von mehreren hundert auf den Flüssen Don und Dnjepr gebauten Kanonenbooten nach Süden vor. Asow und Otschakow wurden erobert und im folgenden Jahr trat Österreich auf der Seite Rußlands in den Krieg ein. Nach Niederlagen zu Lande schied Österreich bald wieder aus dem Krieg unter

Aufgabe von Belgrad aus, das zunächst erfolgreiche Rußland mußte schließlich auf alle Eroberungen außer Asow verzichten.

Bereits 1739 begann in Westindien ein Kolonialkrieg zwischen Großbritannien und Spanien, der bald in den im folgenden Jahr ausgebrochenen **Österreichischen Erbfolgekrieg** übergehen sollte. Im Frieden von Utrecht hatte Großbritannien mit Spanien ein Handelsabkommen geschlossen, nach dem ihm in den spanischen Kolonien bedeutende Handelskonzessionen eingeräumt worden waren (Sklaven- und Zuckerhandel). Die britischen Handelsgesellschaften hatten ihre Kontingente jedoch oft weit überschritten, spanische Zollboote daher die Ladungen zu kontrollieren versucht, dem sich die Briten meist widersetzt hatten. Bei solch einem Zwischenfall war dem britischen Handelsschiffskapitän Jenkins ein Ohr abgeschlagen worden. Als dies die Öffentlichkeit in England in der entsprechenden Aufmachung erfahren hatte, war es zu den gewünschten Demonstrationen gegen Spanien gekommen. Großbritannien sandte darauf 1739 Geschwader an die Küste von Spanien, worauf dieses den Handelsvertrag kündigte. Im Oktober folgten die Kriegserklärungen. Dieser Kolonialkrieg, bekannt als „Krieg um Jenkin's Ohr", begann mit britischen Operationen in den Gewässern um Amerika. Ein Geschwader unter Admiral Vernon operierte mit wechselndem Erfolg in Westindien. Ein kleines Geschwader unter Com. Anson führte an der amerikanischen Westküste Handelskrieg und kehrte durch den Stillen Ozean und um Afrika herum zurück. Im übrigen bereitete sich alles auf die drohende Auseinandersetzung zur österreichischen Erbfolge vor.

Kaiser Karl VI., ohne Sohn, hatte versucht, in der **Pragmatischen Sanktion** seiner Tochter Maria Theresia die Nachfolge zu sichern. In den habsburgischen Ländern hatte er die Anerkennung dieses Grundgesetzes erhalten. Im Deutschen Reich hatte sie jedoch Bayern wegen eigener Erbansprüche versagt. Die übrigen Länder hatten meist für große Zugeständnisse in die Thronfolge von Maria Theresia eingewilligt.

Mit dem Tod von Kaiser Karl VI. am 20. Oktober 1740 waren jedoch die Verträge, welche die Erbfolge Maria Theresias garantierten, nicht einmal das Papier wert, auf dem sie geschrieben waren. Nur noch rein machtpolitische Überlegungen waren für die Kabinette ausschlaggebend. Frankreich, Preußen und Spanien wollten sich das habsburgische Erbe aufteilen, auf den Rest erhob Bayern Anspruch. König Friedrich d. Gr. von Preußen eröffnete den Kampf schon zwei Monate nach dem Tod Karls VI. mit seinem Einfall in Schlesien (erster Schlesischer Krieg). Maria Theresia konnte sich mit ihrer Krönung in Preßburg zur Königin von Ungarn dessen uneingeschränkte Unterstützung sichern, mit dem Eintritt von England und den Niederlanden („der Schaluppe im Schlepptau der britischen Flotte" – nach Friedrich d. Gr.) auf der Seite Österreichs wurde die Auseinandersetzung zum europäischen Krieg.

Zu Kriegsbeginn verfügte Großbritannien über 80, Frankreich über 45 und Spanien über 25 Linienschiffe. Die Flotten der beiden letzteren waren in schlechtem Zustand. Den Kern der Flotten bildeten die 1600 t großen schnellen Linienschiffe mit 74 Kanonen, die größeren und langsamen Dreidecker waren meist die Flaggschiffe.

Der Landkrieg drehte sich in erster Linie um den Besitz von Schlesien und wurde weiter in Süddeutschland, den Niederlanden, Oberitalien und den britischen Kolonien in Nordamerika ausgetragen. Im Indischen Ozean beherrschte Frankreich mit dem Besitz der Insel Mauritius die Seeverbindungen und behielt unter dem tüchtigen Gouverneur von Vorderindien, Joseph-François Dupleix, die Oberhand.

Bald nach Kriegsbeginn vereinigte sich die spanische Flotte mit dem französischen Mittelmeergeschwader, um die Verbindung mit Oberitalien aufrecht zu halten. Das britische Mittelmeergeschwader unter Admiral Mathews blockierte daraufhin die Flotte der Verbündeten fast zwei Jahre in Toulon. Beim Auslaufen der Verbündeten 1744 kam es zur Schlacht und erst danach zur offiziellen Kriegserklärung zwischen Frankreich und Großbritannien. Frankreich bereitete daraufhin eine Landung in England vor. Ohne Seeherrschaft im Ärmelkanal mußten aber die Franzosen ihre Absicht wieder aufgeben. Sie landeten aber den Enkel von König Jakob II., den „jungen Prätendenten", in Schottland, der dort einen gefährlichen Aufstand gegen das Haus Hannover in England entfachte, wodurch starke britische Truppenteile vom Einsatz am Kontinent abgehalten wurden.

Ab 1746 verschärfte die britische Kanalflotte die Blockade der französischen Häfen und konnte in der Folge wieder den französischen Seehandel fast vollständig unterbinden. Auch die Küsten von Spanien wurden nun strenger überwacht, dessen Handel kam daher ebenfalls zum Erliegen. Trotz Erfolgen des Landheeres in den Niederlanden mußte sich Frankreich im Frieden von Aachen wieder der Seemacht beugen. Österreich mußte Schlesien an Preußen abtreten, erhielt aber die von Frankreich eroberten habsburgischen Niederlande wieder zurück. Die Thronfolge von Maria Theresia wurde allgemein anerkannt. Großbritannien erhielt das von den Franzosen in Indien eroberte Madras im Austausch gegen Louisbourg auf Neuschottland zurück. Für Großbritannien und Frankreich war der Friede von Aachen eigentlich nur ein Waffenstillstand. Die Auseinandersetzung zwischen der Seemacht und der See-/Landmacht um die Besitzungen in Übersee und um den Welthandel war nur vertagt und sollte nicht einmal zehn Jahre später seine Fortsetzung finden.

Schweden benützte die Bindung der Seemächte im Österreichischen Erbfolgekrieg zu dem Versuch, an Rußland verlorene Gebiete zurückzugewinnen. Im Krieg 1741–1743 erlitt es jedoch mehrere Niederlagen, die Flotte wagte keinen Kampf mit der russischen Hochseeflotte und es mußte schließlich noch weitere Gebiete abtreten.

Im **Mittelmeer** führten in diesem halben Jahrhundert Frankreich, Spanien und die Johanniter weiterhin einen ständigen Kleinkrieg gegen die Barbareskenstaaten von Nordafrika.

Die **Kunstszene** wurde in dieser Zeit noch vom Hochbarock und Spätbarock gekennzeichnet. Zu den bedeutendsten Bauten zählen die Frauenkirche in Dresden (1726ff), die Karlskirche (1716–1722) in Wien, Vierzehnheiligen am Main bei Bamberg (1744ff), Chiswick House bei/in London (1729ff), Pommersfelden bei Bamberg (1711ff), die Residenz Würzburg (1720ff), der Zwinger in Dresden (1711ff), Schloß Belvedere Wien (1714ff), Schloß Sanssouci in Potsdam (1745ff), das Opernhaus in Berlin (1741ff), der Festungsbau von Sébastien le Pelestre de Vauban in Frankreich und die Ausgestaltung des Stadtbildes wie den Petersplatz, die Fontana di Trevi, die Spanische Treppe (alle in Rom) sowie in Dresden, Würzburg, Nancy und Karlruhe.

1700   **Schwarzes Meer.** Rußland stellt sein erstes Hochseegeschwader auf. Zar Peter I. d. Gr. kommt persönlich zur Inspektion. Es umfaßt zwölf Segelschiffe mit 28 bis 52 Geschützen unter Admiral Golowin mit dem Flaggschiff >Skorpion< (52). Stützpunkte sind Asow und Taganrog.

1701   **Wissenschaft.** Der englische Astronom Edmund Halley gibt seine erste bedeutende Karte über die magnetische Deklination heraus. Dies ist ein wichtiges Hilfsmittel für die Nautik.

Portugal tritt an die Seite der Seemächte 1703

Atlantik

1706 ⊗

Mai 1703
März 1704 ⊗

Spanien

Porto
Duoro

Portugal
Kriegseintritt 1703

Tejo

Lissabon
Setubal

Guadijana

Spanien

Lagos

Huelva

Engländer und Niederländer →
Cadiz

Aug. 1702 → Hafen

Landung bei Cadiz

1702–1713 Der spanische Erbfolgekrieg

Das erste Treffen findet in Westindien statt.

30. August bis 4. September 1702 — **Gefecht vor Cartagena.** Ein kleines französisches Geschwader mit den Linienschiffen >Heureux< (60), >Phénix< (60), >Agréable< (50), >Apollon< (50) und einer Fregatte unter du Casse geleitet einen Truppentransport. Ein englisches Geschwader von sieben Linienschiffen unter Admiral Benbow auf der >Breda< (70) greift die Franzosen an. Da fünf englische Kommandanten ihren Admiral in Stich lassen, wird Benbow zurückgeschlagen, der an einer schweren Verwundung stirbt.

August–September 1702 — **Angriff auf Cádiz.** Die Flotte der Verbündeten Engländer und Niederländer unter Admiral Rooke (E) und Leutnantadmiral van Almonde mit 30 englischen und 20 niederländischen Linienschiffen unternimmt einen Angriff auf den spanischen Hauptkriegshafen. Es werden über 10.000 Mann gelandet, der schwächlich vorgetragene Angriff wird aber von den Spaniern abgewiesen.

23. Oktober 1702 — **Angriff auf Vigo.** Auf dem Rückweg von Cádiz unternimmt die Flotte der Verbündeten auf Betreiben von Admiral van Almonde einen Angriff auf die in Vigo eingelaufene spanische Silberflotte. Die enge Hafeneinfahrt ist von einer Floßsperre geschlossen, dahinter liegt das französische Deckungsgeschwader unter Admiral Chateau-Renault von 13 französischen und drei spanischen Linienschiffen. Von den Verbündeten werden zunächst Truppen gelandet und die Befestigungen an der Hafeneinfahrt erobert. Dann forciert ein Geschwader von 25 Linienschiffen die Sperre und kämpft das Deckungsgeschwader nieder. Sechs Linienschiffe und sieben Galeonen werden erobert. Auch ein Teil des Silberschatzes fällt den Verbündeten in die Hände. Alle übrigen Schiffe werden verbrannt. Die Verluste der Verbündeten sind gering.

19./20. Dezember 1702 — **Gefecht am Gardasee.** Französische Truppen dringen von der Poebene Richtung Südtirol vor. Eine improvisierte Flottille am Gardasee greift die Stadt Riva an, wird aber von Schiffen der Tiroler verlustreich zurückgeschlagen.

1703 — **Portugal** tritt nach dem Erfolg von Vigo an der Seite der Seemächte in den Krieg ein. Im Methuen-Vertrag wird den Engländern die Benützung von Lissabon als Flottenstützpunkt zugestanden.

21. April 1703 — **Gefecht in der Nordsee.** Sieben französische Handelskreuzer unter de Saint-Pol auf der >Adroit< (40) greifen ein gleich starkes englisches Geschwader an und erobern das Linienschiff >Salisbury< (52) und ein bewaffnetes Handelsschiff.

22. Mai 1703 — **Gefecht bei Lissabon.** Fünf französische Linienschiffe unter Vizeadmiral Coëtlogon treffen auf einen niederländischen Geleitzug, der von ebenfalls fünf, allerdings kleineren, Linienschiffen gedeckt wird. Nach hartem Kampf unterliegen die fünf Niederländer, der Geleitzug kann aber entkommen.

August 1703 — **Ärmelkanal.** An der Westküste der Halbinsel Cotentin vernichtet Konteradmiral Dilkes mit dem Linienschiff >Kent< (70) und einigen kleineren Fahrzeugen 41 französische Handelsschiffe und drei Geleitfahrzeuge.

7.– 8. Dezember 1703 — **Schiffbruch.** In einem besonders schweren Sturm verlieren die Engländer im Ärmelkanal 13 Kriegsschiffe, darunter die Linienschiffe >Vanguard< (90), >Restoration< (70), >Stirling Castle< (70), >Resolution< (70), >Northumberland< (70) und >Mary< (60), viele Schiffe sind schwer beschädigt, der Men-

Der spanische Erbfolgekrieg
1702–1713

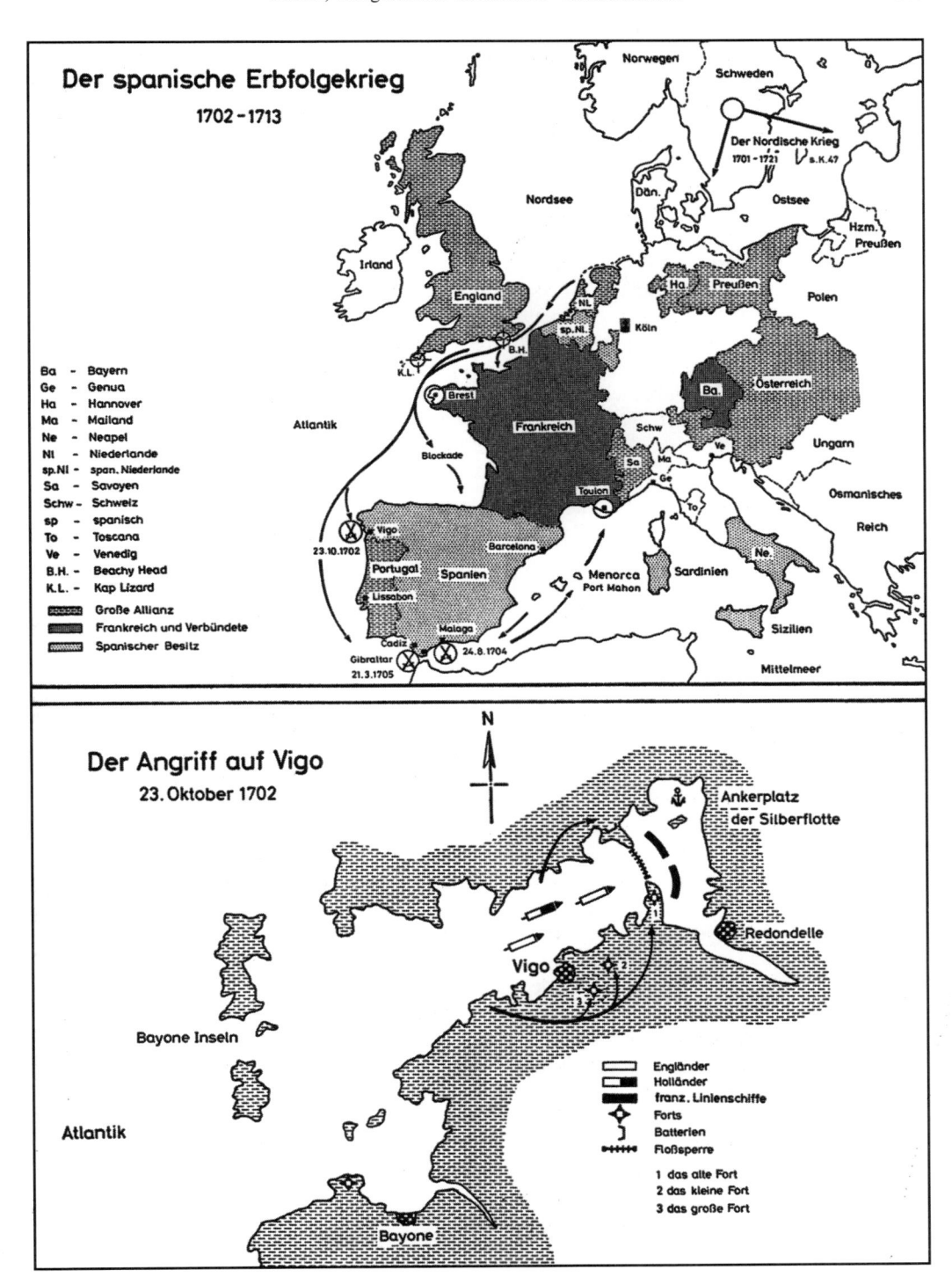

Ba – Bayern
Ge – Genua
Ha – Hannover
Ma – Mailand
Ne – Neapel
Nl – Niederlande
sp.Nl – span. Niederlande
Sa – Savoyen
Schw – Schweiz
sp – spanisch
To – Toscana
Ve – Venedig
B.H. – Beachy Head
K.L. – Kap Lizard

Große Allianz
Frankreich und Verbündete
Spanischer Besitz

Der Angriff auf Vigo
23. Oktober 1702

Engländer
Holländer
franz. Linienschiffe
Forts
Batterien
Floßsperre

1 das alte Fort
2 das kleine Fort
3 das große Fort

schenverlust beträgt 1500 Personen. Dazu kommt ein Verlust von rund 150 Handelsschiffen.

23. März 1704 **Gefecht bei Lissabon.** Konteradmiral Dilkes (E) erobert mit den drei Linienschiffen >Kent< (70), >Bedford< (70) und >Antelope< (50) die spanischen Linienschiffe >Porta Coeli< (60) und >Santa Theresa< (60) sowie ein bewaffnetes Handelsschiff.

4. August 1704 **Handstreich auf Gibraltar.** Auf Betreiben von Prinz Georg zu Hessen-Darmstadt greift Admiral Rooke das von nur 500 Spaniern verteidigte Gibraltar an, das nach kurzem Widerstand kapituliert.
Der französische Flottenkommandant Graf von Toulouse, ein natürlicher Sohn von Ludwig XIV., soll daraufhin den Felsen zurückerobern. Dadurch kommt es zum einzigen Zusammentreffen der Flotten beider Parteien in diesem Krieg. Neben den üblichen Fregatten und Brandern nehmen von den Spaniern auch noch 22 (unbrauchbare) Galeeren teil.

24. August 1704 **Seeschlacht bei Malaga.** Beide Flotten sind mit 51 Linienschiffen und 3600 Kanonen fast genau gleich stark. Die Führer der einzelnen Geschwader sind:

	Vorhut	Zentrum	Nachhut
Engld./Niederl.	Shovel (E) >Barfleur< (96)	Rooke (E) >Royal Katherine< (90)	Callenburgh (H) >Graaf van Albemarle< (64)
Franz./Spanier	d'Infreville (F) >St. Philippe< (92)	Toulouse (F) >Foudroyant< (104)	de Langerre (F) >Soleil Royal< (102)

Der auf der Luvseite stehende Rooke legt sich mit seiner Flotte in Gefechtsentfernung auf parallelen Kurs zum Gegner. Es beginnt ein laufendes Artilleriegefecht Schiff gegen Schiff. Ohne taktische Manöver wird bis zum Abend ein heftiges Artillerieduell unterhalten. Ohne zu wissen, daß beim Gegner einige Schiffe schon gänzlich verschossen sind (es fehlt die beim Angriff auf Gibraltar verbrauchte Munition), bricht Graf Toulouse am Abend den Kampf ab. Beide Seiten haben schwere Personalverluste, 2-3000 Mann, doch geht kein Schiff verloren. Taktisch endet die Seeschlacht unentschieden, mit der Sicherung von Gibraltar ist der strategische Erfolg bei den Engländern und Niederländern. (Siehe auch Anhang.)

13. August 1704 **Schlacht bei Höchstädt.** Die Truppen der Kaiserlichen unter Prinz Eugen und der Briten unter Gen. John Churchill, Earl von Marlborough, siegen am Oberlauf der Donau entscheidend über das französisch/bayerische Heer und verhindern damit den geplanten Vorstoß nach Österreich.

15. August 1704 **Ärmelkanal.** Duguay-Trouin (F) trifft mit den Handelskreuzern >Jason< (54), >Auguste< (54) und >Vameur< (26) auf zwei englische Linienschiffe und kann die >Falmouth< (48) erobern. Ende November gelingt seinen Kreuzern noch ein vergleichbarer Erfolg.

1704 **Flandern.** Französische Galeeren aus Nieuwport verbrennen das durch eine Flaute bewegungsunfähige niederländische Linienschiff >Licorne< (56). Es ist der letzte Erfolg von Galeeren gegen ein größeres Linienschiff, wenn man von den Schärenflotten der Ostsee absieht.

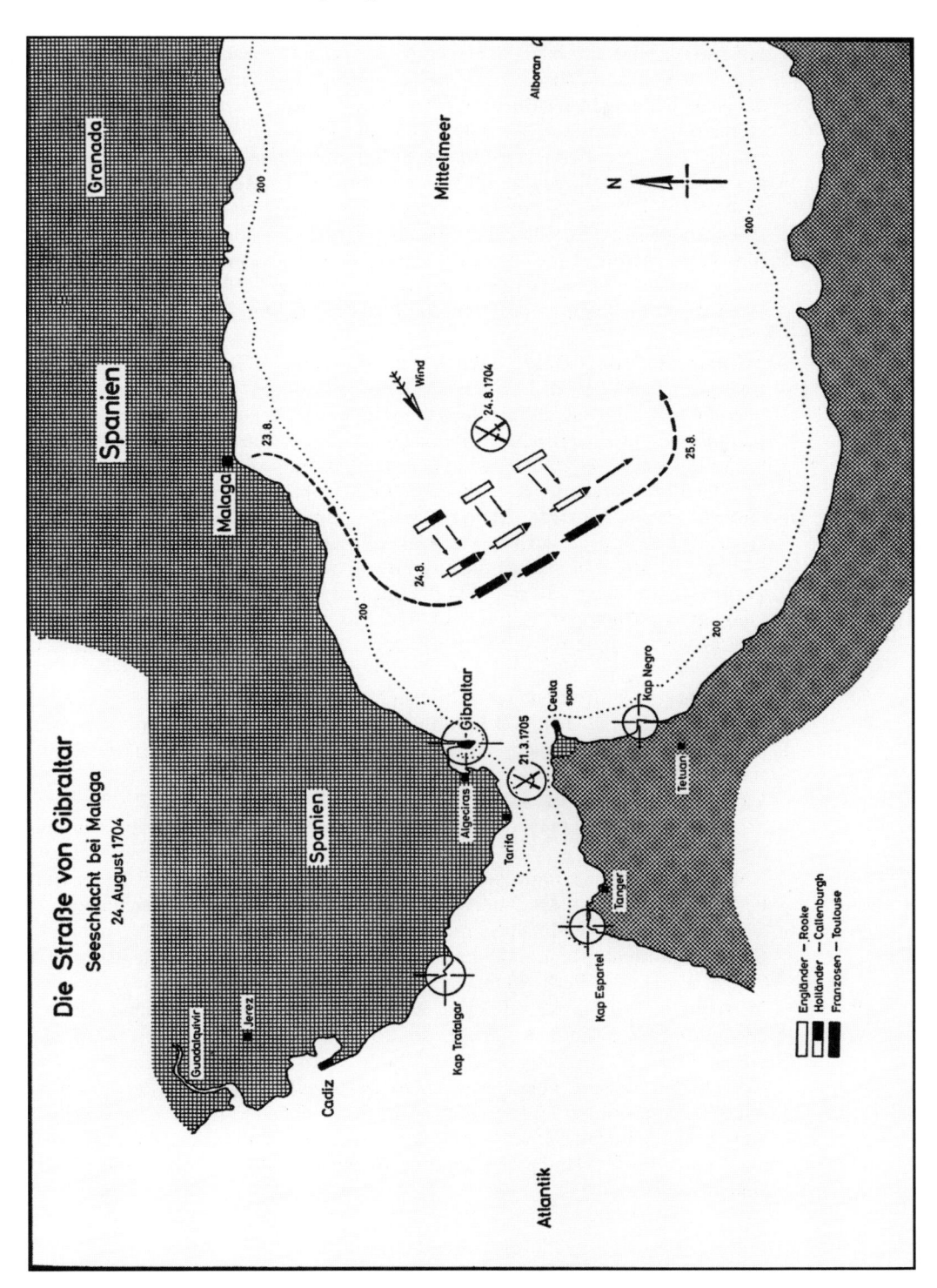

Die Straße von Gibraltar
Seeschlacht bei Malaga
24. August 1704

Engländer — Rooke
Holländer — Callenburgh
Franzosen — Toulouse

7. November 1704	**Gibraltar.** Vizeadmiral Leake entsetzt mit seinem Geschwader das von den Spaniern von der Landseite her heftig angegriffene Gibraltar und vernichtet dabei zehn kleine in der Bucht liegende Kriegsschiffe.
21. März 1705	**Gefecht vor Gibraltar.** Mit einem Geschwader von 13 englischen, niederländischen und portugiesischen Linienschiffen greift Vizeadmiral Leake die französische Blockadeflotte von fünf Linienschiffen (der Rest ist abwesend) unter de Pointis vor Gibraltar an, der dem stärkeren Gegner zu entkommen versucht. Doch können die Verbündeten die Linienschiffe >Arrogant< (60), >Ardent< (66) und >Marquis< (66) erobern, die auf den Strand gesetzten Linienschiffe >Magnamine< (74) und >Lys< (86) werden verbrannt. Gleichzeitig landen die Engländer Verstärkung und Nachschub. Der Besitz von Gibraltar ist nun gesichert.
11. Juni 1705	**Mittelmeer.** Vizeadmiral Leake erobert mit seinem Geschwader den Hafen Cartagena und zerstört dort drei spanische Kriegsschiffe. Anfang August erobert er auch Alicante und im September Palma di Mallorca und Ibiza.
August– Oktober 1705	**Katalonien.** Das englische Mittelmeergeschwader unter Admiral C. Shovel bringt ein Heer von 10.000 Mann und den habsburgischen Thronprätendenten Karl III. nach Barcelona. Katalonien fällt nun an die Habsburger.
31. Oktober 1705	**Gefecht in der Nordsee.** Der Franzose de Saint-Pol greift mit vier Handelskreuzern und fünf bewaffneten Handelsschiffen ein englisches Ostseegeleit an und erobert alle drei starken Geleitschiffe (zusammen 130 Kanonen) und alle zwölf Handelsschiffe. Saint-Pol fällt in diesem Kampf.
1706	**Gefecht vor Portugal.** Ein kleines französisches Geschwader unter Duguay-Trouin setzt sich erfolgreich gegen sechs portugiesische Linienschiffe zur Wehr.
23. Mai 1706	**Landkrieg.** Die Briten und Niederländer unter dem Herzog von Marlborough besiegen in der Schlacht von Ramillies in Brabant die verbündeten Franzosen, Spanier und Bayern. Nach Ramillies benennen die Briten mehrere Schlachtschiffe.
7. September 1706	**Landkrieg.** In der Schlacht bei Turin siegen die Österreicher und Piemontesen unter dem Prinzen Eugen von Savoyen über die verbündeten Franzosen und Spanier.
Juni 1706	**Nordsee.** Ein kleines französisches Geschwader unter Forbin greift in der südlichen Nordsee ein niederländisches Geleit an. Drei Deckungsfahrzeuge werden erobert, die Handelsschiffe können jedoch entkommen.
1707	**Großbritannien.** Mit der Union von England und Schottland entsteht das bereits seit 1603 in Personalunion existierende Großbritannien.
1. April 1707	**Mittelmeer.** Ein französisches Geschwader jagt ein britisches Linienschiff an der ligurischen Küste auf den Strand, wo es von der eigenen Besatzung verbrannt wird.
12. Mai 1707	**Gefecht bei Beachy Head.** Mit einem Geschwader von acht Kriegsschiffen mit 390 Kanonen greift Forbin (F) ein britisches Geleit von vier Kriegsschiffen und 56 Handelsschiffen an. In einem scharfen Gefecht erobern die Franzosen die Linienschiffe >Hampton Court< (70) und >Grafton< (70) sowie 22 der Handelsschiffe.

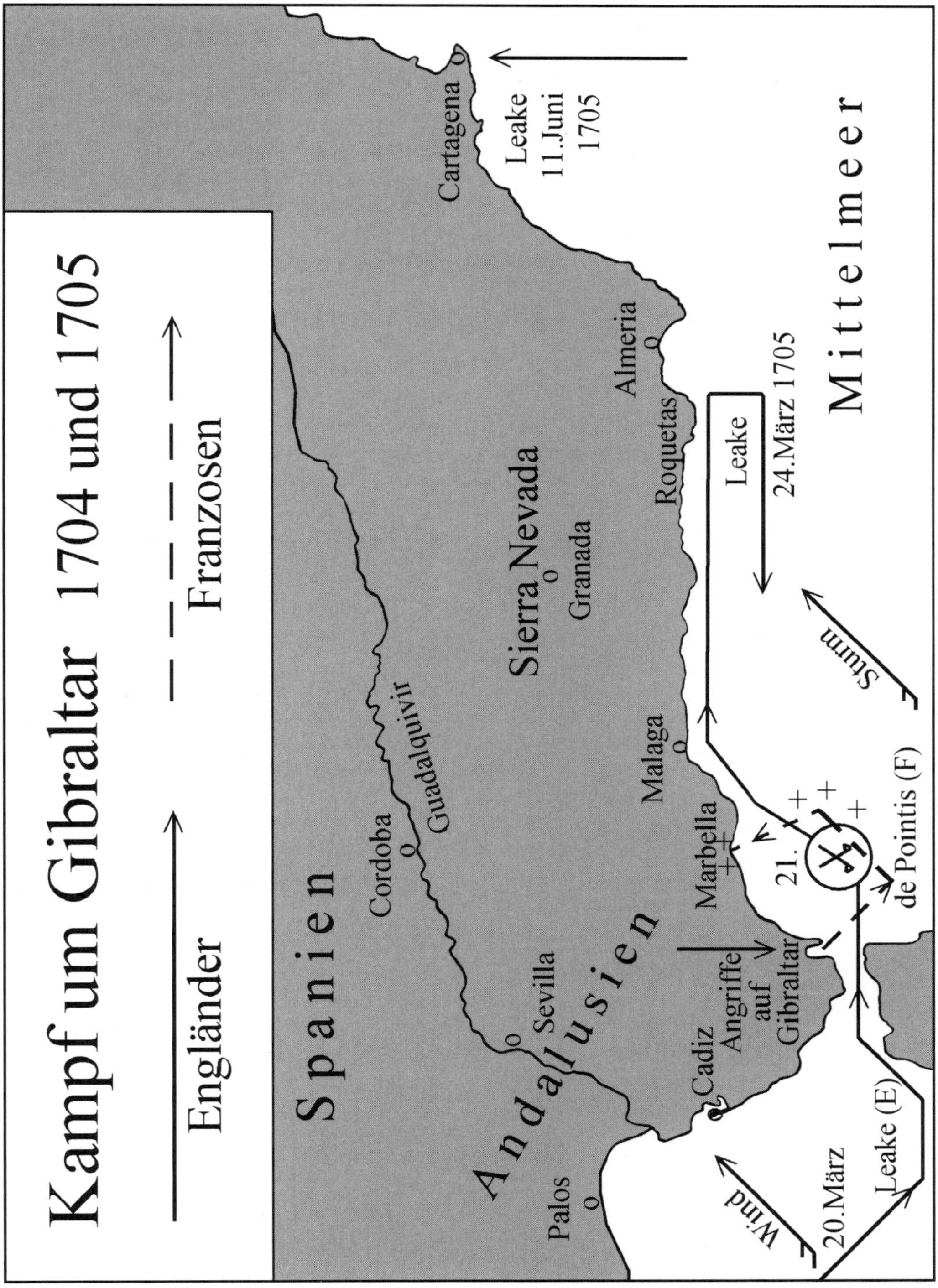
Kampf um Gibraltar 1704 und 1705
Engländer
Franzosen
Spanien
Andalusien
Palos
Cadiz
Sevilla
Cordoba
Guadalquivir
Sierra Nevada
Granada
Malaga
Marbella
Roquetas
Almeria
Cartagena
Leake
11.Juni
1705
Leake
24.März 1705
Mittelmeer
Sturm
21.
de Pointis (F)
Angriffe
auf
Gibraltar
Leake (E)
20.März
Wind

Ende Juni 1707	**Hafen von Toulon.** Im Juni trifft ein Heer der Verbündeten unter Prinz Eugen vor dem Hafen der französischen Mittelmeerflotte ein. Der Vormarsch an der Küste wird durch die Flotte unter Admiral Shovel gedeckt. Beim Eintreffen vor Toulon versenken die Franzosen ihre im Hafen liegenden Schiffe. 15 bis 20 Linienschiffe gehen verloren. Der Rest wird später gehoben und repariert.
21. Oktober 1707	**Geleitkampf bei Kap Lizard.** Die Franzosen Duguay-Trouin und Forbin treffen mit 14 Kriegsschiffen mit 700 Kanonen auf ein britisches Nachschubgeleit für Lissabon. Dieses besteht aus 130 Transportern, geleitet von fünf Linienschiffen mit 336 Kanonen. In schneidigem Angriff erobern die Franzosen die vier Linienschiffe >Cumberland< (80), >Devonshire< (80), >Chester< (50), >Ruby< (50) und 15 Transporter.
2. November 1707	**Schiffbruch.** Auf dem Rückweg aus dem Mittelmeer stranden die >Association< (96), das Flaggschiff mit Admiral Shovel an Bord, sowie die >Eagle< (70), >Romney< (50) und ein Brander im dichten Nebel auf den Riffen der Scilly-Inseln. Von den Linienschiffen überlebt niemand.
1708	**Mittelmeer.** Mit Hilfe der britischen Mittelmeerflotte kann Karl III. Sardinien und Menorca unter seine Kontrolle bringen. Auf Menorca wird Port Mahon für Jahrzehnte ein wichtiger Flottenstützpunkt für die Briten.
März 1708	**Schottland.** Forbin (F) soll mit seinem Geschwader schottische Aufständische unterstützen. Aus Mangel an Kooperation und wegen eines überlegenen britischen Geschwaders in der Nähe kehrt Forbin unverrichteter Dinge wieder zurück.
Mai 1708	**Mittelmeer.** Das britische Mittelmeergeschwader von 25 Linienschiffen (davon zwölf niederländische) unter Vizeadmiral Leake erobert vor Barcelona den Großteil eines Nachschubgeschwaders der Franzosen für Spanien.
8./9. Juni 1708	**Seeschlacht vor Cartagena (Wagers Action).** Commodore Wager trifft in Westindien mit den Linienschiffen >Expedition< F (70), >Kingston< (60) und >Portland< (50) auf eine spanische Silberflotte. In einem Verfolgungsgefecht fliegt die >San José< (Sp,64) in die Luft, ein zweites Schiff wird erobert, ein drittes am nächsten Tag auf den Strand gejagt. Der Geleitzug kann aber mit dem Großteil des Silberschatzes entkommen.
11. Juli 1708	**Landkrieg.** In der Schlacht bei Oudenarde in Flandern siegen die Österreicher und Niederländer unter Prinz Eugen und die Briten unter dem Herzog Marlborough über die Franzosen und Spanier.
März 1709	**Handelskrieg.** Mit vier Kriegsschiffen erobert im Ärmelkanal der Franzose Duguay-Trouin auf der >Achille< (60) aus einem stark gesicherten Geleitzug fünf Handelsschiffe. Im folgenden Monat greift er mit nur zwei Schiffen ein stark gesichertes Geleit aus Lissabon an, erobert von der Sicherung ein Linienschiff, verliert dieses aber wieder und auch eine seiner Fregatten und entkommt nur mit Mühe. Anfang November erobert er das britische Linienschiff >Gloucester< (60).
17. Mai 1709	**Westindien.** Das britische Linienschiff >Portland< (50), Kpt. Stephen Hutchins, erobert das früher von den Franzosen eroberte Linienschiff >Coventry< (50) wieder zurück.
11. September 1709	**Landkrieg.** In der Schlacht bei Malplaquet in Flandern siegen österreichische, preußische und britische Truppen unter Prinz Eugen und John Churchill, Earl

Geleitkampf bei Kap Lizard, Okt. 1707
Schiffbruch bei den Scilly-Ins., Nov. 1707

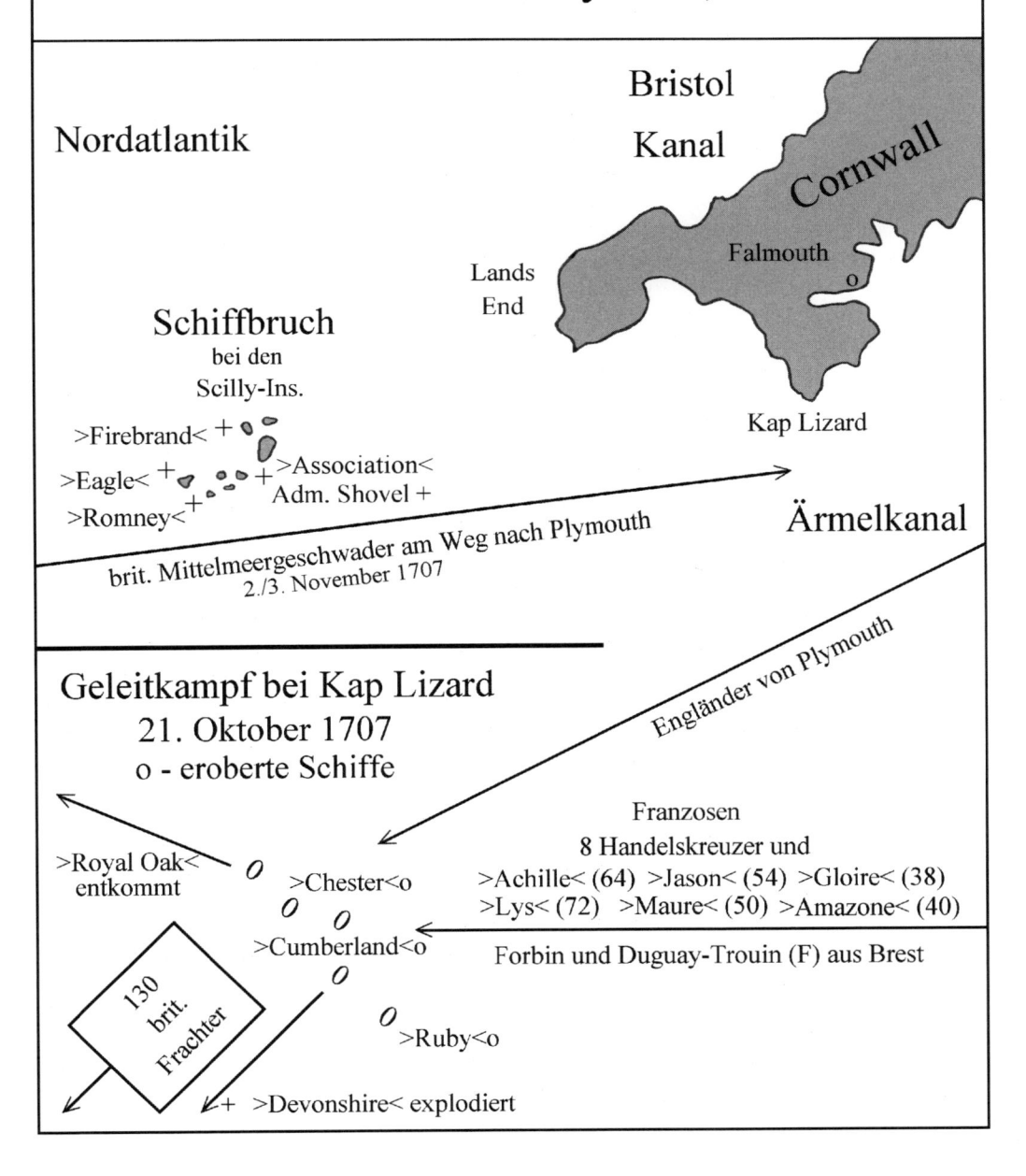

Nordatlantik

Bristol Kanal

Cornwall

Lands End

Falmouth o

Schiffbruch bei den Scilly-Ins.

Kap Lizard

>Firebrand< +
>Eagle< +
>Association< Adm. Shovel +
>Romney<

brit. Mittelmeergeschwader am Weg nach Plymouth
2./3. November 1707

Ärmelkanal

Engländer von Plymouth

Geleitkampf bei Kap Lizard
21. Oktober 1707
o - eroberte Schiffe

Franzosen
8 Handelskreuzer und
>Achille< (64) >Jason< (54) >Gloire< (38)
>Lys< (72) >Maure< (50) >Amazone< (40)

>Royal Oak< entkommt

o >Chester<o
   o   o
   >Cumberland<o
       o
       o >Ruby<o

130 brit. Frachter

Forbin und Duguay-Trouin (F) aus Brest

+ >Devonshire< explodiert

	von Marlborough, in der blutigsten Schlacht des Krieges trotz größerer Verluste über die Franzosen. Nach dem Regierungswechsel in Großbritannien im folgenden Jahr wird Marlborough abberufen.
1709	**Mittelmeer.** Nach der Versenkung der französischen Flotte in Toulon fehlen Begleitfahrzeuge für die Handelsschiffe. Der französische Freibeuter Jacques Cassard aus Nantes geht schließlich in das Mittelmeer und geleitet einen Konvoi von Getreideschiffen aus der Türkei nach Südfrankreich.
9. Jänner 1710	**Gefecht bei Korsika.** Drei französische Handelskreuzer unter Kpt. Cassard erobern in einem Verfolgungsgefecht nördlich der Insel das britische Linienschiff >Pembroke< (64) und eine Fregatte. Die >Pembroke< geht bald darauf bei Livorno im Kampf mit Teilen der Mittelmeerflotte Großbritanniens wieder verloren.
10. August	**Gefecht vor Cornwall.** Teile der britischen Kanalflotte verfolgen einen französischen Geleitzug auf dem Weg nach Kanada. Die drei schnellsten Linienschiffe können die französische >Superbe< (56) einholen und erobern, der Rest des Geleitzuges kann entkommen.
24. Dezember	**Mittelmeer.** Die britischen Linienschiffe >Warspite< (70) und >Breda< (70) verfolgen das französische Linienschiff >Maure< (60) und erobern es nach kurzem Kampf.
1711	**Tod von Kaiser Joseph I.** Der habsburgische Thronprätendent wird nun als Karl VI. deutscher Kaiser. In Großbritannien wird Marlborough gestürzt und die Friedenspartei bekommt Oberwasser. Großbritannien und die Niederlande rücken wegen der Gefahr einer Personalunion Deutsches Reich-Spanien von der Koalition ab.
September 1711	**Überfall auf Rio de Janeiro.** Duguay-Trouin fährt mit einem Geschwader von 15 Freibeuterschiffen, darunter sieben Linienschiffen, und 2000 Mann Landungstruppen nach Brasilien. Nach kurzem Artilleriegefecht werden die Forts an der Einfahrt passiert und die Stadt erobert. Es wird reiche Beute gemacht und eine hohe Kontribution eingehoben. Auf dem Heimweg gehen die Linienschiffe >Magnamine< (74) und >Fidéle< (60) in einem Sturm spurlos verloren. Trotzdem macht die private Gesellschaft einen Gewinn von fast 100 Prozent.
September 1711	**Kanada.** Im Oktober 1710 kann ein kleines britisches Geschwader mit Truppen aus Neuengland den Hafen Port Royal, heute Annapolis Royal, auf Neuschottland erobern. Es wird daraufhin ein stärkeres Geschwader von neun Linienschiffen, vier Fregatten, zwei Bombenfahrzeugen und 30 Transportern mit 5000 Mann Landungstruppen ausgerüstet. Der geplante Angriff auf Quebec in Kanada scheitert aber.
1711	**Handelskrieg.** Britische Linienschiffe und Fregatten sind mit wechselndem Erfolg vor Kanada und in Westindien gegen die französischen Freibeuter im Einsatz.
Dezember 1711	**Mittelmeer.** Bei den Balearen verfolgt ein kleines britisches Geschwader von fünf Schiffen unter Kpt. James Mighel auf der >Hampton Court< (70) zwei französische Linienschiffe und kann die >Toulouse< (62) erobern.
August 1712	**Gefecht vor Finisterre.** Ein britisches Geschwader von mehreren Linienschiffen unter Konteradmiral Thomas Hardy erobert in einem Verfolgungsgefecht vier von sechs Kriegsschiffen, darunter die Fregatte >Griffon< (44). Eine weitere Fregatte fliegt in die Luft.

Seeschlacht vor Cartagena (Wager's Action), 8./9. Juni 1709

1713	**Friede von Utrecht.** Das spanische Weltreich wird aufgeteilt. Das Mutterland und die Kolonien mit einigen Ausnahmen erhalten die Bourbonen, die europäischen Nebenlande gehen an Österreich, Savoyen und Großbritannien. Letzteres erhält das alleinige Asientorecht, d.h. das Recht, Sklaven nach spanisch Amerika einzuführen.
1714	**Friede von Rastatt und Baden** (Schweiz). Das Deutsche Reich erkennt die Bestimmungen von Utrecht an.

1700–1721 Der große Nordische Krieg

	Gegen die Expansionspolitik von Schweden (Karl XII.) organisiert Rußland (Peter I.) eine Allianz mit Dänemark (Friedrich IV.) und Sachsen/Polen (August II.). Zu Kriegsbeginn stehen den 42 schwedischen Linienschiffen 33 dänische gegenüber.
Juli 1700	**Kopenhagen.** Ein britisch-niederländisches Geschwader unter den Admiralen Rooke (E) und van Almonde (H) greift in den Konflikt zwischen Dänemark und Schweden ein und beschießt mit wenig Erfolg die dänische Flotte vor Kopenhagen. Der drohende Spanische Erbfolgekrieg hindert jedoch die westlichen Seemächte, ihre Interessen im Nordischen Krieg nach Wunsch zu wahren.
1700	**Dänemark.** Ein schwedisches Heer unter König Karl XII. landet auf Seeland und zwingt Dänemark zum Frieden von Traventhal (18. August). Karl XII. wendet sich daraufhin gegen Rußland. Er siegt bei Narva (1700) über Peter I. und zwingt August II. zum Verzicht auf Polen (Friede von Altranstädt 1706).
Juni 1701	**Eismeer.** Ein Geschwader aus Schweden von sieben Schiffen, darunter zwei mit je 42 Kanonen, unter Com. Lewe greift den einzigen russischen Hafen, Archangelsk, an, wird aber unter Verlusten abgewiesen.
31. Mai 1702	**Peipussee.** Der See hat sowohl für Schweden als auch für Rußland eine wichtige strategische Lage. Eine schwedische Flottille von vier Kanonenbooten am See kann den Angriff von rund 100 russischen Ruderbooten abweisen.
Mai 1703	**St. Petersburg.** Die Russen unter Peter I. stoßen wieder an den Finnischen Meerbusen vor. Dort wird an der Mündung der Newa die Stadt St. Petersburg gegründet. Zu ihrem Schutz wird die vorgelagerte Insel Kotlin zu einem befestigten Kriegshafen ausgebaut. Unmittelbar darauf beginnt Peter d. Gr. mit dem Aufbau einer Hochseeflotte, ohne von den Schweden daran gehindert zu werden.
7. August 1703	**Peipussee.** Die schwedische Seeflottille von 13 Kanonenbooten vernichtet 20 angreifende russische Fahrzeuge.
17. Mai 1704	**Peipussee.** Im Herbst 1703 legen die Schweden ihre Seeflottille bei Dorpat an der Embach für den Winter auf. Im Frühjahr landen die Russen an deren Mündung in den See und errichten eine Balkensperre und einige Batterien. Als die schwedische Flottille in den See einlaufen will, gerät sie auf die Sperre und wird zusammengeschossen. Die Russen können daraufhin das Südufer des Finnischen Meerbusens in ihre Hand bekommen.
Juni und Juli 1705	**Finnischer Meerbusen.** Ein schwedisches Geschwader von sieben Linienschiffen und fünf Fregatten unter Admiral Anckarstjerna greift mehrfach den neuen russischen Flottenstützpunkt auf der Insel Kotlin an und wird mit beträchtlichen Verlusten abgewiesen.

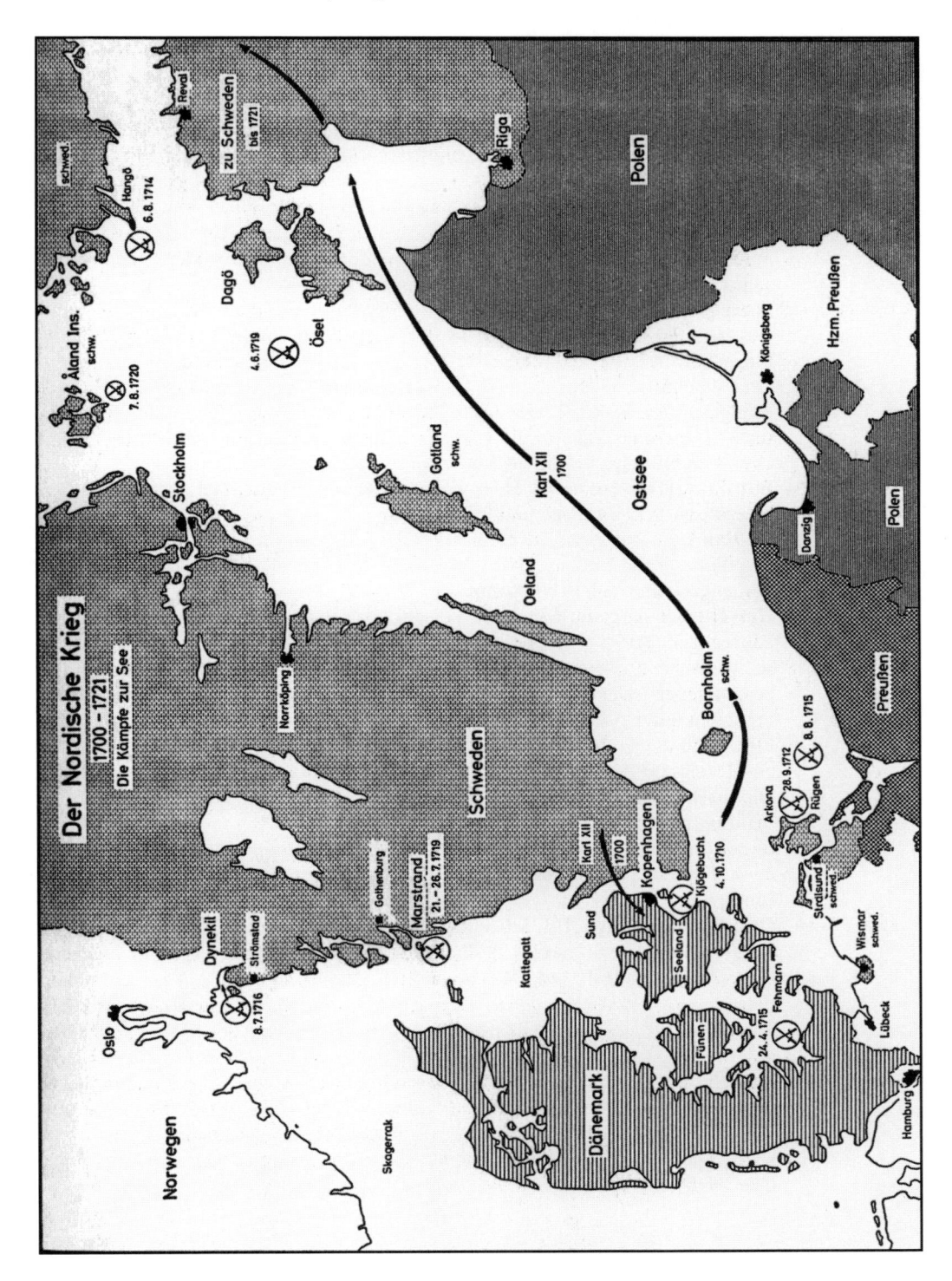

Der Nordische Krieg 1700–1721
Die Kämpfe zur See

Map showing the Baltic Sea region with naval battles of the Great Northern War:

- Dynekil 8.7.1716
- Marstrand 21.–26.7.1719
- Hangö 6.8.1714
- Åland Ins. 7.8.1720
- Ösel 4.6.1719
- Reval (zu Schweden bis 1721)
- Riga
- Kjøgebugt 4.10.1710
- Arkona 28.9.1712
- Rügen 8.8.1715
- Fehmarn 24.4.1715
- Karl XII 1700 (route from Ostsee to Reval)
- Karl XII 1700 (Kopenhagen)

Locations shown: Norwegen (Oslo, Strömstad), Schweden (Gothenburg, Norrköping, Stockholm, Gottland schw., Oeland, Bornholm schw.), Dänemark (Kopenhagen, Seeland, Fünen, Lübeck, Hamburg), Stralsund schw., Wismar schw., Preußen (Hzm. Preußen, Königsberg), Polen (Danzig), Dagö, Skagerrak, Kattegatt, Sund, Ostsee

November 1708	**Finnischer Meerbusen.** Ein Geschwader der Schweden landet 13.000 Mann Heerestruppen in der Nähe von St. Petersburg. Die Truppen erzielen jedoch keinen Erfolg und müssen wieder eingeschifft werden. Die Nachhut von 1100 Mann wird von den russischen Heerestruppen unter Admiral Apraxin abgeschnitten und völlig aufgerieben. Auf der Rückfahrt strandet das schwedische Linienschiff >Norrköping< (50).
9. Juli 1709	**Landkrieg.** In der Schlacht bei Poltawa in Rußland wird das schwedische Heer unter König Karl XII. von den Russen unter Zar Peter I. vernichtet, Karl XII. muß auf türkisches Gebiet fliehen. Dänemark tritt deshalb wieder in den Nordischen Krieg ein, der nun auch wieder ein Seekrieg ist.
4. Oktober 1710	**Seeschlacht in der Kjögebucht.** Die dänische Flotte unter Admiral Gyldenlöwe liegt mit 26 Linienschiffen in der Kjögebucht südlich von Kopenhagen. Flaggschiff ist die >Elefanten< (90). Die schwedische Flotte unter Admiral Graf Wachtmeister, Flaggschiff >Göta Lejon< (96), greift am Vormittag mit 21 Linienschiffen überraschend an. In einem kurzen Passiergefecht fliegt die dänische >Danebrog< (82) in die Luft, zwei schwedische Linienschiffe laufen auf Grund und müssen verbrannt werden.
1710	**Baltikum.** Das russische Heer erobert die wichtigen Städte am finnischen Meerbusen Wiborg, Riga und Reval.
1710–1711	**Rußland.** Zum ersten Mal kreuzen größere russische Kriegsschiffe in der Ostsee, darunter die Linienschiffe >Wyborg< (50) und >Riga< (50), die nach kurz vorher eroberten Städten benannt sind.
28. September 1712	**Gefecht bei Arkona.** Eine schwedische Transportflotte von 95 Schiffen und Fahrzeugen landet Truppen und Material auf Rügen. In der Nähe liegt die schwedische Flotte mit 24 Linienschiffen und drei Fregatten unter Admiral Wachtmeister. Der dänischen Flotte in Stärke von 22 Linienschiffen und sechs Fregatten unter Admiral Gyldenlöwe gelingt es, sich zwischen die schwedische Flotte und die Transporter zu schieben. Dann werden 40 Transporter verbrannt und 15 erobert. Die schwedische Flotte kann nicht eingreifen und segelt ab.
1713	Die Schweden erobern das von den Russen in England angekaufte Linienschiff >Bulinbruk< (52) auf seiner Fahrt nach Kronstadt. In den flachen und unübersichtlichen **Schärengewässern** der Ostsee kommen noch Flotten von Ruderkriegsschiffen (Fregatten und Kanonenboote) zum Einsatz.
6. August 1714	**Gefecht bei Hangö Udde/Gangut.** Zar Peter d. Gr. trifft mit seiner neuen Schärenflottille von rund 100 Fahrzeugen unter Admiral Apraxin auf eine schwedische Flottille unter Konteradmiral Ehrensköld, der mit seinen sieben Fahrzeugen den Russen einen heroischen Kampf liefert. Erst nach Stunden unterliegt er der großen Übermacht. Nur 60 Fahrzeuge der Sieger sind noch voll intakt.
24. April 1715	**Gefecht bei Fehmarn.** Ein dänisches Geschwader von neun Linienschiffen und Fregatten unter Konteradmiral Gabel schlägt sechs schwedische Linienschiffe und Fregatten in die Flucht. Am folgenden Tag setzen sich die schwedischen Schiffe in der Kieler Förde auf Grund und werden von den Dänen zur Übergabe gezwungen.

Kämpfe rund um den finn. Meerbusen

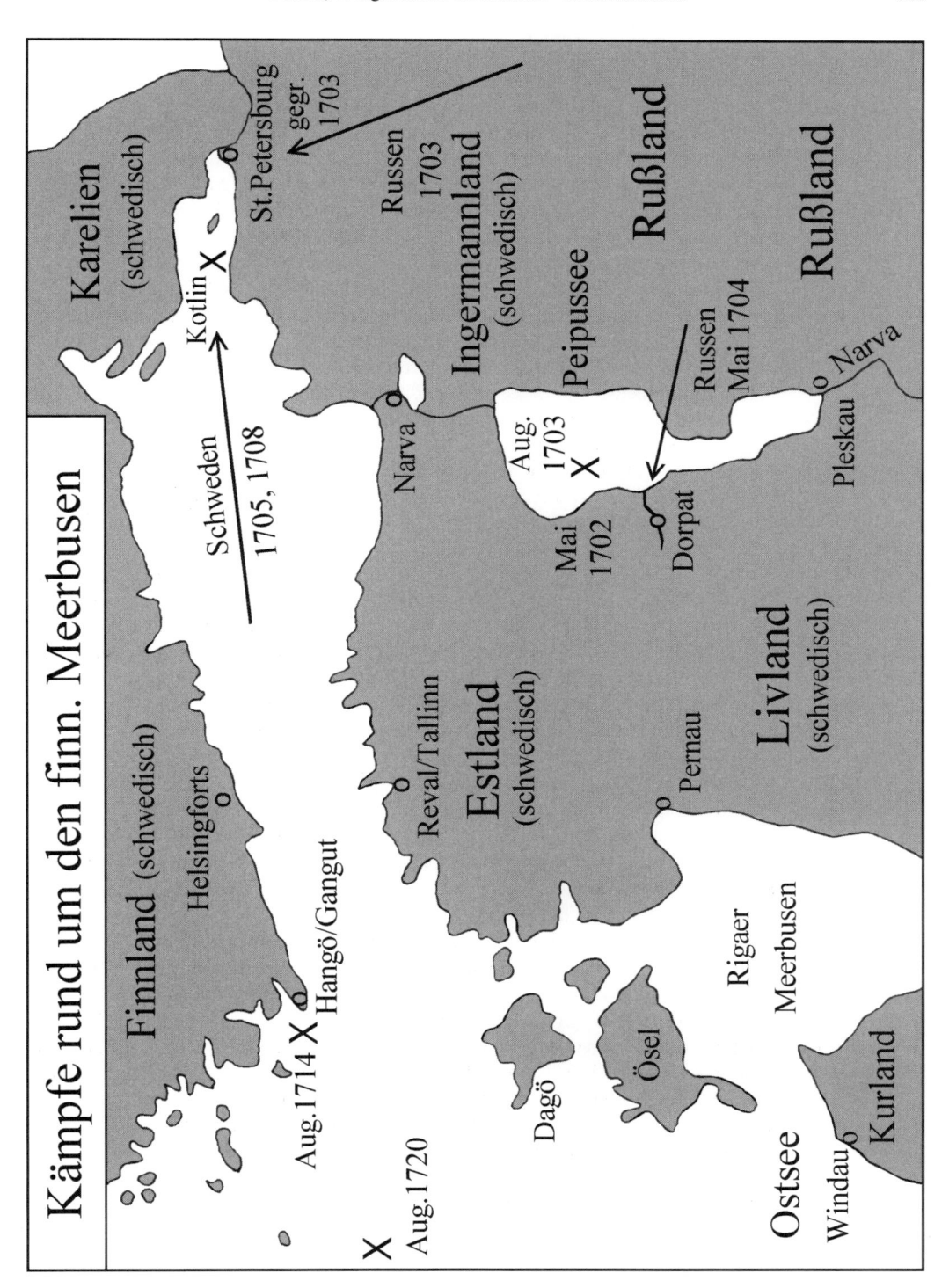

Finnland (schwedisch)
Helsingfors
Hangö/Gangut
Aug. 1714 X
X Aug. 1720

Karelien (schwedisch)
Kotlin X
St. Petersburg gegr. 1703
Schweden 1705, 1708

Ingermannland (schwedisch)
Russen 1703
Narva
Peipussee
Aug. 1703 X
Mai 1702
Dorpat
Russen Mai 1704
Narva
Pleskau

Rußland
Rußland

Reval/Tallinn
Estland (schwedisch)
Pernau
Livland (schwedisch)

Dagö
Ösel
Rigaer Meerbusen

Ostsee
Windau
Kurland

8. August 1715	**Seeschlacht bei Rügen.** Im Zuge einer Landungsoperation treffen die Flotten von Dänemark und Schweden erneut aufeinander. Beide zählen je 21 Linienschiffe, die dänische Flotte steht unter Admiral Rabe, die schwedische unter Admiral Sparre. Um 13 Uhr beginnt der Kampf in Kiellinie vor dem Wind mit Kurs Ost. Zeitweise müssen einzelne Schiffe die Linie verlassen, um Schäden auszubessern. Ihr Platz wird bei den Dänen jeweils von einer Fregatte eingenommen. Bis 20 Uhr wird in strengster Ordnung ohne taktische Manöver ein Artillerieduell geführt. Jede Seite verliert rund 600 Mann (verwundet oder tot), aber kein Schiff wird versenkt. Die Dänen ankern am folgenden Tag bei Rügen und unterbinden damit die schwedische Nachschublinie nach Stralsund.
15. November 1715	**Eroberung von Rügen.** Mit 330 Küstenfahrzeugen landen die verbündeten Dänen und Preußen in wenigen Stunden eine Armee von 12.500 Mann Infanterie, 5000 Mann Kavallerie, 5200 Pferden samt Troß auf der Insel. Diese perfekte amphibische Operation bringt die Insel in den Besitz der Verbündeten, einen Monat später muß Stralsund, der nun abgeschnittene wichtige Stützpunkt der Schweden, kapitulieren.
8. Juli 1716	**Gefecht bei Dynekil.** Peter Wessel, genannt Tordenskjold (Dk), vernichtet eine schwedische Schärenflottille unter Konteradmiral Sjöblad in einem Fjord im Kattegat. Dadurch scheitert der von König Karl XII. beabsichtigte Angriff auf Norwegen.
13. und 14. Mai 1717	**Kattegat.** Der Angriff eines dänischen Geschwaders von 28 Fahrzeugen und Ruderkriegsschiffen unter Tordenskjold auf den Hafen von Gothenburg/Göteborg wird von den Schweden abgewiesen. Die Dänen verlieren zwei Galeeren.
19. Juli 1717	**Skagerrak.** Tordenskjold greift mit drei Linienschiffen und zwölf Fahrzeugen der Schärenflottille die schwedischen Befestigungen bei Strömstad, nahe dem Oslofjord, an. Nach längerem Artillerieduell versuchen die Dänen eine Landung, die mit beträchtlichen Verlusten abgewiesen wird.
1718	Tod von König Karl XII. von Schweden vor der Festung Fredrikshald.
4. Juni 1719	**Gefecht bei Ösel.** In einem Verfolgungsgefecht zwischen der Insel Ösel und Stockholm erobert ein russisches Geschwader mit den Linienschiffen >Portsmut< (52), >Devonshir< (52), >Yagudiil< (52), >Uriil< (52), >Rafail< (52) und >Warakail< (52) und einer Brigg unter Kpt. N. A. Senjawin ein schwedisches Linienschiff, eine Fregatte und eine Brigg. Es ist der erste Erfolg der neuen russischen Hochseeflotte.
Juli 1719	**Ostsee.** Die russische Schären- und Kanonenbootsflottille plündert die schwedischen Siedlungen in den Schärengewässern von Stockholm bis Norrköping. Dabei laufen jedoch die Linienschiffe >London< (58), >Devonshir< (52) und >Portsmut< (52) der russischen Hochseeflotte auf Grund und gehen verloren.
21. bis 26. Juli 1719	**Angriff auf Marstrand.** In diesem Hafen liegt das schwedische Kattegatgeschwader von fünf Linienschiffen, einer Fregatte und zehn Fahrzeugen. Konteradmiral Tordenskjold greift mit seinen sieben Linienschiffen, zwei Fregatten und Schärenfahrzeugen und Geschützprähmen an. Er landet Seesoldaten, stellt eine Batterie auf und schießt den Hafen sturmreif. Von den auf der Reede liegenden Schiffen fallen ihm ein Linienschiff und vier Fahrzeuge in die Hand. Die übrigen Schiffe können von den eigenen Besatzungen noch rechtzeitig versenkt werden.

Kämpfe im Kattegat und Skagerrak

- Kristiania
- Horten
- Norwegen
- Frederikstad
- Juli 1716 ✗
- Juli 1717 ✗
- Strömstad
- Vänersee
- Skagerrak
- Schweden
- Vättersee
- Juli 1719 ⊗
- Marstrand
- Kap Skagen
- Mai 1717 ✗
- Gothenburg
- Götaland
- Halland
- Limfjord
- Kattegat
- Småland
- Anholt
- Jütland
- Aarhus
- Dänemark
- ← Schweden 1700
- Schonen
- Kopenhagen
- Öresund
- Malmö

7. August 1720	**Gefecht bei den Ålands-Inseln.** Die russische Schärenflottille lockt ein schwedisches Geschwader von vier Linienschiffen, sechs Fregatten und einigen kleineren Schiffen in die engen Schärengewässer und erobert dort im Enterkampf vier der Fregatten. Bei den Russen sind 43 Schärenfahrzeuge bis zur Unbrauchbarkeit beschädigt, zwei sind gesunken. Die Ålands-Inseln werden dann von den Russen besetzt.
1715–1721	**Ostsee.** In den Sommermonaten dieser Jahre vertreten starke britische und niederländische Geschwader die Interessen ihrer Länder in der Ostsee.
1719–1721	In den folgenden **Friedensschlüssen von Fredriksborg, Stockholm und Nystad** wird Schweden auf seine Besitzungen in Skandinavien beschränkt. Rußland tritt seine Nachfolge als erste Ostseemacht an.
Jänner 1701	**Deutschland.** Kurfürst Friedrich III. von Brandenburg (1688–1713) krönt sich in Königsberg zu Friedrich I., „König in Preußen". Dies geschieht mit Einwilligung von Kaiser Leopold für ein Hilfsversprechen Friedrichs im Spanischen Erbfolgekrieg.
1703	**Völkerrecht.** Der niederländische Völkerrechtler Cornelis van Bynkershoek (1673–1743) veröffentlicht sein Werk „De Dominio Maris". Auf sein Betreiben hin beanspruchen zunächst die Niederlande, später auch die anderen Nationen eine Hoheitszone von drei Seemeilen im offenen Meer. Die Zone richtet sich nach der Reichweite der damaligen Geschütze.
1705	**Wissenschaft.** Der Engländer Thomas Newcomen baut seine erste atmosphärische Dampfmaschine, die zunächst in Bergwerken zur Entwässerung eingesetzt wird.
25. Juni 1709	**Mittelmeer.** Ein Verband der Johanniter aus Malta mit dem Galeerengeschwader und dem Linienschiff >San Giovanni< vernichtet in einem Gefecht im Ionischen Meer das Flaggschiff des Beys von Tunis.
1713	**Österreich.** Kaiser Karl VI. (1711–1740) erläßt die Pragmatische Sanktion, die die Erbfolge seiner Tochter Maria Theresia sichern soll. Diese Sanktion wird in Verträgen mit Spanien (1725), Preußen (1728), Großbritannien (1731) und Frankreich (1738) abgesichert, ist aber beim Erbfall nicht das Papier wert, auf dem sie geschrieben ist.
1714	**Indischer Ozean.** Ein Geschwader aus Portugal bringt in einem Gefecht vor Surat vor der Westküste Indiens der Flotte des Sultans von Oman eine schwere Niederlage bei.
1714	**Navigation.** Die britische Regierung setzt einen Preis von £ 20.000 für denjenigen aus, der eine praktikable Möglichkeit darbringt, nach der die Position eines Schiffes mit einer bestimmten Genauigkeit auf Hoher See festgestellt werden kann. Einen Teil des Preises erhält schließlich **John Harrison** für seine Chronometer.
Oktober 1714	**Deutschland.** Nach dem Tod von Königin Anna von Großbritannien besteigt nach Erbfolge Kurfürst Georg Ludwig von Hannover als König Georg I. den Thron von Großbritannien. Bis 1837 bleiben die beiden Länder in Personalunion vereint. Großbritannien hat dadurch ein besonderes Interesse an den Geschehnissen im Deutschen Reich.
1715	**Indischer Ozean.** Die französische Ostindische Kompanie nimmt die von den Niederländern aufgegebene Insel Mauritius in Besitz. Diese strategisch günstig

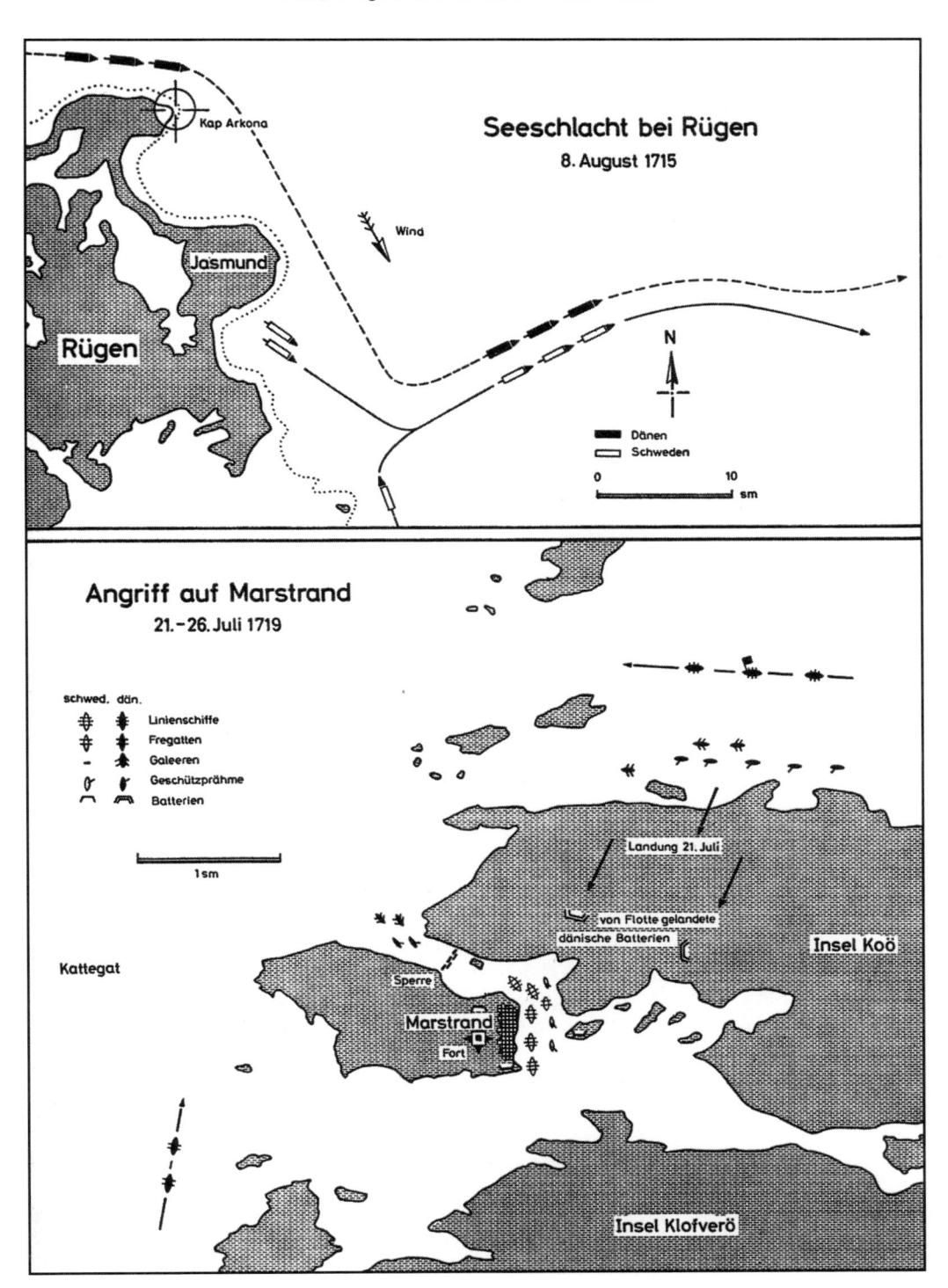

Seeschlacht bei Rügen
8. August 1715

Kap Arkona
Wind
Jasmund
Rügen

Dänen
Schweden
0   10
sm

Angriff auf Marstrand
21.–26. Juli 1719

schwed. dän.
- Linienschiffe
- Fregatten
- Galeeren
- Geschützprähme
- Batterien

1 sm

Kattegat

Landung 21. Juli
von Flotte gelandete dänische Batterien
Insel Koö
Sperre
Marstrand
Fort
Insel Klofverö

	gelegene Insel wird in der Folge der Hauptstützpunkt des französischen Geschwaders im Indischen Ozean und heißt dann Ile de France.
August 1715	**Schiffbruch.** Im Bahamas-Kanal wird ein großer spanischer Geleitzug, der vorwiegend Edelmetalle an Bord führt (nach dem Erbfolgekrieg hat Spanien großen Bedarf an Münzmetallen), von einem Hurrikan überrascht und bis auf ein Schiff vernichtet. Nur ein kleiner Teil der wertvollen Ladung kann von Tauchern geborgen werden.

1714–1718 Krieg der Türkei gegen Venedig und Österreich (ab 1716)

9. Dezember 1714	Kriegserklärung.
Sommer 1715	Die türkische Flotte unterstützt das Heer bei der Eroberung der Halbinsel Morea/Peloponnes. Die Flotte der Seerepublik wagt auf Grund ihrer Schwäche nicht einmal die türkischen Operationen zu stören.
8. Juli 1716	**Seeschlacht bei Korfu.** Die Flotte Venedigs mit 27 Linienschiffen unter Andrea Corner trifft auf die doppelt so starke türkische Flotte. Die Schlacht endet nach fünf Stunden unentschieden. Die Venezianer verlieren 360 Mann.
1716	**Landkrieg.** Der kaiserliche Feldherr Prinz Eugen von Savoyen erobert Temesvar, siegt im selben Jahr bei Peterwardein (5. August 1716) und erobert Belgrad (August 1717).
August 1716	**Donau.** Die österreichische Donauflottille unter Vizeadmiral Anderson unterstützt das Heer erfolgreich in der Schlacht bei Peterwardein.
12. und 16. Juni 1717	**Zwei Seeschlachten bei Lemnos.** 26 Linienschiffe aus Venedig stehen 37 türkischen Linienschiffen gegenüber. An beiden Tagen wird heftig, aber neuerlich ohne Entscheidung gefochten. Die Venezianer verlieren 1400 Mann, die Verluste der Türken werden – wie üblich – nicht bekannt gegeben.
19. Juli 1717	**Erste Seeschlacht bei Kap Matapan.** Die Flotte Venedigs, 33 Linienschiffe unter M. Diedo, Flaggschiff >Trionfo< (70), erwartet den Angriff der türkischen Flotte von 44 Linienschiffen. Nach neun Stunden heftigen Kampfes werden die Türken abgewiesen. Auf beiden Seiten sind mehrere Schiffe schwer beschädigt. Die Venezianer verlieren rund 600 Mann.
22. August 1717	**Donau.** Die österreichische Donauflottille ist maßgeblich an der Eroberung von Belgrad durch den Prinzen Eugen von Savoyen beteiligt („Er ließ schlagen eine Brucken ...").
20. bis 22. Juli 1718	**Zweite Seeschlacht bei Kap Matapan.** 26 venezianische Schiffe mit 1800 Geschützen unter M. Diedo stehen 36 türkischen mit 2000 Geschützen gegenüber. An allen drei Tagen versucht Diedo vergeblich, die Luvseite zu gewinnen. Erst am 22. kommt die geschlossene venezianische Flotte zum Fechten und schlägt nun den Angriff der Türken verlustreich zurück. Die Venezianer verlieren an den drei Tagen 1800 Mann. Das Flaggschiff >Trionfo< ist entmastet.
Juli 1718	**Friede von Passarowitz.** Österreich gewinnt zwar Belgrad, Venedig muß aber auf die Peloponnes verzichten.

Ägäis Anfang des 18. Jahrhunderts

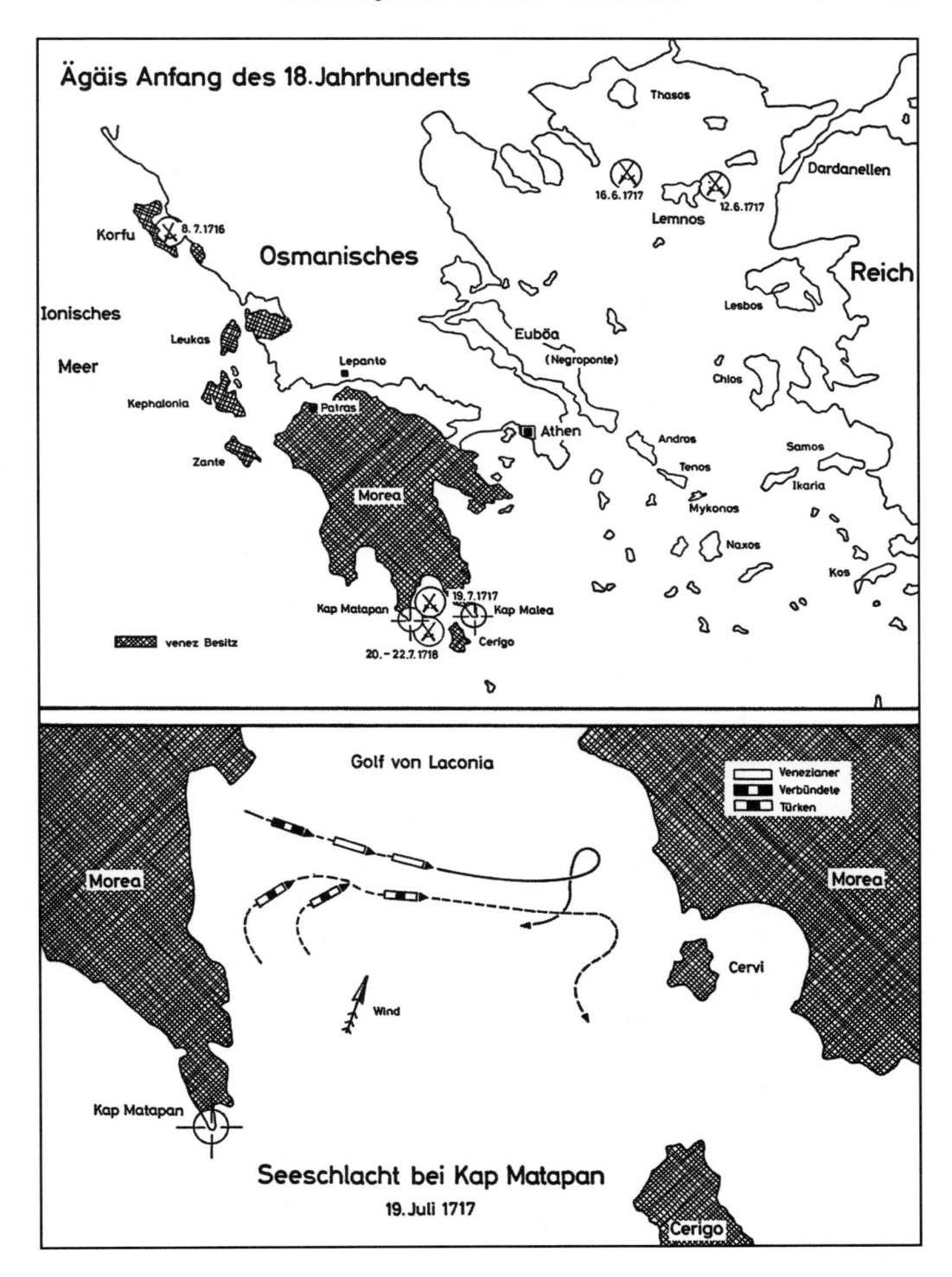

- Osmanisches Reich
- Ionisches Meer
- Korfu 8.7.1716
- Leukas
- Kephalonia
- Zante
- Lepanto
- Patras
- Morea
- Athen
- Euböa (Negroponte)
- Thasos
- Lemnos 16.6.1717 / 12.6.1717
- Dardanellen
- Lesbos
- Chios
- Andros
- Tenos
- Samos
- Ikaria
- Mykonos
- Naxos
- Kos
- Kap Matapan – 19.7.1717 – Kap Malea
- Cerigo
- 20.–22.7.1718

▨ venez. Besitz

Seeschlacht bei Kap Matapan
19. Juli 1717

- Golf von Laconia
- Morea
- Cervi
- Cerigo
- Kap Matapan
- Wind

Legende:
- □ Venezianer
- ▨ Verbündete
- ■ Türken

1717–1720 Krieg um Sizilien

22. August 1717 **Besetzung Sardiniens.** Die spanische Flotte in der Stärke von 14 Kriegs- und 100 Transportschiffen landet zunächst Truppen auf Sardinien, welche die Insel, die seit dem Frieden von Utrecht zu Savoyen gehört, rasch besetzen.

1. Juli 1718 **Landung auf Sizilien.** Die spanische Flotte von 40 Kriegsschiffen, darunter zwölf Linienschiffe und sieben Galeeren, geleitet 400 Truppentransporter mit 36.000 Mann Heerestruppen und 8000 Pferden nach Sizilien und deckt die Landung. Bis auf Messina befindet sich bald die ganze Insel unter Kontrolle der Spanier. Großbritannien schickt daraufhin sein Mittelmeergeschwader nach Sizilien. (Liste siehe Anhang.)

11. August 1719 **Seeschlacht bei Kap Passaro.** Die Briten bringen Verstärkungen nach Messina. Das britische Mittelmeergeschwader von 21 Linienschiffen und acht kleinen Fahrzeugen unter Admiral George Byng auf der >Barfleur< (90) mit Vizeadmiral Ch. Cornwall auf der >Shrewsbury< (80) und Konteradmiral G. Delaval auf der >Dorsetshire< (80) trifft an der Ostküste Siziliens auf die spanische Flotte. Diese zählt 14 Linienschiffe, zehn Fregatten und acht kleine Fahrzeuge. Befehlshaber ist Admiral Antonio de Gastañeta auf der >Real San Felipe< (74) mit weiteren vier Konteradmiralen. Obwohl zwischen Großbritannien und Spanien der Krieg noch nicht erklärt ist, greift Byng sofort an und die Spanier wenden sich zur Flucht. In einem Verfolgungskampf verlieren sie acht Linienschiffe und fünf Fregatten, die meisten werden erobert, der Rest verbrannt. Die übrigen Schiffe können sich nach Malta retten. Admiral Gastañeta fällt in der Schlacht.

1719 **Sizilien.** Im Besitz der Seeherrschaft durch die verbündeten Briten können österreichische Truppen die Insel im folgenden Jahr wieder zurückerobern. Die letzten spanischen Schiffe in Sizilien werden dabei von den Briten zerstört.

Mai bis August 1719 **Biskaya.** Französische Seestreitkräfte verheeren die spanische Nordküste von Fuenterrabia bis San Sebastian.

September–Oktober 1719 **Atlantik.** Ein kleines britisches Geschwader unter Vizeadmiral Mighells mit 4000 Mann Landungstruppen erobert die spanische Hafenstadt Vigo und kehrt mit einer Beute von 220 Geschützen heim.

November 1719 **Golf von Lion.** In einem Sturm sinken aus einem französischen Versorgungsgeleit 28 Schiffe. Die nach Katalonien eingedrungenen Truppen müssen sich daher wieder zurückziehen.

21. Dezember 1719 **Gefecht vor Kap St. Vincent.** Drei spanische Schiffe, die eine britische Fregatte erobert haben, werden von drei britischen Schiffen angegriffen und wehren diese in einem mehrstündigem Gefecht ab.

1720 **Friede von Den Haag.**

1717 **Oman.** Sultan bin Seif II. erobert mit seinen Land- und Seestreitkräften die Insel Bahrein, die in letzter Zeit zum Perserreich gehört hat. Die Flotte von Oman umfaßt zu dieser Zeit ein Linienschiff mit 74 Geschützen, zwei mit 50 Geschützen, 18 kleinere Schiffe mit zwölf bis 32 Geschützen und mehrere Galeeren. Vor allem die restlichen Stützpunkte der Portugiesen in Vorderindien sind mehrfach das Angriffsziel dieser Flotte.

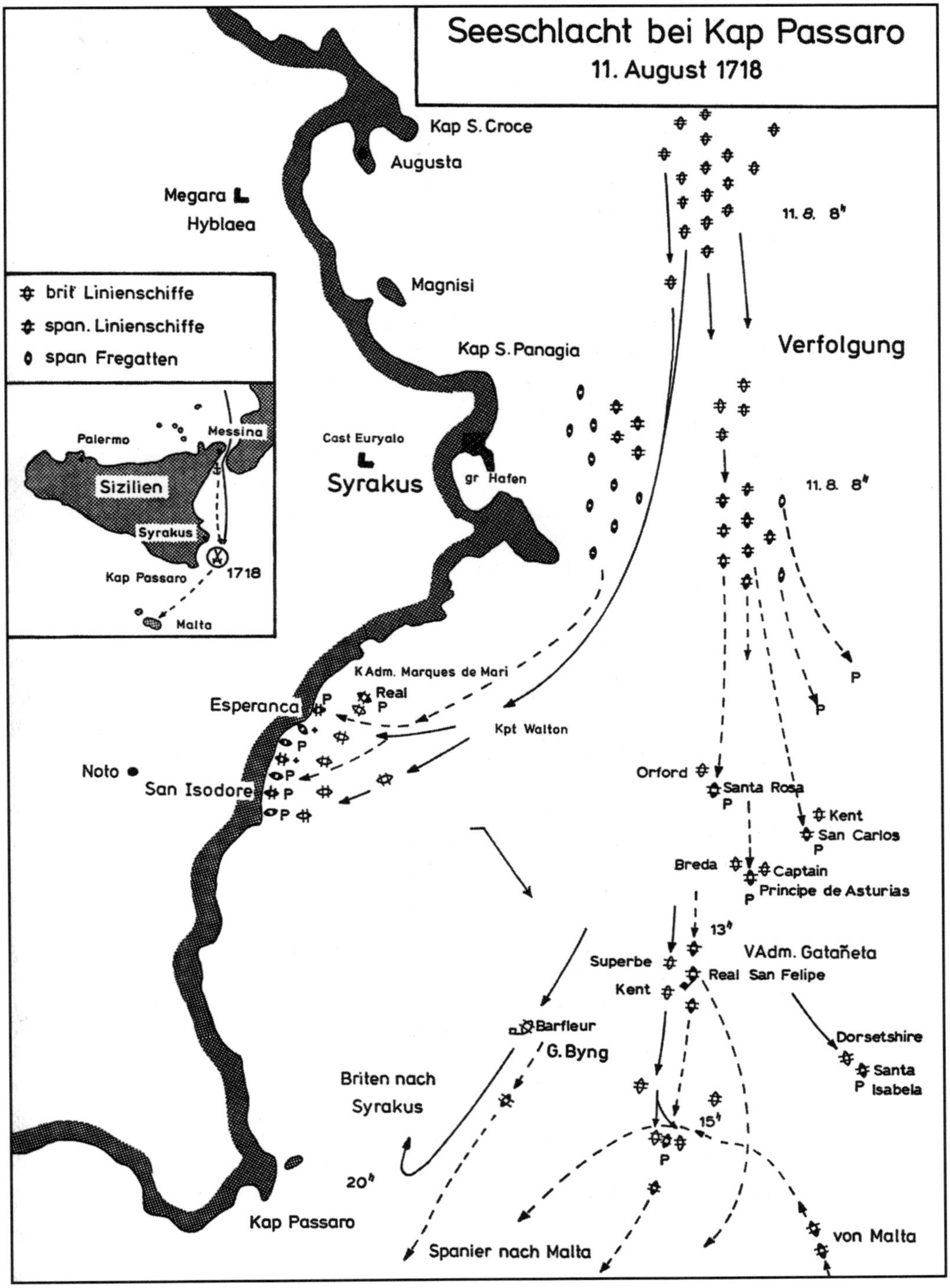
Seeschlacht bei Kap Passaro
11. August 1718
Kap S. Croce
Augusta
Megara
Hyblaea
11. 8. 8h
Magnisi
brit Linienschiffe
span. Linienschiffe
span Fregatten
Kap S. Panagia
Verfolgung
Palermo
Messina
Sizilien
Syrakus
Kap Passaro
1718
Malta
Cast Euryalo
Syrakus
gr Hafen
11. 8. 8h
K Adm. Marques de Mari
Real
Esperanca
Kpt Walton
Noto
San Isodore
Orford
Santa Rosa
Kent
San Carlos
Breda
Captain
Principe de Asturias
13h
VAdm. Gatañeta
Superbe
Real San Felipe
Kent
Barfleur
G. Byng
Dorsetshire
Santa
Isabela
Briten nach
Syrakus
15h
20h
Kap Passaro
Spanier nach Malta
von Malta

1719 **Gefecht vor Maskat.** Nach dreitägigen Kämpfen bringt ein portugiesisches Geschwader der Flotte von Oman eine schwere Niederlage bei. Die Schiffe von Oman beschränken sich von da an auf den Sklavenhandel von Ostafrika nach Arabien.

1720 **Vorderindien.** Seit einigen Jahren unterhält die britische Ostindische Kompanie zum Schutz des Küstenhandels die sogenannte **Bombay Marine**. Ihr Hauptgegner ist die Flotte der Marathen. In diesem Jahr macht sich ein Admiral aus der Familie der Angrias mit der Flotte der weiter südlich residierenden Marathen praktisch selbständig und führt in den folgenden 50 Jahren einen Handelskrieg gegen alle seefahrenden Nationen an der Westküste Vorderindiens, bis sein Hauptstützpunkt 1756 von den Briten erobert wird.

Dezember 1721 **Malabarküste.** Die indische Familie der **Angria** hat sich in den letzten Jahren eine bedeutende Flotte aus stark bewaffneten einheimischen Fahrzeugen aufgebaut. Damit greift sie die Handelsschiffe der Europäer vor der Westküste Vorderindiens erfolgreich an und zwingt sogar die Portugiesen, Schutzbriefe zu kaufen. Der Angriff eines britisch-portugiesischen Geschwaders auf ihren Stützpunkt Colaba wird von den Angrias verlustreich zurückgeschlagen.

1721 **Madagaskar.** Aus der Karibik vertriebene Piraten setzen sich auf der Insel im Indischen Ozean fest und greifen von ihren dortigen Stützpunkten die Handelsschiffahrt in der Arabischen See an. Versuche von Schweden und Rußland, die Insel zu besetzen, scheitern schon in der Vorbereitung.

1722 **Kaspisches Meer.** Russische Land- und Seestreitkräfte stoßen am Westufer des Kaspischen Meeres nach Süden vor und vernichten an der Mündung des Terek am Nordrand des Kaukasus persische Befestigungen und sichern dadurch ihren Stützpunkt Astrachan.

1722 **Österreich.** Kaiser Karl VI. erteilt der „Ostender Kompanie" das Privileg im Reich für den Handel mit Ostasien. Großbritannien und die Niederlande treten gegen die neue Konkurrenz auf und nötigen den Kaiser, das Privileg zu widerrufen, worauf die Gesellschaft 1731 liquidiert wird.

1722 **Piraterie.** Vor der Küste Westafrikas vernichtet das britische Linienschiff >Swallow< (60) unter Kpt. Chaloner Ogle das Schiff des wohl erfolgreichsten Seeräubers aller Zeiten. Der Piratenführer Bartholomäus Roberts soll mit der >Royal Fortune< (40) und anderen Schiffen an die 400 Schiffe erobert oder geplündert haben. Bei diesem Gefecht vernichtet Ogle noch ein zweites Piratenschiff mit 32 Geschützen, Roberts fällt im Kampf.

1723 **China.** Kaiser Sheng-tsu (1662–1723) bringt noch vor seinem Tod Tibet und die Mongolei unter chinesische Oberhoheit. Unter den Mandschu-Kaisern verzeichnet das Land seine größte Ausdehnung, die erst wieder im 20. Jahrhundert erreicht wird.

1723 **Ostsee.** Über die Thronfolge in Schleswig kommt es zwischen Schweden und Rußland zu Meinungsverschiedenheiten. Beide Länder mobilisieren ihre Hochseeflotten und kreuzen in der Ostsee, doch können die Differenzen auf friedlichem Weg beigelegt werden. Auch ein britisches Geschwader kreuzt zur Beobachtung in der Ostsee.

Arabische See
um 1720

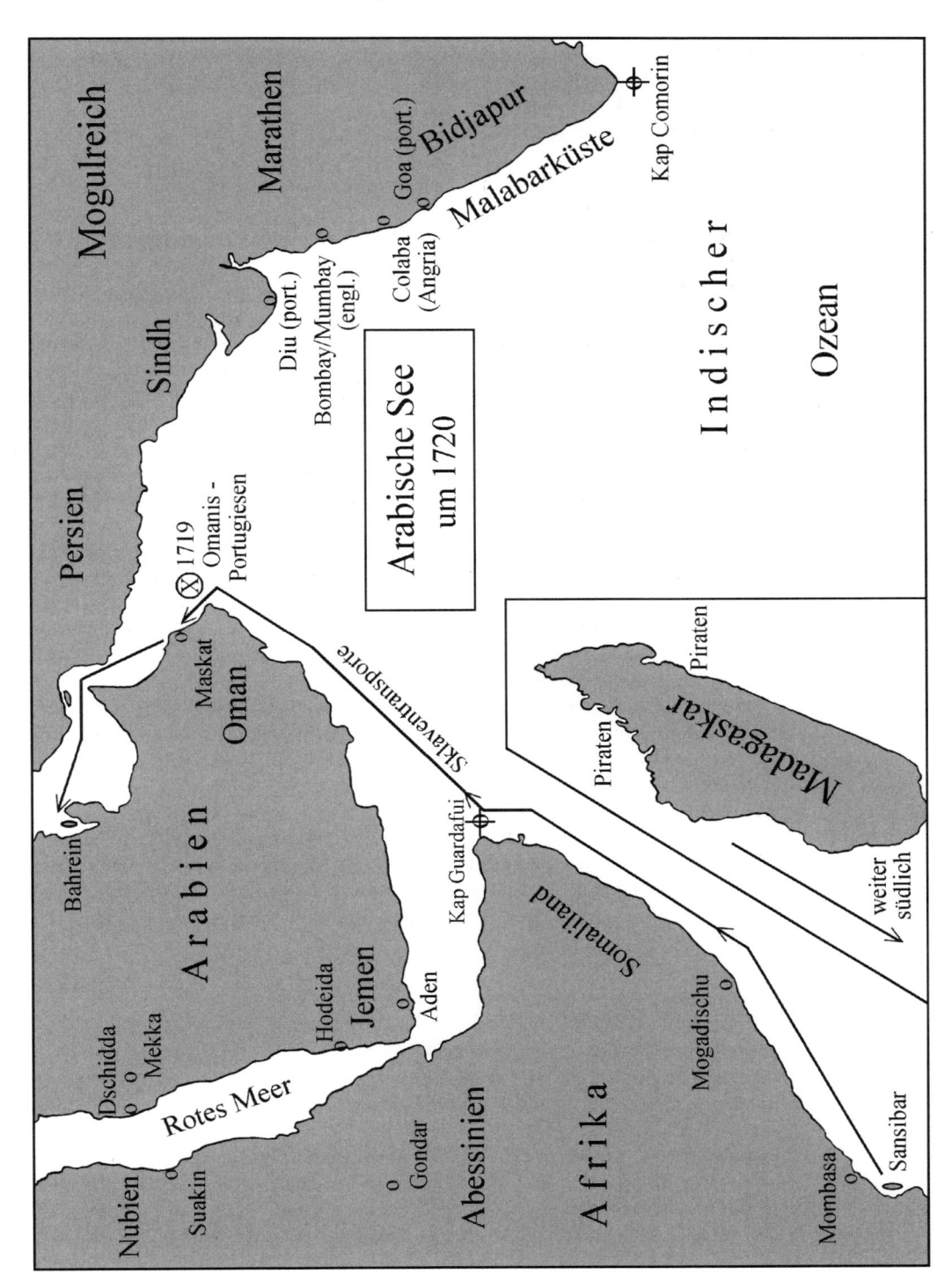

3. Mai 1723	**Mittelmeer.** Die Linienschiffe der Johanniter aus Malta, >S. Giovanni< (62) und >S. Vincento< (50), erobern bei Pantelleria die >Patrona< (62) des Beis von Tunis.
1724	**Seerecht.** Der niederländische Völkerrechtler Cornelius von Bynkershoek legt die Territorialgewässer auf eine Breite von drei Seemeilen (Reichweite der Artillerie) fest. Dieser Regelung schließen sich alle anderen seefahrenden Nationen mit der Zeit an.
1726	**Südamerika.** Die Spanier gründen Montevideo und versuchen damit, das Vordringen der Portugiesen nach Süden zum Rio de la Plata zu stoppen.
Februar 1727	**Gibraltar.** Die Spanier versuchen die Felsenfestung zurückzuerobern. Das britische Mittelmeergeschwader von zwölf Linienschiffen unter Admiral Charles Wager auf der >Kent< (70) unterstützt die Verteidiger mit flankierendem Feuer. Der Angriff wird ohne Mühe abgeschlagen. In der Straße von Gibraltar erobert die >Royal Oak< (70) die spanische >Nuestra Señora del Rosario< (46).
1728	**Mittelmeer.** Ein französisches Geschwader von zwei Linienschiffen, mehreren Fregatten, Galeeren und Bombenfahrzeugen zwingt die Beis von Tunis und Tripolis zur Herausgabe von Gefangenen und zur Leistung von Genugtuung für ihre Piraterie.
um 1730	**Perserreich.** Unter dem Herrscher Nadir Schah, dem „Napoleon I. des Ostens", erreicht das Land einen neuen Höhepunkt seiner Macht. Mit einem Heer von 5000 Mann und der Flotte unter Admiral Latif Khan wird 1737 fast ganz Oman erobert. Persiens Flotte ist für kurze Zeit ein bedeutender Machtfaktor im Persischen Golf. Nach der Ermordung von Nadir Schah 1747 fällt das Land wieder in Bedeutungslosigkeit zurück.
Juni 1732	**Eroberung von Oran.** Die spanische Flotte von 18 Linienschiffen unter Herzog de Mari geleitet Truppentransporter mit 26.000 Mann nach Oran und unterstützt das Heer bei der Eroberung der Stadt, die im Jahr 1708 verloren gegangen war.
18. September 1732	**Ägypten.** Die Linienschiffe der Johanniter, >S. Antonio< (60) und >S. Giorgio< (60), erobern bei Damietta das Schiff des türkischen Konteradmirals.
1732	**Dänemark.** Eine „Asiatische Gesellschaft" erhält ein Privileg zum Handel mit Ostindien und China. Die Gesellschaft errichtet befestigte Faktoreien in Tranquebar und Dansborg. Ein Versuch, die Nikobaren zu besiedeln, schlägt fehl. Die Gesellschaft besteht bis 1843.

1733–1735 Polnischer Thronfolgekrieg

	In der Ostsee treffen französische und russische Kriegsschiffe aufeinander.
Mai 1734	**Danzig.** Die russische Flotte von 14 Linienschiffen hilft bei der Eroberung von Danzig und erobert die dort liegende französische Fregatte >Brillant< (30) nach kurzem Feuerwechsel.
Juli 1734	**Danzig.** Einige französische Schiffe unterstützen den Thronkandidaten von Frankreich, richten aber nur wenig aus. Die Linienschiffe >Fleuron< (60) und >Gloire< (46) erobern die russische Fregatte >Mitau< (32). Ein französischer Landungsversuch an der Weichselmündung wird verlustreich abgewiesen.

Perserreich unter Nadir Shah im 18. Jahrhundert

Rußland — Kasachstan — Astrachan — Kaspisches Meer 1722 — Russens — Aralsee — 1790 bis 1873 nominell Persien unterstehend — Schwarzes Meer — Kaukasus — Osmanisches Reich — Turkmenistan — Euphrat — Teheran — Bagdad — Basra — Schatt-al-Arab 1775 — Schiras — Flotte von Oman — Perser 1737 — Arabische Halbinsel — Maskat — Oman

1734	**Mittelmeer.** Spanien benützt die Bindung Österreichs im Polnischen Erbfolgekrieg, um mit Unterstützung von Frankreich das Königreich Neapel zurückzuerobern. Das Heer wird dabei von der Flotte tatkräftig unterstützt.
1735/38	Im **Wiener Frieden** erhält zwar der Kandidat von Österreich, August III., die polnische Krone, er muß aber das Königreich Neapel/Sizilien an einen spanischen Bourbonenprinzen abtreten.
1736–1739	**Krieg Rußland gegen die Türkei.** Die Russen verwenden mehrere hundert Kanonenboote, die das Heer bei der Einnahme von Asow und den Kämpfen auf der Krim unterstützen und den leichten türkischen Seestreitkräften mehrere Gefechte liefern. Da das zunächst verbündete Österreich vorzeitig aus dem Kampf ausscheidet, behält Rußland im Friedensschluß nur Asow und muß die Flottille abrüsten.

1740–1748 Österreichischer Erbfolgekrieg

Die Kämpfe in den europäischen Gewässern

19. April 1740	Das spanische Linienschiff >Princesa< (64) verteidigt sich sieben Stunden lang nordwestlich von Ferrol erbittert gegen drei britische Linienschiffe, ehe es die Flagge streichen muß.
16. Dezember 1740	**Landkrieg.** Preußen eröffnet die Kampfhandlungen mit einem Einfall in Schlesien und dem Sieg von Friedrich II. bei Mollwitz (10. April 1741).
1741	**Ungarn.** Auf dem Reichstag von Preßburg erhält Maria Theresia die Unterstützung der Ungarn im Kampf um ihr Erbe.
17. Mai 1742	**Landkrieg.** Nach der Niederlage bei Chotusitz verzichtet Österreich im **Sonderfrieden von Breslau** ein erstes Mal zugunsten von Preußen auf Schlesien.
1742	**Mittelmeer.** Ein britisches Geschwader kapert im Mittelmeer nicht nur spanische, sondern auch französische Handelsschiffe. Frankreich tritt schließlich 1744 ebenfalls in den Krieg ein.
27. Juni 1743	**Schlacht bei Dettingen.** Bei Aschaffenburg siegt die „Pragmatische Armee" der Österreicher mit den verbündeten Briten und Hannoveranern unter Georg II. von England entscheidend über die Franzosen.
1. Juli 1743	**Korsika.** Die britischen Linienschiffe >Ipswich< (70) und >Revenge< (70) vernichten in der Bucht von Ajaccio das spanische Linienschiff >San Isidoro< (74).
1743	**Schiffsbesatzungen.** Aus Mangel an Matrosen werden „Preßgangs" von den Offizieren in den Hafenstädten ausgesandt, um ihre Besatzungen mit Zwangsrekrutierungen aufzufüllen. Dies ist schon lange üblich, nimmt nun aber unerträgliche Formen an.
22. Februar 1744	**Seeschlacht bei Toulon.** Die britische Mittelmeerflotte unter Admiral Mathews, Flaggschiff >Namur< (90), trifft auf die Flotte der Verbündeten unter Admiral Court de la Bruyere, Flaggschiff >Terrible< (74). Den 28 britischen Linienschiffen stehen 15 französische und zwölf spanische Linienschiffe gegenüber. Die Briten greifen in langgezogener Kiellinie von Luv an. Dabei kommt die britische Vorhut gegen die Mitte, die Mitte gegen die Nachhut des

Rußland im 18. Jh.

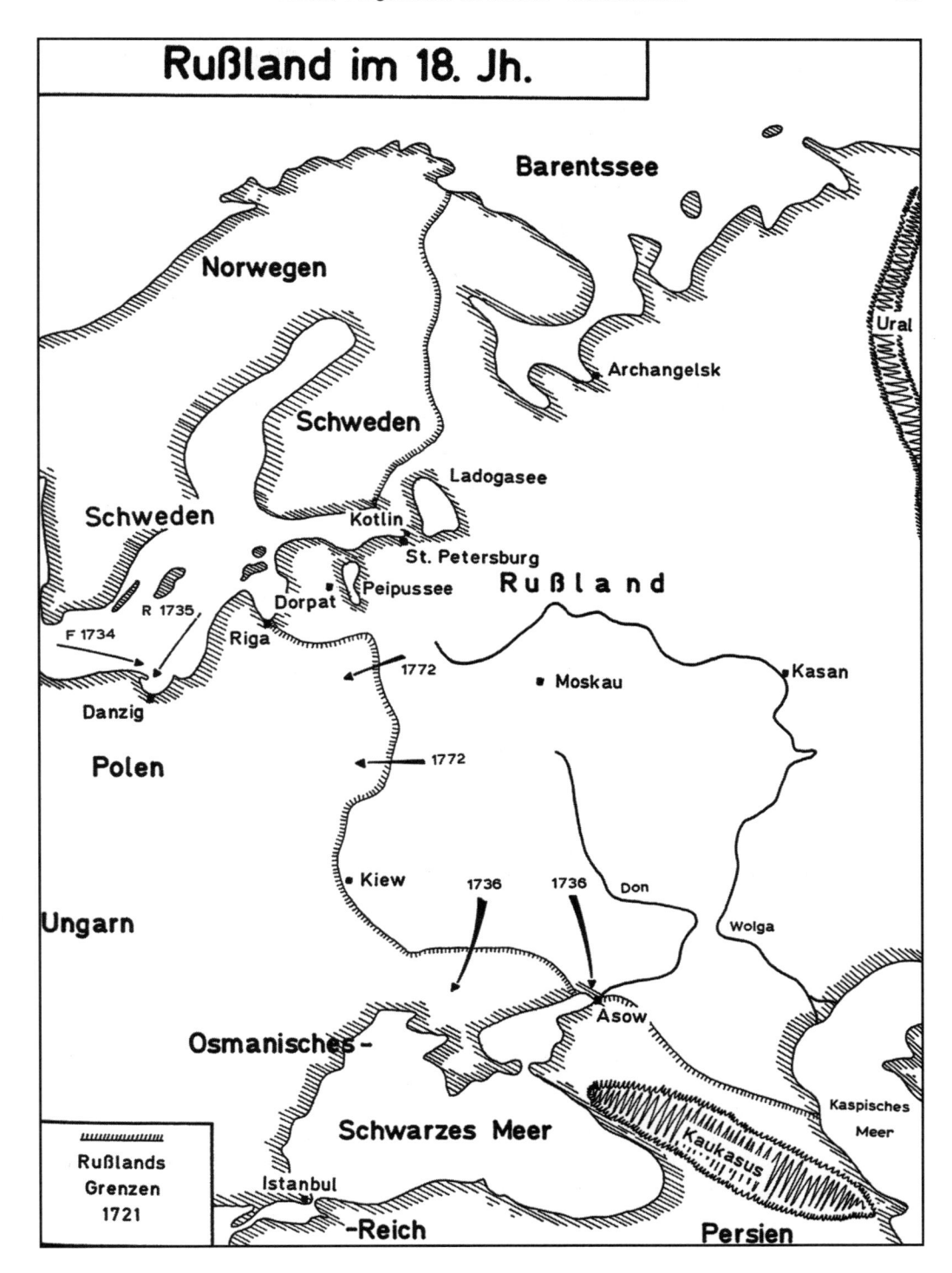

- Barentssee
- Norwegen
- Ural
- Archangelsk
- Schweden
- Ladogasee
- Kotlin
- St. Petersburg
- Peipussee
- Rußland
- Dorpat
- R 1735
- F 1734
- Riga
- 1772
- Moskau
- Kasan
- Danzig
- Polen
- 1772
- Ungarn
- Kiew
- 1736
- 1736
- Don
- Wolga
- Asow
- Osmanisches-
- Schwarzes Meer
- Kaukasus
- Kaspisches Meer
- Istanbul
- -Reich
- Persien

Rußlands Grenzen 1721

Gegners zum Kampf. Die Nachhut beteiligt sich nicht an der Schlacht. Der Versuch der französischen Vorhut, die britische zu umfassen, wird von deren Spitzenschiffen vereitelt. Nur wenige britische Schiffe gehen auf nahe Distanz an den Gegner heran. Die Schlacht endet schließlich ohne große Verluste unentschieden. Die Flotte der Verbündeten läuft ungehindert weiter nach Barcelona. Admiral Mathews wird verabschiedet, da er seine Flotte nicht geschlossen an den Feind gebracht hat. (Schlachtordnung siehe Anhang letzter Band.)

19. Mai 1744 **Gefecht vor Porto.** Die französischen Linienschiffe >Content< (64) und >Mars< (64) und eine Fregatte treffen auf die britische >Northumberland< (70). Nach dem Tod des britischen Kapitäns streicht das Schiff ohne großen Widerstand die Flagge.

16. Oktober 1744 **Schiffbruch.** In einem nächtlichen Sturm geht bei den Kanalinseln die >Victory< (100), eines der stärksten britischen Linienschiffe, mit Admiral John Balchen und der ganzen Besatzung verloren.

11. Mai 1745 **Landkrieg.** Die Franzosen unter Graf Moritz von Sachsen siegen in der Schlacht bei Fontenoy im südlichen Flandern gegen die verbündeten Österreicher, Niederländer und Briten unter dem Herzog von Cumberland.

4. Juni 1745 **Schlacht bei Hohenfriedberg.** Preußen tritt erneut in den Krieg ein und König Friedrich d. Gr. (1740–1786) siegt in Schlesien entscheidend über die Österreicher. Im folgenden Frieden von Dresden tritt Österreich erneut Schlesien an Preußen ab.

1745 **Schottland.** Ein französisches Geschwader unter Admiral Roquefeuil soll den Aufständischen 7000 Mann Verstärkung und Versorgungsgüter bringen. Sein Geschwader wird aber in einem Sturm zerstreut und kehrt unverrichteter Dinge zurück. Der Thronprätendent für Schottland, Prinz Charles Edward Stuart, verliert anschließend die Landschlacht bei Culloden (27. April 1746) und damit endgültig seine Thronansprüche.

16. Juni 1746 **Landkrieg.** In Oberitalien siegen die Österreicher unter Feldmarschall Fürst Liechtenstein in der Schlacht bei Piacenza über die verbündeten Franzosen und Spanier.

15. August 1746 **Kaperkrieg.** Das britische Blockadegeschwader vor Brest erobert zwei aus Amerika zurückkehrende französische Linienschiffe.

September 1746 **Bretagne.** Ein britisches Geschwader unter Admiral Richard Lestock bringt Landungstruppen in die Nähe von Lorient. Da die Stadt nicht erobert werden kann, werden die Truppen wieder eingeschifft. Auf dem Rückweg wird in der Bucht von Quiberon das französische Linienschiff >Ardent< (64) auf den Strand gejagt und verbrannt.

22. Oktober 1746 **Kaperkrieg.** Im Atlantik erobert das britische Linienschiff >Nottingham< (60) das aus Westindien zurückkehrende französische Linienschiff >Mars< (64).

14. Mai 1747 **Erste Seeschlacht bei Kap Finisterre.** Vizeadmiral Anson (E), Flaggschiff >Prince George< (90), trifft mit 17 Linienschiffen auf einen großen französischen Geleitzug, der von den Linienschiffen >Serieux< (64), >Invincible< (74), >Rubis< (52) und >Jason< (50) sowie zehn weiteren Kriegsschiffen unter de la Jonquières gedeckt wird. Bei der großen Übermacht befiehlt Anson „Allgemeine Jagd". In einem Verfolgungsgefecht werden alle Linienschiffe sowie

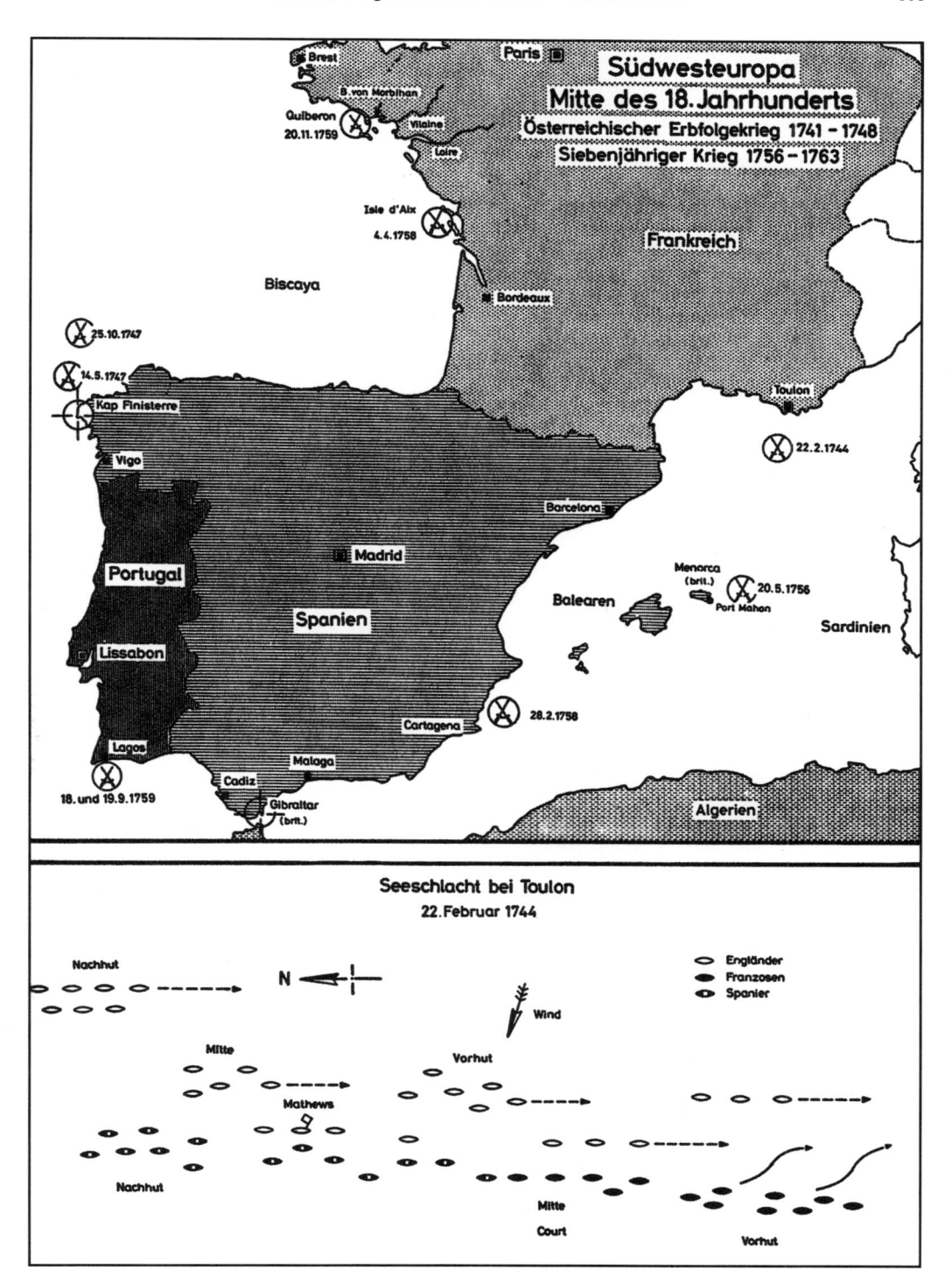

Südwesteuropa
Mitte des 18. Jahrhunderts
Österreichischer Erbfolgekrieg 1741–1748
Siebenjähriger Krieg 1756–1763

Seeschlacht bei Toulon
22. Februar 1744

○ Engländer
● Franzosen
◐ Spanier

	acht der übrigen Kriegsschiffe erobert, der Geleitzug aber entkommt. Admiral Jonquières fällt. (Siehe auch Anhang.)
1. Juli 1747	Ein Geschwader von sechs britischen Linienschiffen unter Kpt. Thomas Fox auf der >Kent< (74) erobert aus einem französischen Geleit, aus Westindien kommend, rund 50 Handelsschiffe. Der Geleitschutz von drei französischen Linienschiffen entkommt nach Brest.
25. Oktober 1747	**Zweite Seeschlacht bei Kap Finisterre.** Diesmal trifft Konteradmiral Edward Hawke auf der >Devonshire< (66) mit 14 Linienschiffen auf einen französischen Geleitzug, gedeckt von neun Linienschiffen unter Konteradmiral de l'Etenduère. Dieser läßt das Geleit mit zwei Linienschiffen fliehen und nimmt mit den übrigen Schiffen den Kampf auf. Hawke stürzt sich ebenfalls mit dem Befehl „Allgemeine Jagd" auf den Gegner, der sich so energisch verteidigt, daß Hawke bis in die Nacht braucht, um ihn niederzukämpfen. Sechs Linienschiffe werden erobert, zwei können in der Dunkelheit schwer beschädigt entkommen. Das Geleit ist zwar gerettet, die Franzosen verlieren aber ihr letztes einsatzfähiges Deckungsgeschwader. Von den entkommenen Handelsschiffen können die Briten in Westindien 35 abfangen. (Siehe auch Anhang.)
17. bis 19. Oktober 1747	**Gefecht bei Lagos.** Nach seiner Rückkehr aus Westindien trifft das spanische Linienschiff >Glorioso< (74) auf zwei britische Fregatten, die sofort angreifen. Nachdem die beiden Gegner abgewehrt sind, greift das Linienschiff >Dartmouth< (50) an, das nach kurzem Artillerieduell in die Luft fliegt. Erst als auch die >Russell< (80) erscheint, kapituliert der Spanier.
11. Februar 1748	**Gefecht vor Brest.** Das durch einen Sturm beschädigte französische Linienschiff >Magnamine< (74) unterliegt vor Brest erst nach sechs Stunden Kampf zwei britischen Linienschiffen.

Seekrieg in den Kolonien

	Es wird zwischen Großbritannien einerseits und Frankreich mit Spanien andererseits mit kleineren Verbänden heftig gekämpft. In Westindien erobern die Briten einige Plätze, in Ostindien sind die Franzosen erfolgreich.
2. Dezember 1739	**Westindien.** Ein britisches Geschwader von sechs Linienschiffen unter Vizeadmiral Edward Vernon, Flaggschiff >Burford< (70), erobert den spanischen Hafen Puerto Bello in Panama, zerstört die Befestigungen und macht reiche Beute.
September 1740	**Weltumsegelung.** Ein britisches Geschwader von sechs Schiffen unter Com. George Anson, Flaggschiff >Centurion< (60), geht um Kap Hoorn in den Pazifik zum Handelskrieg gegen die Spanier. Im Juni 1744 kehrt Anson nur mehr mit seinem Flaggschiff nach England zurück, alle anderen Schiffe sind verloren gegangen. Die Fahrt ist nicht nur wegen ihrer militärischen und wirtschaftlichen, sondern auch wegen ihrer wissenschaftlichen Ergebnisse von Bedeutung.
März, April 1741	**Westindien.** Ein britisches Geschwader von 29 Linienschiffen und fast 100 Fahrzeugen und Transportern unter Vizeadmiral Vernon, Flaggschiff >Strafford< (60), greift den starken spanischen Stützpunkt Cartagena an. Nach längeren Kämpfen um die Forts werden die Briten abgewiesen. Eines der im Hafen liegenden Linienschiffe können sie erobern, fünf weitere werden von den Spaniern selbst versenkt.

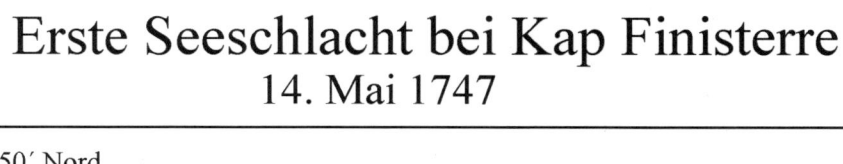

Erste Seeschlacht bei Kap Finisterre
14. Mai 1747

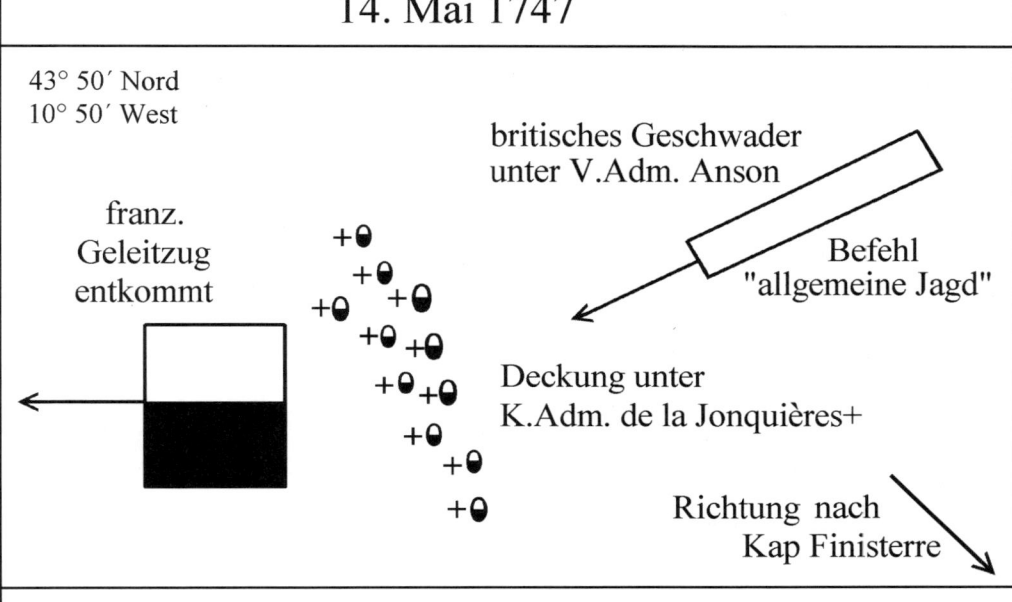

43° 50′ Nord
10° 50′ West

franz. Geleitzug entkommt

britisches Geschwader unter V.Adm. Anson

Befehl "allgemeine Jagd"

Deckung unter K.Adm. de la Jonquières+

Richtung nach Kap Finisterre

Zweite Seeschlacht bei Kap Finisterre
25. Oktober 1747

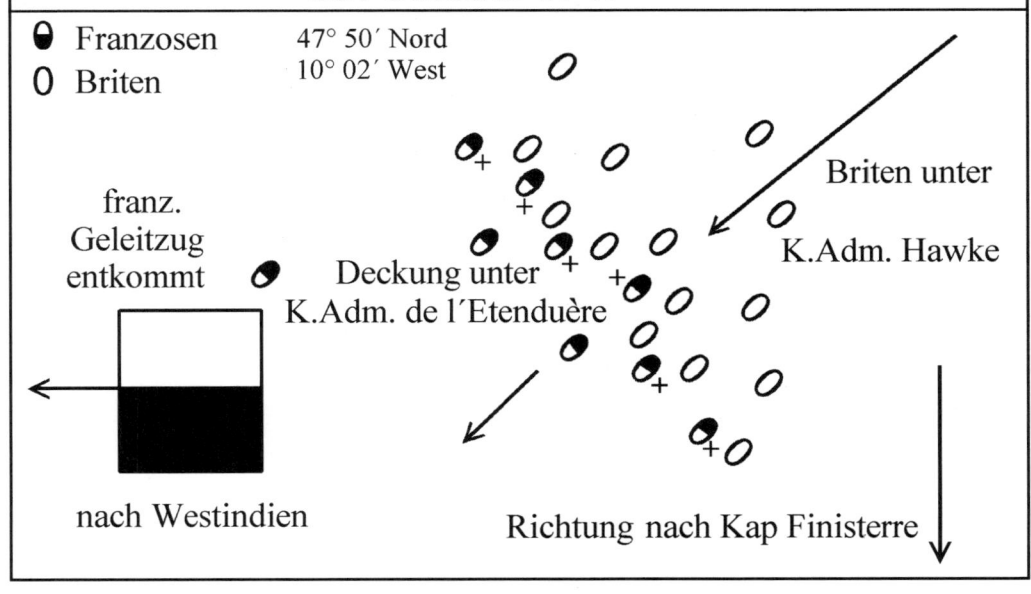

◐ Franzosen
○ Briten

47° 50′ Nord
10° 02′ West

franz. Geleitzug entkommt

Deckung unter K.Adm. de l'Etenduère

Briten unter K.Adm. Hawke

nach Westindien

Richtung nach Kap Finisterre

Februar und April 1743	**Westindien.** Ein britisches Geschwader von fünf Linienschiffen unter Kpt. Charles Knowles mit der >Suffolk< (70) beschießt die spanischen Stützpunkte La Guayra und Puerto Cabello, deren Eroberung aber scheitert.
31. Oktober 1744	**Schiffbruch.** In einem Hurrikan in Westindien stranden an der Küste von Jamaika die britischen Schiffe >St. Albans< (50) und >Greenwich< (50), sechs weitere Kriegsschiffe sowie zahlreiche Handelsschiffe. Alle werden Totalverluste. Mehrere weitere Schiffe können nach der Strandung noch geborgen werden.
Juni 1745	**Nordamerika.** Die Briten erobern den wichtigen französischen Stützpunkt Louisbourg auf Neuschottland. Dabei fällt ihnen das Linienschiff >Vigilante< (64) in die Hände.
November 1745	**Westindien.** Bei der Insel Martinique erobern die Briten aus einem französischen Nachschubgeleit 30 von 40 Schiffen.
6. Juli 1746	**Gefecht bei Negapattinam.** Der Befehlshaber des französischen Geschwaders von acht Schiffen mit 282 Geschützen im Indischen Ozean, Admiral La Bourdonnaye, schlägt ein britisches Geschwader von sechs Schiffen mit 270 Geschützen unter Com. Edward Peyton, Flaggschiff >Medway< (60). Madras fällt daraufhin in die Hände der Franzosen.
30. Oktober 1746	**Westindien.** Zwei französische Linienschiffe greifen ein britisches Geleit an und erobern eines der deckenden kleinen Linienschiffe, der Rest kann entkommen.
März 1748	**Westindien.** Ein britisches Geschwader von acht Linienschiffen unter Konteradmiral Knowles erobert Port Louis an der Südküste von Hispaniola/Haiti und zerstört die Hafenanlagen.
August–Oktober 1748	**Ostindien.** Das britische Geschwader in Ostindien von neun Linienschiffen und drei Briggs unter Konteradmiral Edward Boscawen, Flaggschiff >Namur< (74), versucht vergeblich, durch Land- und Seeblockade den Franzosen Pondicherry zu entreißen.
12. Oktober 1748	**Gefecht bei Havanna.** Ein britisches Geschwader von sechs Linienschiffen mit 390 Geschützen unter Konteradmiral Knowles, Flaggschiff >Cornwall< (80), trifft auf ebenso viele spanische Linienschiffe mit 400 Geschützen unter Konteradmiral Spinola, Flaggschiff >Invincible< (74). Ein spanisches Schiff streicht nach harter Gegenwehr die Flagge, ein zweites wird von der eigenen Besatzung verbrannt, um seine Eroberung zu verhindern.
1748	**Friede von Aachen.** Preußen behält das eroberte Schlesien, die übrigen Eroberungen werden zurückgegeben. Maria Theresia wird als Herrscherin von Österreich anerkannt. Frankreichs Erfolge zu Lande werden durch seine Ohnmacht zur See mehr als aufgewogen. Im Handelskrieg verliert jede Seite über 3300 Schiffe. Der Seehandel Frankreichs ist dadurch wieder ruiniert. Aber auch Großbritannien hat mehr gelitten als sonst.

1741–1743 Krieg Schwedens gegen Rußland

Die schwedische Flotte ist mit 23 Linienschiffen der russischen Ostseeflotte mit 14 Linienschiffen klar überlegen. Die unfähige schwedische Flottenführung versäumt es jedoch, das Heer in Finnland tatkräftig zu unterstützen. Es wird von den russischen Truppen mit Unterstützung der Schärenflottille geschlagen.

Westindien
Österr. Erbfolgekrieg

■ spanisch ■ französisch □ britisch

Golf von Mexiko — Ft. San Augustin — Floridastraße — Bahama Inseln — Atlantik — Havanna ⊗ 1748 — Kuba — H.I. Yukatan — Santiago — Haiti — Puertorico — Antigua (br) — Belize — Jamaika — Port Louis — San Domingo — 31.10.1744 — 1748 — Guadeloupe (fr) — Karibik — Martinique X 1745 — Moskitoküste — 1741 — V.Adm. Vernon — Curacao (ndl) — 1743 — 1743 — Tobago — 1739 — Puerto Bello — Cartagena — Golf von Maracaibo — Puerto Cabello — La Guayra — Trinidad — Pazifik — Neu-Granada — Orinoko

Schweden gegen Rußland
1741 – 1743

⟶ Schweden
⤏ Russen

Bottnischer Meerbusen — Finnland (Teil von Schweden) — Wiborg — Frederikshamn — St. Petersburg — Aaland Ins. — Abo — Helsingfors — Kronstadt — Schweden — X 1743 — Hangö — 8.1742 — finn. Meerbusen — Ingermannland — 8.1742 — 10.1742 — Reval — Narwa — 6.1742 — Dagö — Estland — Ösel — Ostsee

31. Mai 1743	**Abwehr.** In einem Gefecht bei Hangö weist ein russisches Schärengeschwader, dank seiner guten Stellung, den Angriff eines stärkeren schwedischen Geschwaders ab.
1743	**Friede von Abo.** Schweden muß weitere Gebiete in Finnland an Rußland abtreten.
1746	**Dänemark.** Ein Geschwader mit den Schiffen >Oldenburg< (60), >Delmenhorst< (50) und >Sydermanland< (46) geht in das Mittelmeer und sorgt für den Abschluß von erträglichen Handelsverträgen mit den Barbareskenstaaten in Nordafrika.
April 1749	**Schiffbruch.** In Ostindien sinken in einem Sturm die britischen Linienschiffe >Namur< (74) und >Pembroke< (60) sowie mehrere Ostindienfahrer. Über 1000 Mann kommen um.

Die Seekriege in der zweiten Hälfte des 18. Jahrhunderts

In den vierzig Jahren von 1750 bis 1790 gab es wieder eine Reihe von Kriegen, deren Ausgang durch den Einsatz von Seestreitkräften wesentlich beeinflußt wurde. Es waren dies der Siebenjährige Krieg, der Nordamerikanische Unabhängigkeitskrieg, die Kriege zwischen Rußland und der Türkei sowie der Krieg Rußland gegen Schweden. Ferner fiel in diese Zeit die Erschließung des Stillen Ozeans für das maritime Weltbild.

Der **Siebenjährige Krieg** war der erste große, weltweite See- und Landkrieg. Nach dem Frieden von Aachen 1748 bestanden die Spannungen zwischen Großbritannien und Frankreich in den Kolonien weiter. In Nordamerika kam es zwischen den britischen Siedlern und den Franzosen und den mit diesen verbündeten Indianerstämmen zu ständigen Konflikten. Über diesen Kleinkrieg kam es schließlich zu Kampfhandlungen der regulären Truppen.

In **Indien** versuchten die britischen und französischen Handelskompanien aus dem Niedergang des Reiches der Mogulen Kapital zu schlagen und ihren Einfluß auf dem Subkontinent zu erweitern. Es kam im Bündnis mit den jeweils befreundeten Fürsten zur offenen Konfrontation. In einem fließenden Übergang war bis 1755 in Übersee der offene, aber noch nicht erklärte Kolonialkrieg im Gange. Britische Kreuzer machten ab 1754 Jagd auf französische Handelsschiffe und das britische Atlantikgeschwader unterbrach ab 1755 französische Truppentransporte nach Kanada. Es war nur eine Frage von kurzer Zeit, wann auch in Europa der Krieg um die Weltherrschaft zwischen Großbritannien und Frankreich wieder voll ausbrechen würde und welche Verbündeten beide für sich gewinnen könnte.

In **Europa** hatten in den letzten Jahren vor Kriegsausbruch die Bündnisse einen überraschenden Wandel erfahren. Großbritannien hatte sich in einer im Jänner 1756 abgeschlossenen Konvention die Unterstützung Preußens zum Schutz seines Besitzes in Deutschland, des Kurfürstentums Hannover, gesichert. Frankreich schloß daraufhin im Mai das unerwartete Bündnis mit dem ehemaligen Erzrivalen, den österreichischen Habsburgern, dem sich noch Rußland anschloß. Preußen wählte deshalb wieder die Flucht nach vorne und eröffnete die Kampfhandlungen mit einem Einfall in Sachsen. Daraufhin traten noch das protestantische Schweden und neben mehreren katholischen auch einige protestantische Reichsfürsten auf die Seite der Gegner von Preußen.

Trotz glänzender Siege zu Lande von König Friedrich d. Gr. wäre Preußen ohne die finanzielle Unterstützung durch Großbritannien unter der Leitung von William Pitt dem Älteren und den rechtzeitigen Tod der russischen Zarin Elisabeth I. verloren gewesen. Denn die Entscheidung in diesem Krieg fiel auf den Weltmeeren.

Es standen zu Kriegsbeginn den 120 britischen Linienschiffen nur 70 französische gegenüber. Die Größe der Linienschiffe war bereits auf rund 2000 Tonnen Wasserverdrängung angewachsen, die der neuen schnellen Fregatten auf 700 Tonnen.

Erst nachdem das französische Mittelmeergeschwader im April 1756 überraschend den britischen Flottenstützpunkt Port Mahon auf Menorca angegriffen hatte, erfolgten die Kriegserklärungen zwischen Großbritannien und Frankreich. Neben der Unterstützung von Preußen als seinem „Festlandsdegen" waren die Schwerpunkte der britischen Kriegführung die Unterstützung des Kolonialkrieges in Amerika, die Blockade der französischen Atlantikhäfen und Angriffe auf die Küste, um französische Truppen vom Kampf in Deutschland abzuziehen. Ferner erfolgten Angriffe auf die französischen Kolonien in Westindien, Afrika und Ostindien.

Da Frankreich auf den Weltmeeren den Briten zu unterliegen drohte und Preußen gegen die Übermacht zu Lande keine unmittelbare Gefahr für Frankreich bedeutete, wollte Frankreichs Staatsminister Étienne-Françoise Choiseul den Krieg durch eine Landung in England mit einem Schlag beenden. Dazu wurde in der Bucht von Morbihan ein Heer von 30.000 Mann zusammengezogen und weitere Truppen in Ostende und Dünkirchen für eine Landung in Irland bereitgestellt. Die französischen Atlantik- und Mittelmeerflotten sollten sich vor der Loiremündung vereinigen, um diese Landungsoperation zu decken. In den beiden Seeschlachten bei Lagos und vor der Bucht von Quiberon wurden jedoch beide Flotten von den Briten vernichtet. **Das Jahr 1759 war daher die große Wende in diesem Krieg.** Von nun an beherrschte die britische Flotte die Weltmeere und konnte den Krieg in Übersee für Großbritannien entscheiden.

In zahlreichen kombinierten See- und Landoperationen wurden die wichtigsten Plätze wie Louisbourg in Neuschottland, der Schlüssel zum St. Lorenz-Strom, Quebec und Montreal erobert. In Westindien wurden mit Guadeloupe, Dominica und Martinique alle wichtigen französischen Besitzungen erobert.

In Ostindien wurde Robert Clive von der EIC bei der Vertreibung der Franzosen und beim Legen des Grundsteins zum britisch-indischen Imperium unterstützt. Als Spanien im Jänner 1762 auf Grund eines Familienpaktes an der Seite von Frankreich in den Krieg eintrat, wurden seine Überseegebiete eine leichte Beute der britischen Flotte. Im letzten Kriegsjahr konnten die Briten daher noch die wichtigen Plätze Havanna und Manila erobern.

Seit dem Jahr 1759 hatte sich die Flotte Frankreichs auf den **Handelskrieg** beschränken müssen, der wegen der Überlegenheit der britischen Flotte und der engen Blockade der Küsten bei weitem nicht so erfolgreich wie in den früheren Kriegen war. Die Briten hatten dagegen erneut den französischen Seehandel gänzlich unterbunden. Sie waren in diesem Krieg auch erstmals gegen die neutrale Schiffahrt energischer vorgegangen und hatten den alten Grundsatz „Frei Schiff - Frei Gut" nicht mehr befolgt. Dadurch waren vor allem der niederländische und der spanische Seehandel schwer geschädigt worden. Spanien wurde dadurch schließlich an die Seite von Frankreich gebracht.

Nach der Thronbesteigung von König Georg III. in Großbritannien, der sich mit William Pitt nicht vertrug, trat letzterer von der Leitung der Politik zurück und es kam 1763 zum **Frieden von Paris**, in dem Frankreich nach der militärischen Lage beurteilt sogar noch glimpflich davonkam. Es mußte an Großbritannien Kanada, die Inseln St. Vincent, Dominica und Tobago in Westindien sowie Senegal in Afrika abtreten und auf seine Ansprüche in Ostindien – außer fünf Handelsplätzen – verzichten. Von Spanien erhielt Großbritannien Florida, das dafür von Frankreich Louisiana erhielt. Frankreich hatte damit das von Colbert und Ludwig XIV. errichtete erste Kolonialreich fast vollständig verloren. Großbritannien trat nun die Nachfolge Spaniens als die erste Macht in den Kolonien in Übersee an. Spanien mußte ferner Menorca an Großbritannien zurückgeben. Im gleichzeitigen Frieden von Hubertusburg konnte Friedrich d. Gr. seinen Besitz halten, Maria Theresia mußte endgültig auf Schlesien verzichten.

Bei den langen Kreuzfahrten seit dem Aufkommen der Segelflotten, den Reisen nach Übersee und den langen Blockadekreuzfahrten erlitten die Flotten die größten Verluste durch **Krankheiten**. Skorbut und Darmkrankheiten waren bei der einseitigen Verpflegung und den unmöglichen sanitären Zuständen an Bord der Schiffe an der Tagesordnung. Die britische Flotte verlor im letzten Krieg 1500 Tote durch die Kampfhandlungen, aber rund **100.000 Tote durch Krankheiten**.

Mit Admiral Edward Hawke (E) begann wieder eine Generation von Seeoffizieren aufzurücken, die bereit war, von der starren Formaltaktik abzugehen und den Sieg im kühnen Wagen und Angreifen zu suchen.

Der Tod von König August III. von Polen und Sachsen führte zu einer neuerlichen Auseinandersetzung zwischen **Rußland** und Polen. Die Türkei erklärte wegen Grenzversetzungen russischer Truppen den Krieg. Zarin Katharina II. sandte daraufhin ein starkes Geschwader von der Ostsee in das Mittelmeer, das die von den Türken unterworfenen Völker, vor allem die Griechen, zum Aufstand ermuntern sollte. Dieses Geschwader stand unter dem Befehl des Grafen Orlow, der bei der Ermordung des Zaren Peter III. und der Thronbesteigung von Katharina II. eine wesentliche Rolle gespielt hatte. Trotz der Vernichtung der türkischen Flotte bei Tschesme durch die Russen, konnte deren Geschwader im Mittelmeer keine weiteren Erfolge mehr erzielen.

Es kam schließlich zur ersten **Teilung von Polen**, wobei Rußland Grenzgebiete an der Düna und am Dnjepr, Preußen Ermeland und Westpreußen, Österreich Teile von Galizien erhielt. Rußland hatte nun die Hand frei zu einer Landoffensive gegen die Türkei, die schließlich zum Frieden von Kutschuk-Kainardsche genötigt war. Neben beträchtlichem Landgewinn an Bug und Dnjepr sowie im Kaukasus erhielt Rußland darin die freie Schiffahrt auf dem Schwarzen Meer und das Passagerecht durch die türkischen Meerengen Bosporus und Dardanellen für seine Handelsschiffahrt zugesprochen.

Der **Unabhängigkeitskrieg** der britischen Kolonien in Nordamerika führte wieder zu einem großen Seekrieg, in dem die Flotte Großbritanniens den vereinten Flotten von Frankreich, Spanien und den Niederlanden gegenüberstand. Wegen jahrelanger Meinungsverschiedenheiten zwischen den Siedlern der alten britischen Kolonien in Nordamerika mit dem Mutterland über Steuergesetzgebung, Handelsbeschränkungen und Siedlungsverbote kam es schließlich zur Empörung. Der erste Zusammenstoß amerikanischer Miliz mit britischen Truppen erfolgte am 19. April 1775 bei Lexington. Bald darauf übernahm George Washington die militärische Führung der Befreiungsarmee. Nach dem Sieg der Amerikaner bei Saratoga 1777 konnte Benjamin Franklin Frankreich zum Verbündeten für die USA gewinnen.

Der Versuch der Amerikaner, die junge britische Kolonie Kanada zum Anschluß an den Aufstand zu bewegen, schlug fehl. Der Vorstoß eines amerikanischen Truppenverbandes scheiterte vor Montreal. Die britische Flotte, die den St. Lorenz-Strom beherrschte, unterstützte die britischen Truppen beim erfolgreichen Gegenangriff.

Die 13 aufständischen Kolonien standen daher zu Kriegsbeginn dem überlegenen britischen Expeditionsheer in einer ungünstigen strategischen Lage gegenüber. Wegen der absoluten Seeherrschaft der Royal Navy mußten sie mit Angriffen auf der ganzen langen Küstenfront und aus dem Norden von Kanada rechnen. Es war nur das glänzende militärische Geschick von Washington, das über diese Krisenzeiten hinweghalf. Dazu kam die Verteidigung des Champlainsees an der wichtigen Verbindung von Kanada nach New York durch die kleine Flottille der Aufständischen unter General Benedict Arnold, die den Vorstoß der Briten aus dem Norden um ein Jahr verzögerte und dadurch den Erfolg bei Saratoga im folgenden Jahr erst ermöglichte. Mit dem Eintritt von Frankreich in den Krieg 1778, dem später noch Spanien und die Niederlande folgten, stand Großbritannien der gefährlichsten Koalition seiner Geschichte ohne Verbündeten am Festland gegenüber.

Frankreich hatte sich von seinem Rückschlag im Siebenjährigen Krieg unter der Führung von Choiseul rasch wieder erholt. Es hatte Korsika im Mittelmeer erworben und seine Flotte wieder auf eine beachtliche Höhe gebracht. Es verfügte bei Kriegsausbruch über rund 80 Linienschiffe, fast alle jünger als 20 Jahre und in gutem Zustand. Auch die spanische Flotte war wieder zahlenmäßig stark, sie brachte es ebenfalls auf rund 80 Linienschiffe, Personalausbildung und die Versorgungseinrichtungen waren aber sehr mangelhaft. Die Niederlande, die noch immer über beachtlichen Seehandel verfügten, hatten nur elf alte Linienschiffe, ihre Handelsflotte konnte daher vor den Angriffen der britischen Kreuzer kaum geschützt werden. Die britische Flotte zählte beim Kriegseintritt von Frankreich über 130 Linienschiffe, die aber zum Teil bereits in den amerikanischen Gewässern eingesetzt waren.

Die Amerikaner, bisher praktisch ohne Kriegsschiffe, erhofften sich mit dem Kriegseintritt Frankreichs eine tatkräftige Unterstützung durch dessen Flotte. Vizeadmiral d'Estaing erschien zwar bereits im ersten Kriegsjahr mit einem Geschwader von 17 Linienschiffen vor New York, segelte aber bald nach Westindien weiter, ohne Entscheidendes erreicht zu haben. Die Verbündeten der USA stellten in diesem Krieg ihre Eigeninteressen über ein koordiniertes gemeinsames Vorgehen. Frankreich verfolgte seine eigenen Ziele in Westindien, im Mittelmeer und in Ostindien, Spanien betrieb die Wiedererringung von Menorca, Gibraltar und Jamaika. Dabei wäre in diesem Krieg die einmalige Gelegenheit gewesen, den Briten die Seeherrschaft im Ärmelkanal zu entreißen und damit den Krieg durch eine Landung in England mit einem Schlag zu entscheiden.

Im Jahr 1780 bildete sich gegen die Übergriffe der Briten auf die neutrale Handelsschiffahrt die sogenannte **„Bewaffnete Neutralität"**. Auf Betreiben von Kaiserin Katharina II. von Rußland wurde von einer Reihe neutraler Staaten ein Schutzbündnis geschlossen, um sich gegen die ständigen Übergriffe zu wehren. Als die Niederlande diesem Bündnis beitraten, erklärte ihnen Großbritannien den Krieg.

Mit dem Eingreifen Frankreichs und Spaniens in den Unabhängigkeitskrieg wurde dieser zu einem **Seekrieg**, dessen Entscheidung im Atlantik fiel. Wegen der Unwetterzeiten, welche die Flotten vermeiden mußten, spielten sich die Kampfhandlungen im Sommer vor der nordamerikanischen Küste und im Winter in Westindien ab.

Solange die französische Flotte die Amerikaner nicht ernsthaft unterstützte, konnten diese sich gegen die Briten, die ihre Kräfte nach Wunsch über See einsetzen konnten, nicht durchsetzen. Als im Sommer 1781 ein starkes französisches Geschwader vor der Küste von Virginia erwartet wurde, stoppte Washington einen geplanten Angriff auf New York und konzentrierte seine Hauptmacht zu einem Angriff auf die bei Yorktown stehenden britischen Truppen unter General Cornwallis. Dieser konnte sich nur bei einer gesicherten Seeverbindung durch die Chesapeake-Bucht halten. Um diese sicherzustellen, sandten die Briten ein Geschwader vor deren Eingang, wo sie auf die Franzosen unter François de Grasse trafen. In der folgenden Seeschlacht bei Kap Henry behaupteten die Franzosen ihre Position, die Verbindung von Cornwallis mit der britischen Flotte und deren Nachschub war unterbrochen, so dass er schließlich zur Kapitulation gezwungen war. Die Amerikaner hatten dadurch endgültig die Oberhand am Festland gewonnen, ihre Unabhängigkeit war – neben ihren eigenen Leistungen – durch einen Erfolg der Franzosen zur See sichergestellt.

Großbritannien begann sich daraufhin mit dem Verlust der alten Kolonien in Nordamerika abzufinden, setzte aber den Kampf in **Westindien** gegen Frankreich und Spanien mit vermehrter Energie fort. Es folgte dort eine Reihe bedeutender Seeschlachten, welche die Taktik der Segelflotten stark beeinflußten. Es war vor allem ein Kampf um Stützpunkte und Truppengeleite.

Im **Mittelmeer**, wo sie den Verbündeten die Seeherrschaft hatten überlassen müssen, konnten die Briten den Verlust von Menorca nicht verhindern, das mehrfach angegriffene Gibraltar wurde jedoch gehalten und konnte von der Flotte immer rechtzeitig versorgt werden. In den Sommern der Jahre 1781 und 1782 erschien die Flotte der Verbündeten in Stärke von rund 50 Linienschiffen im Ärmelkanal. Die halb so starke britische Kanalflotte wich einer Seeschlacht aus. Der spanische Befehlshaber der Verbündeten, Admiral Don Luis de Cordoba, konnte sich zu keinem energischen Vorgehen entschließen, so daß die Überlegenheit nicht in zählbare Erfolge umgemünzt wurde. Weder ein Angriff auf das in der Torbay liegende britische Geschwader, noch der Versuch einer Landung wurde unternommen. Diese starke Flotte der Verbündeten machte jedoch die britische Öffentlichkeit zu einem baldigen Friedensschluß geneigt. Allein das Auftreten der Flotte im Ärmelkanal übte schon politischen Druck aus.

In **Ostindien** führte der Befehlshaber des französischen Geschwaders, Konteradmiral Suffren, ohne eigene Stützpunkte mit viel Geschick den Seekrieg gegen die Briten, konnte aber in den von ihm geschlagenen fünf Seeschlachten keinen entscheidenden Vorteil erringen.

Der **Handelskrieg** hatte nunmehr auch bei den Briten großen Schaden angerichtet. Allein das Auftreten der Flotte der Verbündeten lähmte den Seetransport rund um England. Beide Seiten waren daher 1782 bereit, Frieden zu schließen.

Im **Frieden von Versailles** mußten die Briten die Unabhängigkeit der USA bestätigen, Spanien erhielt Menorca und Florida zugesprochen. Frankreich erhielt Tobago und ein kleines Gebiet in Westafrika. Es war dies der erste Seekrieg, in dem Großbritannien Verluste hinnehmen mußte. In diesem Seekrieg war es erstmals in Gefahr, zur See überwältigt zu werden.

In der britischen Flotte bewährten sich die mit Kupferplatten belegten Schiffsböden, wodurch die Geschwindigkeit erhöht wurde. Ferner wurden sogenannte „Karronaden" eingeführt, Geschütze mit geringer Reichweite, aber großer Splitterwirkung. An den Geschützen wurde statt der gefährlichen Lunte ein Zündschloß eingeführt. Das Signalwesen wurde von den Admiralen Howe und Kempenfelt durch die Einführung eines Signalbuches vereinfacht. Mit der Seeschlacht bei Dominica bekam die Taktik neue Impulse.

Trotz glänzender Voraussetzungen hatten die starken Flotten von Frankreich und Spanien mit wenigen Ausnahmen versagt. Sie konnten wegen falscher Strategie beim Einsatz und falscher Taktik in der Seeschlacht die diesmal für sie mögliche Entscheidung zur See zu ihren Gunsten nicht herbeiführen. Die französische Wirtschaft war wieder einmal durch einen Seekrieg zerrüttet, das Land von den Ideen der Selbstbestimmung der Völker, die in den USA verwirklicht wurde, durchdrungen. So hatte dieser Krieg die Grundlage für die bald folgende Revolution in Frankreich geschaffen.

Bald nach dem Unabhängigkeitskrieg der USA kam es in Osteuropa zu zwei Seekriegen, die wegen des russischen Expansionsstrebens ausgebrochen waren.

Rußland, das sich seit Peter d. Gr. zu einem modernen Staat entwickelte, begann sich im 18. Jahrhundert in schneller Folge in alle Richtungen auszudehnen. Die Erschließung von Sibirien brachte die Küsten des Pazifiks in Reichweite, Persien wurde in mehreren Auseinandersetzungen zurückgedrängt, wobei im Kaspischen Meer einige Male Flottillen im Einsatz waren. Nach Westen ging die Expansion auf Kosten der ehemaligen Großmächte Schweden, Türkei und Polen. Schweden war gegen Ende des 18. Jahrhunderts bereits mit dem Verlust des Baltikums zu einer Ostseemacht zweiten Ranges abgesunken. Polen war nach seiner ersten Teilung unter den starken Einfluß von Rußland geraten, nur die Türkei konnte ihre starke Position rund um das Schwarze Meer noch halten. Als Rußland die Halbinsel Krim, die seit dem Frieden von Kutschuk selbständig war, annektierte, kam es zu einem neuen **Krieg mit der Türkei**. Österreich trat zunächst auf die Seite des verbündeten Rußlands in den Krieg ein, nach dem Regierungsantritt von Kaiser Leopold II. (1790) schloß es jedoch mit der Pforte Frieden, da Leopold die russische Expansion auf dem Balkan für Österreich gefährlicher einschätzte als die im Niedergang begriffene Türkei.

Die Hochseeflotte der Türkei war der russischen Schwarzmeerflotte an großen Schiffseinheiten (Linienschiffe und Fregatten) weit überlegen, für die Operationen in den Flußmündungen und den flachen Küstengewässern verfügten die Russen aber über starke Verbände an Kleinkampfschiffen, die das Heer wirkungsvoll unterstützten. Während des Krieges verstärkten die Russen ihre Hochseeflotte im Schwarzen Meer durch eine Anzahl von Neubauten und konnten dort in einigen Seeschlachten die Seeherrschaft erringen. Diese Leistung ist um so bemerkenswerter, als Rußland ab 1788 einen Zweifrontenkrieg führen mußte.

Ab diesem Jahr befand sich Rußland in der Ostsee im **Krieg mit Schweden**, das unter politischer und materieller Unterstützung der Westmächte und der Türkei an Rußland den Krieg erklärt hatte. Für den schwedischen König Gustav III. ging es dabei um die Rückeroberung der in den letzten Kriegen verlorenen Gebiete. Dafür schien die Bindung von Rußland im Süden eine günstige Gelegenheit zu bieten. Gustav III. wollte mit diesem Krieg auch von seinen innenpolitischen Schwierigkeiten ablenken. Die Flotten der beiden Mächte in der Ostsee waren ungefähr gleich stark. Rußland mangelte es allerdings wegen des Krieges gegen die Osmanen an genügend ausgebildeten Besatzungen, um alle Schiffe voll bemannen zu können. Es hielt sich daher vorwiegend in der Defensive. Die Schweden, unter der inkompetenten Führung ihres Königs, konnten zu Beginn keine entscheidenden Erfolge erzielen. Als im zweiten Kriegsjahr die Russen Teile ihrer Schärenflotte über das Flußsystem vom Schwarzen Meer an die Ostsee verlegten, konnten sie den Schweden einige empfindliche Niederlagen beibringen. Diese führten zum Frieden von Werelä, in dem alles beim alten blieb. Die Hauptlast dieses Krieges trugen die Schärenflotten beider Länder, da die jeweiligen Hochseeflotten nur sehr mangelhaft eingesetzt wurden.

Rußland konnte sich nun dem Krieg gegen die Türkei mit verstärkter Energie zuwenden und die Pforte schließlich zum Frieden von Jassy zwingen. Auf Druck der übrigen Großmächte konnten die Russen allerdings nicht die Früchte ihrer Siege in vollem Umfang ernten und mußten sich mit einer Erweiterung ihres Besitzes an der Nordküste des Schwarzen Meeres zufrieden geben. Nach diesen beiden Kriegen hatte sich das Rußland Katharinas d. Gr. eindeutig als Großmacht ersten Ranges erwiesen. Es hatte einen Zweifrontenkrieg erfolgreich durchgekämpft und sich endgültig als Seemacht in der Ostsee und dem Schwarzen Meer etabliert.

Im **Mittelmeer** versuchte in dieser Zeit Spanien noch einmal Algier zurückzuerobern, wurde aber verlustreich abgewiesen. Auch Oran mit Mers el Kebir war für Spanien nicht zu halten und mußte geräumt werden. Von dem einst großen Besitz Spaniens an der Küste Nordafrikas waren nur mehr Ceuta und Melilla übrig geblieben, die noch im Jahr 2003 Bestandteil von Spanien sind, aber in regelmäßigen Abständen von Marokko zurückgefordert werden. Gegen die Übergriffe der nordafrikanischen Korsaren unternahm die sterbende Markusrepublik von Venedig ihre letzten großen offensiven Unternehmungen zur See vor ihrem Ende in den französischen Revolutionskriegen.

In der zweiten Hälfte des 18. Jahrhunderts wurde vor allem durch die **Forschungsreisen** von Kapitän James Cook der **Stille Ozean** geographisch und militärstrategisch erschlossen. Um einen der neuen Stützpunkte an der Westküste von Nordamerika wäre es 1789 fast zum Krieg zwischen Großbritannien und Spanien gekommen, beide hatten ihre Kriegsflotten bereits mobilisiert. Auch in **Südamerika** kam es mehrfach zwischen Spanien und Portugal, unterstützt von Großbritannien, zu Auseinandersetzungen um den Besitz des heutigen Uruguay. Geschwader aus Europa kamen dabei zum Einsatz.

Nach Paul Hoste und Bigot de Morogues in Frankreich hatte 1781 der Schotte John Clerk das dritte bedeutende Buch über Segelschiffstaktik verfaßt. Wenn es auch erst 1804 in Druck erschien, dürfte Admiral George B. Rodney bereits bei seinen Seeschlachten in Westindien das Manuskript gekannt haben. Es ist daher durchaus möglich, daß die Analysen von Clerk zur Abkehr von der Formaltaktik des 18. Jahrhunderts mit beigetragen hatten. Denn genau die Taktik, die Rodney und später Nelson angewendet hatten, hatte Clerk empfohlen.

Für bedeutende Fortschritte im **Gesundheitswesen** ab 1754 machte sich der britische Marinearzt James Lind verdient. Er wies auf die vorbeugende Wirkung von Zitronensaft gegen Skorbut hin, verlangte gegen Seuchen Sauberkeit und trat für die Isolierung von Infektionskranken ein. Waren noch 1780 rund 40 Prozent der aktiven Seeleute im Krankenstand, so fiel dieser Prozentsatz bis zur Jahrhundertwende auf rund zehn Prozent ab.

Auf dem Gebiet der **Kunst** fällt in diese Zeit das **Rokoko**, eine übersteigerte Form des Barock. Beispiele für Bauten sind das Hôtel Soubise in Paris, die Amalienburg in München, die Wieskirche in Bayern und die Abteikirche Weltenburg. Im allgemeinen zeigt sich das Rokoko aber in der überladenen Innenausgestaltung der Kirchen und Profanbauten.

Als Reaktion zu der Schwülstigkeit des Rokoko ging man nun in das andere Extrem. Der **Klassizismus** begann in dieser Zeitepoche und reichte bis in das 19. Jahrhundert hinein. Er ist eine Nachahmung und Überarbeitung der klassischen griechischen Antike. Gute Beispiele sind das Schloß in Wörlitz (1769–1773) bei Dessau, das Brandenburger Tor (1788–1791) in Berlin, der Stadtkern von Karlsruhe, die Ludwigstraße und weitere Bauten in München, das Panthéon in Paris (1764ff), Syon House in Isleworth (1763), Schloß Bénouville (1770–1777) im Departement Calvados und das Theater in Besançon (1775–1784).

Preußen. König Friedrich d. Gr. genehmigt die Gründung einer preußischen Asiatischen Handelsgesellschaft mit Sitz in Emden. Diese Gesellschaft darf eigene Schiffe ausrüsten und eigene Seesoldaten unterhalten. Drei Jahre später folgt auch eine „Bengalische Handelsgesellschaft" in Emden. Nach kurzem Aufschwung kapert Großbritannien während der Kontinentalsperre alle Schiffe, die Gesellschaften sind ruiniert. *August 1750*

Mittelmeer. Ein französisches Geschwader mit den Linienschiffen >Orphée< (64), >Triton< (64) und >Hippopotame< (50) sowie drei Fregatten, unterstützt von zwei Segelschiffen und vier Galeeren der Johanniter, erscheint vor Tripolis in Nordafrika. Es zwingt den Bei zu einer Erklärung, die Seeräuberei einzustellen. *Juni 1752*

Atlantik. Auf der Fahrt nach Nordamerika trifft ein britisches Geschwader von elf Linienschiffen unter Vizeadmiral Edward Boscawen auf der >Torbay< (74) auf drei französische Linienschiffe, von denen zwei erobert werden. Frankreich betrachtet dieses Ereignis als Kriegserklärung. *8. Juni 1755*

Der Siebenjährige Krieg *1756–1763*

Der Seekrieg in Europa

Landung auf Menorca. Eine französische Transportflotte von 150 Schiffen landet Truppen auf der Insel. Der britische Flottenstützpunkt Port Mahon wird *April 1756* dann belagert. Ein französisches Geschwader von zwölf Linienschiffen unter Vizeadmiral Marquis de la Galissonnière, Flaggschiff >Foudroyant< (84), deckt die Operation.

20. Mai 1756 **Seeschlacht bei Menorca.** Vizeadmiral John Byng (E), Flaggschiff >Ramillies< (90), greift mit elf Linienschiffen die Franzosen vor Port Mahon an. La Galisonnière tritt ihm mit zehn seiner Linienschiffe entgegen. Er erwartet die Briten in eng geschlossener Leestellung. Nur die britische Vorhut segelt nahe an den Gegner heran. Dabei erhält sie von den Franzosen wirkungsvolle Breitseiten. Die übrigen britischen Schiffe kämpfen auf große Distanz. Die Franzosen versäumen es, die Spitze des Gegners zu umfassen, der Kampf endet taktisch unentschieden. Strategisch ist es ein Erfolg der Franzosen, denn der Entsatz von Port Mahon ist gescheitert, der Hafen muß sich ergeben. Byng wird daraufhin von einem britischen Kriegsgericht zum Tode verurteilt und erschossen.

März 1756– November 1757 **Kreuzerkrieg.** Die britische Fregatte >Tartar< (28), Kpt. John Lockhart, erobert in eineinhalb Jahren sieben feindliche Freibeuterschiffe mit zusammen 144 Kanonen, darunter die Fregatte >Mélampe< (36).

August 1756 **Sachsen.** Die Preußen fallen noch vor ihrer Kriegserklärung in Sachsen ein und zwingen dessen Heer bei Pirna zur Kapitulation. Das Land wird die Operationsbasis für das preußische Heer.

14. Mai 1757 **Eroberung.** Vor Brest erobert die britische >Antelope< (50), Kpt. Alexander A. Hood, die französische >Aquilon< (50).

18. Juni 1757 **Landkrieg.** Friedrich d. Gr. dringt in Böhmen ein, wird aber vom österreichischen Feldmarschall Leopold Graf Daun in der Schlacht bei Kolin östlich von Prag geschlagen und muß Böhmen wieder räumen. Die Verbündeten stoßen dann weit nach Preußen vor.

2. Juli 1757 **Ostsee.** Die russische Hochseeflotte beschießt Memel und unterstützt das Heer bei seinem Vorgehen gegen Preußen. Unter Zar Peter III. schließt Rußland 1762 Frieden mit Preußen.

September 1757 **Biskaya.** Ein britisches Geschwader von 16 Linienschiffen unter Admiral Edward Hawke auf der >Ramillies< (90) mit zahlreichen Transportern bringt 10.000 Mann in die Biskaya und landet diese auf der Insel d'Aix. Sie können das dortige starke Fort nicht erobern und werden wieder abtransportiert.

5. November 1757 **Landkrieg.** Friedrich siegt westlich von Leipzig in der Schlacht bei Roßbach über ein Heer der Franzosen und Reichstruppen, die allein 5000 Gefangene verlieren, und schon einen Monat später (5. Dezember) bei Leuthen in Schlesien über die Österreicher, die 27.000 Mann an Toten und Gefangenen verlieren.

23. November 1757 **Nachtgefecht.** Die britischen Fregatten >Hussar< (28) und >Dolphin< (24) treffen in der Nacht auf den französischen Zweidecker >Alcion< (50), ohne zunächst die Stärke des Gegners zu erkennen. Nach mehrstündigem Kampf sinkt die >Alcion< ohne Überlebende.

28. Februar 1758 **Gefecht bei Cartagena.** Das britische Mittelmeergeschwader unter Admiral Henry Osborne trifft auf vier französische Schiffe und kann nach Verfolgung und harter Gegenwehr die Linienschiffe >Foudroyant< (84), >Orphée< (64) und >Oriflamme< (50) erobern, nur eine schnelle Fregatte kann entkommen.

Seeschlacht bei Menorca
20. Mai 1756

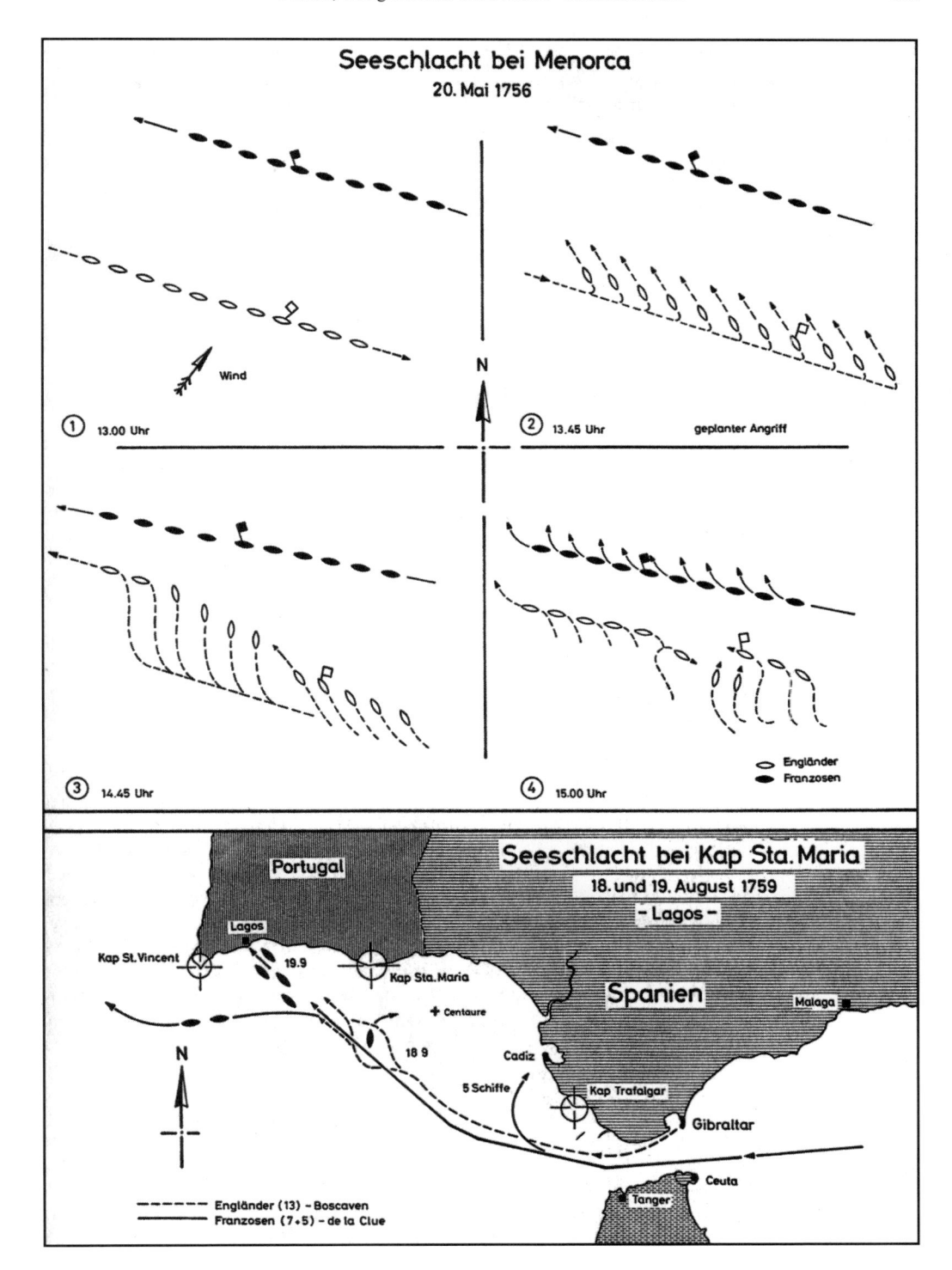

① 13.00 Uhr — Wind

② 13.45 Uhr — geplanter Angriff

③ 14.45 Uhr

④ 15.00 Uhr

○ Engländer
● Franzosen

Seeschlacht bei Kap Sta. Maria
18. und 19. August 1759
— Lagos —

- - - - - Engländer (13) – Boscaven
———— Franzosen (7+5) – de la Clue

4. April	**Gefecht bei der Insel d'Aix.** Ein französisches Geschwader von fünf Linienschiffen, mehreren Fregatten und 40 Handelsschiffen versucht von Rochefort nach Amerika auszulaufen. Admiral Hawke mit sieben Linienschiffen treibt den Gegner an die Küste, wo viele der Handelsschiffe verloren gehen.
13. April	**Verlust.** In der Biskaya gerät das britische Linienschiff >Prince George< (80) in Brand und sinkt mit dem Großteil der Besatzung.
29. Mai 1758	Vor der französischen Küste muß sich das französische Linienschiff >Raisonnable< (64) auf der Fahrt nach Louisbourg den britischen Linienschiffen >Dorsetshire< (70) und >Achilles< (60) ergeben.
25. August 1758	**Landkrieg.** Friedrich d. Gr. siegt nahe Küstrin in der Schlacht bei Zorndorf über die in Brandenburg eingefallenen Russen. Mit einem weiteren Sieg über die Österreicher bei Hochkirch (14. Oktober) hat er neben Pommern auch Schlesien fest in der Hand. Schon am 23. Juni haben die Briten mit einem Sieg bei Krefeld über die Franzosen die Westfront gesichert.
August	**Angriff auf Cherbourg.** Ein britisches Geschwader von fünf kleinen Linienschiffen, 19 weiteren Kriegsschiffen und 100 Transportern, 20 Tendern, zehn Vorratsschiffen und flachgehenden Landungsbooten unter Commodore Richard Howe landet die Truppen bei Cherbourg, das ohne Gegenwehr eingenommen wird. Nach Zerstörung der Hafenanlagen werden die Truppen wieder eingeschifft.
August/ September	**Angriff auf St. Malo.** Die Briten versuchen mit dem gleichen Geschwader auch St. Malo zu zerstören. Der Angriff auf den Hafen scheitert, beim Einschiffen erleiden die Briten beträchtliche Verluste.
31. Oktober	Vor der Küste von Cornwall erobert die britische >Antelope< (50) die französische >Belliqueux< (50).
28. März 1759	In der Nordsee treffen je zwei britische und französische Fregatten aufeinander. Eine der letzteren wird erobert.
Anfang 1759	**Geplante Invasion.** Frankreich stellt an mehreren Plätzen Fahrzeuge, Truppen und Materialien für eine Invasion auf den Britischen Inseln bereit. Die stärkste Armee von 30.000 Mann wird bei Vannes in der Bretagne zusammengezogen. Weitere Truppen kommen nach Le Havre für eine Landung in England und in Dünkirchen wird eine Division für eine Landung in Irland oder Schottland bereitgestellt. Sammelplatz für die französische Hochseeflotte ist die Bucht von Morbihan an der Südküste der Bretagne. Die Mittelmeerflotte läuft daher mit Kurs Atlantik aus Toulon aus.
3. bis 5. Juli	**Angriff auf Le Havre.** Konteradmiral George Rodney auf der >Achilles< (60) zerstört mit einem Geschwader von fünf kleinen Linienschiffen, fünf Fregatten und sechs Bombenfahrzeugen die bei dem Hafen für eine Invasion in England vorbereiteten Fahrzeuge und Materialien.
12. August 1759	**Landkrieg.** Die Österreicher unter Feldmarschall Gideon Ernst Freiherr von Laudon siegen mit den verbündeten Russen bei Kunersdorf, nahe Frankfurt/Oder über Preußen, das völlig erschöpft ist. Friedrich wäre nun zu einem Friedensschluß bereit.
18. und 19. August 1759 18. August	**Seeschlacht bei Kap Sta. Maria** (vor Lagos, Portugal). Beim Passieren der Straße von Gibraltar in den Atlantik sichten die britischen Vorposten die Franzosen. Das in Gibraltar liegende britische Geschwader nimmt die Verfolgung

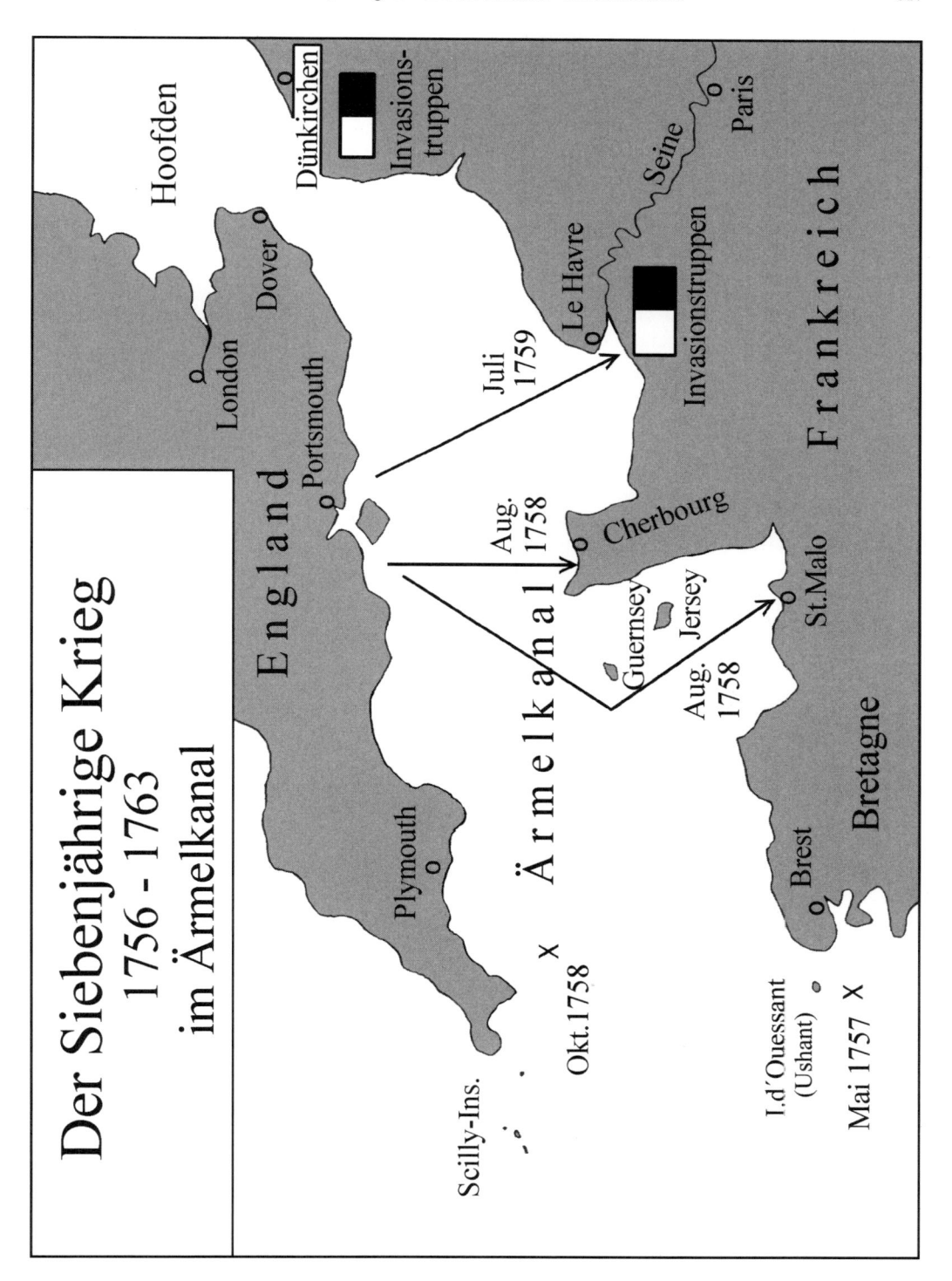

Der Siebenjährige Krieg 1756 - 1763 im Ärmelkanal

auf. Den 13 britischen Linienschiffen unter Admiral Boscawen, Flaggschiff >Namur< (90), stehen am Morgen noch sieben französische Linienschiffe unter de la Clue gegenüber. Die übrigen fünf haben sich in der Nacht nach Cádiz gerettet. Das französische Schußschiff, die >Centaure< (74), hält, bevor sie der Übermacht unterliegt, die Verfolger so lange auf, daß noch zwei Schiffe in den Atlantik entkommen können.

19. August Vier Schiffe setzen sich bei Lagos auf den Strand. Trotz der Neutralität Portugals werden dort am nächsten Morgen von Boscaven zwei Schiffe erobert, die beiden anderen verbrannt. Admiral de la Clue fällt im Kampf. Das französische Mittelmeergeschwader ist damit ausgeschaltet.

10. September 1759 **Gefecht an der Odermündung.** Eine schwedische Schärenflottille vernichtet die preußische Küstenschutzflottille von 13 Fahrzeugen und Riemenschiffen. 600 Preußen geraten in Gefangenschaft, die Schweden kontrollieren nun die Mündung der Oder.

20. November 1759 **Seeschlacht bei und in der Bucht von Quiberon.** Die Franzosen halten an ihrer Invasionsabsicht fest. Bei günstigem Wetter läuft das französische Atlantikgeschwader aus Brest mit Kurs auf die Mündung der Loire aus. Das britische Blockadegeschwader, das durch einen Herbststurm von Brest vertrieben worden war, beginnt sofort mit der Jagd nach den Franzosen. Vor der Einfahrt in die Bucht von Quiberon werden die Franzosen eingeholt. Das französische Geschwader unter Vizeadmiral Marquis de Conflans, Flaggschiff >Soleil Royal< (80), umfaßt 21 Linienschiffe und drei Fregatten, die Briten unter Admiral Hawke, Flaggschiff >Royal George< (100), haben 27 Linienschiffe und sechs Fregatten zur Verfügung. Conflans versucht sich vor den Briten in die Bucht von Quiberon zu retten.

Die beteiligten Schiffe:

Briten	Franzosen
Linienschiffe	Linienschiffe
>Royal George< (100) F	>Soleil Royal< (80) F +
Adm. Hawke	V.Adm. de Conflans
>Union< (90)	>Tonnant< (80) zur Charent
V.Adm. Ch. Hardy	K.Adm. Bauffremont-Listenois
>Mars< (74)	>Formidable< (80) erobert
Com. J. Young	K.Adm. St. Andre
>Duke< (90)	>Orient< (80) zur Charente
>Namur< (90)	>Intrépide< (74) zur Charente
>Warspite< (74)	>Glorieux< (74) zur Vilaine
>Hercules< (74)	>Thesée< (74) +
>Torbay< (74)	>Héros< (74) +
>Magnamine< (74)	>Robuste< (74) zur Vilaine
>Resolution< (74) +	>Magnifique< (74) zur Charente
>Hero< (74)	>Juste< (70) +
>Swifture< (70)	>Superbe< (70) +
>Dorsetshire< (70)	>Dauphin Royal< (70) zur Charente
>Burford< (70)	>Dragon< (64) zur Charente

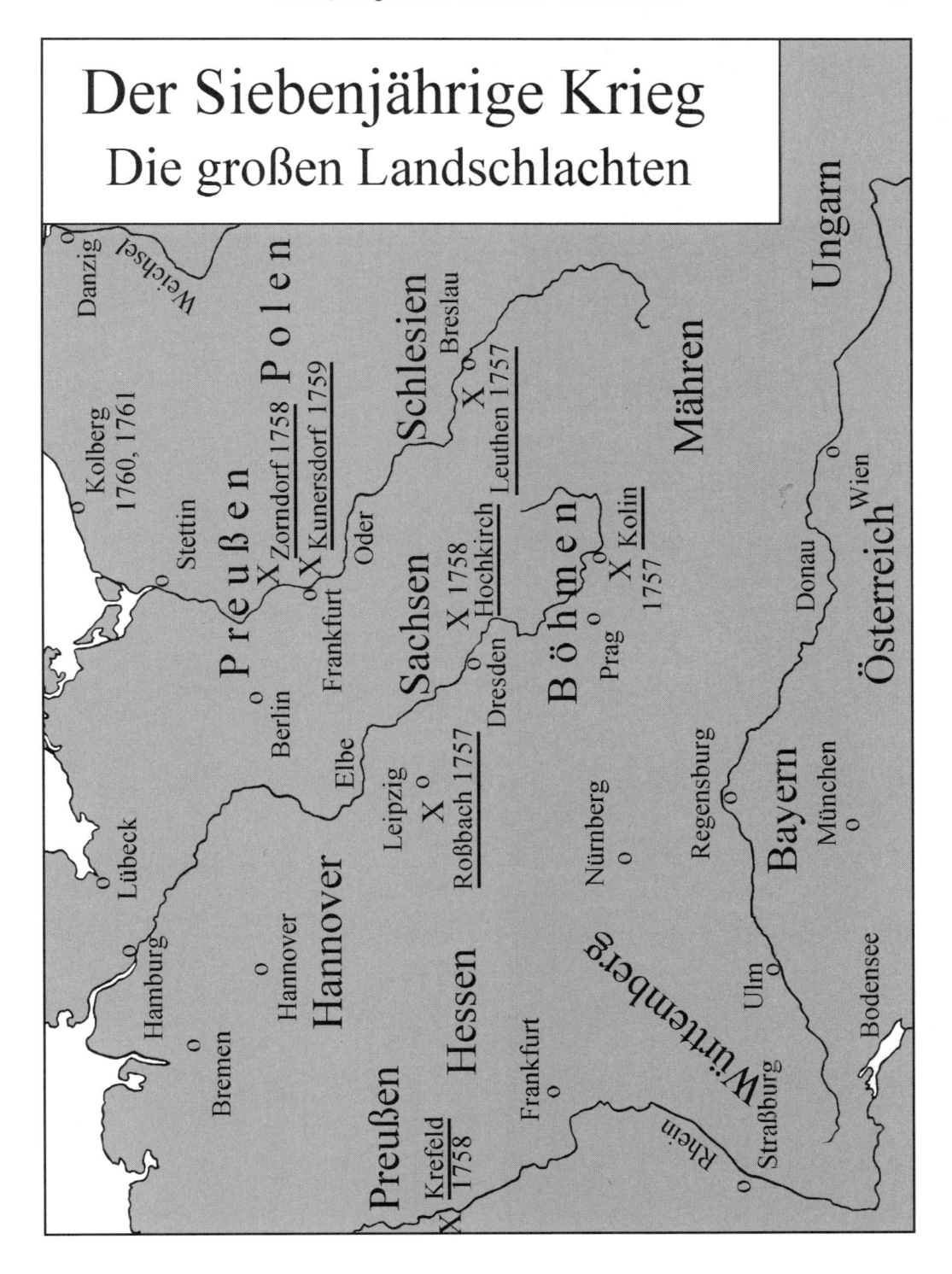

Der Siebenjährige Krieg
Die großen Landschlachten

Briten	Franzosen
Linienschiffe	Linienschiffe
>Chichester< (70)	>Northumberland< (64) zur Vilaine
>Temple< (70)	>Sphinx< (64) zur Vilaine
>Revenge< (64)	>Solitaire< (64) zur Vilaine
>Essex< (64) +	>Brillant< (64) zur Charnete
>Kingston< (60)	>Eveille< (64) zur Vilaine
>Intrepid< (60)	>Bizarre< (64) zur Charente
>Montagu< (60)	>Inflexible< (64) zur Vilaine
>Dunkerk< (60)	
>Defiance< (60)	
>Rochester< (50)	
>Portland< (50)	
>Falkland< (50)	
>Chatham< (50)	
6 Fregatten	3 Fregatten

14.00 Uhr   Das Fahrwasser ist durch viele kleine Inseln und Riffe sehr schwierig und nur mit Lotsen, die bei den Franzosen an Bord sind, zu befahren. Bei immer mehr auffrischendem Wind ist die Einfahrt besonders gefährlich. Admiral Hawke befiehlt trotzdem „Allgemeine Jagd" und schließt, wo französische Schiffe genügend Wasser unter dem Kiel haben, auch die britischen Schiffe fahren können. Eben als die Franzosen in die Bucht einlaufen, ist die britische Vorhut heran und die Spitzenschiffe eröffnen sofort das Feuer. In einem erbitterten Ringen wird zunächst die Nachhut der Franzosen niedergerungen.

15.30 Uhr   Die >Formidable< wird erobert, die >Superbe< kentert. Die bereits schwer beschädigte >Héros< streicht die Flagge und strandet schließlich. Die im Kampf mit der >Torbay< stehende >Thesée< wird von einer Sturmbö zum

17.00 Uhr   Kentern gebracht. Von den sinkenden Schiffen kann fast niemand gerettet werden. Die einbrechende Dunkelheit zwingt die Briten, den Kampf abzubrechen und über Nacht zu ankern. Zwei ihrer Schiffe laufen auf Riffe und müssen zerstört werden. Auch bei den Franzosen stranden einige Schiffe, darunter die >Soleil Royal<, die daraufhin von ihrer Besatzung verbrannt wird. Einige französische Schiffe gehen, nachdem sie zur Gewichtsverminderung ihre Geschütze über Bord geworfen haben, über die Barre in die Flußmündung der Vilaine. Von dort kommen sie erst nach über einem Jahr wieder frei. Nur acht Linienschiffen gelingt es, sich nach Rochefort zu flüchten. Die Franzosen verlieren sechs Linienschiffe, die Briten nur zwei. Die Sturmschlacht von Quiberon ist eine der größten Ruhmestaten der britischen Marinegeschichte.

Die französische Hochseeflotte ist nun ausgeschaltet. Die britische Flotte kann sich in verstärktem Maße dem Seekrieg in Übersee zuwenden. Eine enge Blockade der Küsten des Mutterlandes schneidet die Verbindung von Frankreich mit seinen Kolonien ab.

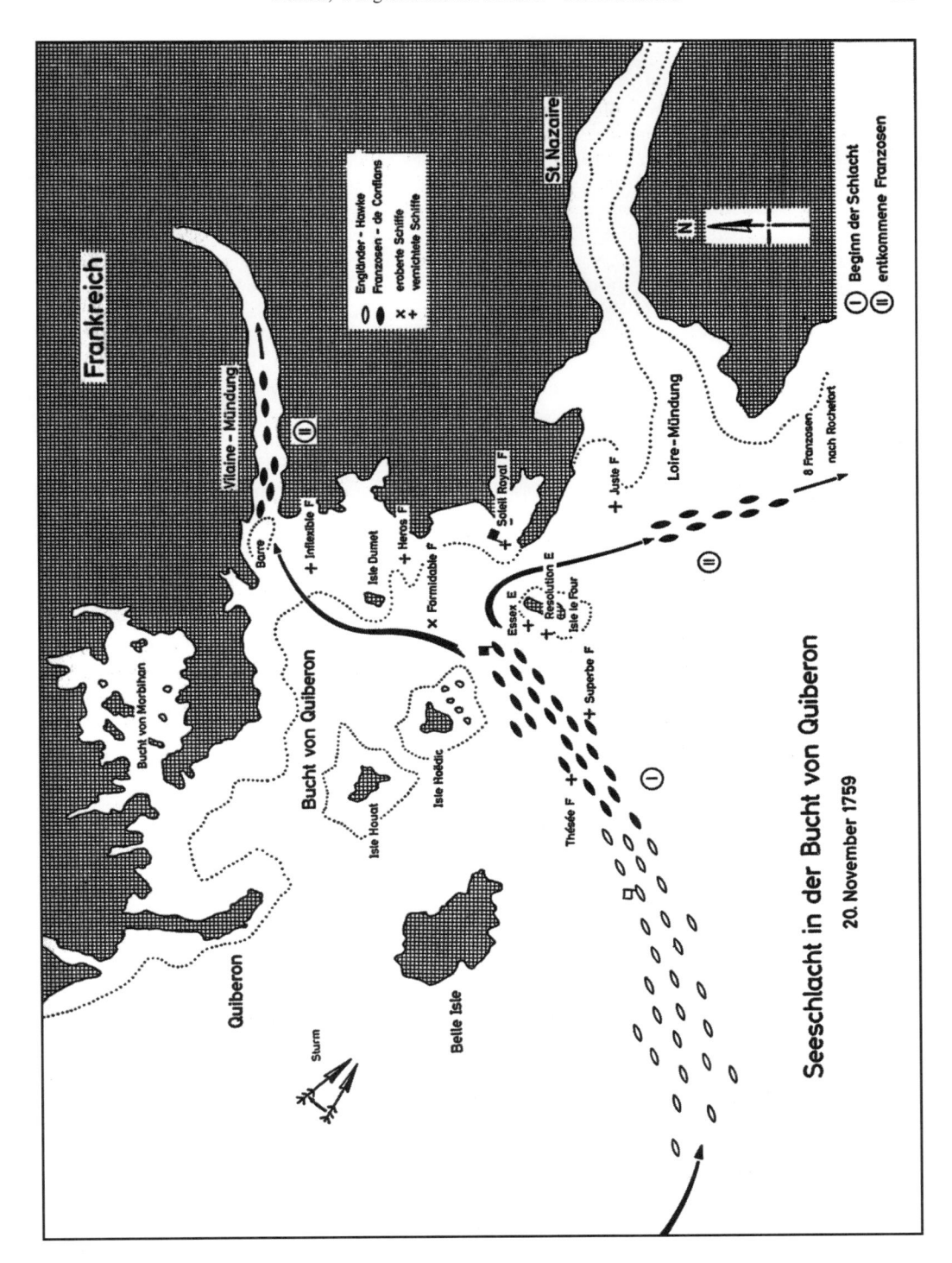

Seeschlacht in der Bucht von Quiberon
20. November 1759

28. Februar 1760	**Gefecht bei Belfast.** Kpt. John Elliot mit der >Æolous< (32) und zwei weiteren Fregatten trifft auf drei französische Fregatten und kann alle drei erobern. Der Sieg kostet ihm nur fünf Tote und 30 Verwundete.
September 1760	**Erste Beschießung von Kolberg.** Die russische Hochseeflotte von 21 Linienschiffen unter Admiral Mischikow und sechs schwedische Linienschiffe beschießen die Hafenbefestigungen und Truppentransporter landen 3000 Mann. Da die Verteidigung zu stark erscheint, werden die Truppen nach wenigen Tagen wieder eingeschifft.
25. Oktober 1760	**Großbritannien.** Nach dem Tod von König Georg II. kommt eine neue Regierung in Großbritannien ans Ruder. Sie stellt die Subsidienzahlungen an Friedrich d. Gr. ein. Preußen steht daher trotz zweier Siege gegen die Österreicher (15. August 1760 bei Liegnitz und 3. November 1760 bei Torgau) vor dem Zusammenbruch.
8. Juni 1761	**Biskaya.** Die Briten erobern mit einem Geschwader von 15 Linienschiffen und Truppentransportern unter Com. Augustus Keppel, Flaggschiff >Valiant< (74), die Insel Belle Isle vor der Bucht von Quiberon und halten sie bis zum Kriegsende.
17. Juli	**Gefecht vor Cádiz.** Ein britisches Geschwader mit den Linienschiffen >Thunderer< (74) und >Modeste< (64), einer Fregatte und einer Sloop erobert die aus Cádiz ausgelaufenen französischen Schiffe >Achille< (64) und >Bouffone< (32).
14. August	**Gefecht vor Vigo.** Das britische Linienschiff >Bellona< (74) und eine Fregatte treffen auf die französische >Courageux< (74) mit zwei Fregatten. Nach kurzem Kampf ist das französische Linienschiff zusammengeschossen und muß sich ergeben, die beiden Fregatten entkommen.
August– September	**Zweite Beschießung von Kolberg.** Die russische Hochseeflotte von 18 Linienschiffen beschießt erneut die Hafenstadt. Von dem schwedischen Geschwader von sechs Linienschiffen und Transportern werden 2000 Mann gelandet, aber Ende September, ohne einen Erfolg erzielt zu haben, wieder eingeschifft.
5. Jänner 1762	**Rußland.** Tod von Kaiserin Elisabeth. Ihr Nachfolger Peter III. schließt Frieden mit Preußen und anschließend sogar ein Bündnis. Schweden zieht sich deshalb ebenfalls aus dem Krieg zurück. Nach der Absetzung von Peter III. durch seine Gattin Katharina II. und dessen Tod noch im selben Jahr bleibt Rußland neutral.

Der Seekrieg im Indischen Ozean

Februar 1756	**Malabarküste.** Ein britisches Geschwader unter Konteradmiral Watson und Landtruppen unter Robert Clive vernichten den Stützpunkt der Familie der Angria in der Nähe von Bombay, die von dort immer wieder die Schiffe der britischen EIC angegriffen haben.
Jänner 1757	**Bengalen.** Das britische Ostindiengeschwader von vier Linienschiffen und kleineren Fahrzeugen unter Vizeadmiral Charles Watson erobert die französischen Stützpunkte Kalkutta und Chandernagore.
22. Juni 1757	**Landkrieg.** Die britische Armee in Bengalen unter Gen. Clive, unterstützt von der Flotte, schlägt in der Schlacht bei Plassey die Inder entscheidend. Die britische EIC dehnt ihre Herrschaft allmählich über das Tal des Ganges aus.

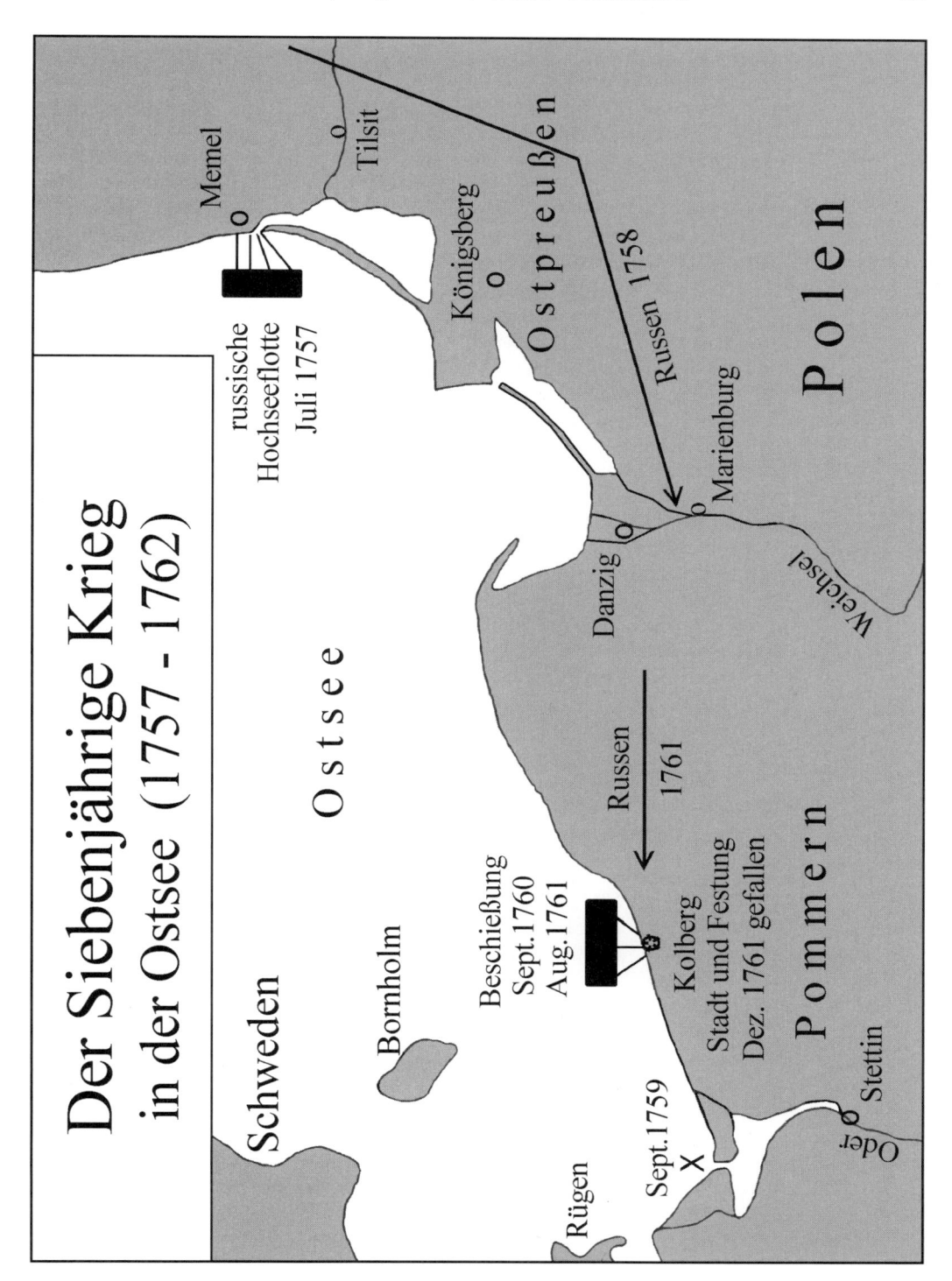

Der Siebenjährige Krieg in der Ostsee (1757 - 1762)

- Schweden
- Ostsee
- Bornholm
- Rügen
- Sept. 1759 X
- Stettin
- Oder
- Pommern
- Kolberg – Stadt und Festung Dez. 1761 gefallen
- Beschießung Sept. 1760, Aug. 1761
- Russen 1761
- Danzig
- Weichsel
- Marienburg
- Polen
- Russen 1758
- Ostpreußen
- Königsberg
- Tilsit
- Memel
- russische Hochseeflotte Juli 1757

Februar 1758	**Golf von Bengalen.** Ein kleines britisches Entsatzgeschwader verhindert die Eroberung von Madras durch die Franzosen, da sich deren Blockadegeschwader gerade auf Mauritius aufhält. Für die Briten ist es der Beginn der Vertreibung der Franzosen aus Vorderindien durch Clive.
29. April 1758	**Treffen bei Kudalur.** Erstes unentschiedenes Zusammentreffen der Ostindiengeschwader Großbritanniens und Frankreichs im Indischen Ozean. Den sieben britischen Linienschiffen unter Vizeadmiral George Pocock, Flaggschiff >Yarmouth< (64), stehen acht französische Linienschiffe unter Graf d'Aché auf der >Zodiaque< (74) gegenüber.
3. August	**Treffen bei Negapattinam.** Zweites unentschiedenes Zusammentreffen der beiden Geschwader. Wie beim ersten Treffen erleiden die Franzosen die größeren Personalverluste. Die Briten schießen nämlich meist auf den Rumpf der Schiffe, während die Franzosen meist auf die Takellage zielen, um den Gegner bewegungsunfähig zu machen.
10. September 1759	**Treffen bei Porto Novo** (Madras). Drittes unentschiedenes Zusammentreffen. Diesmal stehen Pococks neun Linienschiffen elf französische gegenüber. Beide Seiten erleiden hohe blutige Verluste. Graf d'Aché hat aus Mangel an Stützpunkten keine Möglichkeit, die Schäden seiner Schiffe auszubessern und seine Ausrüstung zu ergänzen. Er muß daher schließlich den Briten die Seeherrschaft überlassen, die unter Clive die Franzosen bald aus fast ganz Vorderindien vertreiben.
Jänner 1761	**Schiffbruch.** Ein Hurrikan trifft die britische Blockadeflotte vor Pondicherry. Es gehen die Linienschiffe >Duc d'Aquilaine< (64), >Sunderland< (60) und >Newcastle< (50) und drei weitere Fahrzeuge verloren. Von den ersten beiden Linienschiffen ertrinkt die gesamte Mannschaft. Trotzdem muß sich das französische Pondicherry zwei Wochen später ergeben.
September– Oktober 1762	**Eroberung von Manila.** Nach dem Kriegseintritt von Spanien hat das britische Ostindiengeschwader ein neues Ziel. 2300 Mann werden eingeschifft und Ende September trifft Konteradmiral Samuel Cornish, Flaggschiff >Norfolk< (74), mit acht Linienschiffen und Begleitfahrzeugen vor Manila ein. Oberst Draper erobert die kaum verteidigte Stadt und Teile der Philippinen.

Der Seekrieg in Amerika

11. März 1756	**Westindien.** Vor Martinique erobert das französische Linienschiff >Prudent< (74) mit zwei Fregatten nach einem Verfolgungsgefecht das britische Linienschiff >Warwick< (60).
18. März 1757	**Westindien.** Vor Santo Domingo erobern nach einem Verfolgungsgefecht die französischen Linienschiffe >Diadème< (74) und >Eveillé< (64) die britische >Greenwich< (50).
21. Oktober	**Gefecht bei Kap Françoise** (Santo Domingo). Drei britische Linienschiffe unter Kpt. Arthur Forrest auf der >Augusta< (60) greifen einen französischen Geleitzug für Europa an. Dessen Deckung von vier Linienschiffen und drei Fregatten unter Konteradmiral de Kersaint nimmt sofort den Kampf auf und weist den Angriff mit beträchtlichen Verlusten für beide Seiten ab.

Südostasien im 18. Jahrhundert

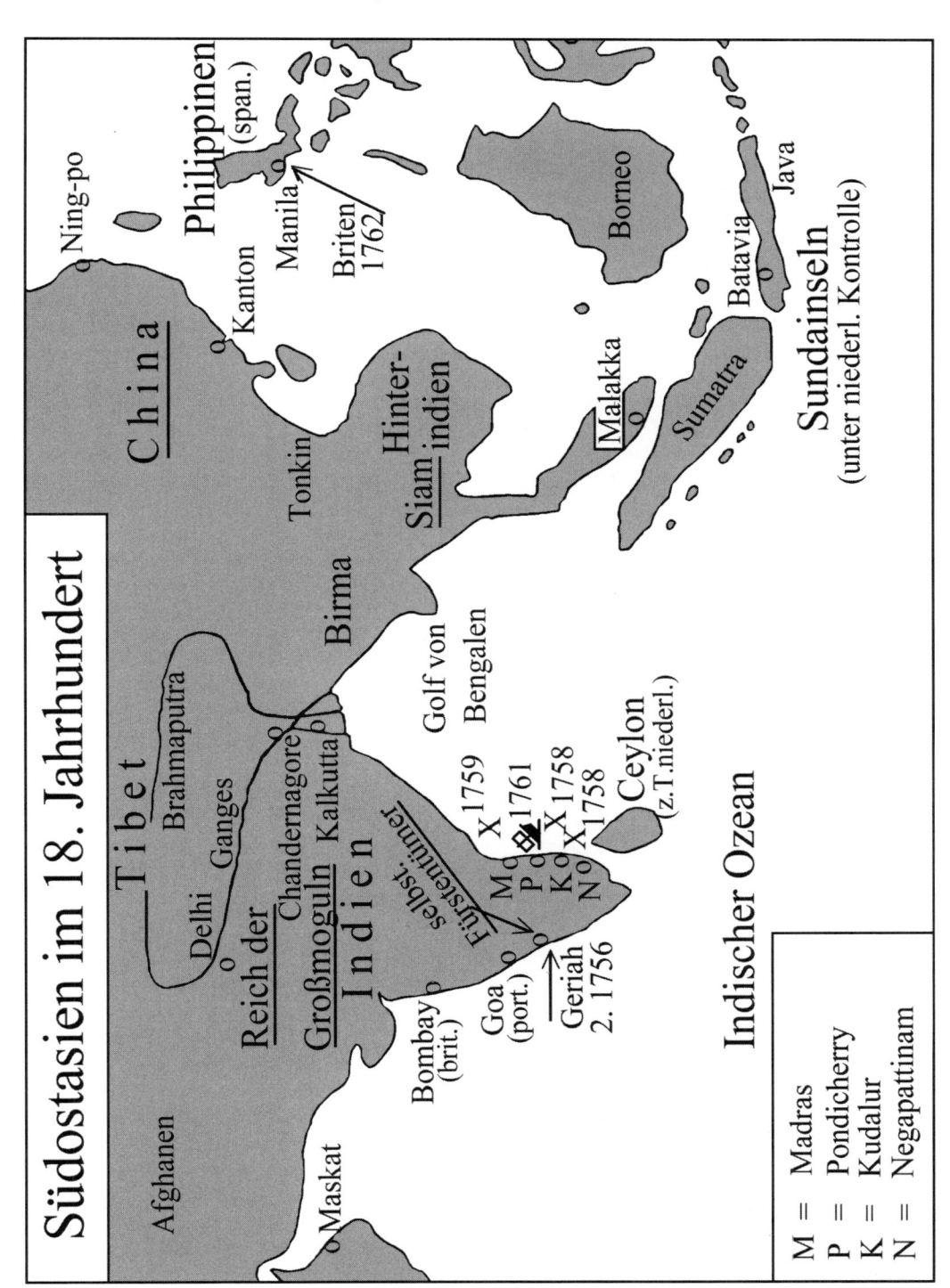

Ning-po

China

Philippinen (span.)

Kanton

Manila ← Briten 1762

Tonkin

Hinter-Siam-indien

Borneo

Malakka

Sumatra

Batavia

Java

Sundainseln (unter niederl. Kontrolle)

Birma

Tibet

Brahmaputra

Delhi

Ganges

Chandernagore

Kalkutta

Reich der Großmoguln

Indien

Golf von Bengalen

Fürstentümer selbst.

X 1759
◇ 1761
X 1758
X 1758

M
P
K
N

Ceylon (z.T. niederl.)

Afghanen

Goa (port.)

Bombay (brit.)

Geriah 2. 1756

Maskat

Indischer Ozean

M = Madras
P = Pondicherry
K = Kudalur
N = Negapattinam

1758	**Nordamerika.** Die Engländer übersteigen das Gebirge der Appalachen und dringen in das Tal des Ohio vor. Dort erobern sie die französische Forts Louisbourg und Duquesne.
Juni 1758	**Neuschottland.** Das britische Atlantikgeschwader unter Admiral Boscawen erobert mit Landungstruppen das starke Louisbourg, wobei sechs französische Linienschiffe im Hafen verloren gehen. Die britische >Invincible< (74) strandet auf einem Riff und wird ein Totalverlust.
Dezember 1758	**Westafrika.** Ein britisches Geschwader von vier Linienschiffen und Begleitfahrzeugen unter Com. Keppel erobert nach einer kurzen Beschießung den französischen Stützpunkt Gorée auf einer Insel vor Senegal.
Jänner 1759	**Westindien.** Die Briten verfügen über ein Geschwader von elf Linienschiffen und sechs Fregatten neben kleineren Fahrzeugen unter Com. John Moore auf der >Cambridge< (80).
Jänner–April 1759	**Westindien.** Das Geschwader der Briten unter Moore landet Truppen auf Martinique. Sie werden aber von den französischen Verteidigern geschlagen und müssen wieder eingeschifft werden. Noch im Jänner wird auf Guadeloupe eine Landung unternommen, es dauert aber über zwei Monate, bis die Verteidiger überwunden sind.
Juni–September 1759	**Kanada.** Ein britisches Geschwader von 22 Linienschiffen, 27 weitere Kriegsschiffe und zahlreiche Transporter, unter Vizeadmiral Charles Sounders, Flaggschiff >Neptune< (90), landen 10.000 Mann unter Gen. James Wolfe (†) bei Quebec. Die Stadt wird nach heftigem Kampf erobert.
September 1760	**Kanada.** Die Briten erobern mit Unterstützung der Flotte auch Montreal. Ohne Unterstützung aus der Heimat verlieren die Franzosen schließlich ganz Kanada.
18. Oktober 1760	**Gefecht bei Haiti.** Ein britisches Linienschiff und zwei Fregatten treffen auf fünf französische Fregatten. Nach 24 Stunden Kampf erobern die Briten zwei Fregatten, zwei weitere stranden und werden von den eigenen Besatzungen verbrannt.
8. Juni 1761	**Westindien.** Das britische Westindiengeschwader unter Com. James Douglas erobert die Insel Dominica.
Jänner 1762	**Spanien** tritt auf der Seite von Frankreich in den Krieg ein. Da die spanische Flotte gänzlich verwahrlost ist, hat Großbritannien in den Kolonien weiter freie Hand.
Jänner–Februar 1762	**Westindien.** Das britische Westindiengeschwader, nun unter Konteradmiral George Rodney, Flaggschiff >Marlborough< (70), 17 Linienschiffe und zahlreiche weitere Fahrzeuge, erobert mit 14.000 Mann Landungstruppen unter Generalmajor Monckton die Insel Martinique.
Juni–August 1762	**Angriff auf Havanna.** Das verstärkte britische Westindiengeschwader unter Admiral George Pocock, Flaggschiff >Namur< (90), erscheint mit 26 Linienschiffen, 27 weiteren Kriegsschiffen und mehr als 100 Transportern mit über 15.000 Mann Landungstruppen unter Graf Georg Albemarle überraschend vor Havanna. Dort liegt ein spanisches Geschwader von zwölf Linienschiffen. Zunächst werden die Truppen nahe Havanna gelandet, das schließlich am 13. August erobert wird. Von den spanischen Linienschiffen werden neun erobert und drei versenkt. Auf dem Rückweg nach England gehen in einem Sturm im Atlantik die Linienschiffe >Marlborough< (70), >Temple< (70) und

Der Seekrieg in Amerika
1758 - 1762
brit.
brit.
Hudson
Bay
Labrador
Kanada
Rupertland
Fort Rupert
St. Lorenz
Neufundland
franz.
brit. 1713
9.1759
Quebec
Holburne 1757
Montreal
1760
Juni 1758
Louisburg
Große
Seen
Boscaven / Wolfe 1758
– du Chaffault
franz.
Halifax
Neuschottland
Ontario
Kap Cod
Engländer
New York
Erie
franz. Besitz
Ohio
Chesapeake Bucht
Virginia
Engländer
Kap Hatteras
Louisiana
Indianer-Gebiet
Mississippi
franz.
Bermudas
span.
spanischer Besitz
New Orleans
Florida
Atlantik
Golf von Mexiko
Bahamas Ins
brit. 1694
Pocock 1762
Havanna
8.1762
Kuba
span.
1757
Haiti
Moore / Rodney
1759 - 1762
Neu-Spanien
Jamaika
brit. 1655
franz. 1665
Puerto Rico
Guadeloupe
Dominica
franz. 1635
Moskito-Küste
brit. 1667
Karibische See
Martinique
Kl. Antillen
1762
Barbados
Pazifik

	die erbeutete >San Genaro< (60) sowie zwölf Transporter mit einem Teil der Beute verloren. (Siehe auch Anhang.)
Oktober 1762	**Südamerika.** Ein spanisches Geschwader von 16 kleinen Kriegsschiffen, darunter eine Fregatte, und Transportern erobert den portugiesischen Stützpunkt Colonia del Sacramento am La Plata gegenüber von Buenos Aires. Zwei Monate später versucht ein portugiesisch-britisches Geschwader mit dem Linienschiff >Lord Clive< (50), drei Fahrzeugen und fünf Transportern den Platz zurückzuerobern, wird von den Spaniern aber unter Verlust des Linienschiffes abgewiesen.
1763	**Friede von Paris und Hubertusburg.** Großbritannien gewinnt Kanada, Louisiana, Florida und Senegambien, Preußen kann seine Besitzungen halten. Es ist der glänzendste britische Sieg der Neuzeit in dem ersten weltweiten Krieg. Nordamerika wird nun angelsächsisch.
1763	**Literatur.** Der Franzose Kpt. Bigot de Morogues, Direktor der französischen Marineakademie, veröffentlicht sein Buch „Tactique Navale". Neben der Flottentaktik weist es auch auf die Bedeutung eines brauchbaren Nachrichtensystems hin.
1766	**Falkland-Inseln/Islas Malvinas.** Neben Spanien erheben auch Frankreich und Großbritannien Anspruch auf die Inselgruppe im Südatlantik. In diesem Jahr landen britische Marinetruppen auf den Inseln, die dort schon befindlichen Franzosen ziehen auf Einspruch Spaniens ab.
4. August 1769	**Tunesien.** Gegen die Piraterie der Barbaresken erscheint ein Geschwader aus Frankreich vor dem Hafen von Bizerta. Es besteht aus den Linienschiffen >Provence< (64) und >Sagittaire< (50) sowie mehreren Fregatten und Bombenfahrzeugen. Erst nach einer Beschießung der Hafenanlagen wird die gewünschte Vereinbarung erreicht.
1769	**Technik.** Der Brite **James Watt** verbessert die Dampfmaschine von Newcomen. Seine doppelt wirkende Maschine ist schließlich durch ihr geringeres Gewicht auch für den Antrieb von Schiffen geeignet.

1768–1774 Krieg Rußland gegen die Türkei

	Kaiserin Katharina II. (1762–1796) schickt erstmals ein russisches Geschwader in das Mittelmeer. Es soll dort die im Aufstand gegen die Türkei kämpfenden Griechen unterstützen. Im Schwarzen Meer haben die Russen noch keine Flotte.
1770	Das russische Geschwader sammelt sich unter dem Befehl von Graf Orlow zunächst in der Bucht von Navarin. Durch den Vormarsch der türkischen Truppen auf der Peloponnes muß er aber schon im Juni diesen Stützpunkt wieder räumen. Nach der Vernichtung der türkischen Flotte in der Ägäis legt Orlow Stützpunkte auf mehreren Inseln an, wo er auch überwintern kann.
5. Juli 1770	**Seeschlacht bei Chios.** Die türkische Flotte von 20 Linienschiffen und Fregatten wird nach längerer Verfolgung vom russischen Geschwader gestellt. Die Russen verfügen über neun Linienschiffe und drei Fregatten unter Admiral Orlow und den Konteradmiralen Spiridow und Elphinstone (E). Die Türken liegen in zwei Kiellinien vor Anker, die Russen greifen mit achterlichem Wind

Briten erobern Havanna auf Kuba
August 1762

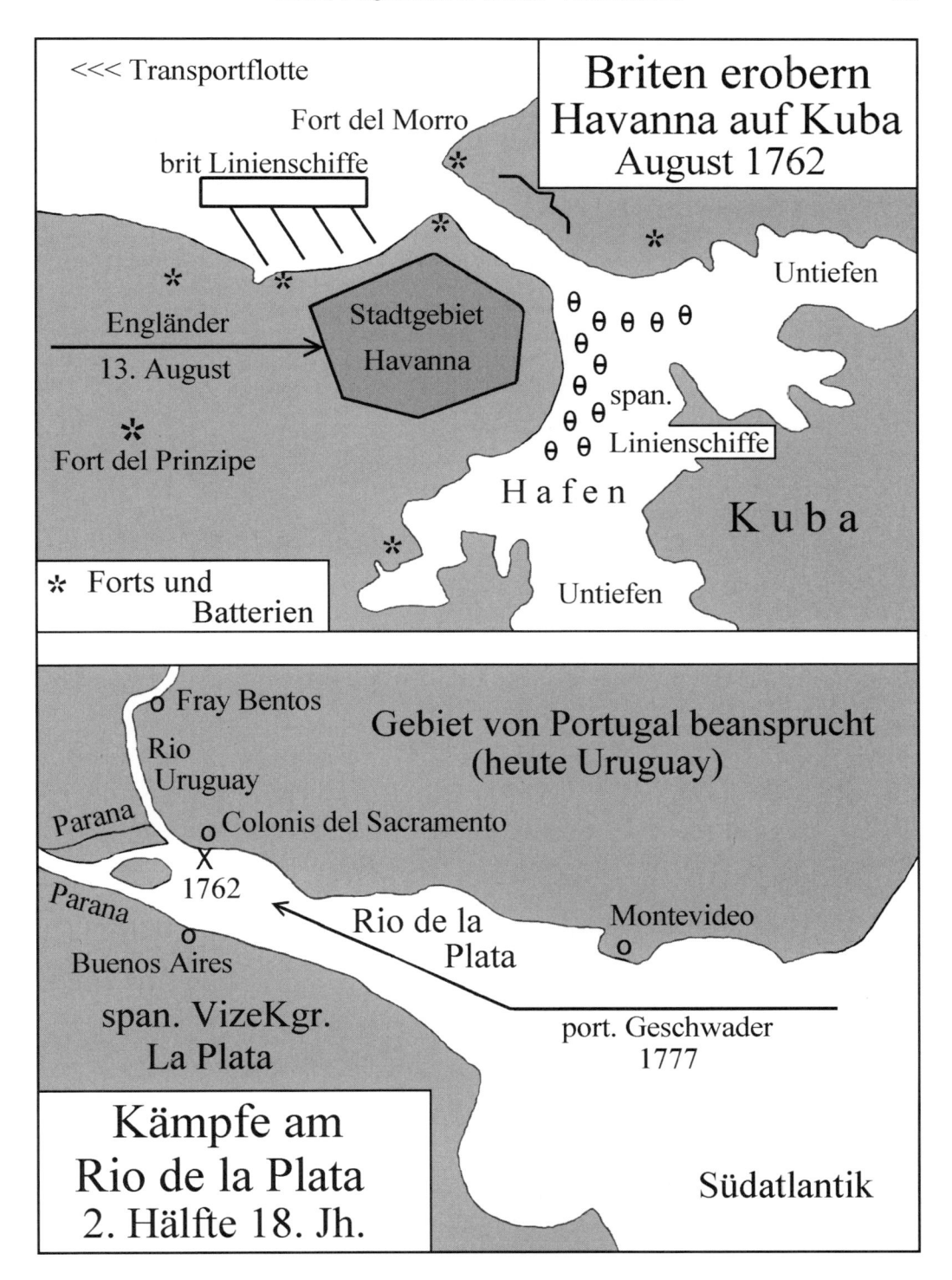

<<< Transportflotte
Fort del Morro
brit. Linienschiffe
Engländer 13. August
Stadtgebiet Havanna
Fort del Prinzipe
span. Linienschiffe
Hafen
Untiefen
Untiefen
Kuba
* Forts und Batterien

Kämpfe am Rio de la Plata 2. Hälfte 18. Jh.

Fray Bentos
Rio Uruguay
Parana
Colonis del Sacramento
X 1762
Parana
Buenos Aires
span. VizeKgr. La Plata
Gebiet von Portugal beansprucht (heute Uruguay)
Rio de la Plata
Montevideo
port. Geschwader 1777
Südatlantik

von Nordwesten an. Die russische Vorhut unter Spiridow trägt die Hauptlast des Kampfes. Sein Flaggschiff >St. Austachius< (66) wird entmastet und kommt längsseits des türkischen Spitzenschiffes >Real Mustafa< (84) mit Konteradmiral Hassan Pascha an Bord zu liegen. Beide Schiffe geraten in Brand und fliegen in die Luft. Konteradmiral Spiridow und Hassan Pascha können sich mit Booten rechtzeitig retten. Die Türken kappen daraufhin ihre Ankerkabel und flüchten in den nahen Hafen von Tschesme. Dort werden sie in der Nacht und am folgenden Tag ständig beschossen.

6./7. Juli 1770 **Seeschlacht im Hafen von Tschesme.** Die Türken liegen in einer starken Position, aber ohne besondere Vorsichtsmaßnahmen im Hafen. Die Russen haben seit dem Abend des 5. Juli einen Branderangriff vorbereitet. Com. Samuel Greigh, ein gebürtiger Schotte, führt mit vier Linienschiffen als Deckung die Brander an den Feind. Der Angriff beginnt um 11.30 Uhr. Das Führungsschiff, die >Europa< (66), kommt unter schweres Feuer, aber um 1.30 Uhr findet der Brander >Grom< ein Ziel. Ein türkisches Linienschiff gerät in Brand, auch die anderen Feuerschiffe finden Ziele und um 4.00 Uhr stehen die türkischen Linienschiffe in Brand. Die Russen können mit ihren Booten noch ein türkisches Linienschiff erobern, die anderen elf verbrennen. Die russischen Schiffe werden von ihren Booten aus der Bucht geschleppt. Sie haben nur elf Tote zu beklagen. Der Verlust der Türken wird auf 9000 Mann geschätzt. Konteradmiral Elphinstone beginnt anschließend mit der Blockade der Dardanellen.

13. November 1771 **Ägäis.** Das russische Mittelmeergeschwader erobert die Insel Lesbos, zerstört zwei dort liegende türkische Linienschiffe, mehrere kleine Fahrzeuge sowie die Hafenanlagen und schifft die Landungstruppen wieder ein.

20. Mai 1772 **Waffenstillstand.** Trotz dessen Abschlusses einer Waffenruhe setzt Admiral Orlow mit seinem Geschwader Operationen in der Levante fort.

Juni 1772 **Levante.** Eine russische Flottille von zwei Fregatten und 13 kleinen Fahrzeugen beschießt die Häfen Tyrus und Beirut und vernichtet vor Tyrus eine türkische Fregatte.

1. November **Ägypten.** Die russische Fregatte >Heiliger Nikolaus< unter Leutnant Alexiano erscheint in Begleitung einer Schebeke vor Damietta, wo mehrere Kriegsschiffe der Barbaresken liegen. Er dringt in den Hafen ein, versenkt die beiden größten Schiffe und erobert auf dem Rückweg ein türkisches Schiff mit dem Gouverneur von Damaskus an Bord.

4. November **Angriff auf Tschesme.** Ein russisches Geschwader mit vier Linienschiffen, sechs Fregatten und einem Bombenfahrzeug unter Konteradmiral Greigh dringt in den Hafen ein, zerstört die Hafenanlagen sowie mehrere Fahrzeuge und erobert fünf kleine Segelschiffe.

6.–8. November **Gefecht vor Patras.** Die russischen Linienschiffe >Tschesme< (80) und >Graf Orlow< (66) mit fünf Schebeken greifen ein unter den Kanonen von Patras liegendes türkisches Geschwader von neun Fregatten und 16 Schebeken an. Nach drei Tagen Kampf sind sieben türkische Fregatten und acht Schebeken vernichtet.

10. Oktober 1773 **Levante.** Eine russische Flottille von zwei Fregatten und 15 kleineren Fahrzeugen beschießt zunächst Beirut und erobert dann die Stadt durch einen Angriff von Land und See.

Seeschlacht bei Chios
5. Juli 1770

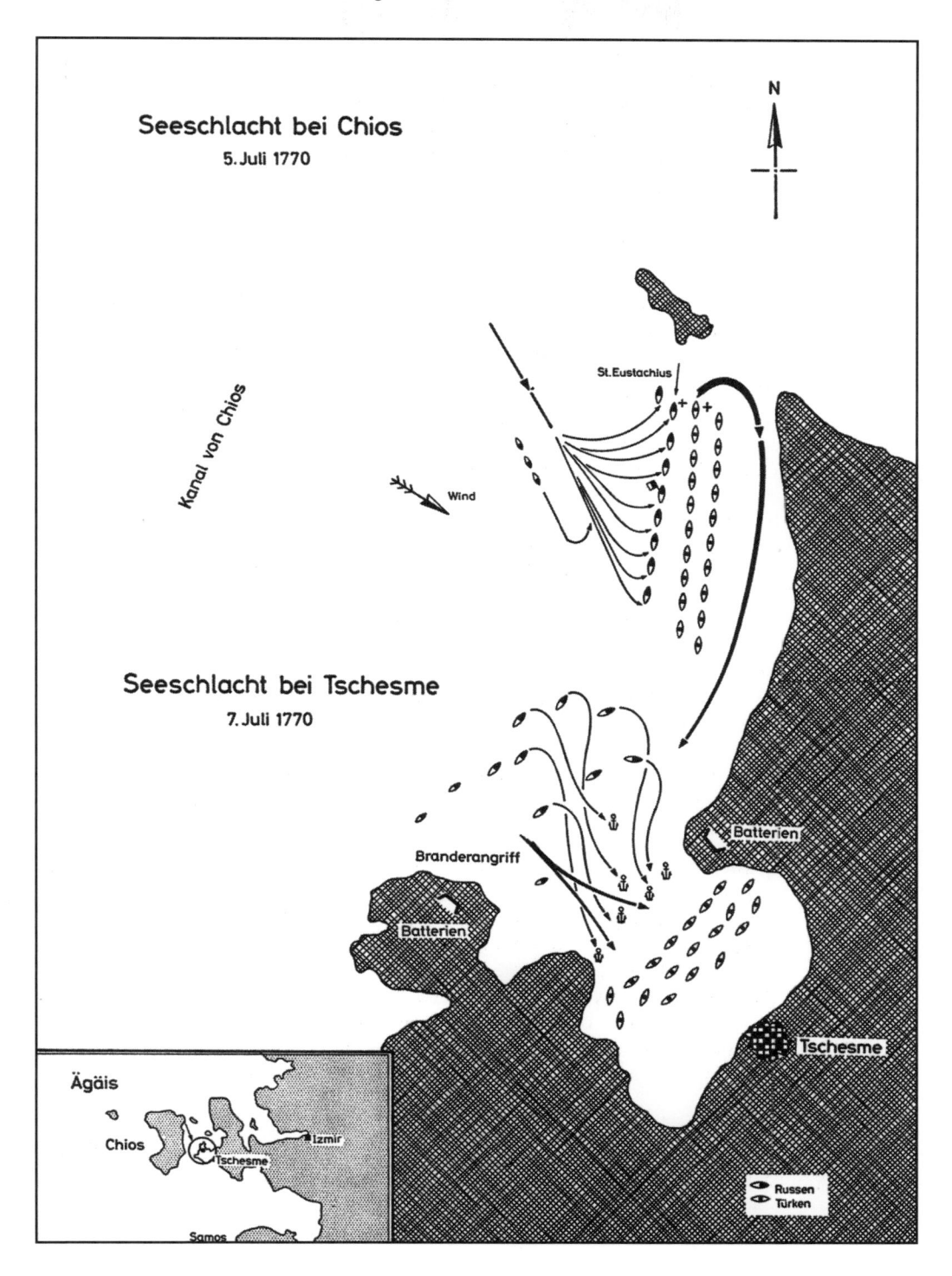

Seeschlacht bei Tschesme
7. Juli 1770

632 Zeit der Segelschiffe: Die Seekriege in der zweiten Hälfte des 18. Jahrhunderts

Schwarzes Meer. Die Russen beginnen wieder eine Flotte aufzubauen. Es kommt dort aber zu keinen Operationen mehr auf Hoher See. Führer der ersten russischen Flottille in den Kämpfen um das Asowsche Meer zwischen Krim und Kuban ist Konteradmiral Alexeij Senjawin.

1774 **Friede zu Kutschuk.** Rußland erhält mit Asow, Kertsch und Kinburn endgültig einen Zugang zum Schwarzen Meer.

16.–18. Jh. **Die Erschließung des pazifischen Raumes**

Vorbemerkung: Diese Fahrten sind schon in den früheren Bänden dieser Weltgeschichte der Seefahrt genauer beschrieben worden. Hier werden sie nur wegen der seestrategischen Bedeutung noch einmal kurz zusammengefaßt.

Die Spanier gründen auf den Philippinen Manila (1565), von wo jährlich eine Galeone mit Seide und Gewürzen aus Ostasien nach Mexiko fährt und von dort mit Silber zurückkehrt.

Mendaña (Sp) erreicht von Südamerika aus die Salomonen (1568) und kehrt wieder zurück. Auf seiner zweiten Fahrt entdeckt er die Marquesas und Sta. Cruz-Inseln (1595), wo er noch im selben Jahr stirbt.

Anfang des 17. Jahrhunderts treffen die ersten Niederländer auf ihrem Weg nach Indonesien auf die Westküste von Australien. Der Gouverneur von Batavia entsendet Abel Tasman, um die Ausdehnung dieses Gebietes festzustellen. Tasman umfährt 1642–1643 Australien in weitem Bogen und berührt dabei Van Diemens-Land/Tasmanien, Neuseeland, die Fidschi-Inseln und Neuguinea.

Nach Magellan und Drake im 16. Jahrhundert und viermal Dampier zwischen 1685 und 1711 überqueren im 18. Jahrhundert Anson (E), Byron (E), Wallis (E), Carteret (E), Bougainville (F) und Malaspina (Sp) den Pazifik von Ost nach West. Die umfangreichsten Forschungsfahrten in den Stillen Ozean unternimmt aber James Cook (E), erste Reise 1768–1771, zweite 1772–1775 und dritte 1776–1779/1780.

8. Juli 1770 **Dänemark.** Wegen wiederholter Angriffe auf seine Handelsschiffe schickt das Land ein Geschwader von vier Linienschiffen, zwei Fregatten, zwei Bombarden mit Versorgungsschiffen unter Konteradmiral Kaas, später unter Konteradmiral Hooglant, in das Mittelmeer. Es beschießt Algier und kreuzt in den nächsten Jahren vor der Küste Nordafrikas.

1770 **Korsika.** Die Erwerbung der Insel durch Frankreich 1764/1768 von Genua veranlaßt den Bei von Tunis zur Kriegserklärung. Nach der Beschießung von Sousse und Bizerta durch ein französisches Geschwader von zwei Linienschiffen, zwei Fregatten und mehreren Bombenfahrzeugen schließt der Bei wieder Frieden.

19. Dezember 1771 **Schiffbruch.** Konteradmiral Emo von Venedig ist mit zwei Linienschiffen und zwei Fregatten von der Insel Sapienza vor Modon an der Peloponnes ausgelaufen. Kurz danach gerät er an der Küste in einen Sturm und verliert die ›Corriera‹ (74) und eine Fregatte mit großem Menschenverlust.

Die Erschließung des pazifischen Raumes

Reiserouten

- · · · — · · · → span. Handelsroute	——→ Cook
- - - - - - → Magellan / Elcano	C 1 1. Reise 1768 – 1771
—·—·—·—·→ Drake	C 2 2. Reise 1772 – 1775
··············→ Tasman	C 3 3. Reise 1776 – 1778

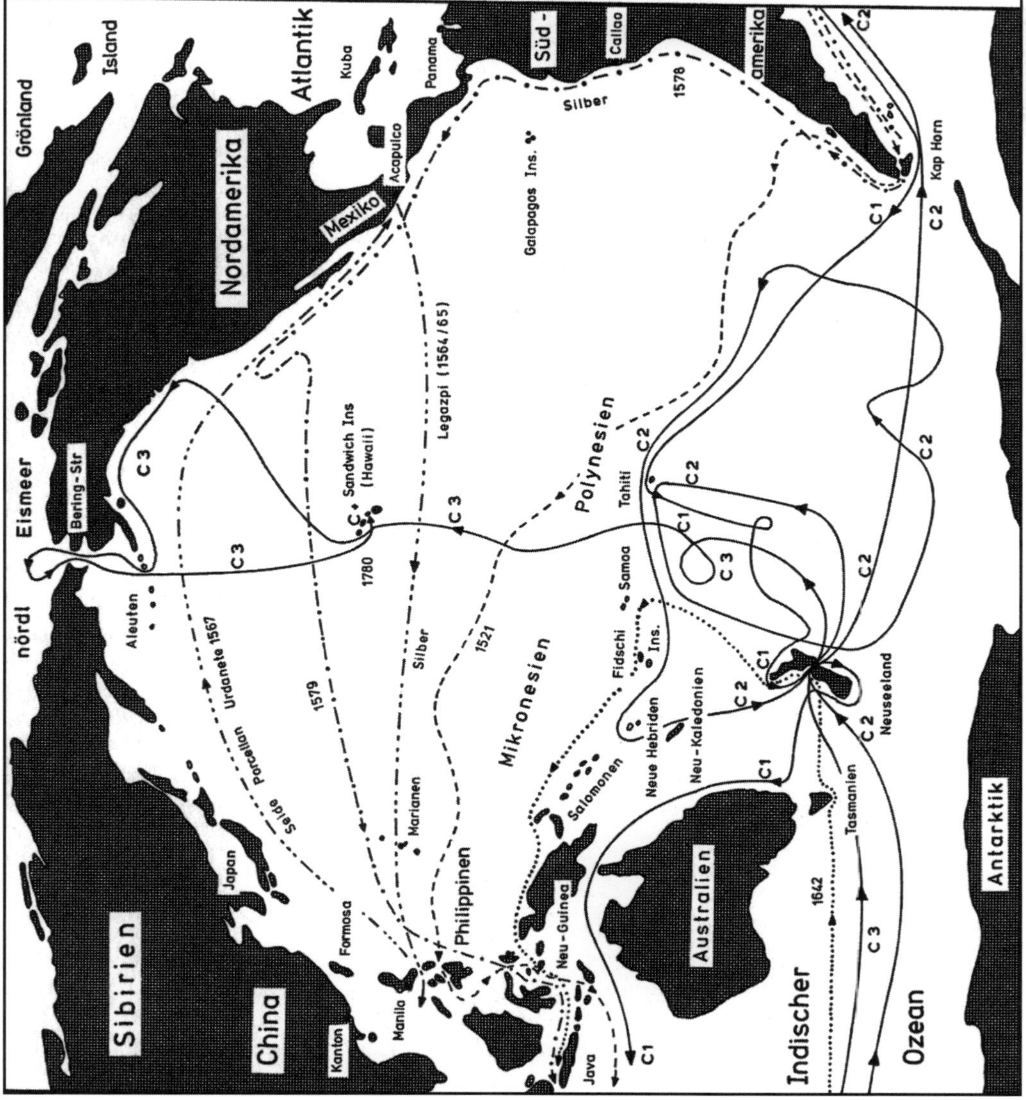

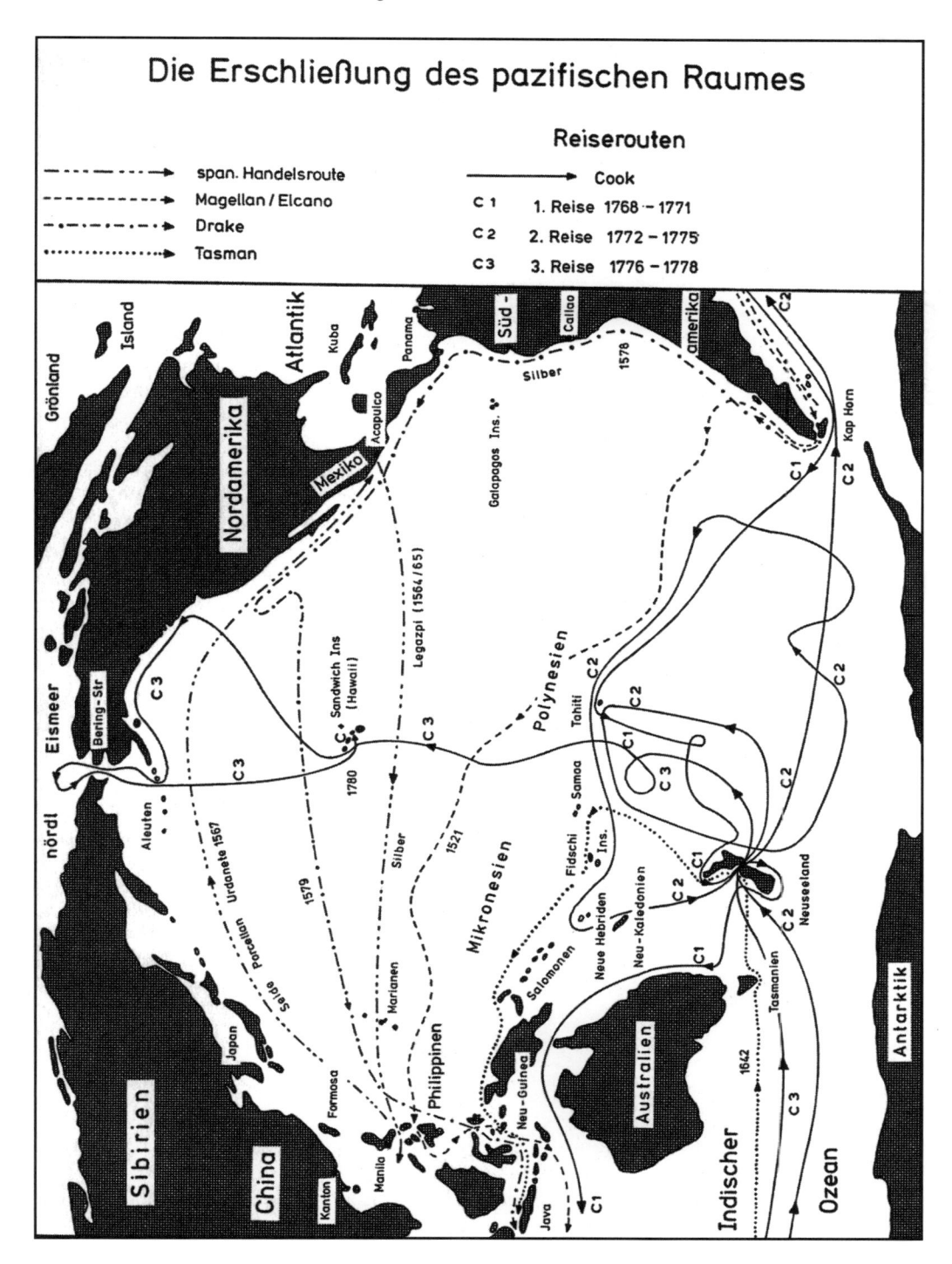

August 1772	**Polen.** Erste Teilung des Landes. Nach dem Polnischen Thronfolgekrieg kommt das Land nicht zur Ruhe. Deshalb werden russische Truppen zu Hilfe gerufen und 1764 kommt ein Günstling der Russen auf den Thron. Schließlich stimmen im Interesse eines Kräfteausgleichs Preußen und Österreich einem Teilungsvertrag zu, nach dem Rußland Ostpolen mit den Grenzen an Düna und Dnjepr, Österreich Teile von Galizien und Preußen Westpreußen erhalten.
1774	**Nordamerika.** Im Quebec-Akt wird Kanada zu einer vom übrigen Nordamerika unabhängigen Kolonie erklärt. Kanada beteiligt sich in der Folge daher nicht am Aufstand der nordamerikanischen Kolonien gegen das Mutterland Großbritannien.
Juli 1775	**Angriff auf Algier.** Ein spanisches Geschwader in der Stärke von sieben Linienschiffen, 39 weiteren Kriegsschiffen und 348 Transportern landet ein Expeditionskorps von 18.000 Mann unter Gen. O'Reilly bei Algier. Trotz tatkräftiger Unterstützung durch die Flotte können sich die Landungstruppen nicht halten und müssen wieder eingeschifft werden. Es ist der letzte Versuch Spaniens, sich an der Küste von Nordafrika wieder ein Territorium zu schaffen.
1775	**Seeschlacht im Schatt al-Arab.** Die persische Flotte blockiert den osmanischen Handelshafen Basra am Persischen Golf und sperrt diesen mit einer eisernen Kette. Die Flotte von Oman mit zehn Hochseeschiffen und zahlreichen Dhaus sowie 10.000 Mann Landungstruppen sprengt die Sperre und vernichtet die persische Flotte. Oman erhält daraufhin bis 1804 von Istanbul eine jährliche Tributzahlung.
1775	**Stiller Ozean.** Der Spanier Manuel de Ayala unternimmt mit der >San Carlos< eine genauere Erkundung der Bucht von San Francisco. Die Besiedelung der Westküste Nordamerikas erfolgt daher durch Spanien vom Süden, durch Rußland vom Norden und durch Großbritannien von der See her.
1776–1777	**Südamerika.** Spanier und Portugiesen liegen wieder im Streit um den Besitz des heutigen **Uruguay**. Am 13. November läuft von Cádiz ein spanisches Geschwader von sechs Linienschiffen, weiteren 15 Kriegsschiffen und 96 Transportern unter Vizeadmiral Francisco J. E. Tilly mit 9000 Landungstruppen nach Brasilien aus. Dort stoßen noch drei weitere Linienschiffe und eine Fregatte dazu. In Brasilien verfügen die Portugiesen über vier Linienschiffe und sechs Fregatten. Die Spanier erobern die Insel Santa Catarina und zerstören die Festung Colonia del Sacramento am Rio de la Plata. Der Tod des portugiesischen Königs Joseph am 20. Februar 1777 bringt einen Regierungswechsel und ein Ende der Kampfhandlungen. Im **Frieden von Ildefonso** werden die Streitigkeiten beigelegt. Die Banda Oriental (Uruguay) bleibt bei Spanien.

1775–1783 Der Nordamerikanische Unabhängigkeitskrieg

Der Seekrieg in den europäischen Gewässern

Der Krieg beginnt zunächst in Nordamerika, erst bei **Kriegseintritt von Frankreich im Jahr 1778** setzen auch in den europäischen Gewässern die Operationen ein. Frankreich versäumt zunächst, sofort die Küsten Großbritanniens anzugreifen, da sich große Teile der britischen Flotte in Übersee befinden.

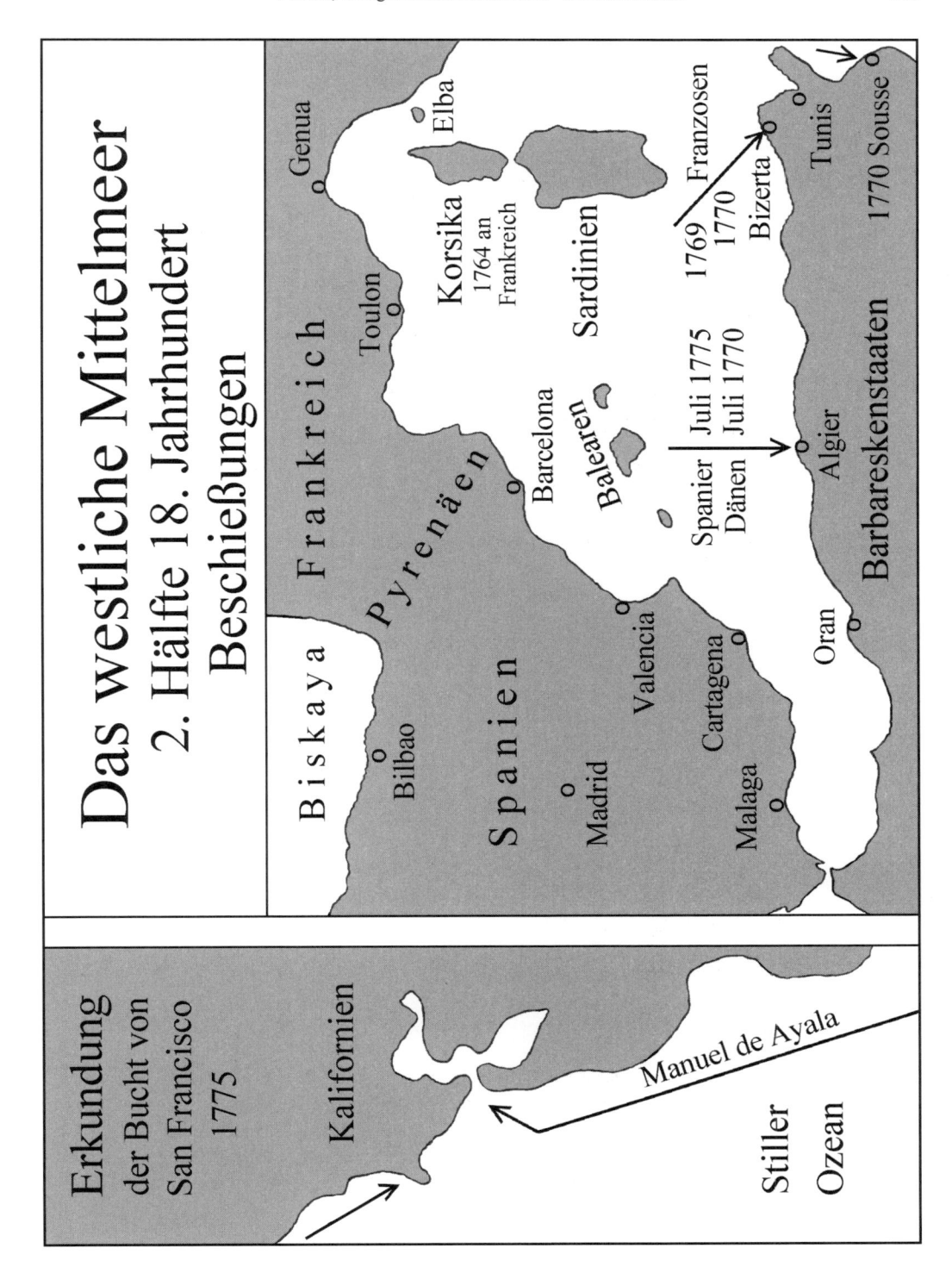

Das westliche Mittelmeer
2. Hälfte 18. Jahrhundert
Beschießungen

- Genua
- Toulon
- Elba
- Korsika (1764 an Frankreich)
- Sardinien
- Franzosen 1769 1770
- Bizerta
- Tunis
- 1770 Sousse
- Barbareskenstaaten
- Barcelona
- Balearen
- Spanier Juli 1775
- Dänen Juli 1770
- Algier
- Biskaya
- Pyrenäen
- Frankreich
- Bilbao
- Spanien
- Madrid
- Valencia
- Cartagena
- Malaga
- Oran

Erkundung der Bucht von San Francisco 1775

- Kalifornien
- Manuel de Ayala
- Stiller Ozean

1. November 1777	Der Amerikaner John Paul Jones segelt mit seiner Sloop >Ranger< (18) und Depeschen nach Nantes in Frankreich und beginnt dann seinen erfolgreichen **Kreuzerkrieg** rund um die Britischen Inseln.
27. Juli 1778	**Seeschlacht bei Quessant.** Am Morgen treffen das britische Kanalgeschwader und das französische Geschwader von Brest aufeinander. 30 britische Linienschiffe unter Admiral Keppel, Flaggschiff >Victory< (100), stehen 27 französischen unter Graf d'Orvilliers, Flaggschiff >Bretagne< (110), gegenüber. Die Franzosen stehen bei westlichem Wind auf der Luvseite. Auf Gegenkurs treffen die Flotten aufeinander und es beginnt ein Passiergefecht. Das britische Geschwader gerät dabei in Unordnung, die Franzosen versäumen es jedoch, die Gunst der Lage auszunützen. So endet die Schlacht nach drei Stunden ohne Entscheidung. Die Briten verlieren rund 500 Mann, die Franzosen ungefähr 700. Einige britische Schiffe sind schwer beschädigt.
13. Mai 1779	**Kanalinseln.** Eine Flottille von Fischerbooten aus St. Malo landet unter dem Schutz von zwei Fregatten und mehreren kleinen Fahrzeugen 1500 Mann auf der Insel Jersey. Ein kleines britisches Geschwader mit dem Linienschiff >Experiment< (50), Kpt. James Wallace, zwei Fregatten und zehn kleinen Fahrzeugen vernichtet die französischen Kriegsschiffe, die Insel bleibt aber in der Hand der Franzosen.
Juni/August 1779	**Spanien tritt auf die Seite von Frankreich.** Die Flotte der Verbündeten im Ärmelkanal ist nun 60 Linienschiffe stark. Sie ist damit den Briten doppelt überlegen, doch wird diese Stärke nicht ausgenützt. Den ganzen August versuchen die Verbündeten vergeblich, das britische Kanalgeschwader zum Kampf zu stellen. Lediglich das Linienschiff >Ardent< (64) kann erobert werden. Anfang September muß die Flotte der Verbündeten nach Brest zurück, sie hat bereits 8000 Kranke an Bord. Spanien bemüht sich in der Folge um die Rückgewinnung von Gibraltar und Menorca, Frankreich wird in Westindien offensiv.
23. September	**Gefecht bei Flamborough Head.** An der englischen Ostküste trifft John Paul Jones mit drei Handelskreuzern auf zwei britische Geleitfahrzeuge. In einem erbitterten Duell zwingt die amerikanische >Bonhomme Richard< (40) die britische >Serapis< (44) zum Streichen der Flagge. Das siegreiche Schiff sinkt am folgenden Tag infolge seiner Schäden.
6. Oktober	**Gefecht vor Brest.** Die britische Fregatte >Quebec< (32) trifft auf die gleich starke französische >Surveillante<, beide von einem Kutter begleitet. In einem erbitterten Kreuzergefecht fliegt die >Quebec< schließlich in die Luft, auch die französische Fregatte ist zum Wrack geschossen.
8. Jänner 1780	**Mittelmeer.** Admiral Rodney ist mit einem Geschwader von 22 Linienschiffen und zahlreichen Transportern unterwegs, Gibraltar und Menorca zu versorgen. Nahe Kap Finisterre sichtet er einen spanischen Geleitzug von 22 Schiffen und kann alle erobern.
16. Jänner 1780	**Seeschlacht bei Kap St. Vincent.** Admiral Rodney trifft mit seinem Geschwader, Flaggschiff >Sandwich< (90), auf das spanische Blockadegeschwader für Gibraltar mit elf Linienschiffen unter Admiral Juan de Langara, Flaggschiff >Fénix< (80). Es entwickelt sich sofort ein Verfolgungsgefecht. Die spanische >Santo Domingo< (70) fliegt bald in die Luft. Obwohl heftiger Westwind weht, setzt Rodney die Verfolgung bis in die Nacht und knapp unter die Küste

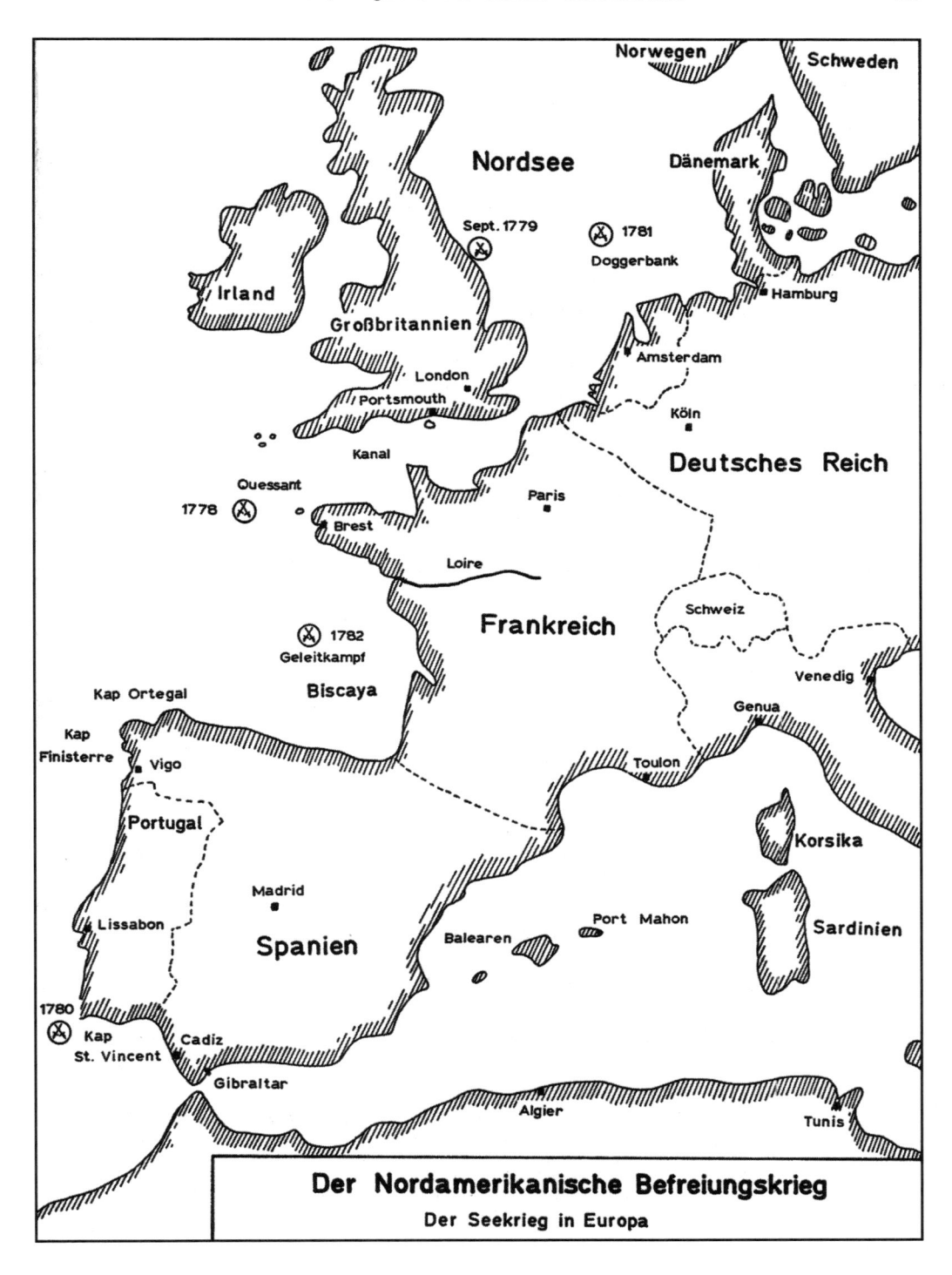

Der Nordamerikanische Befreiungskrieg
Der Seekrieg in Europa

	fort. Es werden sechs weitere Schiffe erobert, von denen aber zwei stranden. Einige britische Schiffe können nach der Schlacht nur mit Mühe von der Küste freikreuzen. Die vier Prisen sind die >Fénix<, das Flaggschiff, die >Monarca<, die >Princesa< (70) und die >Diligente< (70). Rodney versorgt anschließend Gibraltar und läßt dann auch die dafür vorgesehenen Nachschubgüter nach Menorca bringen.
Februar	**Kaper.** Nach der Rückkehr der Schiffe von Menorca geht Rodney am 13. nach Westindien. Die Schiffe des Kanalgeschwaders, die mit ihm waren, treffen auf dem Rückweg auf ein französisches Geleit für Westindien und erobern daraus das Linienschiff >Protée< und drei Transporter.
1780	**„Bewaffnete Neutralität".** Gegen die ständigen Übergriffe der britischen Flotte schließt eine Reihe von neutralen Staaten ein Schutzbündnis. Dies sind Rußland, Schweden, Dänemark, Preußen, die Niederlande, Portugal, Österreich und Neapel. Den Niederlanden erklärt Großbritannien sofort den Krieg. Die drei Ostsee-Seemächte mobilisieren zusammen 28 Linienschiffe.
1. Juli	**Mittelmeer.** Vor Finisterre erobert die britische >Romney< (50) nach kurzem Kampf die französische >Artois< (40).
11./12. Juli 1780	**Gefecht vor der Loiremündung.** Das britische Linienschiff >Nonsuch< (64) trifft auf die französische Fregatte >Belle Poule< (32). Diese nimmt den ungleichen Kampf an und unterliegt erst nach mehrstündiger Gegenwehr.
9. August 1780	**Westlich Kap St. Vincent.** Die Flotte der Verbündeten überrascht einen britischen Geleitzug für Westindien und kann von 63 Schiffen 55 erobern. Von den 55 Schiffen sind 16 Truppentransporter mit dringend notwendigen Verstärkungen für die Garnisonen in Westindien.
30. Dezember	**Ärmelkanal.** Die zwei britischen Linienschiffe >Marlborough< (74) und >Bellona< (74) treffen auf die niederländische >Princess Carolina< (54) und zwingen sie nach kurzem Kampf zum Streichen der Flagge.
4. Jänner 1781	**Ärmelkanal.** Die britischen Linienschiffe >Courageux< (74) und >Valiant< (74) treffen auf die französische Fregatte >Minerve< (32), die sich eine Stunde heftig wehrt, bevor sie sich ergeben muß.
April 1781	**Gibraltar.** Großbritannien schickt wieder ein Nachschubgeleit nach dem Felsen. Es wird von einem Geschwader von 28 Linienschiffen unter Vizeadmiral George Darby gedeckt. Im Mai ist das Geschwader ohne Zwischenfälle wieder in Spithead.
2. Mai	**Ärmelkanal.** Am Westeingang des Kanals erobern die Franzosen mit sechs Linienschiffen unter La Motte-Picquet aus einem britischen Geleitzug mit Beutegut aus Westindien 22 von 30 Handelsschiffen. Die Geleitdeckung kann entkommen.
5. August 1781	**Seeschlacht auf der Doggerbank.** In der Nordsee treffen ein britisches und ein niederländisches Geleit aus der Ostsee mit starken Sicherungskräften aufeinander. Jede Seite verfügt über sechs Linienschiffe und sieben Fregatten, die Briten kämpfen unter Vizeadmiral Hyde Parker, Flaggschiff >Fortidude< (74), die Niederländer unter Konteradmiral Johan Zoutman auf der >Admiraal de Ruijter< (68). Die beiden Geschwader liefern sich in Kiellinie auf nächste Distanz eines der blutigsten Gefechte des Krieges. Die beiden Geleitzüge können mittlerweile ihren Weg fortsetzen. Nach mehrstündigem Kampf trennen

Versorgungsfahrt von Adm. Rodney
Anfang 1780 nach Gibraltar und Menorca

← Rodney mit Flaggschiff >Sandwich< (90)

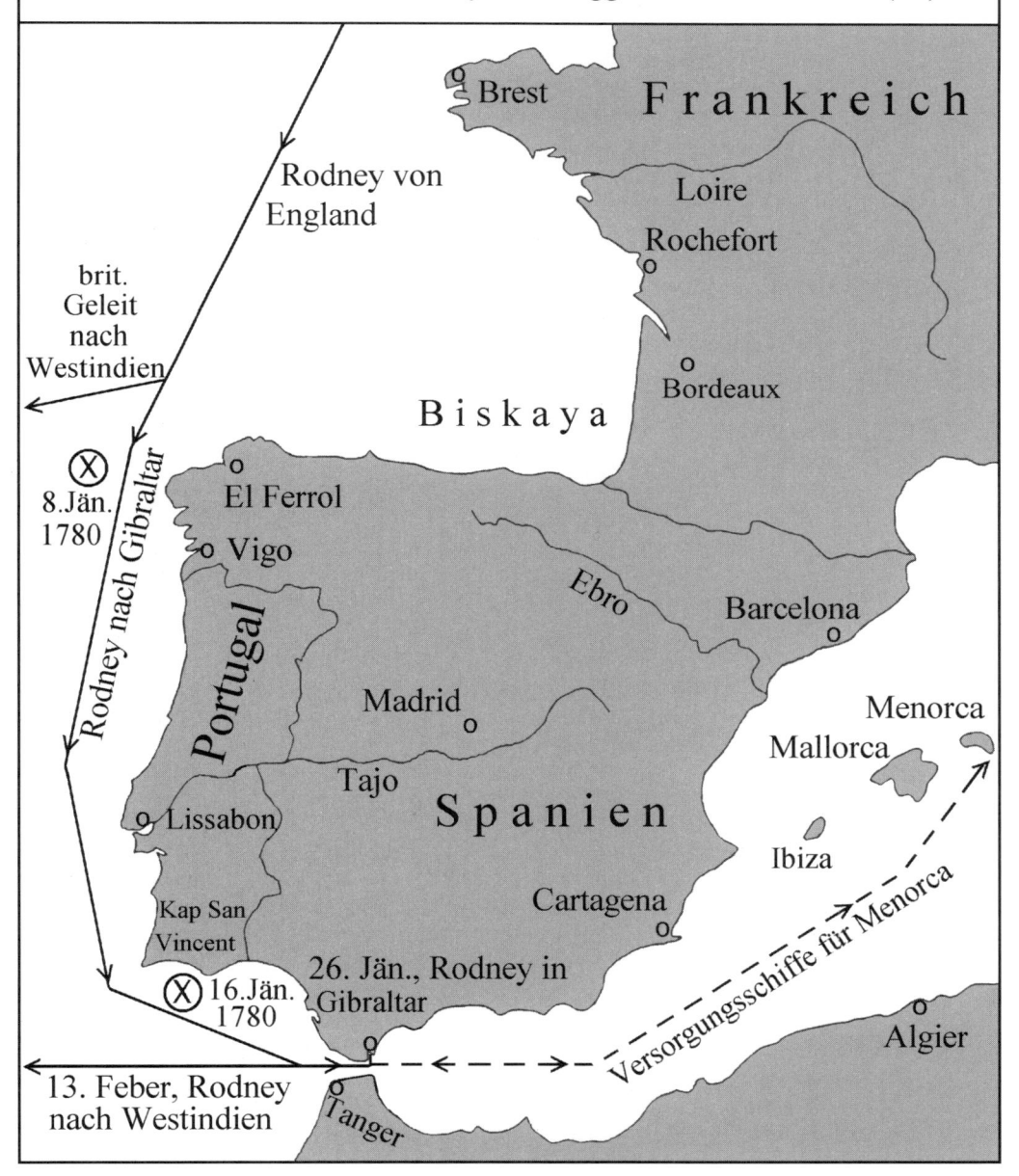

	sich die beiden Geschwader, beide außerstande den Kampf fortzusetzen. Ein Linienschiff der Niederländer sinkt am folgenden Tag.
12. Dezember	**Westlich Quessant.** Ein französisches Nachschubgeleit für Westindien wird von einem Geschwader von zwölf Linienschiffen unter Konteradmiral de Guichen gedeckt. Ein britisches Geschwader von 13 Linienschiffen unter Konteradmiral Kempenfelt auf der >Victory< (100) greift von der Luvseite an. Da sie auf der Leeseite stehen, können die französischen Linienschiffe nicht eingreifen. Kempenfelt erobert unter deren Augen zahlreiche Transporter und kann davon 15 einbringen.
Februar 1782	**Mittelmeer.** Die Flotte der Verbündeten unter Admiral Luis de Cordoba landet im Jahr 1781 spanische Truppen auf der Insel Menorca. Nach mehrmonatigen Kämpfen muß sich der britische Stützpunkt Port Mahon ergeben.
21. April	**Biskaya.** Ein britisches Geschwader von zwölf Linienschiffen unter Vizeadmiral Samuel Barrington erobert aus einem französischen Nachschubgeleit für Admiral Suffren in Ostindien das begleitende Linienschiff >Pégase< (74) und 13 von 19 Transportern. Suffren gehen dringend benötigte Nachschubgüter verloren.
29. August 1782	**Unglück.** In Portsmouth kentert das Linienschiff >Royal George< (100) beim Reinigen des Schiffsbodens. Mit ihm gehen Konteradmiral Kempenfelt und 900 Mann unter.
September 1782 9. September 13. September	**Angriff auf Gibraltar.** Die Verbündeten ziehen ihre Atlantikflotte zusammen, um die Festung von Land und See zu stürmen. Es beginnt ein viertägiges Bombardement durch die Belagerungsartillerie. Zehn schwimmende Batterien werden mit Korkpolstern fast unsinkbar gemacht und in der Bucht von Algeçiras verankert. Sie beschießen mit einer Anzahl Mörserbooten die Festung. Die Verteidiger schießen mit glühenden Kanonenkugeln zwei Batterien in Brand, die übrigen werden in der Nacht durch einen Bootsangriff vernichtet.
Oktober 1782	**Entsatz von Gibraltar.** Admiral Howe trifft mit der Kanalflotte von 35 Linienschiffen und einem Versorgungsgeleit von 140 Schiffen vor Gibraltar ein. Es gelingt ihm, die Flotte der Verbündeten von 48 Linienschiffen in das Mittelmeer zu locken, die Transporter in zwei Tagen zu löschen und vor dem Gegner wieder in den Atlantik zu entkommen. Einer schon in der Entwicklung begriffenen Seeschlacht mit dem stärkeren Gegner vor Kap Spartel kann er sich mit seinen schnelleren Schiffen entziehen.

Der Seekrieg in Nordamerika und Westindien

1775	**Erste Kampfhandlungen.** Am 19. April erfolgt bei Lexington der erste Zusammenstoß von amerikanischer Miliz mit britischen Truppen. Die ersten maritimen Operationen finden auf den Seen in Nordamerika statt.
Mai 1775	**Champlainsee.** Die Amerikaner Benedict Arnold und Ethen Allen stoßen mit einer Einheit von 270 Mann am See vor, erobern Fort Ticonderoga und einen dort liegenden Schoner, zerstören alle Materialien zum Schiffbau und ziehen sich wieder zurück. Da es in der Wildnis um den See keine Wege gibt, ist den Briten ein Vorstoß von Kanada Richtung New York für einige Zeit unmöglich gemacht. Arnold baut dann auf dem See eine kleine Flottille mit sogenannten „Gondolas" zum Rudern und „Galeeren", die auch segeln können, um den See weiterhin zu kontrollieren. **Ticonderoga** ist der erste Wendepunkt des Krieges.

Entsatz von Gibraltar, Okt. 1782

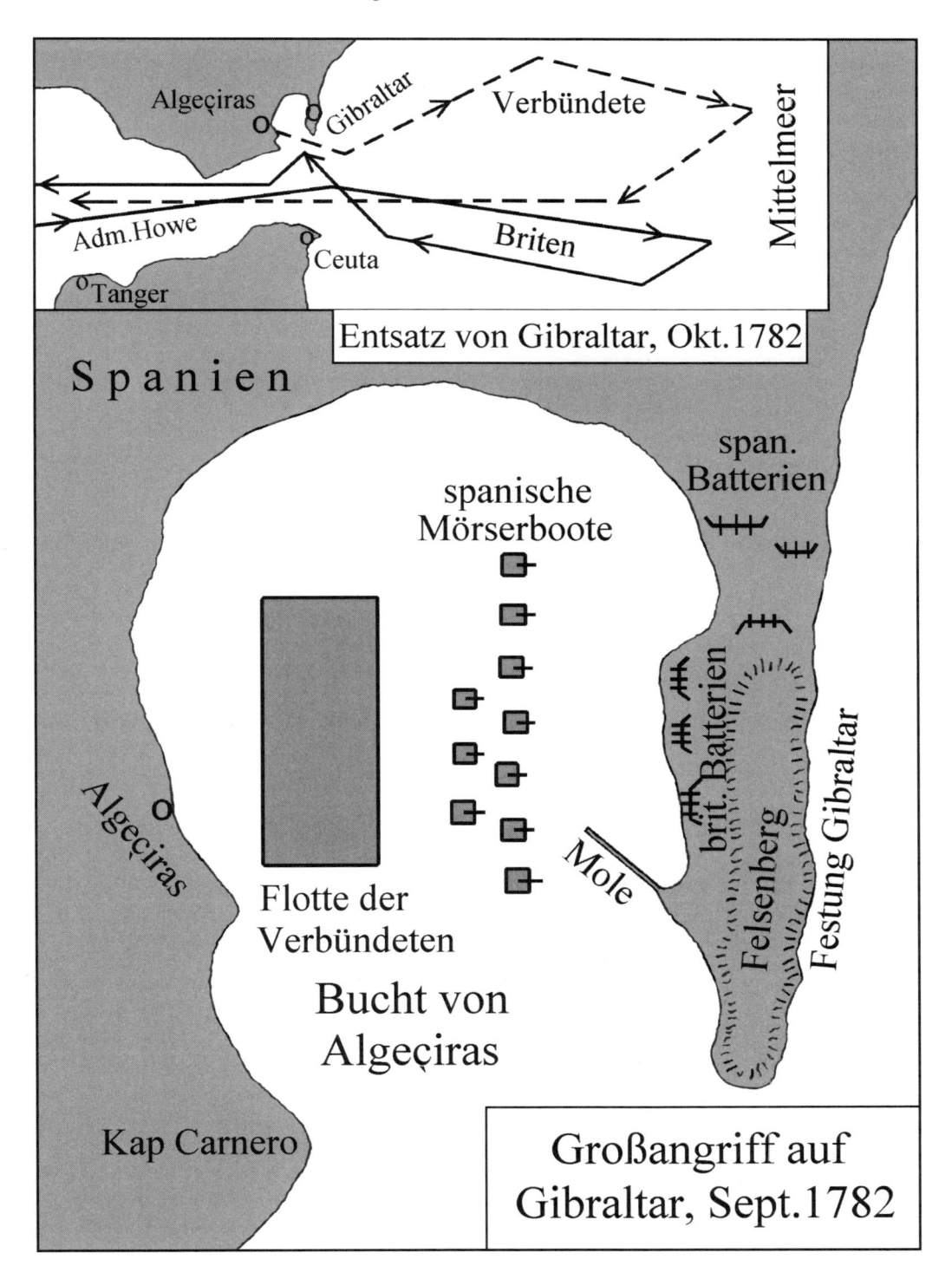

- Algeçiras
- Gibraltar
- Verbündete
- Mittelmeer
- Adm. Howe
- Briten
- Ceuta
- Tanger

Spanien

span. Batterien
spanische Mörserboote
brit. Batterien
Felsenberg
Festung Gibraltar
Mole
Algeçiras
Flotte der Verbündeten
Bucht von Algeçiras
Kap Carnero

Großangriff auf Gibraltar, Sept. 1782

Anfang 1776	**Britisches Westindien.** Die dortigen Kolonien beteiligen sich nicht an dem Aufstand in Nordamerika, da sie auf den Schutz der britischen Flotte gegen ihre meist feindlichen Nachbarn angewiesen sind. Auch die junge Kolonie **Kanada** hält weiter zu Großbritannien.
28. Juni 1776	**Angriff auf Charleston.** Ein britisches Geschwader von zwei Linienschiffen, mehreren Fregatten und Bombenfahrzeugen unter Commodore Peter Parker auf der >Bristol< (50) mit 2000 Landungstruppen unter Generalmajor Charles Cornwallis versucht den Hafen von Charleston zu erobern. Da das Fort Moultrie auch nach längerem Artillerieduell nicht niedergekämpft werden kann, müssen die Briten wieder abziehen.
2. Juli 1776	**Unabhängigkeitserklärung der 13 Vereinigten Staaten von Nordamerika,** von Maine im Norden bis Georgia im Süden.
Juli–September 1776	**New York.** Ein britisches Geschwader unter Admiral Richard Howe auf der >Eagle< (64) mit Landungstruppen unter seinem Bruder Gen. William Howe erobert die Stadt, versäumt aber, den Hudson nach Norden zum Champlainsee vorzustoßen.
6./7. September 1776	**Technik.** Der Amerikaner David Bushnell baut ein primitives Ein-Mann-Tauchboot mit Tretantrieb, die >Turtle<. Der Versuch von Sergeant Ezra Lee, mit diesem Fahrzeug die >Eagle< der britischen Blockadeflotte im Hafen von New York anzugreifen, scheitert, da die Briten ihre Schiffsböden schon gekupfert haben.
11. Oktober 1776	**Gefecht am Champlainsee.** Die amerikanische Flottille unter Benedict Arnold wird von der neu gebauten britischen Flottille unter Kpt. Charles Douglas mit drei Sloops und zahlreichen kleinen Kanonenbooten mit je einem Geschütz vernichtet. Die Briten haben damit den Besitz von Kanada gesichert, für einen Vorstoß in das Hudsontal ist die Jahreszeit aber schon zu weit fortgeschritten.
17. Oktober 1777	**Landkrieg.** Ein britisches Heer von 6000 Mann unter Gen.Lt. John Bourgoyne stößt vom Champlainsee nach Süden vor, wird von 14.000 Amerikanern unter Generalmajor Gates geschlagen und muß sich zehn Tage später bei **Saratoga** ergeben. Zweiter Wendepunkt des Krieges!
Oktober–November 1777	**Delaware-Fluß.** Nur mit Mühe kann die britische Flotte unter Admiral Howe den Wasserweg freikämpfen, um die Verbindung mit den Landtruppen in Philadelphia herzustellen. Neben anderen Schiffen geht dabei das Linienschiff >Augusta< (64) verloren.
7. Jänner 1778	**Mineneinsatz.** David Bushnell läßt mit Pulver gefüllte Fässer an Bojen gegen die im Delaware liegenden britischen Schiffe treiben. Obwohl die Aktion erfolglos bleibt, ist dies der erste offensive Mineneinsatz, wenn man von den „infernal mashines" bei der Belagerung von Antwerpen im 16. Jh. absieht.
6. Februar 1778	**Kriegseintritt.** Frankreich erkennt die Vereinigten Staaten an und schließt mit ihnen ein Verteidigungsbündnis. Ab März beginnt der Kriegszustand mit Großbritannien.
7. März 1778	**Kleine Antillen.** Bei Barbados trifft das britische Linienschiff >Yarmouth< (64), Kpt. Nicholas Vincent, auf einige Schiffe der USA, darunter die Fregatte >Randolph< (32) unter Kpt. Nicholas Biddle. Nach energischer Gegenwehr fliegt die Fregatte in die Luft.

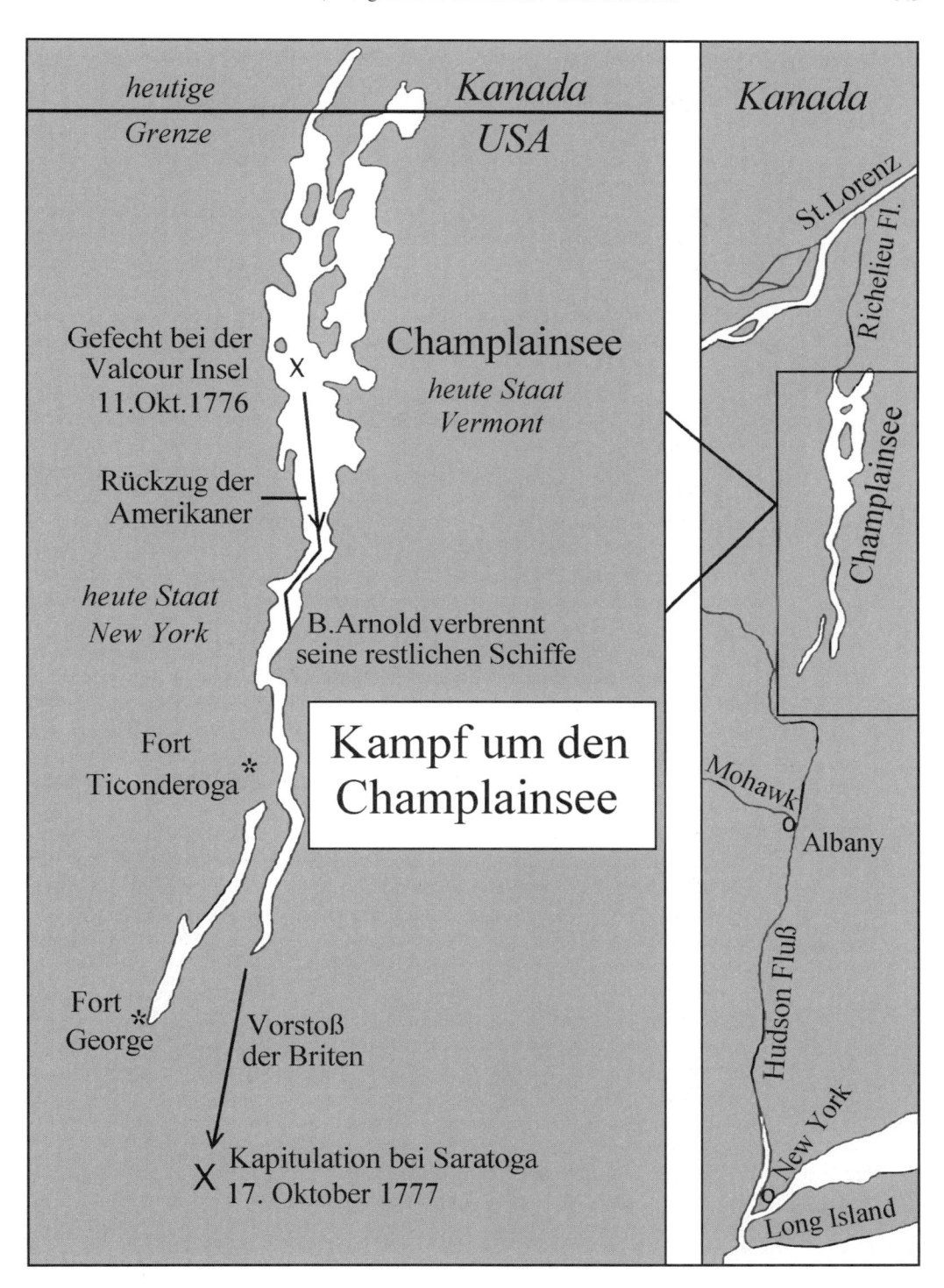

Pemsel, Weltgeschichte der Seefahrt – Seeherrschaft II 643

Kampf um den Champlainsee

Kanada / USA — *heutige Grenze*

Champlainsee *heute Staat Vermont*

Gefecht bei der Valcour Insel 11. Okt. 1776

Rückzug der Amerikaner

heute Staat New York

B. Arnold verbrennt seine restlichen Schiffe

Fort Ticonderoga *

Fort George *

Vorstoß der Briten

Kapitulation bei Saratoga 17. Oktober 1777

Kanada — St. Lorenz — Richelieu Fl. — Champlainsee — Mohawk — Albany — Hudson Fluß — New York — Long Island

August 1778	**Neuengland.** Die Franzosen senden ein Geschwader unter Admiral d'Estaing den Amerikanern zu Hilfe. In der Naragansett-Bucht zerstören sie die dort liegenden britischen Schiffe, darunter fünf Fregatten. Beim Erscheinen des Geschwaders unter Admiral Howe von New York laufen die Franzosen aus, es kommt aber trotz längerem Manövrierens zu keiner Schlacht. Die Briten müssen die Naragansett-Bucht schließlich räumen.
September	**Westindien.** Die französische Flottille in Martinique erobert in einem Überraschungsangriff die unvorbereitete britische Insel Dominica.
Dezember	**Westindien.** Ein britisches Geschwader von sieben Linienschiffen und zwei Fregatten mit Truppentransportern, unter Vizeadmiral Samuel Barrington auf der >Prince of Wales< (74) landet 5000 Mann auf der Insel St. Lucia, die bald in den Händen der Briten ist. Der Gegenangriff der Franzosen unter Admiral d'Estaing schlägt fehl.
Jänner 1779	**Westafrika.** Ein kleines französisches Geschwader erobert die britischen Besitzungen in Sénégal und schon im folgenden Monat jene an der Goldküste.
Juni 1779	**Westindien.** Das britische Westindiengeschwader sichert einen großen Geleitzug von Handelsschiffen in den Atlantik hinaus. Die Franzosen nützen dessen Abwesenheit und erobern die Insel St. Vincent.
6. Juli 1779	**Seeschlacht bei Grenada.** Die Franzosen unter Admiral d'Estaing haben in den letzten Tagen Truppen auf der Insel gelandet. Die Transportflotte und das Deckungsgeschwader liegen noch vor dem Hafen Georgetown. Das britische Westindiengeschwader unter Vizeadmiral John Byron, Flaggschiff >Princess Royal< (90), greift mit 21 Linienschiffen an. Byron unterschätzt die Stärke des Gegners und befiehlt „Allgemeine Jagd". Von der sich bildenden französischen Gefechtslinie werden die britischen Spitzenschiffe schwer getroffen. Byron bildet daraufhin ebenfalls Kiellinie, soweit noch möglich. Um die Mittagszeit endet der Kampf ohne eindeutigen Sieger. Die Franzosen wehren wohl den Angriff ab, versäumen es aber einige schwer beschädigte und versprengte britische Schiffe zu vernichten. Die Verluste liegen auf beiden Seiten etwas unter 1000 Mann.
August 1779	**Nordamerika.** Admiral d'Estaing versucht vergeblich, das von den Briten ein halbes Jahr vorher eingenommene Savannah zurückzuerobern. Sein Angriff veranlaßt jedoch die Briten zur Verstärkung ihrer Truppen im Süden. Sie räumen daher Rhode Island mit dem guten Hafen in der Naragansett-Bucht.
13. August	**Nordamerika.** Ein britisches Geschwader mit dem Linienschiff >Raisonnable< (64) und fünf Fregatten unter Konteradmiral George Collier vernichtet in der Mündung des Penobscot-Flusses (Maine) eine US-Flottille von einem Dutzend kleineren Kriegsschiffen, darunter eine Fregatte.
24. September	**Treffen.** Südlich von New York trifft ein britisches Linienschiff, einen kleinen Transport begleitend, auf drei französische Linienschiffe. Diese erobern nach kurzem Kampf das Linienschiff und zwei Transporter.
18. Dezember	**Westindien.** Vor Martinique erobern die Briten aus einem französischen Nachschubgeleit neun Schiffe und treiben vier weitere auf den Strand.
21. Dezember	**Gefecht vor Guadeloupe.** Drei französische Fregatten treffen auf vier britische Linienschiffe. Mit wegen Krankheiten nur schwacher Besatzung können

Der Seekrieg in Amerika
1779–1782

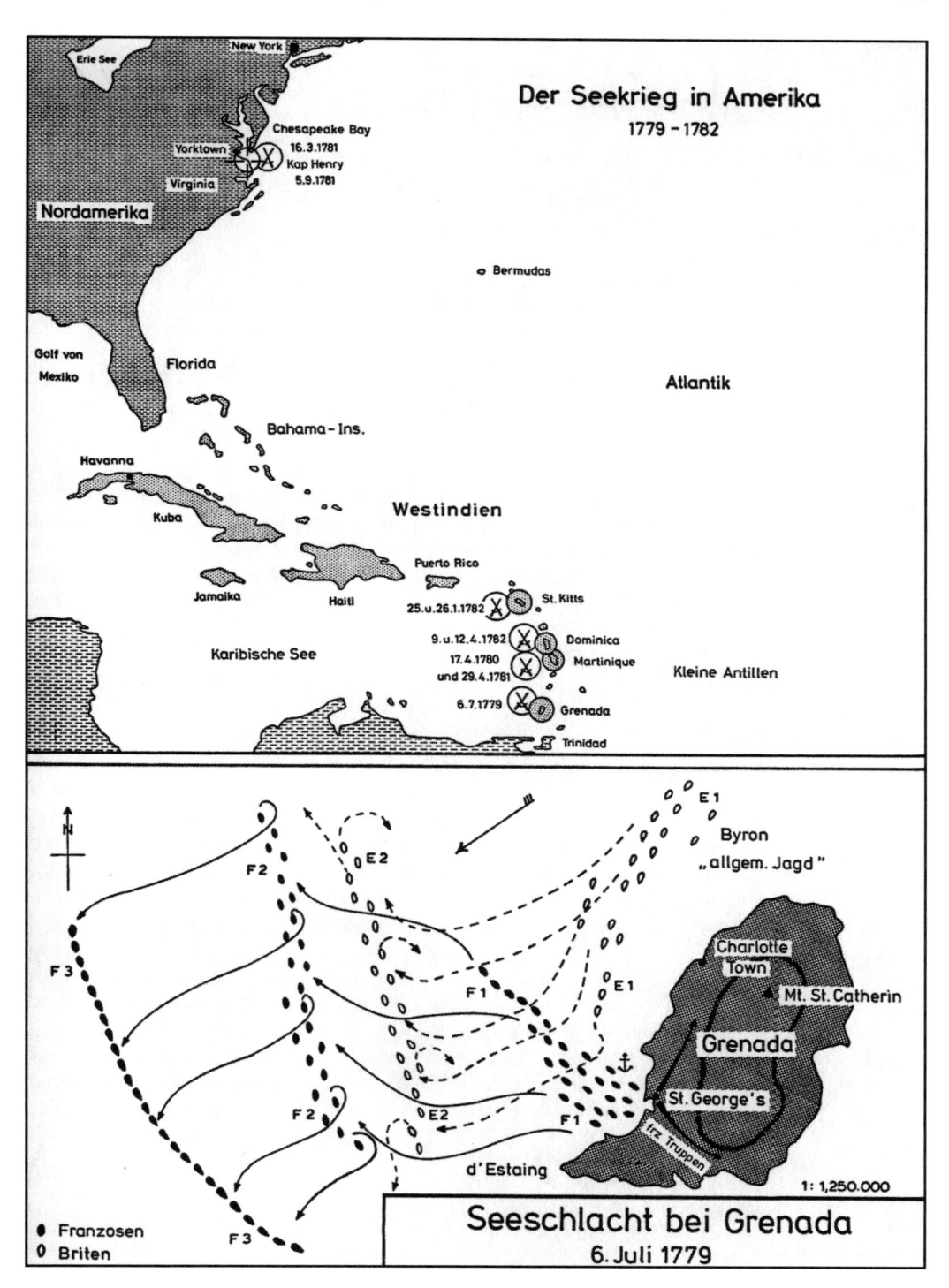

Seeschlacht bei Grenada
6. Juli 1779

- Franzosen
○ Briten

1 : 1.250.000

	die Fregatten den schnellen 74 Kanonen-Schiffen nicht entkommen. Noch am selben Tag wird eine Fregatte erobert, am folgenden Tag die beiden anderen.
20. bis 21. März 1780	**Gefecht bei Monte Christi.** Kpt. William Cornwallis (E) greift mit den Linienschiffen >Lion< (64) und >Bristol< (50) und einer Fregatte ein französisches Geleit an. Dessen Deckung von vier Linienschiffen unter Konteradmiral La Motte-Piquet, Flaggschiff >Annibal< (74), weist den Angriff in einem zweitägigen Kampf ab.
März–Mai	**Eroberung von Charleston.** Ein britisches Geschwader von sechs Linienschiffen, sechs Fregatten und Transportern beginnt mit 7500 Mann Landungstruppen den Kampf um den stark verteidigten Hafen. Nach zwei Monaten ist mit der Eroberung von Fort Moultrie der Kampf abgeschlossen. Im Hafen erobern die Briten die Fregatten >Boston<, >Providence<, >Queen of Francia< und >Ranger<, mehrere Fregatten und kleinere Fahrzeuge der Amerikaner werden vernichtet.
17. April 1780	**Seeschlacht bei Martinique.** Admiral Rodney, Flaggschiff >Sandwich< (90), trifft mit 20 Linienschiffen auf das französische Westindiengeschwader, das unter Konteradmiral Guichen, Flaggschiff >Couronne< (80), 22 Linienschiffe umfaßt. Den ganzen Vormittag manövrieren die Flotten um eine möglichst günstige Ausgangsposition für den Kampf. Schließlich steht Rodney auf der Luvseite. Er befiehlt, die feindliche Nachhut mit Übermacht anzugreifen. Durch ein Mißverständnis legt sich das britische Geschwader Schiff für Schiff dem Feind gegenüber. Dadurch beginnt das übliche Artillerieduell in rangierter Kiellinie. Von 13 bis 17 Uhr wird heftig gefochten. Die beschädigte >Sandwich< treibt unabsichtlich durch die französische Linie, weitere britische Schiffe folgen ihr. Guichen hält dies für ein beabsichtigtes Durchbruchsmanöver und bricht den Kampf ab. Beide Seiten verlieren über 500 Mann.
15. und 17. Mai 1780	**Zweites Treffen bei Martinique.** Die Geschwader von Rodney und Guichen treffen erneut aufeinander und trennen sich nach kurzem Kampf ohne Entscheidung. Der Versuch der Franzosen, St. Lucia zurückzuerobern, ist damit gescheitert.
20. Juni	**Zweites Gefecht bei Monte Christi.** Cornwallis trifft erneut, diesmal mit fünf Linienschiffen und einer Fregatte, auf ein französisches Truppengeleit. Der Geleitschutz unter Com. de Ternay von sieben Linienschiffen kann die Briten nach kurzem Kampf wieder abweisen.
Oktober	**Schiffbruch.** In zwei Wirbelstürmen verlieren die Briten in Westindien die Linienschiffe >Thunderer< (74) und >Stirling Castle< (64), vier Fregatten und sieben kleinere Kriegsschiffe. Viele weitere Schiffe sind entmastet. Den Franzosen kosten diese Stürme drei Linienschiffe und zwei Fregatten.
16. März	**Treffen vor der Chesapeake-Bucht.** Ein britisches Geschwader von sieben Linienschiffen unter Vizeadmiral Marriot Arbuthnot, Flaggschiff >Royal Oak< (74), trifft auf ebenso viele französische Linienschiffe unter Com. des Touches, Flaggschiff >Neptune< (74). Nach einigem Manövrieren und einer Kanonade trennen sich beide mit je 100 Mann Verluste ohne Entscheidung.
29. April	**Treffen bei Martinique.** Das britische Westindiengeschwader von 18 Linienschiffen unter Konteradmiral Samuel Hood, Flaggschiff >Barfleur< (90), trifft auf die 24 Linienschiffe der Franzosen unter Vizeadmiral de Grasse, die einen

Seeschlacht bei Martinique 17. April 1780

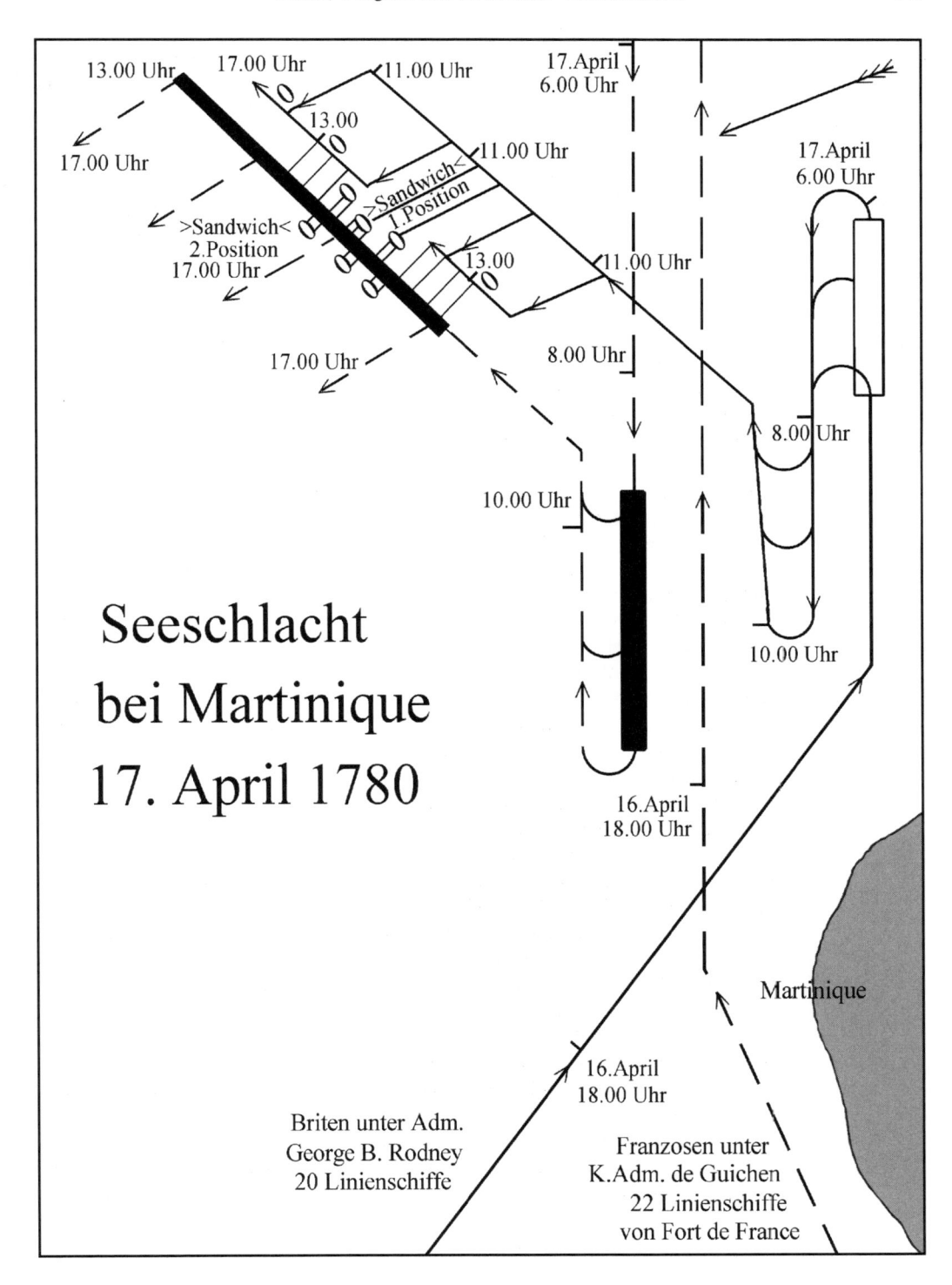

Briten unter Adm. George B. Rodney
20 Linienschiffe

Franzosen unter K.Adm. de Guichen
22 Linienschiffe
von Fort de France

	Geleitzug nach Port Royal bringen. Nach einem Artillerieduell auf große Distanz trennen sich die Geschwader ohne Entscheidung. Drei britische Schiffe sind schwer beschädigt, jede Seite verliert rund 300 Mann.
2. September	**Nordamerika.** Vor Boston, Neuengland, unterliegt die französische Fregatte >Magicienne< (32) nach verzweifelter Gegenwehr dem britischen Linienschiff >Chatham< (60).
1781	**Nordamerika.** Der Landkrieg am Festland tritt in eine entscheidende Phase. Die britischen Truppen unter Gen. Cornwallis werden bei Yorktown von den Amerikanern und dem französischen Hilfskorps umstellt. Die Seeherrschaft vor der Chesapeake-Bucht ist daher für die Versorgung des britischen Heeres existenzwichtig.
September 1781	Admiral de Grasse bringt von Westindien Truppenverstärkung für Gen. Washington. Mit seinem Geschwader legt er sich dann vor die Einfahrt der Chesapeake-Bucht und unterbindet damit den Nachschub für den umstellten Gen. Cornwallis. Das britische Geschwader unter Konteradmiral Thomas Graves, Flaggschiff >London< (98), soll die Franzosen von dort vertreiben.
5. September 1781	**Seeschlacht bei Kap Henry.** Am Vormittag erscheint Graves mit seinen 19 Linienschiffen vor der Chesapeake-Bucht. Zweiter Admiral und Führer der Vorhut ist Konteradmiral Samuel Hood auf der >Barfleur< (98). Sobald de Grasse, Flaggschiff >Ville de Paris< (104), das britische Geschwader sichtet, lichtet er mit seinen 24 Linienschiffen die Anker und bildet Schlachtlinie auf Ostkurs. Statt den Gegner in der Entwicklung anzugreifen, bildet Graves ebenfalls zuerst Schlachtlinie und hält erst dann von Norden auf den Gegner zu. Nur die britische Vorhut geht auf nahe Gefechtsentfernung, die Schiffe der Mitte und der Nachhut bleiben wegen einer Flaute zum Großteil außerhalb der Reichweite der Artillerie. Die britische Vorhut wird vom Feuer der französischen Spitzenschiffe schwer erschüttert. Die >Terrible< (74) wird so schwer beschädigt, daß sie nach fünf Tagen aufgegeben werden muß. Aber auch die französischen Spitzenschiffe leiden sehr. Nach zwei Stunden bricht Graves die Schlacht ohne eine Entscheidung erzielt zu haben ab.
13.00 Uhr	
16.00 Uhr	
18.00 Uhr	
	Am nächsten Tag wagt Graves keinen neuen Angriff. De Grasse legt sich wieder vor Kap Henry und sperrt die Einfahrt in die Bucht. Das britische Heer bleibt weiter von der See abgeschnitten.
19. Oktober 1781	**Kapitulation von Yorktown.** Gen. Cornwallis muß mit seiner britischen Armee die Waffen niederlegen. Damit ist die Entscheidung im Unabhängigkeitskrieg zugunsten der USA gefallen. Dritter Wendepunkt des Krieges!
1781	**Golf von Mexiko.** Spanische Land- und Seestreitkräfte, die von New Orleans aus operieren, erobern zunächst Pensacola und dann auch ganz Florida zurück. Das Schwergewicht des Krieges liegt nun in Westindien.
11. Jänner 1782	**Kleine Antillen.** Die Franzosen landen Truppen auf der Insel St. Kitts. Die britische Besatzung ist auf einem Hügel umzingelt. De Grasse deckt mit seinen 26 Linienschiffen die Operation.
25. und 26. Jänner 1782 25.	**Seeschlacht bei St. Kitts.** Konteradmiral Hood kann mit seinen 22 Linienschiffen an den Franzosen vorbei den Hafen erreichen. Noch während seine Schiffe vor Anker gehen, greift de Grasse an. Schon im feindlichen Feuer ver-

Angriff von Cornwallis auf Virginia und Kapitulation in Yorktown 19. Okt. 1781

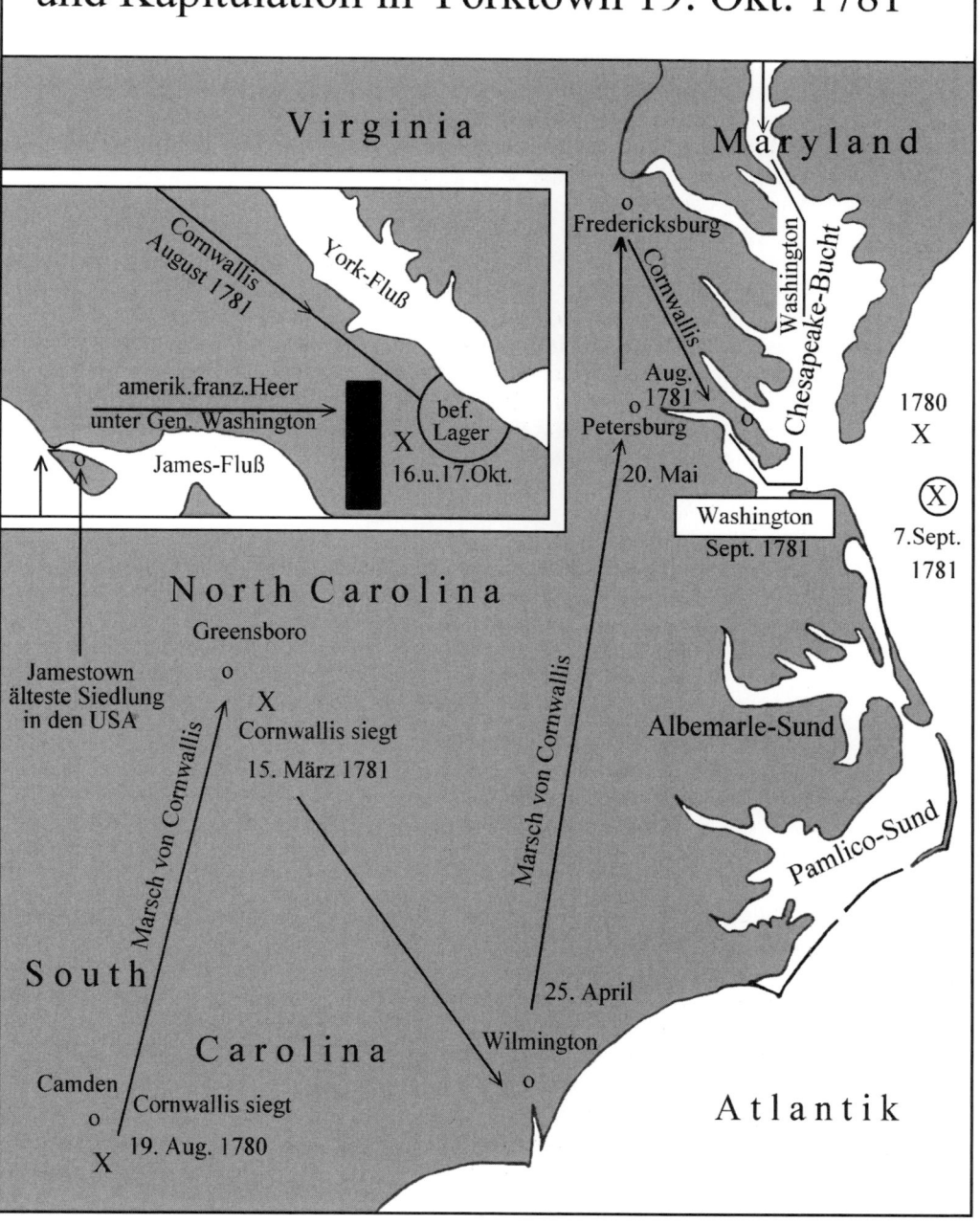

ankert Hood seine Schiffe so, daß die ansegelnden Franzosen die vollen Breitseiten der Briten erhalten. De Grasse bricht daraufhin den Kampf ab.

26. Am nächsten Morgen greifen die Franzosen erneut an. Sie laufen in Kiellinie an der britischen Aufstellung entlang. Die Spitzenschiffe erhalten die Breitseiten aller britischen Schiffe und werden schwer hergenommen. Nach einem zweiten Versuch bricht de Grasse den Kampf erneut ab. Da sich die britischen Truppen auf der Insel mittlerweile ergeben haben, verläßt Hood in der Nacht unbemerkt seine Position und vereinigt sich mit dem wieder in Westindien eingetroffenen Admiral Rodney.

Jänner und Februar 1782 **Südamerika.** Ein kleines französisches Geschwader unter Kpt. de Kersaint erobert das von den Briten besetzte niederländische Guayana, wobei ihm fünf Korvetten und Briggs in die Hände fallen.

Westindien. Die Briten verfügen nun über 30 Linienschiffe und können gegenüber dem starken französischen Geschwader offensiver werden, das einen großen Truppentransport von Martinique nach Kuba bringen soll. Rodney versucht dieses Geleit abzufangen.

9. April 1782 **Erste Seeschlacht bei Dominica.** In der Nähe dieser Insel treffen die beiden Flotten aufeinander. Jede ist 30 Linienschiffe stark. In Lee der Insel haben beide Windstille. Nur ein Teil der Franzosen und die britische Vorhut unter Hood erhalten eine leichte Brise. Zunächst kommen acht britische Schiffe mit 15 französischen ins Gefecht. Als sich nach einigen Stunden auch die britische Hauptmacht nähert, brechen die Franzosen den Kampf ab und begnügen sich mit der Sicherung des Truppentransportes. Drei Tage später treffen die Geschwader erneut aufeinander.

12. April 1782 **Zweite Seeschlacht bei Dominica.** Die britische Flotte unter Admiral Rodney, Flaggschiff >Formidable< (98), ist 36 Linienschiffe stark. Sie ist in drei Geschwader unter Konteradmiral Hood, >Barfleur< (98) mit der Vorhut, Rodney mit dem Zentrum und Konteradmiral Francis S. Drake, >Princess< (70), mit der Nachhut geteilt. Die Franzosen unter Admiral de Grasse, Flaggschiff >Ville de Paris< (104), verfügen über 31 Linienschiffe. Die französische Flotte liegt

7.00 Uhr bei der kleinen Inselgruppe les Saintes südlich von Guadeloupe, als die britische Flotte am Morgen von Süden heransegelt. Die Franzosen bilden die Schlachtlinie auf Südkurs und passieren die britischen Spitzenschiffe bei Ostwind auf der Luvseite. Bei dem beginnenden Passiergefecht weist die französische Linie einige größere Abstände auf. Da dreht der Wind plötzlich auf Südost.

9.00 Uhr Admiral Rodney geht mit seinem Flaggschiff sofort in den Wind und durchbricht die feindliche Linie. Auch ein Schiff der Vorhut und die Nachhut unter

11.00 Uhr Hood folgen diesem Manöver. Die französische Flotte gerät vollständig durcheinander. Einige Schiffe haben bereits schwere Havarien. De Grasse gelingt es

14.00 Uhr nicht, seine Flotte zu ordnen. Die Franzosen beginnen sich zurückzuziehen, die

18.00 Uhr Briten erobern jedoch einige der zurückbleibenden Schiffe. Schließlich wird auch die >Ville de Paris< gezwungen, die Flagge zu streichen. Sie allein hat 400 Tote und Verwundete an Bord. De Grasse gerät in Gefangenschaft.

Bei energischer Verfolgung wäre Rodneys Erfolg noch größer gewesen. Die Franzosen verlieren immerhin fünf Linienschiffe und 2000 Mann an Toten und

Seeschlacht bei Kap Henry
5. September 1781

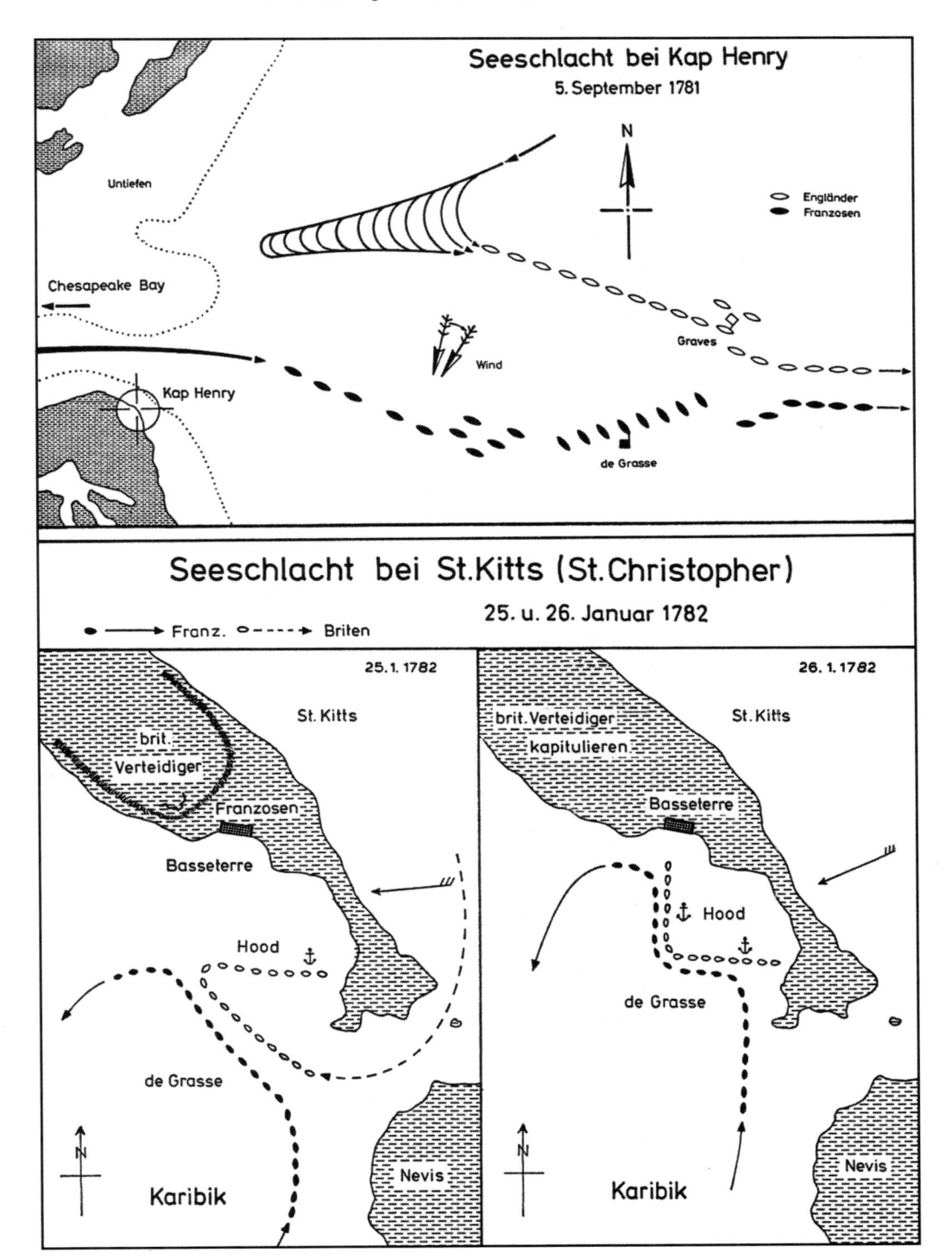

Seeschlacht bei St. Kitts (St. Christopher)
25. u. 26. Januar 1782

	Verwundeten sowie eine große Zahl an Gefangenen. Der Verlust der Briten beträgt etwas über 1000 Mann. Als erste Durchbruchsschlacht nach vielen unentschiedenen Kämpfen leitet diese Schlacht eine neue Phase in der Seekriegstaktik ein. Den Krieg in Westindien entscheidet sie zugunsten der Briten.
19. April	**Gefecht bei Puerto Rico.** Westlich der Insel erobert Konteradmiral Hood mit seinem Geschwader von zehn Linienschiffen zwei französische Linienschiffe, eine Fregatte und eine Sloop.
Juli 1782	**Kanada.** Ein französisches Geschwader mit dem Linienschiff >Sceptre< (74), zwei Fregatten und 300 Mann Landungstruppen unter Kpt. La Perouse erscheint in der Hudson-Bucht und erobert zunächst Fort Churchill und im August Fort York. Nach Zerstören der Anlagen und Pelzvorräte deponiert La Perouse an der Küste für die in die Wälder geflüchteten Engländer der Hudson-Bucht-Gesellschaft Munition und Verpflegung, denn diese sind in der Wildnis in einer Situation, für die der Forschungsreisende La Perouse Verständnis hat.
September	**Schiffbruch.** Ein britisches Geleit aus Westindien mit den bei Dominica eroberten Linienschiffen gerät im Atlantik in einen schweren Sturm. Die britischen Linienschiffe >Ramillies< und >Centaur< sinken, die erbeuteten >Ville de Paris< und >Glorieux< verschwinden spurlos.
17.–18. Oktober	**Gefecht bei Santo Domingo.** Die britischen Linienschiffe >London< (98) und >Torbay< (74) treffen auf das französische Linienschiff >Scipion< (74) und die Fregatte >Sybille< (32). Die beiden französischen Schiffe verteidigen sich geschickt und können schließlich entkommen.
6. Dezember	**Westindien.** Vor Barbados erobert ein britisches Geschwader von einigen Linienschiffen nach kurzer Verfolgung die französische >Solitaire< (64).

Der Seekrieg in Ostindien

Juli 1778	**Pondicherry.** Die Briten erobern diesen wichtigen französischen Stützpunkt. Ihr Ostindiengeschwader von zwei Linienschiffen und mehreren Fahrzeugen vertreibt das gleich starke französische Geschwader von der indischen Küste. Verstärkungen im folgenden Jahr unter Konteradmiral Edward Hughes sichern den Briten ihre Seeverbindungen im Kampf mit Fürst Hyder Ali, dessen Flottille vernichtet wird.
1781	**Indischer Ozean.** Großbritannien und Frankreich schicken Verstärkungen in den Indischen Ozean. Das britische Geschwader soll unterwegs die niederländische Kapkolonie wegnehmen. Die Franzosen schicken einen Truppentransport als Verstärkung dorthin.
16. April	**Gefecht bei Porto Praya** (Kapverden). Auf dem Weg nach Ostindien trifft das französische Geschwader von fünf Linienschiffen unter Vizeadmiral Suffren, Flaggschiff >Héros<< (74), auf das im Hafen liegende britische Geschwader von fünf Linienschiffen, drei Fregatten und zahlreichen Ostindienfahrern unter Com. George Johnstone auf der >Romney< (50). Suffren greift sofort beherzt an. Da ihn aber nur zwei seiner Schiffe ernstlich unterstützen, bricht er den Kampf ab.
Mai	**Südafrika.** Suffren landet die mitgebrachten Truppen in der Kapkolonie der Niederländer, die dadurch zunächst gesichert ist.

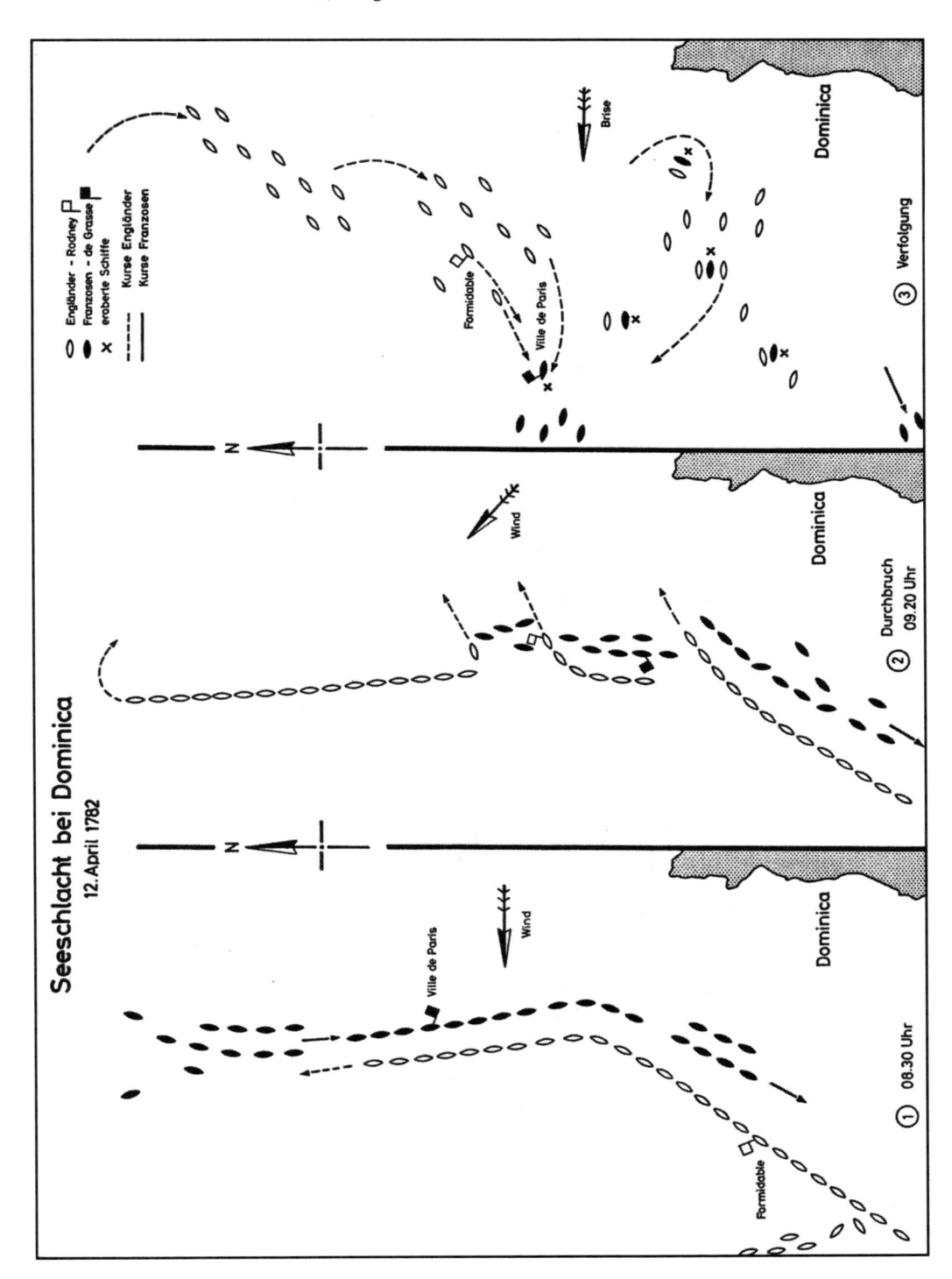

Pemsel, Weltgeschichte der Seefahrt – Seeherrschaft II 653

21. Juli	**Südafrika.** Das britische Geschwader trifft an der Küste fünf große niederländische Ostindienfahrer, jeder mit 20 bis 24 Kanonen bewaffnet, treibt sie auf den Strand, erobert vier und verbrennt einen.
Oktober	**Ile de France.** Suffren trifft mit seinen Verstärkungen im Indischen Ozean ein und übernimmt im Jänner 1782 dort das Kommando. Auf dem Weg zur Koromandelküste, wo er Hyder Ali unterstützen soll, wird das britische Linienschiff >Hannibal< (50) erobert.
17. Februar 1782	**Seeschlacht bei Madras.** Suffren trifft zum ersten Mal auf seinen Gegner Hughes, Flaggschiff >Superb< (74). Zwölf französischen Linienschiffen stehen neun britische gegenüber. Suffren greift von der Luvseite die britische Nachhut an. Umspringender Wind bringt auch die britische Vorhut ins Gefecht. Der Kampf endet am Abend unentschieden.
12. April	**Seeschlacht bei Ceylon.** Nach der Eroberung von Trinkomalee durch die Briten treffen die Gegner erneut aufeinander, Hughes führt diesmal auf der >Exeter< (74). Elf britische stehen zwölf französischen Linienschiffe gegenüber. Wieder endet der, diesmal erbittert geführte Kampf unentschieden.
6. Juli	**Seeschlacht bei Negapattinam.** Diesmal stehen sich je elf Linienschiffe gegenüber. Zwei französische Schiffe werden von der Hauptmacht abgeschnitten und arg zusammengeschossen. Suffren kann sie nur mit Mühe herausschlagen. Die Verluste der Franzosen sind diesmal schwerer, trotzdem endet auch dieser Kampf ohne Entscheidung.
3. September 1782	**Seeschlacht bei Trinkomalee.** Suffren greift mit seinen 14 Linienschiffen ungestüm an. Hughes erwartet die Franzosen mit zwölf Linienschiffen in guter Ordnung. Einige französische Schiffe werden wieder schwer beschädigt. Suffrens Flaggschiff „Héros" (74) ist sogar manövrierunfähig. Hughes versäumt es, eine Entscheidung herbeizuführen. Beide Seiten verlieren je über 300 Mann. Suffren muß nach Sumatra gehen, um seine Schäden auszubessern.
20. Juni 1783	**Seeschlacht bei Kudalur.** Diesen Hafen blockiert Hughes mit 18 Linienschiffen (er hat Verstärkung aus England erhalten), Suffren greift mit 15 Linienschiffen an. Das laufende Gefecht bringt wieder keine Entscheidung. Hughes muß aber die Blockade aufgeben. Beide Seiten verlieren je rund 500 Mann. Kurz darauf trifft die Nachricht vom Friedensschluß in Europa ein. Suffren hat den Seekrieg im Indischen Ozean ohne geeigneten Stützpunkt und fast ohne Hilfsmittel nahezu zwei Jahre mit Erfolg geführt.
1782	**Anerkennung der Vereinigten Staaten von Nordamerika** durch die Briten.
1783	**Friede von Versailles.** Der Krieg endet im großen und ganzen mit dem früheren Besitzstand, die Eroberungen werden gegenseitig ausgetauscht. Nur Spanien behält Menorca und Florida.
1781/1790	**Literatur.** Der Schotte John Clerk verfaßt das Buch „Essay on Naval Tactics". Er tritt darin gegen die starre Kiellinie und das reine Artilleriegefecht Schiff gegen Schiff auf. Er befürwortet eine elastische Führung der Flotte und eine Konzentration der Kräfte auf einen Teil der feindlichen Streitkräfte, der mit Übermacht niedergerungen werden soll. Auch der Durchbruch durch die feindliche Linie und das Doublieren werden empfohlen.

Gefecht bei Porto Praya
16. April 1781

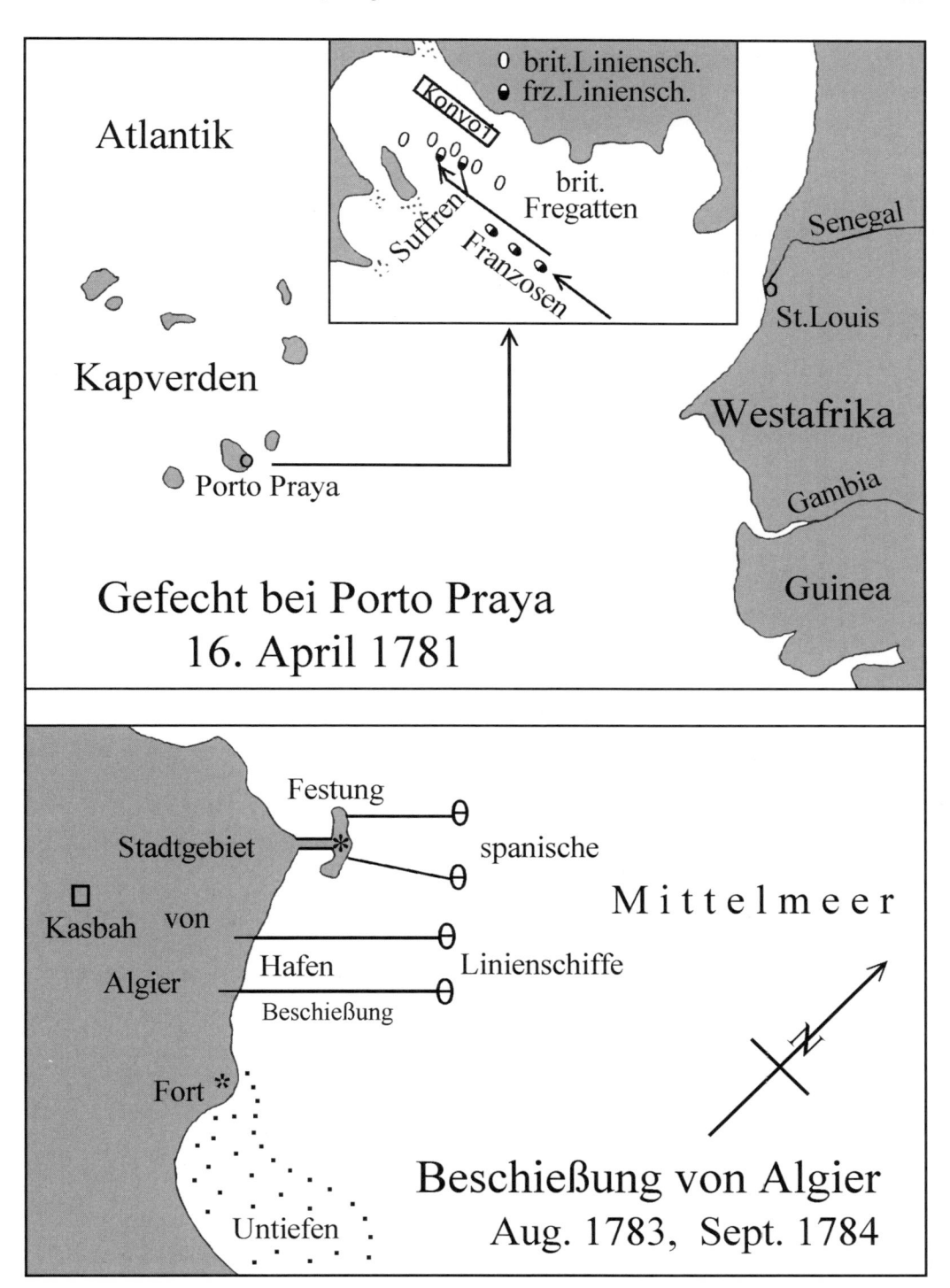

Atlantik

Kapverden

Porto Praya

○ brit.Liniensch.
● frz.Liniensch.

Konvoi

brit. Fregatten

Suffren

Franzosen

Senegal

St.Louis

Westafrika

Gambia

Guinea

Beschießung von Algier
Aug. 1783, Sept. 1784

Festung

Stadtgebiet

Kasbah von

Algier

Hafen

Beschießung

spanische

Linienschiffe

Mittelmeer

Fort

Untiefen

656   Zeit der Segelschiffe: Die Seekriege in der zweiten Hälfte des 18. Jahrhunderts

1782–1792   **Venedig.** Die Republik führt wegen der ständigen Übergriffe auf seine Handelsschiffe Krieg gegen den Bei von Tunis. Die Flotte beschießt mehrfach Küstenplätze in Tunesien. Es ist die letzte Offensive der Markusrepublik.

5. Juni 1783   **Wissenschaft.** In Frankreich lassen die Brüder Montgolfier einen ersten Heißluftballon auf 1800 Meter aufsteigen. „Besatzung" sind mehrere Kleintiere. Schon am 15. Oktober fliegt der Ballon mit einem Menschen bis auf 30 Meter. Die Eroberung des Luftraumes durch den Menschen beginnt.

1. bis 10. August 1783   **Algier.** Ein spanisches Geschwader von vier Linienschiffen, vier Fregatten, Bombenschiffen und weiteren Fahrzeugen unter Vizeadmiral Antonio Barceló beschießt mit mäßigem Erfolg und geringen eigenen Verlusten den Hafen.

September 1784   **Algier.** Ein stärkeres spanisches Geschwader unter dem gleichen Kommando beschießt erneut die Hafenstadt. Diesmal sind an der Unternehmung auch zwei Linienschiffe und zwei Fregatten aus Portugal, eine Schiffsdivision aus dem Königreich Neapel und einige Fregatten und Galeeren (!) der Johanniter aus Malta beteiligt. Erfolg und Verluste sind neuerlich gering.

1787–1791 Krieg Rußland und Österreich gegen die Türkei

Rußland annektiert die autonome Halbinsel Krim und gründet den Kriegshafen Sewastopol. Die Türkei sieht ihre Stellung im Schwarzen Meer bedroht und erklärt an Rußland den Krieg. Österreich folgt seiner Bündnisverpflichtung. Die Flottenstärken zu Kriegsbeginn sind:

1787

	Türkei	Rußland im Schwarzen Meer
Linienschiffe	22	5
Fregatten	8	20
Geschütze auf Schiffen	1700	1100

Ferner verfügen beide Flotten über starke Fluß- und Küstenflottillen aus Ruderkanonenbooten und Artillerieprähmen.

12. Oktober 1787   **Angriff auf Kinburn.** Diese Festung beherrscht die Einfahrt in die breite Mündung des Dnjepr. Ein türkisches Geschwader beschießt die Festung und landet 5000 Mann, die von den Russen geschlagen werden. Nur 500 Mann können sich wieder auf die Schiffe retten. Der Rest ist gefallen oder gefangen.

1788   **Dnjeprmündung.** Am Ausgang des Dnjepr-Liman (weite Flußmündung) liegt am Nordufer die türkische Festung Otschakow. Gegen sie richtet sich nun der russische Angriff.

28. und 29. Juni 1788   **Schlacht im Dnjepr-Liman.** Die kombinierte türkische Flotte von rund 100 Schiffen und Fahrzeugen, darunter einige kleine Linienschiffe, unter dem Kapudan Pascha Hassan el Ghasi liegt vor Otschakow. Die Russen versammeln in der Dnjeprmündung ihre Kanonenbootflottille von 70 Fahrzeugen unter Konteradmiral von Nassau-Siegen und ein leichtes Segelgeschwader von 13 Schiffen unter Konteradmiral John Paul Jones. Bei Kinburn, gegenüber von Otschakow, wird eine Batterie errichtet, welche die Zufahrt zur Flußmündung beherrscht.

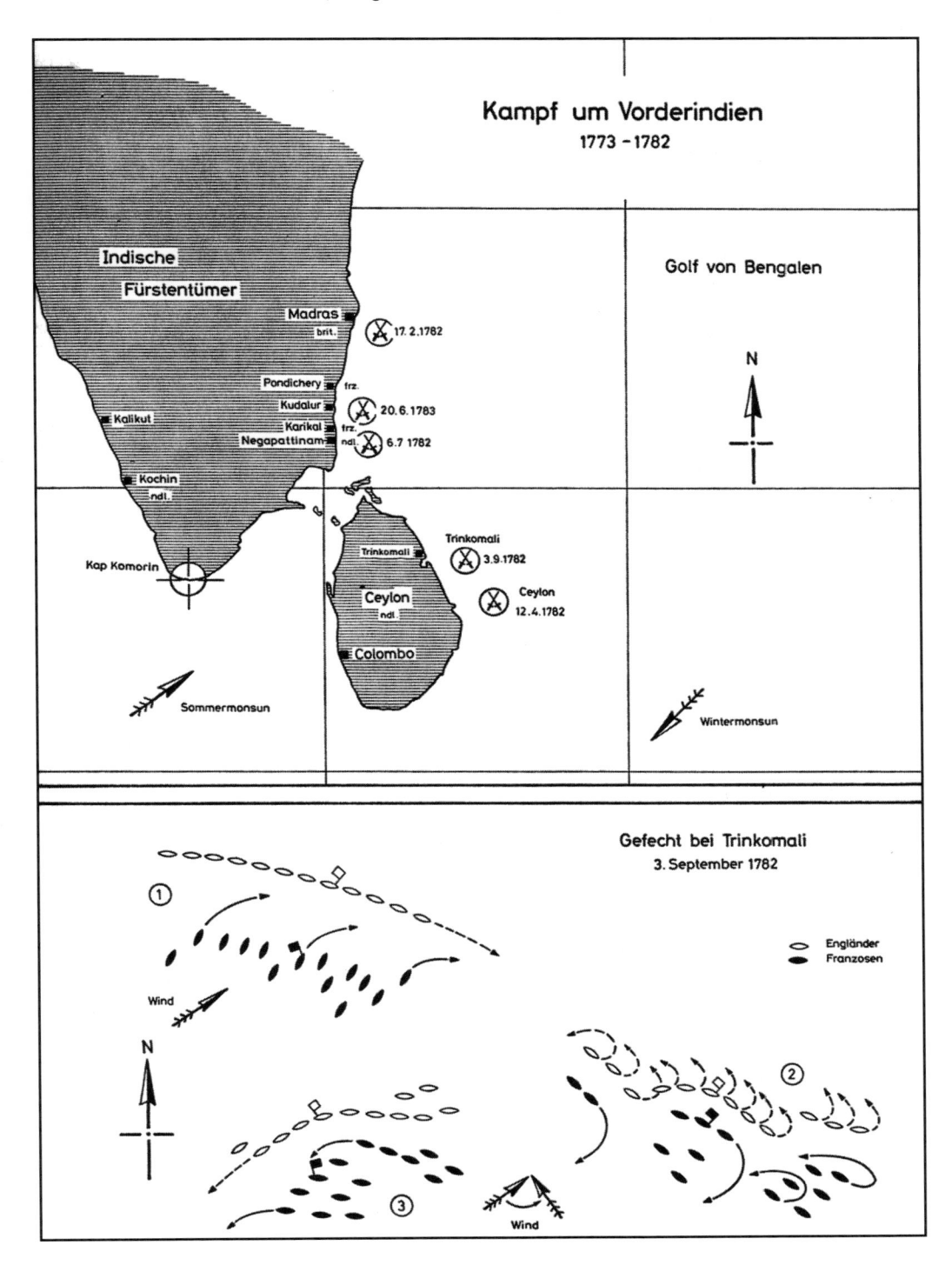

Pemsel, Weltgeschichte der Seefahrt – Seeherrschaft II 657

Kampf um Vorderindien
1773 – 1782

Indische Fürstentümer

Madras brit. ⊗ 17.2.1782
Pondichery frz.
Kudalur ⊗ 20.6.1783
Karikal frz.
Negapattinam ndl. ⊗ 6.7 1782
Kalikut
Kochin ndl.
Kap Komorin

Golf von Bengalen

N

Trinkomali
Trinkomali ⊗ 3.9.1782
Ceylon ndl.
Ceylon ⊗ 12.4.1782
Colombo

Sommermonsun

Wintermonsun

Gefecht bei Trinkomali
3. September 1782

①
Wind
N
②
③
Wind

○ Engländer
● Franzosen

Am ersten Kampftag wird die türkische Flotte mit Verlusten zurückgeschlagen. Beim Versuch, an Kinburn vorbei die See zu gewinnen, geraten am nächsten Tag die türkischen Segelschiffe auf Grund und werden von den Russen vernichtet oder erobert. Die Türken verlieren zehn Segelschiffe, einige Fahrzeuge und 1600 Gefangene. Die Russen kostet der Erfolg eine Fregatte und 100 Mann.

12. Juli 1788 **Fall von Otschakow.** Bei der Eroberung der Festung durch das russische Heer geht die dort liegende türkische Küstenflottille in Flammen auf.

17. Oktober 1789 **Donau.** Auch bei der zweiten Eroberung von Belgrad durch die Österreicher ist die Donauflottille beteiligt. Es werden 65 türkische Fahrzeuge und Boote erbeutet.

19. Juli 1790 **Treffen bei Kertsch.** Konteradmiral Uschakow, Flaggschiff >Roschdestvo Christovo< (84), trifft mit 16 Linienschiffen und Fregatten auf die um zwei Schiffe stärkere türkische Flotte. Nach drei Stunden Kampf ziehen sich die Türken zurück. Die Verluste sind auf beiden Seiten gering.

8. und 9. September 1790 **Seeschlacht bei Tendra.** Westlich der Krim trifft Konteradmiral Uschakow erneut auf die türkische Flotte. Die Stärke beider Flotten:

	Russen	Türken
Linienschiffe	10	14
Fregatten	6	8
Kanonen	830	1200

Am ersten Tag beginnt der Kampf um 15 Uhr in rangierter Kiellinie. Gegen Abend wenden sich die Türken langsam zur Flucht. Am nächsten Morgen können die Russen zwei beschädigte türkische Linienschiffe einholen. Eines der Schiffe ergibt sich sofort. Das zweite, die >Kapitana< unter Vizeadmiral Said Bey, leistet erbitterten Widerstand und ergibt sich erst, nachdem es von drei Gegnern zusammengeschossen ist. Unmittelbar darauf fliegt das Schiff mit fast der ganzen Besatzung in die Luft. Die Russen kostet dieser Sieg nur 50 Mann.

November–Dezember **Donau.** In heftigen Gefechten zwischen den Flußflottillen und den Küstenbefestigungen kämpfen die Russen die Donaumündung frei.

22. Dezember 1790 **Landkrieg.** Die Russen erstürmen mit 10.000 Mann die Festung Ismaïl an der Donaumündung gegen 40.000 türkische Verteidiger. Nach der Eroberung bringen die Russen bis auf 9000 Gefangene alle überlebenden Türken um.

11. August 1791 **Treffen bei Kap Kaliakra.** Konteradmiral Uschakow trifft mit 18 Linienschiffen und großen Fregatten mit 1000 Geschützen zum letzten Mal auf die türkische Flotte mit 18 Linienschiffen und zehn Fregatten mit 1500 Geschützen. Nach drei Stunden Kampf ziehen sich die Türken zurück. Am selben Tag wird ein Waffenstillstand geschlossen.

1792 **Friede von Jassy.** Rußland besitzt nun die ganze Nordküste des Schwarzen Meeres.

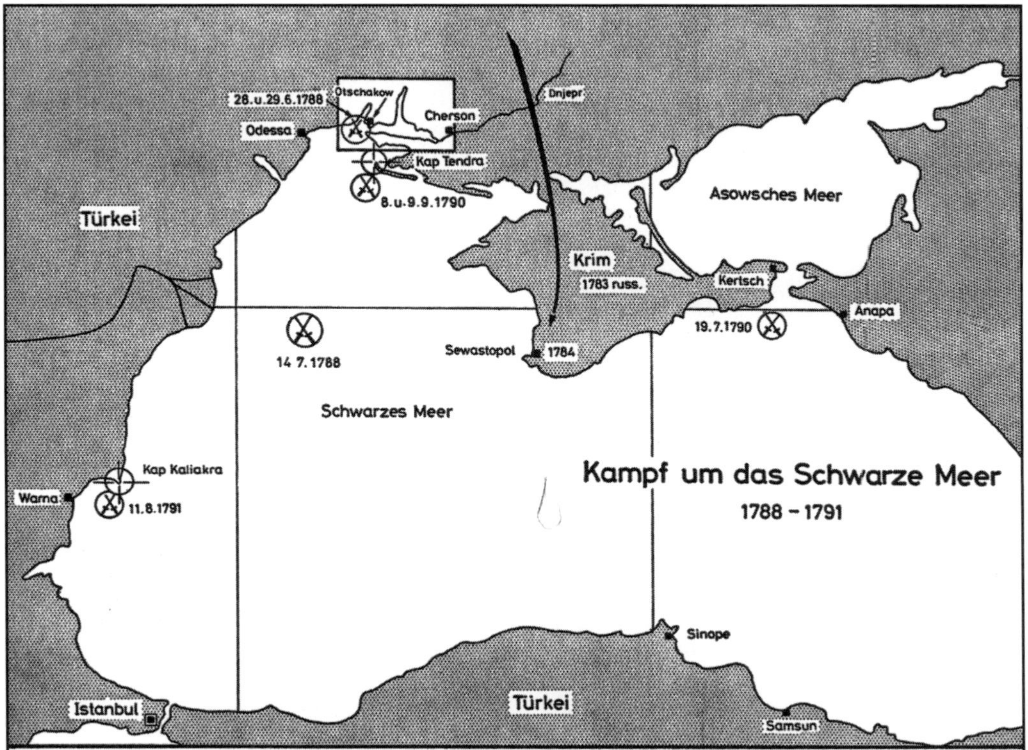
Kampf um das Schwarze Meer
1788 – 1791
28.u.29.6.1788
Otschakow
Cherson
Dnjepr
Odessa
Kap Tendra
8.u.9.9.1790
Asowsches Meer
Türkei
Krim
1783 russ.
Kertsch
Anapa
19.7.1790
14 7.1788
Sewastopol
1784
Schwarzes Meer
Kap Kaliakra
Warna
11.8.1791
Sinope
Türkei
Istanbul
Samsun

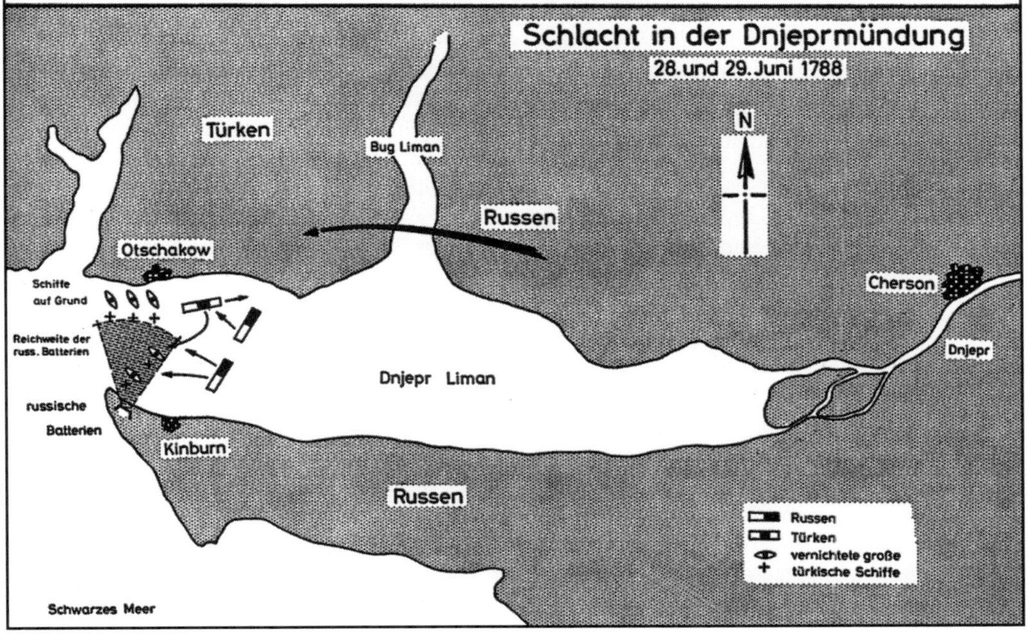
Schlacht in der Dnjeprmündung
28. und 29. Juni 1788
Türken
Bug Liman
N
Russen
Otschakow
Schiffe auf Grund
Reichweite der russ. Batterien
Cherson
Dnjepr
Dnjepr Liman
russische Batterien
Kinburn
Russen
Russen
Türken
vernichtete große türkische Schiffe
Schwarzes Meer

1788–1790 Krieg Rußland gegen Schweden

Rußland unter Kaiserin Katharina II. (1762–1796) befindet sich gerade im Krieg mit der Türkei. König Gustav III. (1771–1792) von Schweden bereitet, politisch und materiell unterstützt durch Großbritannien, Frankreich, Preußen und die Türkei, einen Krieg gegen Rußland vor, um seine schwache innenpolitische Position zu stärken.

Die Stärke der beiden Flotten beträgt:

	Schweden	Rußland in der Ostsee
Linienschiffe	15	17
Fregatten	11	8

Beide Länder verfügen außerdem in den Küstengewässern über starke Schärenflottillen.

17. Juli 1788 **Seeschlacht bei Hogland.** Im finnischen Meerbusen treffen die beiden Hochseeflotten erstmals aufeinander. Die Russen unter Admiral Greigh, Flaggschiff >Rostislaw< (108), zählen 17 Linienschiffe mit 1220 Geschützen. Die Schweden unter Herzog Karl, einem Bruder des Königs, Flaggschiff >Gustav III.< (70), haben in der Schlachtlinie 15 Linienschiffe und fünf große Fregatten mit zusammen 1180 Geschützen. Das Artilleriegefecht beginnt am Nachmittag und endet mit Einbruch der Dunkelheit, um diese Jahreszeit erst gegen Mitternacht, ohne Entscheidung. Jede Seite verliert ein Linienschiff durch Entern. Die Schweden verlieren 1200 Mann, die Russen 1800 Mann. Der Vorstoß der Schweden ist gestoppt.

6. August **Gefecht bei Sveaborg.** Die russische Hochseeflotte überrascht in den Schären vier schwedische Linienschiffe. Drei können entkommen, das vierte läuft auf Grund und muß sich nach wenigen Breitseiten ergeben.

31. Mai 1789 **Christianina/Oslo.** Im Oslofjord zwingt die russische Fregatte >Merkuri< (22) die fast doppelt so starke schwedische >Venus< (40) zur Kapitulation.

Winter 1788/1789 **Ostsee.** Im Winter ruht wegen der Vereisung der Seekrieg. Im Frühjahr stellt Schweden 21 Linienschiffe und 13 Fregatten in Dienst. Die schwedische Flotte versucht, die Vereinigung der russischen Hauptflotte aus Kronstadt mit einem kleinen Geschwader im Öresund zu verhindern.

26. Juli 1789 **Treffen bei Öland.** Die schwedische Flotte von 21 Linienschiffen und acht Linienfregatten (starke Fregatten, die in der Linie kämpfen können) mit 1740 Geschützen unter Herzog Karl trifft auf die russische Hochseeflotte von 21 Linienschiffen und Fregatten mit 1500 Geschützen unter Admiral Tschitschagow, der durch ständiges Abhalten einen ernsten Kampf vermeidet. Nach einigen Stunden endet dieses Treffen ohne wesentliche Verluste unentschieden. Die Schweden gehen nach Karlskrona, wo sie von der mittlerweile vereinigten russischen Flotte blockiert werden.

24. August **Erste Seeschlacht im Svensksund.** Die Russen greifen die schwedische Schärenflotte in Finnland an. Admiral von Nassau-Siegen verfügt über 86 Fahrzeuge (Fregatten, Riemenschiffe und Kanonenschaluppen) mit 1280 Geschützen. Die Schweden unter Admiral Ehrensvärd verfügen über 50 Fahrzeuge mit 680 Geschützen und stehen in einer starken Verteidigungsstellung. Die Russen greifen in zwei Gruppen an: die südliche Angriffsgruppe unter Generalmajor Ballé

Rußlands Expansion um 1800

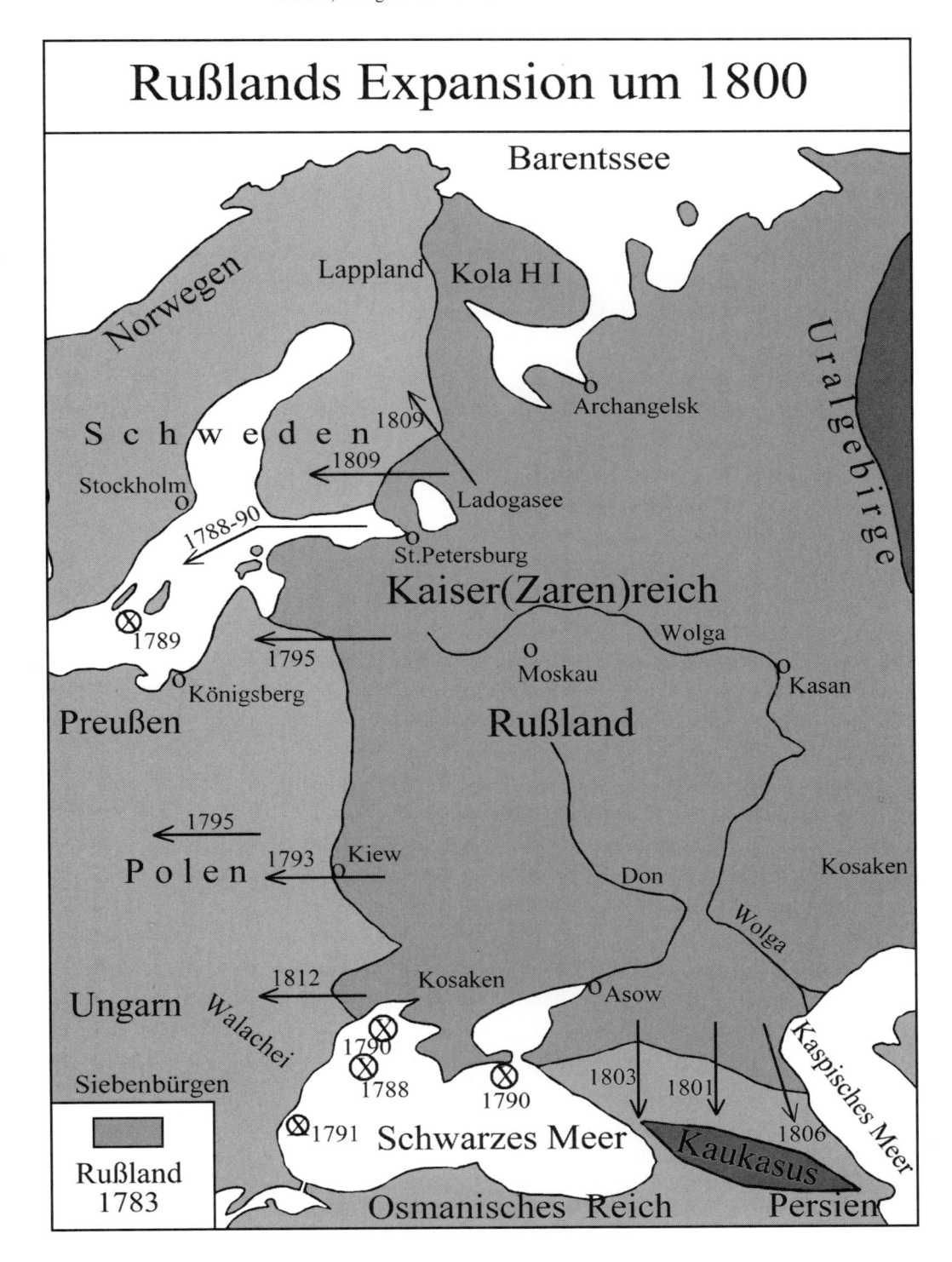

Barentssee
Norwegen
Lappland
Kola H I
Schweden
Archangelsk
Stockholm
1809
1809
Ladogasee
1788-90
St. Petersburg
Kaiser(Zaren)reich
⊗ 1789
Wolga
1795
Moskau
Kasan
Königsberg
Preußen
Rußland
Uralgebirge
1795
Polen
1793 Kiew
Don
Kosaken
Ungarn
Walachei
1812
Kosaken
Asow
Wolga
Siebenbürgen
⊗ 1790
⊗ 1788
⊗ 1790
1803
1801
1806
⊗ 1791
Schwarzes Meer
Kaukasus
Kaspisches Meer
Osmanisches Reich
Persien

Rußland 1783

		wird abgewiesen; die östliche Umgehungsgruppe kann aber die schwedische Verteidigung durchbrechen. Die Schweden werden bis in die späte Nacht verfolgt. Sie verlieren sieben Fahrzeuge und 800 Mann, die Russen drei Fahrzeuge und 1000 Mann.
18. September	**Gefecht im Barösund.** Westlich von Helsingfors greift ein russisches Geschwader von fünf Linienschiffen und drei Fahrzeugen mit 374 Geschützen eine schwedische Schärenflottille von acht Fahrzeugen und einige Küstenbatterien an. Die Schweden müssen sich zwar unter dem Verlust eines Ruderschiffes zurückziehen, die Russen verlieren aber durch Strandung das Linienschiff >Orel< (66). Nach dem Eintreffen von schwedischen Verstärkungen räumen die Russen im Oktober Barösund und Porkkala, wobei das Linienschiff >Rostislaw< (66) durch Strandung verloren geht.
1790	**Ostsee.** Für dieses Jahr stellen die Schweden 25 Linienschiffe, zehn Linienfregatten und fünf kleinere Fregatten in Dienst.
13. Mai 1790	**Seeschlacht auf der Reede von Reval.** In diesem Hafen hat ein Teil der russischen Hochseeflotte überwintert. Es liegen zehn Linienschiffe und sechs Fregatten unter Admiral Tschitschagow, Flaggschiff >Rostislaw< (100), kampfbereit auf der Reede. Die schwedische Flotte greift mit 21 Linienschiffen und zwölf Fregatten unter Herzog Karl auf der Fregatte >Ulla Fersen< an. Beim Vorbeisegeln an der russischen Linie frischt der Wind auf, die schwedische Flotte gerät in Unordnung. Herzog Karl bricht deshalb den Kampf ab. Die Schweden verlieren die manövrierunfähige >Prinz Karl< (64) und die beim Ansegeln gestrandete >Tapperhet< (64) sowie 130 Tote und Verwundete und 600 Gefangene. Der Verlust der Russen ist unbedeutend.
15. Mai	**Seeschlacht bei Fredrikshamn.** Die schwedische Schärenflotte unter der persönlichen Führung von König Gustav III. greift mit 110 Fahrzeugen mit 1000 Geschützen ein russisches Schärengeschwader von 63 Fahrzeugen mit 400 Geschützen unter Kpt. Slisow an. Die Russen müssen sich schließlich unter Verlust von 16 Fahrzeugen zurückziehen. Sie haben aber den Vormarsch der Schweden so lange verzögert, daß deren Angriff auf Frederickshamn nach Eintreffen von russischen Verstärkungen scheitert.
3. und 4. Juni 1790	**Seeschlacht in der Bucht von Kronstadt.** Das schwedische Heer in Finnland befindet sich auf dem Vormarsch zur Eroberung von St. Petersburg. Es wird an der rechten Flanke von der Schärenflotte unter dem König unterstützt. Die schwedische Hochseeflotte muß die russischen Linienschiffe vor einem Eingreifen in Schach halten. Herzog Karl, weiter auf der >Ulla Fersen< (18), läßt noch vor Reval die Schäden seiner Schiffe reparieren und beginnt dann den Vormarsch nach Osten. Das russische Kronstadtgeschwader unter Vizeadmiral Kruse, Flaggschiff >Johan Krestitel< (100), läuft ihm entgegen. Die Stärke der Flotten:

	Schweden	Russen
Linienschiffe	21	17
Linienfregatten	8	–
Fregatten	–	9
Geschütze	1720	1610

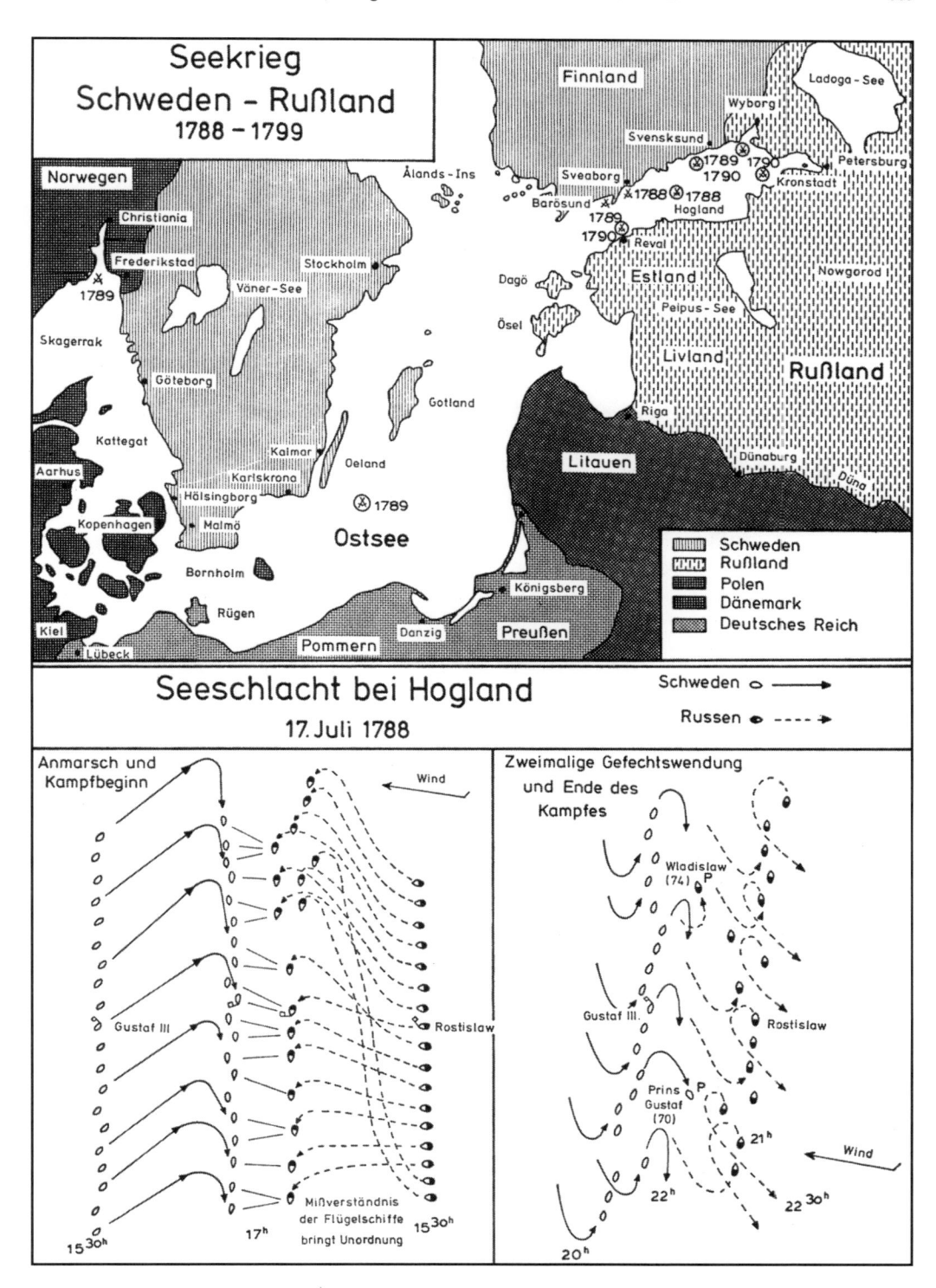

Seekrieg Schweden – Rußland 1788–1799

Seeschlacht bei Hogland
17. Juli 1788

3. Juni	Um die Vereinigung der Russen mit dem Geschwader in Reval zu verhindern, greift Herzog Karl an. Den ganzen Tag wird auf große Entfernung ein Artillerieduell unterhalten, wobei die Russen ständig nach Osten, Richtung Kronstadt, abhalten. Am nächsten Tag wird der Kampf erst um 14 Uhr erneuert. Um 21 Uhr trifft das russische Geschwader aus Reval unter Tschitschagow ein. Die Schweden brechen deshalb den Kampf ab und laufen in die Bucht von Wiborg ein. Dort liegt schon die schwedische Schärenflotte. Die Schweden werden sofort von den Russen blockiert.
4. Juni	
2. bis 4. Juli 1790	**Ausbruch der schwedischen Flotte aus dem Wiborgsund.** Nach längerem Zögern befiehlt der schwedische König den Ausbruch von Schärenflotte und Hochseeflotte mit gegenseitiger Unterstützung. Die russische Flotte unter Admiral Tschitschagow liegt quer vor dem Eingang der Bucht verankert. Sie umfaßt 31 Linienschiffe, 24 Fregatten und die Schärenflottille unter Vizeadmiral von Nassau-Siegen, der aus dem Schwarzen Meer geholt worden ist. Die Schweden verfügen über 21 Linienschiffe, 15 Fregatten und 240 Fahrzeuge der Schärenflotte mit zusammen 3000 Geschützen und 24.000 Mann. Ferner sind 120 Transporter mit 12.000 Soldaten anwesend.
2. Juli 10.30 Uhr	Die russische Schärenflotte beginnt mit dem Angriff auf die schwedische Position im Björkö-Sund. Drei Stunden später muß sich die schwedische Schärenflottille auf die Hauptmacht zurückziehen.
3. Juli 6.00 Uhr	Die schwedische Flotte beginnt am Westende des Wiborgsundes mit dem Ausbruch aus der Blockade. Im Feuerlee der Hochseeflotte fahren die Schärenflotte und die Transporter. Die westlichen Flügelschiffe der Russen werden von den schwedischen Linienschiffen schwer getroffen. Fast allen schwedischen Schiffen und Fahrzeugen gelingt der Ausbruch. Das schwedische Linienschiff >Enighet< (70) und eine Fregatte werden von einem eigenen Brander versehentlich in Brand gesteckt und fliegen in die Luft, vier Linienschiffe geraten auf Grund und müssen sich ergeben. Bei der Verfolgung der schwedischen Hochseeflotte können die Russen noch das Linienschiff >Sophia Magdalena< (74) erobern. Die Schweden ziehen sich in der Nacht weiter nach Westen zurück.
10.00 Uhr	
21.00 Uhr	
4. Juli 9.00 Uhr	Die russische Hochseeflotte setzt die Verfolgung auch am nächsten Tag fort. Die Spitzenschiffe können noch zwei beschädigte schwedische Linienschiffe einholen und davon die >Rätvisan< (62) erobern.
	Die Schweden verlieren insgesamt sieben Linienschiffe, drei Fregatten, 30 Fahrzeuge, 30 Transporter mit zusammen 6000 Mann. Bei den Russen sind elf Linienschiffe kampfunfähig, sie verlieren 7000 Mann. Der gut angesetzte schwedische Ausbruch gelingt mit erträglichen Verlusten.
9. Juli 1790	**Zweite Seeschlacht im Svensksund.** Die schwedische Schärenflotte hat sich wieder in einer starken Position aufgestellt. Die russische Schärenflottille, von der Hochseeflotte gedeckt, greift die Stellung an. Die beiden Stärken:

	Fahrzeuge	Geschütze	Besatzung
Schweden	195	1200	14.000
Russen	140	1500	18.500

Seeschlacht auf der Reede von Reval
13. Mai 1790

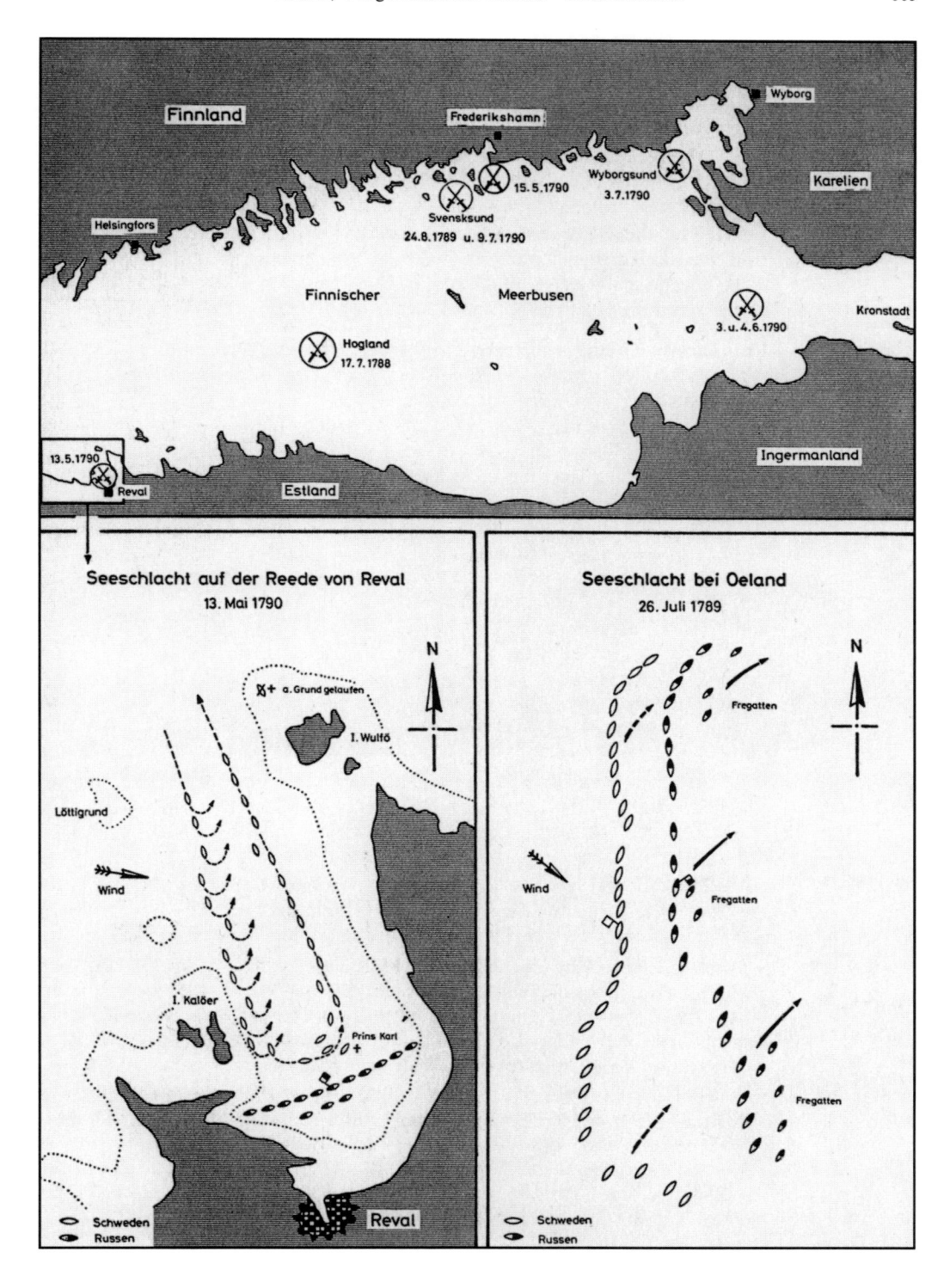

Seeschlacht bei Oeland
26. Juli 1789

Die schwedische Schärenflotte ist in einer starken Stellung in L-Form am Südeingang des Sundes verankert. Die von Süden angreifenden Russen werden vom schwedischen Feuer schwer erschüttert und wenden sich am Nachmittag zur Flucht. Die Schweden verfolgen den Gegner bis zum nächsten Morgen. Die Russen verlieren 50 Fahrzeuge, 6000 Gefangene und 3000 Mann an Toten und Verwundeten. Der schwedische Verlust ist verhältnismäßig gering. Katharina II. ist nun zum Frieden bereit.

August 1790 **Friede von Werelä.** Es bleibt alles beim alten.
In diesem Krieg treten letztmals Ruder-Kriegsfahrzeuge in größerem Umfang auf. Bewährt haben sich die Kanonenjollen und Kanonenschaluppen. Auch kleine Fregatten und Schoner haben neben den Segeln noch eine Riemenreihe.

1789 **Frankreich.** Mit der Einberufung der Landstände und dem Sturm auf die Bastille am 14. Juli beginnt die Revolution. Nach dem Vorbild der USA erfolgt die Verkündung der Menschenrechte.

1789 **Stiller Ozean.** Spanien und Großbritannien geraten um den Handelsstützpunkt Nootka auf der Insel Vancouver an der Westküste von Nordamerika in Streit. Beide Seiten mobilisieren ihre Flotten. Die britische Flotte von 29 Linienschiffen unter Admiral Howe in Portsmouth wird durch ein niederländisches Geschwader unter Konteradmiral van Kinsbergen verstärkt. Die Spanier versammeln in Cádiz 26 Linienschiffe unter Vizeadmiral José Solano, Graf von Socorro. Bevor es zu Kampfhandlungen kommt, wird der Streit durch Vermittlung Portugals beigelegt. Spanien räumt Nootka.

1789–1805 **Indien.** Die britische EIC führt immer wieder Krieg gegen die Fürsten der Eingeborenen. Sie kann sie meist gegeneinander ausspielen und so leichter besiegen. Nur der Sultan von Mysore Tippu Sahib und der Marathenbund bereitet größere Schwierigkeiten. Gegen den letzteren erwirbt Gen. Arthur Wellesley, der spätere Herzog von Wellington, seine ersten Kriegslorbeeren. Die Flotte der EIC hilft bei den Truppenverschiebungen.

Oktober 1790 **Räumung von Oran und Mers el Kebir.** Zwei Erdbeben innerhalb von zwei Wochen zerstören Oran. Spanien tritt daraufhin die Stadt und den nahen Stützpunkt Mers el Kebir an Algerien ab. Die Flotte evakuiert die Besatzungen nach Cartagena.

1791–1803 **Aufstand in Haiti.** Die Revolution in Frankreich führt auch auf dieser Insel zum Umsturz. Schließlich kämpfen Weiße, Mulatten und Schwarze in wechselnden Koalitionen gegeneinander, bis das Land im Chaos versinkt. Auch ein Geschwader aus Frankreich von 15 Linienschiffen mit 15.000 Mann Heerestruppen kann 1802 (gerade Friede mit Großbritannien) die Insel nicht befrieden.

August 1792 **Beschießung von Tanger.** Der Bei von Marrakesch verlangt nach der Räumung von Oran durch Spanien auch die Herausgabe von Ceuta und Melilla. Spanien lehnt die Forderung ab. Zur Untermauerung seines Standpunktes beschießt ein spanisches Geschwader von zwei Fregatten und zehn weiteren Kriegsschiffen unter Francisco Morales die Stadt Tanger.

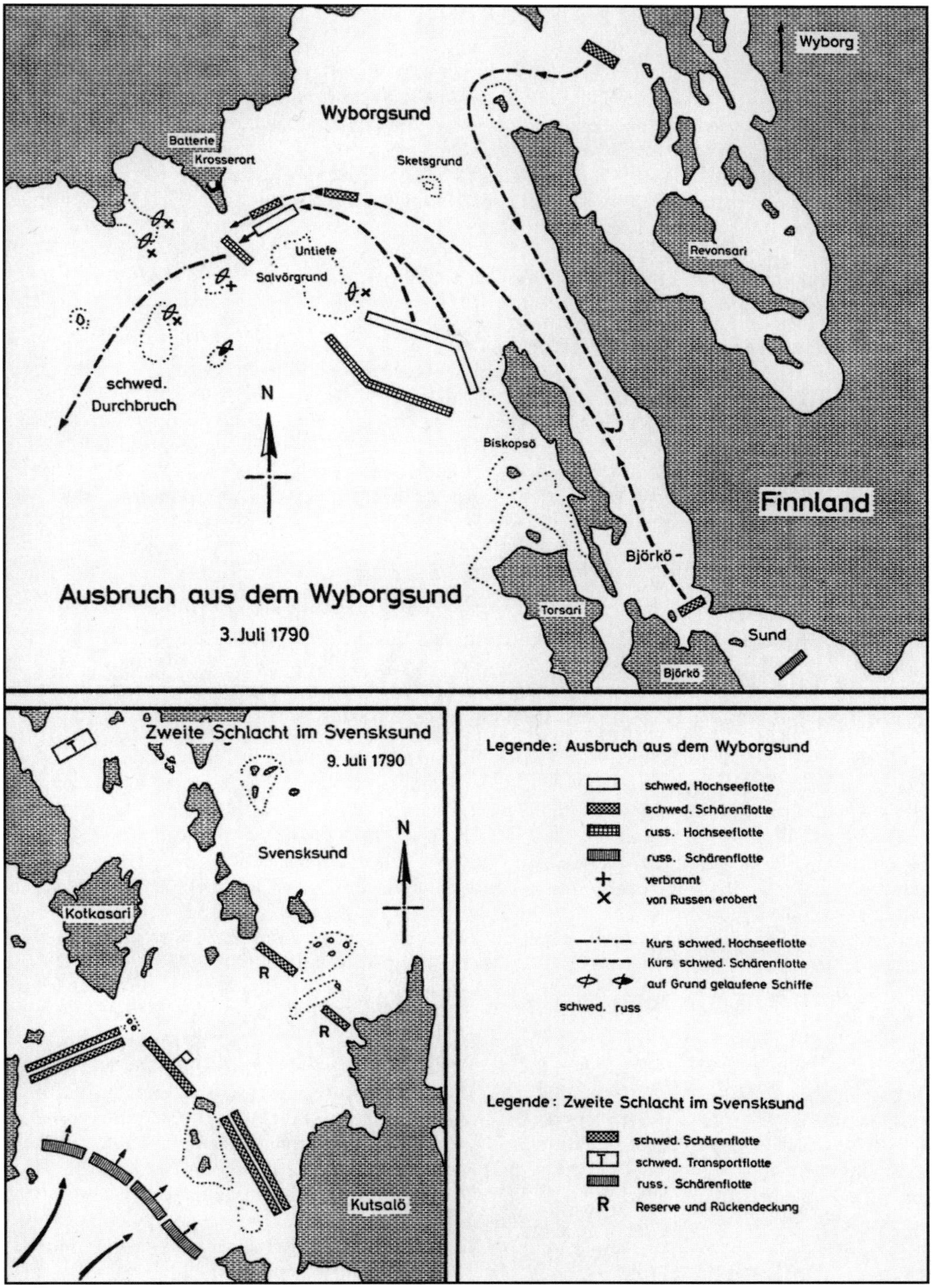
Wyborg
Wyborgsund
Batterie
Krosserort
Sketsgrund
Untiefe
Salvörgrund
Revonsari
schwed.
Durchbruch
N
Biskopsö
Finnland
Björkö -
Ausbruch aus dem Wyborgsund
3. Juli 1790
Torsari
Sund
Björkö
Zweite Schlacht im Svensksund
9. Juli 1790
Svensksund
N
Kotkasari
R
R
Kutsalö
Legende: Ausbruch aus dem Wyborgsund
schwed. Hochseeflotte
schwed. Schärenflotte
russ. Hochseeflotte
russ. Schärenflotte
verbrannt
von Russen erobert
Kurs schwed. Hochseeflotte
Kurs schwed. Schärenflotte
auf Grund gelaufene Schiffe
schwed. russ
Legende: Zweite Schlacht im Svensksund
schwed. Schärenflotte
schwed. Transportflotte
russ. Schärenflotte
R Reserve und Rückendeckung

Streit um Nootka 1789

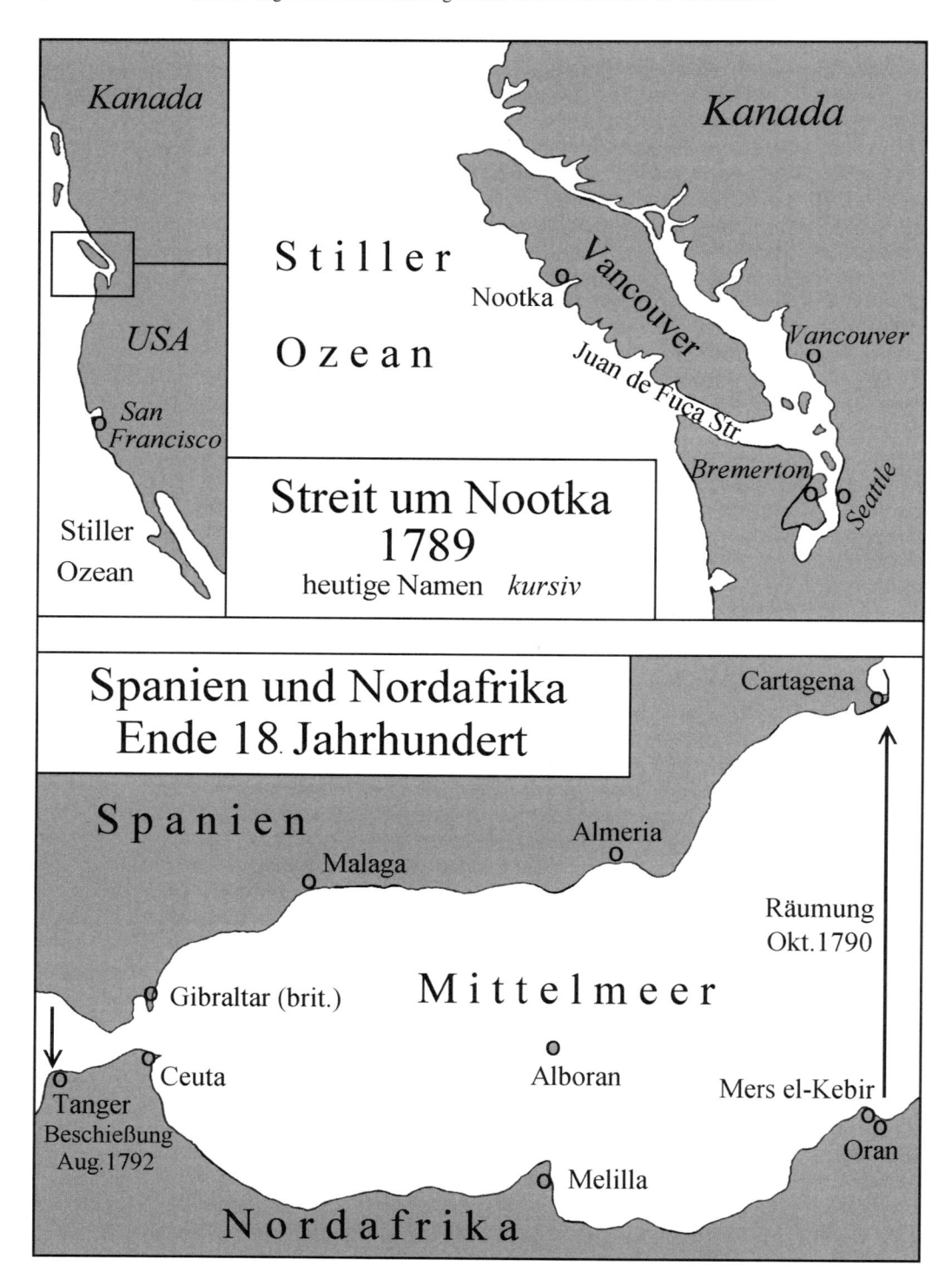

heutige Namen *kursiv*

Spanien und Nordafrika Ende 18. Jahrhundert

Die Seekriege von 1792 bis 1815

Diese Zeit wurde von den großen Kriegen gegen das revolutionäre Frankreich (1792–1802) und das französische Kaiserreich (1803–1815) bestimmt. Die Kämpfe zur See spielten sich dabei vorwiegend im Atlantik, in den nordeuropäischen Gewässern und im Mittelmeer ab. Mit diesen großen Kriegen standen in losem Zusammenhang einige kleine Seekriege, wie der Krieg Rußlands gegen Schweden (1808–1809) und der Krieg Großbritanniens gegen die USA (1812–1815). Ohne Zusammenhang mit diesen weltpolitischen Ereignissen war der Seekrieg der USA gegen Tripolis (1801–1805). Die französische Revolution führte zu kriegerischen Auseinandersetzungen, in deren Folge Frankreich die vorherrschende Macht auf dem europäischen Kontinent wurde. Die Folge war der Zweikampf mit der führenden Seemacht Großbritannien, der nur mit der Niederlage von einer der beiden enden konnte.

Die Finanzkrise in **Frankreich**, zum Teil durch die hohen Kosten im Amerikanischen Unabhängigkeitskrieg und die Verschwendung am Königshof hervorgerufen, führte dort zur Verarmung der unteren Volksschichten, welche die finanzielle Hauptlast für den Staat zu tragen hatten. Der Geist der Aufklärung und die freiheitlichen Ideen, die aus Amerika nach Frankreich gelangten, waren dann der Grund für die bürgerliche Revolution von 1789, die schließlich ab 1792 in das Terrorregime der Jakobiner überging. Erst der Sturz von Robespierre 1794 und der Staatsstreich von Napoleon I. Bonaparte 1799 beendeten die revolutionäre Phase und führten direkt zum ersten Imperium mit der Kaiserkrönung von Napoleon I. im Jahr 1804.

Die Frontstellung der europäischen Monarchien gegen das revolutionäre Frankreich führte mit dessen Kriegserklärung an Österreich und Preußen 1792 zum **ersten Koalitionskrieg**. Zur allgemeinen Überraschung konnten die französischen Truppen dem Gegner nicht nur standhalten, sondern ihn sogar zurückdrängen. Noch im ersten Kriegsjahr konnten die französischen Heere die südlichen, österreichischen, Niederlande besetzen, bis zum Rhein vorstoßen und Savoyen und Nizza erobern. Der Vorstoß nach Flandern brachte das zunächst noch zögernde Großbritannien und die Niederlande, Sardinien und Neapel Anfang 1793 in den Krieg gegen Frankreich.

Durch den Eintritt von Großbritannien in den Krieg begann eine mehr als 20 Jahre dauernde Auseinandersetzung zwischen Großbritannien, der ersten Seemacht, und dem unter Napoleon I. zur ersten Landmacht auf dem europäischen Kontinent gewordenen Frankreich. Dabei standen zu Beginn die Dinge für das durch die revolutionären Ereignisse im Inneren zerrissene Frankreich denkbar schlecht. Durch die Revolution hatte die französische Flotte fast das ganze, meist adelige Offizierskorps verloren. Die Besatzungen der Schiffe waren zu Beginn nur ein disziplinloser Haufen, der mehr auf inkompetente Matrosenräte als auf die Kommandeure hörte. Diese waren meist junge Leutnants, die zwar viel Begeisterung, aber wenig Erfahrung einbrachten.

Dagegen verfügte die französische Flotte über ein ausgezeichnetes Schiffsmaterial, das in der Qualität den britischen Schiffen überlegen war. Die rund 80 Linienschiffe zu Kriegsbeginn waren in gutem Zustand, sie waren auch im Durchschnitt größer und stärker als die britischen Linienschiffe. Die Dreidecker hatten bis zu 3000 Tonnen Wasserverdrängung, führten 116 Geschütze und 1300 Mann Besatzung an Bord. Die Masse der Linienschiffe bestand jedoch aus Zweideckern mit 74 Geschützen. Rund 80 Prozent der Offiziere waren ausgeschieden und von Mannschaftsgraden sowie durch Steuermänner der Handelsmarine ersetzt worden. Der Flottenbefehlshaber bei Quessant, Villaret-Joyeuse, war bei Beginn der Revolution Korvettenkapitän gewesen, die beiden anderen Flaggoffiziere waren Leutnants. Diesem Revolutionsersatz fehlten zunächst Qualifikation und Erfahrung, um Schiffe und ganze Flotten im Kampf zu führen. Im übrigen weigerten sich die Besatzungen oft, zu Übungen auszulaufen, es fehlte daher die nötige Praxis. Auch Werften und Arsenale waren zunächst in schlechtem Zustand, ein Mangel, der erst unter Napoleon I. behoben wurde. Der Nachschub an Ausrüstungsmaterial für die Flotte, das meist aus den Überseeländern bezogen wurde, war durch die folgende britische Blockade sehr erschwert.

Die britische Flotte verfügte zu Kriegsbeginn über 115 Linienschiffe, die nach kurzer Zeit mit brauchbaren, wenn auch oft zum Dienst gepreßten Besatzungen und einem guten Offizierskorps bemannt waren. Werften und Schiffsbauausrüstung waren in reichem Maße vorhanden. Die großen Dreidecker hatten eine Wasserverdrängung von 2000 Tonnen, verfügten über 100 Geschütze mit einer Besatzung von 850 Mann. Das häufigste Schiff in der britischen Flotte war jedoch ebenfalls der schnelle Zweidecker mit 74 Geschützen. Die Fregatten erreichten bereits eine Wasserverdrängung von 1000 Tonnen.

Die spanischen Linienschiffe waren zum Großteil in gutem Zustand, es bestand jedoch Mangel an ausgebildeten Mannschaften.

Auch die Flotte der Niederlande war in gutem Zustand, es fehlte auch nicht an guten Besatzungen. Die kleinen Linienschiffe für die flachen Küstengewässer um die Niederlande waren den Hochseelinienschiffen der anderen Flotten an Kampfkraft jedoch unterlegen.

Großbritannien unter der Führung von William Pitt d. J., seit 1783 leitender Minister, begann sofort die gewohnte Einkreisungspolitik mit einer möglichst engen Seeblockade. Frankreich verhielt sich zur See zunächst völlig passiv, mobilisierte aber unter der Leitung von Lazare Carnot die Volksmassen für das Landheer (levée en masse) zum Kampf gegen die Koalition. Erst unter Napoleon wurde Frankreich auch zur See wieder aktiv und versuchte, den Briten die Seeherrschaft zumindest in Teilgebieten zu entreißen. Die französischen Heere waren nach anfänglichen Erfolgen der Koalition bald im Vormarsch. Das linksrheinische Deutschland und die Niederlande wurden erobert, das letztere als Batavische Republik zu einem Satellitenstaat von Frankreich gemacht.

Zu Kriegsbeginn waren die nordwestlichen Provinzen von Frankreich teilweise im Aufstand gegen Paris, die Flotte wurde in erster Linie zu dessen Bekämpfung eingesetzt. Beim Erscheinen eines britischen Blockadegeschwaders vor der Bucht von Quiberon entschied der Soldatenrat des dort liegenden französischen Geschwaders unter Morard de Galles, daß der Kampf gegen die Aufständischen Vorrang habe, und verbot das Auslaufen gegen die Briten. Bei der verunglückten Aktion gegen Toulon versäumten es die Verbündeten, das französische Mittelmeergeschwader zu vernichten oder abzutransportieren. Frankreich konnte daher nach der Rückeroberung des Kriegshafens durch die Konventtruppen im Mittelmeer bald wieder aktiv werden.

Als es im Winter 1793/94 in Frankreich zu einer Hungersnot kam, kaufte das Land in den USA große Getreidemengen, die in einem Geleitzug von mehr als hundert Schiffen eingeführt wurden. Zu dessen Schutz mußte das französische Brestgeschwader auslaufen, worauf es zur Seeschlacht bei Quessant kam. Dort hielt sich die französische Flotte trotz schwerer Verluste überraschend gut, der Geleitzug konnte ungehindert in Frankreich einlaufen. Das strategische Ziel war damit erreicht. Trotz mehr Selbstbewusstsein der französischen Besatzungen blieb noch immer ein gewisses Gefühl der Unterlegenheit gegenüber der Royal Navy, das sich fast in allen Operationen der folgenden Jahre bemerkbar machte. Möglicherweise war es eine Nachwirkung der Ereignisse vor der Halbinsel Cotentin im Pfälzischen Erbfolgekrieg, einhundert Jahre früher.

Preußen, das zunächst an der Teilung von Polen mehr interessiert war als am Kampf gegen Frankreich, war im Frieden von Basel 1795 aus der Koalition ausgeschieden. Im Frühjahr 1796 hatte Gen. Napoleon seinen Siegeszug in Italien angetreten und die Briten dadurch veranlaßt, ihr Geschwader im Mittelmeer unter dem neuen Befehlshaber Admiral John Jervis abzuziehen. Kampflos wurde den Franzosen das ganze Mittelmeer überlassen, Spanien schied aus der Koalition aus und trat im September im Vertrag von Ildefonso an die Seite von Frankreich, dessen treuer Verbündeter es bis 1808 bleiben sollte.

Nachdem die Einkreisung mit den nun Verbündeten Spanien und den Niederlanden gesprengt war, versuchte Frankreich, den Krieg bereits auf die Britischen Inseln zu tragen. Die Expedition nach Irland mißlang zwar an den Wetterunbilden, wie die Franzosen jedoch aus der Geschichte wissen hätten können, war diese Unternehmung ohne die Seeherrschaft in den westeuropäischen Gewässern von vornherein zum Scheitern verurteilt. Nur durch die Unaufmerksamkeit des britischen Blockadegeschwaders war es überhaupt möglich gewesen, mit der Expeditionsflotte die Küsten von Irland zu erreichen. Im folgenden Jahr endete der Koalitionskrieg mit dem Frieden von Campoformio/Campoformido, in dem Österreich für den Verlust der Niederlande und von Mailand Venedig erhielt. Mit der Erwerbung der Ionischen Inseln stärkte Frankreich seine Position im östlichen Mittelmeer.

Großbritannien stand dem Festlandsgegner nun allein gegenüber, wollte sich aber dem neuen Herrn am Kontinent nicht beugen und führte den Kampf entschlossen weiter, vergleichbar dem Jahr 1940 im Zweiten Weltkrieg. Zur Niederringung von Großbritannien war für Frankreich der nicht vorhandene Besitz der Seeherrschaft nötig, ohne die weder eine Blockade, noch eine Invasion, noch ein wirkungsvoller Handelskrieg möglich waren. Durch die Räumung des Mittelmeeres durch die Briten war es jedoch möglich, das britische Weltreich an einer empfindlichen Stelle zu treffen. Auf Betreiben von Napoleon I. wurde durch Truppenkonzentration an der Kanalküste eine Invasionsabsicht in England vorgetäuscht und gleichzeitig ein Expeditionsheer in Toulon versammelt. Mit der Mittelmeerflotte führte Napoleon I. dieses Heer nach Ägypten, wobei unterwegs Malta als wichtiger Stützpunkt erobert wurde. Napoleon I. überrannte das Land am Nil in wenigen Wochen. Die britische Herrschaft in Indien war nun bedroht.

Die Briten hatten zu dieser Zeit den Großteil ihrer Flotte im Ärmelkanal konzentriert. Das Mittelmeergeschwader blockierte nach dem Sieg in der Seeschlacht bei Kap St. Vincent die spanische Flotte im Hafen von Cádiz. Von dort wurde Horatio Nelson mit einem Dutzend Linienschiffen zur Suche nach dem Verbleib des französischen Mittelmeergeschwaders abgesandt, was 1798 zur entscheidenden Seeschlacht bei Aboukir/Abu Qir führte. Nelson gelang nicht nur ein glänzender taktischer Sieg, sondern der Ausgang der Schlacht hatte auch größte strategische und politische Folgen. Das Heer von Napoleon I. war nun in Ägypten abgeschnitten, ohne gesicherte Verbindung mit der Heimat (dazu war die Seeherrschaft im Mittelmeer notwendig) konnte es sich auf die Dauer nicht halten. Politisch schloß sich auf Grund des Seesieges die Türkei sofort Großbritannien an, Rußland, Österreich, Neapel und Portugal folgten. Es begann nun der **zweite Koalitionskrieg** gegen Frankreich.

Zu Lande operierten die Verbündeten zunächst in der Schweiz, in Süddeutschland und in Italien erfolgreich. Im Mittelmeer konnten die Ionischen Inseln und Menorca zurückerobert werden. Der Umschwung kam, als 1799 Rußland wieder aus der Koalition ausschied und Napoléon auf einer schnellen Fregatte von Ägypten nach Frankreich zurückkehrte und dort das Heft an sich riß. Als **erster Konsul** siegte er 1800 über die Österreicher in Italien bei Marengo, Gen. Moreau in Süddeutschland bei Hohenlinden. Er zwang Österreich 1801 zum Frieden von Lunéville, wodurch Frankreich das ganze linke Rheinufer und weitere Gebiete in Italien erwarb. Großbritannien stand wieder Frankreich und Spanien allein gegenüber.

Dem französischen Atlantikgeschwader unter Admiral Bruix war es im April 1800 gelungen, aus Brest auszubrechen und ins Mittelmeer zu laufen. Dort nahm es das wieder verstärkte Mittelmeergeschwader auf, zog am Rückweg die spanische Flotte an sich und lief mit der vereinigten Flotte wieder in Brest ein. Nach dieser Panne der Briten bei der Überwachung der Flottenstützpunkte der Feinde wurde Admiral Jervis zum Befehlshaber der verstärkten Kanalflotte ernannt. Er beendete mit Geschick und Härte eine Meuterei in der britischen Flotte und begann mit größter Sorgfalt und Ausdauer die Blockade der französischen Stützpunkte an der Atlantikküste und vor Spanien. In dieser ersten echten Kriegsblockade zur See in großem Stil wurden die Flotten der Franzosen und Spanier praktisch lahmgelegt.

Automatisch wurde dadurch auch das Mittelmeer beherrscht und Großbritannien konnte nun den Handelskrieg gegen Frankreich und Spanien in großem Umfang durchführen. Dabei wurden auch die Schiffe der Neutralen wieder rigoros durchsucht und gezwungen, britisch kontrollierte Häfen zur Kontrolle anzulaufen. Gegen diese Übergriffe bildete sich wieder die „**Bewaffnete Neutralität**" von 1780 mit den Teilnehmern Preußen, Schweden, Rußland und Dänemark. Zur Sicherstellung seiner Position in der Ostsee sandte Großbritannien daraufhin ein Geschwader unter Admiral Hyde Parker und Nelson nach Kopenhagen, das im März 1801 ultimativ den Austritt von Dänemark aus der „Neutralität" forderte. Nach der Ablehnung dieses Ansinnens wurde die dänische Flotte vernichtet und mit der Beschießung von Kopenhagen gedroht, worauf Dänemark nachgab.

Da kurz danach auch Zar Paul I. ermordet wurde, zerfiel die „bewaffnete Neutralität" rasch wieder, und Großbritannien kontrollierte den ganzen Seehandel von Europa. Die französische Einfuhr aus den Ostseeländern war nun unterbrochen. Napoleon war daraufhin zum Frieden bereit. Nach dem Sturz von William Pitt d. J. in Großbritannien war das Land kriegsmüde, und es kam im März 1802 zum **Frieden von Amiens**. Großbritannien verpflichtete sich, alle eroberten Kolonien außer Ceylon und Trinidad sowie Malta zurückzugeben. Frankreich mußte das sowieso schon fast verlorene Ägypten räumen. Dieser Friede wurde von allen Seiten jedoch nur als ein Waffenstillstand betrachtet, da keine Seite ihre Kriegsziele erreicht hatte. Sowohl Frankreich als auch Großbritannien begannen sich sofort auf den nächsten Waffengang vorzubereiten, der schon bald folgen sollte.

In diesem Seekrieg wurden nach langer Zeit Seeschlachten wieder taktisch durchgefochten. Die Admirale Howe, Jervis, Duncan und vor allem Nelson brachten wieder die Vorteile von Durchbruch und Kräftekonzentration zur Geltung. Dieser Seekrieg entwickelte sich mit der Zeit immer mehr zu einem **Blockadekrieg**. Vor den wichtigen französischen, spanischen und niederländischen Kriegshäfen wie Toulon, Cádiz, Rochefort, Brest und Den Helder standen ständig britische Blockadegeschwader, die jede Bewegung der feindlichen Flotten überwachten und nur bei schweren Stürmen ihren Posten verließen. Während die französische Handelsflotte von den Weltmeeren verschwand, konnte selbst eifrigster Kreuzerkrieg dem Aufschwung des britischen Seehandels keinen Abbruch tun. Auch der spanische und niederländische Handel waren unterbunden. Der Seehandel der Neutralen, der einen großen Aufschwung nahm, wurde von Großbritannien auf Bannware kontrolliert.

In den kurzen Friedensjahren von 1802 bis 1803 bemühte sich Napoleon I., die französische Flotte wieder auf die alte Höhe zu bringen, doch ohne Erfolg. Während er mit untrüglichem

Blick die besten Offiziere zu Generälen und die besten Generäle zu Heerführern auswählte, hatte der Korse eine unglückliche Hand bei der Wahl seiner Flottenkommandanten, ausgenommen Marineminister Decrés. Und da eine Flotte nur so gut wie ihre Befehlshaber sein konnte, war die französische auch im zweiten Teil des Kampfes gegen Großbritannien überall unterlegen.

Der Streit um die Rückgabe von Malta, französische Invasionsdrohungen, die Besetzung von Hannover und die Wiederbesetzung der geräumten Niederlande durch Frankreich führten im Mai 1803 zur neuerlichen Kriegserklärung durch Großbritannien. Admiral John Jervis, nun erster Lord der britischen Admiralität, verhängte sofort die engste Blockade über die französischen Küsten. Napoleon I., ab 1804 Kaiser von Frankreich, versuchte nun, den Krieg mit einer Invasion in England zu entscheiden. Dazu begann er an der Kanalküste mit Vorbereitungen in großem Stil. Durch diese und den Druck auf das übrige Europa (Schweiz - Mediationsakte, Deutschland - Reichsdeputationshauptschluß) konnte der wieder für die britische Politik verantwortliche William Pitt d. J. die **dritte Koalition** gegen Frankreich zustande bringen. Dieser gehörten neben Großbritannien auch Österreich, Rußland und Schweden an.

Napoleon I. mußte sich daher für einen Zweifrontenkrieg rüsten. Er hoffte jedoch, noch zuvor seine Geschwader im Ärmelkanal vereinigen zu können, um wenigstens dort die Seeherrschaft für eine Landung in England zu erringen. Die Voraussetzungen hatten sich 1804 dafür gebessert, als Spanien wieder auf der Seite von Frankreich in den Krieg eintrat und nun dessen Flotte und Stützpunkte für Frankreich zur Verfügung standen. Der Blockadebereich für die britische Flotte wurde dadurch auf das Doppelte erweitert, ihre Aufgabe wesentlich erschwert. In den Heimatgewässern standen den 59 Linienschiffen der Verbündeten nur 53 der Briten gegenüber. Es kam im Sommer 1805 zu der bekannten Kreuzfahrt des französischen Mittelmeergeschwaders mit der spanischen Flotte nach Westindien und wieder zurück, verfolgt durch Nelson. Als Villeneuve den Vorstoß in den Ärmelkanal nicht wagte und nach der Seeschlacht bei Finisterre im Juli nach Cádiz zurückfiel, war die Gelegenheit für eine Landung in England endgültig vorbei.

Napoleon I. erkannte das sofort und wandte sich gegen die Feinde am Festland. Seine Erfolge in Süddeutschland (Ulm, Oktober 1805) und der Sieg in der Dreikaiserschlacht bei Austerlitz (2. Dezember 1805) überschatteten zunächst den Seesieg von Nelson bei Kap Trafalgar. Dieser brachte den Briten jedoch die absolute Seeherrschaft und dadurch die Möglichkeit, den Krieg an jedem gewünschten Punkt in Europa anzusetzen. Zunächst aber zwang Napoleon I. Österreich zum Frieden von Preßburg, in dem es auf Venetien, Istrien, Dalmatien, Vorderösterreich, Tirol und Vorarlberg verzichten mußte. Das Fürstbistum Salzburg kam damals als Kompensation an Österreich.

Durch die Siege von Jena und Auerstädt über Preußen wurde im **vierten Koalitionskrieg** auch diese Landmacht in Europa niedergeworfen. Frankreich stand auf dem Höhepunkt seiner Macht. Napoleon I. begann sogar wieder neue Flottenpläne zu wälzen, Cherbourg und Antwerpen wurden zu Kriegshäfen ausgebaut und überall wurde mit dem Bau von neuen Schiffen begonnen. Damit sollte der in Berlin 1806 verkündeten **Kontinentalsperre** der nötige Nachdruck gegeben werden. Es begann ein Wirtschafts- und Blockadekrieg größten Ausmaßes. Unter dem Druck Frankreichs wurde der britische Seehandel vom europäischen Kontinent ausgesperrt. Um diese Sperre lückenlos durchzuführen, mußten immer neue Forderungen gestellt werden. Zunächst mußte die Türkei die Dardanellen für die Russen sperren, wodurch es zum Krieg zwischen den beiden vorher verbündeten Ländern kam. Im Frieden von Tilsit mußte sich Preußen der Sperre anschließen und auch Rußland trat ihr schließlich bei. Rußland konnte in diesem Krieg gegen die Osmanen eine Reihe von Festungen erobern. Als aber der Krieg mit Frankreich drohte, schloß es unter Verzicht seiner Forderungen im Frieden von Bukarest 1812 mit den Türken Frieden. Der Pruth wurde die Grenze beider Länder.

Da die britische Flotte nicht alle europäischen Häfen gleichzeitig überwachen konnte, kam es zum Ausbruch französischer Kreuzer und manchmal ganzer Geschwader zum Handelskrieg in Übersee. In Kontinentaleuropa wurden der Bergbau und die Industrie gefördert, um von der britischen Industrie unabhängig zu werden. Als sich Dänemark auf Druck Frankreichs der Kontinentalsperre nicht entziehen konnte, wurde Kopenhagen von der britischen Flotte beschossen, die dänische Flotte weggenommen. Bis zum Ende der Napoleonischen Kriege war in den Küstengewässern um Dänemark der sogenannte Kanonenbootkrieg gegen die Briten im Gange.

Mit der Einsetzung seines Bruders Joseph Bonaparte als König von Spanien und dem Anschluß des Landes an die Kontinentalsperre hatte Napoleon I. den Bogen überspannt. Überall begannen die Freiheitskriege gegen seine Gewaltherrschaft. Mit dem Vorstoß der Franzosen nach Portugal war dessen Königshof unter Aufsicht der britischen Flotte nach Brasilien geflüchtet. Ein britisches Expeditionskorps unter dem späteren Herzog von Wellington landete in Portugal und vertrieb von dort die Franzosen.

Frankreich wurde vom Ausmaß des Aufstandes in Spanien überrascht und mußte zunächst fast das ganze Land räumen. In Cádiz wurden die seit der Seeschlacht bei Trafalgar im Hafen blockierten französischen Schiffe an die Briten übergeben, die die ganze spanische Küste entlang die Aufständischen unterstützten. Napoleon I. mußte daraufhin in Erfurt mit dem Zaren ein Stillhalteabkommen treffen und warf anschließend den spanischen Aufstand in einem von ihm selbst geleiteten Feldzug nieder. Er konnte jedoch einige Küstenplätze, die von den Briten von See her unterstützt wurden, wie Cádiz und Lissabon nicht in seine Gewalt bringen.

Österreich benützte die Abwesenheit der Masse der französischen Truppen zu einem neuen Krieg gegen Frankreich (**fünfter Koalitionskrieg**). Nach dem Sieg bei Aspern (Mai 1809) folgte jedoch die Niederlage bei Wagram (Juli 1809) und der **Friede von Schönbrunn** mit einer weiteren Verkleinerung des Reichsgebietes und der vollständigen Abhängigkeit von Napoleon I.

Im **Frieden von Tilsit** (1807) hatte Napoleon I. dem Zaren freie Hand gegen Schweden gelassen. Als die Schweden die Forderung der Kontinentalsperre beizutreten ablehnten, fiel Rußland in Finnland ein, eroberte durch seinen schnellen Vormarsch die schwedische Schärenflotte in den dortigen Gewässern und hatte bald ganz Finnland in der Hand. Schweden, gleichzeitig in einem Konflikt mit Dänemark um den Besitz von Norwegen, führte den Krieg gegen Rußland ohne großen Einsatz und mußte schließlich Finnland an die Russen abtreten. Das britische Ostseegeschwader hatte in diesen Jahren den Öresund für seine Handelsschiffahrt offen zu halten und Schweden vor einem Angriff der Franzosen und Dänen zu schützen. Es verstärkte die schwedische Hochseeflotte gegen die der Russen und blockierte die Franzosen in den deutschen Ostseehäfen.

Mit dem Feldzug gegen den letzten mächtigen Rivalen am europäischen Festland, Rußland, marschierte Napoleon I. 1812 in sein Verderben. Von seiner „Großen Armee" blieben nur Trümmer übrig. Es begann der zweijährige **Befreiungskrieg**, der mit den Landarmeen auf dem Boden von Deutschland ausgefochten wurde. Die britische Flotte überwachte und blockierte die von den Franzosen besetzten Küsten.

Zur gleichen Zeit war es zwischen **Großbritannien und den USA** zu einem Seekrieg gekommen, der die ständigen Übergriffe der britischen Marine auf die neutrale Schiffahrt als Hauptursache hatte. Darüber hinaus hatten die Briten aus Personalmangel in der Flotte von allen Schiffen der USA alle vor 1782 geborenen Männer als „englische" Bürger geholt und in ihre Marine gepreßt. Obwohl ohne Sympathie für Napoleon I. (Es wurde sogar eine gleichzeitige Kriegserklärung an Frankreich erwogen!), erklärten die USA im Frühjahr 1812 an Großbritannien den Krieg. Letzteres konnte nach der Niederlage von Napoleon I. in Rußland bald stärkere Streitkräfte nach Nordamerika schicken und hoffte zeitweise sogar, die alten Kolonien wieder zurückzugewinnen.

Landungstruppen eroberten Washington und brannten die junge Hauptstadt nieder. Der Zangenangriff von Kanada und dem Süden scheiterte aber. Am Champlainsee stoppte die US-Flottille den Vorstoß der Briten. Im Süden konnten die Briten zwar bei New Orleans landen, verloren aber die folgende Schlacht und mußten sich wieder einschiffen.

Im **Frieden von Gent** blieb zwar alles beim alten, der Seehandel der USA war aber durch die britische Blockade vernichtet und konnte sich nicht mehr erholen. Die Briten hatten über 1400 Handelsschiffe erobert, der Umsatz des Überseehandels der USA war von 250 Mio. $ im Jahr 1811 auf nur 20 Mio $ im Jahr 1814 gesunken. Überraschend war, daß beim Zusammentreffen einzelner Fregatten im Kreuzerkrieg meist die amerikanischen über die britischen gesiegt hatten.

Das im **Frieden von Kiel** von Dänemark an Schweden angetretene Norwegen erklärte sich für unabhängig und mußte von Schweden erst erobert werden. Bei den schwachen norwegischen Truppen war dazu kein großer Feldzug notwendig. Eine überholende Truppenlandung im Skagerrak entschied den Krieg.

Die **Kämpfe in Übersee** waren in diesen Kriegen nur von untergeordneter Bedeutung. Die Entscheidungen in diesem Seekrieg fielen in den Heimatgewässern. Die Kolonien waren nur Nebenkriegsschauplatz. Das Ziel der Briten war zunächst die Eroberung der französischen Inseln in Westindien. Sobald die Niederlande ein französischer Satellitenstaat geworden waren, begannen die Briten mit der Eroberung von deren Kolonien, soweit sie an strategisch wichtigen Punkten lagen. Schließlich wurden auch die spanischen Kolonien ein Ziel der britischen Angriffe, die bei diesen Operationen ihre Seeherrschaft voll ausnutzen konnten. Trotz der Überlegenheit der britischen Flotte konnten bei der Überfülle an Zielen nur die wichtigsten ausgewählt werden.

Im **Wiener Kongreß** (1814–1815) erfolgte schließlich die Neuregelung der Machtverhältnisse in Europa. Frankreich wurde unter den Bourbonen in seinen alten Grenzen belassen. Hauptgewinner war die Seemacht Großbritannien mit der Erwerbung von Malta und Helgoland sowie von Ceylon und der Kapkolonie von den Niederlanden, wofür diese von Österreich die südlichen Niederlande erhielten. Österreich erhielt seine übrigen verlorenen Gebiete zurück und wurde dadurch noch einmal die vorherrschende Macht in Italien. Rußland wurde „Kongreßpolen" in Personalunion zugesprochen, Preußen erhielt schwedisch Pommern sowie eine Erweiterung seines Besitzes in den Rheinlanden. Die Schweiz wurde um drei Kantone vergrößert und erhielt die Garantie für eine immerwährende Neutralität. Auf dem Gebiet des Völkerrechtes wurden die Freiheit der internationalen Flußschiffahrt und die Ächtung des Sklavenhandels vereinbart und eine Regelung über das Gesandtschaftsrecht getroffen.

Für **Großbritannien** begann nun das Jahrhundert der absoluten Herrschaft auf den Weltmeeren. Es gab in der nächsten Zeit keine Flotte, die der seinen nur annähernd gleichwertig war. Es hatte in den letzten Kriegen nicht nur den Welthandel seiner Gegner vernichtet, sondern auch den der neutralen Staaten weitgehend an sich ziehen können. Ein Prozeß, der 1588 mit der

Niederlage der spanischen „Großen Armada" in den Gewässern um England begonnen hatte, war damit zum Abschluß gekommen.

In diese Zeit fällt auch der Seekrieg der **USA gegen den Bei von Tripolis**. Erstere weigerten sich, für die Sicherheit ihrer Handelsschiffe im Mittelmeer „Schutzgelder" zu bezahlen. Der Krieg gestaltete sich für die USA schwierig, da bald nach Beginn eine ihrer Fregatten vor dem Hafen von Tripolis gestrandet und die Besatzung in Gefangenschaft geraten war. Nach der Vernichtung der Flotte von Tripolis kam es schließlich zum Friedensschluß.

Nelsons Taktik des bedingungslosen Angriffes und der Kräftekonzentration brachte den Kampf der Segelschiffsflotten zu einem neuen Höhepunkt. Nur mit dieser Taktik konnte bei dem damaligen Stand der Technik und den vorhandenen Waffen des Seekrieges ein entscheidender Erfolg erzielt werden. Der **Blockadekrieg** vor den Küsten von Frankreich wurde von den Briten wieder mit großer Ausdauer geführt. Der französische Überseehandel wurde fast vollständig unterbunden. Erstmals wurden in diesem Krieg einfache Raketen (Congreve) bei der Beschießung von Kopenhagen von den Briten eingesetzt.

Beim Kampf zwischen Segelschiffen im 18. Jahrhundert war zu beachten, daß unter normalen Umständen Briggs, Sloops und Korvetten keine Chance gegen Fregatten hatten, diese wiederum Linienschiffen hoffnungslos unterlegen waren. Es kam allerdings vor, daß Schiffe, die lange Zeit in Übersee eingesetzt waren, durch Krankheitsfälle nicht imstande waren, ihre ganze Batterie zu bemannen und so in ihrer Kampfkraft stark herabgesetzt waren. In der zweiten Hälfte des 18. Jahrhunderts konnten die Zweidecker, mit 64 oder 74 Geschützen bestückt, mit ihren gekupferten Schiffsböden und großer Segelfläche fast jede Fregatte einholen.

Die Kunstgattung dieses Zeitabschnittes wurde vom Kaiserhof von Napoleon Bonaparte in Paris geprägt. Der **Empirestil** war eine Variation des klassizistischen Stiles, ging von Frankreich aus und umfaßte schließlich ganz Europa. Die Fassade des Louvre (1806), der Arc de Triomphe (1806–1808), der Umbau des Schlosses Malmaison (1802ff) und vieler weiterer Königsschlösser sind Beispiele dafür. Vor allem die Einrichtungsgegenstände und die Mode verbreiteten sich bis nach Amerika.

1793–1802 Der Seekrieg Großbritanniens gegen die französische Republik

20. April 1792 **Kriegsbeginn.** Am Kontinent erklärt das revolutionäre Frankreich den monarchischen Staaten den Krieg und marschiert in den österreichischen Niederlanden ein.

1792 **Sardinien.** Das französische Mittelmeergeschwader, soweit einsatzfähig, landet Truppen bei Cagliari auf Sardinien. Nach Verlust von zwei Linienschiffen durch schlechte Schiffsführung wird das Unternehmen abgebrochen.

Im **Ersten Koalitionskrieg** (1792–1797) kämpfen fast alle Nachbarstaaten gegen die französische Republik.

20. September 1792 **Landkrieg.** In einem längeren Artillerieduell (Kanonade von Valmy) im Norden von Frankreich zwingen die Franzosen die verbündeten Preußen und Österreicher zum Rückzug. Zur allgemeinen Überraschung haben die Revolutionäre nicht die Flucht ergriffen, sondern stoßen bis zum Rhein vor.

Februar 1793 **Kriegseintritt von Großbritannien.** Nach der Eroberung der österreichischen Niederlande (heute Belgien) durch die Franzosen und der Hinrichtung König Ludwigs XVI. erklären auch die Briten den Krieg. In diesem Jahr beträgt die Anzahl der Linienschiffe bei den wichtigsten Seemächten:

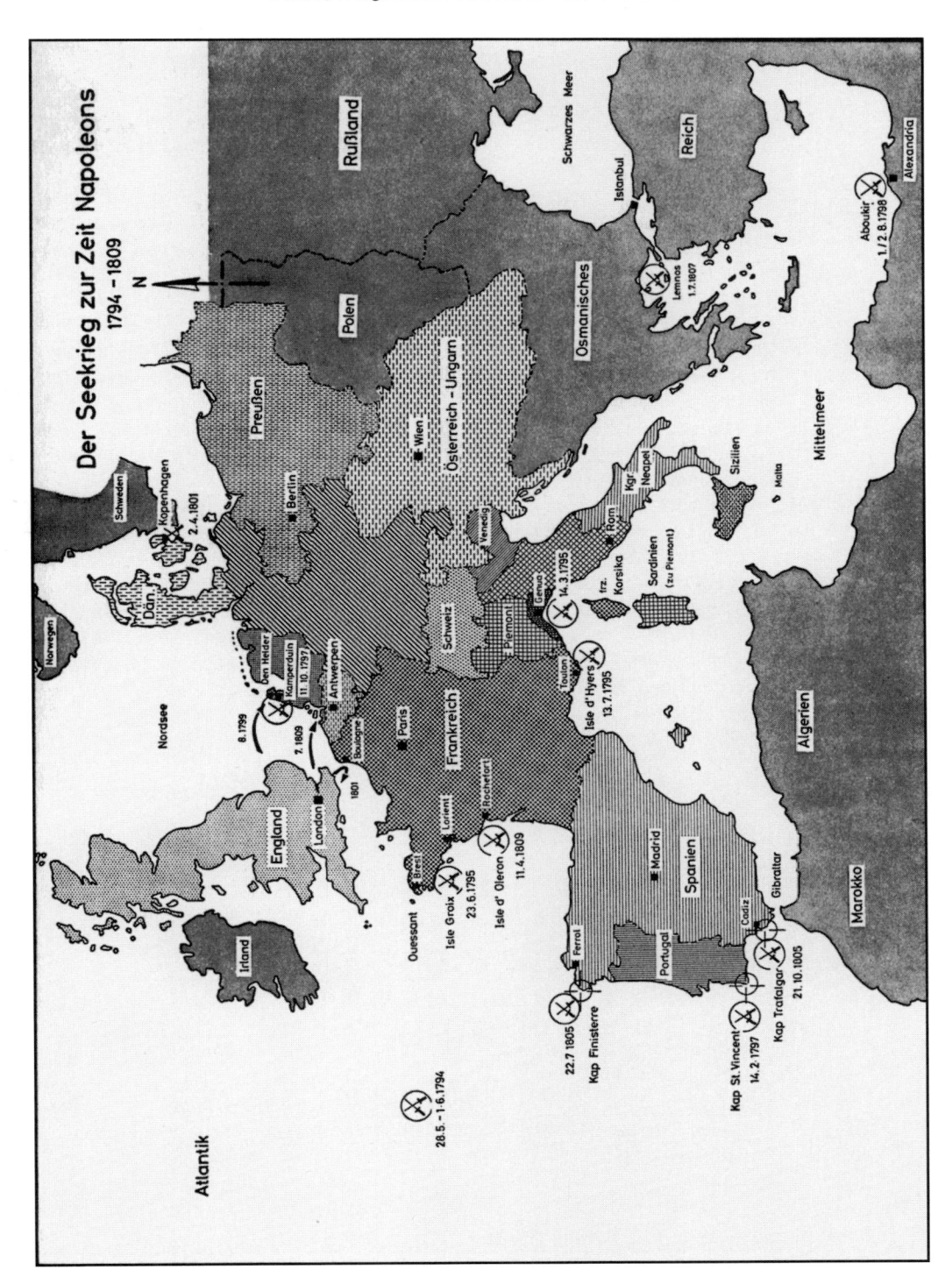

Der Seekrieg zur Zeit Napoleons
1794 – 1809

Rußland
Polen
Preußen
Schweden
Norwegen
Dän.
Kopenhagen — 2.4.1801
Berlin
Österreich – Ungarn
Wien
Osmanisches Reich
Schwarzes Meer
Istanbul
Lemnos — 1.7.1807
Aboukir — 1./2.8.1798
Alexandria
Mittelmeer
Venedig
Kgr. Neapel
Rom
Genua — 14.3.1795
Sardinien (zu Piemont)
frz. Korsika
Sizilien
Malta
Toulon
Isle d'Hyers — 13.7.1795
Piemont
Schweiz
Frankreich
Paris
Den Helder
Kamperduin — 11.10.1797
Antwerpen
8.1799
7.1809
Boulogne
Nordsee
Rochefort
Lorient
Brest
Isle Groix — 23.6.1795
Isle d'Oleron — 11.4.1809
Ouessant
London
1801
England
Irland
Atlantik
28.5.–1.6.1794
Ferrol
Kap Finisterre — 22.7.1805
Madrid
Spanien
Portugal
Cadiz
Gibraltar
Kap Trafalgar — 21.10.1805
Kap St. Vincent — 14.2.1797
Marokko
Algerien

Großbritannien	Frankreich	Spanien	Niederlande
115	80	40	20

18. Juni   **Ärmelkanal.** Die britische Fregatte >Nymphe<, Kpt. Edward Pellew, erobert eine gleich starke französische Fregatte. Die Kämpfe des über 20 Jahre dauernden Seekrieges beginnen.

August   **Mittelmeer.** Die französischen Royalisten übergeben der britischen Mittelmeerflotte unter Admiral Samuel Hood Stadt und Hafen von Toulon mit der dort liegenden französischen Mittelmeerflotte, deren 30 Linienschiffe dadurch in die Hand der Verbündeten gelangen. Anschließend wird die Stadt durch die Truppen der Republikaner belagert.

17. Dezember   **Mittelmeer.** Die Truppen der Verbündeten müssen Stadt und Hafen von Toulon wieder räumen. Der Abtransport der französischen Linienschiffe ist aber nicht vorbereitet. Es können daher nur vier Schiffe von den Verbündeten mitgenommen werden. Neun weitere Linienschiffe werden verbrannt. Die übrigen werden von den Konventstruppen wieder in Dienst gestellt. Von den im Hafen liegenden 27 Fregatten und Korvetten werden fünf vernichtet und 15 als Beute mitgenommen.

28. Mai–1. Juni 1794   **Seeschlacht westlich von Quessant** („Glorious first of June"). In Frankreich herrscht Lebensmittelknappheit. In den USA werden große Mengen an Getreide eingekauft, die in einem Geleitzug von über 100 Frachtern über den Atlantik gebracht werden. Zur Aufnahme wird das französische Brestgeschwader eingesetzt, das 400 Seemeilen westlich von Quessant auf das britische Kanalgeschwader trifft. Die Briten verfügen über 26 Linienschiffe unter Admiral Howe auf der >Queen Charlotte< (100). Das gleich starke französische Geschwader steht unter dem Befehl von Konteradmiral Villaret de Joyeuse auf der >Montagne< (120). Die beteiligten Linienschiffe am 1. Juni:

Briten	Franzosen
>Caesar< (80)	>Trajan< (74)
>Bellerophon< (74), KAdm. Paisley	>Eole< (74
>Leviathan< (74)	>America< (74), erobert
>Russell< (74)	>Téméraire< (74)
>Royal Sovereign< (100), VAdm. Graves	>Terrible< (110), KAdm.
>Marlborough< (74)	>Impeteux< (74), erobert
>Defence< (74)	>Mucius< (74)
>Impregnable< (98), KAdm. Caldwell	>Tourville< (74)
>Tremendous< (74)	>Gaspain< (74)
>Barfleur< (74), KAdm. Bowyer	>Convention< (74)
>Invincible< (74)	>Trente-et-un Mai< (74)
>Culloden< (74)	>Tyrannicide< (74)
>Gibraltar< (80)	>Juste< (80), erobert
>Queen Charlotte< (100), Flaggschiff	>Montagne< (120), Flaggschiff
>Brunswick< (74)	>Jacobin< (80)
>Valiant< (74)	>Achille< (74), erobert
>Orion< (74)	>Vengeur du Peuple< (74) +
>Queen< (98), KAdm. Gardner	>Patriote< (74)

Die Royalisten in Toulon
Flotte der Koalition besetzt den Hafen von 27. August bis 17. Dezember 1793

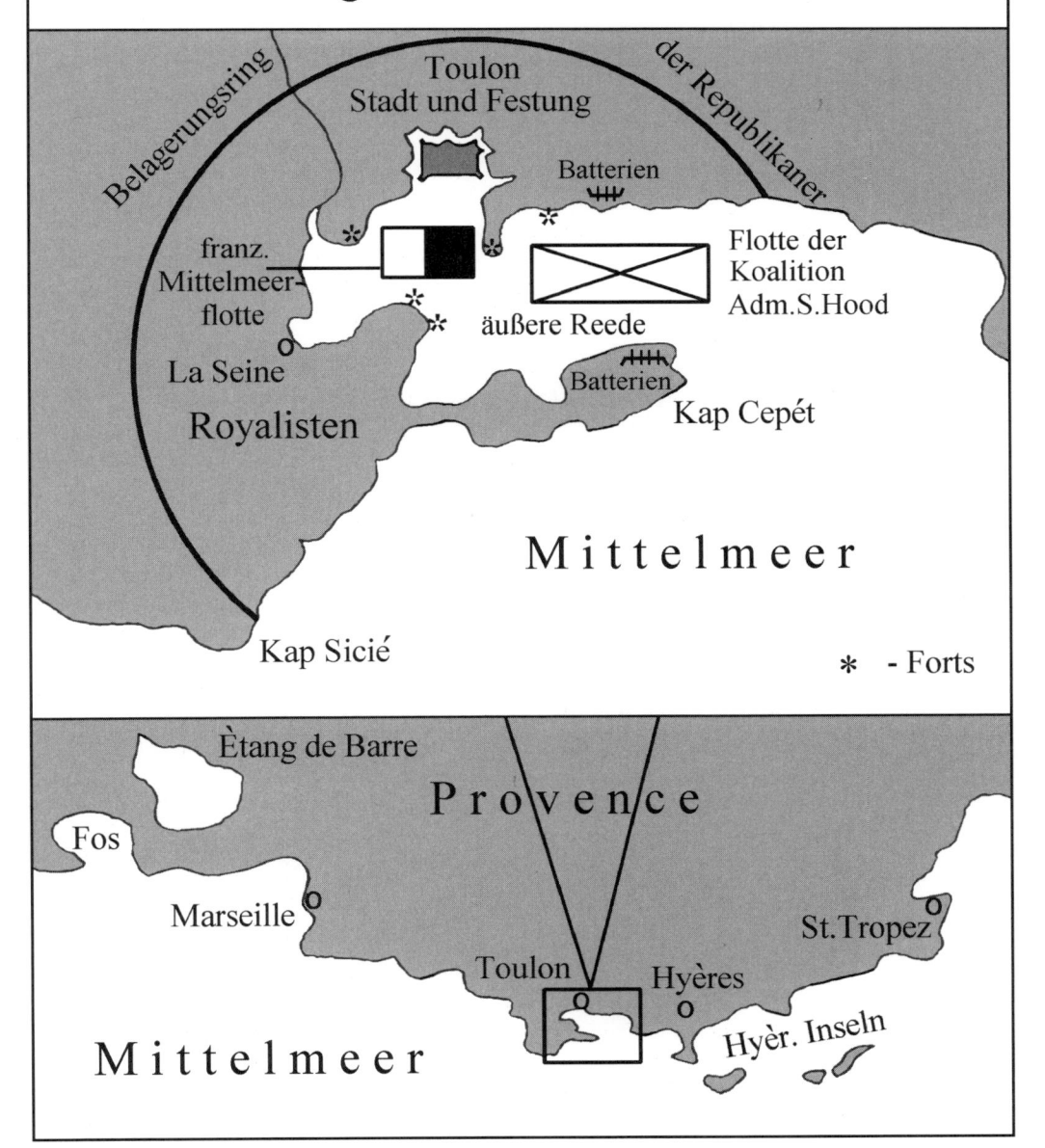

Belagerungsring der Republikaner

Toulon Stadt und Festung

Batterien

franz. Mittelmeerflotte

Flotte der Koalition Adm. S. Hood

äußere Reede

La Seine

Royalisten

Batterien

Kap Cepét

Mittelmeer

Kap Sicié

* - Forts

Ètang de Barre

Provence

Fos

Marseille

St. Tropez

Toulon

Hyères

Hyèr. Inseln

Mittelmeer

Briten	Franzosen
>Ramillies< (74)	>Northumberland<, erobert
>Alfred< (74)	>Entreprenant< (74)
>Montagu< (74)	>Jemappes< (74), erobert
>Royal George< (100), VAdm. A. Hood	>Neptune< (74)
>Majestic< (74)	>Pelletier< (74)
>Glory< (98)	>Republicain< (110), KAdm.
>Thunderer< (74)	>Sans Pareil< (80), erobert
	>Scipion< (80)
7 Fregatten	7 Fregatten
2400 Kanonen	2300 Kanonen

28. Mai   Am ersten Tag kommt es nur zu einem Gefecht zwischen einigen britischen 74 Kanonen-Schiffen und dem französischen Dreidecker >Revolutionnaire< (114, ex >Bretagne<), wonach sich dieser und die britische >Audacious< (74) schwer beschädigt zurückziehen müssen.

29. Mai
8.00 Uhr   Am nächsten Morgen liegen sich die beiden Flotten in Schlachtlinie gegenüber, die Briten in Lee. Howe befiehlt den Durchbruch durch die französische Linie,
16.00 Uhr   der aber nur von wenigen britischen Schiffen durchgeführt wird. Einige französische Linienschiffe werden dabei schwer beschädigt, schließlich zieht sich die französische Flotte zurück. Die >Indomptable< (74) wird von einem anderen beschädigten französischen Linienschiff nach Brest geschleppt.

30. Mai und
31. Mai   Villaret zieht die britische Flotte hinter sich her, der Geleitzug passiert ungesehen den Kampfplatz der letzten beiden Tage. Die französischen Schiffsverluste werden durch die Geleitsicherung ersetzt. Wegen Sichtbehinderung durch starken Nebel kommt es in diesen Tagen zu keinen Kampfhandlungen.

1. Juni
8.00 Uhr   Die Flotten treffen mit westlichem Kurs wieder aufeinander, diesmal die Briten in Luv. Die britische Flotte greift energisch an, ein Teil der Schiffe durchbricht die Linie der Franzosen. Die Schiffe beider Flotten erleiden im Nahkampf schwere Verluste. Nach mehrstündigem Zweikampf der beiden Flaggschiffe kann sich die >Montagne< von ihrem Gegner lösen. Villaret kann schließlich einen Teil seiner Schiffe um sich versammeln und auf Ostkurs neuerlich eine Schlachtlinie bilden. Von den schwer beschädigten französischen Linienschiffen werden acht abgeschnitten und müssen die Flagge streichen. Eines davon können die Franzosen wieder zurückerobern. Die >Vengeur du Peuple< ist von der >Brunswick> so zerschossen, daß sie schließlich sinkt. Am frühen Nach-
15.00 Uhr   mittag bricht Villaret den Kampf ab. Er zieht sich nach Brest zurück, wobei er einige entmastete Schiffe schleppen lassen muß. Auch die britische Flotte hat so schwer gelitten, daß Howe von einer Verfolgung absieht. Die Franzosen verlieren acht Linienschiffe, davon eines gesunken, sieben weitere sind schwer beschädigt. Der Mannschaftsverlust beträgt 7000 Mann an Toten, Verwundeten und Gefangenen. Bei den Briten sind acht Schiffe schwer beschädigt und sie verlieren 1150 Mann. Howe braucht mehrere Tage, um die eroberten Linienschiffe zu sichern. Trotz der taktischen Niederlage der Franzosen ist deren strategisches Ziel erreicht, der Geleitzug erreicht sicher Brest.

1794   **Skandinavien.** Zum Schutz ihrer Handelsschiffe gegen die kriegführenden Nationen bilden Schweden und Dänemark ein gemeinsames Geschwader für

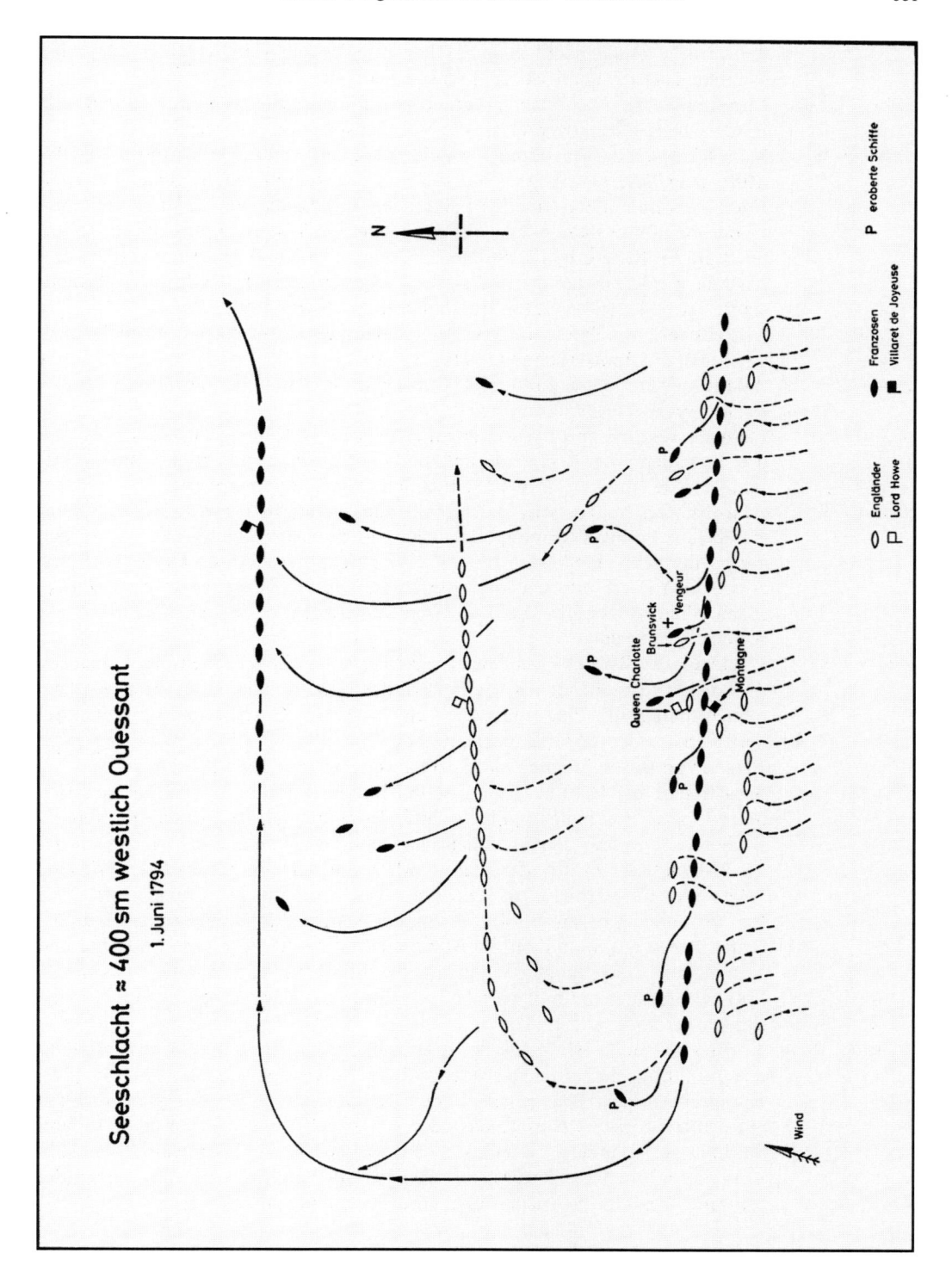

Seeschlacht ≈ 400 sm westlich Ouessant
1. Juni 1794

Franzosen
■ Villaret de Joyeuse
Engländer
Lord Howe
P eroberte Schiffe

	die Nordsee. Die je acht Linienschiffe werden abwechselnd von den Admiralen Wachtmeister (S) und Krieger (Dk) kommandiert.
1794	**Landkrieg.** Die Niederlande werden von französischen Truppen erobert. Als Batavische Republik werden sie ein Vasallenstaat von Frankreich.
Februar–August	**Korsika.** Nach der Räumung von Toulon beginnt Admiral Hood mit Teilen der Mittelmeerflotte den Angriff auf die von der Republikanern gehaltene Insel. Nach mehreren unbedeutenden Landungen muß Bastia am 2. Juli kapitulieren. Hood übernimmt dann wieder die Blockade von Toulon. Kpt. Horatio Nelson leitet die Eroberung von Calvi am 10. August, wobei er ein Auge verliert. Bei Korsika werden mehrere französische Fregatten erobert, das britische Linienschiff >Ardent< (64) gerät in Brand und fliegt in die Luft.
17. Juni 1794	**Mittelmeer.** Am Hafen von Mykonos in der Ägäis erobert die britische >Romney< (50) die französische Fregatte >Sybille< (40).
21. Oktober	**Atlantik.** Vor Quessant erobert ein britisches Fregattengeschwader die französische Fregatte >Revolutionnaire< (44).
6. November	**Gefecht westlich von Brest.** Fünf französische 74 Kanonen-Linienschiffe und drei Fregatten unter Konteradmiral Nielly verfolgen zwei britische Linienschiffe. Die >Alexander< (74) wird schließlich eingeholt und erobert.
Jänner 1795	**Atlantik.** Das französische Brestgeschwader unter Villaret de Joyeuse läuft auf Befehl der Politiker zu einer Kreuzfahrt in den Nordatlantik aus. Es werden zwar zahlreiche Handelsschiffe und eine Fregatte erobert, durch die schlechte Ausrüstung der Flotte und die unerfahrene Besatzung gehen in dem stürmischen Winterwetter aber drei Linienschiffe verloren, zwei weitere stranden und werden Totalverluste.
Jänner 1795	**Niederlande.** Bei der Einnahme des Kriegshafens Texel fallen den Franzosen die im Eis festliegenden Kriegsschiffe der Niederländer in die Hände. Nach dem Auftauen des Eises unterstützt ein russisches Geschwader die Briten bei der Blockade der niederländischen Flotte.
1795	**Friede von Basel.** Preußen und Spanien scheiden aus der Koalition aus.
13. und 14. März	**Seeschlacht bei Genua.** Die britische Mittelmeerflotte von 14 Linienschiffen unter Vizeadmiral Hotham, Flaggschiff >Britannia< (100), trifft auf ein französisches Geschwader von 14 Linienschiffen unter Konteradmiral Martin auf der >Sans-Culottes< (120), das kurz vorher die schwer beschädigte britische >Berwick< (74) erobert hat. Die Franzosen verlieren die Linienschiffe >Ça Ira< (80) und >Censeur< (74), die von der Hauptmacht abgekommen sind. Die Briten haben auf allen Schiffen Mannschaftsverluste, insgesamt 360 Tote und Verwundete. Nach einigen Tagen strandet die schwer beschädigte >Illustrious< (74) bei Genua. Eine französische Expedition zur Rückeroberung von Korsika ist aber vereitelt.
16. und 17. Juni	**Treffen vor Belle Isle.** Südlich der Bretagne trifft Vizeadmiral Cornwallis mit den fünf britischen Linienschiffen >Royal Sovereign< (100), >Mars< (74), >Triumph< (74), >Brunswick< (74), >Bellerophon< (74) und zwei Fregatten auf das französische Brestgeschwader von zwölf Linienschiffen unter Villaret de Joyeuse. In einem geschickten Rückzugsgefecht („Cornwallis Retreat") kann dieser alle Schiffsverluste vermeiden. Aus Furcht vor dem Eingreifen der britischen Kanalflotte bricht Villaret die Verfolgung ab.

Bretagne

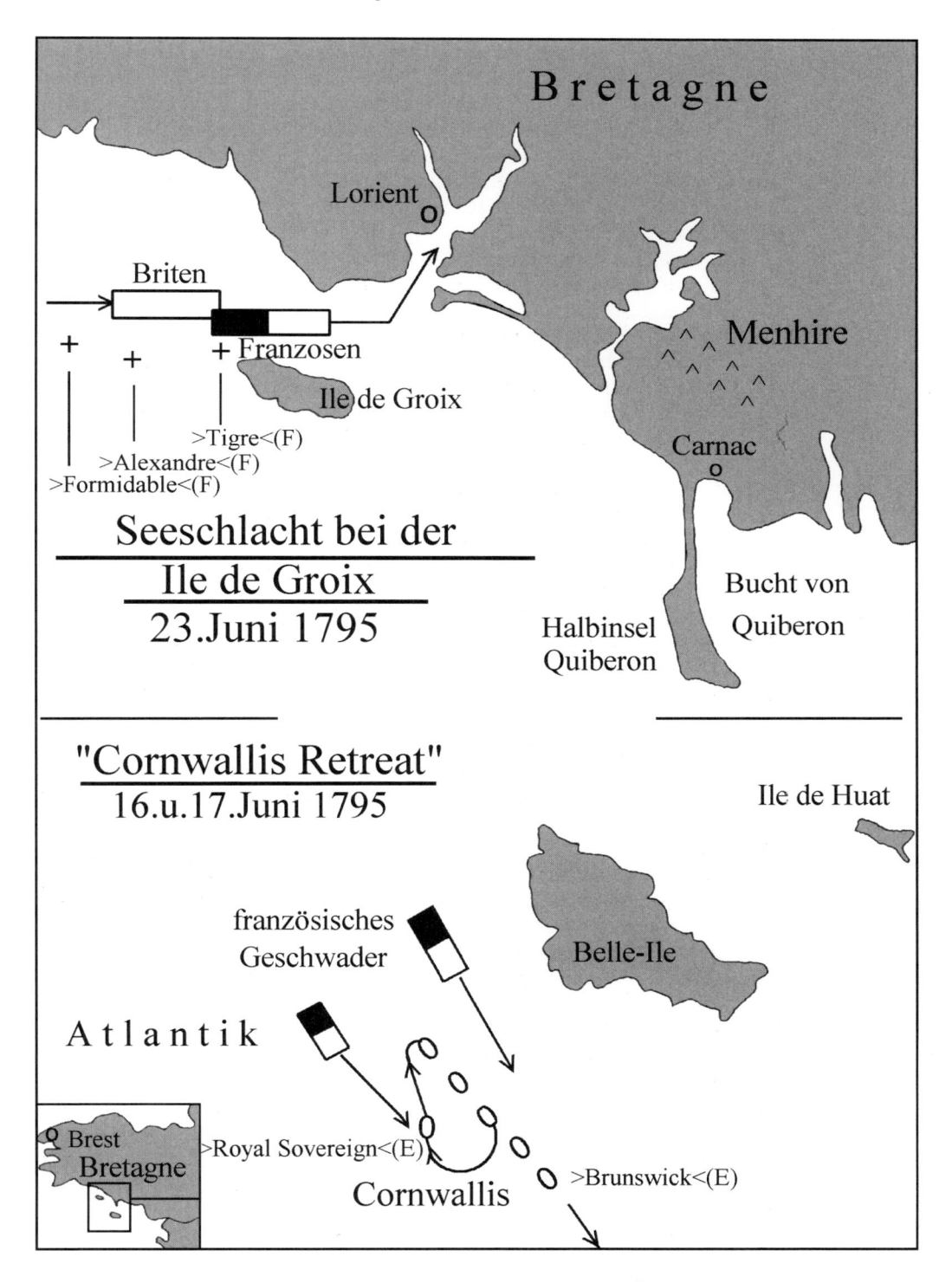

Lorient

Briten

Franzosen

Ile de Groix

>Tigre<(F)
>Alexandre<(F)
>Formidable<(F)

Menhire

Carnac

Seeschlacht bei der Ile de Groix
23. Juni 1795

Bucht von Quiberon

Halbinsel Quiberon

"Cornwallis Retreat"
16.u.17. Juni 1795

Ile de Huat

französisches Geschwader

Belle-Ile

Atlantik

Brest
Bretagne

>Royal Sovereign<(E)
Cornwallis

>Brunswick<(E)

23. Juni	**Seeschlacht bei der Isle de Groix.** Das britische Blockadegeschwader vor Brest von 14 Linienschiffen unter Admiral Alexander Hood, Flaggschiff >Royal George< (100), trifft vor Lorient auf das französische Brestgeschwader unter Konteradmiral Villaret de Joyeuse. In einem Verfolgungsgefecht verlieren die Franzosen die Linienschiffe >Alexandre<, >Formidable< und >Tigre<, der Rest kann nach Lorient entkommen. Es kommen nur die britischen Spitzenschiffe und die französischen Schlußschiffe zum Schlagen, da Hood den Kampf vorzeitig abbricht.
24. Juni	**Gefecht nördlich von Menorca.** Je zwei britische und französische Fregatten treffen aufeinander, eines der französischen Schiffe wird erobert, das zweite kann entkommen.
13. Juli	**Treffen bei den Hyerischen Inseln.** Die britische Mittelmeerflotte von 23 Linienschiffen, darunter zwei vom Königreich Neapel, unter Admiral Hotham, Flaggschiff >Britannia< (100), trifft auf 17 französische Linienschiffe unter Konteradmiral Martin. In einem nicht energisch durchgeführten Verfolgungsgefecht verlieren die Franzosen das Linienschiff >Alcide< (74), das in Brand gerät und in die Luft fliegt.
September 1795–Februar 1796	**Mittelmeerkreuzfahrt.** Aus Toulon läuft ein französisches Geschwader mit dem Linienschiff >Mont Blanc< (74) und fünf Fregatten unter Com. Ganteaume zu einer Fahrt in das östliche Mittelmeer aus. Ganteaume erobert in der Ägäis eine Reihe von Handelsschiffen, entsetzt zwei in Smyrna blockierte Fregatten und kehrt ohne Verluste nach Toulon zurück.
7. Oktober 1795	**Geleitkampf bei Kap St. Vincent.** Ein britisches Geleit von 63 Handelsschiffen aus der Levante, gedeckt durch die Linienschiffe >Fortidude< (74), >Bedford< (74), die französische Prise >Censeur< (74) und drei Fregatten trifft auf ein französisches Geschwader mit den sechs Linienschiffen >Victoire< (80), >Barras< (74), >Jupiter< (74), >Berwick< (74), >Résolution< (74), >Duquesne< (74) und drei Fregatten unter Konteradmiral de Richery. Nach dreistündigem Kampf erobern die Franzosen ein Linienschiff und fast alle Handelsschiffe.
Dezember 1795	**Kommandowechsel.** Nach diesen Pannen übernimmt Admiral John Jervis den Befehl über die britische Mittelmeerflotte.
20. April 1796	**Ärmelkanal.** Vor dem Westausgang des Kanals muß sich eine französische Fregatte nach Kampf drei britischen Fregatten ergeben. Sechs Wochen später treffen je zwei britische und französische Fregatten aufeinander. Eine der französischen Fregatten wird erobert.
September 1796	**Vertrag von Ildefonso.** Spanien tritt auf der Seite Frankreichs in den Krieg ein. Das von der britischen Flotte zu blockierende Gebiet wird dadurch fast verdoppelt.
13. Oktober 1796	**Mittelmeer.** Die britische Fregatte >Terpsichore< (32) zwingt vor Cartagena eine spanische Fregatte zur Übergabe. Zwei Monate später erobert sie noch die französische >Vestal< (36), deren Besatzung jedoch zwei Tage später das Prisenkommando überwältigt und das Schiff nach Cádiz bringt.
15.–17. November 1796	**Landkrieg.** In Oberitalien, nahe Verona, siegt Napoleon Bonaparte in der Schlacht bei Arcole über die Österreicher. Vier Monate später muß sich die Festung Mantua ergeben. Auf Grund dieser Erfolge ziehen die Briten ihre Flotte aus dem Mittelmeer ab und stationieren sie in Gibraltar.

Karte

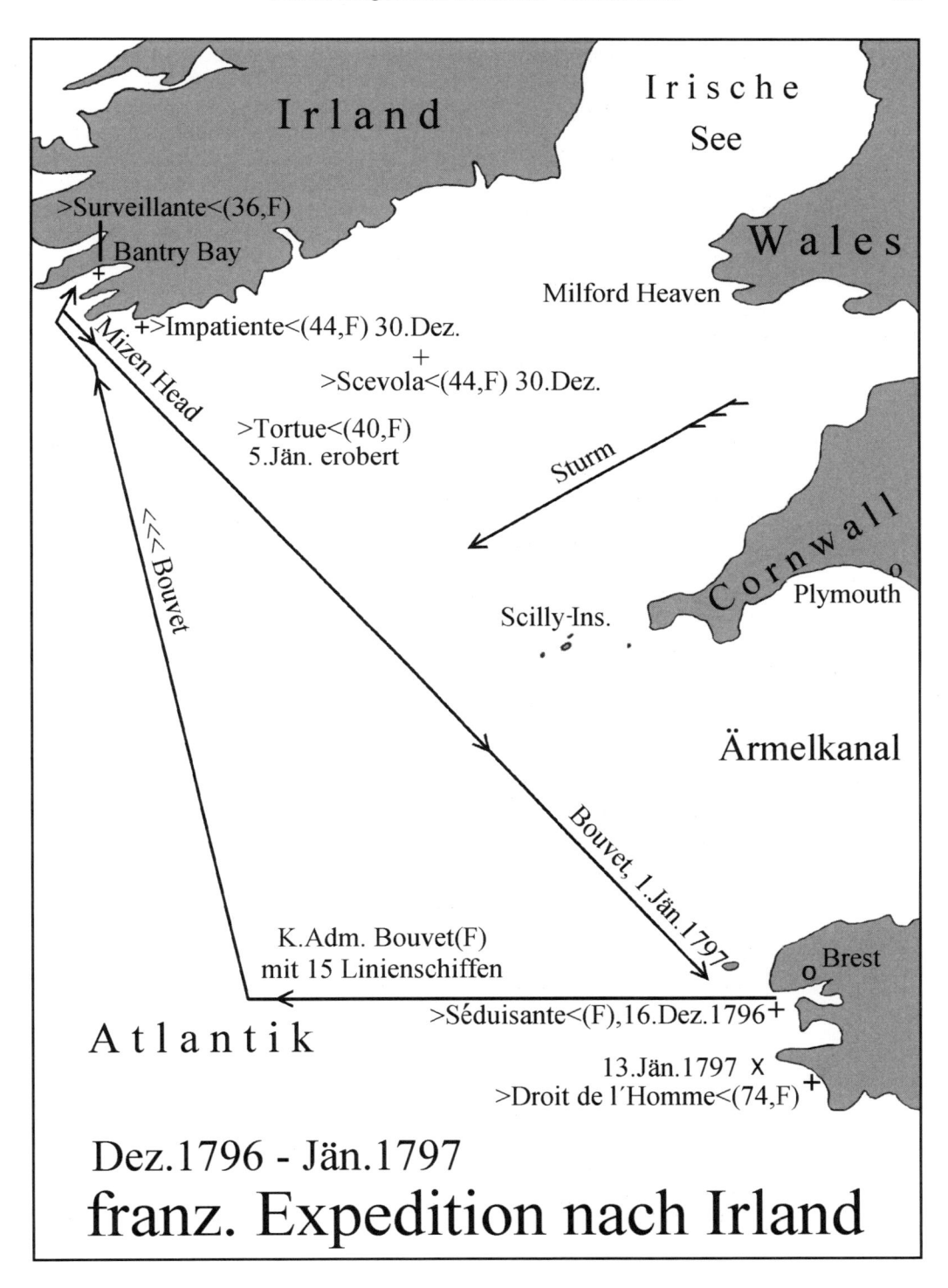

Irland — **Irische See** — **Wales**

>Surveillante<(36,F)
Bantry Bay
+>Impatiente<(44,F) 30.Dez.
>Scevola<(44,F) 30.Dez.
>Tortue<(40,F) 5.Jän. erobert

Mizen Head

Milford Heaven

Sturm

<<< Bouvet

Scilly-Ins.

Cornwall
Plymouth

Ärmelkanal

Bouvet, 1.Jän.1797

K.Adm. Bouvet(F) mit 15 Linienschiffen

Brest

>Séduisante<(F), 16.Dez.1796 +

13.Jän.1797 X
>Droit de l'Homme<(74,F) +

Atlantik

Dez.1796 - Jän.1797
franz. Expedition nach Irland

Dezember 1796	**Französische Expedition nach Irland.** Eine Armee unter Gen. Hoche mit 18.000 Mann wird auf dem Brestgeschwader von 16 Linienschiffen, 14 Fregatten und Transportern unter Vizeadmiral Morard de Galles, Flaggschiff die Fregatte >Fraternité< (40) eingeschifft. Schon beim Auslaufen strandet das Linienschiff >Séduisante< (74) und wird ein Totalverlust. Die Franzosen entgehen zwar dem britischen Blockadegeschwader, heftige Stürme lassen jedoch nur 35 Schiffe mit Konteradmiral Bouvet an der irischen Küste eintreffen. Bouvet kann sich zu keinem selbständigen Handeln entschließen und kehrt unverrichteter Dinge zurück. Die Franzosen verlieren dabei drei Fregatten, eine sinkt im Sturm, eine und mehrere Briggs fallen den Briten in die Hände. Die übrigen Schiffe treffen im Jänner wieder in ihren Heimathäfen ein.
19. Dezember 1796	**Mittelmeer.** Vor Cartagena an der spanischen Mittelmeerküste erobern zwei britische Fregatten unter Com. Horatio Nelson eine spanische Fregatte, die jedoch schon am nächsten Tag von einem stärkeren spanischen Geschwader zurückerobert wird.
13. und 14. Jänner 1797	**Gefecht bei Quessant.** Das von der Expedition nach Irland zurückkehrende Linienschiff >Droits de l'Homme< (74) trifft auf Kpt. Edward Pellew mit den Fregatten >Indefatigable< (44) und >Amazon< (36). Nach zwölf Stunden erbitterten Kampfes stranden das Linienschiff und die >Amazon< an der Küste der Bretagne. Die Besatzung der Fregatte kann sich retten, vom Linienschiff gehen an Besatzung und eingeschifften Heerestruppen fast 1000 Mann verloren.
14. Februar 1797	**Seeschlacht bei Kap St. Vincent.** Die spanische Mittelmeerflotte unter Admiral Cordoba befindet sich auf dem Weg nach Brest, um sich mit dem französischen Atlantikgeschwader zu vereinigen. Nach Passieren der Straße von Gibraltar trifft sie auf das britische Blockadegeschwader vor Cádiz unter Admiral Jervis. Die Spanier verfügen über 27 Linienschiffe, Flaggschiff der Vierdecker >Santissima Trinidad< (130). Das britische Geschwader umfaßt 15 Linienschiffe, Flaggschiff >Victory< (100).

Briten	Spanier	
>Culloden< (74), Kpt. Trubridge	>Sant. Trinidad< (130) F	>San Firmin< (74)
>Blenheim< (98)	>Conception< (112)	>Atlante< (74)
>Prince George< (98)	>Principe< (112)	>Glorioso< (74)
>Orion< (74), Kpt. Saumarez	>San José< (112), erobert	>Conquistador< (74)
>Colossus< (74)	>Conde de Regla< (112)	>San Antonio< (74)
>Irresistible< (74)	>Mejicano< (112)	>Firme< (74)
>Victory< (100), Adm. Jervis	>Bahama< (74)	>Pelayo< (74)
>Egmont< (74)	>Salvador del Mundo< (112), erobert	>Terrible< (74)
>Goliath< (74)	>San Nicolas< (80), erobert	>Oriente< (74)
>Barfleur< (98)	>Soberano< (74)	>Paula< (74)
>Britannia< (100)	>San Pablo< (74)	>San Jenaro< (74)
>Namur< (90)	>Neptuno< (74)	>San Ildefonso> (74)

Der englische Dreidecker
›Victory‹ um 1740

Seeschlacht bei Kap St. Vincent
14. Februar 1797

Excellent
Collingwood

Captain
Nelson

N

Victory

Sant. Trinidad

Wind

Culloden
Troubridge

○ Engländer   ● Spanier
⚑ John Jervis   ⚑ de Cordoba

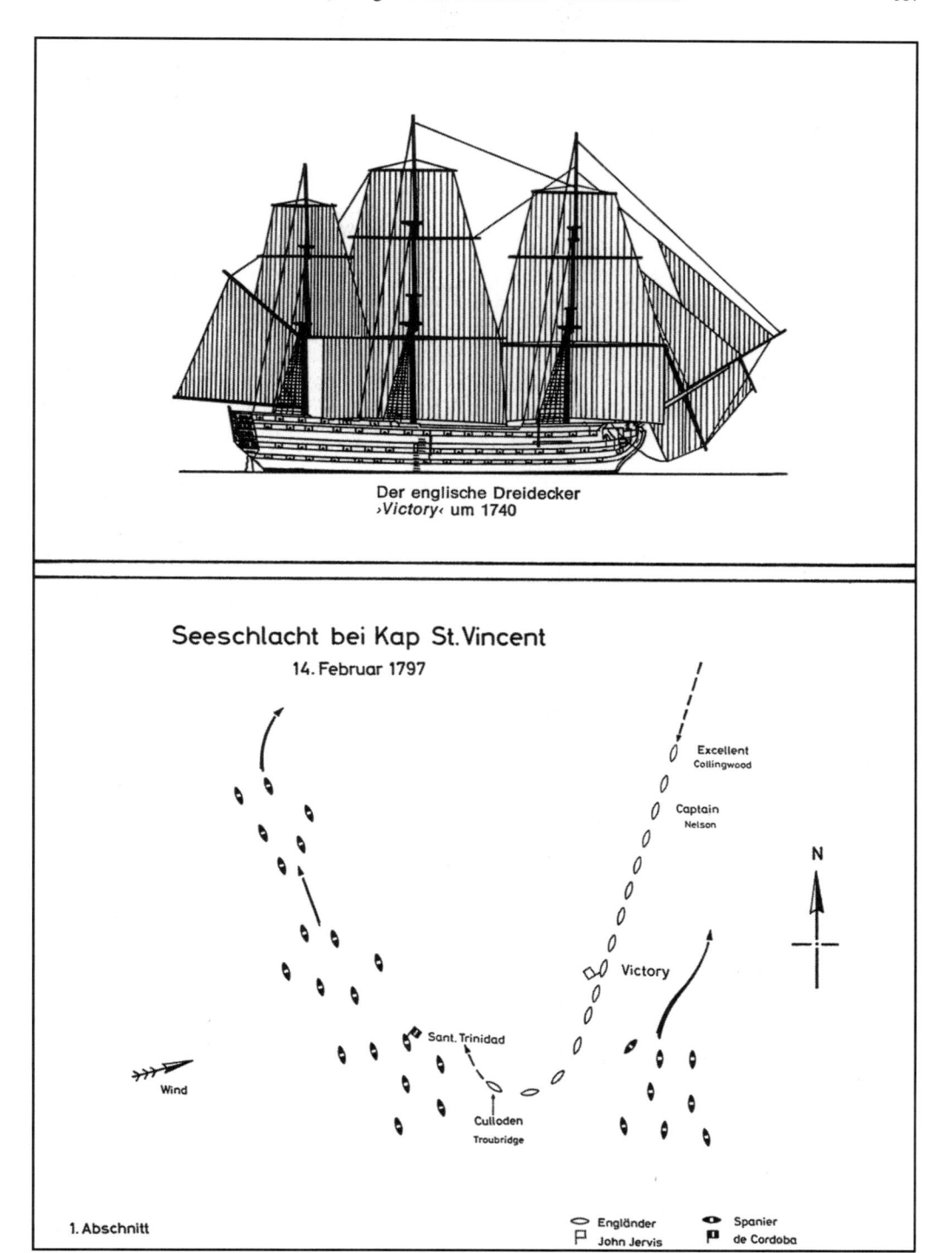

1. Abschnitt

Briten	Spanier	
>Captain< (74), Kpt. Nelson	>San Isidoro< (74), erobert	8 Fregatten
>Diadem< (64)	>S. Juan Nepomuceno> (74)	5 kleine Fahrzeuge
>Excellent< (74), Kpt. Collingwood	>Santo Domingo< 68)	
4 Fregatten		
3 kl. Fahrzeuge		

Die Spanier segeln in zwei ungeordneten Gruppen, acht Schiffe einige Seemeilen östlich der Hauptmacht. Jervis stößt mit seinem Geschwader in Kiellinie von Norden zwischen die beiden spanischen Gruppen, um deren Vereinigung zu verhindern. Nach dem Passieren wenden die Briten schiffsweise und greifen mit Nordkurs die spanische Hauptgruppe von achtern an. Um die Vereinigung der spanischen Flottenteile im Norden der britischen Linie zu verhindern, schert das drittletzte Schiff, die >Captain< (Com. Nelson), selbständig aus und wirft sich auf die spanischen Spitzenschiffe. Das britische Schlußschiff, die >Excellent< (Kpt. Collingwood), folgt sofort. Einige Zeit kämpfen die beiden allein gegen die spanische Übermacht, bis die britischen Spitzenschiffe, geführt von der >Culloden< Hilfe bringen. Nelson entert persönlich die spanischen Linienschiffe >San Nicolas< (80) und >San José< (112). Noch zwei weitere Schiffe werden von den Briten erobert. Jervis bricht dann den Kampf ab und bringt seine Prisen in Sicherheit. Cordoba geht anschließend nach Cádiz. Bei den Spaniern sind neben den vier verlorenen Linienschiffen zehn weitere schwer beschädigt, sie verlieren rund 3500 Mann an Toten, Verwundeten und Gefangenen. Bei den Briten sind fünf Schiffe schwer beschädigt, sie verlieren 300 Mann. Die spanische Flotte wird anschließend in Cádiz blockiert.

9. März 1797 **Gefecht vor Brest.** Auf dem Rückweg von einem Kommandounternehmen in den Bristolkanal werden zwei französische Fregatten von zwei britischen gestellt und nach kurzem Kampf niedergerungen.

26. März **Adria.** Ein französisches Geschwader greift im neutralen venezianischen Hafen Quieto auf Istrien ein österreichisches Handelsschiffsgeleit von 40 Schiffen an. Bei der Abwehr werden die Österreicher von dem venezianischen Linienschiff >l'Eolo< tatkräftig unterstützt. Es ist einer der Anlässe für Napoleon I., Venedig anzugreifen.

26. April **Spanien.** Vor Cádiz erobern ein britisches Linienschiff und eine Fregatte eine spanische Fregatte und jagen eine zweite auf den Strand, die bei der Bergung sinkt.

13. Juli **Mittelmeer.** Nach der Eroberung von Venedig durch die Franzosen schickt Napoleon I. ein Geschwader mit den Linienschiffen >Guillaume Tell< (80), >Tonnant< (80), >Aquilon< (74), >Mercure< (74), >Heureux< (74) und >Généreux< (74) unter Konteradmiral Brueys zur Besetzung der venezianischen Besitzungen ins Ionische Meer.

24. Juli **Kanarische Inseln.** Der Angriff eines britischen Geschwaders mit den Linienschiffen >Theseus< (74), >Culloden< (74), >Zealous< (74), >Leander< (50) und drei Fregatten unter Konteradmiral Nelson auf den Hafen von Santa Cruz

Seeschlacht bei Kap St. Vincent
14. Februar 1797

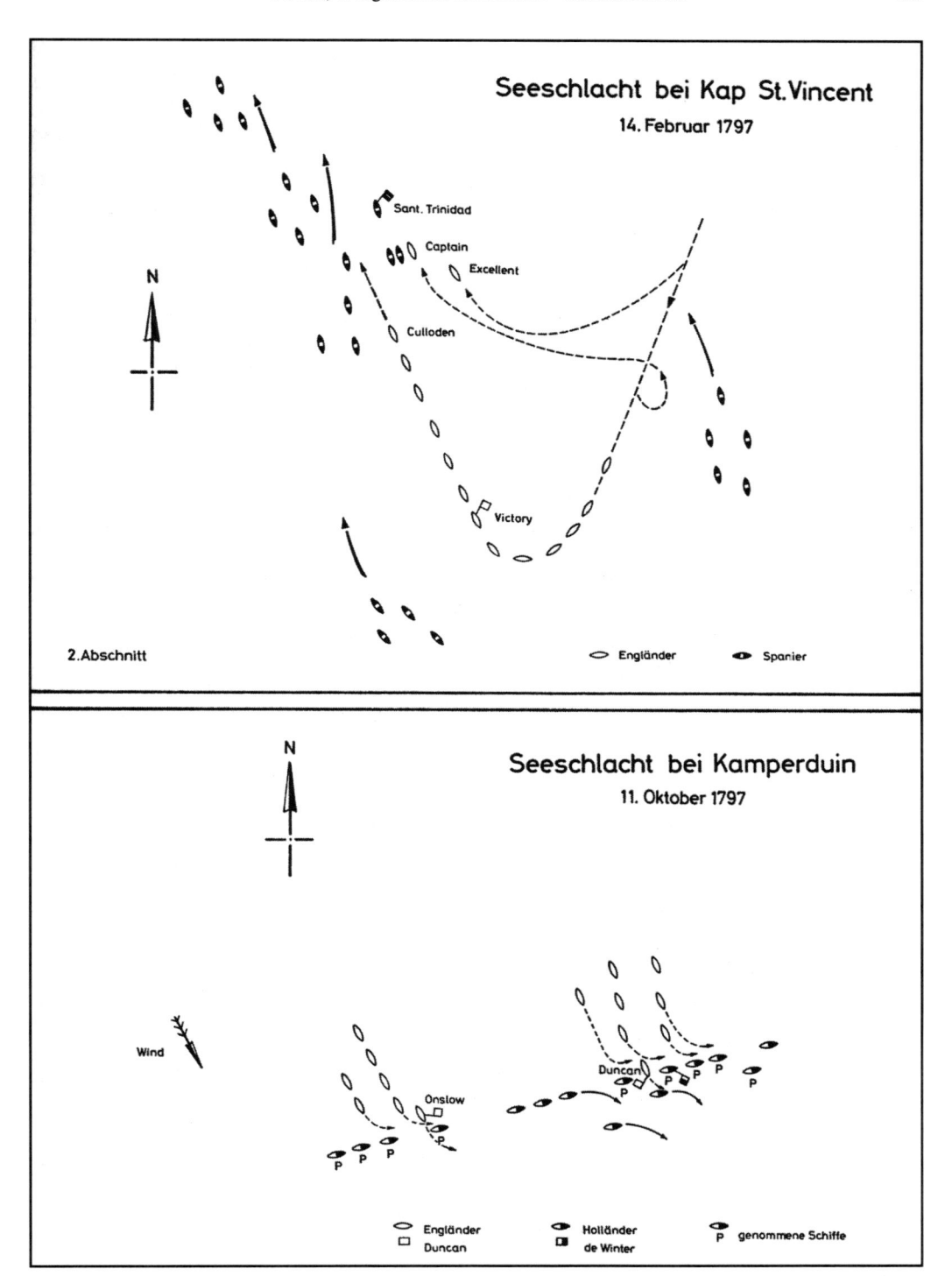

2. Abschnitt

◯ Engländer   ● Spanier

Seeschlacht bei Kamperduin
11. Oktober 1797

Wind

◯ Engländer   ● Holländer   P genommene Schiffe
□ Duncan   ■ de Winter

de Teneriffa scheitert. Die spanischen Silberschiffe sind nicht wie vermutet im Hafen. Trotzdem versucht Nelson eine Landung, die unter großen Verlusten abgewiesen wird. Nelson selbst verliert den rechten Arm.

Oktober 1797 **Friede von Campoformio.** Frankreich zwingt Österreich aus der Koalition auszutreten. Österreich verliert Mailand und Belgien an Frankreich und erhält dafür Venedig. Dies ist das Ende der über 1000 Jahre hinweg selbständigen Republik von Sankt Markus. Frankreich behält sich die Ionischen Inseln und die Flotte von Venedig. Es festigt dadurch seine Stellung im Mittelmeer. Großbritannien bleibt nun der einzige Gegner von Frankreich.

1797–1798 **Meutereien in der britischen Flotte.** In den Häfen Spithead und Nore verweigern die Matrosen den Dienst. Der schwere Blockadedienst, das Ausbleiben von Löhnung und Urlaub sowie schlechte Behandlung und Verpflegung führen zu Meutereien, vor allem in der Kanalflotte. Howe und Jervis können nur mit drakonischen Strafen die Disziplin wieder herstellen.

11. Oktober 1797 **Seeschlacht bei Kamperduin.** Die niederländische Flotte soll eine Landung französischer Truppen in Irland decken. Schon bald nach dem Auslaufen treffen die Niederländer unter Vizeadmiral de Winter auf das britische Blockadegeschwader unter Admiral Duncan. Beide Seiten verfügen über je 16 Linienschiffe, jene der Niederländer sind jedoch wesentlich kleiner, haben aber fast die gleiche Zahl an Geschützen.

Briten	Niederländer
1. Kolonne	>Gelijkheid< (68), erobert
>Triumph< (74)	>Beschermer< (56)
>Venerable< (74), Adm. Duncan	>Hercules< (64), erobert
>Ardent> (64)	>Admiraal T.H. De Vries< (68), erobert
>Bedford< (74)	>Vrijheid< (74), V.Adm. de Winter, erobert
>Lancaster< (64)	>Staten Generaal< (74), KAdm. Storij
>Belliqueux< (64)	>Wassenaer< (64), erobert
>Adamant< (50)	>Batavier< (56)
>Isis< (50)	>Brutus< (64), KAdm. Blois van Treslong
2. Kolonne	>Leijden< (68)
>Russell< (74)	>Mars< (44)
>Direktor< (64)	>Cerberus< (68)
>Montagu< (74)	>Jupiter< (72), VAdm. Reijntjes, erobert
>Veteran< (64)	>Haarlem< (68), erobert
>Monarch< (74), VAdm. Onslow	>Alkmaar< (56), erobert
>Powerful< (74)	>Delft< (54), erobert
>Monmouth< (64)	5 Fregatten
>Agincourt< (64)	4 Briggs
2 Fregatten	1028 Geschütze in den Linienschiffen
6 Sloops und Kutter	
1066 Geschütze in den Linienschiffen	

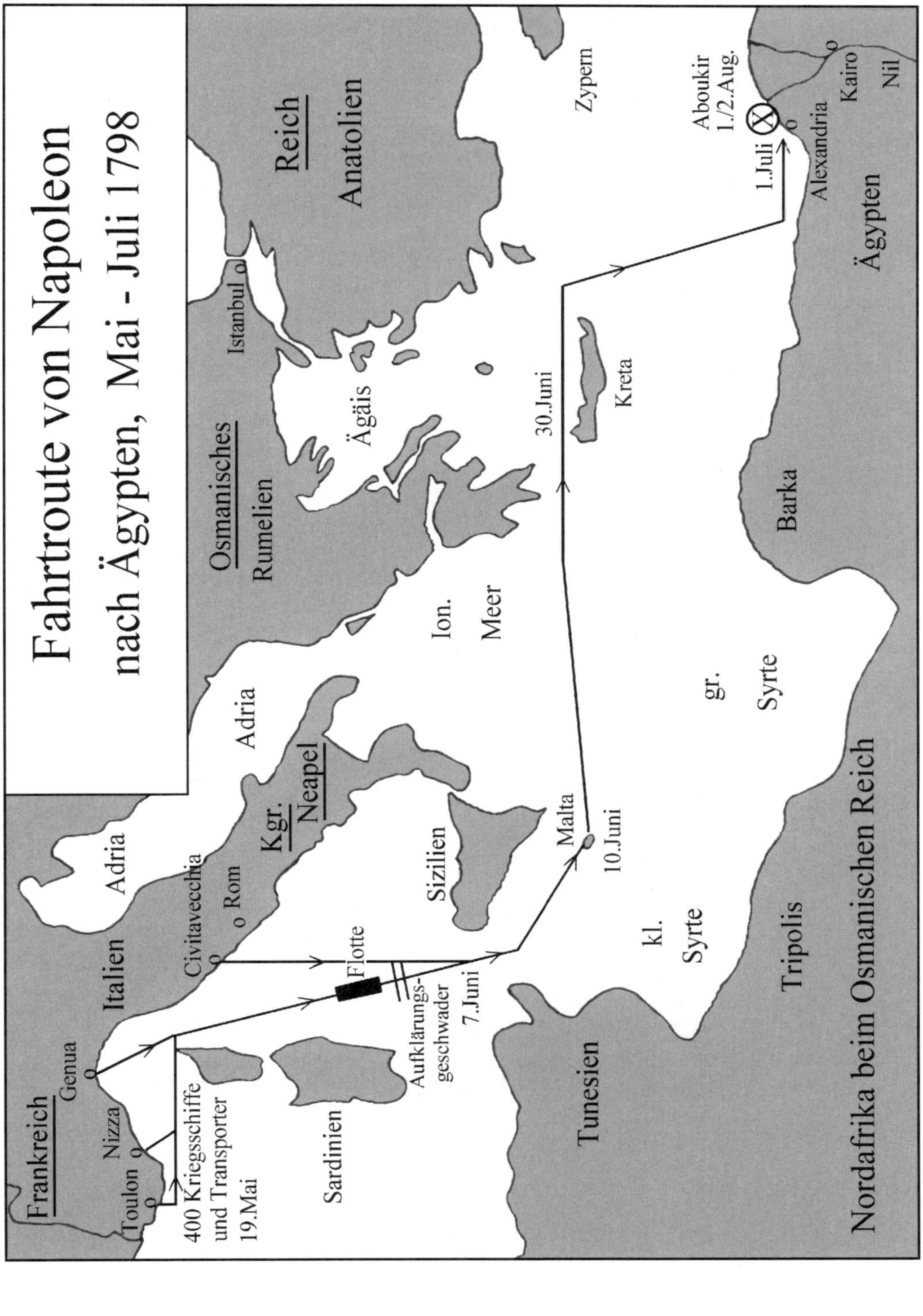
Fahrtroute von Napoleon
nach Ägypten, Mai - Juli 1798
Frankreich
Toulon
Nizza
Genua
400 Kriegsschiffe
und Transporter
19.Mai
Italien
Adria
Civitavecchia
Rom
Kgr.
Neapel
Adria
Sardinien
Sizilien
Flotte
Aufklärungs-
geschwader
7.Juni
Malta
10.Juni
Osmanisches
Rumelien
Reich
Anatolien
Istanbul
Ägäis
Ion.
Meer
30.Juni
Kreta
Zypern
1.Juli
Abukir
1./2.Aug.
Alexandria
Kairo
Nil
Ägypten
Barka
gr.
Syrte
kl.
Syrte
Tunesien
Tripolis
Nordafrika beim Osmanischen Reich

Die Briten greifen von der Luvseite in zwei Kolonnen an. Die beiden Spitzenschiffe durchbrechen die Schlachtlinie der Niederländer, die übrigen Schiffe legen sich auf der Luvseite neben ihre Gegner. In einem blutigen Kampf, in dem sich die Niederländer erbittert wehren, können die Briten neun Linienschiffe erobern. Der Rest kann entkommen, da auch das britische Geschwader schwer mitgenommen ist. Beide Seiten verlieren je rund 1000 Mann, ohne die Gefangenen auf den niederländischen Schiffen. Der Angriffsstil von Duncan nimmt jenen von Nelson bei Trafalgar vorweg. Die geplante Expedition nach Irland ist verhindert.

21. April 1798 **Gefecht vor Brest.** Das britische Linienschiff >Mars< (74) zwingt die französische >Hercule< (74) nach einstündigem Kampf Bord an Bord zur Kapitulation.

Mai 1798 **Mittelmeer.** Napoleon täuscht eine Landungsabsicht in England vor. Er verläßt jedoch mit einem starken Heer (36.000 Mann und 2000 Kanonen) auf einer Transportflotte von 400 Schiffen Toulon mit dem Ziel Ägypten, wo er die Briten an einer empfindlichen Stelle zu treffen hofft. Deckung gibt das Mittelmeergeschwader unter Vizeadmiral Brueys mit 13 Linienschiffen und sechs Fregatten. Aus diesen Fregatten wird ein eigenes Aufklärungsgeschwader gebildet.

Juni 1789 **Malta.** Auf dem Weg nach Ägypten erobert die französische Expeditionsflotte die Insel des souveränen Johanniterordens. Dabei fallen den Franzosen zwei dort liegende Linienschiffe und eine Fregatte in die Hände.

1. Juli **Ägypten.** Napoleon I. geht mit seinem Expeditionsheer in Alexandria an Land und stößt von dort nach Kairo vor. Admiral Brueys geht mit dem Mittelmeergeschwader in der Bucht von Aboukir vor Anker.

1./2. August 1798 **Seeschlacht bei Aboukir.** Admiral Brueys verfügt über 13 Linienschiffe und vier Fregatten neben den Bombenfahrzeugen für den Küstenbeschuß. Das Geschwader verfügt über 1200 Geschütze, doch können kaum die Kanonen einer Breitseite bemannt werden, da eine große Zahl der Mannschaften zum Wasserholen an Land ist. Die beteiligten Schiffe:

Briten	Franzosen
>Goliath< (74), schwer beschädigt	>Guerriere< (74), erobert
>Zealous< (74), leicht beschädigt	>Conquerant< (74), erobert
>Orion< (74), leicht beschädigt	>Spartiate< (74), erobert
>Audacious< (74), leicht beschädigt	>Aquilon< (74), erobert
>Theseus< (74), leicht beschädigt	>Peuple Souverain< (74), erobert
>Vanguard< (74), KAdm. H. Nelson, schwer beschädigt	>Franklin< (80), erobert
>Minotaur< (74), schwer beschädigt	>l'Orient< (120), VAdm. Brueys (gefallen), verbrannt
>Defence< (74), leicht beschädigt	>Tonnant< (80), erobert
>Bellerophon< (74), schwer besch.	>Heureux< (74), erobert
>Majestic< (74), schwer beschädigt	>Mercure< (74), erobert
>Leander< (50), leicht beschädigt	>Guillaume Tell< (80), KAdm. Villeneuve
>Alexander< (74), schwer besch.	
>Swifture< (74), leicht beschädigt	>Genereux< (74)
1 Brigg	>Timoleon< (74), verbrannt
938 Kanonen	4 Fregatten, Kanonenboote

Seeschlacht bei Aboukir
1./2. August 1798

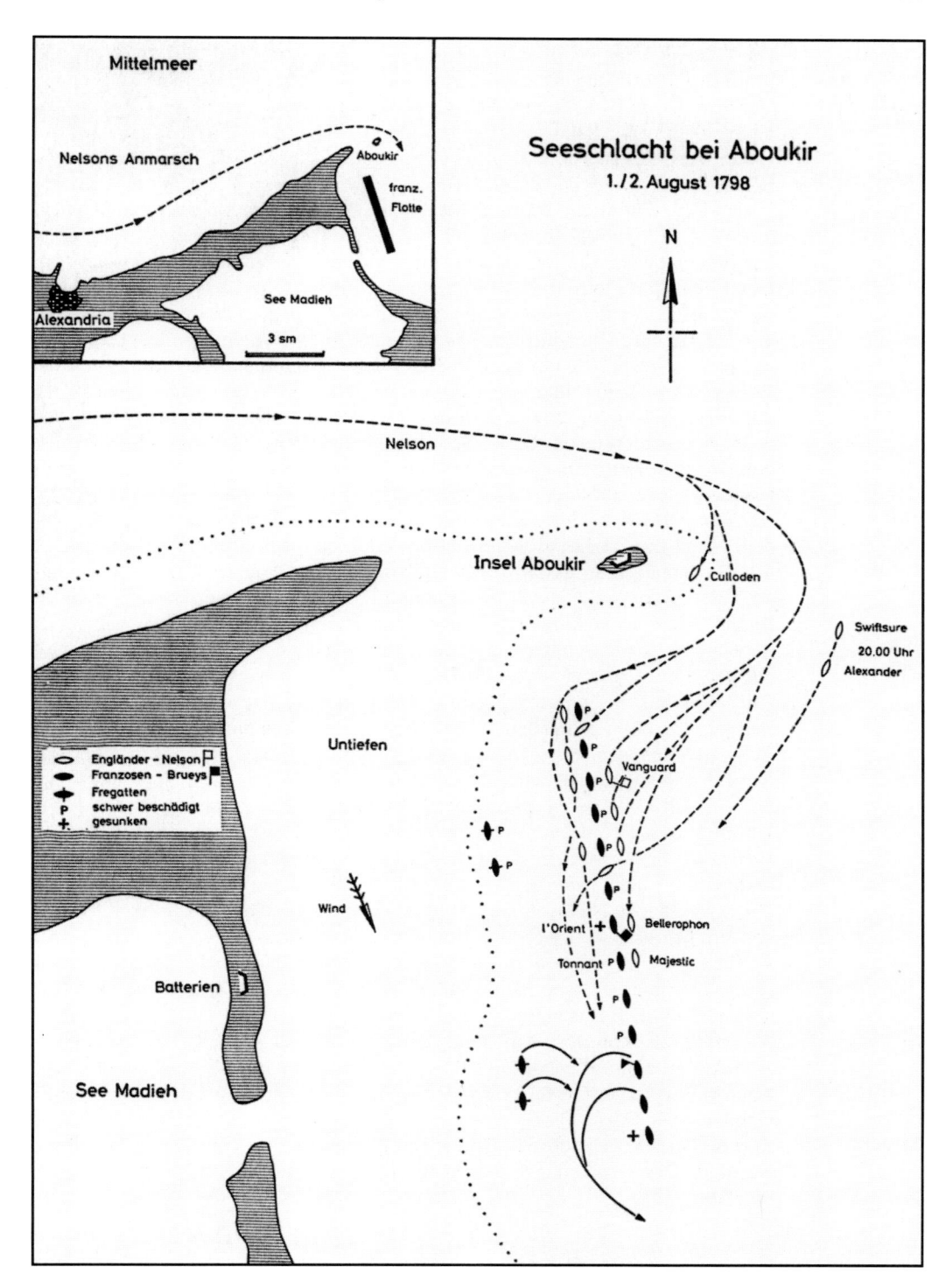

1. August *14.00 Uhr*	Die französischen Schiffe liegen in einer Linie auf Nord-Süd zu West, die Spitzenschiffe knapp hinter der Insel Aboukir. Nelson erscheint mit seinem Geschwader von 14 Linienschiffen von Alexandria, wo er die Franzosen nicht mehr angetroffen hat. Zwei der britischen Linienschiffe sind noch vor dem Hafen von Alexandria, können aber noch bei Einbruch der Dunkelheit in die Schlacht eingreifen. Die >Culloden< gerät beim Ansegeln vor der Insel Aboukir auf Grund und fällt für die Schlacht aus. Somit eröffnet Nelson die Schlacht mit nur elf Linienschiffen. Die ersten fünf Schiffe legen sich an die Innenseite der französischen Vorhut, Nelson selbst mit seiner >Vanguard< und den restlichen Schiffen greift von der Seeseite die französische Linie an. Bei leichtem Nordwind liegen die französischen Schiffe vor Buganker, die britischen Schiffe vor Heckanker. Die französischen Spitzenschiffe werden somit durch Übermacht von beiden Seiten angegriffen. Die >Bellerophon< kommt neben die >l'Orient< zu liegen und ist nach einer Stunde zum Wrack geschossen. Auch die >Majestic< wird schwer getroffen und läßt sich abtreiben. Mittlerweile ist es Nacht geworden. Die franz. Spitzenschiffe unterliegen dem konzentrischen Angriff der Briten. Die freiwerdenden britischen Schiffe und die nun eintreffenden >Alexander< und >Swifture< greifen das französische Zentrum an. Das französische Flaggschiff gerät in Brand und fliegt in einer gewaltigen Explosion in die Luft. Admiral Brueys fällt. In den nächsten Stunden streichen auch die >Tonnant< unter Kpt. Dupetit-Thouars und die >Franklin< nach heldenhafter Gegenwehr die Flagge. Zwei weitere Linienschiffe setzen sich auf den Strand. Nach einer kurzen Gefechtspause greifen die Briten auch die bisher unbeteiligte Nachhut unter Konteradmiral Villeneuve an. Die >Timoleon< wird auf den Strand gesetzt und in Brand gesteckt. Villeneuve, der gegen den leichten Nordwind die ganze Schlacht keinen Versuch gemacht hat, den anderen Schiffen zu Hilfe zu kommen, gelingt es schließlich mit seiner >Guillaume Tell< und der >Généreux< sowie zwei Fregatten zu entkommen. Alle übrigen Schiffe sind von den Briten überwältigt worden.
16.30 Uhr	
20.00 Uhr	
22.00 Uhr	
2. August *3.00 Uhr*	
9.00 Uhr	

Die Franzosen verlieren insgesamt elf Linienschiffe und zwei Fregatten sowie 1000 Mann an Toten und Verwundeten. Sechs der Linienschiffe bringen die Briten als Beute mit, die übrigen werden als unbrauchbar beurteilt und verbrannt.

Die Seeschlacht ist nicht nur ein glänzender taktischer Erfolg von Nelson, sondern hat auch weitreichende strategische und politische Folgen. Die französische Armee in Ägypten ist von ihrer Verbindung mit der Heimat abgeschnitten. Großbritannien beherrscht wieder das Mittelmeer und bringt eine Koalition gegen Frankreich zustande.

18. August 1798	**Nachtrag zu Aboukir.** Auf dem Heimweg mit der Botschaft vom Sieg bei Aboukir trifft die >Leander< (50) auf die dort entkommene >Généreux< (74). Nach verzweifelter Gegenwehr unterliegt das britische Schiff dem überlegenen Gegner.
19. Mai	**Flandern.** Ein Versuch der Briten, die Schleusen von Ostende zu zerstören, scheitert. Der Großteil der gelandeten Truppen, rund 1000 Mann, muß sich ergeben.

Rückkehr der Briten in das Mittelmeer 1798

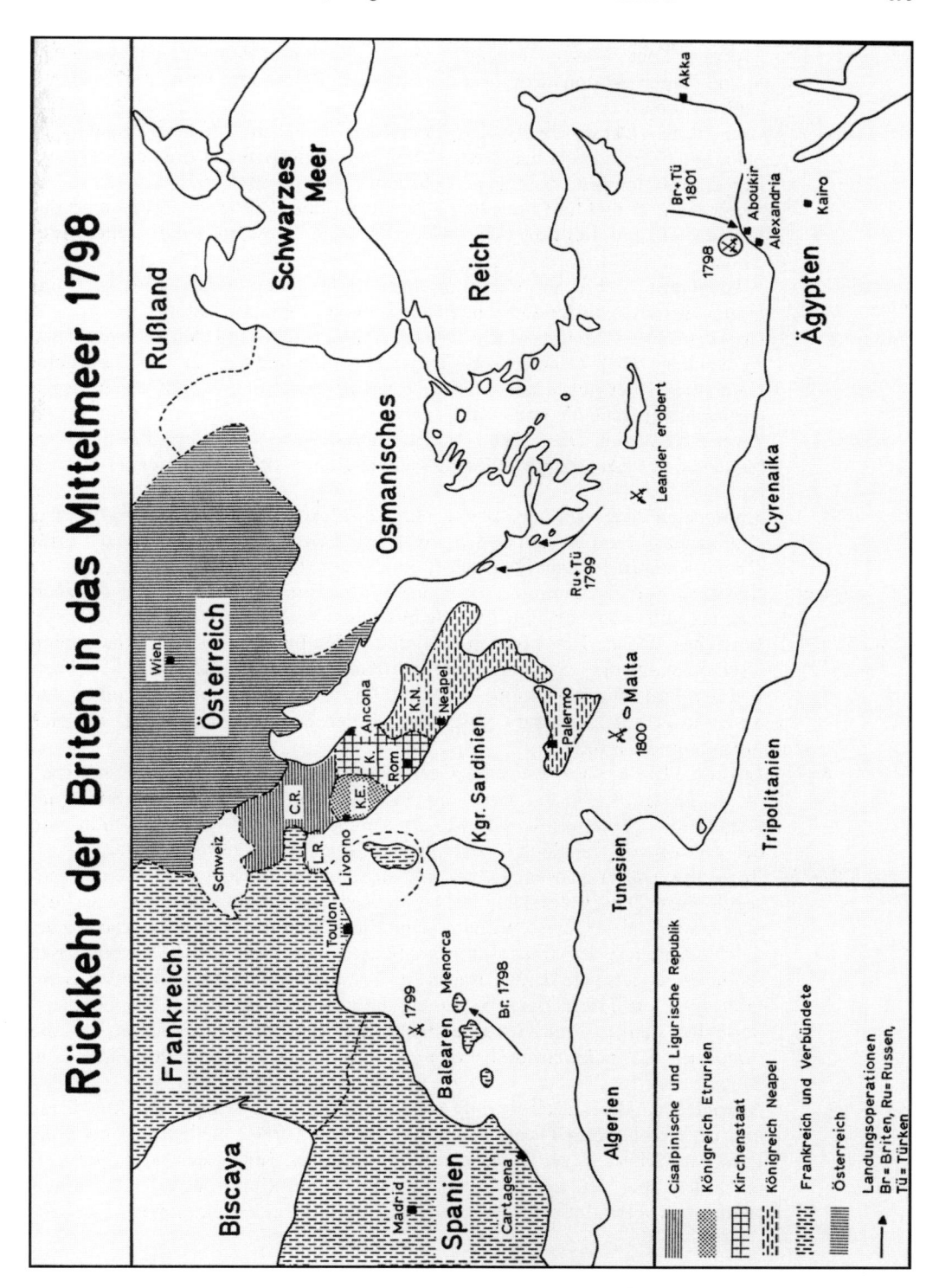

29. Juni	**Biskaya.** Drei britische Fregatten jagen eine französische Fregatte auf den Strand. Dabei geraten auch zwei der britischen Schiffe auf Grund, eines davon geht verloren.
12. Oktober 1798	**Gefecht bei Lough Swilly.** Die Franzosen versuchen auf dem Linienschiff >Hoche< (74) und acht Fregatten 3000 Mann nach Irland zu bringen. In einem Gefecht mit den britischen Linienschiffen >Foudroyant< (80), >Canada< (74), >Robust< (74) und fünf Fregatten unter Com. John B. Warren verlieren sie das Linienschiff und drei Fregatten und einige Tage später noch drei weitere Fregatten.
24. Oktober 1798	**Niederlande.** Vor Texel erobert die britische Fregatte >Sirius< (36) kurz hintereinander zwei niederländische Fregatten von 24 und 36 Kanonen.
November 1798	**Eroberung von Menorca.** Ein britisches Geschwader mit den Linienschiffen >Leviathan< (74), >Centaur< (74), vier Fregatten und vier Transportern unter Com. John Duckworth landet Truppen auf der Insel, die in acht Tagen gegen geringen Widerstand erobert wird.
Dezember	**Zweite Koalition.** Die Türkei, Rußland, Österreich, Neapel und Portugal verbünden sich erneut mit Großbritannien zum Kampf gegen Frankreich und Spanien.
Dezember	**Königreich Neapel.** Französische Truppen rücken mit Unterstützung der Republikaner in Neapel nach Süden vor. König Ferdinand IV. flieht auf der britischen >Vanguard<, dem Flaggschiff von Nelson, nach Palermo.
14. Dezember	**Biskaya.** Vor der Gironde erobert nach erbittertem Zweikampf die französische Fregatte >Bayonnaise< (24) die britische >Ambuscade< (36).
3. März 1799	**Ionisches Meer.** Ein russisch-türkisches Geschwader unter Konteradmiral Uschakow auf der >St. Paul< (84) und Konteradmiral Kadir Bey (T) erobert von den Franzosen ab Oktober 1798 die Ionischen Inseln. In Korfu fallen ihm das Linienschiff >Leander< (50), kürzlich den Briten abgenommen, und eine Fregatte in die Hände.
März bis Mai	**Levante.** Ein kleines britisches Geschwader mit den Linienschiffen >Tigre< (80), >Theseus< (74) und einer Fregatte unter Commodore Sidney-Smith unterstützt die Türkei erfolgreich bei der Verteidigung von Akko. Dadurch wird der Vorstoß von Napoléon I. von Ägypten nach Norden gestoppt.
April 1799–Mai 1800	**Bodensee.** Die Franzosen stoßen ein erstes Mal an das schweizerische Bodenseeufer vor. Die Österreicher stellen als Reaktion darauf unter dem aus England stammenden Oberst Williams eine Flottille auf, die die Landtruppen bei der Vertreibung der Franzosen vom Seeufer aus unterstützt. Die Franzosen erreichen jedoch bald darauf erneut den See bei Rohrschach und stellen ebenfalls eine Flottille auf. Beide Seiten beschränken sich jedoch auf Truppentransporte über den See, auf Küstenbeschießungen und Aufklärungsfahrten. Als die Franzosen das ganze Seeufer erobern, rüsten die Österreicher ihre Flottille in Bregenz ab.
Juni 1799	**Neapel.** Nach der Rückeroberung Süditaliens durch die Truppen der Royalisten und der verbündeten Österreicher, Russen und Türken bleiben nur noch die Forts um Neapel in den Händen der Republikaner. Mit diesen wird eine Vereinbarung über den freien Abzug und die Verschiffung nach Toulon unterzeichnet. Konteradmiral Nelson trifft am 24. von Palermo kommend vor Nea-

Die Franzosen im Ionischen Meer und der Adria 1797 und 1798

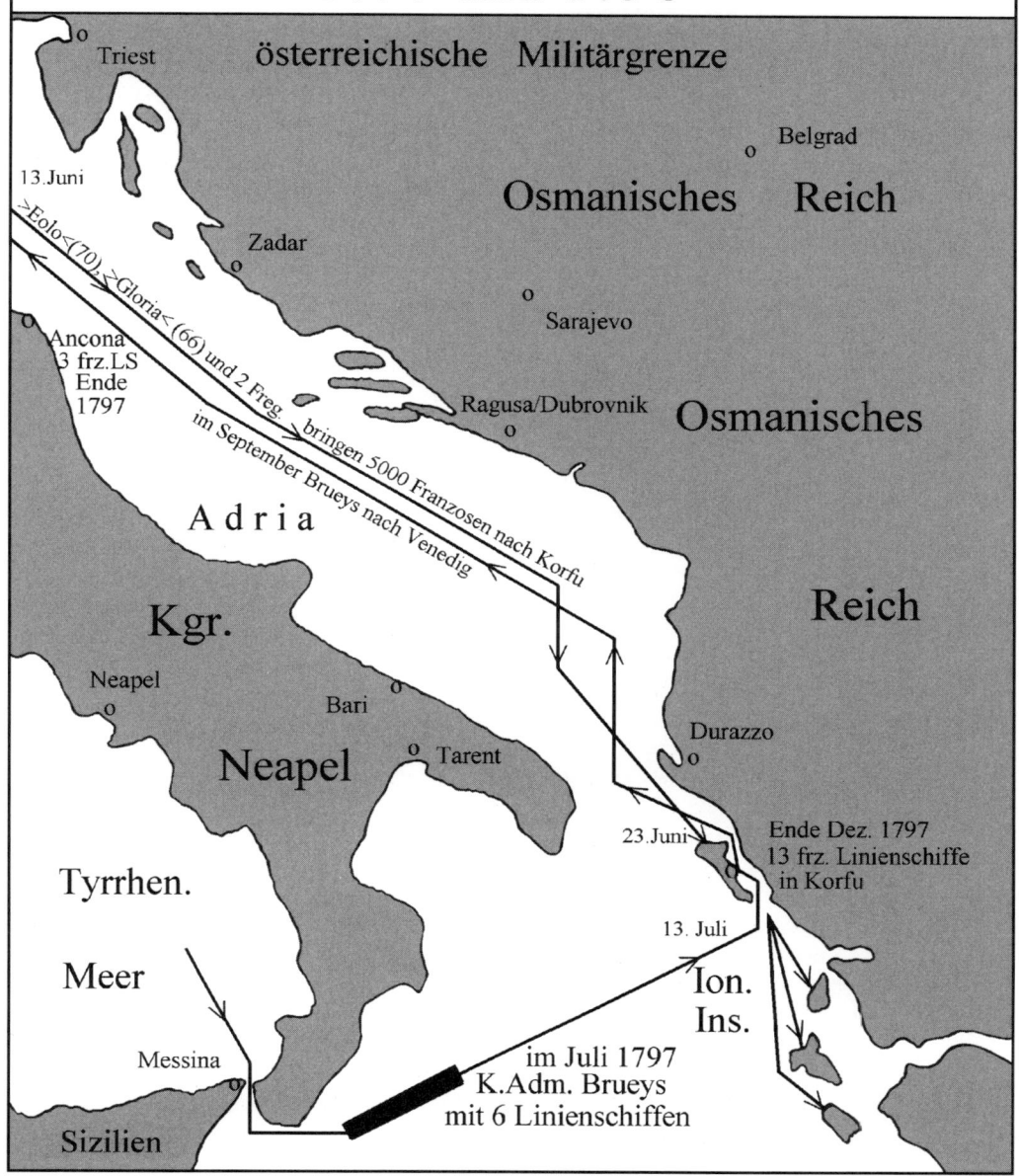

österreichische Militärgrenze

Triest

Belgrad

Osmanisches Reich

13. Juni

Zadar

>Eolo< (70), >Gloria< (66) und 2 Freg.

Sarajevo

Ancona
3 frz. LS
Ende 1797

bringen 5000 Franzosen nach Korfu

im September Brueys nach Venedig

Ragusa/Dubrovnik

Osmanisches

Adria

Kgr.

Neapel

Bari

Neapel

Tarent

Durazzo

Reich

23. Juni

Ende Dez. 1797
13 frz. Linienschiffe
in Korfu

Tyrrhen.

13. Juli

Meer

Ion. Ins.

Messina

im Juli 1797
K.Adm. Brueys
mit 6 Linienschiffen

Sizilien

pel ein, wartet, bis die Republikaner eingeschifft sind, und erklärt dann den Vertrag für nichtig. Den Prinzen Francesco Caracciolo, einen Republikaner, läßt er rechtswidrig auf seinem Flaggschiff zum Tod verurteilen und sofort erhängen. Die übrigen Republikaner werden von den Schiffen an Land gesetzt und dort zum Teil hingerichtet.

17.–20. Juni 1799 **Landkrieg.** Die verbündeten Österreicher und Russen unter FM Graf Alexander Suwarow überqueren im Winter den St. Gotthard-Paß, siegen in der Schlacht an der Trebbia in Oberitalien über die Franzosen und erobern Turin.

19. Juni **Mittelmeer.** Nördlich der Balearen erobert das britische Mittelmeergeschwader unter Vizeadmiral George Elphinstone ein französisches Geschwader von drei Fregatten und zwei Briggs.

27. August 1799 **Landung in den Niederlanden.** Das britische Nordseegeschwader unter Admiral Duncan, Flaggschiff >Kent< (74), landet ein Heer von 37.000 Mann, darunter 17.000 Russen, auf 250 kleinen Transportern bei Den Helder. Den Briten fallen zehn Linienschiffe und neun Fregatten, alle schon überaltert, in die Hände. Zwei Monate später zwingen Gegenangriffe französischer Truppen das Expeditionsheer wieder zur Einschiffung.

Oktober 1799 **Mittelmeer.** Napoleon I. schifft sich im August in Alexandria auf der schnellen, ehemals venezianischen Fregatte >Muirone< ein und läuft mit vier weiteren Fregatten nach Frankreich aus. Er kann die britischen Geschwader umgehen und gelangt sicher nach Frejus. In Frankreich übernimmt er als 1. Konsul die Macht.

Oktober **Rußland** verläßt die Koalition.

16. Oktober **Gefecht vor Finisterre.** Vier britische Fregatten erobern zwei spanische, die einen Schatz an Bord führen. Das für die damalige Zeit riesige Prisengeld beträgt für jeden Kapitän £ 41.000, für jeden einfachen Matrosen noch immer 182 £, eine Lebensrente.

13. November **Italien.** Eine österreichische Flottille ist an der Eroberung von Ancona durch das Landheer beteiligt. Bei der Kapitulation der französischen Besatzung fallen den Österreichern die ehemals venezianischen Linienschiffe >Leharpe< (74), >Stengel< (64) und >Beyrande< (64) in die Hände.

18. Februar 1800 **Malta.** Die Briten hindern ein französisches Versorgungsgeleit daran, die Insel zu erreichen, deren Besatzung und Bewohner schon nahe dem Verhungern sind. Das begleitende Linienschiff >Généreux< (74) wird dabei erobert.

17. März **Unglück.** Bei Livorno gerät das britische Linienschiff >Queen Charlotte< (100) in Brand und wird ein Totalverlust. Dabei kommen 700 Mann an Besatzung und eingeschifften Truppen ums Leben.

31. März **Malta.** Das französische Linienschiff >Guillaume Tell< (80), das bei Aboukir entkommen ist, versucht die Blockade zu durchbrechen. Nach acht Stunden Kampf mit den Blockadestreitkräften muß es die Flagge streichen, nachdem es zwei Linienschiffe und eine Fregatte schwer beschädigt hat.

7. April **Gefecht vor Cádiz.** Die britischen Linienschiffe >Leviathan< (74), >Swifture< (74) und eine Fregatte treffen auf zwei spanische Fregatten und erobern beide, da die Briten für spanische Schiffe gehalten werden.

14. Juni 1800 **Landkrieg.** Napoleon siegt in Oberitalien in der Schlacht bei Marengo über die Österreicher. Frankreich übernimmt im Landkrieg wieder die Initiative.

Landung in Holland
August 1799

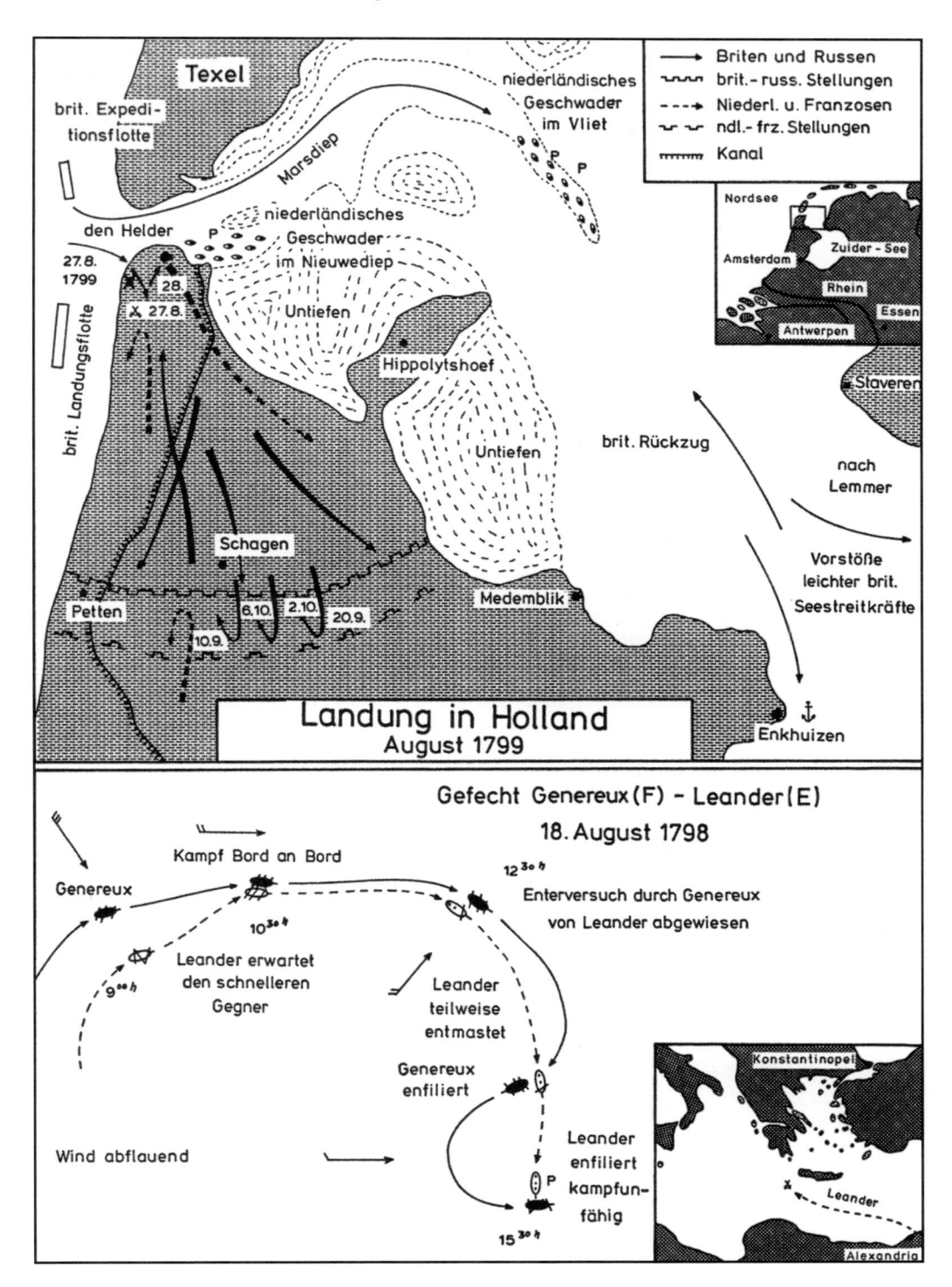

Briten und Russen →
brit.- russ. Stellungen
Niederl. u. Franzosen -- →
ndl.- frz. Stellungen
Kanal

Texel — brit. Expeditionsflotte — den Helder — Marsdiep — niederländisches Geschwader im Vliet — niederländisches Geschwader im Nieuwediep — Untiefen — Hippolytshoef — Untiefen — Schagen — Medemblik — Petten — brit. Landungsflotte — 27.8.1799 — 28. — X 27.8. — 10.9. — 6.10. — 2.10. — 20.9. — brit. Rückzug — nach Lemmer — Vorstöße leichter brit. Seestreitkräfte — Enkhuizen

Nordsee — Amsterdam — Zuider-See — Rhein — Essen — Antwerpen — Staveren

Gefecht Genereux (F) – Leander (E)
18. August 1798

Genereux — Kampf Bord an Bord — 12³⁰ʰ — Entenversuch durch Genereux von Leander abgewiesen — 10³⁰ʰ — Leander erwartet den schnelleren Gegner — 9⁰⁰ʰ — Leander teilweise entmastet — Genereux enfiliert — Leander enfiliert kampfunfähig — 15³⁰ʰ — Wind abflauend

Konstantinopel — Leander — Alexandria

25. und 26. August	**Angriff auf Ferrol.** Ein britisches Geschwader von fünf Linienschiffen und fünf Fregatten und Landungstruppen unter Konteradmiral J. B. Warren versucht, die im Hafen liegenden sechs spanischen Linienschiffe zu vernichten. Die Landungstruppen können ein Fort an der Hafeneinfahrt erobern. Da die übrigen Befestigungen aber zu stark erscheinen, werden die Truppen wieder eingeschifft.
September	**Malta.** Die französische Garnison (und die Bewohner) ist praktisch ausgehungert und muß sich dem britischen Blockadegeschwader und den schon gelandeten Truppen ergeben. Im Hafen von La Valetta fällt den Briten das Linienschiff >Athénien< (64) der Johanniter in die Hände.
3. Dezember 1800	**Landkrieg.** In der Nähe von München siegen die Franzosen unter Gen. Moreau über die Österreicher unter Erzherzog Johann von Österreich, das nun zum Frieden bereit ist.
19. Februar 1801	**Gefecht bei Gibraltar.** Die britische Fregatte >Phoebe< (36) kämpft östlich des Felsens mit der französischen >Africaine< (40), auf der sich 400 Soldaten für Ägypten an Bord befinden. Mit 200 Toten und 140 Verwundeten an Bord müssen die Franzosen schließlich die Flagge streichen.
Februar 1801	**Friede von Lunéville.** Nach der Niederlage bei Marengo muß Österreich die Bedingungen von Campoformio/Campoformido anerkennen. Großbritannien steht Frankreich erneut allein gegenüber.
Anfang 1801	**Bewaffnete Neutralität.** Die nordischen Staaten und Rußland schließen sich erneut zur Verteidigung ihrer Neutralität zur See zusammen.
8. März 1801	**Ägypten.** Die Briten landen gegen französischen Widerstand 16.000 Mann Landungstruppen unter Gen. Ralph Abercromby in der Bucht von Aboukir. Deckung gibt ein Geschwader von sieben Linienschiffen, einer Fregatte und 16 Kanonenbooten unter Admiral George Elphinstone, Flaggschiff >Foudroyant< (80). Kairo wird am 27. Juni erobert und bald steht ganz Ägypten außer Alexandria unter britischer Kontrolle.
16. März	**Schiffbruch.** Beim Auslaufen nach Kopenhagen strandet das britische Linienschiff >Invincible< (74) an der Küste von Norfolk, wobei rund 400 Mann der Besatzung ertrinken.
April 1801	**Schlacht auf der Reede von Kopenhagen.** Großbritannien schickt ein Geschwader unter Admiral Hyde Parker nach Dänemark. Zweiter Admiral ist Vizeadmiral Nelson. Parker soll Dänemark zum Austritt aus der „Bewaffneten Neutralität" veranlassen. Die Briten treffen mit 20 Linienschiffen, fünf Fregatten und 28 weiteren Kriegsschiffen vor dem Öresund ein. Hyde Parker führt auf der >London< (98), das Flaggschiff von Nelson ist der Zweidecker >Elephant< (74). Die Dänen sind auf einen Angriff vorbereitet. Die Zufahrt zur Reede von Kopenhagen ist durch Untiefen und Inseln im Öresund sehr schwierig. Die Untiefe Middelgrund teilt das Fahrwasser in zwei Arme: Das Königstief und das Holländertief. An der Nordeinfahrt des Königstiefs deckt das starke Fort Trekroner die Zufahrt nach Kopenhagen. Südlich davon haben die Dänen eine schwimmende Seeverteidigung eingerichtet, die aus den Linienschiffen >Mars< (74) und >Elephanten< (70), einer Fregatte, acht Defensionsschiffen und sieben Geschützflößen besteht. Die Defensionsschiffe sind alte, rasierte

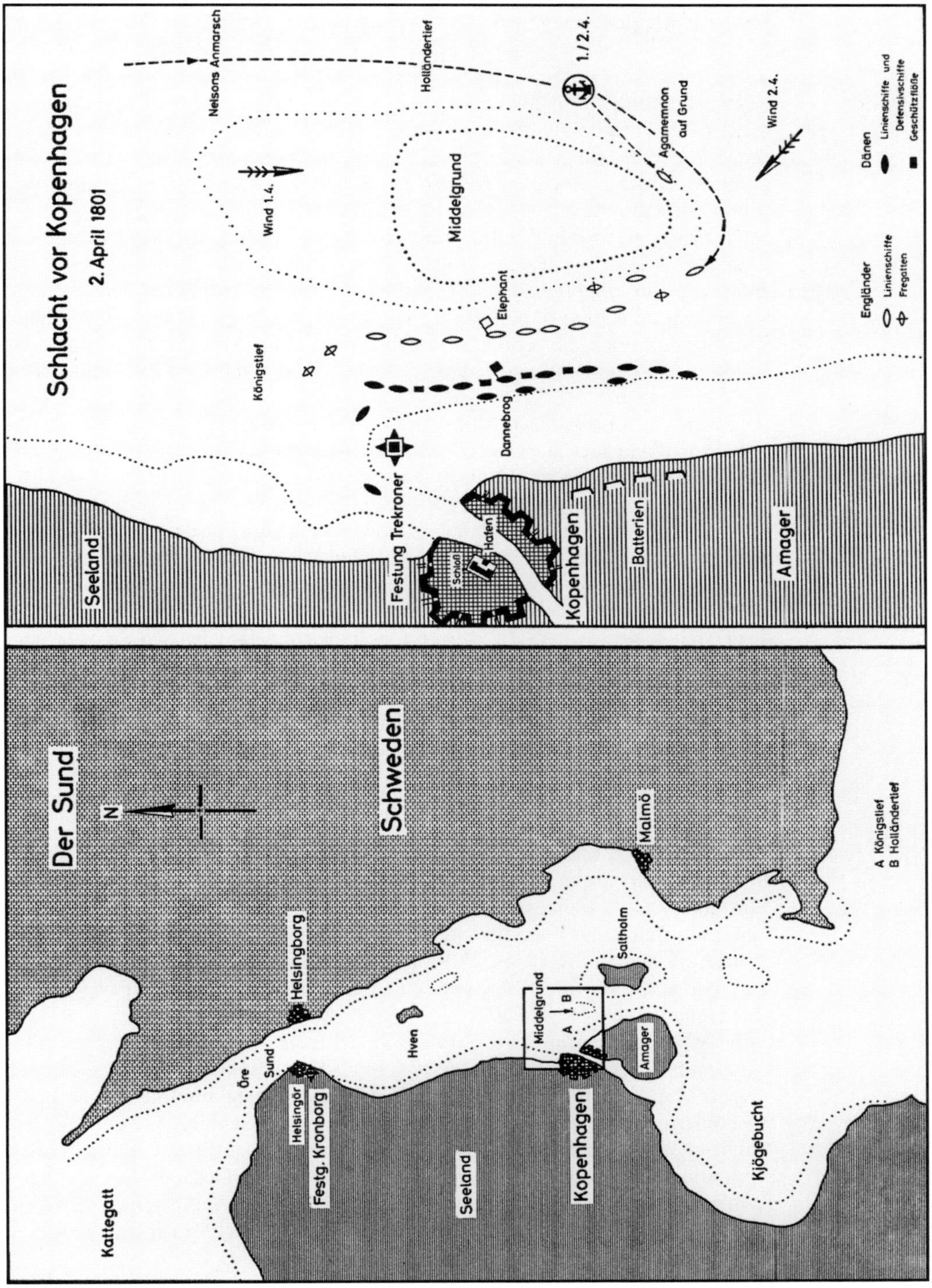
Schlacht vor Kopenhagen
2. April 1801
Nelsons Anmarsch
Holländertief
1./2.4.
Agamemnon
auf Grund
Wind 2.4.
Wind 1.4.
Middelgrund
Königstief
Elephant
Dannebrog
Seeland
Festung Trekroner
Schloß
Hafen
Kopenhagen
Batterien
Amager
Engländer
Linienschiffe
Fregatten
Dänen
Linienschiffe und
Defensivschiffe
Geschützflöße
Der Sund
N
Schweden
Malmö
Helsingborg
Hven
Saltholm
Middelgrund
A
B
Öre
Sund
Helsingör
Festg. Kronborg
Kattegatt
Seeland
Kopenhagen
Amager
Kjögebucht
A Königstief
B Holländertief

	Linienschiffe und Fregatten. Die Seeverteidigung untersteht Admiral Olfert Fischer auf der >Danebrog<. Parker überläßt Nelson den Angriff auf die dänische Flotte.
1. April	Nelson beschließt von Süden vorzugehen, um die Festung Trekroner zu vermeiden. Ihm stehen zwölf Linienschiffe, fünf Fregatten und 19 kleinere Fahrzeuge zur Verfügung. Diese ganze Streitmacht ankert im Osten des Middelgrundes. In der Nacht geht Nelson im Holländertief durch den Öresund und wartet auf Südwind.
2. April 9.00 Uhr	Nach Umspringen des Windes greift Nelson an. Am Middelgrund kommt ein Linienschiff fest, die übrigen ankern in rund 500 Meter Entfernung von der dänischen Verteidigungslinie. Die Briten verfügen über rund 600 Kanonen, 60 Karonaden und 9000 Mann, die Dänen über 370 Geschütze und 6000 Mann. Dazu kommt noch die Artillerie in den Landwerken. Die Dänen eröffnen das Feuer und es beginnt eine erbitterte Schlacht, in der sich die Dänen mit Erfolg zur Wehr setzen.
10.00 Uhr	
13.00 Uhr	Drei britische Linienschiffe sind bereits schwer beschädigt und geraten in der Nähe von Trekroner auf Grund. Admiral Hyde Parker setzt darauf das Signal „Die Schlacht abbrechen". Nelson ignoriert das Signal, da ihm ein Vorbeiführen seiner Schiffe an Trekroner für unmöglich erscheint. – Er setzt sein Fernrohr an sein blindes Auge und meldet, daß er kein Signal sehe. – Nach weiteren zwei Stunden Kampf müssen bereits elf dänische Schiffe die Flagge streichen.
15.00 Uhr	
20.00 Uhr	Um aus seiner schwierigen Lage zu entkommen, bietet Nelson den Dänen einen Waffenstillstand an, der von ihnen angenommen wird. Nach Einstellung des Feuers kann Nelson sein schwer angeschlagenes Geschwader an Trekroner vorbei in Sicherheit bringen. Erst gegen Abend kommen die letzten Linienschiffe vom Middelgrund frei.
	Die Dänen verlieren über 1000 Tote und Verwundete sowie 2000 Mann durch Gefangennahme. Die britischen Verluste betragen 1200 Tote und Verwundete. Dänemark gibt schließlich den britischen Forderungen nach. Dazu trägt auch der Tod von Zar Paul I. bei, der die treibende Kraft in der Bewaffneten Neutralität war.
6. Mai 1801	**Mittelmeer.** Die britische Sloop >Speedy< unter Freg.Kpt. Thomas Cochrane erobert eine spanische Fregatte von 32 Kanonen.
Mai–Juni	**Mittelmeer.** Ein französisches Geschwader aus Toulon, bestehend aus vier Linienschiffen, einer Fregatte und vier Transportern, unter Konteradmiral Ganteaume auf der >Indivisible< (80) mit Verstärkungen für Ägypten muß vorzeitig umdrehen. Auf dem Rückweg wird das britische Linienschiff >Swifture< (74) erobert.
6. Juli	**Gefecht bei Algeçiras.** Die französischen Linienschiffe >Formidable< (80), >Indomptable< (80) und >Desaix< (74) unter Konteradmiral Linois weisen den Angriff von sechs britischen Linienschiffen unter Konteradmiral Saumarez ab. Sie erobern dabei die auf Grund gelaufene britische >Hannibal< (74).
12./13. August	**Nachtschlacht vor Cádiz.** Konteradmiral Saumarez greift mit seinen schnell reparierten Linienschiffen ein französisch-spanisches Geschwader von neun Linienschiffen und drei Fregatten unter den Konteradmiral Linois (F) und Moreno (Sp) an. Die >Real Carlos< (Sp, 112) und die >San Hermenegildo<

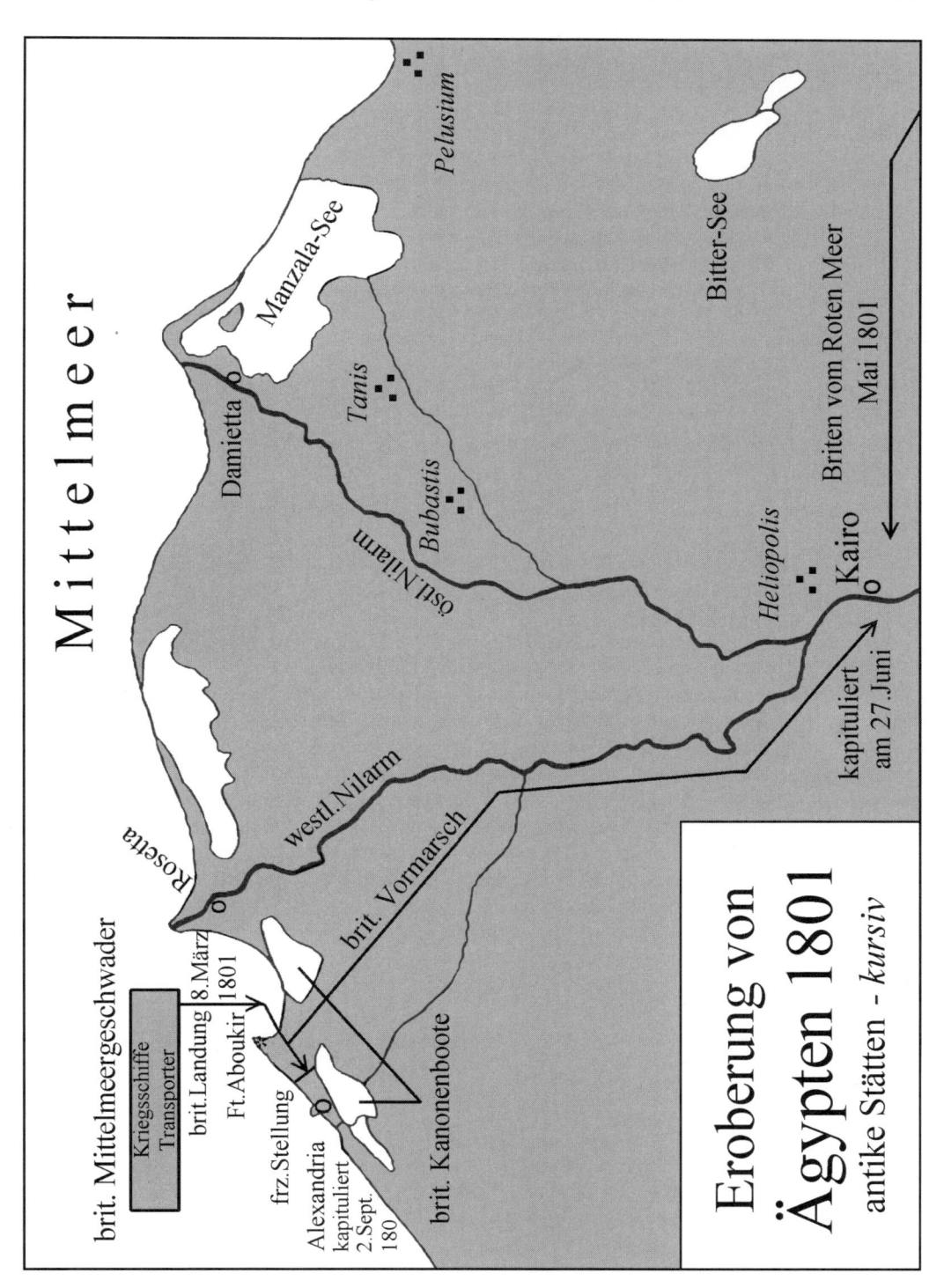

Eroberung von Ägypten 1801

antike Stätten - *kursiv*

- brit. Mittelmeergeschwader
  - Kriegsschiffe
  - Transporter
- brit. Landung 8. März 1801, Ft. Aboukir
- frz. Stellung
- Alexandria kapituliert 2. Sept. 1801
- brit. Kanonenboote
- brit. Vormarsch
- kapituliert am 27. Juni
- Briten vom Roten Meer Mai 1801

Mittelmeer, Manzala-See, *Pelusium*, Bitter-See, Damietta, *Tanis*, *Bubastis*, östl. Nilarm, westl. Nilarm, Rosetta, *Heliopolis*, Kairo

15. August	(Sp, 112) geraten in Brand und fliegen mit beinahe den ganzen Besatzungen in die Luft. Die französische >St. Antoine< (74) wird erobert, die >Venerable< (E, 74) gerät manövrierunfähig auf Grund, kann aber geborgen werden. **Ärmelkanal.** Ein Versuch der Briten, mit einer Flottille von Kanonenbooten unter Vizeadmiral Nelson die französischen Landungsfahrzeuge bei Boulogne zu vernichten, scheitert mit beträchtlichen Verlusten.
2. September	**Ägypten.** Bei der Kapitulation von Alexandria fallen den Briten und Türken das Linienschiff >Causse< (64) und fünf Fregatten in die Hände.
1801	**Technik.** Der Amerikaner Robert Fulton baut ein primitives Tauchboot und bietet es vergeblich den Franzosen zum Einsatz gegen die britische Blockadeflotte an.

Die Kämpfe in Übersee

Jänner 1794	**Eroberung von Santo Domingo.** Ein spanisches Geschwader von elf Linienschiffen, sieben Fregatten und kleineren Fahrzeugen aus Havanna unter Vizeadmiral de Aristizábal erobert von den Franzosen die Stadt Santo Domingo und hält sie bis zum Vertrag von Ildefonso.
5. Februar– 22. März 1794	**Eroberung von Martinique.** Ein britisches Geschwader von fünf Linienschiffen, zahlreichen Fregatten, Sloops und Transportern unter Vizeadmiral John Jervis auf der >Boyne< (98) landet 6000 Mann auf der Insel, die nach fünf Wochen hartnäckiger Verteidigung durch nur 600 Mann unter Gen. Rochambeau erobert wird.
1.–4. April	**Einnahme von St. Lucia.** Ein Teil der Truppen von Martinique erobert diese von den Franzosen nur schwach verteidigte Insel.
11.– 20. April	**Eroberung von Guadeloupe.** Die gleichen Truppen erobern nach der Landung durch Vizeadmiral Jersey auch diese französische Insel.
4. Juni–5. Juli	**Rückeroberung von Guadeloupe.** Ein französisches Geschwader von neun Fregatten und diversen Fahrzeugen landet Truppen auf der Insel, die nach einem Monat von den Briten geräumt werden muß. Die letzten Stützpunkte werden erst im Dezember aufgegeben.
28. September	**Afrika.** Ein französisches Geschwader unter Kpt. Allemande erobert den britischen Stützpunkt Sierra Leone an der Westküste und vernichtet von dort aus bis zu dessen Räumung am 23. Oktober eine große Zahl passierende Handelsschiffe.
5. Jänner 1795	**Westindien.** Vor Guadeloupe zwingt nach erbittertem Kampf die britische Fregatte >Blanche< (32) unter Kpt. Faulknor die französische >Pique< (36) zum Streichen der Flagge.
Jänner	**Westindien.** Französische Truppentransporter, geleitet von einem Linienschiff, einer Fregatte und zwei Korvetten, bringen 3000 Mann an Verstärkung aus Frankreich nach Guadeloupe.
19. Juni	**Rückeroberung von St. Lucia.** Die französischen Truppen von Guadeloupe vertreiben die Briten von der Insel.
14. Juli	**Eroberung der Kapkolonie.** Ein britisches Geschwader von fünf Linienschiffen und zwei Sloops unter Vizeadmiral George Elphinstone auf der >Monarch< (74) landet Truppen in der Simons–Bucht östlich von Kapstadt. Nach

Kämpfe bei den kleinen Antillen 1794 - 1800

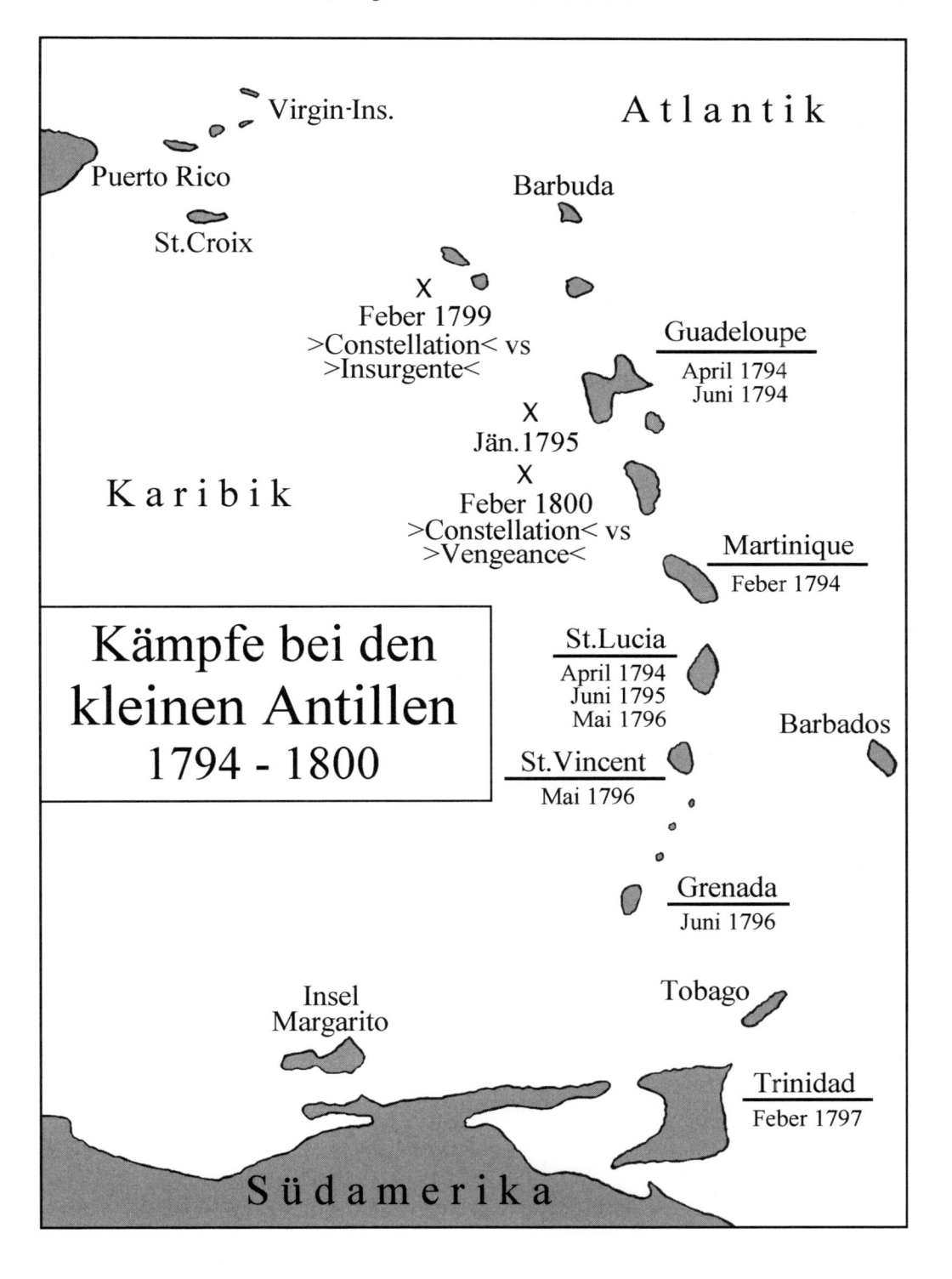

Atlantik

Virgin-Ins.
Puerto Rico
St. Croix
Barbuda

X Feber 1799
>Constellation< vs >Insurgente<

Guadeloupe
April 1794
Juni 1794

X Jän. 1795

Karibik

X Feber 1800
>Constellation< vs >Vengeance<

Martinique
Feber 1794

St. Lucia
April 1794
Juni 1795
Mai 1796

Barbados

St. Vincent
Mai 1796

Grenada
Juni 1796

Insel Margarito

Tobago

Trinidad
Feber 1797

Südamerika

	langsamem Vormarsch und Eintreffen von Verstärkungen kapituliert die niederländische Verteidigung am 16. September.
3. August	**Eroberung von Ceylon.** Britische Truppen aus Indien werden von einem Geschwader mit den Linienschiffen >Suffolk< (74), >Centurione< (50) und mehreren Transportern unter Konteradmiral Peter Rainier bei Trinkomalee gelandet und erobern bis Anfang Oktober den Großteil der Insel von den Niederländern.
17. August	**Eroberung von Malakka.** Ein kleines britisches Geschwader von fünf Fregatten und zwei Transportern zwingt den niederländischen Stützpunkt zur Kapitulation.
Februar 1796	**Insulinde.** Das britische Geschwader unter Konteradmiral Rainier erobert die niederländische Insel Amboina und noch im selben Monat das wichtige Colombo auf Ceylon.
April–Juni 1796	**Britische Offensive in Westindien.** Ein britisches Geschwader von sieben Kriegsschiffen und einer Reihe von Transportern unter Konteradmiral Christian bringt Verstärkungen nach Westindien. Mit ihnen erobert Christian erneut St. Lucia im Mai sowie St. Vincent und Grenada im Juni ohne große Schwierigkeiten.
17. August	**Südafrika.** Im Februar ist ein niederländisches Geschwader von drei Linienschiffen und vier Fregatten aus Texel ausgelaufen, um die Kapkolonie zurückzuerobern. In der Saldanha-Bucht nördlich von Kapstadt wird es von dem weit überlegenen britischen Geschwader unter Elphinstone gestellt und muß sich ohne Gegenwehr ergeben.
August–September	**Neufundland.** Von Cádiz aus unternimmt der französische Konteradmiral de Richery mit seinem Geschwader von sechs Linienschiffen eine Kreuzfahrt an die Küsten von Kanada und Labrador, erobert dort rund 100 britische Fischereifahrzeuge und kehrt nach Frankreich zurück.
9. September	**Gefecht bei Sumatra.** Fünf französische Fregatten treffen auf zwei britische Linienschiffe. Nachdem eine Fregatte und ein Linienschiff beträchtliche Schäden erlitten haben, trennen sich die Gegner ohne Entscheidung.
16.–18. Februar 1797	**Eroberung von Trinidad.** Das britische Westindiengeschwader von fünf Linienschiffen, Fregatten und Truppentransportern unter Konteradmiral Henry Harvey auf der >Prince of Wales< (98) landet Truppen auf der Insel. Im Hafen liegen vier Linienschiffe und eine Fregatte der Spanier, die aus Mangel an Besatzungen von den Spaniern in Brand gesetzt werden. Eines der Linienschiffe, die >San Damaso< (74), können die Briten retten, die übrigen verbrennen. Die Insel kapituliert am 18. Februar.
17. April	**Westindien.** Ein Angriff des britischen Geschwaders unter Konteradmiral Harvey auf das spanische Puerto Rico wird unter Verlusten abgewiesen. Die bereits gelandeten Truppen müssen wieder eingeschifft werden.
ab Frühjahr 1798	**USA-Frankreich.** Wegen der Übergriffe französischer Freibeuter führen die USA in den folgenden zwei Jahren einen nicht erklärten Seekrieg gegen Frankreich in Westindien und im Nordatlantik.
9. Februar 1799	Vor **Basse-Terre** bei den Kleinen Antillen zwingt die US-Fregatte >Constellation< (38) unter Kpt. Truxton die französische >Insurgente< (36) nach hartem Kampf zum Streichen der Flagge.

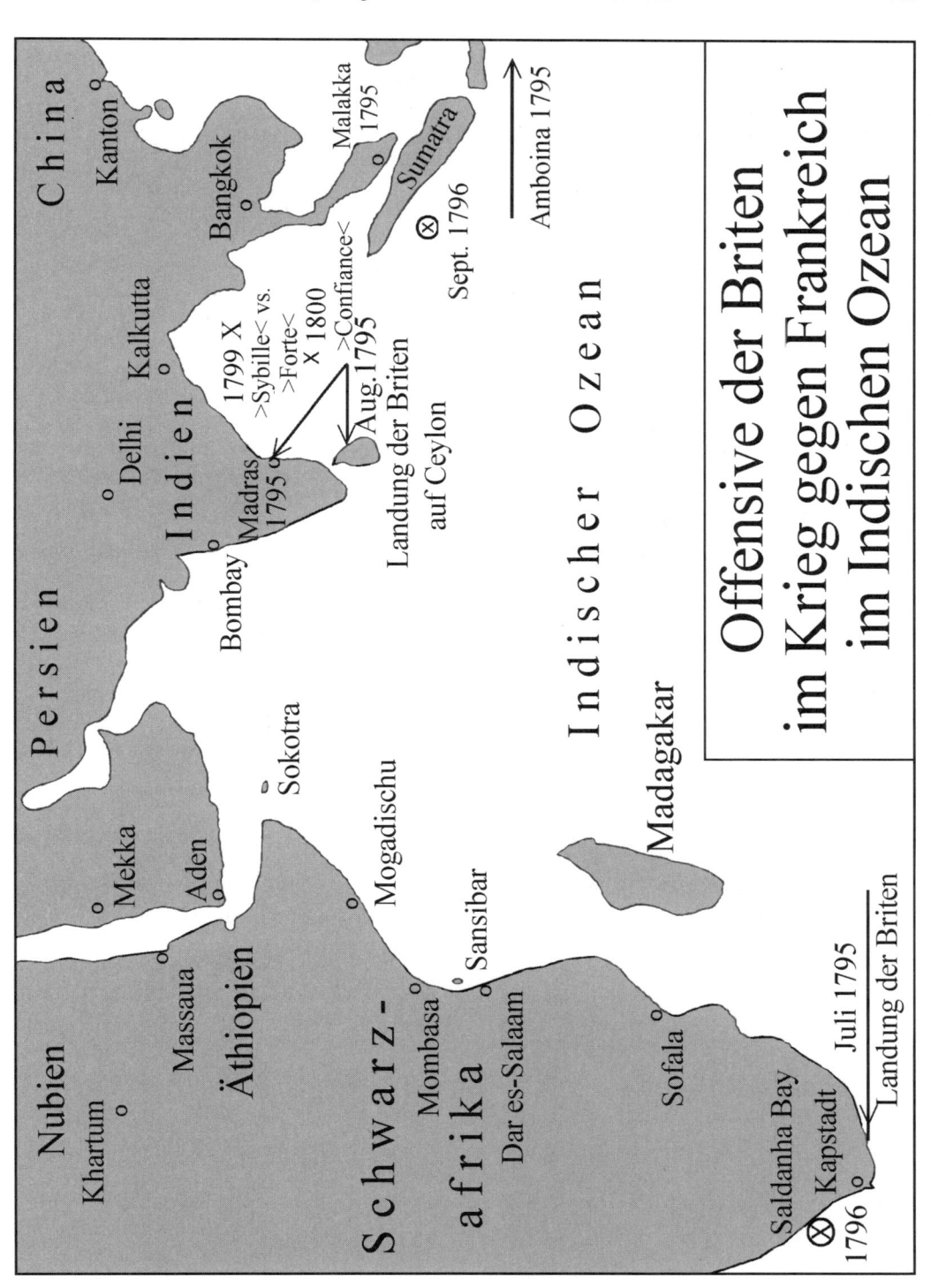

Offensive der Briten im Krieg gegen Frankreich im Indischen Ozean

China — Kanton, Bangkok
Indien — Delhi, Kalkutta, Bombay, Madras
Malakka 1795
Sumatra
⊗ Sept. 1796
Amboina 1795

1799 X >Sybille< vs. >Forte<
>Confiance< X 1800
Aug. 1795
Landung der Briten auf Ceylon

Persien
Nubien — Khartum
Mekka
Massaua
Aden
Äthiopien
Sokotra
Mogadischu
Schwarz-afrika — Mombasa, Sansibar, Dar es-Salaam
Sofala
Madagaskar

Indischer Ozean

Saldanha Bay ⊗ 1796
Kapstadt
Juli 1795 Landung der Briten

28. Februar	**Indien.** In der Bucht von Bengalen vernichtet die britische Fregatte >Sibylle< (40) den französischen Handelskreuzer >Forte< (40), der fast die halbe Besatzung verliert und 300 Treffer im Rumpf aufweist.
20. August	**Westindien.** Das britische Westindiengeschwader unter Vizeadmiral Seymour erscheint vor dem niederländischen Surinam, das ohne jede Verteidigungsmöglichkeit sofort kapituliert.
2. Februar 1800	**Kleine Antillen.** In einem Nachtgefecht schießt die US-Fregatte >Constellation< (38) die französische >Vengeance< (40) vor Guadeloupe zu einem Wrack.
4. August	**Südamerika.** Vor der Küste Brasiliens trifft das britische Linienschiff >Belliqueux< (64) mit sechs bewaffneten Ostindienfahrern auf drei französische Fregatten. Eine Fregatte wird von dem Linienschiff, eine weitere von zwei Ostindienfahrern erobert, die dritte kann entkommen.
21. August 1800	**Westindien.** Vor Puerto Rico erobert die britische Fregatte >Seine< (38) nach einem zweitägigem Verfolgungsgefecht die wieder reparierte französische >Vengeance< (40).
9. Oktober 1800	**Indien.** In der Bucht von Bengalen erobert der erfolgreiche französische Freibeuter Robert Surcouf aus St. Malo mit der >Confiance< (18) den doppelt so starken britischen Ostindienfahrer >Kent< (38) mit einer bedeutenden Ladung von Gold an Bord.
27. März 1802	**Friede von Amiens.** Nach dem Sturz der Regierung von William Pitt d. J. in Großbritannien kommt es am 10. Oktober 1801 zu einem Waffenstillstand und dann zum Friedensschluß. Die Briten verzichten auf alle Eroberungen in den Kolonien außer auf Ceylon und Trinidad, Frankreich räumt das schon verlorene Ägypten.
1799	**Alaska.** Die Russen bauen über eine Handelskompanie eine Verwaltung für das Land am amerikanischen Kontinent auf. Fünf Jahre später wird die Stadt Sitka gegründet. Beim Vordringen nach Süden stoßen die Russen auf die Briten und Spanier.

1801–1805 Krieg der USA gegen Tripolis

	Da die USA die unmäßigen Tributforderungen der Barbaresken für die Sicherheit ihrer Handelsschiffe im Mittelmeer ablehnen, erklärt der Bei von Tripolis den Krieg.
Oktober 1803	Die US-Fregatte >Philadelphia< (36) unter Kpt. William Bainbridge läuft in der Hafeneinfahrt von Tripolis auf Grund und muß sich ergeben. In der Nacht vom 16. zum 17. Februar 1804 dringen Freiwillige unter Leutnant Stephen Decatur mit der Ketsch >Intrepid< in den Hafen ein und verbrennen die Fregatte.
3. August 1804	Die US-Fregatte >Constitution< (50), Com. Edward Preble, und eine Flottille von Briggs, Schonern und Mörserbooten beschießen Tripolis. Ein Teil der Flotte des Beys wird zerstört.
Juli 1805	Es wird Frieden geschlossen, nach dem die Gefangenen entlassen werden und die USA keine Schutzgebühr mehr zahlen.
1803	**Nordamerika.** Die USA kaufen von Frankreich das Mündungsgebiet des Mississippi mit der Stadt New Orleans, den heutigen Bundesstaat Louisiana. Sie sind dadurch im Besitz des ganzen Flußsystems Mississippi-Missouri-Ohio.

Gefecht bei Algeciras
6. Juli 1801

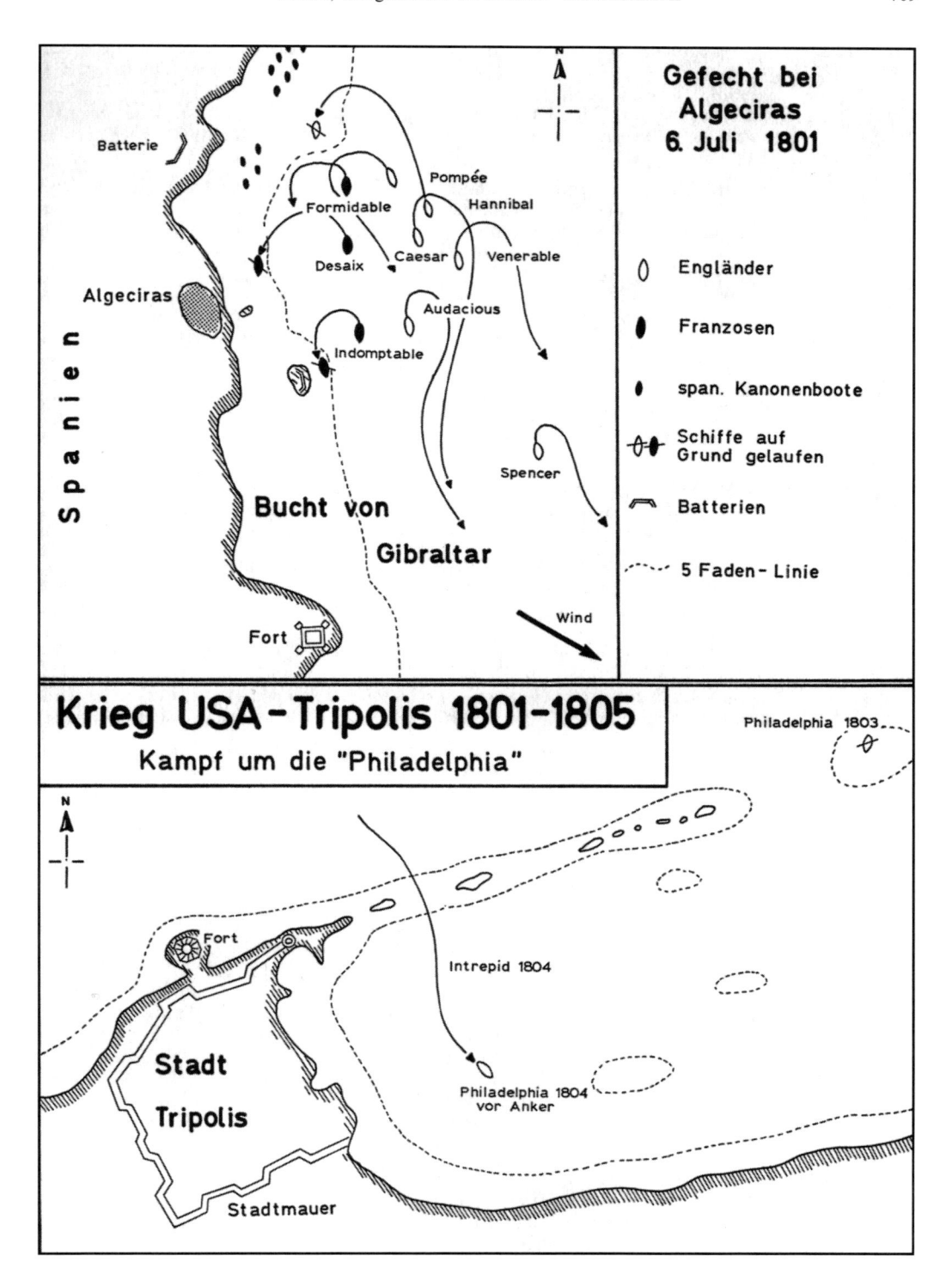

Batterie
Pompée
Formidable
Hannibal
Caesar
Desaix
Venerable
Algeciras
Audacious
Indomptable
Spanien
Spencer
Bucht von
Gibraltar
Fort
Wind

○ Engländer
● Franzosen
• span. Kanonenboote
⊕ Schiffe auf Grund gelaufen
⌒ Batterien
····· 5 Faden-Linie

Krieg USA – Tripolis 1801–1805
Kampf um die "Philadelphia"

Philadelphia 1803
Fort
Intrepid 1804
Stadt
Tripolis
Philadelphia 1804
vor Anker
Stadtmauer

1803–1806	**Forschung.** Der spätere russische Admiral Krusenstern unternimmt seine große Forschungsreise rund um die Welt. Er gibt damit den Anstoß zu weiteren russischen Fahrten, vor allem in den Pazifik. Drei der nächsten Reisen unternimmt der spätere Admiral Lasarew in den Jahren 1813–1816 nach Alaska, 1819–1821 in die Antarktis und 1821–1825 in den Pazifik. Rußland hat zu Land durch Sibirien im 18. Jahrhundert den Stillen Ozean erreicht. Ein Weg von St. Petersburg nach Kamtschatka dauert zu Lande zwei bis vier Jahre, zur See aber nur rund ein halbes Jahr.
1804	**Persischer Golf.** Auf dem Rückweg von Basra, wo er den jährlichen Tribut der Osmanen abgeholt hat, wird Saiyid, Sultan von Oman, vor Kap Musandam in der Straße von Hormus von drei Korsarenschiffen angegriffen und fällt im Kampf.

1803–1815 Der Seekrieg Großbritanniens gegen das französische Kaiserreich (und die Nebenkriege)

Die Zahl der einsatzfähigen Linienschiffe zu Kriegsbeginn beträgt:

Großbritannien	Frankreich	Spanien	Niederlande
120	40	30	20

Die neuen Spannungen zwischen Großbritannien und Frankreich entstehen aus der Weigerung der Briten, Malta zu räumen, und der Behinderung des britischen Handels mit Kontinentaleuropa durch Napoleon I.

Mai 1803	**Kriegserklärung durch Großbritannien.** William Pitt d. J. übernimmt wieder die Regierung.
Jänner 1804	**Unglück.** In der Nordsee ist das britische Linienschiff >York< (64) mit der ganzen Besatzung verschollen.
1. Oktober	**Ärmelkanal.** Ein britischer Angriff auf die französische Invasionsflotte bei Boulogne bleibt erfolglos. Vier Brander und mehrere „Katamarane" werden eingesetzt. Letztere sind mit Explosivstoffen gefüllte Treibminen von rund zwei Tonnen, die durch ein Uhrwerk zur Explosion gebracht werden.
3. Oktober	**Spanien.** Vor Cádiz fangen noch vor der Kriegserklärung durch Spanien (12. Dezember 1804) vier britische Fregatten vier spanische Fregatten aus Amerika mit einem Schatz von einer Million Pfund an Bord ab. Eine Fregatte der Spanier fliegt in die Luft, die drei übrigen werden erobert.
17. Februar 1805	**Gefecht im Atlantik.** Die französische Fregatte >Ville de Milan< (40) erobert nach hartem Kampf die britische >Cleopatra< (32). Sechs Tage später treffen die beschädigten Schiffe auf ein britisches Linienschiff und müssen sich nach einem symbolischen Widerstand ergeben.
1803–1805	**Ärmelkanal.** Napoleon I. betreibt mit großem Aufwand Invasionsvorbereitungen. Ein Heer von 130.000 Mann wird zusammengezogen, 2000 Fahrzeuge für die Überfahrt bereitgestellt. Da nur die Schlachtflotte die Invasion decken kann, beginnen die französischen Geschwader mit Ausbruchsversuchen aus der Blockade. Folgendermaßen ist die Flottenverteilung im März 1805:

Flottenverteilung März 1805

Irland · **England** · **Frankreich** · **Portugal** · **Spanien** · **Nordafrika**

Nordatlantik · **Biskaya** · **Mittelmeer** · **Balearen**

- Texel: 9 Linienschiffe, 80 Transporter, 25.000 Mann
- Adm. Elphinstone — 11 Linienschiffe
- Boulogne: 950 kl. Transporter, 1300 Kanonenboote, 130.000 Mann Landungstruppen
- Adm. Cornwallis — 17 Linienschiffe
- Brest — Adm. Ganteaume: 21 Linienschiffe, 10 Transporter, 3600 Mann
- Lorient — 1 Linienschiff
- Rochefort — Adm. Magon/Allemand: 2 Linienschiffe
- Adm. Calder — 11 Linienschiffe
- El Ferrol — Adm. Grandellana u. Gourdon: 12 Linienschiffe
- Toulon — Adm. Villeneuve: 11 Linienschiffe, 3500 Mann
- Adm. Nelson — 11 Linienschiffe
- Cartagena — Adm. Salcedo: 6 Linienschiffe
- Cadiz — Adm. Gravina: 7 Linienschiffe
- Adm. Orde — 6 Linienschiffe

Häfen	Verbündete	britische Blockadeschiffe
Texel	9 Linienschiffe	11 Linienschiffe (Elphinstone)
Brest	21 (Gantaume)	17 (Cornwallis)
Lorient	1	
Rochefort	2 (Magon)	
Ferrol	12 (Grandellana)	8 (Calder)
Cádiz	7 (Gravina)	6 (Orde)
Cartagena	6 (Salcedo)	
Toulon	11 (Villeneuve)	11 (Nelson)

Die britisch-französischen Flottenbewegungen

März 1805 — Villeneuve kann aus Toulon entschlüpfen. In Cádiz schließt sich ihm Gravina mit sechs Linienschiffen an. Die Flotte der Verbündeten segelt dann nach Westindien. Nelson vermutet die Franzosen zunächst auf dem Weg in das östliche Mittelmeer.

Mai — Erst einen Monat später folgt Nelson den Verbündeten nach Westindien. Villeneuve erobert dort einen britischen Geleitzug von 14 Schiffen, erfährt vom Eintreffen Nelsons in Westindien und segelt sofort nach Europa zurück, mit dem Kriegshafen El Ferrol als Ziel.

Juni — Die britische Admiralität unter Admiral Charles Middleton, Lord Barham, von Nelson über die Flottenbewegungen unterrichtet, verstärkt die Station vor Ferrol und alarmiert Cornwallis vor Brest. Nelson verläßt drei Tage nach Villeneuve Westindien und geht nach Cádiz.

Juli — Sobald Nelson vor der Straße von Gibraltar erfährt, daß er Villeneuve erneut verfehlt hat, bringt er sein Geschwader zu Cornwallis vor Brest und geht selbst nach Portsmouth. Mittlerweile tragen die von Barham erlassenen Dispositionen ihre Früchte. Beim Eintreffen in Europa trifft Villeneuve auf das verstärkte Blockadegeschwader vor Ferrol.

22. Juli 1805 — **Seeschlacht vor Finisterre.** Bei der Rückkehr von Westindien trifft Vizeadmiral Villeneuve auf der >Bucentaure< (80) mit 20 Linienschiffen und sechs Fregatten auf das britische Geschwader unter Vizeadmiral Robert Calder, Flaggschiff >Prince of Wales< (98), der nun über 15 Linienschiffe und zwei Fregatten verfügt. Bei diesigem Wetter greift Calder am Nachmittag an. Er versucht die Nachhut des Gegners abzuschneiden, wegen der schlechten Sicht entgleiten die Flotten aber ihrer Führung. Es gelingt den Briten wohl, zwei spanische Schiffe zum Streichen der Flagge zu bringen, die Schlacht endet am Abend aber noch ohne Entscheidung. Die Briten verlieren 200, die Verbündeten 500 Mann. Calder erneuert am nächsten Tag den Kampf nicht und begnügt sich damit, die zwei Prisen in Sicherheit zu bringen. Villeneuve läuft Ferrol an.

August — Villeneuve läuft mit 29 Linienschiffen aus Ferrol aus, um sich mit den Schiffen aus Rochefort zu vereinigen und anschließend in den Ärmelkanal vorzustoßen. Als das Zusammentreffen mit den Schiffen aus Rochefort nicht gelingt, fällt Villeneuve mit seiner Flotte gleich bis Cádiz zurück.
Napoleon gibt nun die Hoffnung auf eine Landung in England auf und wendet sich gegen seine Feinde auf dem Festland.

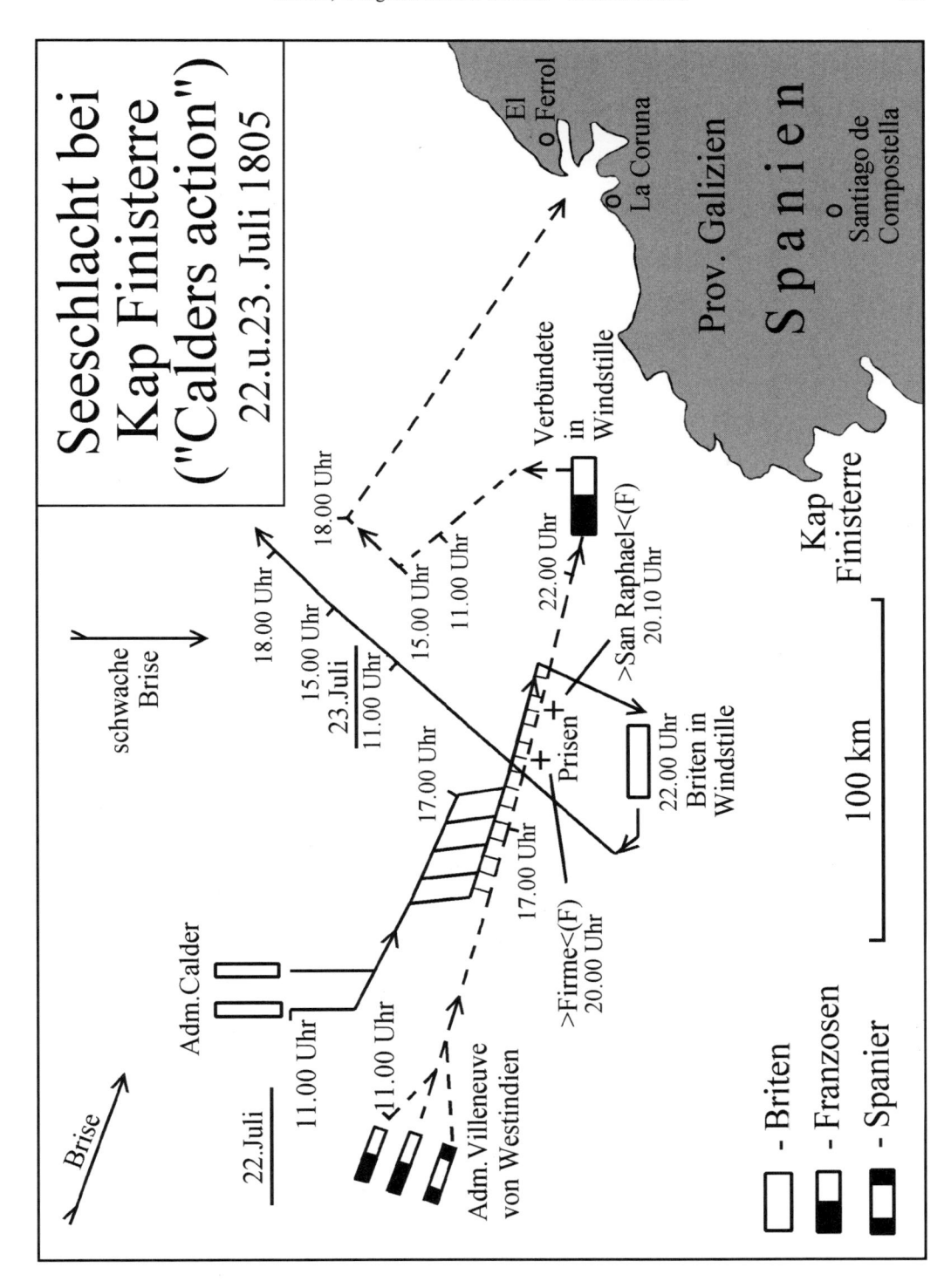

Pemsel, Weltgeschichte der Seefahrt – Seeherrschaft II 713

Seeschlacht bei Kap Finisterre ("Calders action") 22.u.23. Juli 1805

1805	**Dritter Koalitionskrieg.** Napoleon I. marschiert durch Süddeutschland gegen Österreich.
April 1805	**Rußland** tritt der Koalition bei. Ein Teil des Ostseegeschwaders unter Vizeadmiral Senjawin wird in das Mittelmeer verlegt und verstärkt dort die aus dem Schwarzen Meer gekommenen Schiffe. Der Rest des Ostseegeschwaders deckt die Landung von 18.000 Mann auf der Insel Rügen.
26. September 1805	**Geleitkampf.** Vor Quessant trifft ein britisches Geleit, gedeckt von der >Calkutta< (54), ein französisches Geschwader von fünf Linienschiffen und drei Fregatten. Das britische Linienschiff setzt sich voll ein und unterliegt erst nach Kampf, der Geleitzug kann entkommen.
September 1805	**Cádiz.** Die Flotte der Verbündeten wird wieder von Großbritannien eng blockiert. Zunächst steht das Blockadegeschwader unter dem Befehl von Vizeadmiral Collingwood. Fünf Wochen später übernimmt Vizeadmiral Nelson das Kommando. Die drohende Enthebung von seinem Kommando durch Napoleon I. veranlaßt Villeneuve im Oktober auszulaufen, um in das Mittelmeer durchzubrechen. Von seinen Aufklärungsfregatten alarmiert, nimmt Nelson die Verfolgung auf. Am Nachmittag des 20. Oktober wird Villeneuve die britische Flotte gemeldet. Er wendet darauf auf Kurs Nord und beabsichtigt, am nächsten Tag nahe bei Cádiz die Schlacht anzunehmen.
21. Oktober 1805	**Seeschlacht bei Kap Trafalgar.** Die Stärke der Flotten an diesem Tag:

	Briten	Verbündete
Linienschiffe	27	33
Fregatten	4	5
Geschütze	2350	2850
Besatzung	20.000	30.000

Briten	Franzosen	Spanier
1. Kolonne	>Bucentaure< (80) +	>P. de Asturias< (112)
>Victory< (100), F	>Redoutable< (74) P	>Montanas< (74)
>Temeraire< (98)	>Indomptable< (80)	>Argonauta< (80) P
>Neptune< (98)	>Neptune< (80) P	>Bahama< (74) P
>Conqueror< (74)	>Fougueux< (74) P	>S. J. Nepomuc< (74) P
>Leviathan< (74)	>Pluton< (74)	>S. Ildefonso< (74) P
>Britannia< (100)	>Intrepide< (74) P	>S. Justo< (74)
>Agamemnon< (64)	>Algeçiras< (74) P	>S. Trinidad< (130) P
>Ajax< (74)	>Berwick< (74) P	>S. Leandro< (64)
>Orion< (74)	>Aigle< (74) P	>Sta. Ana< (112) P
>Minotaur< (74)	>Swifture< (74)	>Monarca< (74) P
>Africa< (64)	>Argonaute< (74)	>Neptuno< (74) P
>Spartiate< (74)	>Achille< (74)	>S. Augustin< (74) P
2. Kolonne	>Scipion< (74)	>Rayo< (100)
>R. Sovereign< (100)	>Formidable< (80)	>S. Fr. d. Assisi< (74)
>Bellisle< (74)	>Mont Blanc< (74)	
>Mars< (74)	>Duguay-Trouin< (74)	
>Tonnant< (80)	>Heros< (74)	

Der Weg nach Trafalgar
1805

Seeschlacht bei Kap Trafalgar
21. Oktober 1805
① Der Angriff – 12.00 Uhr

◇ ○ Engländer   ✚ ● Franzosen   ● Spanier

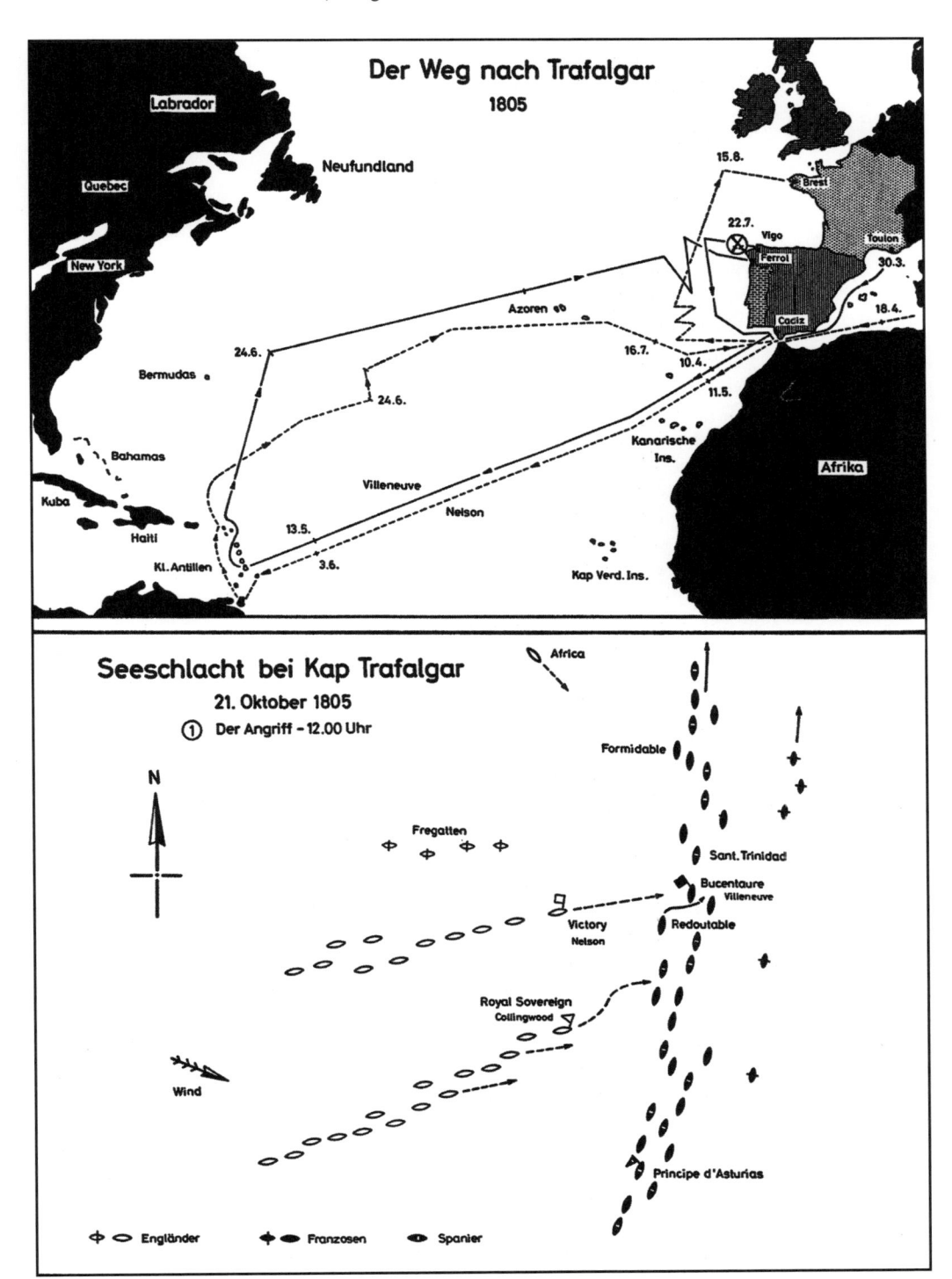

Briten	Fortsetzung 2. Kolonne
>Bellerophon< (74)	
>Colossus< (74)	
>Achilles< (74)	
>Polyphemus< (64)	
>Revenge< (74)	
>Swiftsure< (74)	
>Defiance< (74)	
>Thunderer< (74)	
>Defence< (74)	
>Dreadnought< (98)	
>Prince< (98)	

11.00 Uhr   Nelson (†) führt die erste Kolonne mit seinem Flaggschiff >Victory<. Zweiter Admiral ist Collingwood auf der >Royal Sovereign<. Oberbefehlshaber der Verbündeten ist Vizeadmiral Villeneuve auf der >Bucentaure<. Führer der spanischen Schiffe ist Admiral Federico Gravina (†), der zugleich die Nachhut führt. Die Vorhut der Verbündeten führt Konteradmiral Dumanoir (F) auf der >Formida-ble<. Da die Flotte der Verbündeten eine Kehrtwendung vollzogen hat, sind nun Vorhut und Nachhut vertauscht.

Die Flotte der Verbündeten liegt ziemlich ungeordnet auf nördlichem Kurs. In allen drei Flottenteilen sind französische und spanische Schiffe gemischt eingeteilt. Nach Eingang der Sichtmeldungen seiner Aufklärungsfregatten befiehlt Nelson sofort den Angriff. Sein Schlachtplan ist im voraus eingehend mit seinen Flaggoffizieren und Kapitänen abgesprochen worden, weitere Befehle sind nicht nötig. Nelson greift in zwei Kolonnen vom Westen, der Luvseite, an. Die nördliche Kolonne von zwölf Schiffen führt er selbst. Die südliche Kolonne führt Collingwood in den Kampf. Es herrscht nur schwacher Wind, doch sind Anzeichen für einen nahenden Sturm vorhanden, der den Flotten bei der nahen Küste in Lee gefährlich werden kann. Nelsons nördliche Kolonne soll beim feindlichen Flaggschiff in der Mitte des Gegners einbrechen, diese im Nahkampf festhalten und gleichzeitig die Vorhut am Eingreifen hindern. Die südliche Kolonne soll sich auf die feindliche Nachhut werfen. Diese Konzentration der Kräfte sichert den Briten zumindest für den Beginn das Kampfes eine zahlenmäßige Übermacht.

12.00 Uhr   Collingwoods >Royal Sovereign< bricht als erstes Schiff in die feindliche Linie ein. Etwas später ist Nelsons >Victory< am Feind. Alle britischen Schiffe folgen dicht auf und gehen sofort zum Nahkampf über. Die >Victory< gerät an die >Redoutable<. Ein Scharfschütze aus deren Gefechtsmars trifft Nelson tödlich. Mit Hilfe der >Temeraire< wird die >Redoutable< schließlich erobert, kurz darauf von der >Temeraire< auch die >Fougueux< genommen. Die übrigen Schiffe der nördlichen Kolonne greifen mit Übermacht den >Bucentaure< und den riesigen Vierdecker >Santissima Trinidad<, das größte Schiff der Flotte, an. Beide werden überwältigt, Villeneuve gerät in Gefangenschaft. Bei der Nachhut leisten Collingwoods Schiffe ganze Arbeit.

16.00 Uhr   Bis zu diesem Zeitpunkt sind bereits 15 Linienschiffe außer Gefecht gesetzt. Nelson erfährt kurz vor seinem Tod (16.30 Uhr), daß die Schlacht nach seinem

Seeschlacht bei Kap Trafalgar
21. Oktober 1805
Die Entscheidung ~15.00 Uhr

	Plan gewonnen ist. Nun greifen auch einige Schiffe der Vorhut der Verbündeten ein. Sie treffen dabei auf die bereits stark angeschlagene >Victory<, der jedoch sofort einige Schiffe zu Hilfe kommen. Die Verbündeten verlieren noch die >Neptuno< und die >San Agustin<. Dumanoir, der mit seinen Schiffen noch gar nicht richtig in die Schlacht eingegriffen hat, bricht daraufhin mit den restlichen Schiffen der Vorhut den Kampf ab. Auch Gravina (bereits tödlich verwundet) sammelt die verbliebenen Schiffe von Zentrum und Nachhut und zieht sich nach Cádiz zurück.
17.00 Uhr	Die schon vor einiger Zeit in Brand geratene >Achille< fliegt in die Luft. Die eigentliche Schlacht ist damit zu Ende. Die Verbündeten verlieren 18 Schiffe, 17 davon sind in den Händen der Sieger. 2600 Mann sind tot oder verwundet, 7000 Gefangene sind auf den Prisen der Briten. Die Briten verlieren kein Schiff, aber immerhin 1700 Mann an Toten und Verwundeten. Die Hälfte der Schiffe ist schwer beschädigt.
	Collingwood steht vor der schweren Aufgabe, seine Flotte und die Prisen vor dem herannahenden Unwetter in Sicherheit zu bringen. Die >Redoutable< sinkt am nächsten Tag im Schlepp eines britischen Schiffes.
23. Oktober 1805	Com. Cosmao (F) kann mit fünf Linienschiffen und fünf Fregatten den Briten zwei Prisen wieder abnehmen. Neun weitere Prisen stranden oder müssen von den Briten versenkt oder verbrannt werden, da sie nicht zu sichern sind. Auch die schwer beschädigte >Berwick< strandet noch. Sie ist nicht der letzte französische Verlust. Nur vier der Prisen überstehen in der Nacht den Sturm vor Anker in relativ gutem Zustand und können schließlich nach Gibraltar gebracht werden. Doch auch die Verbündeten verlieren in dem Unwetter fünf weitere zunächst entkommene Schiffe. Die fünf nach Cádiz entkommenen französischen Schiffe werden dort von den Briten blockiert und fallen beim Aufstand der Spanier (1808) diesen in die Hände. Großbritannien ist nun unumschränkter Beherrscher der Weltmeere.
4. November	**Seeschlacht bei Kap Finisterre.** Dumanoir trefft mit seinen vier entkommenen Linienschiffen auf ein britisches Geschwader mit den Linienschiffen >Caesar< (80), >Hero< (74), >Courageux< (74), >Namur< (74) und vier Fregatten unter Com Strachan. Alle vier Schiffe der demoralisierten Franzosen werden erobert. Die Briten verlieren 135, die Franzosen 750 Mann an Toten und Verwundeten und die Gefangenen.
17. Oktober 1805	**Landkrieg.** Napoleon zwingt die österreichische Besatzung der Festung Ulm zur Kapitulation. Die österreichische Armee an der Donau mit 24.000 Mann geht in die Gefangenschaft. Bereits am 13. November sind die Franzosen in Wien.
2. Dezember 1805	**Landkrieg.** In der Nähe von Brünn in Mähren siegt Napoleon in der „Dreikaiserschlacht" von Austerlitz über die Österreicher und Russen unter General Kutusow.
25. Dezember 1805	**Friede von Preßburg.** Österreich muß Vorderösterreich an Baden und Württemberg, Tirol, Vorarlberg und Passau an Bayern und Venetien, Istrien und Dalmatien an das neue Königreich Italien abtreten und erhält das Fürstbistum Salzburg. Großbritannien setzt den Krieg ohne Österreich fort.

Seeschlacht bei Kap Finisterre
5. November 1805

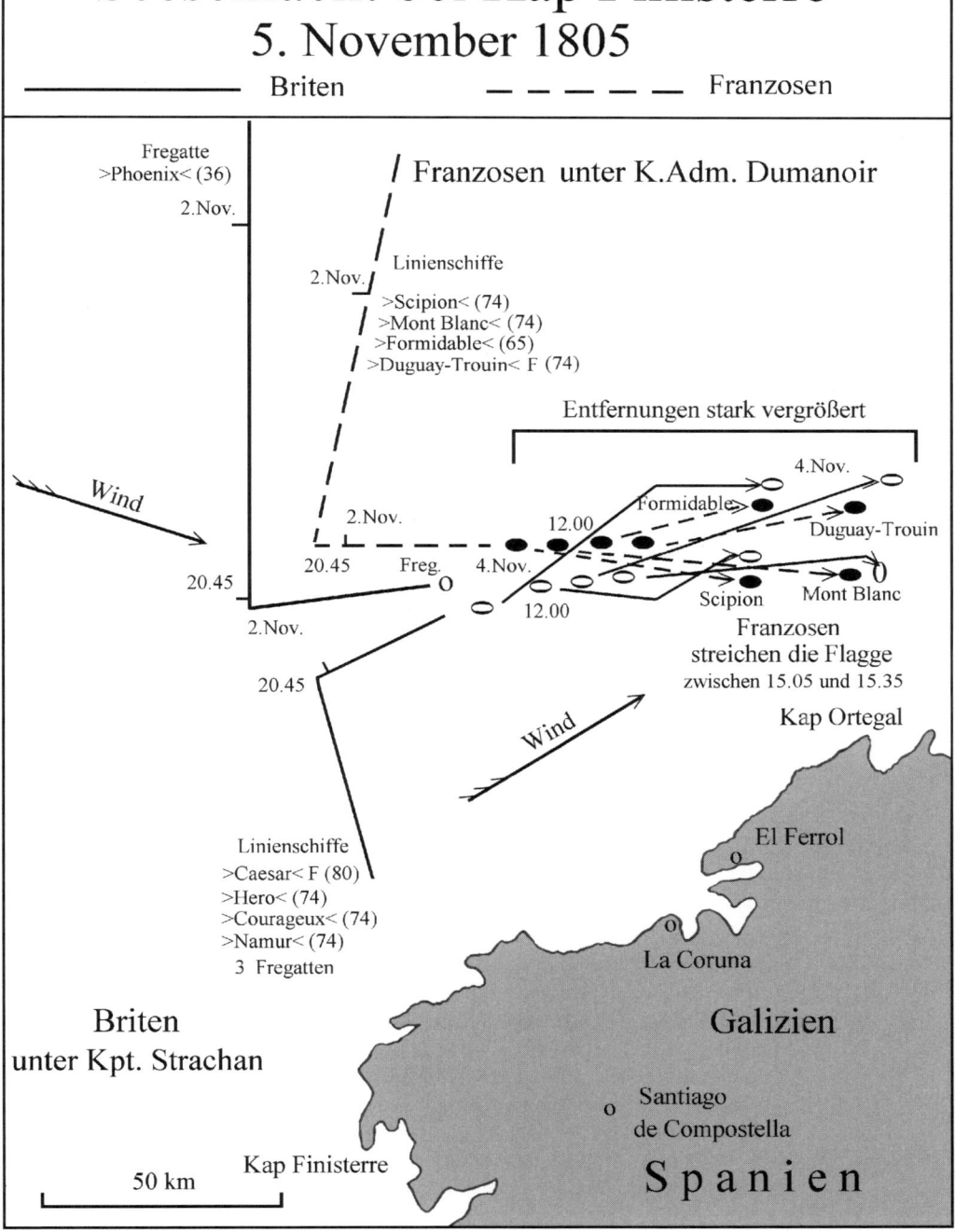

——————— Briten   – – – – – Franzosen

Fregatte
>Phoenix< (36)
2.Nov.

/ Franzosen unter K.Adm. Dumanoir

2.Nov. Linienschiffe
>Scipion< (74)
>Mont Blanc< (74)
>Formidable< (65)
>Duguay-Trouin< F (74)

Entfernungen stark vergrößert

4.Nov.
Formidable
Duguay-Trouin
Wind
2.Nov.
20.45   Freg. 4.Nov.
2.Nov.   12.00
20.45   Scipion   Mont Blanc
              12.00
              Franzosen
              streichen die Flagge
              zwischen 15.05 und 15.35

Wind

Kap Ortegal

El Ferrol

Linienschiffe
>Caesar< F (80)
>Hero< (74)
>Courageux< (74)
>Namur< (74)
3 Fregatten

La Coruna

Galizien

Briten
unter Kpt. Strachan

Santiago
de Compostella

50 km   Kap Finisterre   S p a n i e n

23. Jänner 1806	**Großbritannien.** Tod von William Pitt d. J. Ein Friedensangebot durch Napoleon I. wird von Großbritannien abgelehnt.
April, Mai	**Italien.** Ein britisches Geschwader unter Konteradmiral William Sidney-Smith mit den Linienschiffen >Pompée< (74), >Excellent< (74), >Eagle< (74), >Athénien< (64), >Intrepid< (64) und mehreren kleinen Fahrzeugen unterstützt die Truppen des Königreiches Neapel gegen die vorrückenden Franzosen. Smith bringt Verstärkung in die Festung Gaeta, erobert die Insel Capri und landet Truppen von Sizilien aus in Kalabrien.
18. Juli	**Eismeer.** Drei französische Fregatten erobern im Sommer dieses Jahres 29 britische Walfangschiffe am Rande der Arktis. Auf dem Rückweg muß sich die >Guerriére< (40) bei den Färöer-Inseln der britischen Fregatte >Blanche< (38) ergeben.
25. September 1806	**Gefecht in der Biskaya.** Auf dem Weg von Rochefort mit Nachschubgütern für Westindien treffen fünf französische Fregatten und zwei Korvetten bald nach dem Auslaufen auf das britische Blockadegeschwader mit sechs Linienschiffen und einer Sloop unter Com. Samuel Hood (II). In einem längeren Verfolgungsgefecht kann nur eine der Fregatten entkommen.
8. Oktober 1806	**Neue Waffe.** An diesem Tag werden die neuen vom Engländer William Congreve entwickelten Raketen eingesetzt. Die Stadt Boulogne wird von 18 Raketenbooten mit 200 Raketen in Brand geschossen. In der zweiten Hälfte des 19. Jahrhunderts kommen mit der schnellen Entwicklung des Artilleriewesens die Congreve-Raketen wieder außer Gebrauch.
1806–1807	**Vierter Koalitionskrieg.** In diesem Konflikt hat Großbritannien am Festland Preußen, Rußland und Sachsen als Verbündete gegen Frankreich und Spanien.
14. Oktober 1806	**Landkrieg.** Napoleon siegt in den Schlachten bei Jena und Auerstädt entscheidend über die Preußen, die 40.000 Mann an Toten, Verwundeten und Gefangenen verlieren.
21. November 1806	**Kontinentalsperre.** Napoleon I. erklärt in Berlin eine Handelssperre für den britischen Seehandel auf dem ganzen Kontinent. Damit soll Großbritannien wirtschaftlich ruiniert werden.
1806	**Türkei.** Auf Druck von Napoleon I. sperrt das Osmanische Reich die türkischen Meerengen für russische Schiffe. Rußland erklärt deshalb der Türkei den Krieg und schickt mit Unterstützung der Briten ein Geschwader von der Ostsee in das Mittelmeer.
7. Februar 1807	**Landkrieg.** Die Russen unter Gen. Bennigsen siegen in der Schlacht bei Preußisch-Eylau über Napoleon, können dem Krieg aber keine Wendung mehr geben.
Februar 1807	**Forcierung der Dardanellen.** Ein britisches Geschwader von sieben Linienschiffen und zwei Fregatten unter Vizeadmiral John Duckworth, Flaggschiff >Royal George< (100), passiert die Dardanellen. Vor dem Einlaufen in die Meerenge gerät die >Ajax< (74) in Brand und fliegt in die Luft. Beim Passieren der Dardanellen werden ein türkisches Linienschiff, drei Fregatten und drei Korvetten vernichtet. Anschließend erscheint Duckworth vor Konstantinopel/Istanbul und fordert die Auslieferung der türkischen Flotte. Als die Türken die Verhandlungen hinauszögern, kann sich Duckworth zu keinem energischen Handeln, wie Nelson vor Kopenhagen, durchringen und segelt unverrichteter

britisches Geschwader vor Istanbul
Forcierung der Dardanellen
Feber 1807

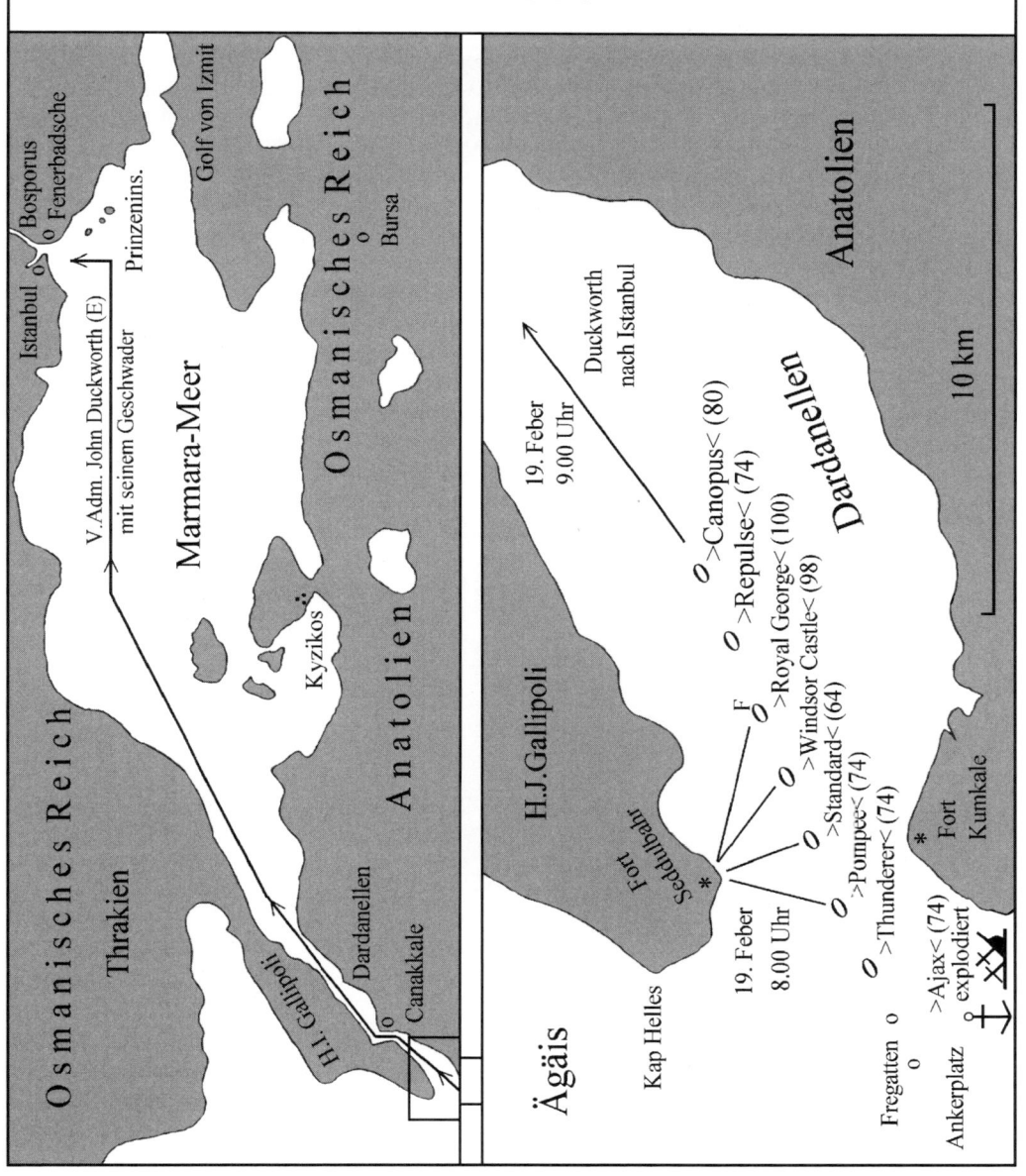

	Dinge wieder ab. Beim zweiten Passieren der Dardanellen erleiden die Briten durch die nun kampfbereiten türkischen Forts beträchtliche Verluste.
20. März	**Dardanellen.** Das russische Geschwader im Mittelmeer unter Admiral Senjawin trifft vor den Dardanellen ein. Für eine enge Blockade wird die Insel Tenedos nach kurzer Beschießung und Landung von Marinesoldaten erobert und als Flottenstützpunkt eingerichtet.
20. März 1807	**Ägypten.** Ein kleines britisches Geschwader mit 500 Mann Landungstruppen kann Alexandria erobern. Beim Vormarsch auf Kairo erleiden die Briten eine Niederlage und können Alexandria nur bis September halten. Dann müssen die Landtruppen wieder eingeschifft werden.
11. Mai	**Schwarzes Meer.** Starke russische Land- und Seestreitkräfte aus Sewastopol unter Konteradmiral Pustoschkin auf der >Ratnij< (100) mit sechs Linienschiffen, fünf Fregatten und zahlreichen Hilfsschiffen greifen den türkischen Hafen Anapa, nahe der Straße von Kertsch, der Einfahrt in das Asowsche Meer an. Nach Landung der Truppen und Beschießung des Hafens durch die Flotte kapitulieren die Türken noch am selben Tag. Die Bedrohung der Straße von Kertsch ist dadurch beseitigt.
22./23. Mai	**Dardanellen.** Die türkische Flotte von acht Linienschiffen und sechs Fregatten unter Kapudan Pascha Seid Ali versucht aus den Dardanellen auszubrechen. Sie wird vom russischen Geschwader unter Admiral Senjawin in einer Nachtschlacht unter Verlusten zurückgeschlagen.
14. Juni 1807	**Landkrieg.** Napoleon siegt in der Schlacht bei Friedland in Ostpreußen entscheidend über die Russen unter Bennigsen.
1. Juli 1807	**Seeschlacht bei Lemnos.** Die Türken unternehmen auf der Insel Tenedos eine Gegenlandung. Zur Unterstützung wird die ganze Hochseeflotte der Ägäis eingesetzt. Admiral Senjawin tritt den Türken mit seinem Geschwader entgegen. Die Stärke der Flotten beträgt:

Russen	Türken
>Twjordy< (74)	>Messudieh< (120)
Adm. Senjawin	Adm. Seid Pascha
>Retwisan< (64)	>Sed ul-Bahr< (84)
VAdm. Greigh	VAdm. Baker Bey
>Rafail< (84)	>Anka i-Bahri< (84)
>Uriil< (84)	>Taus i-Bahri< (84)
>Selafail< (74)	>Tevfik-numa< (84)
>Jaroslaw< (74)	>Bischaret< (84)
>S. Elena< (74)	>Kilid i-Bahri< (84)
>Moschtschny< (74)	>Sayd i-Bahri< (74)
>Silny< (74)	>Gulbang i-Nusrat< (74)
>Skory< (64)	>Djebel-Andaz< (74)
	10 Fregatten und Korvetten
750 Geschütze	1200 Geschütze

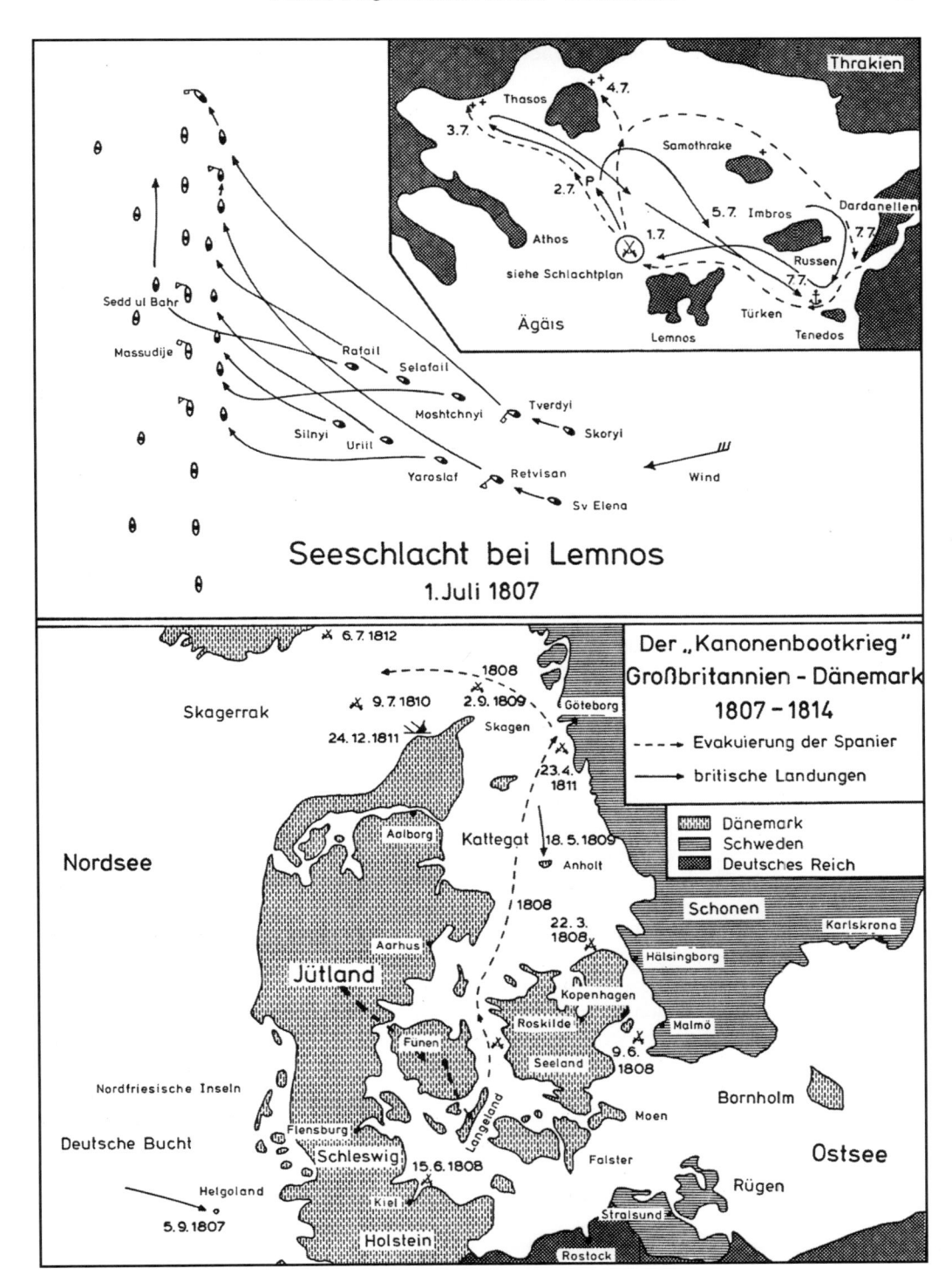

Seeschlacht bei Lemnos
1. Juli 1807

Thrakien — Thasos, Samothrake, Athos, Ägäis, Lemnos, Imbros, Dardanellen, Russen, Türken, Tenedos

Sedd ul Bahr, Massudije, Rafail, Selafail, Silnyi, Uriil, Moshtchnyi, Tverdyi, Skoryi, Yaroslaf, Retvisan, Sv Elena, Wind

Der „Kanonenbootkrieg"
Großbritannien – Dänemark
1807–1814

- - -→ Evakuierung der Spanier
——→ britische Landungen

Dänemark
Schweden
Deutsches Reich

Skagerrak, 6.7.1812, 1808, 2.9.1809, 9.7.1810, Göteborg, Skagen, 24.12.1811, 23.4.1811, Kattegat, 18.5.1809, Anholt, Aalborg, 1808, Schonen, Karlskrona, Aarhus, 22.3.1808, Hälsingborg, Jütland, Kopenhagen, Roskilde, Malmö, Funen, Seeland, 9.6.1808, Nordsee, Nordfriesische Inseln, Langeland, Moen, Bornholm, Deutsche Bucht, Flensburg, Schleswig, Falster, Ostsee, Helgoland, 15.6.1808, Rügen, 5.9.1807, Kiel, Holstein, Stralsund, Rostock

1. Juli	Senjawin greift den in Kiellinie, die beiden Flaggschiffe in der Mitte, liegenden Gegner vor dem Wind in zwei Kolonnen an. Zum Unterschied von Nelson hält er seine Flaggschiffe in vorletzter Position, um einen besseren Überblick zu behalten.
9.00 Uhr	Von den mit Übermacht angegriffenen türkischen Schiffen der Vorhut und Mitte können nach drei Stunden Kampf die ersten ihre Position nicht mehr halten, bald ist das ganze türkische Geschwader im Rückzug. Die Russen verfolgen nur vorsichtig und greifen die Nachzügler an. In der folgenden Nacht wird das Flaggschiff des türkischen Vizeadmirals erobert.
12.00 Uhr	
23.00 Uhr	
2. Juli	Am nächsten Tag werden drei Nachzügler, das Linienschiff >Bischaret< und zwei Fregatten, nördlich vom Berg Athos auf den Strand getrieben, wo sie von den eigenen Besatzungen verbrannt werden.
3. Juli	
9.00 Uhr	
4. Juli	Beim Rückzug nach Osten müssen die Türken bei Thassos noch ein weiteres Linienschiff und eine Fregatte verbrennen. Eine Fregatte und eine Korvette der Türken sinken noch bei Samothrake.
	Der Mannschaftsverlust der Türken wird auf über 1000 Mann geschätzt, die Russen verlieren 270 Mann an Toten und Verwundeten. Die nunmehr auf Tenedos abgeschnittenen türkischen Truppen müssen sich nach vier Tagen ergeben.
Juli 1807	**Friede von Tilsit.** Dieser bringt einen Friedensschluß zwischen Frankreich und Rußland und zwischen Frankreich und Preußen. Letzteres verliert seine ganze westliche Reichshälfte, die zum Königreich Westfalen von Gnaden Napoleons I. wird. Die Kampfhandlungen gegen die Osmanen enden ebenfalls.
	Nach dem Friedensschluß übergeben die Russen die Ionischen Inseln an Frankreich, die Truppen werden von sechs Linienschiffen und Briggs nach Triest gebracht, von wo sie zu Land zurückmarschieren. Die Schiffe haben keine Möglichkeit, an den Briten vorbei die Ostsee zu erreichen, und werden den Franzosen übergeben.
August 1807	**Angriff von Großbritannien auf Dänemark.** Napoleon I. zwingt auch Dänemark, der Kontinentalsperre beizutreten. Großbritannien schickt daraufhin ein starkes Geschwader (25 Linienschiffe, 40 Fregatten und Fahrzeuge und 380 Truppentransporter mit 29.000 Mann) unter Admiral James Gambier, Flaggschiff >Prince of Wales< (98), und Generalleutnant Lord Cathcart in den Sund und verlangt die Auslieferung der dänischen Flotte. Die Regierung weist diese Forderung zurück. Gambier beginnt somit mit dem Angriff. Die Truppen landen auf Seeland und schließen Kopenhagen von der Landseite ein. Die Flotte ankert vor Kopenhagen und zerniert die Seeseite.
2. bis 4. September	**Bombardement von Kopenhagen.** Die Briten beschießen die Stadt mit der Belagerungsartillerie, mit den Schiffsgeschützen und mit Congreve-Raketen. Nach kurzem steht die Stadt in Flammen. Nach zwei Tagen Beschießung liefern die Dänen ihre Flotte aus und erreichen dadurch eine Feuereinstellung. Den Briten fallen 18 Linienschiffe, zehn Fregatten und 43 weitere Fahrzeuge in die Hände. Die Verteidiger haben 200 Tote und 350 Verwundete zu beklagen, die Opfer der Zivilbevölkerung betragen 1600 Tote und 1000 Verwundete. Kopenhagen ist niedergebrannt.

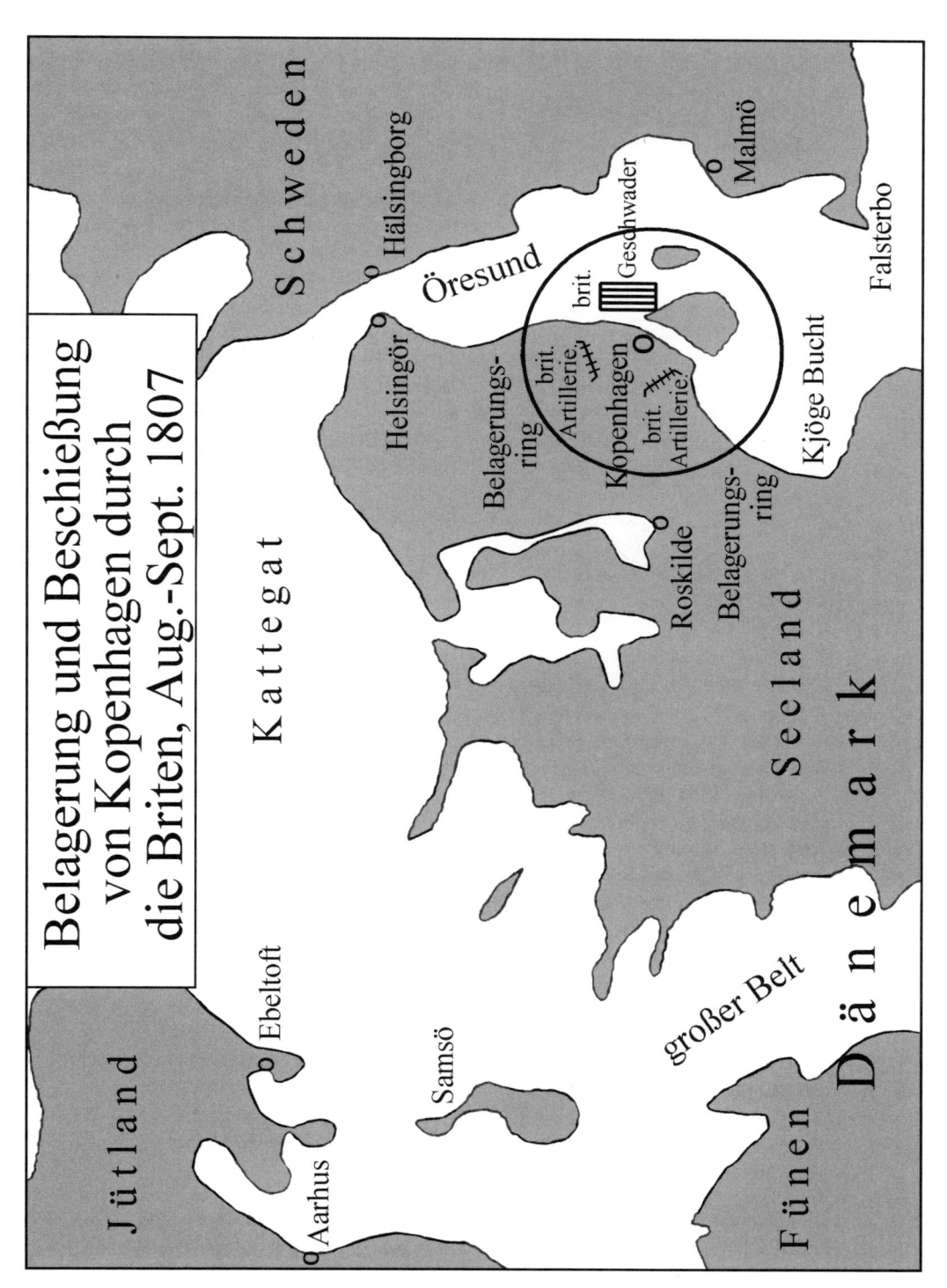

Belagerung und Beschießung von Kopenhagen durch die Briten, Aug.-Sept. 1807

31. August	**Helgoland.** Vor der dänischen Insel in der Nordsee erscheint das britische Linienschiff >Majestic< (74) mit einer Fregatte und verlangt die Übergabe. Nach kurzer Verhandlung geht sie in britischen Besitz über.
1807–1814	**Dänemark** führt anschließend gegen Großbritannien einen Kleinkrieg im Sund und im Kattegat, den sogenannten **Kanonenbootkrieg**.
1807	**Technik.** Das erste technisch und wirtschaftlich erfolgreiche Dampfschiff, die >North River of Clermont< des Amerikaners Robert Fulton, befährt den Hudson-Fluß von New York nach Albany.
29. November 1807	**Flucht des portugiesischen Königshauses nach Brasilien.** Da sich Portugal der Forderung von Napoleon I. zum Anschluß an die Kontinentalsperre verweigert, marschiert ein französisches Heer gegen Lissabon. Am Tag vor dessen Eintreffen nimmt die portugiesische Flotte von acht Linienschiffen, vier Fregatten, vier Fahrzeugen und 20 bewaffneten Handelsschiffen den König mit seinem Hof an Bord und bringt ihn nach Brasilien. Die portugiesische Flotte wird dabei von einem britischen Geschwader von neun Linienschiffen unter Konteradmiral Sidney-Smith auf der >Hibernia< (120) überwacht. Die portugiesischen Linienschiffe sind:

>Principe Real< (84) >Principe de Brasil< (74)
>Rainha de Portugal< (74) >Afonso de Albuquerque< (74)
>Conde Henrique< (74) >Dom João de Castro< (64)
>Medusa< (74) >Martino de Freitas< (64)

22. März 1808	**Gefecht bei Seeland.** Nördlich der Insel wird eines der beiden Dänemark verbliebenen Linienschiffe, die >Prins Christian Frederik< (68), von zwei britischen Linienschiffen und einer Fregatte gestellt. Nach längerem Widerstand bis in die Nacht muß das dänische Schiff die Flagge streichen.
Mai 1808	**Ostsee.** Schweden ist das einzige Land in Nordeuropa, das sich nicht der Kontinentalsperre angeschlossen hat. Zu seinem Schutz senden die Briten ein starkes Geschwader unter Vizeadmiral James Saumarez, Flaggschiff >Victory< (100), in die Ostsee. Es umfaßt zwölf Linienschiffe, fünf Fregatten und zahlreiche Bombenfahrzeuge, Brander und Kanonenboote.

1808–1809 Krieg Rußland gegen Schweden

Da Schweden der Kontinentalsperre nicht beitritt, erklärt das nun mit Frankreich verbündete Rußland an Schweden den Krieg und rückt in Finnland ein. Die Flotten beider Länder sind in schlechtem Zustand, vor allem sind die sanitären Verhältnisse katastrophal. Wegen der hohen Krankheits- und Todesraten müssen manchmal ganze Geschwader ihre Operationen abbrechen. Zu Kriegsbeginn verfügt Rußland in der Ostsee über neun Linienschiffe, sieben Fregatten und eine Schärenflotte von 170 Fahrzeugen. Schweden verfügt über zwölf Linienschiffe, acht Fregatten und 190 Fahrzeuge der Schärenflotte.

5. Mai 1808	**Finnland.** Beim überstürzten Rückzug aus Finnland müssen die Schweden den Großteil ihrer Schärenflottille aufgeben. Allein bei der Kapitulation von Sveaborg fallen den Russen 91 Fahrzeuge in die Hände.
2. August	**Gefecht bei Sandström.** Die Schweden versuchen mit 22 Fahrzeugen die Vereinigung von zwei russischen Abteilungen zu verhindern. Die Russen grei-

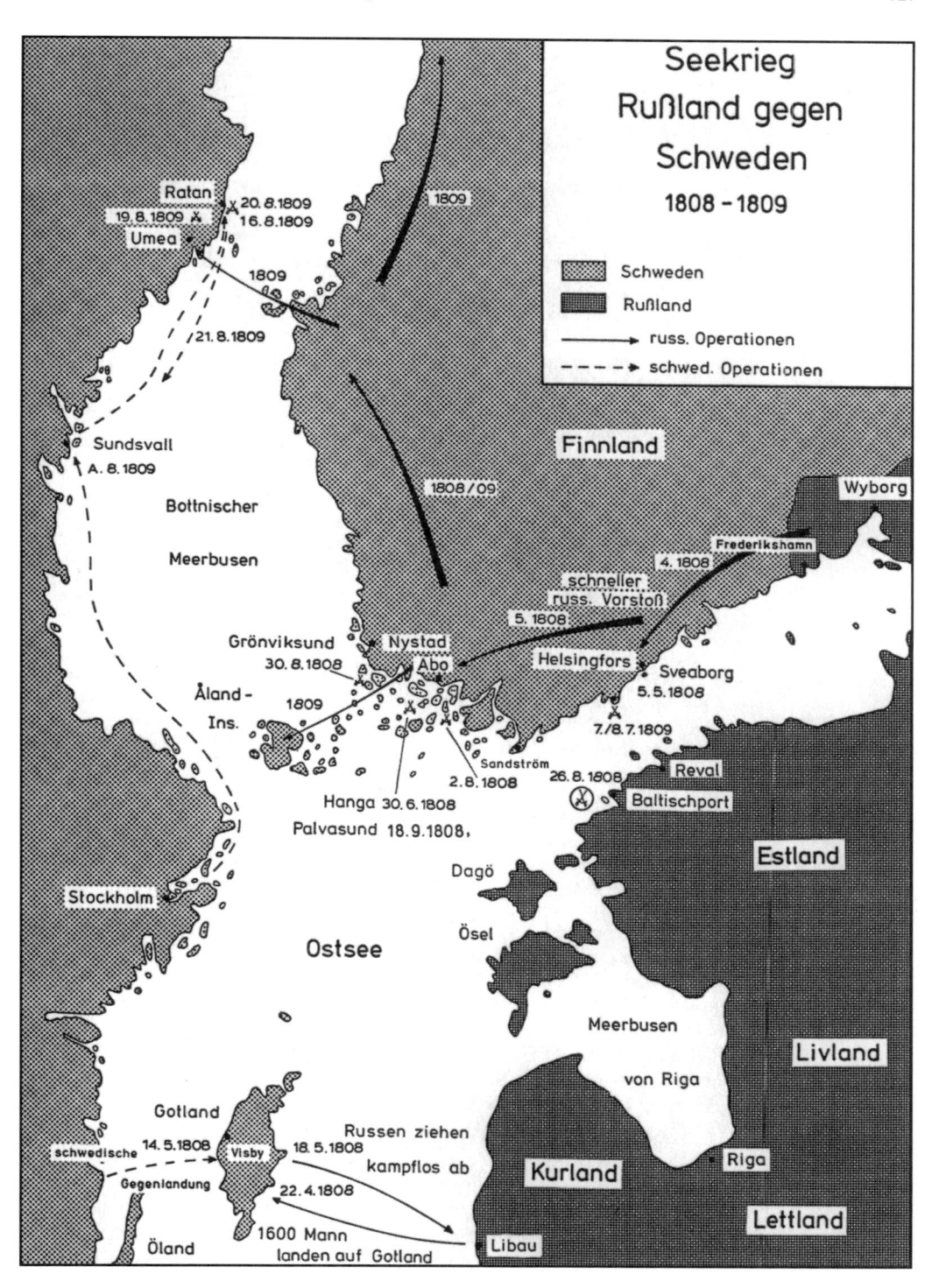

Seekrieg Rußland gegen Schweden 1808–1809

- Schweden
- Rußland
- → russ. Operationen
- --→ schwed. Operationen

Ratan
20.8.1809
19.8.1809
16.8.1809
Umeå
1809
21.8.1809

Sundsvall
A. 8.1809

Bottnischer Meerbusen

1808/09

Finnland

Wyborg

Frederikshamn
4.1808

schneller russ. Vorstoß
5.1808

Grönviksund
30.8.1808
Nystad
Åbo
Helsingfors
Sveaborg 5.5.1808

Åland-Ins.
1809
7./8.7.1809

Sandström
2.8.1808
26.8.1808
Hanga 30.6.1808
Palvasund 18.9.1808
Reval
Baltischport

Estland

Stockholm

Dagö
Ösel

Ostsee

Meerbusen von Riga

Livland

Gotland
14.5.1808
schwedische Visby 18.5.1808
Gegenlandung
22.4.1808
Öland
1600 Mann landen auf Gotland
Russen ziehen kampflos ab
Kurland
Libau
Riga
Lettland

	fen mit 55 Fahrzeugen an und erzwingen nach fünf Stunden Kampf den Durchbruch. Sie verlieren dabei 20 Fahrzeuge und 350 Mann gegen zwei Fahrzeuge und 390 Mann bei den Schweden.
26. August	**Gefecht vor Baltischport.** Das Ostseegeschwader der Briten unter Vizeadmiral Sidney-Smith unterstützt die schwedische Hochseeflotte. Bei der Verfolgung der russischen Flotte segeln die britischen Linienschiffe >Implacable< (74) und >Centaur< (74) mit ihren gekupferten Schiffsböden den schwedischen Linienschiffen weit voraus. Sie holen das russische Schlußschiff >Sewold< (74) kurz vor dem Hafen ein und erobern es angesichts der feindlichen Übermacht. Da das russische Schiff auf Grund läuft, wird es verbrannt. Die Hochseeflotten treten anschließend nicht mehr in Aktion.
30. August	**Gefecht im Grönviksund.** Eine schwedische Flottille von 35 Fahrzeugen unter Konteradmiral Hjelmstjerna schlägt südlich von Nystad eine in den Bottnischen Meerbusen vorstoßende russische Flottille von 44 Fahrzeugen unter großen Verlusten zurück.
18. September 1808	**Gefecht im Palvasund.** Eine schwedische Flottille von 34 Fahrzeugen unter Konteradmiral Rajalin soll eine Landung bei Abo im Südwesten von Finnland decken. Es wird von einer russischen Flottille von 96 Fahrzeugen unter Konteradmiral Mjasojedow angegriffen. Nach sechsstündigem Kampf und Umgehung ihrer Stellung müssen die Schweden den Rückzug antreten. Sie verlieren ein Fahrzeug und 150 Mann, die Russen drei Fahrzeuge und 200 Mann. Auch weitere Landungsversuche der Schweden in diesem Herbst werden von den Russen verlustreich zurückgeschlagen.
20. August 1809	**Gefecht bei Ratan.** Eine schwedische Heereseinheit muß sich unter dem Schutz einer Flottille von 16 Fahrzeugen zurückziehen. Nach Angriffen russischer Heeresabteilungen können die Schweden mit Verlusten von der Flottille evakuiert werden.
17. September	**Friede von Fredrikshamn.** Schweden muß auf Finnland verzichten.

Fortsetzung des Krieges gegen Napoleon

19. Mai 1808	**Nachtgefecht.** Südwestlich von Irland erobert eine britische Fregatte eine der wenigen einsatzfähigen niederländischen Fregatten.
4. Juni	**Spanien.** Napoleon I. setzt seinen Bruder Joseph zum König ein. Daraufhin erhebt sich fast das ganze Land gegen die Fremdherrschaft. Schließlich erklärt die **Junta von Sevilla** dem ehemaligen Verbündeten Frankreich den Krieg. Einen Monat später schließt Großbritannien mit den aufständischen Spaniern Frieden.
14. Juni	**Hafen von Cádiz.** Das dort liegende französische Geschwader mit den in der Seeschlacht bei Trafalgar entkommenen Linienschiffen >Neptune< (80), >Algeçiras< (74), >Argonaute< (74), >Pluton< (74), >Heros< (74) und der Fregatte >Cornélie< (42) unter Vizeadmiral Rosily muß sich nach kurzem, symbolischem Widerstand den Spaniern ergeben, da der Hafen weiter von einem britischen Geschwader blockiert wird. Wenige Tage später läuft das französische Linienschiff >Atlas< (74) den Hafen von Vigo an und muß sich ebenfalls den Spaniern ergeben.

Kampf um die Iberische Halbinsel 1808 - 1813

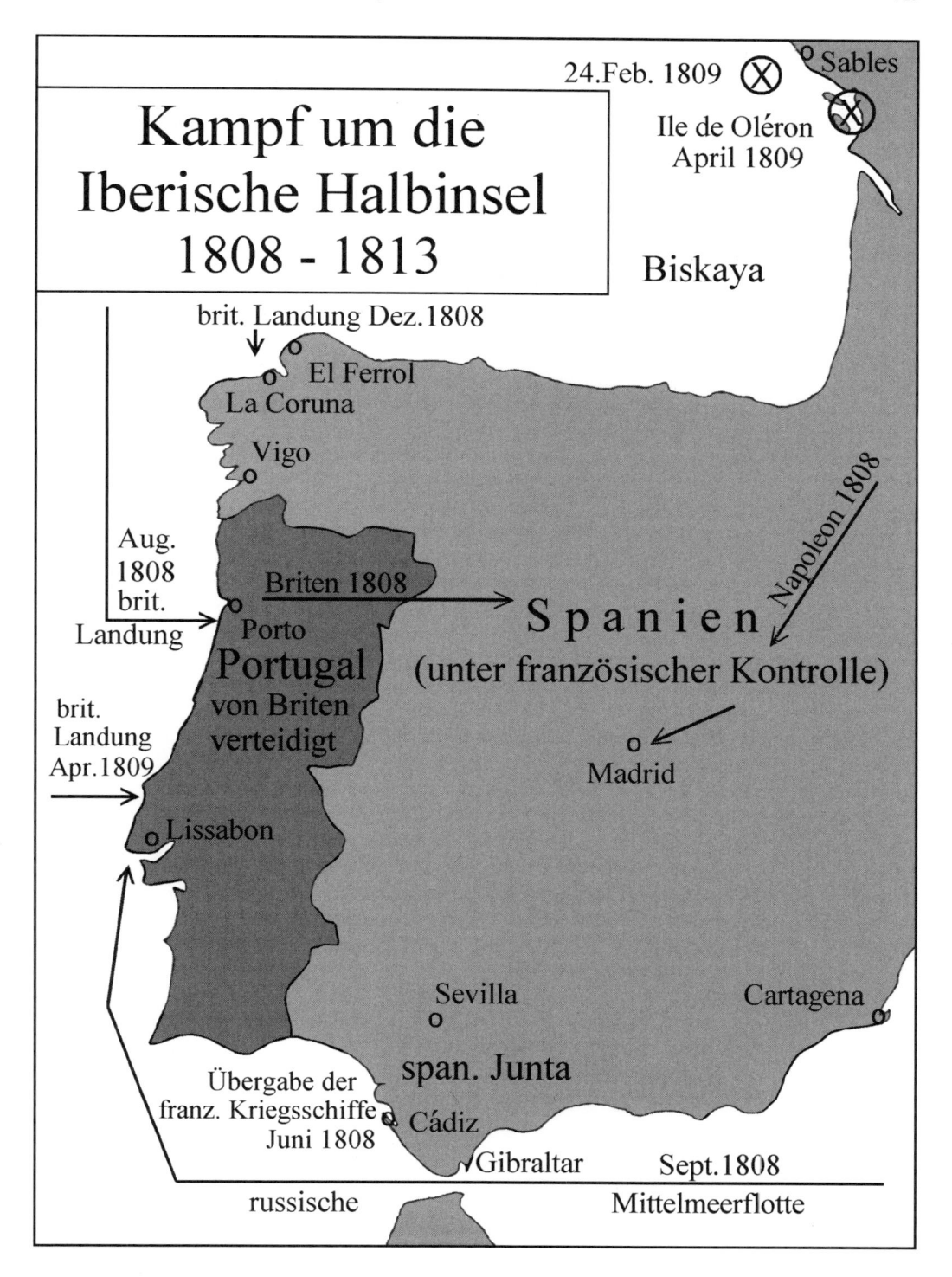

- 24. Feb. 1809 — Sables
- Ile de Oléron April 1809
- Biskaya
- brit. Landung Dez. 1808
- El Ferrol
- La Coruna
- Vigo
- Aug. 1808 brit. Landung
- Briten 1808
- Porto
- Portugal von Briten verteidigt
- Napoleon 1808
- Spanien (unter französischer Kontrolle)
- Madrid
- brit. Landung Apr. 1809
- Lissabon
- Sevilla
- Cartagena
- span. Junta
- Übergabe der franz. Kriegsschiffe Juni 1808
- Cádiz
- Gibraltar
- Sept. 1808
- russische Mittelmeerflotte

9. Juni	**Dänemark.** Aus einem britischen Geleitzug von 70 Schiffen erobern dänische Kanonenboote zwölf Handelsschiffe und eine der drei Geleitbriggs.
5. Juli	**Ägäis.** Bei den nördlichen Sporaden greift die britische >Seahorse< (38) die türkischen Schiffe >Badere i-Zafer< (52) und >Ali Fessan< (26) an. Nach 24 Stunden Kampf ist das kleinere Schiff in die Flucht geschlagen, das größere muß mit 360 Toten und Verwundeten an Bord kapitulieren.
19. Juli 1808	**Landkrieg.** Das neue spanische Heer unter Graf Castaños siegt in der Schlacht von Bailén in Andalusien über eine französische Armee und zwingt drei Tage später in dieser Stadt 19.000 Franzosen zur Kapitulation. Die Franzosen müssen daraufhin auf der Iberischen Halbinsel ständig Krieg führen.
August	**Dänemark.** Nach der Erhebung Spaniens entwaffnet Frankreich die in Jütland stationierten spanischen Besatzungstruppen. Fast 8000 Mann können sich jedoch dem Zugriff der Franzosen entziehen und werden von britischen Schiffen in ihre Heimat transportiert.
30. August 1808	**Landkrieg.** Die Portugiesen zwingen mit Unterstützung der gelandeten Briten in der Konvention von Cintra die französische Besatzung zum kampflosen Abzug aus dem Land.
September	**Lissabon.** Die russische Mittelmeerflotte wird auf dem Heimweg in Lissabon trotz des Friedens von Tilsit von den Briten blockiert. Vizeadmiral Senjawin schließt mit den Briten einen Vertrag, nach dem er die Schiffe den Briten übergibt, die aber spätestens sechs Monate nach Unterzeichnung des Vertrages von Tilsit zurückgegeben werden müssen. Die Besatzungen erhalten freies Geleit nach Rußland.
ab 1808	**Portugal.** Durch seine Seeherrschaft kann Großbritannien verhindern, daß Portugal endgültig von Napoleon unterworfen wird. Von dort aus nähren die Briten den Krieg auf der Iberischen Halbinsel.
10./11. November	**Nachtgefecht.** In der Biskaya unterliegt in einem blutigen nächtlichen Zweikampf eine französische Fregatte einer britischen des Blockadegeschwaders.
24. Februar 1809	**Gefecht in der Biskaya.** Teile der britischen Blockadeflotte stellen drei aus Lorient entkommene französische Fregatten an der Küste der Vendée zum Kampf. Vor Sables d'Olonne werden alle drei vernichtet.
27. Februar	**Mittelmeer.** Die Franzosen locken die britische Beobachtungsfregatte vor dem Kriegshafen Toulon in eine Falle und zwingen sie zum Streichen der Flagge.
6. April	In der **Biskaya** fangen die Briten eine aus Ostindien heimkehrende französische Fregatte ab und zwingen sie nach kurzem Kampf zur Übergabe.
11./12.– 14. April 1809	**Gefecht auf der Reede von Oleron.** Konteradmiral Willaumez (F) kann mit acht Linienschiffen aus Brest entkommen und läuft nach Rochefort, wo er auf der Reede von Oleron in einer gut gesicherten Stellung vor Anker geht. Drei weitere Linienschiffe aus Rochefort stoßen zu ihm. Admiral Gambier (E), Flaggschiff >Caledonia< (120), blockiert ihn dort mit elf Linienschiffen und acht Fregatten sowie zahlreichen kleineren Fahrzeugen.
11./12.	In der Nacht greift Kpt. Thomas Cochrane mit Fregatten und Brandern an. Zunächst wird die Sperre vor der Reede durchbrochen, dann greifen die Feuerschiffe an. Sie treffen zwar unmittelbar kein französisches Linienschiff, bringen aber das französische Geschwader in Unordnung, die meisten Schiffe laufen auf Grund.

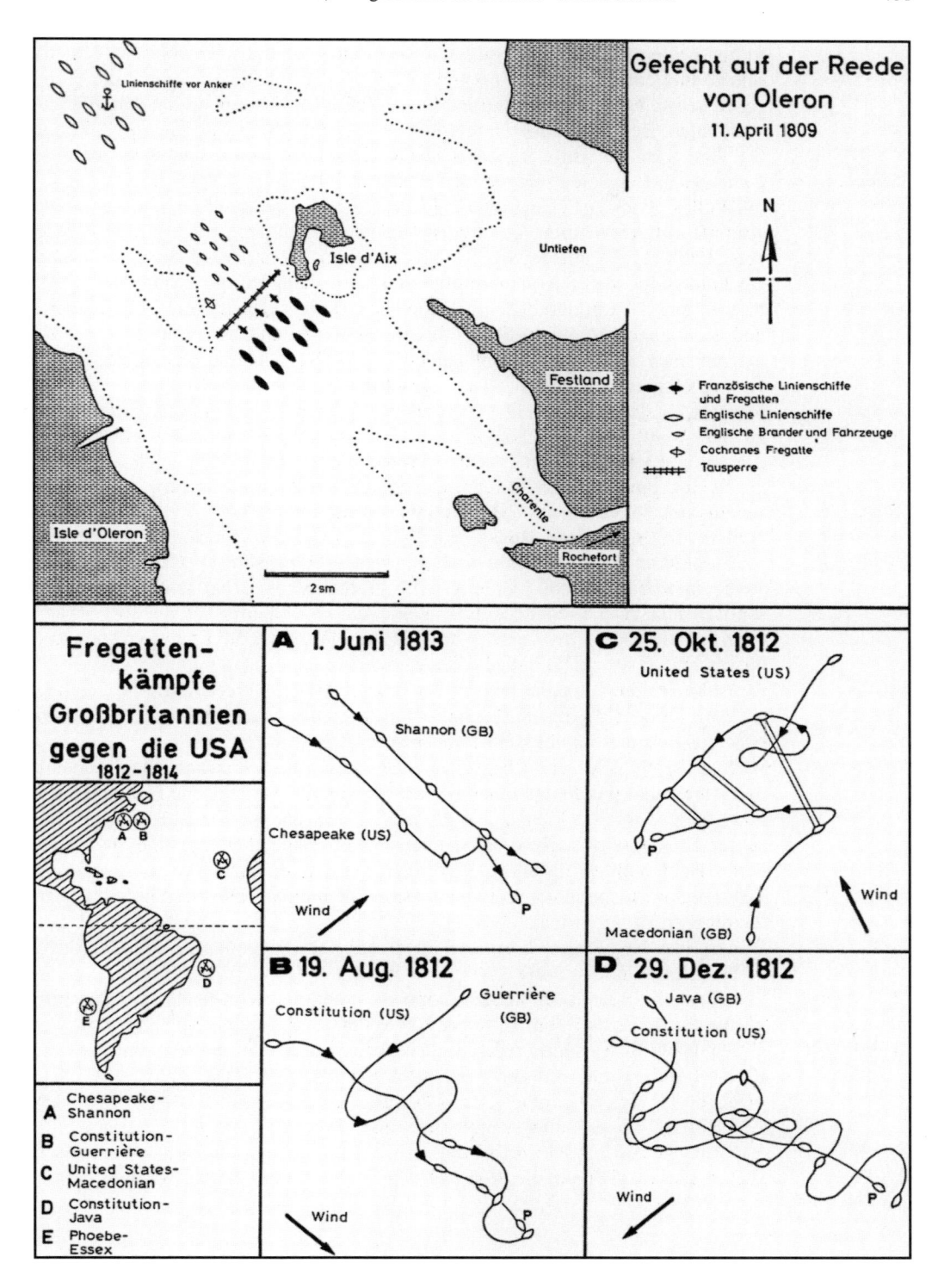

Pemsel, Weltgeschichte der Seefahrt – Seeherrschaft II

Gefecht auf der Reede von Oleron
11. April 1809

- Linienschiffe vor Anker
- Isle d'Aix
- Untiefen
- Festland
- Charente
- Rochefort
- Isle d'Oleron
- 2 sm

Legende:
- Französische Linienschiffe und Fregatten
- Englische Linienschiffe
- Englische Brander und Fahrzeuge
- Cochranes Fregatte
- Tausperre

Fregattenkämpfe Großbritannien gegen die USA
1812–1814

A Chesapeake – Shannon
B Constitution – Guerrière
C United States – Macedonian
D Constitution – Java
E Phoebe – Essex

A 1. Juni 1813 — Shannon (GB), Chesapeake (US), Wind

B 19. Aug. 1812 — Constitution (US), Guerrière (GB), Wind

C 25. Okt. 1812 — United States (US), Macedonian (GB), Wind

D 29. Dez. 1812 — Java (GB), Constitution (US), Wind

12. 13. 14.	In den beiden folgenden Tagen kann Cochrane noch zwei französische Linienschiffe und eine Fregatte verbrennen. Zwei Linienschiffe verbrennen die Franzosen selbst. Die übrigen Schiffe können sich in die Flußmündung der Charente flüchten. Bei tatkräftiger Unterstützung durch die Linienschiffe von Admiral Gambier wäre das ganze französische Geschwader zu vernichten gewesen.
27. und 28. Juli 1809	**Landkrieg.** Bei Toledo siegen die verbündeten Briten und Spanier unter General Wellesley in der Schlacht bei Talavera über die Franzosen.
August 1809	**Angriff auf Antwerpen.** Die Briten landen mit 520 Transportern eine Armee von 30.000 Mann auf der Insel Walcheren zum Vorstoß auf Antwerpen. Die Deckungsflotte unter Konteradmiral Strachan, Flaggschiff >Venerable< (74), besteht aus 37 Linienschiffen, 88 kleineren Kriegsschiffen und 120 Kuttern und Kanonenbooten. Die Stadt Vlissingen wird zunächst erobert, der Vormarsch nach Antwerpen bleibt jedoch liegen. Nach beträchtlichen Verlusten wird das Expeditionsheer wieder eingeschifft.
1809	**Fünfter Koalitionskrieg.** Der Aufstand in Spanien läßt auch Österreich wieder zu den Waffen greifen. Napoleon erleidet bei Wien (im Mai Schlacht bei Aspern und Eßling) durch Erzherzog Karl von Österreich seine erste Niederlage. Er siegt dann aber im Marchfeld (Schlacht bei Wagram im Juli).
Oktober 1809	**Friede von Schönbrunn.** Österreich wird weiter verkleinert.
26. und 31. Oktober	**Gefecht bei Cette und Rosas.** Ein britisches Geschwader von sechs Linienschiffen unter Konteradmiral George Martin, Flaggschiff >Canopus< (80), stellt einen französischen Geleitzug für Barcelona, gedeckt von drei Linienschiffen und zwei Fregatten, unter Konteradmiral Baudin auf der >Robuste< (80). In dem folgenden Kampf verlieren die Franzosen die Linienschiffe >Robuste< und >Lion< (74) und alle Transporter.
Oktober	**Ionische Inseln.** Einzelne Schiffe der britischen Mittelmeerflotte mit Truppen an Bord erobern die Inseln Kephallonia, Zante, Ithaka und Cerigo. Die Briten errichten dort die Republik der Ionischen Inseln.
1810 und 1811	**Kreuzerkrieg.** Die schon bisher unangenehmen französischen Handelsstörer im Ärmelkanal werden zu einer ernsten Gefahr für die britische Handelsschiffahrt. Eine Unmenge kleiner und kleinster Fahrzeuge werfen sich auf den Küstenverkehr. Die britische Marine kann nicht genügend Sloops und Briggs zu deren Bekämpfung abstellen. Außerdem sind diese Schiffe vorwiegend auf Schnelligkeit ausgerichtet und können sich fast immer rechtzeitig in den Schutz der eigenen Küste zurückziehen.
9. Juli 1810	**Dänemark.** Im Skagerrak erobern fünf dänische Briggs aus einem Geleitzug 48 britische Handelsschiffe.
22. Dezember	**Schiffbruch.** Bei Texel in der Nordsee strandet das britische Linienschiff >Minotaur< (74). Mit ihm kommen 360 Mann der Besatzung um.
13. März 1811	**Gefecht bei Lissa.** Ein französisch-venezianisches Geschwader unter Com. Bernard Dubourdieu mit den Fregatten >Favorite< (F, 44)+, >Flore< (F, 44), >Danae< (F, 44), >Corona< (Ve, 44), >Bellona< (Ve, 32) P, und >Carolina< (Ve, 32) soll mit Landungstruppen die Insel Lissa erobern. Es trifft dabei auf das britische Adriageschwader mit den Fregatten >Amphion< (32), >Cerberus< (32), >Active< (38) und die Sloop >Volage< (22) unter Kapitän William Hoste.

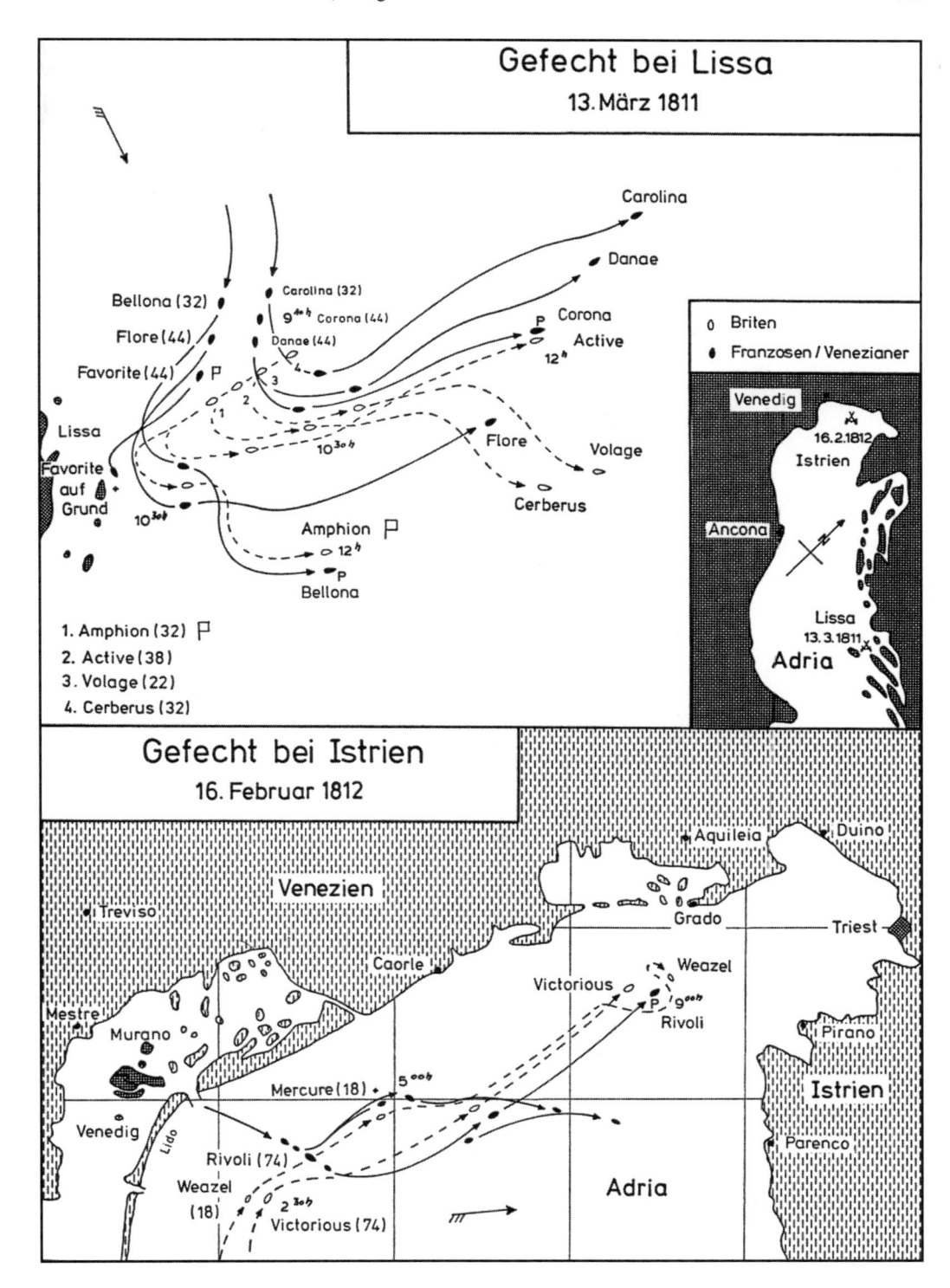

Gefecht bei Lissa
13. März 1811

Carolina
Danae

Bellona (32)
Carolina (32)
9ᵈʰ Corona (44)
Flore (44)
Danae (44)
Favorite (44)
P
Corona
Active
12ʰ

○ Briten
● Franzosen/Venezianer

Lissa
Favorite auf Grund
10³⁰ʰ

Flore
Volage
Cerberus

Venedig
16.2.1812
Istrien

Ancona

10³⁰ʰ
Amphion P
○ 12ʰ
P
Bellona

Lissa
13.3.1811
Adria

1. Amphion (32) P
2. Active (38)
3. Volage (22)
4. Cerberus (32)

Gefecht bei Istrien
16. Februar 1812

Aquileia
Duino

Treviso
Venezien
Grado
Triest

Caorle
Victorious
Weazel
P 9ᵒʰ
Rivoli

Mestre
Murano

Pirano

Venedig
Lido
Mercure (18)
5ᵒʰ
Istrien

Rivoli (74)
Weazel (18)
2³⁰ʰ
Victorious (74)
Adria

Parenco

	Nach erbittertem Kampf erobern die Briten zwei Fregatten und vernichten eine weitere. Dubordieu fällt, die Landung ist verhindert.
29. November	Südlich von Lissa verfolgen drei britische Fregatten drei französische und erobern nach Kampf zwei der Gegner.
24. Dezember	**Schiffbruch.** In einem schweren Sturm in der Nordsee sinken vor Jütland die britischen Linienschiffe >St. George< (98), >Defence< (74) und >Héros< (74). Von den 2000 Mann der Besatzungen können nur 30 gerettet werden.
22. Jänner 1812	**Bretagne.** Bei Lorient treibt das britische Linienschiff >Northumberland< (74), Kpt. Henry Hotham, zwei französische Fregatten auf den Strand und schießt sie dort in Brand.
16. Februar 1812	**Gefecht bei Istrien.** Das britische Linienschiff >Victorious< (74) und eine Brigg verfolgen das französische Linienschiff >Rivoli< (74) und drei Briggs von Venedig Richtung Pola. Nach mehrstündigem Kampf fliegt eines der Kanonenboote in die Luft, die >Rivoli< muß sich schließlich ergeben.
6. Juli	**Gefecht bei Arendal.** In den norwegischen Schären greift das britische Linienschiff >Dictator< (64) mit drei Briggs eine dänische Fregatte und drei Briggs an. Obwohl die Briten mehrfach auf Grund geraten, vernichten sie die Fregatten und zwei Briggs.

1812–1815 Krieg der USA gegen Großbritannien

	Wegen der Übergriffe gegen die neutrale Handelsschiffahrt und mit der Hoffnung auf die Erwerbung von Kanada erklären die USA im Juni den Krieg.
19. August 1812	In einem klassischen Kreuzergefecht 700 Seemeilen östlich von Boston zerschießt die US-Fregatte >Constitution< (44), Kpt. Isaak Hull, die britische >Guerrière< (36) und verbrennt das Wrack am nächsten Tag.
25. Oktober	Zwischen den Azoren und den Kanarischen Inseln erobert nach hartem Kampf die US-Fregatte >United States< (44), Kpt. Stephen Decatur, die britische >Macedonian<.
29. Dezember	In einem blutigen Duell vor der Küste von Brasilien kämpft die US-Fregatte >Constitution< (44), Kpt. William Bainbridge, die britische >Java< (44) nieder, deren Wrack am nächsten Tag verbrannt wird.
1. Juni 1813	Vor Boston erobert nach kurzem Kampf die britische Fregatte >Shannon< (38), Kapitän Philip Broke, die US-Fregatte >Chesapeake< (38).
Juni	**Chesapeake-Bucht.** Die Amerikaner wehren den Angriff eines britischen Geschwaders von 13 Kriegsschiffen mit 3000 Mann Landungstruppen unter Konteradmiral John B. Warren auf den Marinestützpunkt Norfolk, Virginia, verlustreich ab.
10. September	**Gefecht am Eriesee.** Die US-Flottille von zwei Korvetten und sieben kleinen Fahrzeugen mit 54 Geschützen unter Commodore Oliver H. Perry besiegt die britische Flottille von vier Korvetten/Sloops und zwei Fahrzeugen mit 63 Geschützen unter Kpt. Robert Barclay. Die USA verfügen nun über die Seeherrschaft auf den Großen Seen Nordamerikas.
28. März 1814	Vor Valparaiso erobert die britische Fregatte >Phoebe< (38), Kapitän James Hillyar, unterstützt von einer Sloop, nach heftiger Gegenwehr die US-Fregatte >Essex<.

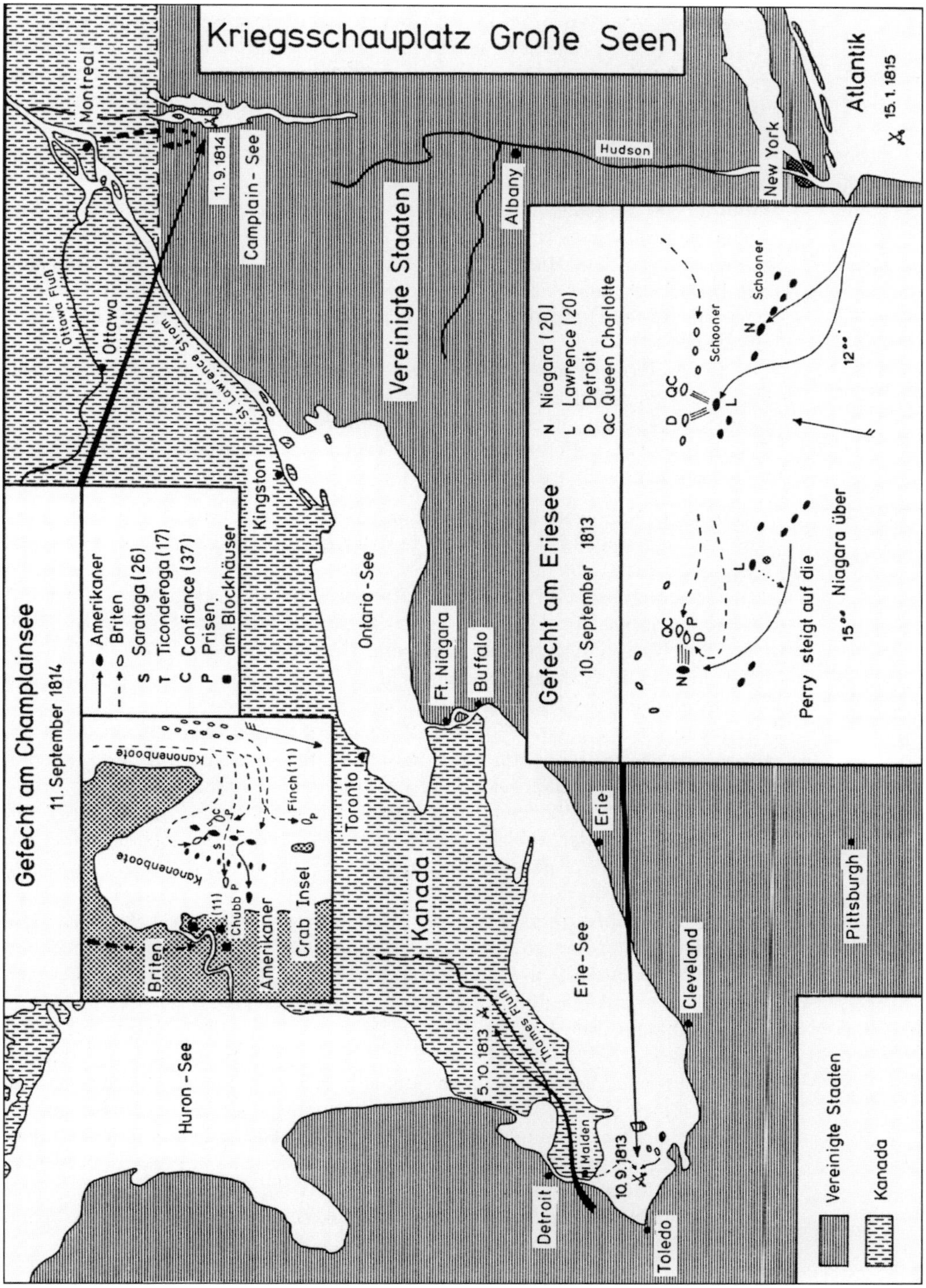
Kriegsschauplatz Große Seen
Gefecht am Champlainsee
11. September 1814
Amerikaner
Briten
S Saratoga (26)
T Ticonderoga (17)
C Confiance (37)
P Prisen
am. Blockhäuser
Kanonenboote
Kanonenboote
Finch (11)
Chubb
(11)
Briten
Amerikaner
Crab Insel
Montreal
Ottawa
Ottawa Fluß
St. Lawrence Strom
11.9.1814
Campiain - See
Vereinigte Staaten
Kingston
Ontario - See
Toronto
Ft. Niagara
Buffalo
Kanada
Erie
Erie - See
Huron - See
Thames Fluß
5.10.1813
Detroit
Malden
10.9.1813
Toledo
Cleveland
Pittsburgh
Albany
Hudson
New York
Atlantik
15.1.1815
Gefecht am Eriesee
10. September 1813
N Niagara (20)
L Lawrence (20)
D Detroit
QC Queen Charlotte
Schooner
Schooner
12°°
15°°
Perry steigt auf die Niagara über
Vereinigte Staaten
Kanada

August	**Eroberung von Washington.** Britische Landungstruppen unter Vizeadmiral Alexander F. Cochrane dringen den Potomac-Fluß aufwärts, zerstören alle Orte an den Ufern, erobern Washington und brennen die Hauptstadt der USA nieder. Die Amerikaner zerstören ihre dortige Werft und verbrennen die dort liegenden Schiffe.
11. September	**Gefecht am Champlainsee.** Die US-Flottille von 14 Fahrzeugen mit 86 Geschützen unter Fregattenkapitän Thomas Macdonough besiegt die britische Flottille von 17 Fahrzeugen, darunter eine Fregatte, mit 91 Geschützen und sichert dadurch die Nordgrenze.
14. Jänner 1815	In einem Sturm läuft die US-Fregatte >President< (40), Kpt. Stephen Decatur, aus New York aus. Am nächsten Tag wird sie vom britischen Blockadegeschwader gestellt und muß nach eintägigem Verfolgungsgefecht die Flagge streichen.
ab 1813	Die Briten blockieren die Küsten der USA so eng, daß keine Schiffe mehr auslaufen können. Der Seehandel ist gänzlich unterbunden und es erreichen kaum mehr Handelsstörer der USA die Hohe See.
24. Dezember 1814	**Friede von Gent.** Er beendet diesen Nebenkrieg, wird aber erst im Februar 1815 vom Kongreß ratifiziert.
7. September 1812	**Landkrieg.** Napoleon überschreitet mit der „Grand Armee" die Grenze zu Rußland und siegt in der Schlacht bei Borodino über die Russen unter Gen. Kutusow. Am 14. September wird das von den Russen in Brand gesetzte Moskau kampflos eingenommen. Im Oktober beginnt Napoleon mit dem Rückzug aus Rußland. Die Russen siegen beim Übergang über die Beresina (26.–28. November), und beim weiteren Rückzug geht durch Angriffe, die Winterkälte und Versorgungsmangel fast die ganze große Armee zugrunde. Der preußische Gen. Graf Yorck zu Wartenburg kann sein Korps aus der Katastrophe retten und schließt mit den Russen in der Konvention zu Tauroggen in Litauen einen Neutralitätspakt, den Anstoß zu den Befreiungskriegen.
21. Juni 1813	**Landkrieg.** Die verbündeten Briten, Spanier und Portugiesen unter Lord Wellington siegen in der Schlacht bei Vitoria im Norden von Spanien über die Franzosen. Anschließend übersteigen sie die Pyrenäen und dringen im Süden von Frankreich vor.
1813	**Beginn der Befreiungskriege in Mitteleuropa.** Preußen, Rußland, und Schweden stehen nun auf der Seite von Großbritannien. Napoleon erscheint mit einem neuen Heer in Deutschland und stößt bis Schlesien vor, Österreich schließt sich im August der Koalition gegen Napoleon an.
16.–19.Oktober 1813	**Völkerschlacht bei Leipzig.** Das Heer der Verbündeten unter FM Fürst Schwarzenberg (325.000 Mann) siegt kriegsentscheidend in der Dreitageschlacht über die Franzosen unter Napoleon (175.000 Mann). Auf beiden Seiten zusammen sind 140.000 Mann tot, verwundet oder gefangen. Es beginnt die Verfolgung nach Frankreich. Getrieben von den Preußen unter FM Leberecht Blücher dringen die Verbündeten im Frühjahr 1814 in Frankreich ein und sind am 31. März in Paris.
Mai 1814	**Erster Pariser Friede.** Napoleon muß abdanken und wird nach Elba verbannt. Frankreich behält die Grenzen von 1792.

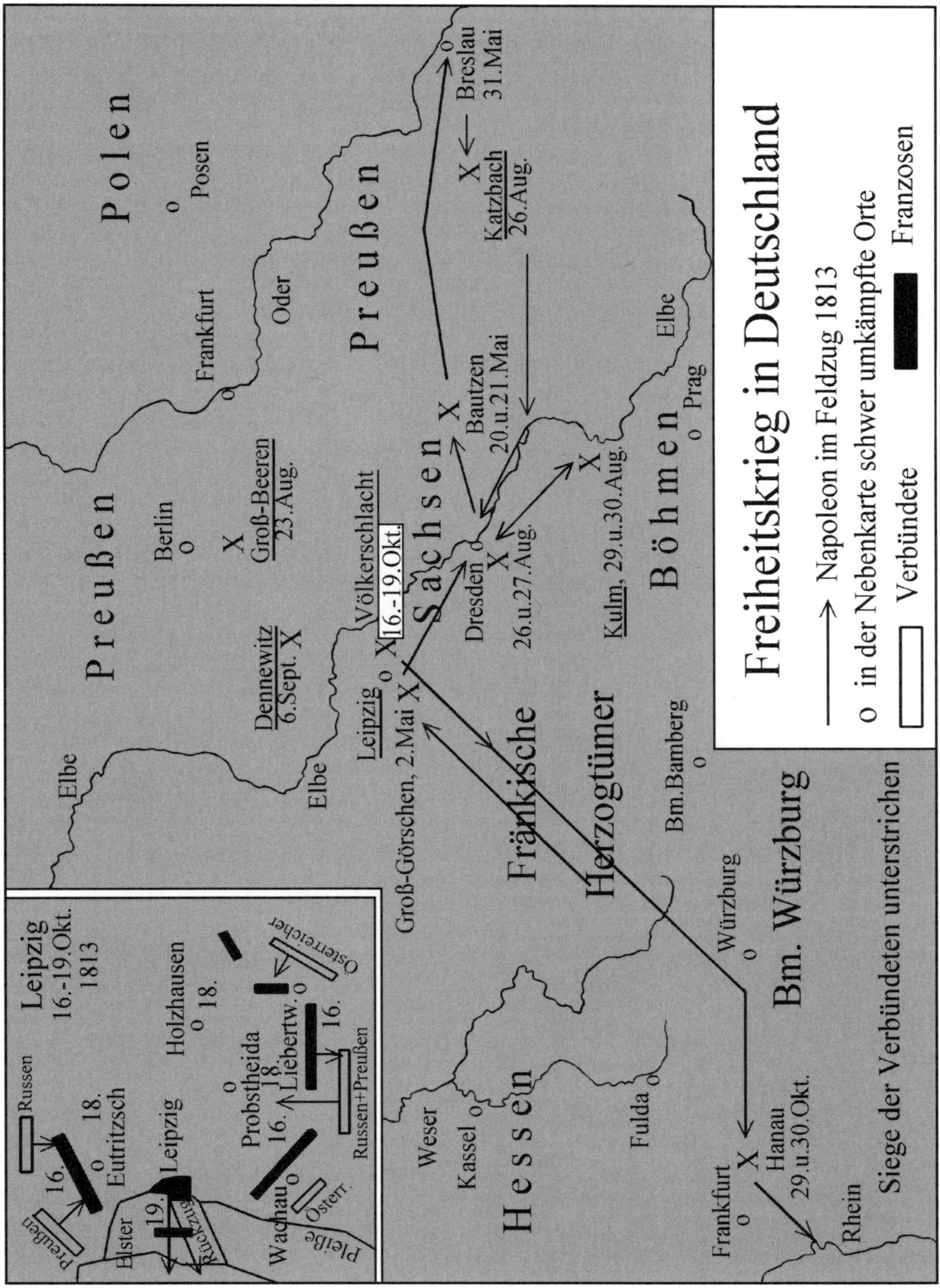
Freiheitskrieg in Deutschland
Napoleon im Feldzug 1813
o in der Nebenkarte schwer umkämpfte Orte
Verbündete
Franzosen
Siege der Verbündeten unterstrichen
Polen
Posen
Preußen
Breslau 31.Mai
Katzbach 26.Aug.
Frankfurt
Oder
Bautzen 20.u.21.Mai
Elbe
Prag
Böhmen
Kulm, 29.u.30.Aug.
Dresden
26.u.27.Aug.
Sachsen
Völkerschlacht 16.-19.Okt.
Berlin
Groß-Beeren 23.Aug.
Dennewitz 6.Sept.
Leipzig
Groß-Görschen, 2.Mai
Fränkische Herzogtümer
Bm.Bamberg
Bm. Würzburg
Würzburg
Hessen
Weser
Kassel
Fulda
Frankfurt
Hanau 29.u.30.Okt.
Rhein
Leipzig 16.-19.Okt. 1813
Russen
Preußen
Eutritzsch
Holzhausen
Probstheida
Liebertw.
Wachau
Elster
Rückzug
Österr.
Österreicher
Russen+Preußen
Pleiße

März 1815	Rückkehr Napoleons auf einer Fregatte von der Insel Elba.
16. und 18. Juni 1815	**Schlacht von Ligny und Belle Alliance/Waterloo**. Blücher wird am 16. von Napoleon bei Ligny zurückgeworfen. Bevor die Franzosen am 18. den Herzog von Wellington niederringen können, erscheint Blücher wieder und entscheidet die Schlacht für die Verbündeten.
20. November 1815	**Zweiter Pariser Friede**. Napoleon wird geächtet und auf die Insel St. Helena verbannt. Frankreich erhält nun die Grenzen von 1790. Ludwig XVIII. kehrt auf den Thron zurück.

Die Kämpfe gegen Frankreich und Spanien in Übersee

1803	**Westindien**. Gleich im ersten Kriegsjahr erobern die Briten die Inseln St. Lucia, Tobago und mehrere niederländische Stützpunkte. Die schwarze Bevölkerung auf Santo Domingo vertreibt mit Hilfe der Briten die Franzosen und bildet eine Regierung der Schwarzen.
24. Juli 1803	**Gefecht bei Santo Domingo**. Zwei französische Linienschiffe und eine Fregatte versuchen nach Frankreich durchzubrechen, werden aber vom britischen Blockadegeschwader vor der Insel gestellt. Die >Duquesne< (74) muß sich der Übermacht ergeben, die >Duguay-Trouin< (74) kann sich mit der Fregatte den Weg freikämpfen.
Jänner 1804	**Westindien**. Die Briten besetzen den Diamond Rock, eine kleine Felseninsel, die die Zufahrt nach Martinique beherrscht. Sie befestigen die Insel und stellen sie als H. M. stationary Sloop „Diamond Rock" in Dienst.
15. Februar	**Gefecht bei Pula Aor** (Straße von Malakka). Ein britisches Ostindiengeleit, bestehend aus 31 meist bewaffneten Handelsschiffen, aber ohne Geleitschutz, wird von einem französischen Geschwader mit dem Linienschiff >Marengo< (74), zwei Fregatten und zwei Korvetten unter Konteradmiral Linois angegriffen. Die britischen Ostindienfahrer verteidigen sich so energisch, daß Linois das Gefecht nach kurzem Artillerieduell abbricht.
Mai 1804	**Südamerika**. Die niederländische Kolonie Surinam wird von einem britischen Geschwader unter Com. Samuel Hood (II) auf der >Centaur< (74) und sechs kleineren Kriegsschiffen angegriffen und zur Übergabe gezwungen.
15. September	**Gefecht auf der Reede von Visagapatam, Indien**. Ein französisches Linienschiffe und zwei Fregatten greifen die britische >Centurion< (50) an, die sich mit Erfolg zur Wehr setzt und die Gegner abweist.
Jänner–Mai 1805	**Kreuzfahrt**. Am 11. Jänner verläßt der französische Konteradmiral Missiessy, Flaggschiff >Majesteux< (120), mit fünf Linienschiffen, drei Fregatten und zwei Korvetten den Hafen Rochefort, ankert am 22. Februar vor Dominica und versucht vergeblich die Insel zu erobern. Nach Eintreiben einer Kontribution werden die Truppen wieder eingeschifft. Analoges geschieht bei St. Kitts und Nevis. Nach Ausschiffen der Truppen auf Martinique für die dortige Garnison kehrt das Geschwader zurück und erreicht am 20. Mai die Reede von Oleron.
14. Februar	**Indien**. An der Malabarküste kämpft die britische Fregatte >San Fiorenzo< (36) eine französische Fregatte nach harter Gegenwehr nieder.
4.–10. Jänner 1806	**Eroberung von Kapstadt**. Ein britisches Geschwader unter Commodore Home Riggs Popham, Flaggschiff >Diadem< (64), von vier Linienschiffen, vier Fregatten und Transportern mit 5000 Mann Heerestruppen unter Generalmajor

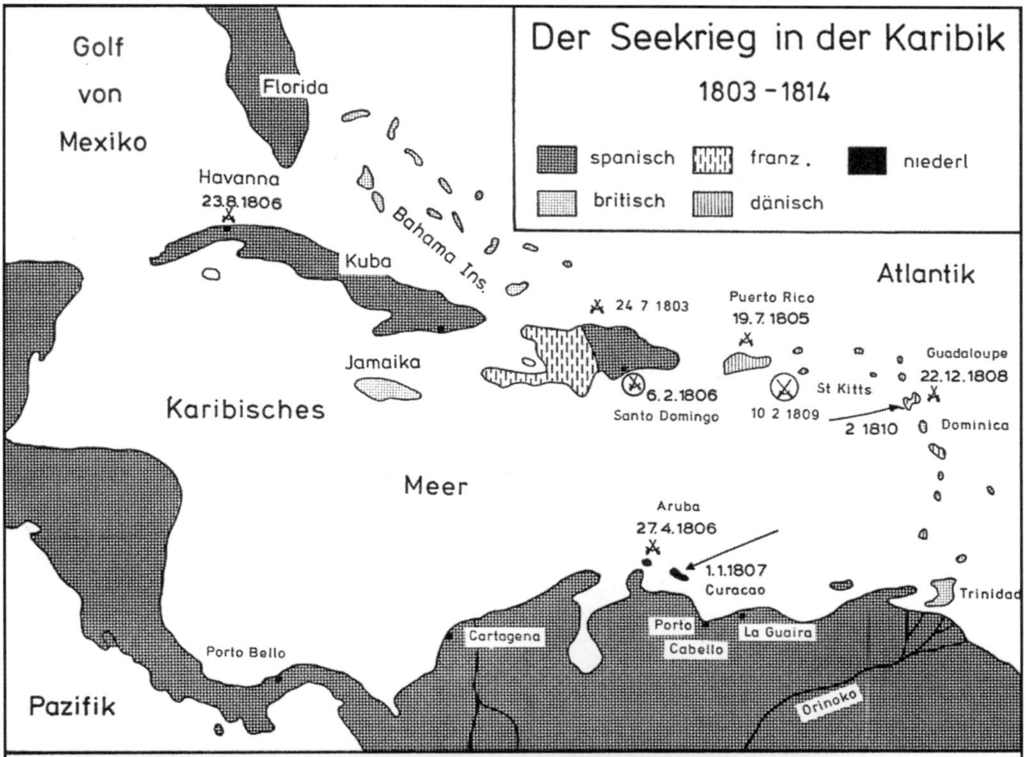
Der Seekrieg in der Karibik
1803 - 1814
spanisch
franz.
niederl
britisch
dänisch
Golf von Mexiko
Florida
Havanna 23.8.1806
Bahama Ins.
Kuba
Atlantik
24 7 1803
Puerto Rico 19.7.1805
Jamaika
6.2.1806
Santo Domingo
10 2 1809
St Kitts
Guadaloupe 22.12.1808
2 1810
Dominica
Karibisches Meer
Aruba 27.4.1806
1.1.1807 Curacao
Trinidad
Cartagena
Porto Cabello
La Guaira
Porto Bello
Pazifik
Orinoko

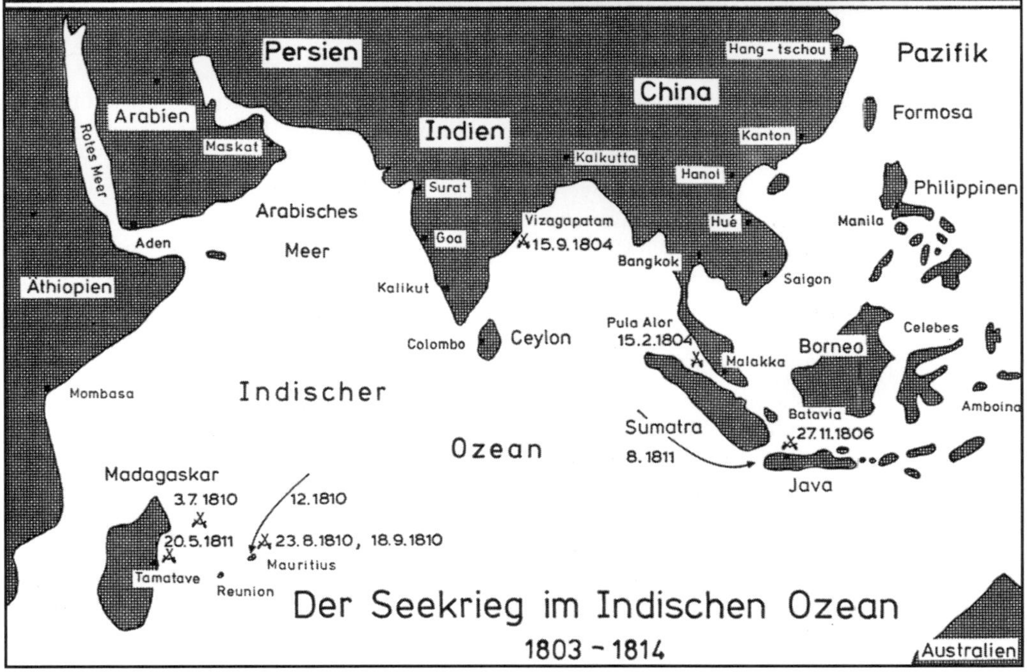
Persien
Hang - tschou
Pazifik
China
Formosa
Arabien
Rotes Meer
Maskat
Indien
Kanton
Kalkutta
Hanoi
Philippinen
Surat
Arabisches Meer
Aden
Goa
Vizagapatam 15.9.1804
Hué
Manila
Bangkok
Äthiopien
Kalikut
Saigon
Colombo
Ceylon
Pula Alor 15.2.1804
Celebes
Borneo
Malakka
Mombasa
Indischer Ozean
Sumatra 8.1811
Batavia 27.11.1806
Amboina
Java
Madagaskar
3.7.1810
12.1810
20.5.1811
23.8.1810, 18.9.1810
Mauritius
Tamatave
Reunion
Der Seekrieg im Indischen Ozean
1803 - 1814
Australien

David Baird an Bord landet die Truppen vor Kapstadt. Die Kolonie wird in kurzer Zeit erneut erobert. In der Simons-Bucht wird ein dort liegendes Linienschiff von den Niederländern verbrannt.

Am 4. März läuft eine französische Fregatte mit 200 britischen Gefangenen in den Hafen ein und muß sich den Briten ergeben.

6. Februar 1806 **Gefecht auf der Reede von Santo Domingo.** Fünf französische Linienschiffe unter Konteradmiral Cornatin Leissègues, Flaggschiff >Impérial< (130), können nach Westindien ausbrechen und führen dort erfolgreich Handelskrieg. Ein englisches Geschwader unter Vizeadmiral John Duckworth auf der >Superb< (87) mit sieben Linienschiffen und einer Fregatte überrascht die Franzosen auf der Reede von Santo Domingo. In Einzelkämpfen werden drei französische Linienschiffe erobert, die beiden übrigen auf den Strand getrieben.

14. März 1806 **Verfolgungsgefecht.** Am Rückweg aus dem Indischen Ozean treffen bei den Kanarischen Inseln das französische Linienschiff >Marengo< (74) und die Fregatte >Belle Poule< (40) auf ein britisches Geschwader von mehreren Linienschiffen und Fregatten. Nach längerer Verfolgung müssen sich die beiden französischen Schiffe ergeben.

27. April **Südamerika.** Der ehemalige spanische Oberstleutnant Francisco de Miranda unternimmt mit britischer Unterstützung einen Versuch, die Kolonien in Amerika zum Aufstand gegen das spanische Mutterland zu bewegen. Mit einer Korvette und zwei Goletten läuft er von Haiti nach Venezuela, trifft dort auf zwei spanische Schiffe der Küstenwache, verliert in einem kurzen Kampf seine zwei Goletten und kann selbst entkommen. Auch ein weiterer Versuch mit stärkeren Kräften scheitert zunächst.

Juni 1806 **Kampf um Buenos Aires.** Commodore Popham, >Diadem< (64), erscheint mit drei Linienschiffen, zwei Fregatten und zwei Sloops aus Kapstadt im Rio de la Plata. Er vermutet die Bewohner von Buenos Aires im Aufstand gegen Spanien. Seine 1200 Mann Heerestruppen erobern die Stadt gegen mäßigen Widerstand. Nach Einheben einer Kriegskontribution erheben sich die Südamerikaner gegen die Briten und zwingen im August die Garnison von Buenos Aires zur Kapitulation.

Mit Verstärkungen an Heerestruppen kann Popham im Oktober Stützpunkte in Uruguay erobern und sich dort zunächst festsetzen.

23. August **Kuba.** Unter den Forts der Hafeneinfahrt von Havanna erobern zwei britische Fregatten eine spanische Fregatte.

27. November **Insulinde.** Auf der Reede von Batavia/Djakarta auf Java vernichtet das britische Ostindiengeschwader unter Konteradmiral Edward Pellew mit dem Linienschiff >Culloden< (74) und vier weiteren Linienschiffen die dort liegenden kleinen niederländischen Schiffe, darunter eine Fregatte.

1. Jänner 1807 **Westindien.** Der britische Kpt. Charles Brisbane, Flaggschiff >Arethusa< (38) mit drei weiteren Fregatten, erobert in einem kühnen Handstreich das stark verteidigte niederländische Curaçao.

Februar **Schiffbruch.** Im Indischen Ozean verschwinden die britischen Kriegsschiffe >Blenheim< (74) und >Java< (32) mit den ganzen Besatzungen spurlos.

Juli 1807 **Kampf um Buenos Aires.** Nachdem sie in Uruguay weitere Verstärkungen erhalten haben, greifen die Briten erneut, diesmal mit 8000 Mann, Buenos

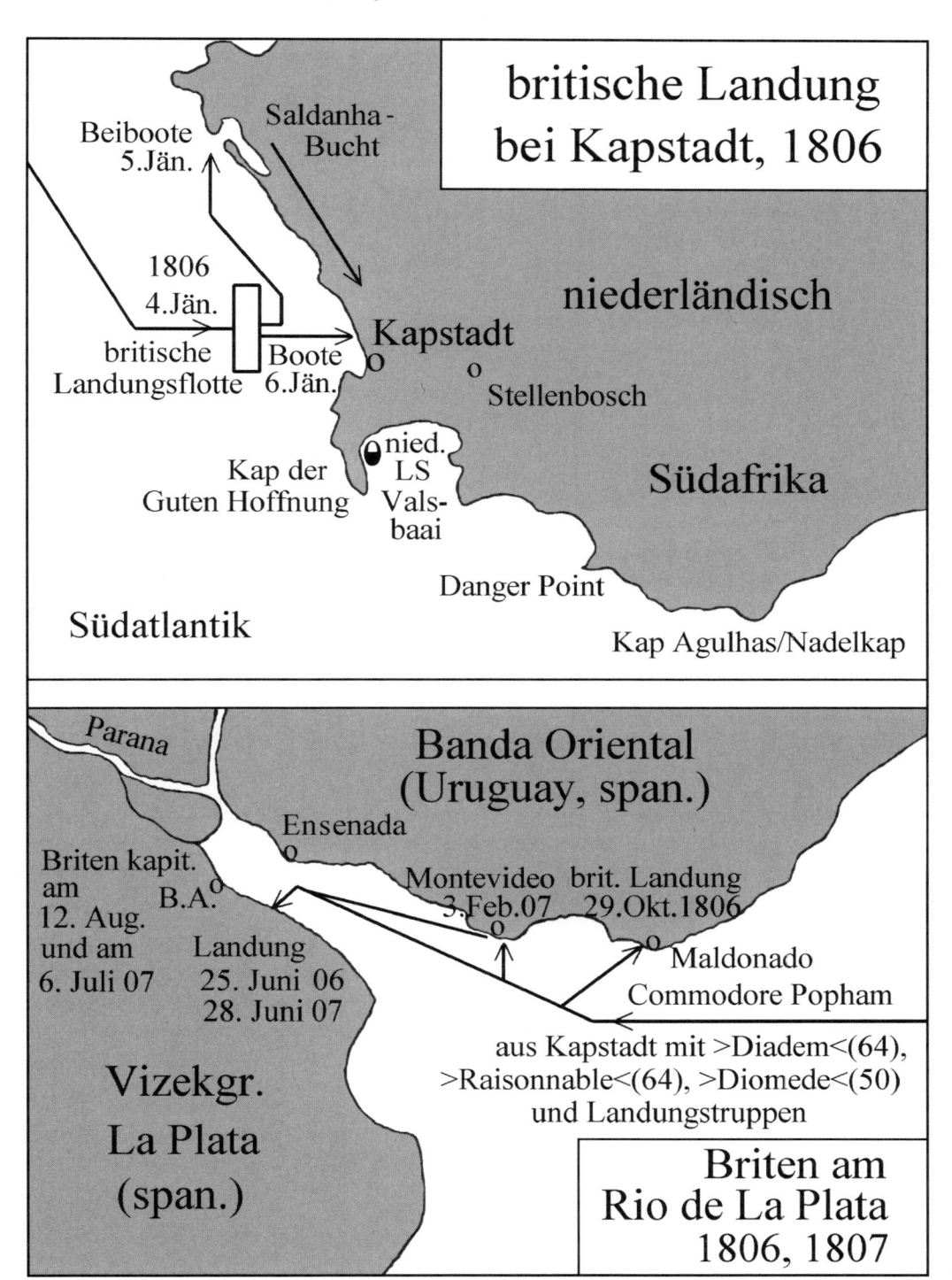

britische Landung bei Kapstadt, 1806

- Beiboote 5. Jän.
- Saldanha-Bucht
- 1806 4. Jän.
- britische Landungsflotte
- Boote 6. Jän.
- Kapstadt
- Stellenbosch
- niederländisch
- Kap der Guten Hoffnung
- nied. LS Valsbaai
- Südafrika
- Danger Point
- Südatlantik
- Kap Agulhas/Nadelkap

Briten am Rio de La Plata 1806, 1807

- Parana
- Banda Oriental (Uruguay, span.)
- Ensenada
- Briten kapit. am 12. Aug. und am 6. Juli 07
- B.A.
- Landung 25. Juni 06 / 28. Juni 07
- Montevideo 3. Feb. 07
- brit. Landung 29. Okt. 1806
- Maldonado Commodore Popham
- aus Kapstadt mit >Diadem<(64), >Raisonnable<(64), >Diomede<(50) und Landungstruppen
- Vizekgr. La Plata (span.)

	Aires an. Das Geschwader, nun unter Konteradmiral George Murrey auf der >Polyphemus< (64), mit weiteren vier Linienschiffen und drei Fregatten, beherrscht den Rio de la Plata. Nach anfänglichen Erfolgen an Land erleiden die Briten eine schwere Niederlage, deren Befehlshaber Generalleutnant Whitelock muß sich in der Kapitulation zur Räumung des ganzen La-Plata-Gebietes verpflichten.
8. März	**Handelskreuzer.** Nach längerem erfolgreichen Handelskrieg wird die französische Fregatte >Piemontaise< (40) von der britischen >San Fiorenzo< (36) gestellt. Nach zweitägigem Verfolgungsgefecht ist die französische Fregatte zerschossen und muß die Flagge streichen.
1809	**Kolonialoffensive.** Die Briten starten erneut eine Offensive gegen die französischen Besitzungen. Ein Geschwader von sechs Linienschiffen, sieben Fregatten, 30 weiteren Kriegsschiffen und Truppentransportern unter Vizeadmiral Alexander F. Cochrane auf der >Neptune< (98) mit 10.000 Mann läuft im Jänner aus England aus. Im Laufe des Jahres werden die französischen Besitzungen Martinique, Cayenne, Sénégal und Réunion erobert.
14. bis 17. April 1809	**Gefecht bei Martinique.** Drei französische Linienschiffe werden von einem Teil des Westindiengeschwaders unter Konteradmiral Cochrane mit vier Linienschiffen verfolgt. Die langsame >Hautpoult< (74) wird erobert, die beiden anderen können entkommen.
13. Dezember	**Westindien.** Die britische Fregatte >Junon< (38) versucht zwei französische Fregatten mit zwei bewaffneten Handelsschiffen zu stellen. Nach kurzem Kampf unterliegt sie mit schweren Mannschaftsverlusten der Übermacht.
Februar 1810	**Kolonien.** Die Briten erobern mit Truppen und Schiffen aus Indien in Insulinde zunächst Amboina und einige andere benachbarte Inseln, dann auch Ternate und Teile von Celebes/Sulawesi.
3. Juli	**Gefecht bei Madagaskar.** Drei britische bewaffnete Ostindienfahrer (ca. 60 Geschütze) werden von drei französischen Fregatten mit zusammen 102 Geschützen angegriffen. Die Handelsschiffe bilden eine Schlachtlinie und nehmen den Kampf an. Nach erbittertem Widerstand müssen zwei davon die Flagge streichen, das dritte Schiff kann entkommen.
23. August	**Gefecht bei Mauritius.** Im Hafen von Port Louis liegen zwei französische Fregatten, eine Korvette und einer der am 3. Juli eroberten Ostindienfahrer unter Commodore Victor Guy Duperré. Vier britische Fregatten greifen an, wobei zwei davon in der Hafeneinfahrt auf Grund laufen. Im folgenden Kampf muß eine der britischen Fregatten die Flagge streichen, die beiden gestrandeten werden von den Briten verbrannt, nur die vierte kann schließlich entkommen.
18. September	**Mauritius.** In der Nähe der Insel wird eine britische Fregatte nach hartem Kampf von einer französischen Fregatte erobert. Kurz darauf trifft eine weitere britische Fregatte ein, der sich beide Schiffe sofort ergeben müssen, da sie praktisch kampfunfähig sind.
29. November– 2. Dezember	**Eroberung von Mauritius.** Vor der Insel erscheint ein britisches Geschwader mit dem Linienschiff >Illustrious< (74), zwölf Fregatten und weiteren 50 kleinen Kriegsschiffen und Truppentransportern unter Vizeadmiral Albemarle Berie auf der Fregatte >Africaine< (38). Die Landungstruppen von 10.000 Mann stehen unter dem Kommando von Generalmajor John Abercromby. Die

Indischer Ozean
Fregattenkämpfe
1810 - 1811

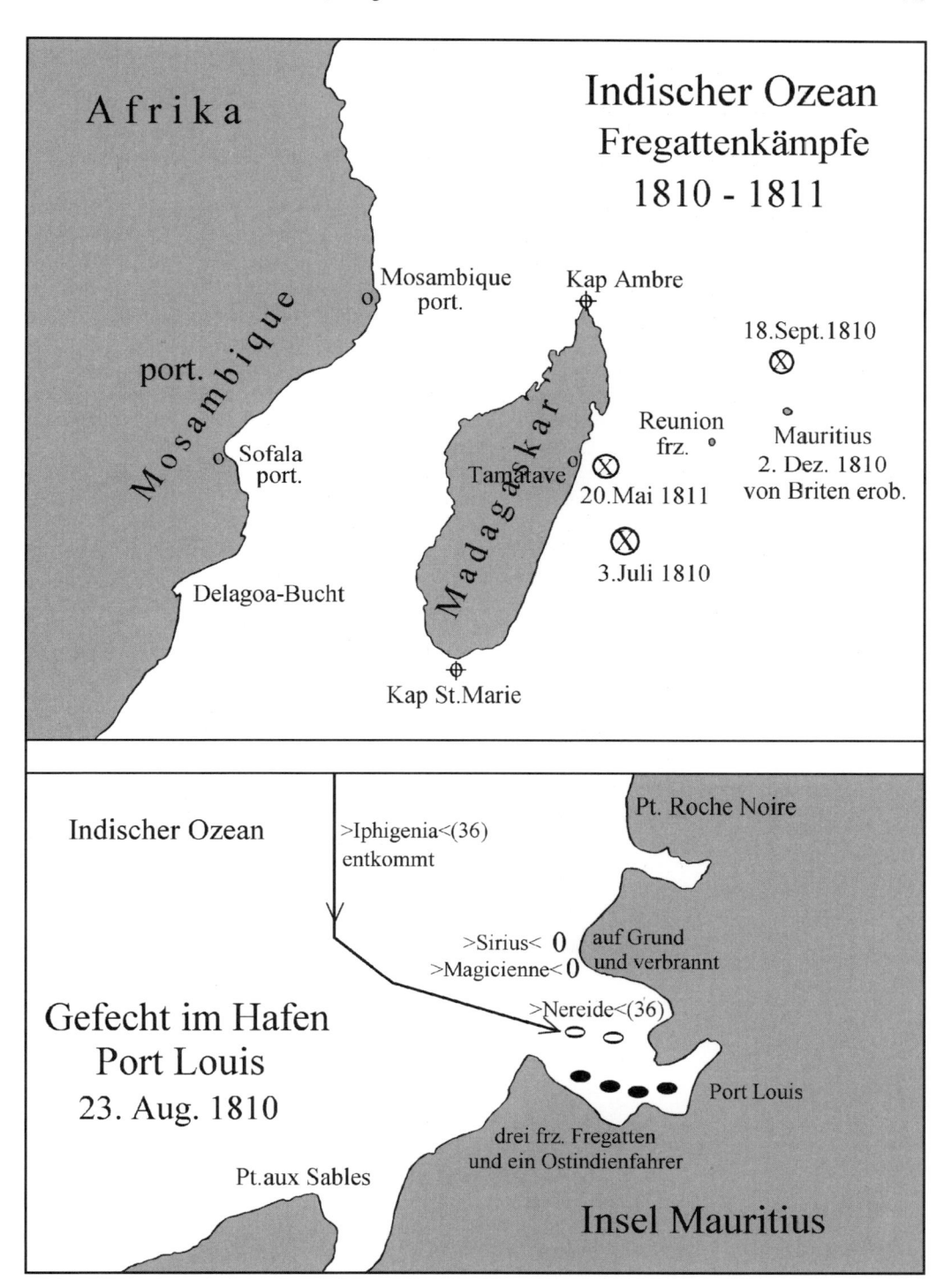

Afrika

Mosambique port.

Kap Ambre

Mosambique port.

18. Sept. 1810 ⊗

Sofala port.

Reunion frz.

Mauritius
2. Dez. 1810
von Briten erob.

Tamatave ⊗
20. Mai 1811

Madagaskar

⊗
3. Juli 1810

Delagoa-Bucht

Kap St. Marie

Gefecht im Hafen Port Louis
23. Aug. 1810

Indischer Ozean

Pt. Roche Noire

>Iphigenia<(36) entkommt

>Sirius< O   auf Grund
>Magicienne< O   und verbrannt

>Nereide<(36)

Port Louis

drei frz. Fregatten
und ein Ostindienfahrer

Pt. aux Sables

Insel Mauritius

	Insel wird nach kurzem Widerstand erobert. Im Hafen fallen den Briten fünf Fregatten und 27 Handelsschiffe in die Hände.
20. Mai 1811	**Gefecht bei Tamatave.** Ein britisches Geschwader von drei Fregatten und einer Sloop stellt drei französische Fregatten. Nach erbitterter Gegenwehr ergibt sich eine französische Fregatte, eine zweite streicht etwas später die Flagge, nur eine kann entkommen.
August– September 1811	**Eroberung von Java.** Eine britische Expeditionsflotte mit den Linienschiffen >Scipion< (74) F, >Illustrious< (74), >Minden< (74), >Lion< (64), 14 Fregatten und Truppentransportern aus Indien unter Konteradmiral Robert Stopford und Generalleutnant Samuel Auchmuty mit 12.000 Mann Heerestruppen erscheint vor Java. Nach sechs Wochen mit zum Teil heftigen Kämpfen ist die Insel erobert.
5. Jänner 1814	**Gefecht bei den Azoren.** Es treffen zwei britische auf zwei französische Fregatten. Nach Kampf wird eine der französischen Fregatten erobert, die zweite kann zunächst entkommen. Nach einem weiteren Monat Handelskrieg trifft sie wieder auf zwei britische Fregatten und muß sich diesen ergeben.
14. Jänner	**Kanarische Inseln.** Nach drei Monaten Handelskrieg treffen zwei französische Fregatten auf das britische Linienschiff >Venerable< (74) und eine Sloop. Nach einer Verfolgung von zwei Tagen werden beide Fregatten erobert.
23. Jänner	**Kap Verde-Inseln.** Es treffen je zwei britische und französische Fregatten aufeinander. Nach längerem Kampf können sich die Franzosen absetzen, sie fallen jedoch bei der Heimkehr dem britischen Blockadegeschwader zum Opfer.
Juni 1815	**Schlacht bei Belle Alliance/Waterloo.** Endgültiges Ende der Herrschaft von Napoleon.
15. Juli	Vor Rochefort ergibt sich Napoleon dem Kommandanten des britischen Linienschiffes >Bellerophon< (74), Kpt. Frederick L. Maitland, der ihn zunächst nach England bringt.
1814–1815	**Wiener Kongreß.** Großbritannien ist der eigentliche Sieger des letzten Krieges. Es bekommt Malta, Ceylon, die Kapkolonie und Helgoland zugesprochen. Auch Rußland und Preußen verzeichnen Gebietszuwächse. Österreich erhält seine verlorenen Gebiete zurück, aber auch das besiegte Frankreich unter den Bourbonen hält seinen Besitzstand.

Die Seekriege in der ersten Hälfte des 19. Jahrhunderts

Seit dem Ende der Napoleonischen Kriege war die britische Flotte die unumschränkte Beherrscherin der Weltmeere, denn es gab keine Flotte, die ihr an Stärke nur annähernd gleichwertig war. Ihre Hauptaufgaben in dieser Zeit waren der Schutz des britischen Welthandels und die Durchsetzung des Freihandelsprinzips. Großbritannien hatte sich unmittelbar nach den letzten Kriegen vom alten System des Handelsmonopols abgekehrt. Die durch die **industrielle Revolution** ihren Konkurrenten auf dem Festland weit überlegenen britischen Fabrikanten und Kaufleute wollten ihre Mitbewerber im offenen Konkurrenzkampf vom Markt fernhalten oder von dort verdrängen. Schließlich wurde 1849 die seit 1651 bestehende Navigationsakte aufgehoben und sogar der Küstenverkehr um die Britischen Inseln wurde für alle Schiffahrt freigegeben. Der Schmuggel kam dadurch rasch zu einem Ende.

Der **Antrieb mit Dampfmaschinen** begann sich auch bei den Kriegsschiffen durchzusetzen. Zunächst waren die schwachen und störanfälligen Schiffsmaschinen mit ihrem großen Kohleverbrauch bei den großen Kriegsschiffen nur Hilfsantrieb zum Manövrieren in engen Gewässern, für taktische Manöver und bei Windstille. Bei den kleinen Schiffen bewährte sich der neue Antrieb, zunächst über Schaufelräder, später mit dem Propeller schnell. Als Schlepper in Häfen und Flußmündungen waren sie bald unentbehrlich. Vorläufig beherrschten aber noch die großen Linienschiffe und Fregatten die Hohe See.

In allen Teilen der Welt gab es in diesen Jahrzehnten eine Reihe von **lokalen Konflikten**, in denen neben den Flotten der Großmächte auch die Kriegsmarinen der neu entstehenden Staaten aktiv waren.

Die **Unabhängigkeitskriege in Lateinamerika** hatten schon während der Napoleonischen Kriege begonnen. Nach dem Regierungswechsel in Spanien (1808) sagten sich die südamerikanischen Provinzen von Napoleons Bruder, König Joseph Bonaparte, los und führten die Verwaltung zunächst im Namen des entmachteten Königs Ferdinand VII. Bald erlangten jedoch die Republikaner immer stärkeren Einfluß und eine Provinz nach der anderen erklärte endgültig die Unabhängigkeit. Nach der Befreiung Spaniens von den Franzosen schickte dieses ab 1814 Expeditionen nach Südamerika und versuchte die verlorenen Besitzungen zurückzugewinnen. Trotz mehrfacher Anstrengungen konnte das durch innere Unruhen geschwächte Spanien nicht die nötigen Streitkräfte und den Durchsetzungswillen aufbringen, um die Revolten niederzuschlagen. Vor allem konnte die Flotte nicht die unumgängliche Seeherrschaft in den Gewässern um Südamerika sicherstellen, ohne die ein Erfolg auf längere Sicht ausgeschlossen war. So konnten die neuen Staaten mit heimlicher Unterstützung aus den USA und von Großbritannien eigene Seestreitkräfte anschaffen, die bald die Gewässer um Südamerika beherrschten und dadurch den Sieg der Revolution sicherstellten.

Bald darauf erhob sich auch **Brasilien** gegen das portugiesische Mutterland und wurde zunächst als Kaiserreich mit einer portugiesischen Dynastie ein unabhängiger Staat.

Mexiko errang zwar vorerst ohne große Schwierigkeiten die Unabhängigkeit, hatte aber bald große innere und in der Folge auch äußere Probleme. Ab 1835 erfocht der Teilstaat Texas seine Unabhängigkeit, wobei mehrfach kleine Flottillen von Küstenfahrzeugen auf beiden Seiten zum Einsatz kamen. Wegen Übergriffen zu Lasten von französischen Bewohnern beschoß 1838 ein französisches Geschwader die Seefestung San Juan d'Ulloa und als die USA die Schwäche Mexikos benützten und Texas mit dessen Einwilligung annektierten, erklärte Mexiko 1836 den Krieg. Ohne eigene Flotte konnte Mexiko seine Küsten nicht verteidigen, die US-

Marine beherrschte sowohl den Golf von Mexiko als auch die Küsten am Stillen Ozean. Als Folge dieses Krieges mußte Mexiko seine nördlichen Provinzen an die Vereinigten Staaten abtreten, die dadurch um Kalifornien, New Mexico, Arizona, Nevada und Utah vergrößert wurden.

Die instabilen Verhältnisse in den neuen Staaten führten auch in **Südamerika** zu Folgekämpfen. In den zwanziger Jahren gerieten Brasilien und Argentinien in Streit um das heutige Uruguay (eine Fortsetzung des Konflikts zwischen Spanien und Portugal). Gegen Diktator Rosas von Argentinien, der die Unabhängigkeit von Paraguay und Uruguay nicht anerkennen wollte, mußten schließlich britische und französische Seestreitkräfte eingreifen und die Sicherheit am Rio de la Plata und dessen Zuflüssen sicherstellen. Um die Gewässer um das südliche Südamerika besser überwachen zu können, okkupierte Großbritannien die argentinischen Falkland/Malvinas-Inseln, die schwache argentinische Garnison zog kampflos ab. Argentinien hat bis heute (2002) seine Besitzrechte nicht aufgegeben.

Im **Mittelmeerraum** kam es in diesen Jahrzehnten ebenfalls zu revolutionären Auseinandersetzungen, bei denen Seestreitkräfte auch der Großmächte eine Rolle spielten. Zunächst mußten diese gegen die Piraterie der **Barbareskenstaaten** eingesetzt werden. Schon ein Jahr nach dem Wiener Kongreß beschoß ein britisch-niederländisches Geschwader Algier, doch erst nach der Eroberung der Stadt durch die Franzosen 1830 war der Seeräuberei von dort ein Ende gesetzt. Die französische Flotte hatte sich überhaupt nach den Napoleonischen Kriegen bald wieder erholt und ermöglichte Frankreich eine aktivere Außenpolitik. Nach der Beschießung von Tanger und Mogador durch ein französisches Geschwader 1844 schrieb der Flottenkommandant Prinz von Joinville, der Sohn des Königs, einen Artikel, daß es den Dampfschiffen der Flotte jederzeit möglich sei, den Ärmelkanal zu überqueren. Dieses Herausstreichen einer Invasionsmöglichkeit sowie die Besetzung von Tahiti im Stillen Ozean führten zu vorübergehenden Spannungen mit Großbritannien.

Auf der Iberischen Halbinsel kam es 1823 in **Spanien** zu einer Fortsetzung der revolutionären Kämpfe, deren Ursachen auf das Jahr 1808 zurückgingen. Französische Streitkräfte unterstützten den spanischen König bei seiner restriktiven Politik und halfen, die republikanischen Erhebungen niederzuschlagen. Französische Geschwader waren dabei vor Cádiz im Einsatz.

In **Portugal** kam es nach dem Tod von König Johann IV. 1826 zu Erbfolgestreitigkeiten, die in einen regelrechten Bürgerkrieg mündeten. Der Regent Dom Miguel konnte ganz Portugal sowie die Flotte unter seine Kontrolle bringen. Die rechtmäßige Thronfolgerin Maria wurde von Brasilien unterstützt und konnte sich zunächst auf den Azoren halten. Britische Seeoffiziere stellten für sie Seestreitkräfte auf, die der portugiesischen Flotte zunächst jedoch klar unterlegen waren. Erst als die französische Flotte einen Teil der Kriegsschiffe des Regenten von Lissabon als Prisen nach Brest entführte, konnten die Seestreitkräfte von Maria zur Offensive übergehen und in der Seeschlacht bei Kap St. Vincent die Seeherrschaft erringen. Dom Miguel mußte schließlich die Herrschaft an Maria II. (1834–1853) übergeben.

Im Jahr 1830 revoltierte das seit dem Wiener Kongreß mit den Niederlanden vereinigte heutige **Belgien** und erklärte sich für unabhängig. Als die Niederländer mit der Rückeroberung begannen, Antwerpen belagerten und schließlich die Schelde blockierten, griff Frankreich in die Kämpfe ein. Die Flotte hob die Blockade der Schelde auf, britisch-französische Seestreitkräfte befreiten Antwerpen und die Niederländer mußten schließlich die Unabhängigkeit von Belgien anerkennen.

Im Revolutionsjahr 1848 erhoben sich mit Unterstützung von Preußen die überwiegend deutschen Provinzen von Dänemark, **Schleswig und Holstein**. Da die dänische Flotte die See beherrschte und Großbritannien, Schweden sowie Rußland an der Seite Dänemarks einzugreifen drohten, mußten die deutschen Bundestruppen die Unterstützung einstellen. Der Friedensvertrag vertagte nur die Frage auf die nächste Auseinandersetzung. Die Küsten von Preußen/ Deutschland waren ohne eine eigene nennenswerte Flotte der Blockade durch ein selbst so kleines Land wie Dänemark hilflos ausgeliefert und es begann eine preußisch/deutsche Flottenrüstung.

Neben den großen Seemächten hatten auch die kleineren Nationen immer wieder mit den Barbareskenstaaten Kämpfe zu bestreiten. Ein österreichisches Geschwader beschoß 1829 die Küste von Marokko als Vergeltung für Übergriffe auf Handelsschiffe. Es war dies das erste international beachtete Auftreten der jungen Flotte, welche die Nachfolge der Tradition der Republik Venedig anzutreten strebte. Durch den Besitz der Gebiete der früheren Republik Venedig in der Adria und an der Küste von Dalmatien bis zum Golf von Cattaro/Kotor verfügte **Österreich** über einen großen, seeerfahrenen Bevölkerungsanteil. Seine Handelsflotte, vor allem der Österreichische Lloyd von Triest, dominierte bald den Seetransport in der Levante. Mit dem jungen, viel zu früh verstorbenen Erzherzog Friedrich als Flottenkommandant (1844–1847) wurde die österreichische Kriegsmarine im eigenen Land hoffähig und nahm in der Folge einen kontinuierlichen Aufschwung. Bei den Kämpfen in der Levante spielte sie in diesen Jahrzehnten eine nicht unbedeutende Rolle.

Die bedeutendsten Kämpfe zur See zu dieser Zeit ereigneten sich im Zuge des **griechischen Unabhängigkeitskrieges**. Die Griechen hatten sich 1821 gegen die türkische Fremdherrschaft erhoben und einige beachtliche Anfangserfolge errungen. Ein dauernder Erfolg des Aufstandes war nur mit der Seeherrschaft in der Ägäis möglich. Die türkische Flotte war an Zahl der Schiffe und deren Größe jedoch übermächtig und hätte die Seeherrschaft leicht ausüben können. Ihre Linienschiffe waren jedoch nicht mit den besten Besatzungen bemannt, denn der Seehandel im Osmanischen Reich war in der Hand der griechischen Bevölkerung, die sich nun im Aufstand befand. Die Türken hatten daher keine Personalreserven, und die Griechen konnten ihre kleinen Küstensegler zu Kriegsschiffen umrüsten, die nun in großer Zahl die großen türkischen Kriegsschiffe angriffen.

Vor allem wurden die griechischen Brander mit Erfolg eingesetzt, so daß die türkischen Linienschiffe sich kaum mehr in die Ägäis wagten. Die griechischen Freibeuter leisteten sich in der Folge immer mehr Übergriffe auf die neutrale Handelsschiffahrt, zu deren Schutz österreichische Kriegsschiffe und auch solche anderer Nationen immer häufiger eingreifen mußten.

Im Jahr 1824 schienen die Flottillen der Griechen die Oberhand über die türkische Flotte zu erlangen. Sultan Mahmud II. (1808–1839) ersuchte daher seinen mächtigen Vizekönig von Ägypten, Mohammed Ali, mit seiner starken Flotte und Heerestruppen die Halbinsel der Peloponnes wieder zu unterwerfen, wofür er ihm die Verwaltung von Kreta zusicherte.

Die **ägyptische Flotte** begann sofort eine Offensive in der Ägäis und 1825 landete ein starkes Heer unter Mohammeds Sohn Ibrahim Pascha bei Modon/Methoni. Der Golf von Navarin/Pylos wurde daraufhin der Hauptstützpunkt für die türkisch-ägyptische Flotte in der Ägäis. Die Intervention eines britisch-französisch-russischen Geschwaders zugunsten der Griechen führte schließlich zu der Seeschlacht im Golf von Navarin, die den Seekrieg entschied und schließlich die Unabhängigkeit von Griechenland brachte.

Es kam noch zu einem weiteren Krieg der Türkei gegen **Rußland** (1828–1829) mit einigen Operationen im Schwarzen Meer. Die Pforte mußte danach das Donaudelta und die Ostküste des Schwarzen Meeres an Rußland abtreten und 1832 die Unabhängigkeit von Griechenland anerkennen.

Wenige Jahre vorher hatte Rußland einen Krieg gegen **Persien** siegreich beendet und dabei das Kaspische Meer bis auf dessen Südküste unter seine Kontrolle gebracht. Persien durfte dort keine Seestreitkräfte mehr unterhalten und war zu einem bedeutungslosen Staatswesen abgesunken.

Nach der Schwächung der Türkei im letzten Krieg sagte sich **Ägypten** vom Osmanischen Reich praktisch los und konnte sogar Syrien mit der Küste der Levante erobern. Es wurde dabei von Frankreich unterstützt, worauf Großbritannien sich der Türkei zuwandte, um deren Auflösung vor dem Zangenangriff von Norden (Rußland) und Süden (Ägypten/Frankreich) zu verhindern. Die Osmanen versuchten 1839 bis 1841 Syrien wieder zurückzuerobern, erlitten dabei aber einen peinlichen Rückschlag, als fast die ganze türkische Flotte nach Alexandria segelte und zu den Ägyptern überging. Großbritannien begann daraufhin mit einer aktiven Unterstützung der Türkei, sein Mittelmeergeschwader half den Türken bei der Eroberung der Küstenplätze, auch ein kleines österreichisches Geschwader war an den Aktionen beteiligt. Gleichzeitig besetzten britische Seestreitkräfte die strategisch wichtige Insel Kharg vor der Mündung des Schatt al-Arab in den Persischen Golf, die aber nach den Kämpfen wieder geräumt wurde. Außerdem besetzten die Briten den Stützpunkt Aden an der Einfahrt in das Rote Meer, der bis nach dem Zweiten Weltkrieg in ihrem Besitz verblieb. Mohammed Ali mußte schließlich Syrien räumen, die Integrität des Osmanischen Reiches war bis zum Ersten Weltkrieg noch einmal erhalten.

Die Piraterie der Sultanate an der Südküste des **Persischen Golfes** hatte eine alte Tradition. Nach der Verlegung des Herrschersitzes des Sultans von Oman 1840 nach Sansibar und dem Niedergang des Persischen Reiches um die gleiche Zeit fehlte eine lokale Macht zur Kontrolle des Seehandels im Persischen Golf. Die Briten wurden dort als Fremdherrscher betrachtet und ihr Auftreten führte immer wieder zu Zusammenstößen. Diese wurden von den Briten als Piraterie, von den Arabern als Übergriffe in ihre Rechte betrachtet. Ein kleines britisches Geschwader griff schließlich die arabischen Stützpunkte an der „Piratenküste", den heutigen Arabischen Emiraten (2002), an, worauf es zum Abkommen mit den „Vertragsstaaten" kam. Danach übernahm die britische Ostindische Kompanie, unterstützt von der Royal Navy, die Aufsicht über die Gewässer des Persischen Golfes, bei weitestgehender Unabhängigkeit der dortigen Emirate. Dieses Abkommen sollte sich lange bewähren und wurde erst 1971 mit der Bildung der „Vereinigten Arabischen Emirate" aufgekündigt.

Als „Polizist der Weltmeere" wandte **Großbritannien** nun auch den Zuständen in den Gewässern von Südostasien verstärkt seine Aufmerksamkeit zu. Zur Kontrolle der Straße von Malakka wurde 1819 die Insel Singapur besetzt und anschließend zur stärksten Seefestung des britischen Empires ausgebaut. Schließlich wurde die ganze Halbinsel Malakka Schritt für Schritt erworben, in mehreren Kriegen wurde Burma, das heutige Myanmar, erobert, wobei leichte Seestreitkräfte aus Indien, darunter der erste Dampfer im Kriegseinsatz, an der Küste und am Irrawaddy Verwendung fanden.

In China kam es von 1839 bis 1842 zum ersten **Opiumkrieg,** der aus dem gänzlichen Nichtverstehen zwischen Europäern und Chinesen resultierte. Die Kriegsdschunken der Chinesen waren dabei für die Kriegsschiffe der britischen Marine kein ebenbürtiger Gegner. Sie wurden oft von den für die engen Küstengewässer bestimmten leichten Fahrzeuge der Europäer in großer Zahl zusammengeschossen. Hongkong wurde in diesem Krieg von Großbritannien erworben und war bis 1997 britisches Pachtgebiet. Ab 1849 kam es in China und auch in Indochina wegen der **Taiping-Revolution** mehrfach zum Eingreifen von britischen und französischen Seestreitkräften in die Kämpfe. Diese Revolution erschütterte China in seinen Grundfesten und führte schließlich zu Beginn des 20. Jahrhunderts zum Ende des letzten Kaiserreiches in China.

Großbritannien dehnte seinen Einfluß auch über weite Gebiete des **Stillen Ozeans** aus. Es begann die Erschließung und Besiedelung von Australien und seit 1840 ist Neuseeland britischer Besitz. Dort kam es 1843 zu einem Aufstand der Maoris, der zu einem fünfjährigen Krieg führte, in dem leichte britische Seestreitkräfte und die Kriegskanus der Maoris zum Einsatz kamen.

In der weiten Inselwelt von Insulinde und vor den Küsten Chinas hatte die **Piraterie** während der Napoleonischen Kriege wieder unerträgliche Formen angenommen. Spanien hatte gegen die aufständischen Moros/Mohammedaner auf den südlichen Philippinen einen ständigen Kleinkrieg zu führen, wobei niemand entscheiden konnte, was Freiheitskrieg und was schon Seeräuberei war (wie noch heute – 2002 – bei den selbständigen Philippinen). Mit niederländischer und britischer Unterstützung konnte schließlich die Seeräuberei im heutigen Indonesien weitgehend unterbunden werden. Vor der Küste Chinas waren das gesamte 19. Jahrhundert britische Kanonenboote gegen die Piraten im Einsatz.

Auch in der **Karibik** waren zahlreiche Freibeuter, die während der Unabhängigkeitskriege mit Kaperbriefen legal Seekrieg geführt hatten, nach dem Ende der Kriege zu reiner Seeräuberei übergegangen. Sie mußten erst von den Kriegsschiffen der US-Navy und der Briten aus ihren zahlreichen Schlupfwinkeln in Westindien vertrieben werden. Erst als sich auch Spanien an deren Bekämpfung beteiligte, konnten sie aufgerieben werden, da ihnen nun auch Kuba und Puerto Rico verschlossen waren.

Einer der Beschlüsse des Wiener Kongresses 1815 war die **Ächtung der Sklaverei**, die in den folgenden Jahren von allen Kulturnationen abgeschafft wurde. Nach dem Verbot des Sklavenhandels durch Großbritannien 1833 begann die britische Flotte auf die Schiffe der Sklavenhändler Jagd zu machen, wobei sie ab ca. 1840 auch von den anderen Seemächten wie den USA und Frankreich unterstützt wurde. Eine große Anzahl an Sklaventransportern wurde vor allem im Atlantik aufgebracht und bis 1860 war der Sklavenhandel zur See praktisch unterbunden.

In der Kunst herrschte in diesem Zeitabschnitt der **Klassizismus** vor, in Frankreich dominierte die Variante des Empire. Auf das Barock und das noch schwülstigere Rokoko kehrte man wieder zu den klaren Formen des klassischen Altertums zurück. Dies kam gerade der Architektur sehr entgegen. Es entstand eine Reihe von Bauten, die noch mehr als jene der Renaissance sich an die Bauten der klassischen Antike anlehnten. Für das 19. Jahrhundert wären zu nennen die Neue Wache in Berlin (1816–1818), die Residenz in München (1837–1842), Schloß Charlottenhof in Potsdam (1826ff) oder die Frauenkirche in Kopenhagen (1811).

Beispiele für die Neugotik sind die Votivkirche in Wien, die Apollinariskirche in Remagen und das Parlamentsgebäude in London, für die Neurenaissance die Glyptothek in München, das Opernhaus in Dresden und das Wiener Burgtheater.

Vor dem Schiffbau setzte sich der Bau mit **Eisen und Stahl** an Land durch. Brücken sind jene über den Severn in England (1777–1779), die Firth of Forth Brücke (1882–1889), die Brooklyn-Brücke in New York (1870–1883) und die Tower-Brücke in London (1886–1894). Weitere Eisenkonstruktionen sind das Riesenrad (1897) in Wien und der Eiffelturm in Paris (1889).

Persischer Golf. Die Araber vom Stamm der Wahabiten unterhalten eine Flotte von rund 60 größeren Schiffen mit bis zu je 50 Kanonen und zahlreiche kleinere Fahrzeuge. In diesem Jahr greift die britische Ostindische Kompanie *November 1809* mit einem starken Geschwader von 50 Schiffen, darunter zwei Fregatten der Royal Navy, sowie mit Heerestruppen und der Unterstützung von Oman den Hauptstützpunkt der Wahabiten, Ras al Khaimah, innerhalb der Enge von Hormus an, wo gerade die meisten Schiffe liegen. Nach hartem Kampf wird der Platz erobert und die Schiffe der Araber zerstört.

1811 **Gefecht vor Bizerta.** In einer Auseinandersetzung zwischen Algerien und Tunis vernichtet das Geschwader von Algerien mit vier Fregatten, zwei Briggs und zwei Kanonenbooten unter Hamidou Reis die Flottille des Beis von Tunesien.

1808–1827 Unabhängigkeitskämpfe der spanischen Kolonien in Südamerika

In Südamerika kommt es nach der Okkupation Spaniens durch die Franzosen im Jahr 1808 zu ersten Erhebungen, die bald zum gänzlichen Aufstand führen.

1810–1823 Unabhängigkeitskampf im Vizekönigreich Neugranada

Die Junta in Bogota sagt sich 1810 von Spanien los und kann unter Gen. Miranda zunächst das heutige Kolumbien befreien. Die Eroberung von Venezuela scheitert vorerst. Ab 1814 muß sich Neugranada gegen den spanischen Gegenangriff verteidigen. Durch die Eroberung von Quito 1822 ist der Kampf unter der Führung von Simon Bolivar für die Südamerikaner entschieden.

25. und 26. März 1812 **Gefecht am Orinoko.** Ein Geschwader der Königlichen in Stärke von 16 Fahrzeugen unter Francisco Echevarria greift bei Sorondo am Orinoko das in einer starken Stellung liegende Geschwader der Aufständischen an. Nach zwei Tagen sind diese niedergekämpft und zwei Batterien am Ufer erobert. Die Aufständischen verlieren fast 1000 Mann an Toten, Verwundeten und Gefangenen. Der Vorstoß der Aufständischen flußabwärts ist gestoppt.

Küstengebiet. Einige spanische Stützpunkte wie das starke Puerto Bello können sich mit Hilfe der königlichen Küstenwachflottille gegen die Aufständischen halten. In den folgenden Jahren werden sie aus fast ganz Venezuela wieder vertrieben.

1814 **Gegenangriff.** Spanien bringt aus der Heimat ein Geschwader von 18 Kriegsschiffen, das 42 Truppentransporter mit 10.000 Mann Heerestruppen geleitet, nach Neugranada, um die Aufständischen endgültig zu unterwerfen. Nach ersten Erfolgen der Spanier wie der Eroberung der Insel Margerita und der Eroberung von Cartagena in Kolumbien (1815) verstärken die Aufständischen ihre Seerüstung.

1816 **Venezuela.** Das in Jamaika aufgestellte Geschwader der Aufständischen unter dem Kreolen Luis Brión erobert die Insel Margerita zurück und unterstützt das Heer bei der Eroberung der Stadt Angostura/Ciudad Bolivar am Unterlauf des Orinoko.

10. August 1819 **Landkrieg.** Dieser wird durch Simon Bolivar mit der Einnahme von Bogota für die Aufständischen entschieden. Am 4. Juli 1821 ergibt sich auch die Stadt Caracas und am 26. September 1821 muß sich Cartagena ergeben.

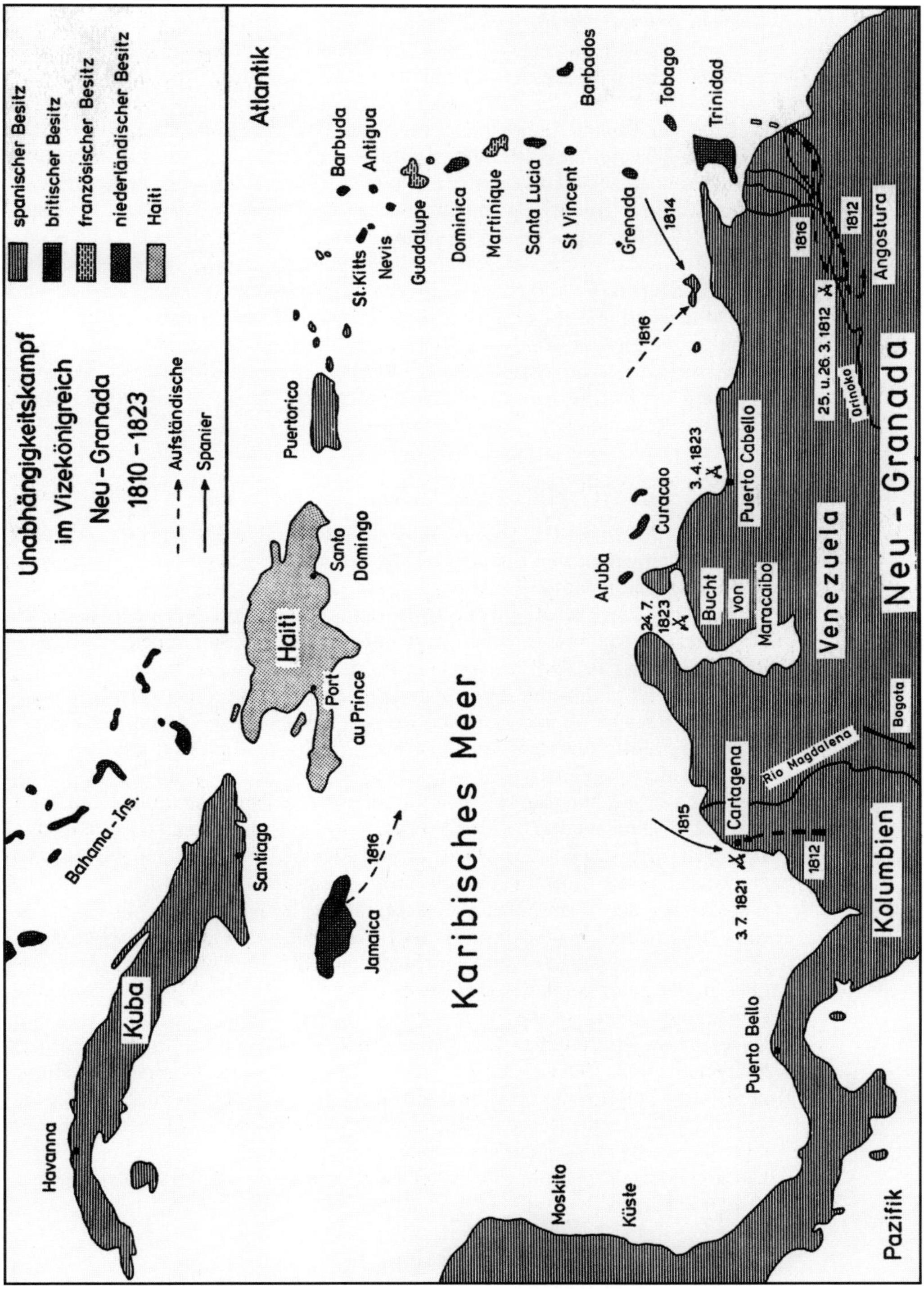
Unabhängigkeitskampf im Vizekönigreich Neu-Granada 1810–1823
Aufständische
Spanier
spanischer Besitz
britischer Besitz
französischer Besitz
niederländischer Besitz
Haiti
Atlantik
Kuba
Havanna
Bahama-Ins.
Santiago
Jamaica
1816
Haiti
Port au Prince
Santo Domingo
Puertorico
St. Kitts
Nevis
Barbuda
Antigua
Guadalupe
Dominica
Martinique
Santa Lucia
St Vincent
Barbados
Grenada
Tobago
Trinidad
1814
1816
Karibisches Meer
Aruba
Curacao
24. 7. 1823
Bucht von Maracaibo
3. 4. 1823
Puerto Cabello
Venezuela
25. u. 26. 3. 1812
Orinoko
1816
1812
Angostura
Neu - Granada
Cartagena
1815
3. 7. 1821
1812
Rio Magdalena
Bogota
Kolumbien
Puerto Bello
Moskito Küste
Pazifik

3. Juli 1821	**Gefecht bei Cartagena.** Die Aufständischen erobern drei der dort liegenden vier spanischen Fahrzeuge. Die starke Seefestung muß sich schließlich am 22. September ergeben. Der letzte bedeutende Stützpunkt der Spanier ist der Marinehafen Puerto Cabello.
3. April 1823	**Gefecht vor Puerto Cabello.** Eine spanische Fregatte und eine Korvette unter Kpt. Laborde greifen die Blockadeflottille der Aufständischen vor dem Hafen an und können zwei Korvetten erobern, die kleineren Fahrzeuge entkommen.
24. Juli	**Gefecht in der Bucht von Maracaibo.** Die Flotte der Aufständischen in Stärke von 19 Fahrzeugen mit 96 Geschützen und fast 2000 Seeleuten und Soldaten trifft auf die spanische Flottille mit 67 Geschützen und 1200 Mann Besatzung. Die Spanier verlieren rund die Hälfte ihrer Stärke und müssen die Bucht von Maracaibo und später auch Puerto Cabello räumen, womit sie ihre letzten Besitzungen im ehemaligen Vizekönigreich Neugranada verlieren.
18. November 1823	**Mexiko.** Die Spanier müssen die Seefestung San Juan d'Ulloa vor der Küste bei Vera Cruz räumen. Ihre Seeherrschaft im Golf von Mexiko erhält ihnen aber den Besitz von Kuba und Puerto Rico.

1810–1814 Unabhängigkeitskampf im Vizekönigreich La Plata

In Buenos Aires wird 1810 eine provisorische Junta gebildet, die schließlich die Unabhängigkeit von Spanien erklärt. Sie regiert zunächst noch im Namen von König Ferdinand VII. und beginnt mit der Aufstellung einer eigenen Flotte, welche die Herrschaft am Rio de la Plata erringen soll. Nach der Absetzung des Vizekönigs kommt es zunächst zu einigen Geplänkeln mit den Schiffen der Spanier, denen bald der Entscheidungskampf zur See folgen soll.

1810	**Paraguay.** Es bildet sich dort eine eigene Junta, die ihre Unabhängigkeit sowohl von Spanien als auch von Buenos Aires erklärt. Der Vorstoß einer argentinischen Flußflottille den Parana aufwärts Richtung Asuncion kann an dieser Tatsache nichts ändern.
2. März 1811	**Gefecht bei San Nicolas.** Die erste Flottille von Argentinien, drei kleine Schiffe mit 33 Kanonen und 200 Mann Besatzung, wird am Parana von einem etwas stärkeren spanischen Geschwader aufgerieben. Die Spanier blockieren dann zeitweise Buenos Aires und nehmen es mehrmals unter Beschuß.
10. und 11. März 1814	**Gefecht bei der Insel Martin Garcia.** An der Mündung des Rio Parana erringt Commodore William/Guillermo Brown mit sieben argentinischen Schiffen, darunter bereits eine Fregatte und eine Korvette, seinen ersten Seesieg über ein etwas schwächeres spanisches Geschwader. Brown blockiert anschließend die Spanier in Montevideo.
17. Mai	**Gefecht vor Montevideo.** Das Geschwader der Argentinier in Stärke von elf Fahrzeugen mit 190 Geschützen und 1550 Mann unter Commodore Brown greift die Königlichen vor Montevideo an. Letztere verfügen über 13 Fahrzeuge mit 150 Geschützen und 1180 Mann und erleiden eine vernichtende Niederlage. Ihre Reste müssen das Gebiet des La Plata räumen.

Die argentinische Junta erklärt zwei Jahre später ihre gänzliche Unabhängigkeit von Spanien.

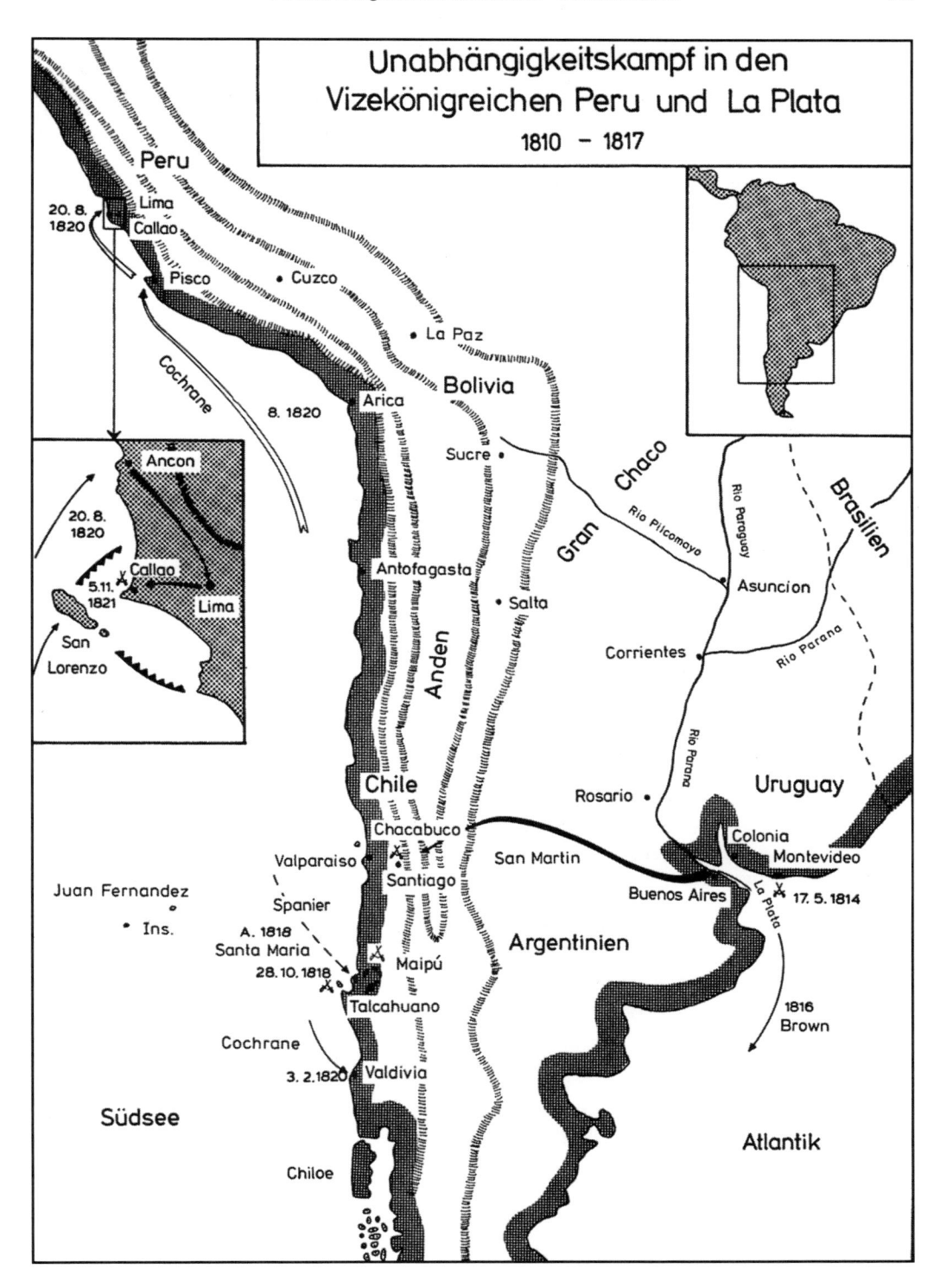

Unabhängigkeitskampf in den Vizekönigreichen Peru und La Plata
1810 – 1817

9. Juli 1817– 14. Juli 1819	**Kaperfahrt.** Die argentinische Fregatte >La Argentina< (34) unter Kpt. Bouchard unternimmt eine Kaperfahrt gegen Spanien. Sie überquert den Südatlantik, kreuzt im Indischen Ozean, blockiert Manila, besucht die Hawaii-Inseln, blockiert die spanischen Häfen an der Pazifikküste von Nordamerika und beendet ihre Fahrt in Valparaiso. Eine Reihe weiterer privat ausgerüsteter Freibeuterschiffe unternimmt Kreuzfahrten bis vor die Küste von Spanien und zu den Philippinen.
1810–1827	**Unabhängigkeitskampf im Vizekönigreich Peru**
	In der Provinz Chile erfolgen erste Aufstände und Kämpfe zwischen den Republikanern und den Königlichen. Durch Einsatz von Truppen aus Peru können die Spanier die Erhebung 1814 zunächst niederwerfen. Entscheidend für die Unabhängigkeit von Chile ist daher die Seeherrschaft vor seinen Küsten. Peru bleibt zunächst fest in der Hand der Spanier.
Anfang 1816	**Peru.** Ein Geschwader aus Argentinien von zwei Korvetten und einigen kleinen Fahrzeugen unter dem Flottenbefehlshaber Konteradmiral William Brown unternimmt eine Kaperfahrt an die Westküste Südamerikas, macht dort mehrere Prisen, greift den Hafen Callao mit wenig Erfolg an und muß sich von Guayquil mit Verlusten zurückziehen. Brown gerät sogar vorübergehend in Gefangenschaft.
1817	**Chile.** General San Martin siegt in der Landschlacht bei Chacabuco am 12. Februar über die Königlichen und sichert damit Chile die Unabhängigkeit, um die es aber noch einige Jahre kämpfen muß. Spanische Truppenlandungen bei Talcahuano bringen diesen zunächst Erfolg, die Niederlage bei Maypu am 5. April 1818 macht ihre Position aber unhaltbar. Innerhalb eines Jahres kann Chile durch Ankauf ein Geschwader mit dem Linienschiff >San Martin< (64, ex >Cumberland<), der Fregatte >Lautaro< (ex >Windham<), einer Korvette und drei kleinen Fahrzeugen unter Gen. Manuel Blanco Encalada aufstellen.
28. Oktober 1818	**Gefecht bei der Insel Santa Maria.** Bei dieser Insel vor der Bucht von Coronel erobert Blanco Encalada mit seinem Geschwader einen spanischen Geleitzug von fünf Truppentransportern und dazu auch die begleitende Fregatte >Maria Isabel< (50) mit Verstärkungen aus Spanien. Es ist der erste größere Seesieg der jungen chilenischen Flotte, die nun die Seeherrschaft vor der Küste besitzt. Kurz darauf wird der Engländer Lord Thomas Cochrane neuer Flottenbefehlshaber von Chile (bis 1823).
Anfang 1819	**Peru.** Cochrane nimmt ab März die Blockade der peruanischen Küste auf und unternimmt mehrere waghalsige Angriffe auf die spanischen Schiffe im Hafen von Callao.
3. Februar 1820	**Südchile.** Cochrane erobert mit zwei Fregatten im Handstreich die bis dahin noch spanische Hafenstadt Valdivia, wo er 128 Kanonen und große Kriegsvorräte in Besitz nimmt.
20. August	**Peru.** Die chilenische Flotte mit dem Linienschiff >San Martin< (64), zwei Fregatten, einer Korvette und drei Fahrzeugen unter Cochrane geleitet 14 Trup-

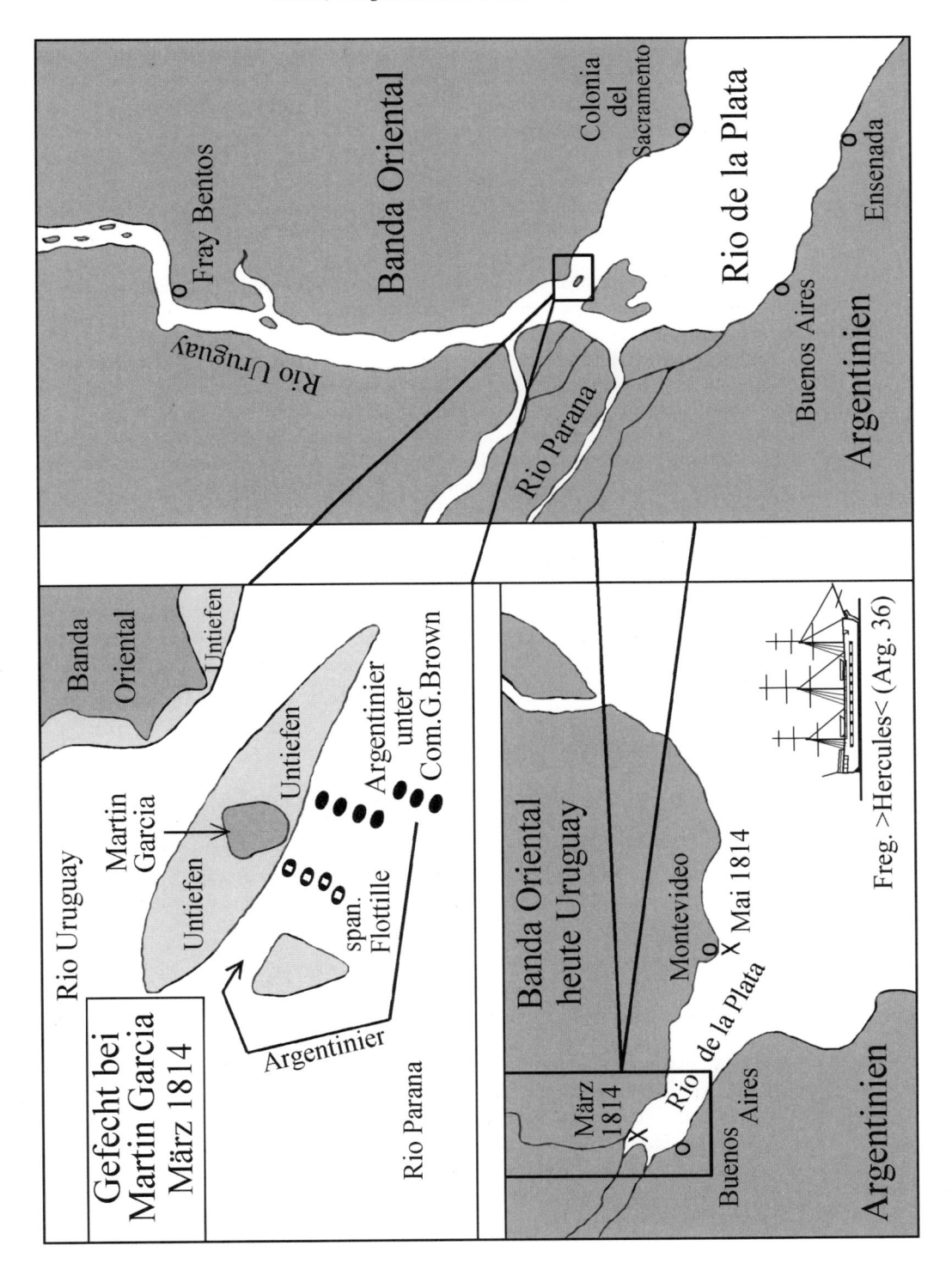

Pemsel, Weltgeschichte der Seefahrt – Seeherrschaft II   755

Fray Bentos
Rio Uruguay
Banda Oriental
Colonia del Sacramento
Rio Parana
Rio de la Plata
Buenos Aires
Ensenada
Argentinien

Gefecht bei Martin Garcia März 1814

Rio Uruguay
Banda Oriental
Untiefen
Martin Garcia
Untiefen
Untiefen
Argentinier unter Com. G. Brown
span. Flottille
Argentinier
Rio Parana

Banda Oriental heute Uruguay
Montevideo
X Mai 1814
März 1814 X
Rio de la Plata
Buenos Aires
Argentinien

Freg. >Hercules< (Arg. 36)

pentransporter mit einem Expeditionsheer von 5000 Mann nach Peru, um es den Spaniern zu entreißen. Die erste Landung bei Pisco, südlich von Lima, bringt keinen Fortschritt. Cochrane nimmt die Truppen wieder an Bord und setzt sie bei Ancon, knapp nördlich von Lima, erneut an Land. Die Flotte richtet auf der Insel San Lorenzo vor Callao einen Stützpunkt ein und beginnt erneut mit der Blockade der Küste von Peru.

5. November **Nachtangriff.** Mit den Beibooten der Flotte erobert Cochrane mitten im Hafen von Callao unter den Kanonen der Forts die spanische Fregatte >Esmeralda< (44).

1821 **Flottengründung.** Die Spanier müssen zunächst Lima, später auch den Hafen Callao räumen und sich in das Hochland zurückziehen. Cochrane kehrt daraufhin nach Chile zurück. Die Republikaner von Peru gründen in Lima mit eroberten spanischen und angekauften Schiffen eine erste eigene Flotte von zwei Fregatten, zwei Korvetten und einigen kleineren Fahrzeugen unter Vizeadmiral Guise.

Jänner 1825–Jänner 1826 **Peru.** Nach der Ernennung von Simon Bolivar zum Diktator von Peru geht die Seefestung Callao wieder zu den Spaniern über. Sie wird daraufhin von der See aus von einem peruanisch-chilenischen Geschwader blockiert und muß sich nach einem Jahr Belagerung ergeben.

1823–1826 **Kaperkrieg.** Von der Insel Chiloe im Süden von Chile führen die Spanier zeitweise einen Kaperkrieg in den Gewässern vor Chile und Peru bis zur Eroberung der Insel durch die chilenischen Truppen.

1827 **Verlust.** Die spanische Flotte ist damit endgültig aus den Gewässern vor der Westküste von Südamerika vertrieben, sie besitzt dort keine Stützpunkte mehr. Ein Teil der spanischen Schiffe kehrt mit den Beamten um das Kap Hoorn nach Spanien zurück, der andere Teil geht nach den Philippinen.

1814 Krieg Schwedens gegen Norwegen

Im Frieden von Kiel (Jänner 1814) tritt Dänemark Norwegen an Schweden ab. Norwegen erklärt sich aber für unabhängig und lehnt die Übergabe ab.

27. Juli Die schwedische Flotte besetzt deshalb die Inselgruppe Hvaler neben der Einfahrt in den Oslo-Fjord und das schwedische Heer geht über die Grenze auf die Festung Frederickstad vor. Das hoffnungslos unterlegene norwegische Heer muß daraufhin kapitulieren.

27. August 1816 **Algier.** Geschwader aus den USA, Großbritannien und den Niederlanden gehen gegen das Unwesen der Seeräuber an der nordafrikanischen Küste vor. Ein britisch-niederländisches Geschwader von sechs Linienschiffen, neun Fregatten, fünf niederländischen Fregatten und elf Fahrzeugen unter Admiral Edward Pellew, Flaggschiff >Queen Charlotte< (100), beschießt erfolgreich die Hafenstadt. Aber auch die Schiffe der Verbündeten erleiden zum Teil beträchtliche Schäden und haben 900 Tote und Verwundete an Bord.

1816 **Literatur.** Der deutsche General Karl von Clausewitz veröffentlicht sein Buch „Vom Kriege". Er schreibt: *Der Krieg ist nichts als eine Fortsetzung der Politik mit anderen Mitteln.* Diese These kann man für das 20. Jahrhundert auch umdrehen.

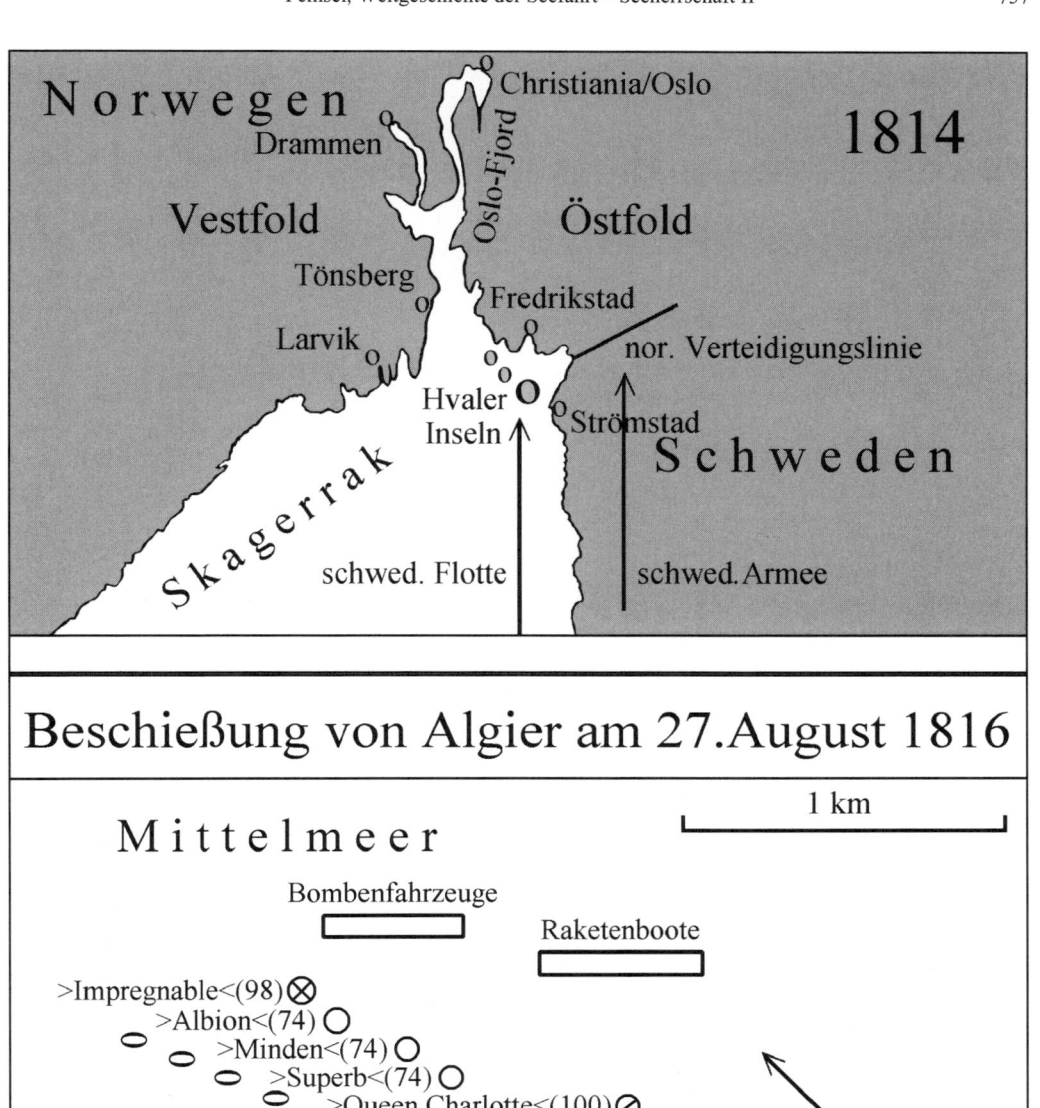

Norwegen
Christiania/Oslo
Drammen
Vestfold
Oslo-Fjord
Östfold
Tönsberg
Fredrikstad
Larvik
nor. Verteidigungslinie
Hvaler Inseln
Strömstad
Schweden
Skagerrak
schwed. Flotte
schwed. Armee

1814

Beschießung von Algier am 27. August 1816

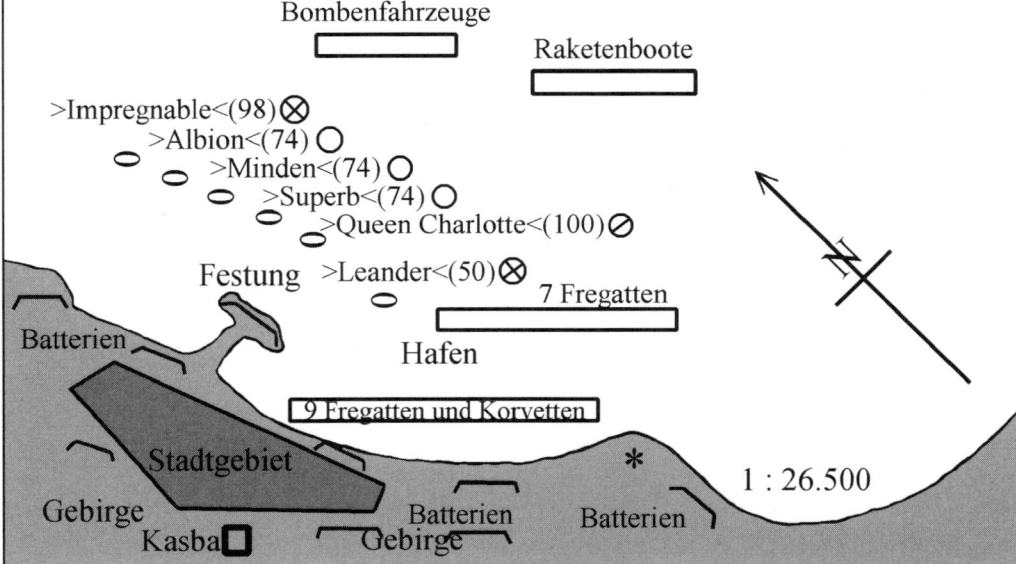

Mittelmeer

1 km

Bombenfahrzeuge
Raketenboote

>Impregnable<(98)
>Albion<(74)
>Minden<(74)
>Superb<(74)
>Queen Charlotte<(100)
Festung
>Leander<(50)
7 Fregatten
Hafen
9 Fregatten und Korvetten
Batterien
Stadtgebiet
Gebirge
Kasba
Batterien
Gebirge
Batterien

1 : 26.500

1819–1948 **Indonesien.** Nach Abzug der Briten beginnen die Niederländer mit der Rückeroberung, die nie vollständig gelingt. Vor allem mit dem Sultanat Atjeh im Norden von Sumatra und mit dem Reich Boni im Norden von Celebes/Sulawesi müssen regelrechte Kriege ausgefochten werden. Zwischen den beiden Weltkriegen müssen dann gesamtindonesische Freiheitsbewegungen unterdrückt werden. Die Kämpfe setzen sich nach dem 2. Weltkrieg fort, 1949 müssen die Niederlande auf Drängen der UNO Indonesien die Unabhängigkeit gewähren. Der Großteil der niederländischen Flotte ist ständig in Insulinde stationiert.

1821–1829 Griechischer Freiheitskrieg

Die Griechen führen gegen die türkische Fremdherrschaft einen Befreiungskrieg, bei dem auch die Seeherrschaft eine große Rolle spielt. Die ersten Jahre können sie mit ihrer improvisierten Flotte die Türken einigermaßen in Schach halten.

8. Juni 1821 Griechische Brander unter Giakoumaki Tombazes vernichten an der Westküste von Lesbos ein türkisches Linienschiff.

4. März 1822 **Gefecht bei Missolunghi.** Eine Flottille von 65 kleinen griechischen Seglern, meist Trehandiris, unter Andreas Miaoulis kämpfen unentschieden gegen das stärkere türkische Geschwader im Golf von Patras.

18. Juni Vor **Chios** vernichten griechische Brander unter Konstantin Kanaris das türkische Linienschiff >Mansur el-Liwa< (80).

10. November Auf der Reede von Tenedos vernichtet Kanaris mit seinen Brandern ein weiteres türkisches Linienschiff. Die Türken erscheinen daraufhin nur mehr selten mit ihren großen Kriegsschiffen in der Ägäis.

30. Oktober 1823 Nördlich von **Euböa** erobern die Griechen eine türkische Korvette (26) und vier Briggs.

2. Juli 1824 Die vereinigte türkisch-ägyptische Flotte mit einem Linienschiff, sechs Fregatten, zehn Korvetten, 35 Fahrzeugen und 30 Truppentransportern beschießt die Insel Psara und unterstützt die Landungstruppen bei der Eroberung der Insel.

August 1824 Beim Angriff der Türken auf die Insel Samos greift die griechische Flotte unter Vizeadmiral Sachtouris ein. Nach mehrtägigem Geplänkel vernichten die Brander unter Kanaris eine Fregatte (54), eine Korvette und eine Brigg, woraufhin sich die Türken wieder zurückziehen.

12. Mai 1825 Nach der Landung der ägyptischen Armee bei Modon/Methoni auf der **Peloponnes/Morea** greifen griechische Schiffe unter Miaoulis den Hafen an. Die Brander unter Kanaris vernichten eine Fregatte (44), zwei Briggs und acht Truppentransporter.

1. Juni **Gefecht bei Andros.** Die Griechen unter Sachtouris greifen ein starkes türkisches Geschwader auf dem Weg nach Kreta an. Ihre Brander vernichten eine Fregatte und zwei Korvetten. Fünf österreichische Truppentransporter werden erobert.

Österreich schickt daraufhin eine Flottille unter dem Eskaderkommandanten Hamilkar Paulucci in die Ägäis, um die ständigen Übergriffe auf österreichische Handelsschiffe einzudämmen.

Der griechische Freiheitskampf
1821–1829

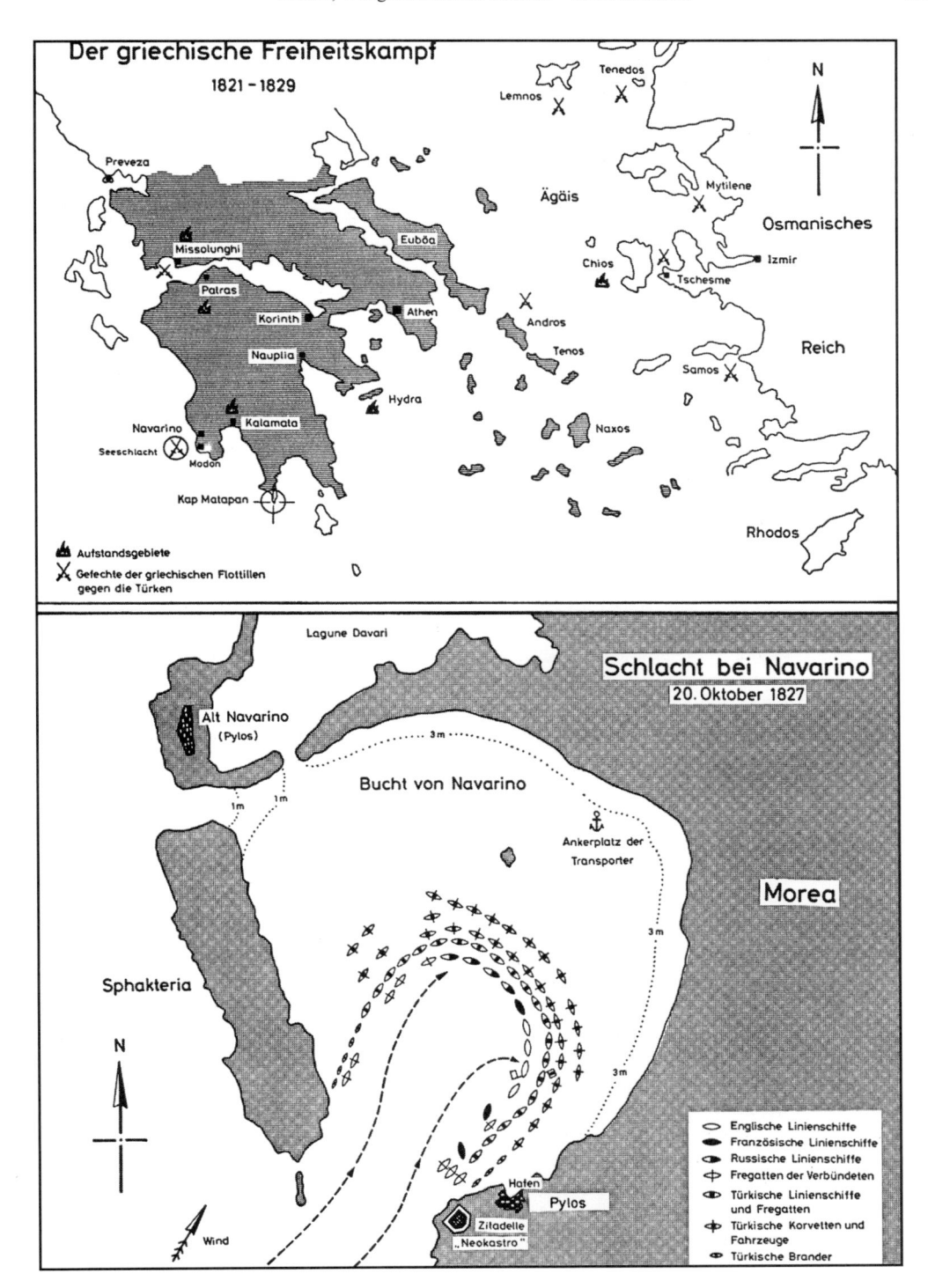

- Preveza
- Missolunghi
- Patras
- Korinth
- Nauplia
- Navarino (Seeschlacht)
- Modon
- Kalamata
- Kap Matapan
- Euböa
- Athen
- Hydra
- Ägäis
- Tenedos
- Lemnos
- Mytilene
- Chios
- Tschesme
- Izmir
- Andros
- Tenos
- Samos
- Naxos
- Rhodos
- Osmanisches Reich

🔥 Aufstandsgebiete
✗ Gefechte der griechischen Flottillen gegen die Türken

Schlacht bei Navarino
20. Oktober 1827

- Lagune Davari
- Alt Navarino (Pylos)
- Bucht von Navarino
- Ankerplatz der Transporter
- Sphakteria
- Morea
- Hafen
- Pylos
- Zitadelle „Neokastro"
- Wind

Legende:
- ○ Englische Linienschiffe
- ● Französische Linienschiffe
- ◐ Russische Linienschiffe
- ⬠ Fregatten der Verbündeten
- ⬤ Türkische Linienschiffe und Fregatten
- ⬮ Türkische Korvetten und Fahrzeuge
- ⬯ Türkische Brander

	Zeit der Segelschiffe: Die Seekriege in der ersten Hälfte des 19. Jahrhunderts
1825 und 1826	Bei der Verteidigung von Missolunghi am Golf von Patras kommt es mehrfach zu Gefechten zwischen leichten Seestreitkräften, die meistens ohne Entscheidung enden.
10./11. September 1826	**Gefecht vor Lesbos.** Die griechische Flotte von 50 Korvetten, Briggs und Schonern unter Admiral Miaoulis trifft auf die türkische Flotte von zwei Linienschiffen, sechs Fregatten, vier Korvetten und neun Briggs. In einem Kampf durch die ganze Nacht hindurch und den folgenden Tag trennen sich die Flotten ohne Entscheidung. Die Griechen verlieren nur zwei Brander, die ihre Ziele verfehlen. Die Personalverluste sind moderat. Durch die Unterstützung des Geschwaders aus Ägypten geht die türkische Flotte wieder offensiv vor.
6. Juli 1827	**Vertrag von London.** Großbritannien, Frankreich und Rußland kommen überein, die Griechen in ihrem Kampf um Unabhängigkeit zu unterstützen, wenn notwendig mit Gewalt.
8. September	**Bucht von Navarin.** Die ägyptische Flotte von 50 Kriegsschiffen und 40 Transportern trifft aus Alexandria ein, um den Aufstand in Griechenland endgültig niederzuwerfen.
20. Oktober 1827	**Seeschlacht in der Bucht von Navarin.** Dort liegt die vereinigte türkische und ägyptische Flotte unter Admiral Ibrahim Pascha von Ägypten. Ein Geschwader aus britischen, französischen und russischen Kriegsschiffen unter dem Oberbefehl von Vizeadmiral Codrington (E) soll zwischen den Türken und Griechen vermitteln. Die türkischen Schiffe liegen in Hufeisenform so verankert, daß ihre Breitseiten die Einfahrt bestreichen. Codrington läuft in die Bucht und legt seine Schiffe neben die türkischen. Dabei fallen zunächst unbeabsichtigt einige Schüsse und es kommt dann zur Seeschlacht.

Die Stärke der Flotten beträgt:

	Briten	Franzosen	Russen	Türken/Ägypten
Linienschiffe	>Asia< (84)	>Scipion< (80)	>Asow< (74)	>Ghyu i Rèwan< (80)
	>Genoa< (76)	>Trident< (74)	>Gangut< (84)	>Burj Zafer< (74)
	>Albion< (74)	>Breslau< (84)	>Jezekiel< (74)	>Fatih Bahri< (74)
		>Sirène< (60)	>Al. Newski< (74)	
Fregatten	4	1	4	19
kleine Fahrzeuge	5	2	–	35
Geschütze	456	356	468	ca. 2000

Die Führer der einzelnen Kontingente sind Vizeadmiral Edward Codrington (E) auf der >Asia<, Konteradmiral Henri de Rigny (F) auf der >Breslau< und Konteradmiral Graf Heiden (R) auf der >Asow<.

Nachdem einige Schüsse von türkischen Schiffen fallen, wird der Kampf allgemein. Im folgenden Nahkampf setzt sich die bessere Ausbildung der europäischen Besatzungen durch. Die türkischen Brander verfehlen ihre Ziele und richten unter den eigenen Schiffen Unheil an. Trotz heftigen Widerstands der Türken und Ägypter – nur ein Schiff streicht die Flagge – ist ihre Flotte nach wenigen Stunden vollständig vernichtet. Einige Schiffe werden von ihnen selbst verbrannt. Auch die Schiffe der Verbündeten werden zum Teil schwer beschädigt. Dies ist die letzte Seeschlacht der Segelschiffszeit. Mit dem Aufschwung der Technik im 19. Jahrhundert geht die Zeit der „hölzernen Festungswälle" (Orakel von Delphi 480 v. Chr.) zu Ende.

Technik. Bei der griechischen Flotte kommt ihr erstes Dampfschiff, die >Karteria< (8 68-Pfünder), zum Einsatz. *1827*

Aufgrund der **Londoner Vereinbarungen** vom Vorjahr besetzen französische Truppen die Peloponnes, die Truppen aus Ägypten werden unter dem Geleit der Verbündeten heimtransportiert. *Juli 1828*

Schwarzes Meer. Die russische Brigg >Merkuri< kann nach längerem Verfolgungsgefecht zwei türkischen Linienschiffen entkommen. Im übrigen kommt es im Schwarzen Meer während dieses Krieges nur zu mehreren Beschießungen von türkischen Häfen durch die russische Flotte. *6. Juni 1829*

Friede von Adrianopel. Griechenland erlangt seine Unabhängigkeit. *September 1829*

Unabhängigkeitskampf von Brasilien   *1822–1824*

Nach der Heimkehr des portugiesischen Königshofes (1822) kündigt die Cortez den Brasilianern die ihnen nach 1808 gewährten Freiheiten wieder auf. Am 7. September erklärt sich Brasilien daraufhin für unabhängig und wählt den im Lande gebliebenen Kronprinzen Pedro zum Kaiser von Brasilien. Bis zur Anerkennung der Unabhängigkeit durch Portugal sind alle königlichen Truppen ohne große Kämpfe abgezogen.

Flotte. Lord Thomas Cochrane wird der erste Befehlshaber der improvisierten Flotte von Brasilien. *März 1823*

Admiral Cochrane blockiert mit dem Linienschiff >Pedro I.< (74), einer Fregatte, einer Korvette und mehreren Briggs das portugiesische Geschwader in Bahia. Nach dem Ausbruch im Juli verfolgt er es bis vor die Küste Portugals und erobert dabei einige Transporter. *April 1823*

Gleichzeitig führt eine brasilianische Fregatte im Nordatlantik Handelskrieg und macht 18 Prisen.

Die Flotte von Brasilien hilft, einen Aufstand gegen die neue Regierung niederzuwerfen. *1824*

Portugal erkennt die Unabhängigkeit von Brasilien an. *1825*

Spanien. Bei der Erhebung gegen das Regime von König Ferdinand VII. (1820–1823) greifen französische Seestreitkräfte unter Konteradmiral Victor-Guy Duperré an der Seite des Königs ein, beschießen Algeçiras und Cádiz, worauf die Revolte zusammenbricht. *1823*

Burma. Bei der Eroberung des Landes setzen die Briten neben anderen leichten Seestreitkräften den Raddampfer >Diana< gegen die Boote der Eingeborenen ein. Er ist das **erste Dampffahrzeug im Kriegseinsatz**. *1824*

Lateinamerika. Spanien versucht vergeblich seine verlorenen Kolonien Mexiko und Kolumbien zurückzuerobern. Kommandant der Flottille von Mexiko ist von 1826 bis 1829 der aus der US-Marine ausgeschiedene Kapitän David Por- *1825–1829* ter. Nach drei Jahren Handelskrieg ohne Entscheidung muß sich Spanien mit dem Erhalt der Inseln Kuba und Puerto Rico zufriedengeben.

1825–1828 Krieg Brasilien gegen Argentinien

Argentinien unterstützt das gegen Brasilien aufständische Uruguay.

11. Juni 1826 **Treffen im La Plata.** Die Flotte von Argentinien unter Admiral William Brown mit der Fregatte >25 de Mayo< (38) und zehn kleinen Fahrzeugen kann den Angriff der brasilianischen Flotte mit der Fregatte >Nicteroy< (42), vier Korvetten und 26 kleinen Fahrzeugen ohne wesentliche Verluste abweisen.

30. Juli **Gefecht auf der Reede von Buenos Aires.** Die Brasilianer bringen der argentinischen Flotte unter Admiral Brown empfindliche Verluste bei. Die Fregatte >25 de Mayo< ist zusammengeschossen, die blutigen Verluste betragen 18 Tote und 29 Verwundete.

9. Februar 1827 **Gefecht bei Juncal.** In der Mündung des Rio Uruguay vernichtet ein argentinisches Geschwader von sieben kleinen Schiffen und acht Kanonenbooten unter Admiral Brown die brasilianische 3. Division von 17 kleinen Fahrzeugen und Booten, von denen drei verbrannt und zwölf erobert werden. Argentinien gewinnt vorübergehend die Kontrolle über den Rio Uruguay.

28. Februar–7. März **Patagonien.** Die Argentinier wehren einen Angriff der Flotte von Brasilien auf den Stützpunkt Patagones an der Mündung des Rio Negro ab. Dabei geht eine brasilianische Korvette (20) durch Grundberührung auf der Barre an der Flußmündung verloren.

7. und 8. April **Gefecht vor Ensenada.** Östlich von Buenos Aires treffen vier kleine argentinische Schiffe mit zusammen 63 Geschützen und 420 Mann Besatzung auf das brasilianische Blockadegeschwader von drei Korvetten und 13 kleinen Fahrzeugen. Die argentinischen >Independencia< (22) und >Republica< (18) stranden, erstere wird nach hartem Kampf von den Brasilianern erobert, letztere von der eigenen Besatzung gesprengt. Die Argentinier verlieren 57 Tote und 69 Verwundete (über 25%), die Brasilianer kostet der Sieg 18 Tote und 22 Verwundete.

23. Juni 1827–17. Juni 1828 **Kaperfahrt.** Die argentinische Brigg >General Brandsen< (6) unternimmt eine Fahrt bis in den Nordatlantik. Sie erobert die brasilianische Brigg >Cacique< (18), mit der zusammen sie nach Schiffen mit Konterbande für Brasilien kreuzt. Beim Einlaufen in den Hafen Ensenada/La Plata wird sie vom brasilianischen Blockadegeschwader erobert und gesprengt.

Brasilien führt die ganze Kriegszeit über Handelskrieg vor der Küste von Argentinien.

1828 **Friedensschluß.** Brasilien kann trotz der Siege den Verlust von Uruguay nicht verhindern.

1826–1828 **Krieg Rußland gegen Persien.** Persien versucht die im letzten Krieg an Rußland verlorenen Gebiete zurückzuerobern. Rußland okkupiert aber weitere Gebiete am Kaspischen Meer (Yerewan und Nachitschewan), Persien bleibt nur mehr die Südküste. Im Friedensvertrag muß Persien darauf verzichten, am Kaspischen Meer Kriegsschiffe zu unterhalten. Das Kaspische Meer ist von da an praktisch ein russisches Binnenmeer.

Krieg Brasilien gegen Argentinien 1825 - 1828

Gran Chaco

Flußflottille von Brasilien

Brasilien

Rio Uruguay

Rio Parana

Juncal
⊗ Feber 1827

Uruguay

Buenos Aires
Juli 1826 ⊗ ⊗

Pampas

Ensenada
April 1827

Montevideo
⊗ Juni 1826

Rio de la Plata

Vereinigte Provinzen des Rio de la Plata ab 1835 Argentinien

Hochseeflotte von Brasilien

60° West

Patagonien

40° Süd

Südatlantik

Rio Negro

⊗ Feber - März 1827

1828–1834 Bürgerkrieg in Portugal

Kaiser Pedro I. von Brasilien verzichtet nach dem Tod von König Johann IV. (1826) zugunsten seiner unmündigen Tochter Maria da Gloria auf den Thron von Portugal und setzt seinen Bruder Miguel zum Regenten ein. Dom Miguel erklärt sich 1828 selbst zum König, die Anhänger von Maria können sich auf den Azoren halten und werden von Brasilien unterstützt.

August 1828 — Ein Versuch der Flotte von Dom Miguel, die Azoren zu erobern, wird in der Bucht von Praia vereitelt.

Der britische Admiral George Sartorius stellt in Diensten von Maria ein Geschwader von Fregatten auf.

11. Juli 1831 — Frankreich, das sich gegen den Usurpator gestellt hat, schickt ein Geschwader von sechs Linienschiffen, vier Fregatten und drei Korvetten unter Konteradmiral Albin Roussin nach Portugal, das nach der Forcierung der Einfahrt nach Lissabon das dort liegende Geschwader von Dom Miguel als Prise nach Brest entführt.

8. Juli 1832 — Mit der Unterstützung Brasiliens bringt die Flotte von Maria unter Kpt. Charles Napier die Truppen der Legitimisten auf 42 Transportern in die Nähe von Porto. Sie erobern die Stadt, um die ein Jahr lang gekämpft worden ist.

5. Juli 1833 — **Seeschlacht bei Kap St. Vincent.** Die Flotte von Maria von drei Fregatten mit 138 Geschützen und zwei Fahrzeugen unter Vizeadmiral Napier besiegt in einem gut geführten Kampf die Flotte des Dom Miguel in Stärke von drei Linienschiffen mit zusammen 180 Geschützen und drei Korvetten. Alle drei Linienschiffe und eine Korvette werden erobert.

Die Stadt Porto ist dadurch als Stützpunkt gesichert. Die Truppen von Maria gehen zur Offensive zu Land über.

1834 — Es folgt der **Thronverzicht von Dom Miguel**.

2. und 3. Juni 1829 — **Landungsgefecht bei El Araisch/Larasche.** Ein österreichisches Geschwader mit den Korvetten >Carolina< (26) und >Adria< (20), einer Brigg und einem Schoner unter Korvettenkapitän Franz Bandiera greift wegen der Piraterie von Marokko mit Landungstruppen den Hafen an. Zwei **Kampfschwimmer** versenken ein im Hafen liegendes Fahrzeug, dann müssen sich die Truppen im heftigen Feuer wieder einschiffen.

Juni 1830 — **Frankreich erobert Algier.** Unstimmigkeiten über ältere Verträge mit dem Bei von Algier und innenpolitische Schwierigkeiten sind der Grund für die Besetzung. Dazu wird eine riesige Expeditionsflotte von über 100 Kriegsschiffen und 400 Truppentransportern und Versorgern zusammengestellt. Flottenbefehlshaber ist Vizeadmiral Duperré auf der >Provence< (74). In einer Bucht westlich von Algier werden 38.000 Mann gelandet. Im Juli wird die Stadt Algier nach einer heftigen Beschießung durch die Flotte erobert. Bei der Flotte befinden sich die ersten **Raddampfer** als Bugsierschiffe.

1830 — **Belgien.** Das seit dem Wiener Kongreß mit den Niederlanden vereinigte Land sagt sich von diesen los. Die Niederlande versuchen eine Rückeroberung. Im Jahr 1832 laufen britische und französische Seestreitkräfte in die Schelde ein und sichern durch ihr Eingreifen die Unabhängigkeit von Belgien.

Bürgerkrieg in Portugal 1828 – 1834

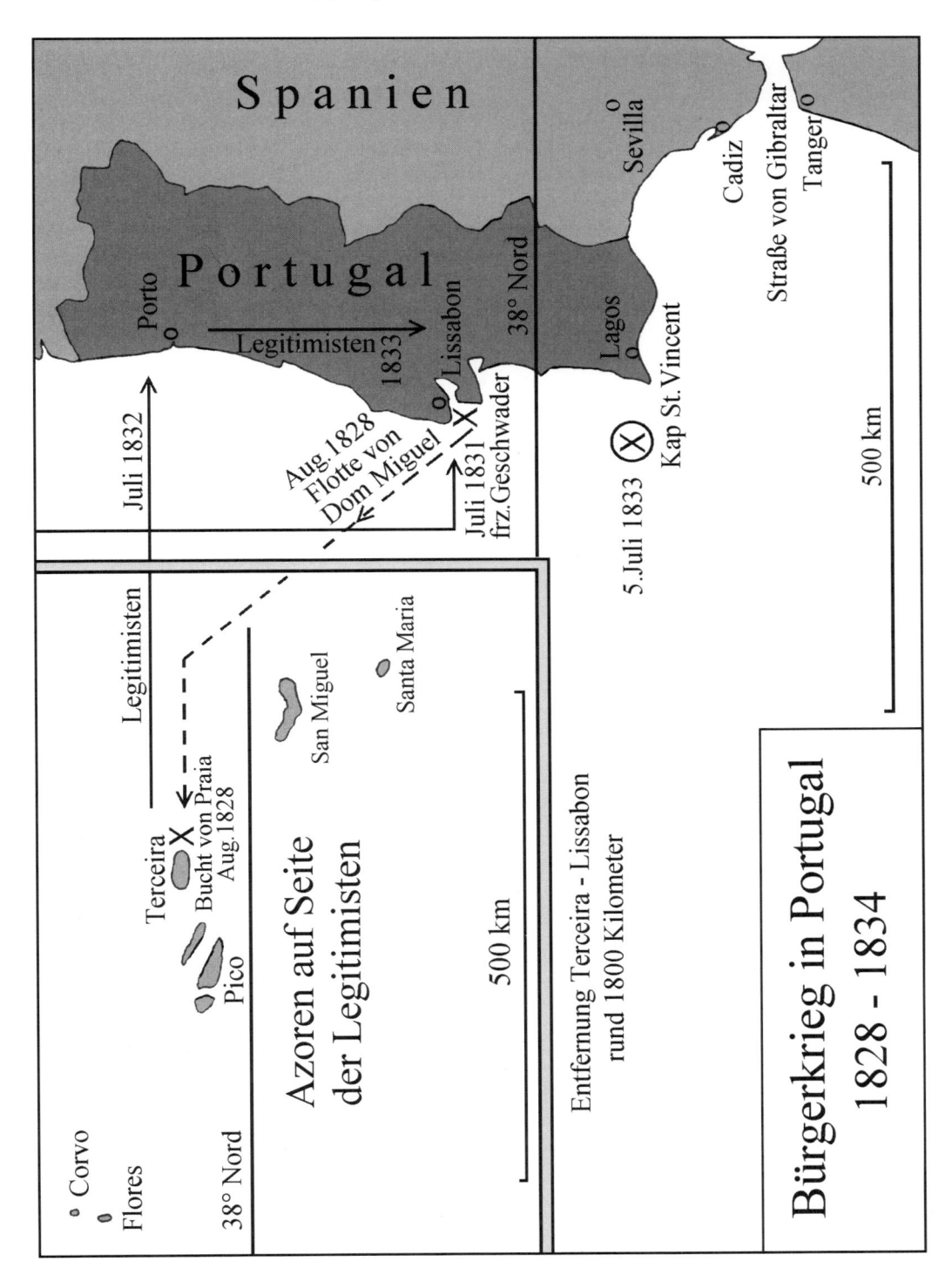

Map labels:
- Spanien
- Portugal
- Porto
- Legitimisten 1833
- Lissabon
- 38° Nord
- Aug. 1828 Flotte von Dom Miguel
- Juli 1831 frz. Geschwader
- Lagos
- Sevilla
- Cadiz
- Straße von Gibraltar
- Tanger
- 5. Juli 1833 Kap St. Vincent
- 500 km
- Juli 1832
- Corvo
- Flores
- 38° Nord
- Terceira
- Bucht von Praia Aug. 1828
- Pico
- San Miguel
- Santa Maria
- Legitimisten
- Azoren auf Seite der Legitimisten
- Entfernung Terceira – Lissabon rund 1800 Kilometer
- 500 km

1831–1841 Krieg der Türkei gegen Ägypten

Herbst 1831 **Palästina.** Mehmet Ali von Ägypten schickt eine Armee zu Land und seine Kriegsflotte mit Landungstruppen nach Norden. Sie erobern rasch Jaffa, Jerusalem und Haifa und beginnen mit der Belagerung von Akko.
Die Großmächte sehen sich zum Eingreifen gegen die vorrückenden Ägypter veranlaßt.

18. Jänner 1839 **Eroberung von Aden.** Im Zuge dieser Auseinandersetzungen erobert ein Geschwader der britischen Ostindischen Kompanie von vier kleinen Kriegsschiffen und drei Truppentransportern mit Soldaten aus Indien unter Kpt. Henry Smith auf der >Volage< (28) die Stadt Aden. Auch die Insel Kharg im Persischen Golf wird besetzt, letztere jedoch nach zwei Jahren wieder aufgegeben.

1. Juli 1839 **Mittelmeer.** Die vor Syrien stehende Flotte der Osmanen segelt nach Alexandria und geht zum Wali (Statthalter) Mehmed Ali von Ägypten über.

26. September 1840 **Levante.** Ein internationales Geschwader unter Com. Napier mit dem Linienschiff >Thunderer< (E, 84), der Fregatte >Guerriera< (Ö, 48), Kommandant Erzherzog Friedrich, einer türkischen Korvette und mehreren Fahrzeugen beschießt den Hafen Sidon/Saida, Landungstruppen erobern dann die Stadt.

3. und 4. November **Einnahme von St. Jean d'Acre/Akko.** Ein Geschwader von acht Linienschiffen, fünf Fregatten, zwei Briggs und fünf Dampfern, darunter drei österreichische und mehrere türkische Kriegsschiffe mit der >Mukaddeme i-Hayire< (74), unter Vizeadmiral Robert Stopford auf der >Princess Charlotte< (104) zwingt die starke Festung nach mehrstündigem Bombardement zur Übergabe.

Dezember 1832 **Falkland-Inseln.** Die britische Sloop >Clio< (18) erscheint vor der Inselgruppe und nimmt sie für Großbritannien in Besitz. Die schwache argentinische Garnison zieht kampflos ab. Der Hafen Port Stanley wird für die nächsten hundert Jahre eine wichtige Kohlenstation für die britische Kriegsmarine.

1836–1845 Krieg Mexiko gegen Texas

Nach dem Sieg zu Lande bei San Jacinto erklärt Texas seine Unabhängigkeit von Mexiko. Es stellt eine kleine Kriegsmarine unter Com. Adwin Moore, einem ehemaligen Leutnant der US-Flotte, auf und unterstützt Aufständische gegen Mexiko auf der Halbinsel Yukatan.

27. November 1838 **Angriff auf San Juan d'Ulloa.** Ein französisches Geschwader unter Konteradmiral Baudin auf der >Néréide< (52) greift den mexikanischen Hafen von Vera Cruz an. Mit seinen drei Fregatten, zwei Korvetten und einigen Dampfern zwingt er durch Artilleriebeschuß die starke Festung San Juan d'Ulloa zur Übergabe, erobert Vera Cruz und zerstört die Verteidigungsanlagen. Bei diesen Operationen werden zum erstenmal die vom Franzosen Paixhans entwickelten **Granaten** mit großer Wirkung eingesetzt.

29. April und 16. Mai 1843 **Gefechte vor Campeche.** Mit den Segelsloops >Austin< und >Wharton< vertreibt Moore ein mexikanisches Blockadegeschwader von drei Seitenraddampfern und einigen Segelschiffen. Die >Austin< erleidet beträchtliche Schäden. Die Texaner beklagen an beiden Kampftagen 29 Tote, die Mexikaner weit über hundert.

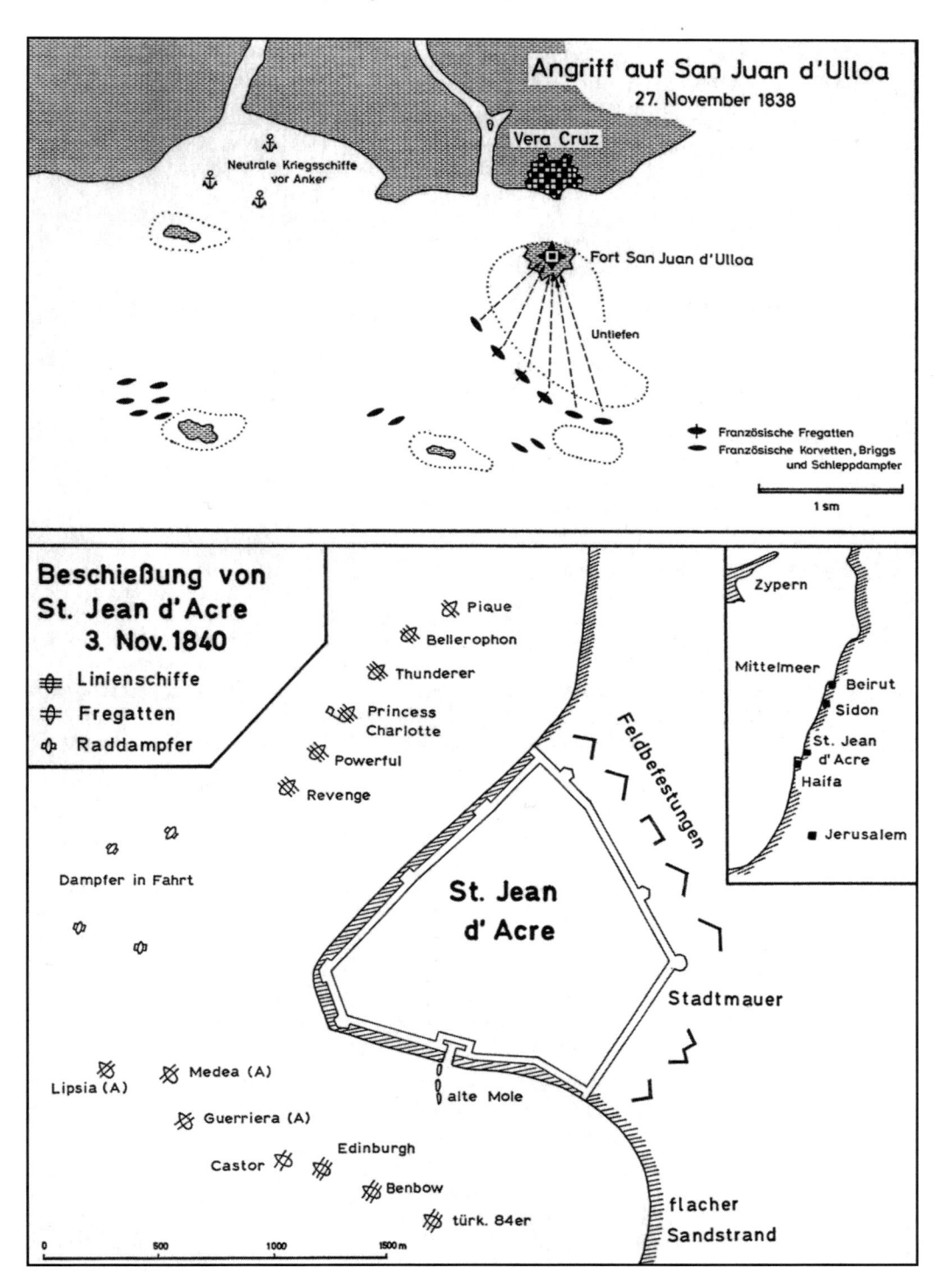

Angriff auf San Juan d'Ulloa
27. November 1838

- Neutrale Kriegsschiffe vor Anker
- Vera Cruz
- Fort San Juan d'Ulloa
- Untiefen
- Französische Fregatten
- Französische Korvetten, Briggs und Schleppdampfer

1 sm

Beschießung von St. Jean d'Acre
3. Nov. 1840

- Linienschiffe
- Fregatten
- Raddampfer

- Pique
- Bellerophon
- Thunderer
- Princess Charlotte
- Powerful
- Revenge

Dampfer in Fahrt

St. Jean d'Acre

Feldbefestigungen
Stadtmauer
alte Mole
flacher Sandstrand

- Lipsia (A)
- Medea (A)
- Guerriera (A)
- Castor
- Edinburgh
- Benbow
- türk. 84er

0 500 1000 1500 m

Zypern
Mittelmeer
Beirut
Sidon
St. Jean d'Acre
Haifa
Jerusalem

Im Jahr 1845 schließt sich Texas wegen finanzieller Schwierigkeiten an die USA an.

12. und 13. Jänner 1839 **Gefecht bei Casma.** In einer Auseinandersetzung zwischen Chile einerseits und der Konföderation von Bolivien und Peru andererseits (1837–1839) siegen drei chilenische Schiffe unter Konteradmiral Simpson nördlich von Lima über drei Schiffe der Konföderation und erobern dadurch die Seeherrschaft.

1839–1842 Opiumkrieg Großbritannien gegen China

China verbietet 1839 den Opiumhandel und dessen Besitz, auch für Ausländer, und läßt in Kanton 1000 Tonnen beschlagnahmtes Opium vernichten.

3. November 1839 In einem ersten Zusammentreffen versenken zwei britische Sloops unter Kpt. Henry Smith auf der >Volage< im Perl-Fluß unterhalb von Kanton sechs Kriegsdschunken der Chinesen.

Jänner bis März 1841 **Kämpfe im Perl-Fluß.** Das britische Geschwader, bei dem auch zeitweise Linienschiffe beteiligt sind, kämpft sich bis vor Kanton vor, wobei zahlreiche Uferbefestigungen von Landungstruppen mit Hilfe der Schiffsartillerie erobert werden müssen.

25. August 1841 Das britische Geschwader mit 2700 Mann Landungstruppen erobert den Hafen Amoy und zerstört die dortigen Befestigungen.

9. Oktober 1941 Die Briten landen bei Ningpo und erobern den Hafen.

Juli 1842 **Briten am Yang-tse-kiang.** Der Großteil des Chinageschwaders mit 9000 Mann Landungstruppen erscheint am Yang-tse-kiang, erobert einige Befestigungen und droht Nanking anzugreifen. China ist daraufhin zu einem Friedensschluß bereit.

August 1842 **Friede von Nanking.** Neben anderen Bestimmungen wird Hongkong als Pachtgebiet an Großbritannien abgetreten und die Häfen Amoy, Futschou, Ningpo und Shanghai für den internationalen Handel geöffnet.

13. Juli 1841 **Dardanellen-Vertrag.** In London vereinbaren die Türkei, Großbritannien, Frankreich, Rußland, Österreich und Preußen, daß fremde Kriegsschiffe nur mit Genehmigung der Türkei die türkischen Meerengen passieren dürfen.

1842 **Gefecht vor Cartagena.** Kolumbianische Schiffe kapern zwei britische Handelsschiffe. Daraufhin erobert die britische Brigg >Charybdis< unter Leutnant M. de Courcey eine Korvette Kolumbiens und versenkt eine Brigg, worauf sich die restlichen kolumbianischen Schiffe ergeben.

1842 **Neue Waffe.** Die US-Navy testet eine von Ingenieur Samuel Colt elektrisch gezündete Mine, einen „**unterseeischen Torpedo**". Das Kanonenboot >Boxer< wird damit versenkt.

1843–1848 **Neuseeland.** Im Krieg gegen die Maoris sind mehrfach kleine britische Kriegsschiffe von der australischen Station kommend zum Küstenbeschuß im Einsatz.

1844 **Marokko.** Ein französisches Geschwader von drei Linienschiffen, einigen Fregatten und sechs Dampfern als Bugsierer unter Prinz de Joinville auf der >Suffren< (90) beschießt Tanger (6. August) und Mogador (16. August).

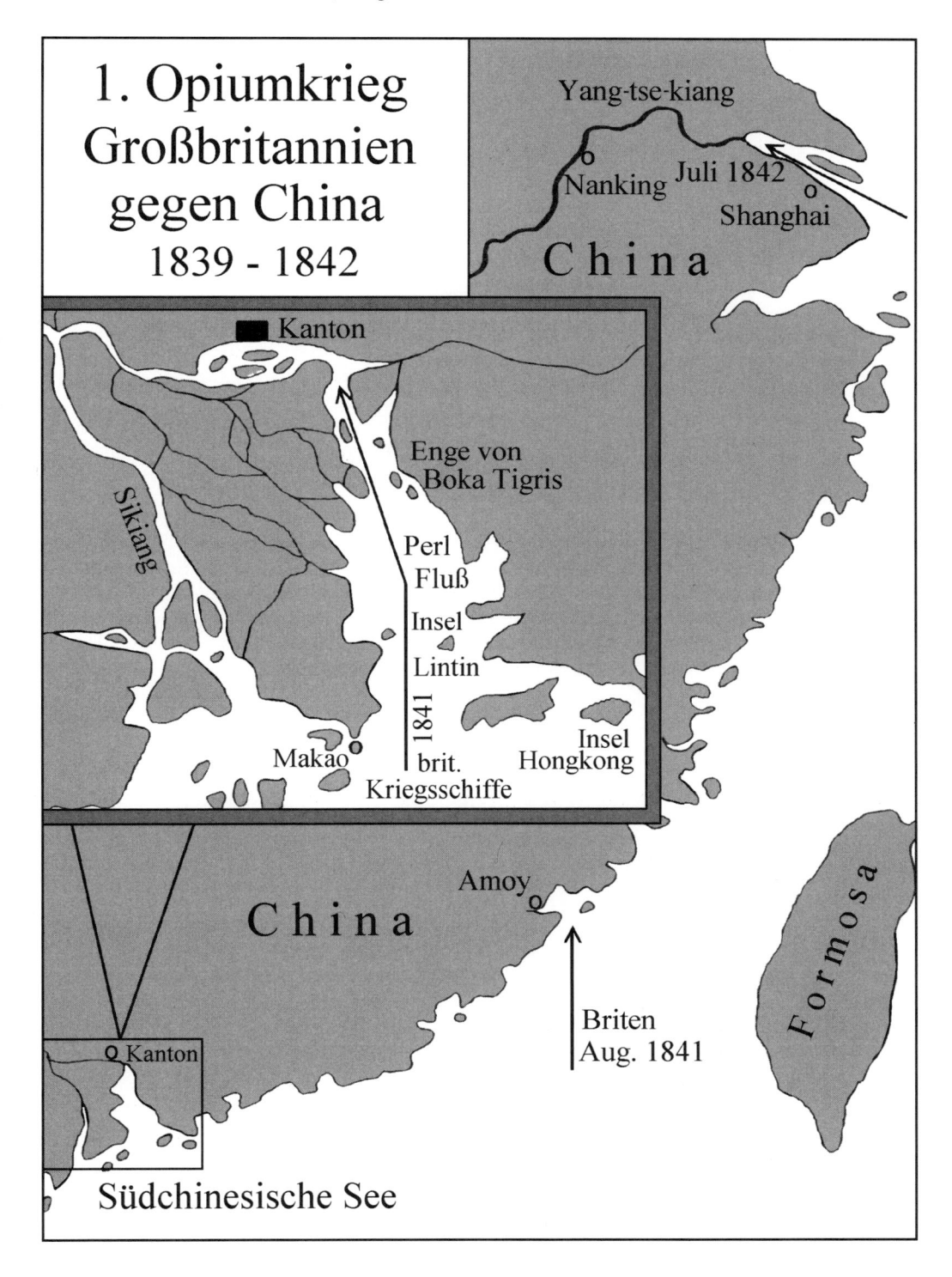

1. Opiumkrieg Großbritannien gegen China 1839 - 1842

Yang-tse-kiang
Nanking   Juli 1842
Shanghai
China

Kanton
Enge von Boka Tigris
Perl Fluß
Insel Lintin
1841 brit. Kriegsschiffe
Sikiang
Makao
Insel Hongkong

China
Amoy
Briten Aug. 1841
Kanton
Formosa
Südchinesische See

1845 — Eingreifen von Großbritannien und Frankreich in Südamerika

Der Diktator Rosas von Argentinien erkennt die Unabhängigkeit von Paraguay und Uruguay nicht an. Seine Streitkräfte belagern gegen den Einspruch der europäischen Mächte zu Lande und von der See die Stadt Montevideo.

2. August **La Plata.** Das internationale Geschwader vor der Mündung des Parana unter den Kapitänen Hotham (E) und Trehouart (F) nimmt das argentinische Blockadegeschwader von einer Korvette, zwei Briggs und sieben Kanonenbooten vor Montevideo weg.

Rosas sperrt als Reaktion darauf die Flüsse Parana und Uruguay für die internationale Schiffahrt. Ein kleines Geschwader von britischen und französischen Kanonenbooten, letztere unter dem in südamerikanischen Diensten stehenden späteren italienischen Freiheitshelden Giuseppe Garibaldi, sichern die Schiffahrt auf dem Uruguay. Der Rio Parana muß mit stärkeren Mitteln freigekämpft werden.

20. November **Gefecht bei Obligado.** Das britisch-französische La-Plata-Geschwader von elf Fahrzeugen, darunter drei Raddampfer, kämpft die Befestigungen und Flußsperren gegen heftigen Widerstand nieder und bringt einen großen Geleitzug vom Oberlauf des Flusses in Sicherheit.

10. August 1845 **Insulinde.** Eine britische Flottille von sechs Fahrzeugen, darunter drei Raddampfer, unter Konteradmiral Thomas Cochrane vernichtet ein Fort der Piraten an der Mündung des Maradu in Nordborneo, im heutigen Brunei.

1845–1850 **Nachrichtenwesen.** Die britische Marine und dann auch die anderen Kriegsflotten ersetzen zur Nachrichtenübermittlung zu Land das Semaphorsystem durch den elektrischen Telegraphen von Morse.

1846–1848 — Krieg der USA gegen Mexiko

Wegen der Annexion von Texas durch die USA erklärt Mexiko den Krieg.

7. August 1846 **Gefecht im Hafen von Alvarado.** Eine US-Flottille von zwei Fregatten und sieben Fahrzeugen, darunter zwei Raddampfer, unter Commodore David Conner versucht eine Landung südlich von Vera Cruz, wird aber von den Batterien an Land und fünf Schiffen im Hafen verlustreich abgewiesen. Auch ein zweiter Versuch am 15. September scheitert.

9. März 1847 **Landung bei Vera Cruz.** Ein US-Geschwader von zwei Fregatten und zahlreichen Dampfern und Kanonenbooten unter Com. David Conner landet 12.000 Mann Heerestruppen in der Nähe des Hafens Vera Cruz. Nach Beschießung durch die Schiffe und Heeresartillerie kapituliert die Seefestung San Juan d'Ulloa am 26. März. Bis zum Ende des Krieges blockiert das Golfgeschwader unter dem Nachfolger von Connor, Matthew C. Perry, die Golfküste von Mexiko. Das Pazifikgeschwader der USA unter Commodore Robert Stockton unterstützt das Heer bei der Eroberung von San Francisco, Monterey, Los Angeles und San Diego. Anschließend blockiert es die Pazifikküste von Mexiko.

August–Oktober **Handelskrieg.** Innerhalb von drei Monaten erobert die US-Brigg >Cyane< (20) unter Fregattenkapitän S. P. Du Pont an der mexikanischen Westküste 23 kleine Handelsschiffe und zwei Kanonenboote von Mexiko.

Gefecht bei Eckernförde 5. April 1849

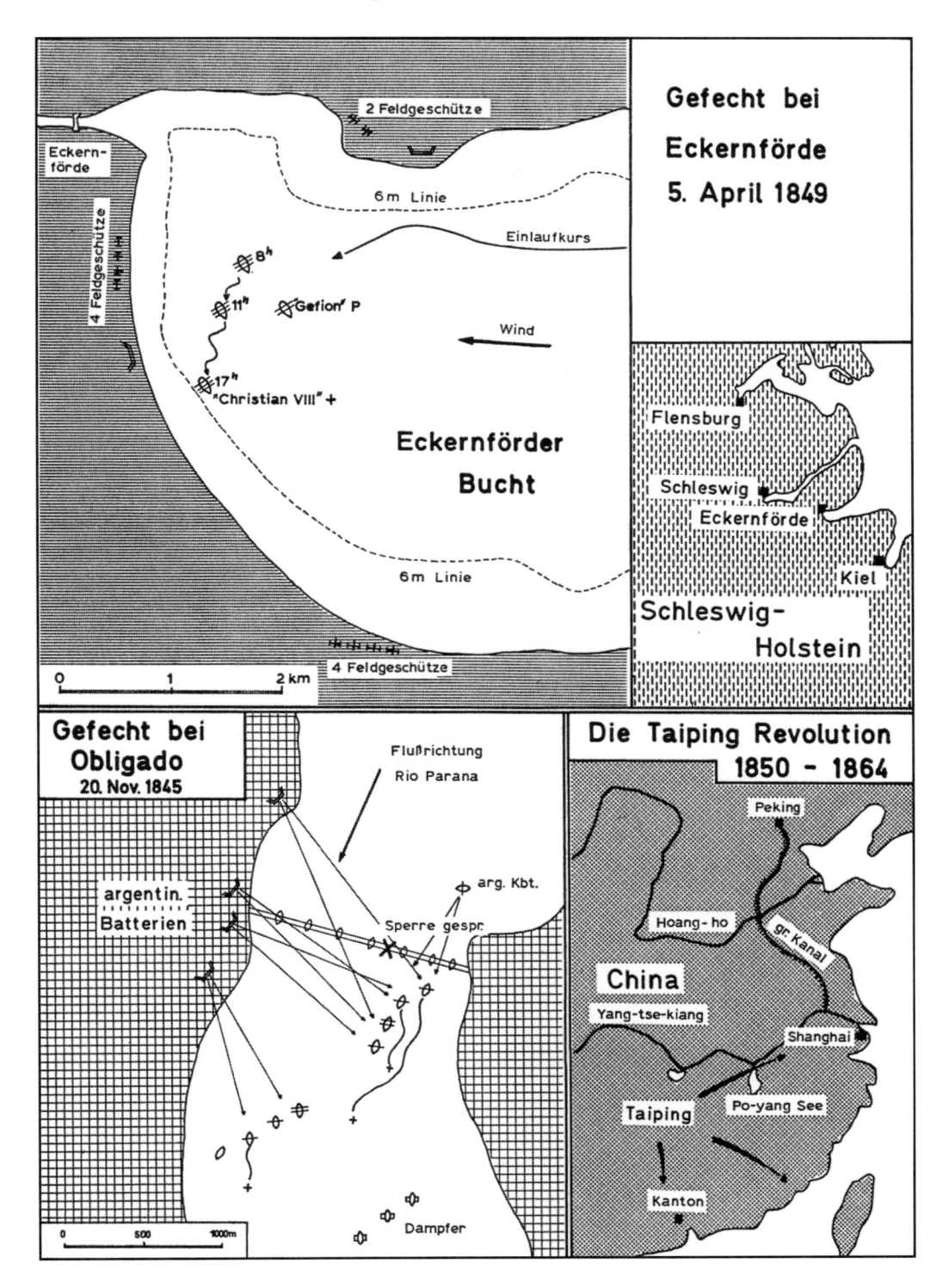

- 2 Feldgeschütze
- Eckernförde
- 4 Feldgeschütze
- 6 m Linie
- Einlaufkurs
- 8ʰ
- 11ʰ
- "Gefion" P
- Wind
- 17ʰ "Christian VIII" †
- Eckernförder Bucht
- 6 m Linie
- 4 Feldgeschütze
- 0 1 2 km

Schleswig-Holstein
- Flensburg
- Schleswig
- Eckernförde
- Kiel

Gefecht bei Obligado 20. Nov. 1845
- Flußrichtung Rio Parana
- argentin. Batterien
- arg. Kbt.
- Sperre gespr.
- Dampfer
- 0 500 1000 m

Die Taiping Revolution 1850 – 1864
- Peking
- Hoang-ho
- gr. Kanal
- China
- Yang-tse-kiang
- Shanghai
- Taiping
- Po-yang See
- Kanton

März 1848	**Friedensschluß.** Nach der Eroberung der Hauptstadt Mexiko durch die Amerikaner muß der Staat Mexiko die Friedensbedingungen der USA annehmen. Er tritt die Provinzen nördlich des Rio Grande an die USA ab, diese übernehmen dafür die Forderungen von Bürgern der USA an Mexiko.
Jänner–Februar 1848	**Sizilien.** Nach dem Aufstand der Republikaner beschießt ein Geschwader von fünf Dampffregatten und mehreren kleineren Schiffen des Königreiches „Beider Sizilien" aus Neapel die Städte Palermo und Messina und unterstützt im folgenden Jahr das Heer bei der Rückeroberung der Insel.
1848–1849	**Krieg Österreich gegen Sardinien und das aufständische Venedig.** Dies ist fast ausschließlich ein Landkrieg, mit Ausnahme der Blockade des Hafens von Venedig durch die Reste der österreichischen Flotte. Der Krieg wird für Österreich durch die Siege von FM Radetzky bei Custozza (25. Juli 1848) und bei Novara (23. März 1849) entschieden.

1848–1850 Erster deutsch-dänischer Krieg

März 1848	Dänemark erklärt die Einverleibung des Landes Schleswig in das dänische Reich. In Kiel wird dagegen eine schleswig-holsteinische Regierung gebildet, die den Kampf aufnimmt.
1848	**Minenkrieg.** Zur Seeverteidigung von Kiel gegen die übermächtige dänische Flotte wird erstmals ein Unterwasserkabel, von Werner von Siemens konstruiert, zur Detonation von **„unterseeischen Torpedos"** verlegt. Im folgenden Jahr verlegt Siemens zur Verteidigung der Batterie von Eckernförde ein weiteres Kabel.
5. April 1849	**Gefecht bei Eckernförde.** In die enge Bucht dringen das dänische Linienschiff >Christian VIII.< (84) und die Fregatte >Gefion< (46) ein. Widriger Wind verhindert ihr Auslaufen. Im Artillerieduell mit zwei preußischen Feldbatterien gerät das Linienschiff in Brand, beide Dänen müssen die Flagge streichen. Die >Christian VIII.< fliegt mit einem Teil der Besatzung in die Luft.
Juli 1850	Das schleswig-holsteinische Dampf-Kanonenboot >von der Tann< gerät bei Neustadt in Holstein im Gefecht mit einer dänischen Korvette auf Grund und muß aufgegeben werden.
Ende 1850	Trotz zeitweiser Unterstützung durch deutsche Bundestruppen muß ohne eigene Flotte und wegen Drohungen von Rußland das Land sich Dänemark ergeben.
1849	**Großbritannien.** Die Regierung hebt die seit rund 200 Jahren bestehenden **Navigationsakte** auf. Die Entwicklung des Welthandels erhält dadurch einen neuen Impuls und es gibt einen Konfliktstoff weniger.
Oktober 1849	**Indochina.** Bei Haiphong vernichten britische Dampfer 58 Dschunken der Chinesen und töten und fangen 3000 Seeräuber (?) in dem sogenannten Gefecht bei Kau-Kam.
1850–1864	**China.** Während der **Taiping-Revolution** kommt es zu mehreren Gefechten der beiderseitigen Dschunkengeschwader auf dem Yang-tse-kiang und auf dem großen Po-yang-See in der Provinz Kiang-si.

Zeit der Dampfschiffe

Die Entwicklung der Dampfkriegsschiffe

Die Wandlung vom geruderten Kriegsschiff zum Segelkriegsschiff vollzog sich in einem allmählichen Übergang, der Jahrhunderte dauerte. Die Einführung des gepanzerten Dampfkriegsschiffes war jedoch eine Angelegenheit von nur wenigen Jahren. Bis zum Krimkrieg beherrschten die großen hölzernen Segelkriegsschiffe mit ihren Breitseiten von rund 40 Kanonen die See. Doch schon in den nächsten zehn Jahren waren sie von den eisernen Panzerfregatten abgelöst worden. Das letzte hölzerne Segellinienschiff, das in einer Seeschlacht eingesetzt wurde, war die österreichische >Kaiser< (92) 1866 bei Lissa.

Versuche, die **Dampfmaschinen** zum Antrieb von Schiffen zu verwenden, reichten jedoch weit in das 18. Jahrhundert zurück. Denis Papin (1647–1714) scheiterte mit seiner noch unzulänglichen Maschine ebenso wie der Engländer J. Hull, der sich 1736 ein Patent zum Antrieb eines Schiffes mit einer Newcomenschen Dampfmaschine erteilen ließ. Mit der Konstruktion der ersten doppelt wirkenden Dampfmaschine durch den Briten James Watt war dann eine geeignete Antriebsmaschine vorhanden. Versuche, noch im 18. Jahrhundert die Dampfmaschine für den Schiffsantrieb in die verwertbare Praxis umzusetzen, scheiterten zunächst. Weder der Antrieb über gestakte Stangen noch mit Hilfe eines Wasserstrahls, von einer Pumpe angetrieben, waren praktisch verwertbar. Der erste brauchbare Raddampfer war die >Charlotte Dundas< des britischen Ingenieurs Symington (1801). Der erste Dampfer im Linienverkehr war die >City of Clermont< (1807) des Amerikaners Robert Fulton, die zwischen New York und Albany verkehrte. Im Krieg Großbritannien gegen die USA (1812–1814) konstruierte Fulton die Doppelrumpf-Dampffregatte >Demologos< (30), die jedoch keine Gelegenheit mehr hatte, sich zu bewähren. Die erste Atlantiküberquerung eines Dampfschiffes fand im Mai 1819 statt. Die >Savannah< war dabei 18 Tage unter Dampf und acht Tage nur unter Segel unterwegs. Das erste eiserne Dampfschiff, die >Aaron Manby<, wurde 1821 gebaut. Nach einigem Zögern ließ die Royal Navy 1822 ihr erstes Dampfschiff, den Seitenradschlepper >Comet<, erbauen.

Der erste Einsatz eines dampfgetriebenen Kriegsschiffes erfolgte 1824 durch die >Diana<, einen Schlepper mit Radantrieb, im Krieg der Briten gegen Burma.

Der **Antrieb** der ersten Dampfschiffe erfolgte durch Schaufelräder an den Schiffsseiten. Da diese Räder durch Geschützfeuer sehr verwundbar waren und den Batteriedecks viel Platz wegnahmen, wurden bei den Kriegsflotten zunächst nur kleine Depeschenboote (Avisos) und vor allem Hafenschlepper mit Dampfmaschinen gebaut. Letztere wurden zum Bugsieren der großen Segelschiffe bei Hafeneinfahrten und in engen Gewässern verwendet; sie sollten die Linienschiffe bei Flaute in eine taktisch günstige Position manövrieren. Nach der Konstruktion der ersten praktisch verwendbaren Schiffsschraube durch den Österreicher Joseph Ressel (1829) und deren Verbesserung durch den Briten Francis Petit-Smith und den Schweden John Ericsson (1836) wurden die ersten Dampfmaschinen als Hilfsantrieb auch in Linienschiffe und Fregatten eingebaut. Das erste Schraubenlinienschiff war die >Napoléon I< (fertig 1850) des bedeutenden französischen Schiffbauingenieurs Dupuy de Lôme. Schon früher hatten Schraubenantrieb und Eisenschiffbau in den Handelsmarinen Eingang gefunden. Der Schraubendampfer >Archimedes< nahm 1839 seine Fahrten auf. Der von dem Ingenieur Isambard K. Brunel konstruierte Dampfer >Great Britain< war das erste große Eisenschiff mit Schraubenantrieb. Die Überlegenheit des Schraubenantriebs über das Schaufelrad wurde in einem berühmten Test 1845 festgestellt. Der britische Schraubendampfer >Rattler< wurde mit dem Schaufelradschlepper >Alecto< über Heck verbunden. Obwohl beide Schiffe über den gleichen Rumpf und eine gleich starke Maschine verfügten und mit voller Kraft arbeiteten, konnte die >Rattler< ihren Konkurrenten mit ungefähr 2,5 Knoten abschleppen.

Die Dampfmaschine wurde nun bald der **Hauptantrieb** für die kleinen Seekriegsfahrzeuge wie Schlepper, Kanonenboote, Küstenpanzerfahrzeuge und Avisos. Für die großen Kriegsschiffe war zunächst jedoch die Dampfmaschine nur Hilfsantrieb, in den meisten Fällen wurde noch der Segelantrieb verwendet. Die frühen Dampfmaschinen hatten noch einen großen Verbrauch an Kohle, die nicht überall ergänzt werden konnte. Erst gegen Ende des Jahrhunderts waren die Dampfmaschinen technisch so weit entwickelt und verläßlich, daß in den achtziger Jahren allgemein die Takelage abgeschafft wurde. Dazu trugen auch die Ereignisse im Gefecht bei Helgoland (1864) und der Seeschlacht bei Lissa (1866) bei.

Ab der Jahrhundertwende wurde begonnen die arbeitsaufwendige Kohlefeuerung bei den Kriegsschiffen durch die leichter zu handhabende Ölfeuerung zu ersetzen. Bei der Entente, der die Welterdölvorkommen zur Verfügung standen, war die Umstellung bereits im Ersten Weltkrieg weitgehend abgeschlossen. Die Mittelmächte, ohne nennenswerte Ölvorräte, mußten weiter noch Kohle verwenden. Dieser Umstand brachte taktische und logistische Nachteile mit sich. Außerdem wurde im Jahr 1897 die vom britischen Ingenieur Charles Parsons entwickelte Schiffsturbine in einem kleinen Fahrzeug eingebaut und bei der Flottenrevue von Spithead erstmals der Öffentlichkeit vorgeführt. Schon bald wurden Turbinen zunächst in Torpedobooten und Zerstörern, dann auch in Kreuzern und Großkampfschiffen verwendet. Nach dem Ersten Weltkrieg waren auch die Schiffsdieselmotoren bereits so weit entwickelt, daß die deutschen Panzerschiffe der >Deutschland<-Klasse mit diesen ausgerüstet werden konnten. Sie erhielten dadurch einen wesentlich größeren Aktionsradius und waren daher für Operationen als Handelsstörer besonders geeignet.

Die Verwendung von **Eisen**, später **Stahl**, zum Schiffbau, zunächst für die Rumpfkonstruktion, später auch für die Schiffshülle, ermöglichte es wieder, die Größe der Schiffe weiter zu steigern. Dem Material „Holz" war auf Grund seiner mangelnden Festigkeit im Schiffbau Grenzen gesetzt, die in der ersten Hälfte des 19. Jahrhunderts erreicht worden waren.

Die **Artillerie** machte im 19. Jahrhundert ebenfalls eine große Wandlung durch. Auf den Schlachtschiffen wurde die große Zahl von glatten Vorderladern mittleren Kalibers, die meist Vollkugeln verschossen, durch wenige Geschütze von großem Kaliber und gezogenem Lauf ersetzt. Sie wurden mit einem technisch sicheren Hinterladerverschluß versehen und konnten die neuen langgezogenen, vorne spitzen Granaten mit großer Sprengkraft auf weite Entfernung abschießen. Die vom Franzosen Paixhans entwickelten und vor San Juan d'Ulloa 1838 erstmals erfolgreich verwendeten Geschoße sind nicht mit den schon viel früher fallweise verwendeten „Bomben" zu verwechseln. Die Bombe war eine mit einer Zündschnur versehene und mit Explosivstoffen gefüllte Hohlkugel, die aus Mörsern verfeuert wurde. Durch eine mögliche frühzeitige Explosion konnte sie das eigene Schiff gefährden und wurde daher nur selten eingesetzt.

Auch die zur Zeit der Napoleonischen Kriege mehrfach verwendeten **Raketen** konnten sich nicht durchsetzen, sie wurden von den verbesserten Geschützen verdrängt. Erst hundert Jahre später sollten die Raketen ihrerseits die Kanonen schweren Kalibers als Hauptwaffe der Kriegsflotten ablösen.

›Charlotte Dundas‹
Erster Schleppdampfer (GB)

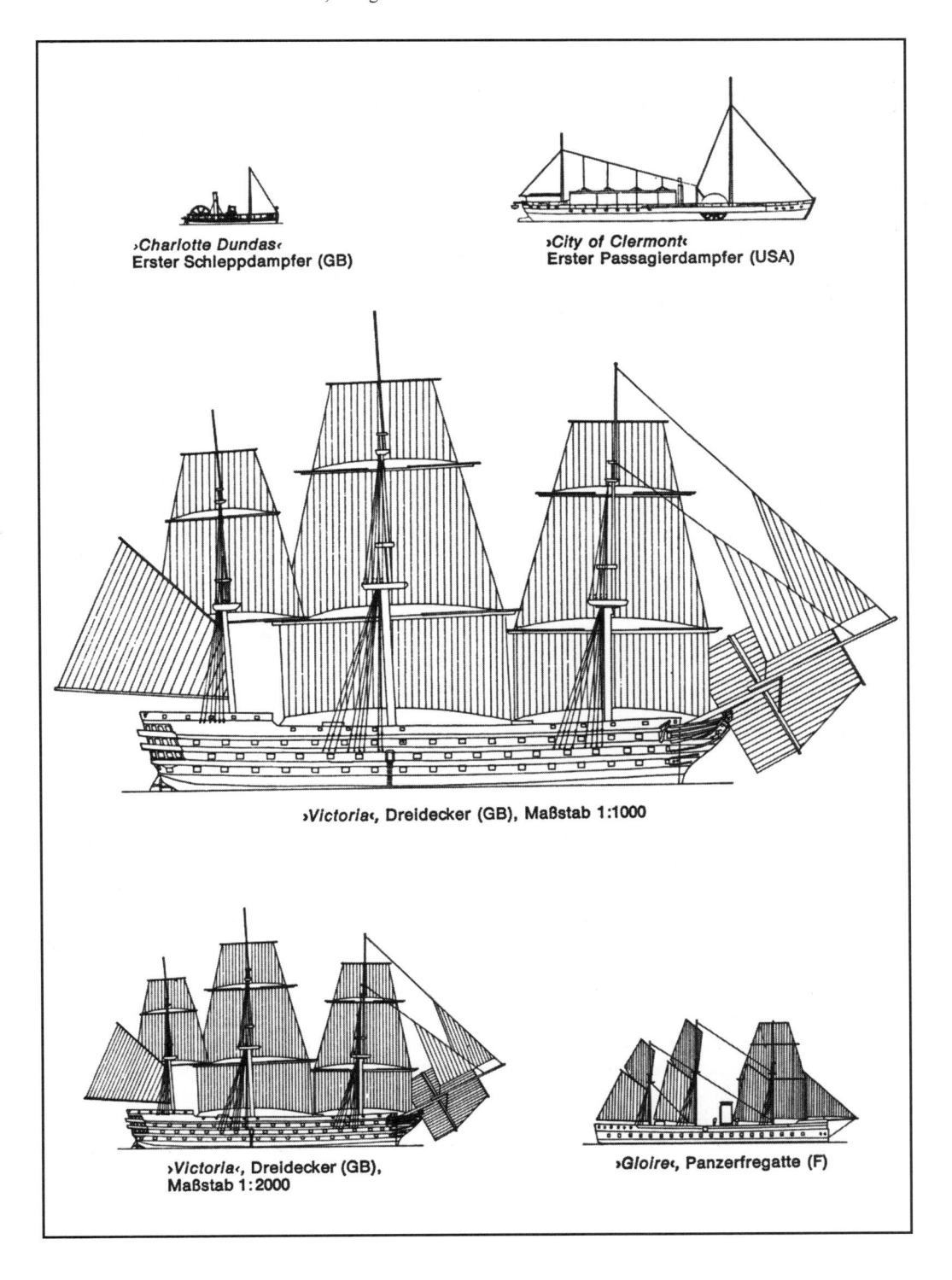

›City of Clermont‹
Erster Passagierdampfer (USA)

›Victoria‹, Dreidecker (GB), Maßstab 1:1000

›Victoria‹, Dreidecker (GB),
Maßstab 1:2000

›Gloire‹, Panzerfregatte (F)

Die früher verwendeten Vollkugeln konnten den Schiffswänden aus Hartholz nicht viel anhaben. Die Wirkung der neuen Granaten gegen hölzerner Schiffswände war jedoch verheerend. Dies führte zum Bau der ersten **Panzerschiffe**. Frankreich verwendete zuerst schwimmende Panzerbatterien im Krimkrieg. Im amerikanischen Sezessionskrieg wurden Küstenpanzerschiffe bereits in großer Zahl eingesetzt. Das erste Hochseepanzerschiff wurde ebenfalls in Frankreich gebaut. Die >Gloire< (5630) war von Dupuy de Lôme konstruiert worden und lief 1859 vom Stapel. Unmittelbar darauf folgten die anderen großen Nationen diesem Beispiel. Diese gepanzerten Schiffe widerstanden in den ersten Auseinandersetzungen sogar den neuen Granaten, worauf die **Geschütze** weiter verbessert wurden. Wesentlich verbessert wurden die Geschützrohre durch die Engländer Armstrong und Whitworth, später auch durch Krupp in Deutschland. Aus den verstärkten Rohren konnten Granaten mit viel größerer Treibladung verschossen werden. Diese erzielten daher auch eine wesentlich größere Reichweite und Durchschlagskraft.

Der Wettlauf zwischen Geschütz und Panzer war im Gang, er sollte rund 80 Jahre dauern. Mit dieser Verbesserung der Geschützrohre, dem Schnellverschluß, der Rohrrücklaufbremse und dem Drehturm konnten die einzelnen Geschütze in Kaliber und Größe immer mehr anwachsen. Die Batterien der Segellinienschiffe von rund 40 Geschützen je Breitseite wurden auf vier bis sechs Stück der neuen Panzerschiffe verkleinert, die aber ein Mehrfaches an Geschoßwirkung ins Ziel bringen konnten als die Dreidecker der Segelschiffszeit. Wegen der gestiegenen Reichweite der Granaten mußte auch die **Feuerleitung** verbessert werden, ein Problem, das bis zum Ersten Weltkrieg weitgehend gelöst war. Vor allem die ausgezeichneten deutschen Entfernungsmesser und die vom britischen Kapitän Percy Scott entwickelte zentrale Feuerleitung machten bereits in diesem Krieg wirkungsvolles Schießen auf Entfernungen bis zu 20 Kilometer möglich, Entfernungen, die noch zehn Jahre früher für völlig unrealistisch gehalten worden waren. Im Zweiten Weltkrieg war die Reichweite der Artillerie auch der mittleren Kaliber an der Grenze der Sichtweite durch die Krümmung der Erdkugel angelangt (knapp 40 Kilometer bei guter Sicht) und daher in direkter Feuerleitung nicht mehr zu steigern.

In der zweiten Hälfte des 19. Jahrhunderts wurde der **Fischtorpedo** zu einer Waffe entwickelt, die auch großen Panzerschiffen tödlich werden konnte. Nach dem Entwurf des Österreichers Johann Blasius Luppis wurde er von dem in Fiume/Rijeka arbeitenden Engländer Robert Whitehead zur Frontreife gebracht. Am Anfang noch langsam und mit einer Reichweite von einigen hundert Metern war er zur Jahrhundertwende bereits eine gefährliche Waffe. Im Krieg Rußlands gegen die Türkei (1877–1878) wurde er erstmals erfolgreich eingesetzt, im chilenischen Bürgerkrieg 1891 wurde erstmals ein Panzerschiff damit versenkt. Die Leistung der Torpedos wurde konstant gesteigert. Im Zweiten Weltkrieg erreichten die japanischen Torpedos eine Reichweite von fast 20 Kilometern und eine Geschwindigkeit von fast 50 Knoten. Für den Einsatz dieser Waffe wurden spezielle Fahrzeuge, die **Torpedoboote**, gebaut. Zu deren Bekämpfung und für den Einsatz auf Hoher See wurden um die Jahrhundertwende die größeren Torpedobootszerstörer entwickelt. Sie wurden schließlich kurz Zerstörer genannt, erhielten im Zweiten Weltkrieg immer neue Aufgaben und führten daher dann einen völlig sinnwidrigen Namen. Denn die Geleitzerstörer des Zweiten Weltkrieges waren nicht zum Zerstören von Geleiten gedacht, sondern wurden zu deren Schutz eingesetzt. Auch die Raketenzerstörer der Nachkriegszeit waren nicht zum Zerstören von Raketen gedacht, sondern feuerten selbst Raketen ab. Noch heute werden von einigen Nationen Schiffe in der Größe von Kreuzern manchmal als Zerstörer bezeichnet.

Mit dem Anwachsen der Größe der Zerstörer auf über 2000 t Wasserverdrängung wurden für die Randmeere und Küstengewässer wieder kleine Torpedoträger, die Schnellboote (oder FAC- Fast Attack Craft), entwickelt. Waren die ersten kleinen Torpedoboote und die späteren Schnellboote vor allem für den Nachteinsatz in Küstengewässern gedacht, wurden die größeren Zerstörer zu den wichtigsten Begleitern für Flottenverbände und Geleitzüge.

Der Fischtorpedo war auch jene Waffe, die das **Tauchboot/Unterseeboot** erst zu einem gefährlichen Kriegsfahrzeug machte. Versuche, Unterwasserfahrzeuge zum Kriegseinsatz zu verwenden, reichen weit in die Vergangenheit zurück. Doch erst die Fahrzeuge von David Bushnell im Nordamerikanischen Unabhängigkeitskrieg, von Robert Fulton zur Zeit der Napoleonischen Kriege und von Wilhelm Bauer im deutsch-dänischen Krieg (1848–1849) konnten sich, noch mit Handantrieb, unter Wasser fortbewegen und ein Ziel ansteuern. Im amerikanischen Sezessionskrieg hatte solch ein Fahrzeug auch den ersten Versenkungserfolg zu verzeichnen. Aber erst zur Wende vom 19. zum 20. Jahrhundert war die Technik so weit fortgeschritten, daß einsatzfähige Tauchfahrzeuge gebaut werden konnten. Die Erfindung des Dieselmotors (für Überwasserfahrt) und des Elektromotors (für Unterwasserfahrt), Druckkörper, Ballasttanks und Sehrohr waren die wichtigsten technischen Errungenschaften.

Im Ersten Weltkrieg wurden feindliche Kriegsschiffe im Unterwasserangriff mit Torpedos angegriffen. Handelsschiffe wurden zunächst im Überwasserangriff mit einer an Deck montierten Kanone zum Stoppen aufgefordert und gegebenenfalls mit dieser versenkt, um die wertvollen Torpedos zu sparen, oder mit einer Sprengladung zum Sinken gebracht. Erst mit der verstärkten Abwehr gegen Kriegsende und der Bildung von Geleitzügen waren die Unterseeboote gezwungen, auch Handelsschiffe im Unterwasserangriff mit Torpedos zu versenken. Die wirksamsten Abwehrmittel gegen die U-Boote waren Wasserbomben und Minen auf den Auslaufkursen der U-Boote sowie U-Boot-Fallen. Dies waren Handelsschiffe mit Marinebesatzung und starker, getarnt aufgestellter Artillerie, die das angreifende U-Boot aus nächster Distanz zu versenken versuchten. Im Zweiten Weltkrieg wurden die deutschen U-Boote in Gruppen (Wolfsrudeln) gegen die Geleitzüge angesetzt. Hieraus entwickelten sich die großen Geleitschlachten im Nordatlantik, dem Mittelmeer und dem Nordmeer. Funkaufklärung, Hochfrequenz-Richtpeilung funkender U-Boote, Luftüberwachung, Radar, Asdic zur Unterwasserortung und Wasserbomben von U-Jagdschiffen und Flugzeugen entschieden den Kampf um die Geleitzüge zugunsten der Abwehr. Außerdem konnten viele Geleitzüge durch die Entschlüsselung der deutschen Funksprüche um die Aufstellungen der Wolfsrudel herumdirigiert werden. Die neuen deutschen Unterseeboote mit hoher Unterwassergeschwindigkeit durch den Walther-Antrieb und zielsuchenden Torpedos kamen für den Einsatz im Handelskrieg zu spät.

Eine Waffe, die bereits bei den Riemenschiffen der Antike eine große Rolle gespielt hatte, wurde in der zweiten Hälfte des 19. Jahrhunderts wieder eingeführt – der **Rammsporn**. In der Seeschlacht bei Lissa 1866 hatte das österreichische Flaggschiff ›Erzherzog Ferdinand Max‹ die italienische ›Re d'Italia‹ durch Anrennen mit dem Schiffsbug in den Grund gebohrt. Alle Marinen begannen daher ihre Schlachtschiffe mit starken gepanzerten Unterwasserrammen auszurüsten. Nachdem aber bei Manövern mehrere Panzerschiffe irrtümlich versenkt worden waren und mit der Jahrhundertwende die Gefechtsentfernungen immer mehr anwuchsen, war die Ramme wertlos, aber für die eigenen Schiffe gefährlich und kam rasch wieder außer Gebrauch.

Im 19. Jahrhundert hatte sich das **Minenwesen** technisch so weit entwickelt, daß die Ankertaumine in den Kriegen ab dem Beginn des 20. Jahrhunderts einen wesentlichen Einfluß auf das Geschehen im Seekrieg in den flachen Küstengewässern nehmen konnte. Erste Versuche mit elektrisch gezündeten Minen hatte Oberst Samuel Colt im Hafen von New York unternommen. Erstmals wurden Minen mit Erfolg von den Russen vor Kronstadt im Krimkrieg eingesetzt. Im amerikanischen Sezessionskrieg wurde erstmals ein Kriegsschiff durch eine Mine versenkt (Kanonenboot >Cairo<, 1862). Im Krieg Rußlands gegen Japan fiel erstmals ein Schlachtschiff einer Mine zum Opfer. Es war die >Petropawlowsk< (11.400), auf der Vizeadmiral Makarow den Tod fand. Im Ersten Weltkrieg waren ganze Teile der europäischen Küstengewässer von Minen verseucht. Im Zweiten Weltkrieg hatten die neuen Magnetminen, akustischen Minen und Zählminen, die erst nach einer bestimmten Zahl von Überfahrten scharf wurden, das Minenräumen zu einer äußerst aufwendigen, material- und personalintensiven Arbeit gemacht. Zum Legen von Minen wurde von den Russen 1904 im Krieg gegen Japan erstmals ein speziell zu diesem Zweck gebauter Minenleger eingesetzt. Zum Minenlegen vor den Küsten des Gegners wurden ab dem Ersten Weltkrieg Zerstörer und Kreuzer im Achterschiff mit einer Minenlegevorrichtung versehen und U-Boote zum Minenlegen eingerichtet. Im Zweiten Weltkrieg wurde auch mit dem Legen von Minen vom Flugzeug aus begonnen. Zum Beseitigen der Minen wurden eigene Minensucher gebaut, die mit Schleppgeräten die Ankertaue der Minen kappen konnten.

Eine neue Dimension im Seekrieg brachte die Einführung der **Luftfahrzeuge**. Die ersten erfolgreichen Versuche mit Luftballons unternahmen die Brüder Mongolfier in Frankreich bereits im Jahr 1783. Zu militärischen Zwecken wurden Fesselballons bereits in den Napoleonischen Kriegen herangezogen. Neben der Beobachtung wurden von den Russen erstmals Bombenabwürfe versucht. Erfolgreicher waren damit die Österreicher 1849 vor Venedig. Von Schiffen aus wurden erstmals im nordamerikanischen Sezessionskrieg Fesselballons zur Artillerieleitung verwendet. Um die Jahrhundertwende begann man in die lenkbaren Luftschiffe große Hoffnung zu setzen. Vor allem die deutschen Zeppeline bewährten sich zu Beginn des Ersten Weltkrieges zur Aufklärung über der Nordsee und zu Bombenangriffen auf England. Diese Einsätze waren aber neben dem Höhepunkt auch gleich das Ende der Luftschiffe. Wegen ihrer großen Verwundbarkeit gegenüber leistungsfähigen Flugzeugen und Luftabwehrgeschützen wurden sie schon zu dieser Zeit von den Maschinen „schwerer als Luft" abgelöst. Den Brüdern Wright gelang 1903 der erste sicher dokumentierte Flug mit einem Motorflugzeug. Sofort begannen die Marinen mit der Entwicklung von Flugzeugen für ihre Bedürfnisse. Österreich-Ungarn verwendete in der Adria fast ausschließlich Flugboote, die USA und Großbritannien begannen bald Radflugzeuge auf Schiffen mitzunehmen. Der erste erfolgreiche Start von einem Kriegsschiff aus erfolgte 1910 in den USA, schon im folgenden Jahr gelang dort auch die erste Landung an Bord. Schon im Ersten Weltkrieg bauten die Briten den ersten Flugzeugträger mit Start- und Landedeck und setzten ihn im Juli 1918 erfolgreich gegen die deutschen Luftschiffhallen in Tondern ein. Bereits im Dezember 1914 waren von den Briten erstmals Wasserflugzeuge von Kriegsschiffen aus gegen die deutsche Küste eingesetzt worden. Neben Aufklärung und Artilleriebeobachtung wurden die Flugzeuge schon im Ersten Weltkrieg zu Bomben- und Torpedoabwürfen verwendet, letztere erstmals von den Briten bei den Kämpfen um die Dardanellen. Da die Bombenabwürfe von horizontal in großer Höhe fliegenden Maschinen nur geringe Trefferaussichten hatten, wurde von den USA nach dem Weltkrieg der Bombenangriff im Sturzflug eingeführt. Auf Grund dieser Erfahrungen wurden zwischen den beiden Weltkriegen von den USA, Großbritannien und Japan die großen Flottenflugzeugträger mit einer Ausrüstung von rund 50 Flugzeugen entwickelt. Diese umfaßte Jagd-, Bomber- und Torpedostaffeln, wobei die Sturzbomber mit verringerter Bombenladung als Aufklärungsflugzeuge verwendet wurden.

Diese großen **Flugzeugträger** zeigten bereits bei den US-Flottenmanövern in den dreißiger Jahren ihre große Schlagkraft. Ihre Kampfflugzeuge hatten bereits die zehnfache Reichweite der Schiffsartillerie, ihr bester Schutz waren die hohe Geschwindigkeit und ihre Jagdflugzeuge. Der erste große Kriegserfolg war der Angriff des britischen Flugzeugträgers >Illustrious< (23.000) auf die italienische Schlachtflotte im Hafen von Tarent 1940 und der japanische Überfall auf Pearl Harbor. In der Korallensee wurde 1942 erstmals eine Seeschlacht nur von Flugzeugträgerverbänden ausgefochten. Zu Ende des Zweiten Weltkrieges hatten die Flottenflugzeugträger die Schlachtschiffe als Kern der Schlachtflotten abgelöst. Neben diesen großen Flugzeugträgern wurde im Zweiten Weltkrieg eine große Zahl von kleinen Geleitflugzeugträgern gebaut. Diese führten rund ein Dutzend U-Jagdflugzeuge mit sich und leisteten einen großen Beitrag zum Schutz der Geleitzüge und den Erfolg der Alliierten in der Schlacht im Atlantik.

Mit der Einführung der **Elektrizität** an Bord der Schiffe gegen Ende des 19. Jahrhunderts wurde durch bessere Innenbeleuchtung die Sicherheit wesentlich erhöht, mit Scheinwerfern konnte die Artillerie bei Nachtgefechten besser geleitet werden, als Kraftquelle erleichterte sie die Bewegung schwerer Gewichte wie Geschütztürme, Bootskräne, Steuerruder etc.

Zu Beginn des 20. Jahrhunderts wurde die **Funkentelegraphie** (drahtlose Telegraphie) auf den Schiffen eingeführt und ermöglichte die zentrale Führung von einzelnen Schiffen und ganzen Flottenverbänden. In der Seeschlacht bei Tsuschima hatten Funksprüche erstmals Einfluß auf das Geschehen. Admiral Togo war dadurch genau über den Anmarsch der Russen informiert. Gegnerische Funksprüche konnten in der Folge nicht nur eingepeilt werden, um die Position des funkenden Schiffes zu erhalten, sondern sie wurden trotz komplizierter Verschlüsselung immer wieder entziffert. Das Brechen der deutschen und japanischen **Funkschlüssel** hatte einen wesentlichen Einfluß auf den Erfolg der Alliierten im Zweiten Weltkrieg.

Durch die Verbesserung des **Gesundheitswesens** und der medizinischen Versorgung sowie durch mehr Sauberkeit an Bord wurde die Seuchengefahr gebannt, die Zahl der Kranken und Sterbefälle bei Einsatzfahrten nahm rasch ab. Bis zur Mitte des 18. Jahrhunderts war die Zahl der Toten durch Krankheiten meist weit höher als die Zahl der Gefallenen durch Kampfhandlungen. Die großen Errungenschaften der Chirurgie verminderte auch die Zahl der Todesfälle nach Verwundungen um ein Vielfaches.

Die technischen Errungenschaften im Schiffbau nach der Mitte des 19. Jahrhunderts hatten ein großes Chaos in der **Schiffstypenbezeichnung** gebracht. Zur Segelschiffszeit gab es neben den Linienschiffen die Fregatten, Korvetten/Sloops und einige wenige Spezialfahrzeuge. Nun war auf einmal die Panzer**fregatte** das Hauptkampfschiff, daneben gab es Kreuzerfregatten, Glattdeckskorvetten, Torpedokanonenboote und viele andere. Erst zu Ende des Jahrhunderts kamen die alten Typenbezeichnungen außer Gebrauch und es kam wieder eine neue Linie zum Tragen. Das Hauptkampfschiff war das neue gepanzerte Linienschiff, daneben gab es zur gewaltsamen Aufklärung den Panzerkreuzer. Der Kreuzer war für Aufklärung und Auslandsdienst einzusetzen, der (Torpedoboots)Zerstörer war als Flottenbegleiter gedacht und die Torpedoboote zum Küstenschutz einzusetzen. Die Kanonenboote waren für die weniger wichtigen Stationen im Auslandsdienst vorgesehen.

Mit dem Bau der britischen >Dreadnought< (17.900) machten die einzelnen Schiffstypen vor dem Ersten Weltkrieg einen Größensprung. Das stark bestückte und gepanzerte Großlinienschiff löste das Linienschiff ab, der stark bewaffnete und schnelle Schlachtkreuzer war der Nachfolger des Panzerkreuzers. Zwischen den beiden Weltkriegen verschmolzen Großlinienschiff und Schlachtkreuzer zum stark bestückten, stark gepanzerten und schnellen Schlachtschiff. Die Richtlinien des Flottenabkommens von Washington 1922 brachten den schnellen aber fast ungepanzerten Schweren Kreuzer im Gegensatz zum kleineren Leichten Kreuzer. Die Zerstörer wurden ebenfalls immer größer, daher wurden wieder kleinere Torpedoboote und besonders schnelle, wendige und kleine Schnellboote als Torpedoträger gebaut. Im Zweiten Weltkrieg lösten die Flottenflugzeugträger dann die Schlachtschiffe als Kern der Flotten ab. Für die U-Boot-Bekämpfung wurden neben den Geleitflugzeugträgern alte Zerstörer, Geleitzerstörer und später spezielle Fregatten und Korvetten gebaut, womit das Chaos in der Typenbezeichnung wie vor hundert Jahren erneut begonnen hatte.

Die Ereignisse zur See in der zweiten Hälfte des 19. Jahrhunderts

In diesem halben Jahrhundert gab es keine großen Seekriege, aber eine ganze Reihe von maritimen Auseinandersetzungen, in denen die Flotten der kleinen und jungen Staaten eine manchmal entscheidende Rolle spielten. Der Drang Rußlands nach Istanbul und zum Mittelmeer führte zu zwei weiteren Kriegen gegen die Türkei, in den Einigungskriegen von Deutschland und Italien spielten die Flotten keine Rolle, Großbritannien und Frankreich wurden in den achtziger Jahren in Nordafrika aktiv. Im Sezessionskrieg der USA und bei den Kriegen in Südamerika spielten die Flotten eine entscheidende Rolle. Bei der Vertretung ihrer Interessen in Süd- und Ostasien wurden Großbritannien, Frankreich und die USA durch ihre Geschwader tatkräftig unterstützt. In den Seekriegen vor dem Ende des Jahrhunderts legten die USA und Japan den Grundstein zu ihrer künftigen Seemacht.

Der **Krimkrieg** hatte seine tiefere Ursache in dem Jahrhunderte alten Drang der Russen nach einem gesicherten Zugang zur Hohen See, ohne das Handikap des Zufrierens im Winter wie im Nordmeer, dem Finnischen Meerbusen und in Ostasien. Die Schwäche der Türkei und die internationale Lage schienen Rußland zur Mitte des Jahrhunderts günstig, mit einer Eroberung von Istanbul und den Meerengen dieses Ziel zu erreichen. Anlaß für den Krieg war die Schutzmachtfunktion über die christlich-orthodoxen Bewohner im Osmanischen Reich, denen sich der Zar verpflichtet fühlte. Als nämlich in Palästina Unruhen über Glaubensfragen ausbrachen, forderte Rußland die Anerkennung, daß jeder christlich-orthodoxe Einwohner der Türkei unter dem Protektorat Rußlands stehe. Dieses Ansinnen wurde von der Hohen Pforte glatt abgelehnt, worauf Rußland in die von der Türkei abhängigen Fürstentümer nördlich der Donau einrückte. Der Krieg war nun unvermeidlich, beide Seiten mobilisierten Heer und Flotte. Rußland verfügte im Schwarzen Meer über 16 Linienschiffe und 19 Fregatten und Korvetten, darunter rund zehn mit Dampfmaschinen, sowie rund zwei Dutzend kleine Dampfschiffe. Die türkische Flotte war zahlenmäßig nur etwas schwächer, befand sich aber in einem schlechten Zustand. Nur einige Fregatten hatten bereits Dampfmaschinen als Hilfsantrieb. Zur Vertretung der Interessen ihrer Staaten waren im Oktober 1853 Geschwader aus Großbritannien und Frankreich entgegen den internationalen Vereinbarungen durch die Dardanellen gelaufen und hatten vor Istanbul geankert. Vor allem der erst im Jahr vorher zum Kaiser der Franzosen gekrönte Napoleon III. suchte dringend nach außenpolitischen Erfolgen und nach internationaler Anerkennung. Verhandlungen in Wien zur Beilegung der Krise zogen sich in die Länge und als ein russisches Geschwader vor Sinope ein türkisches Geschwader vernichtete, griffen Großbritannien und Frankreich an der Seite der Türken in den Krieg ein. Diesem Beispiel folgte das Königreich Sardinien im folgenden Jahr.

Rußland hatte nun die beiden stärksten Seemächte zu Gegnern und zog sich in die Verteidigung zurück. In Ostsee und Nordmeer wurden die russischen Kriegsschiffe in den Häfen zur artilleristischen Verteidigung verankert, die Küstenverteidigung an allen wichtigen Punkten verstärkt. Für die Verbündeten ging es daher darum, die See als Transportweg für den Einsatz von Heeresverbänden zu nutzen. In der Ostsee begnügte man sich jedoch mit der Beschießung einiger russischer Seefestungen, im übrigen war die starke Flotte der Verbündeten in der Ostsee nur wenig aktiv. Schließlich wurde ihr Befehlshaber Vizeadmiral Napier abgelöst, doch kam es trotzdem in der Ostsee zu keinen kriegsentscheidenden Aktionen. Der Hauptstoß der Verbündeten wurde im Schwarzen Meer geführt. Ein Expeditionsheer wurde auf der Halbinsel

Krim gelandet, das nach schweren Kämpfen die Seefestung Sewastopol erobern konnte. Dort wurden die russischen Linienschiffe schließlich von den eigenen Besatzungen versenkt.
Da jedoch keine Seite entscheidende Vorteile erringen konnte, kam es schließlich zur Jahreswende 1855/56 zu Verhandlungen, die zum Frieden von Paris führten. Rußland mußte dabei alle Eroberungen auf dem Balkan zurückgeben, eine militärische Besetzung der Ålands-Inseln wurde untersagt und die Donau wurde zu einer freien Schiffahrtsstraße erklärt. Das Schwarze Meer wurde neutralisiert, Rußland durfte dort keine Kriegsmarine mehr unterhalten. Ferner erfolgte die **„Pariser Deklaration"** über das Seerecht. Darin wurde die Kaperei auch mit Kaperbriefen untersagt, der Begriff „Frei Schiff-frei Gut" für die neutrale Handelsschiffahrt geregelt und festgelegt, daß eine Blockadeerklärung nur dann Gültigkeit hätte, wenn sie auch effektiv ausgeübt wird. Der Krimkrieg war für die Entwicklung der modernen Flotten von besonderer Bedeutung. Die **Dampfmaschine** als Antriebsmittel hatte sich gut bewährt und ihre Überlegenheit über den reinen Segelantrieb bewiesen. Die **Granaten** zeigten ihre große Durchschlagskraft nun auch gegen Schiffsziele. Die hölzernen Wände der Linienschiffe wurden nicht nur glatt durchschlagen, sondern auch oft in Brand gesetzt, das Gefährlichste, was einem hölzernen Schiff passieren konnte. Eisenschiffbau und Panzerung waren daher nun eine unabdingbare Notwendigkeit beim Bau von Schlachtschiffen. Die Panzerbatterien vor Kinburn waren der erste Schritt in diese Richtung. Zur Verteidigung von St. Petersburg und Kronstadt kamen erstmals Ankertauminen mit Erfolg zum Einsatz.
Bei den Einigungskriegen in Deutschland und Italien spielten Kriegsflotten keine nennenswerte Rolle. Frankreich unterstützte 1859 das Königreich Sardinien in dessen Krieg gegen Österreich, wofür es die Abtretung von Savoyen und Nizza forderte. Die der österreichischen weit überlegene französische Flotte blockierte die Adria, ohne gegen die österreichischen Stützpunkte ernstlich vorzugehen. Der Krieg wurde in Norditalien zu Lande entschieden. Sardinien erhielt schließlich die Lombardei und erfüllte Frankreichs Forderungen. In den beiden folgenden Jahren eroberte Garibaldi in seinem berühmten Zug von Genua aus zunächst Sizilien und anschließend mit Unterstützung von Sardinien/Piemont das restliche Königreich Neapel.
Die Flotte von Sardinien unterstütze ihn dabei in der Endphase, die Flotte von Neapel verhielt sich völlig passiv. Mit Ausnahme des von Frankreich zu seinem Schutz besetzten Kirchenstaates und Venedigs war Italien nun geeint. Viktor Emanuel von Sardinien/Piemont nahm den Titel eines Königs von Italien an. Österreich, dessen schwache Flotte gegen die übermächtigen Gegner praktisch wehrlos gewesen war, begann unter dem tatkräftigen Marineoberkommandierenden Erzherzog Ferdinand Maximilian, dem späteren Kaiser von Mexiko, mit einer verstärkten Flottenrüstung.
Der deutsch-dänische Krieg von 1864 brach aus, als **Dänemark** sich das in seinem Staatsverband befindliche deutsche Herzogtum Schleswig gänzlich einverleiben wollte. Als es das entsprechende Reichsgesetz auf ein Ultimatum des Deutschen Bundes nicht zurücknehmen wollte, rückten Bundestruppen, vor allem Preußen und Österreicher, im Februar 1864 zunächst in Schleswig ein und besetzten nach einigen Kämpfen schließlich ganz Jütland. Ein weiteres Vorgehen gegen die dänischen Inseln war mangels einer Kriegsflotte zunächst nicht möglich. Die dänische Flotte kontrollierte mit je einem Geschwader in der Ost- und Nordsee die deutschen Küsten. Mittlerweile war eine österreichische Eskader vom Mittelmeer nach Norden unterwegs. Die Vorausabteilung unter Kommodore Wilhelm von Tegetthoff lieferte den Dänen vor Helgoland ein Gefecht; als die Hauptabteilung in der Nordsee eintraf war bereits der Waf-

fenstillstand abgeschlossen. Im Frieden von Wien mußte Dänemark auf Schleswig verzichten, das seitdem unbestritten mit Holstein vereinigt blieb.
Das Streben um die Vorherrschaft im Deutschen Bund zwischen Preußen und Österreich führte schließlich zum Krieg von 1866, dessen äußerer Anlaß der Streit um die Zukunft des zwei Jahre vorher gemeinsam eroberten Schleswig-Holstein war. Die geschickte Politik des preußischen Kanzlers Otto von Bismarck hatte Italien zum Bundesgenossen gewonnen und Frankreich zum Stillhalten veranlaßt. Entschieden wurde der Krieg durch den raschen Vormarsch der preußischen Armeen unter Gen. Helmuth von Moltke nach Böhmen und deren Sieg in der Schlacht bei Königgrätz. Die österreichische Italienarmee mußte daher starke Teile zur Verteidigung von Wien abgeben, der österreichischen Flotte kam somit für die Verteidigung des Adriaraumes eine erhöhte Bedeutung zu. Sowohl die österreichische als auch die italienische Kriegsflotte waren mitten in der Umrüstung von den hölzernen Segellinienschiffen zu den gepanzerten Dampffregatten. An Schiffszahl und an Bewaffnung waren die Italiener überlegen, die Österreicher waren von Konteradmiral Tegetthoff jedoch schneller zum Kampf gerüstet. Als die Italiener eine Landung auf der Insel Lissa/Vis, mitten in der Adria, unterstützt von der ganzen Flotte versuchten, trat ihnen Tegetthoff entgegen und errang einen klaren Sieg. Obwohl Österreichs Position in der Adria damit gesichert war, mußte es im Frieden von Wien auf Venetien verzichten. Preußen stellte keine Gebietsforderungen, Österreich mußte aber aus dem Deutschen Bund austreten. Bereits im folgenden Jahr (1867) erfolgte der Ausgleich mit dem aufständischen Ungarn, damit wurde die **österreichisch-ungarische Doppelmonarchie** geschaffen.
Die Seeschlacht bei Lissa war seit Trafalgar die erste Schlacht zwischen Flotten in freier See und zugleich die erste Seeschlacht zwischen **Hochsee-Panzerschiffen**. Die Wirkung der Artillerie war trotz zahlreicher Treffer (fast alle Panzerschiffe waren vielfach getroffen) gegen die Panzerung nur gering. Dabei wurde auf kürzeste Distanz gefochten. Diese Seeschlacht beeinflußte den Panzerschiffbau für drei Jahrzehnte (Bugfeuer, Rammsporn). Wie zur Zeit der Riemenschiffe in der Antike war das Schiff selbst wieder Waffe.
Ungarn erlangte im folgenden Jahr im genannten „Ausgleich" fast die vollständige Unabhängigkeit. Es war mit Österreich nur mehr durch das Kaiserhaus verbunden. Gemeinsame Verwaltungsbehörden mit weitestgehendem Einspruchsrecht der Ungarn gab es nur mehr für die Außenpolitik, Teile der Finanzverwaltung und das Heerwesen.
Frankreich mischte sich in besonderem Maße in die deutschen und italienischen Einigungskriege ein und provozierte dadurch schließlich den Krieg von 1870/71 gegen den Deutschen Bund. Obwohl der Krieg in Frankreich als Rache für Königgrätz (bei den Franzosen nach Sadowa benannt) propagiert wurde, konnte Bismarck alle übrigen Staaten zur Neutralität verhalten. Auch dieser Krieg wurde von den Landheeren entschieden, die vor allem durch das Eisenbahnnetz rascher und mit größerem Troß transportiert werden konnten. Trotzdem hätte die weit überlegene französische Flotte mehr erreichen müssen. Der Norddeutsche Bund verfügte nur über ganz unzureichende Seestreitkräfte, einige kleine Panzerschiffe, und mußte seine Küsten daher durch Heerestruppen sichern. Frankreich stellte zwar für Nord- und Ostsee je ein Geschwader auf, beide erzielten mit ihrem langsamen Vorgehen praktisch keinen Einfluß auf das Kriegsgeschehen. Von Landungsoperationen oder Küstenbeschießung war keine Rede. Die Deutschen konnten daher bald Truppenteile von den Küsten an die Landfront verlegen. Nach

der Niederlage bei Sedan wurden die französischen Schiffe heimberufen und die Besatzungen zur Verteidigung von Paris eingesetzt. Der Seekrieg spielte von da an keine Rolle mehr.
Die Gefangennahme von Napoleon III. bei Sedan, der Sturz der Monarchie und die Anstrengungen der Republikaner konnten den Krieg nur wenige Monate verlängern. Frankreich mußte Elsaß-Lothringen abtreten und die deutsche Einigung akzeptieren. Bereits im Jänner war das zweite **Deutsche Kaiserreich** ausgerufen worden, das unter starker Dominanz von Preußen stand.
In **Spanien** führte die Unzufriedenheit mit der Monarchie zu ihrem Sturz und zur Errichtung der Ersten Republik. Es war die Revolte des Geschwaders von Cádiz 1868, die das Signal zu einem allgemeinen Aufstand gab. Wohl entschied sich die Cortes erneut für eine, allerdings liberalere Monarchie, der von ihr schließlich erwählte und 1870 zum König von Spanien berufene Amadeus von Savoyen konnte jedoch hier nicht populär werden und legte die Krone im Februar 1873 nieder. Die Regierungsgewalt in Madrid ging daher auf die **Republikaner** über, gegen die sich jedoch zahlreiche politische Gruppierungen erhoben. Im Norden waren es die Karlisten, Basken und Katalanen, im Osten und Süden versuchten mehrere große Städte autonom zu werden. Am weitesten ging die Hafenstadt Cartagena, wo der Großteil der spanischen Flotte die rote Fahne hißte und sich von Madrid lossagte.
Zum Schutz ihrer Staatsbürger waren vor der spanischen Ostküste neben Kriegsschiffen anderer Nationen das deutsche Panzerschiff >Friedrich Carl< und das britische Mittelmeergeschwader von Malta her eingetroffen. Nachdem am 20. Juli 1873 Madrid die Schiffe in Cartagena zu Piratenschiffen erklärt hatte, wurden deren Bewegungen vom britisch-deutschen Verband genau beobachtet. Als die Aufständischen von den Hafenstädten Alicante und Malaga unter der Androhung einer Beschießung eine Kriegskontribution forderten, konnte dies der Kommandant der >Friedrich Carl<, Kpt. Werner, verhindern und schließlich mit den Briten zwei Schiffe der Aufständischen zur Übergabe zwingen. Sie wurden den Republikanern übergeben und bildeten den Grundstock des Regierungsgeschwaders, mit dem es in die Offensive übergehen konnte. Nach der Einnahme von Cartagena war der Widerstand der Roten gebrochen, im übrigen war das Land jedoch noch immer in zahllose Fraktionen gespalten. Die Cortes beschloß daher die Wiedereinführung der Monarchie, und im Dezember 1874 wurde Alfons XII. zum neuen König ausgerufen, der noch bis 1876 zu kämpfen hatte, bis der letzte Widerstand der Karlisten und Basken gebrochen war. Bei diesen Kämpfen waren vor der Küste Nordspaniens ebenfalls Kriegsschiffe der großen Seemächte zum Schutz ihrer Bürger im Einsatz.
Die Aufstände der Balkanvölker gegen die schwindende Macht der **Türkei** führten ständig zu Einmischungen der Großmächte. Als Rußland 1877 der Türkei den Krieg erklärte, blieben die übrigen Großmächte zwar neutral, Großbritannien vor allen verhehlte aber nicht, daß es an einer Erhaltung der Türkei interessiert war. Rußland hatte zwar seine Beschränkungen einer Flottenrüstung im Schwarzen Meer bereits 1870 für ungültig erklärt, seine Flotte umfaßte aber bisher fast nur Kleinkampfschiffe. Dieser stand eine türkische Flotte von rund 20 Panzerschiffen neben zahlreichen kleinen Fahrzeugen und Flußkampfschiffen gegenüber. Großbritannien untersagte den Russen, ihre Ostseeflotte in die Ägäis zu verlegen. Das türkische Landheer konnte sich daher am Balkan durch Truppenverschiebungen per Schiff durch die Dardanellen zunächst der Angriffe der Russen erwehren. Im Schwarzen Meer nützte jedoch die türkische Flotte ihre große Überlegenheit nicht zu offensivem Vorgehen aus.

So konnten die russischen Kleinkampfverbände langsam die Initiative an sich reißen. Boote mit Spierentorpedos versenkten türkische Flußkampfschiffe auf der Donau und unterstützten das Heer bei der Eroberung wichtiger türkischer Stützpunkte am Fluß. Minen wurden mehrfach erfolgreich ausgelegt und schließlich wurde im östlichen Schwarzen Meer vor Batum erstmals mit einem Fischtorpedo ein feindliches Kriegsschiff versenkt. Die Russen konnten schließlich am Balkan mit ihren Verbündeten, Rumänen und Bulgaren, bis vor Istanbul vorstoßen. Zu dessen Sicherung war ein britisches Geschwader in das Marmarameer eingelaufen. Die Türkei mußte schließlich dem Friedensvertrag von Santo Stephano zustimmen, der im folgenden Jahr im Berliner Kongreß etwas abgeändert wurde. Rußland mußte darin auf einige Gewinne verzichten, Österreich-Ungarn erhielt mit der Okkupation von Bosnien und der Herzegowina ebenfalls seinen Anteil. An Großbritannien trat die Türkei für dessen Unterstützung die Insel Zypern ab mit der weiteren Verpflichtung, den asiatischen Besitz der Türkei gegen Ansprüche von Rußland zu verteidigen.

In diesem Krieg hatten sich erstmals die neuen Kleinkampfmittel des Seekrieges, Torpedos und Minen, in größerem Umfang bewährt. Die Kriegsflotten begannen nun eigene Fahrzeuge für deren Einsatz, Torpedoboote und Minenleger, zu bauen. Zum Schutz vor den Angriffen von Torpedobooten erhielten die Panzerschiffe zahlreiche kleine Schnellfeuerkanonen aufgestellt, der Schiffsrumpf wurde in eine Reihe von wasserdichten Abteilungen unterteilt, damit bei einem Unterwassertreffer nicht gleich das ganze Schiff vollaufen konnte.

Im **Berliner Kongreß** hatten die Großmächte den Griechen wohl Ansprüche auf Thessalien und Epirus zugestanden, nicht jedoch auf **Kreta**. Als dort 1897 ein Aufstand gegen die Türkei ausbrach, landete Griechenland Truppen auf der Insel. Die Großmächte forderten deren Abzug und richteten selbst eine Seeblockade zur Kontrolle ein. Die Türkei erklärte Griechenland den Krieg und schlug dessen Heer in mehreren Treffen in Thessalien. Die griechische Flotte war wohl klein, drei kleine Panzerschiffe, ein Kreuzer und rund zwei Dutzend Torpedoboote und Kanonenboote, aber in gutem materiellen Zustand. Die weit überlegene türkische Flotte war in schlechtem Zustand und praktisch nicht einsatzfähig. Trotzdem versäumte es die Führung der griechischen Flotte ihre Seeherrschaft in der Ägäis auszunützen und versagte bei der strategischen Planung. Selbst die wenigen unkoordinierten Aktionen, wie eine Landung im Golf von Arta, blieben erfolglos. Das Eintreten der Großmächte bewahrte Griechenland vor einer schweren Niederlage.

Die Intervention der Großmächte in der Levante war nur ein Teil ihres Strebens, sich möglichst starke Positionen im **Mittelmeerraum** zu sichern oder anderen zu verwehren. Italien hatte nach 1866 seine Schlachtflotte nach einer Pause wieder wesentlich verstärkt und war dadurch in einen Gegensatz zu Frankreich geraten. Dieses hatte daraufhin um 1880 einen Teil seiner Schlachtflotte in das Mittelmeer verlegt und sie 1881 aktiv bei der Unterwerfung und Befriedung von Tunesien eingesetzt. Dort baute es den Naturhafen von Bizerta zu einem Flottenstützpunkt aus. Dies führte zu einem Wettlauf mit Großbritannien um den Einfluß in Nordafrika, der schließlich im Faschoda-Zwischenfall 1898 gipfelte. Schon 1875 hatte Großbritannien die Suezkanalzone besetzt, im Jahr 1882 nützte es die Unruhen in Alexandria, um nicht nur mit seiner Mittelmeerflotte die Stadt zu beschießen, sondern in der Folge endgültig die Kontrolle über Ägypten zu übernehmen, das damit der Oberhoheit der Türkei praktisch ganz entglitten war. Nach dem Aufstand des Mahdi im Sudan eroberte Großbritannien auch dieses Gebiet und nahm es unter seine Verwaltung. Bei dem Vorstoß auf dem Nil nach Süden hatten sich britische Flußkanonenboote besonders bewährt. Italien unternahm daraufhin einen Vorstoß in das Rote Meer, besetzte Eritrea, erlitt aber 1896 in Abessinien eine Niederlage.

Fast das ganze übrige **Afrika** wurde in diesen Jahrzehnten von mehreren europäischen Nationen kolonisiert. Neben Großbritannien waren es Frankreich, Deutschland, Italien und Belgien, die sich in dieser letzten Kolonisierungswelle wesentliche Territorien neben den alten Kolonialmächten Spanien und Portugal sicherten. Die Rolle der Kriegsmarinen war dabei Machtdemonstration, Truppentransport und Unterstützung bei der Niederwerfung von Aufständen.

Der **Burenkrieg** Großbritanniens von 1899 bis 1902 war neben der beginnenden Flottenrivalität ein weiterer Grund für die Verschlechterung der Beziehung zwischen Großbritannien und dem Deutschen Reich. Die „Krügerdepesche" von Kaiser Wilhelm II. an den Präsidenten der Südafrikanischen Republik P. Krüger 1896 wurde dort fälschlich als Garantieerklärung ausgelegt und verärgerte die britische Öffentlichkeit. Doch sollte es mit der moralischen Unterstützung durch Deutschland sein Bewenden haben. Die Beschlagnahme der deutschen Dampfer >Bundesrath<, >Herzog< und >General< durch das britische Geschwader vor Südafrika wegen angeblicher Konterbande erwies sich als grundlos, erregte die deutsche Öffentlichkeit und vertiefte den Gegensatz zu Großbritannien. Der harte Widerstand der Buren führte erstmals in einem modernen Krieg zur Taktik der verbrannten Erde und der Errichtung von Konzentrationslagern auch für Frauen und Kinder durch die Briten.

In **Asien** setzten die Völker den Hegemoniebestrebungen der europäischen Großmächte einen viel größeren Widerstand entgegen als in Afrika. Die chaotischen politischen Zustände in China eröffneten den Europäern jedoch zunächst noch eine Reihe von Möglichkeiten. Die Taiping-Rebellion konnten die Chinesen nur mit Hilfe von Europäern unterdrücken, das Piratenunwesen konnte jedoch nie gänzlich ausgerottet werden. Je mehr die Europäer sich in die Angelegenheiten Chinas einmischten, desto größer wurde dort der Fremdenhaß und führte zu Ausschreitungen. Diese wiederum riefen die verstärkte Einmischung der Europäer hervor.

Unruhen in **Indochina** benützte Frankreich 1862 zur Erwerbung des südlichen Vietnam mit Saigon, bald danach erlangte es auch die Schirmherrschaft über Kambodscha. Im folgenden Jahrzehnt ging Frankreich auch gegen die Seeräuber am Roten Fluß vor. Dies führte zur Eroberung von Hanoi und schließlich von ganz Nordvietnam. China berief sich daraufhin auf seine alten Hoheitsrechte in Indochina und unterstützte die Einheimischen gegen die Franzosen. Dies führte zum offenen Krieg zwischen Frankreich und China. Das französische Ostasiengeschwader unter Vizeadmiral Courbet nützte seine Seeherrschaft im Südchinesischen Meer zu einer Reihe von Vorstößen aus. Es vernichtete die chinesische Südflotte auf der Reede von Futschau (Fuzhou), blockierte die Küste von Formosa, eroberte dort die Stadt Keelung (Jilong) und besetzte die Pescadores-Inseln. Zu Lande erlitt das französische Expeditionsheer jedoch mehrere Niederlagen und nach dem Sturz der Regierung Ferry in Frankreich wurde mit China Frieden geschlossen. Frankreich gab dabei seine neuesten Eroberungen heraus, China verzichtete dafür auf eine weitere Einmischung in die Angelegenheiten in Französisch Indochina, das nun als Indochina unter eine einheitliche französische Verwaltung gestellt wurde.

In **China** kamen die Vertreter der Mandschu-Dynastie, deren Kaiser als Fremdherrscher nie beliebt waren, in immer größere Schwierigkeiten. Der Opiumkrieg gegen Großbritannien hatte die Machtlosigkeit gegen europäische Nationen gezeigt. Die Taiping-Revolution hatte sie im Inneren weiter geschwächt. Nach wenigen Jahren hatten die Aufständischen den ganzen Südosten des Reiches unter ihre Kontrolle gebracht und sogar Nanking (Nanjing) erobert und zu ihrer Hauptstadt gemacht. Nur mit Unterstützung von Offizieren westlicher Länder konnte bis 1864 der Aufstand weitgehend niedergeworfen werden. Die Kontrolle über weite Teile des Landes war den Mandschus jedoch nicht mehr sicher. Diese chaotische Entwicklung hatte dazu geführt, daß China die Friedensbedingungen von 1842 noch nicht gänzlich erfüllt hatte.

Die zu Recht erfolgte Beschlagnahme eines britischen Schiffes in Kanton wegen Opiumschmuggels nahm Großbritannien zum Anlaß, um seine Forderungen mit Gewalt durchzusetzen. Diesem zweiten Krieg gegen China schloß sich Frankreich wegen der Ermordung eines Missionars an. Die Ostasiengeschwader beider Länder kämpften die Dschunkengeschwader der Chinesen nieder, beschossen Küstenplätze und zerstörten zum Teil die Stadt Kanton. Da eine dauernde Besetzung großer Städte oder Gebiete aus Mangel an Landungstruppen nicht möglich und auch nicht beabsichtigt war, legten die Chinesen jeden Rückzug als Schwäche und jedes Ablaufen eines Geschwaders der Verbündeten, selbst wenn es ganze chinesische Flottillen ohne eigene Verluste vernichtet hatte, als chinesischen Sieg aus. Die Verbündeten mußten schließlich zweimal die Taku (Dagu)-Forts an der Mündung des Peiho (Beihe) und damit den Schlüssel für den Zugang nach Peking erobern – einmal waren sie verlustreich abgewiesen worden –, um China zu ernsten Friedensverhandlungen zu bringen. Als diese durch den Überfall auf die europäische Mission gescheitert waren, rückten die Europäer weiter vor und eroberten Peking. Nach Plünderung durch die Franzosen wurde der Kaiserpalast verbrannt. Im Frieden von Peking (Beijing) mußte China schließlich ausländische Gesandte mit eigener Wachmannschaft in Peking zulassen, an die Briten Kaulun bei Hongkong verpachten und Handelskonzessionen erteilen. Rußland benützte die Gelegenheit und zwang China zur Abtretung der Gebiete nördlich des Amur.

Japan war für über zwei Jahrhunderte vom Handelsverkehr und von politischen Beziehungen mit dem Westen in selbstgewählter Isolation praktisch abgeschlossen. Einzige Ausnahme war die eingeschränkte niederländische Konzession über den Vertragshafen Nagasaki. Im Juli 1853 ankerte ein US-Geschwader unter Com. Matthew C. Perry in der Bucht von Jedo/Tokio und bot den Japanern in ultimativer Form die Aufnahme von Handelsbeziehungen mit den USA an. Das US-Geschwader überwinterte in Macao und Perry erhielt bei seiner Rückkehr im folgenden Jahr einen Handelsvertrag und die Öffnung von zunächst drei Häfen zu diesem Zwecke. Ein russisches Geschwader, das im Herbst 1852 zu dem gleichen Zweck aus der Ostsee ausgelaufen war, konnte nach den Amerikanern ebenfalls Konzessionen erhalten. Ähnliche Verträge erhielten in den Jahren 1855 bis 1858 auch Großbritannien, Frankreich und die Niederlande. Rußland verstärkte in der Folge seine Position in Ostasien, gründete den Flottenstützpunkt Wladiwostok und besetzte sogar die Insel Tsuschima in der gleichnamigen Meeresstraße. Die Insel wurde von ihnen aber nach dem Erscheinen eines britischen Geschwaders in den japanischen Gewässern wieder geräumt. Japan erkannte nun in Rußland einen zukünftigen Rivalen und wandte sich stärker den Briten zu.

Die mit sanfter Gewalt erzwungene Öffnung Japans verschärfte die innenpolitischen Gegensätze im Land, das schon vorher am Rand des Bürgerkrieges stand. Es kam wie in China zu Ausschreitungen gegen die Fremden, worauf als Vergeltung Kriegsschiffe aus Großbritannien, Frankreich, den Niederlanden und der USA die Häfen von Kagoshima und Shimonoseki beschossen. Dabei wurde den Japanern die Überlegenheit der Waffen der Fremden vor Augen geführt. Da sie diese mit ihren damaligen Kriegsmitteln weder besiegen noch vertreiben konnten, sammelten sich die meisten Klans um den bisher vom Shogunat entmachteten Kaiser und strebten die rasche Einigung und Modernisierung von Japan an.

Der Shogun wurde daraufhin vom Kaiser abgesetzt, seine letzten aufständischen Anhänger 1869 zu Land und zur See geschlagen und mit der Neuorientierung Japans nach westlichem Muster begonnen. Der bewährte Führer der Shogunatsflotte, Enomoto, wurde in die kaiserliche Flotte als ihr erster Vizeadmiral übernommen. Die japanische Kriegsflotte wurde zunächst mit westlichen Beratern und angekauften Schiffen aufgebaut. Gleichzeitig wurde auch eine komplette Infrastruktur mit Werften, Arsenalen und Schulen eingerichtet. Schon bald zeigte sich die japanische Flotte als ihrer westlichen Lehrmeister würdige Schülerin. Vor Formosa wurde bereits 1874 eine Flottendemonstration gegen China unternommen. Im folgenden Jahr wurden die Bonin-Inseln annektiert, denen 1879 die Ryukyu-Inseln mit dem wichtigen Okinawa folgten. Als Puffer gegen die russische Expansion wurde 1875 im Norden die Inselgruppe der Kurilen besetzt.

Auch in **Korea**, dessen Verhältnisse Japan wegen der geographischen Nähe genau beobachtete, kam es zu Unruhen, die zu Beschießungen der Forts an der Mündung des Han-Flusses, der Zufahrt nach Seoul, durch die Franzosen (1866) und die USA (1871) führten. Die Japaner erzwangen schließlich nach dem Muster, nach dem die USA 1853 gegen sie selbst vorgegangen waren, die Öffnung von Korea für den japanischen Handel. Als neuerlich in Korea Unruhen ausbrachen und japanische Kaufleute zu Schaden kamen, suchten die koreanischen Behörden in China um Unterstützung an. Japan griff aber selbst mit der Besetzung der Hafenstadt von Seoul, Chemulpo, ein. China, das die Oberhoheit über Korea beanspruchte, protestierte, was Japan zurückwies. Es entsandte weitere Truppen nach Korea. Der nun 1894 ausbrechende Krieg Japan gegen China war der erste, in dem zwei asiatische Völker mit der in Europa entwickelten neuen Kriegsmaschinerie aufeinandertrafen.

Japan war dazu gut gerüstet. Seine Flotte war der chinesischen wohl nicht an Zahl und Stärke der Schiffe, aber in Ausbildung, Zustand des Materials, Organisation und Planung weit überlegen. Japan verfügte über vier kleine schon ältere Panzerschiffe (2200–3700), sieben Geschützte Kreuzer (3700–4300), zehn Kleine Kreuzer (1300–1800), neun Kanonenboote (300–600) und knapp 40 kleine Torpedoboote. China brachte nur die vom Vizekönig der Provinz Petschili (Beizhili), Li Hung Tschang (Li Hong Zhang), modern ausgerüstete Nordflotte zum Einsatz. Sie zählte zwei moderne Panzerschiffe (je 7400), fünf Geschützte Kreuzer (2300–3000), fünf Kleine Kreuzer (1000–2100) und einige Torpedoboote und Transporter.

Für den Erfolg in diesem Krieg war die Seeherrschaft im Gelben Meer entscheidend. Sie wurde von den Japanern in der Seeschlacht vor der Yalumündung errungen. Dort hatten sie die chinesische Flotte gestellt, nachdem diese einen Truppentransport nach Korea geleitet hatte. Die Reste der chinesischen Flotte zogen sich zunächst nach Port Arthur zurück. Als dieses von den Japanern von der Landseite her bedroht wurde, konnten sie nach Wei-hei-wei (Weiheiwei) entkommen. Die Japaner landeten daraufhin mit einem Expeditionsheer auch an der Halbinsel Shantung (Shandong) und blockierten den Hafen von der Land- und Seeseite. Schließlich konnten sie die Reste der chinesischen Nordflotte mit dem Angriff von Torpedobooten ausschalten. Die übrigen Flottenteile der Chinesen waren nicht einsatzfähig, selbst wenn die Absicht bestanden hätte, sie nach dem Norden zu verlegen. Für die japanische Flotte blieb jetzt nur mehr die Aufgabe, die nötigen Heeresverbände nach dem Festland zu transportieren, um den Krieg siegreich zu beenden. Als das japanische Heer durch die Mandschurei auf Peking (Beijing) vorstieß, war China bereit, den japanischen Forderungen nachzugeben. Im Frieden von Tschifu (Yantai) mußte es auf Formosa/Taiwan, die Pescadores-Inseln und den Flottenstützpunkt Port Arthur verzichten.

Das Übergreifen Japans auf das Festland war gegen die Interessen von Rußland. Dieses übte daher zusammen mit Frankreich und Deutschland Druck auf Japan aus und es wurde veranlaßt, gegen eine höhere Kriegsentschädigung auf Port Arthur zu verzichten. Rußland erlangte in den letzten Jahren des Jahrhunderts von China noch die Konzession für eine Eisenbahnlinie durch die Mandschurei direkt nach Wladiwostok und schließlich sogar die Abtretung von Port Arthur als Stützpunkt für seine Pazifische Flotte. Dies war ein ungeheurer Affront gegenüber Japan.

Rußland verstärkte nun seinen Einfluß in Korea und trieb dadurch Japan zum Krieg, für den beide Seiten nun rüsteten. Rußland verstärkte laufend seine Land- und Seestreitkräfte in Ostasien.
Auch die anderen europäischen Nationen und die USA begannen in diesen Jahren ihre Positionen in Ostasien auf Kosten von **China** zu verstärken. Deutschland besetzte Tsingtau (Qingdao) und pachtete das umliegende Gebiet an der Bucht von Kiautschau. Frankreich erwarb Kwangtschauwan (Guangzhouwan) westlich von Macao. Großbritannien sicherte sich Wei-hei-wei und vergrößerte das Gebiet um Hongkong. Die USA waren mit der Erwerbung der Philippinen beschäftigt und veranlaßten daher die anderen westlichen Nationen, auf weitere Erwerbungen in China zu verzichten und eine „Politik der offenen Tür" zu betreiben. Als deren Folge begann der britische Handel bald in Shanghai Fuß zu fassen und von dort das Tal des Yang-tse-kiang zu durchdringen.
Die Niederlage gegen Japan brachte am chinesischen Hof eine Partei hervor, die auch in China wie in Japan Reformen in bezug auf westliche Technologie und Administration durchführen wollte. Dagegen trat eine konservative Gruppe auf, die den westlichen Einfluß nach wie vor als schädlich gänzlich ablehnte. Das Verhalten der westlichen Nationen bei dem Erwerb von chinesischem Territorium brachte die Konservativen am Kaiserhof an die Macht. Diese Organisation, in Europa wegen ihrer öffentlichen Turnübungen fälschlich **„Boxer"** genannt, riß durch selbständige Maßnahmen gegen die Fremden den Kaiserhof mit sich. Ab dem Frühjahr 1900 waren Nordchina (der Süden verhielt sich neutral) einerseits sowie Großbritannien, Frankreich, Deutschland, Rußland, Japan, die USA, Italien und Österreich-Ungarn andererseits miteinander praktisch im Kriegszustand. Ein erster Vorstoß einer Marinebrigade unter dem britischen Vizeadmiral Seymour Richtung Peking zum Entsatz der belagerten Botschaften wurde von den Chinesen zurückgeschlagen. Sieben Kanonenboote der oben genannten Nationen kämpften daraufhin die starken Taku-Forts an der Mündung des Peiho, des Zugangs zu Tientsin und Peking, nieder. Dann konnte ein Vorstoß mit stärkeren Kräften beginnen. Diese waren mittlerweile von starken Flottenverbänden bei Taku gelandet worden, eroberten Peking und befreiten die dort belagerten Gesandten. Nach weiteren Offensivstößen mußte China in die Bestrafung der „Boxer" einwilligen und eine hohe Entschädigung zusichern. Rußland konnte seine Position in der Mandschurei weiter festigen.
Die französische Marine war an der Annexion der großen Insel **Madagaskar** im Indischen Ozean beteiligt. Frankreich nahm zunächst die Schutzherrschaft über Teile der Insel in Anspruch. Im Jahr 1882 führten französische Bürger Beschwerde über Belästigung durch die Eingeborenen. Im folgenden Jahr wurde daher ein Geschwader entsandt, das mehrere Küstenplätze beschoß, um die Forderungen von Frankreich durchzusetzen. Im Jahr 1885 erzwang Frankreich schließlich einen Vertrag, der ihm die Schutzherrschaft über die ganze Insel zusprach. Weitere Aufstände der Einheimischen 1894–1895 führten schließlich 1896 zur Unterstellung der Insel unter die Kolonialverwaltung.
Im **Helgoland-Abkommen** von 1890 zwischen Großbritannien und Deutschland erkannte ersteres den deutschen Kolonialbesitz in Ostafrika an und trat die Insel Helgoland an Deutschland ab; letzteres anerkannte Kenia und Uganda als britische Kolonien und das Protektorat über das arabische Sansibar. Beide anerkannten die Hoheit von Frankreich über Madagaskar.
In **Amerika** war die Entwicklung in diesem halben Jahrhundert den umgekehrten Weg gegangen. Während in Afrika, Asien und im Stillen Ozean die zweite Kolonisierungswelle ihren Höhepunkt erreichte, war die Entkolonisierung in Amerika zur Jahrhundertwende praktisch zum Abschluß gekommen. Das Problem der neuen Staaten in Amerika war die Festlegung der

Grenzen und die Konsolidierung im Inneren. Die erste Aufgabe war bis zum Beginn des 20. Jahrhunderts im großen und ganzen ebenfalls abgeschlossen. Die zweite Aufgabe konnten die meisten Staaten auch im 20. Jahrhundert noch nicht lösen.

Das bei weitem bedeutendste Ereignis war der **Sezessionskrieg** der Vereinigten Staaten von Amerika, die sich in der ersten Hälfte des 19. Jahrhunderts vom Atlantik bis zu den Küsten des Stillen Ozeans ausgedehnt hatten und zu einer der bedeutendsten Wirtschaftsmächte der Welt herangewachsen waren. Dabei hatte sich die Industrie im Norden konzentriert, der Süden war weiter vornehmlich landwirtschaftlich genutzt. In seiner Plantagenwirtschaft herrschte die Baumwolle bereits deutlich vor. Um die Mitte des Jahrhunderts begann sich eine immer stärkere Kluft zwischen dem fortschrittlichen, allen technischen Neuerungen aufgeschlossenen und vom Großkapital geführten Norden und den konservativen, im aristokratischen Stil geführten Pflanzerstaaten im Süden aufzutun. Vor allem waren die Südstaaten in ihrer Lebensführung auf die Arbeit der Negersklaven angewiesen. Im Norden dagegen war die Sklaverei bereits abgeschafft, die Kriegsmarine verfolgte schon aktiv den illegalen Sklavenhandel aus Afrika. Die Südstaaten erklärten daher ihren Austritt aus der Union und bildeten die Konföderierten Staaten von Amerika. Der in der Folge ausgebrochene Krieg war der erste totale Krieg, in dem die neuen technischen Errungenschaften angewandt wurden. Die Meinungsverschiedenheiten zwischen Nord und Süd waren so groß, daß er bis zur Erschöpfung und vollständigen Niederwerfung des Südens ausgefochten wurde.

Der Süden hatte auf die Abhängigkeit von Großbritannien und Frankreich von seinen Baumwolllieferungen gerechnet und daher auf deren Anerkennung und Unterstützung gezählt. Beide, vor allem Großbritannien, verhielten sich wohl freundlich neutral, da der Süden jedoch zu Kriegsbeginn auf keine militärischen Erfolge verweisen konnte, erfolgte auch keine politische Anerkennung.

Der Norden begann sofort mit einer Blockade der Küsten der Südstaaten, um diese nach Möglichkeit von der Außenwelt abzuschließen und dem Kampf dadurch den Charakter einer inneren Angelegenheit zu geben. Das Territorium der Südstaaten lag im Südosten der USA. Die Blockade umfaßte daher die Atlantikküste der Südstaaten und den Golf von Mexiko. Die Küste im Stillen Ozean war voll unter der Kontrolle der Nordstaaten. Fast die ganze Flotte der USA war mit dem Großteil der Offiziere und Mannschaften bei der Union verblieben, die Südstaaten mußten erst eigene Seestreitkräfte schaffen, die Seeherrschaft war daher vom Anbeginn an beim Norden. Der Aufbau einer eigenen Kriegsflotte wurde dem Süden zu Beginn durch die Aufgabe der Marinebasis von Norfolk durch den Norden etwas erleichtert, war aber ständig durch Materialmangel behindert. Es konnten wegen der industriellen Rückständigkeit nur Kriegsschiffe für die Küstengewässer und Kreuzer für den Handelskrieg gebaut werden. Außerdem wurden Kleinkampfmittel wie Spierentorpedoboote und Tauchboote entworfen und gebaut. Die Kämpfe drehten sich daher um den Besitz der Hafenplätze des Südens, um die Kontrolle der wichtigen Verkehrsader des Mississippi, um die Überwachung der Küsten und um den Handelskrieg.

Sowohl mit Landungsoperationen als auch mit enger und weiter Blockade begann der Norden die Häfen der Südstaaten auszuschalten. Durch die systematische Eroberung des Mississippi durch je ein Geschwader von Norden und vom Golf von Mexiko wurde das Territorium der Südstaaten in zwei Teile gespalten. Der für den Süden lebenswichtige Export von Rohstoffen und der Import von Kriegsmaterial wurden durch die Küstenüberwachung am Anfang erschwert und gegen Ende des Krieges fast gänzlich unterbunden. Die Handelskreuzer der Südstaaten waren an Zahl so gering, daß eine Verfolgung über die Weltmeere den Aufwand nicht gelohnt hätte. Der erfolgreichste, die >Alabama<, wurde trotzdem vor der Küste Frankreichs gestellt und niedergekämpft.

Die Seeblockade mit ihrer zwar langsamen, aber schließlich umfassenden Wirkung brachte den Norden ans Ziel. Die Landarmeen des Südens, obwohl zu Beginn des Krieges meist siegreich, konnten mit mangelhafter Ausrüstung und Bewaffnung dem Norden nur mehr in der Verteidigung die Stirn bieten. Sie wurden auch dabei immer öfter ausmanövriert. Schließlich kam das Ende wegen gänzlicher Erschöpfung des Südens.

Die rigorose Blockade brachte für den Norden aber auch einige gefährliche politische Situationen. Im November 1861 holte ein Blockadeschiff von einem britischen Dampfer zwei Diplomaten der Südstaaten herunter. Wegen dieser Neutralitätsverletzung war Großbritannien nahe daran, an der Seite der Südstaaten in den Krieg einzutreten. In Kanada wurden von den Briten Truppen zusammengezogen, das Geschwader vor der amerikanischen Ostküste wurde verstärkt und das Chinageschwader vor die Westküste Nordamerikas verlegt. Auch das Eingreifen von Streitkräften aus Großbritannien, Frankreich und Spanien in Mexiko wegen der dortigen Bürgerkriegsunruhen, ein Akt gegen die Monroe-Doktrin, verschlechterte die Beziehungen zur Union. Großbritannien und Spanien zogen jedoch bald wieder aus Mexiko ab. Die Überlegenheit der Nordstaaten, vor allem zur See, hielt schließlich alle ausländischen Mächte von direkten Einmischungen ab.

Nach der Kapitulation der Streitkräfte der Südstaaten traten diese wieder in die Union ein, die das durch die Kriegsereignisse empfindlich gestörte Wirtschaftsleben nach den Vorstellungen des Norden wieder anzukurbeln begann.

Der Sezessionskrieg war der erste Krieg des Dampfschiffzeitalters, in dem eine fast lückenlose Seeblockade die entscheidende Rolle gespielt hatte. Der Süden hatte rund 1500 Prisen verloren, ab dem zweiten Kriegsjahr konnten nur mehr schnelle, relativ kleine Blockadebrecher die Verbindung mit anderen Nationen aufrechterhalten. Die Leistung der Flotte der Union bei der Blockade der Küsten des Südens ist durchaus mit jener der britischen Flotte bei der Blockade der Küsten Frankreichs im 18. Jahrhundert vergleichbar. In technischer Hinsicht wurden erstmals, wenn auch nur in Küstengewässern, kleine **Panzerschiffe** in größerem Umfang eingesetzt. Die, wenn auch wesentlich verbesserte, Artillerie war der Panzerung nicht gewachsen und konnte sie auch auf geringe Distanz kaum durchschlagen. Eine große Rolle spielte die **Minenwaffe**, die mit viel Erfolg eingesetzt wurde. Mehrfach wurden auch Spierentorpedoboote, die eine Sprengladung an einer langen Stange (Spiere) am Bug führten, mit Erfolg verwendet. Versuche mit ersten primitiven Tauchbooten wurden angestellt, die auch ihren ersten Erfolg erringen konnten. Fesselballone wurden zur Artillerieleitung von Schiffen aus mehrfach verwendet.

Die nun wieder gestärkten USA gingen sofort an die Durchsetzung der Monroe-Doktrin (Nichteinmischung europäischer Staaten in die Angelegenheiten am amerikanischen Kontinent nach einer Erklärung des damaligen Präsidenten der USA 1823). Sie wandten sich gegen die Einmischung von Frankreich in **Mexiko**. Gegen dieses Abenteuer von Kaiser Napoleon III. hatte sich bereits dessen Leiter der Expeditionsflotte, Admiral Jurien de la Gravière, ausgesprochen. Nach dem Rückzug der Franzosen kostete das Unternehmen schließlich Kaiser Maximilian von Mexiko Land und Leben. Von Rußland konnten die USA bereits 1867 Alaska und die Aleuten-Inseln kaufen.

Nach dem Sezessionskrieg wurde die Kriegsflotte wieder auf einen relativ kleinen Stand reduziert. Nur Küstenpanzerschiffe und Kreuzerfregatten neben Kleinkampfschiffen wurden in Dienst gehalten. Mit der zunehmenden Rolle als Aufsichtsorgan über die Verhältnisse in der

Neuen Welt machte sich immer mehr der Mangel einer Hochseeflotte bemerkbar. Spannungen gab es mit Großbritannien über die Grenzziehung am Stillen Ozean, mit Frankreich über dessen geplanten Kanalbau in Mittelamerika vom Atlantik zum Stillen Ozean und mit Spanien wegen der ständigen Aufstände auf Kuba, die nicht zuletzt von Freischärlern aus den USA unterstützt wurden. Bei den Kämpfen der südamerikanischen Staaten untereinander machte sich der Mangel an Kriegsschiffen bei den USA unangenehm bemerkbar und der Krieg Japan gegen China gab den letzten Anstoß für die USA, eine moderne Hochseeflotte aufzubauen. Mit der Errichtung einer Marinebasis in Pearl Harbor auf Hawaii bekamen die USA Appetit auf überseeische Gebiete. Der US-Imperialismus betrachtete bereits die Karibik als Einflußzone der USA.

Als auf **Kuba** Anfang der neunziger Jahre wieder einmal ein Aufstand gegen die Spanier ausbrach, war sich die Öffentlichkeit der USA darüber einig, daß die Insel vom spanischen Joch mit seiner zugegebenermaßen schlechten Verwaltung befreit und nach Möglichkeit den USA einverleibt werden müßte. Zur Wahrung der Interessen der USA wurde das Panzerschiff >Maine< nach Havanna entsandt. Am 15. Februar 1898 ging es nach einer Explosion mit 260 Mann der Besatzung unter. Obwohl die Ursache mit größter Wahrscheinlichkeit unbeständiges Pulver war, beschuldigte die Öffentlichkeit der USA die Spanier sofort eines heimtückischen Anschlages. Im April erfolgte schließlich die Kriegserklärung der USA an Spanien.

Spanien befand sich in der schwierigen Lage, nun mit seinen schon für die Niederwerfung des Aufstandes auf der Insel unzureichenden Truppen auch eine drohende Invasion abwehren zu müssen. Entscheidend für den Ausgang dieses fast reinen Seekrieges waren daher die Kriegsflotten der beiden Kontrahenten. Die Flotte der USA bestand fast ausschließlich aus modernen Schiffen mit gut ausgebildeten Besatzungen und bester Ausrüstung. Die Flotte Spaniens dagegen war wie schon so oft in der Geschichte aus Geldmangel und durch Gleichgültigkeit in schlechtem Zustand. Sie verfügte nur über eine begrenzte Zahl moderner, einsatzfähiger Schiffe. Die Flotte der USA bestand zu Kriegsbeginn aus fünf Linienschiffen, zwei Panzerkreuzern, 16 Kreuzern sowie einer großen Zahl von Küstenpanzerschiffen, Kanonenbooten und Torpedobooten. Spanien verfügte über ein Linienschiff, sechs Panzerkreuzer, elf Kreuzer, eine große Anzahl Kanonenboote und einige Torpedoboote. Ein wesentliches Handikap für die spanische Flotte war jedoch die fast zehnfache Entfernung gegenüber den USA zum Kriegsschauplatz in der Karibik. Die (unbegründete) Furcht der amerikanischen Öffentlichkeit vor Angriffen der spanischen Flotte auf Küstenplätze der USA führte zu einem starken Ausbau der Küstenverteidigung und Anlage von Seefestungen. Das aus Spanien nach der Karibik entsandte Hauptgeschwader zur Unterstützung der Truppen auf Kuba wurde nach seinem Einlaufen in den Hafen von Santiago de Cuba vom US-Geschwader in der Karibik blockiert. Nach der Gefährdung durch Landtruppen mußte das spanische Geschwader auslaufen und wurde in der folgenden Seeschlacht vernichtet. Der Krieg war dadurch mit einem Schlag entschieden. Schon zwei Monate früher hatte das US-amerikanische Geschwader im Stillen Ozean die spanischen Schiffe bei den Philippinen im Gefecht bei Manila vernichtet. Landungstruppen der USA besetzten daraufhin auch Puerto Rico und Manila.

Im folgenden Friedensvertrag trat Spanien Puerto Rico, die Philippinen und Guam in den Marianen an die USA ab. Kuba wurde nominell unabhängig, stand aber unter dem Protektorat der USA. Schon im folgenden Jahr wurden auch die Hawaii-Inseln als eigenes Territorium den USA einverleibt. Seinen restlichen Inselbesitz im Stillen Ozean verkaufte Spanien an das Deutsche Reich. Spaniens weltumfassendes Kolonialreich hatte damit sein Ende gefunden.

Aufgrund der Erfahrungen der letzten Seekriege trat eine allgemeine Vereinheitlichung der Schiffstypen ein. Der Kern der Flotten wurde das Schlachtschiff/Linienschiff mit starker Panzerung und Artillerie. Neben diesem gab es den Panzerkreuzer, leichter gepanzert und schneller als das Linienschiff. In erster Linie zur Aufklärung diente der Kleine Kreuzer. Aus dem Torpedoboot entwickelte sich der Torpedobootszerstörer, kurz Zerstörer genannt. Die Hauptdaten waren:

Schiffstyp	Wasserverdrängung	Artillerie	Geschw.	Besatzung
Linienschiff	12 bis 15.000 t	4 – 30,5 cm	18 kn	800
Panzerkreuzer	7 bis 14.000 t	4/6 – 20,3 cm	23 kn	600
Kleiner Kreuzer	2 bis 4.000 t	10 – 10,5 cm	25 kn	300
Zerstörer/Torpedoboot	300 bis 600 t	2 – 7,0 cm	28 kn	70

In **Südamerika** kam es in der zweiten Hälfte des 19. Jahrhunderts zu einer Reihe von kriegerischen Auseinandersetzungen, die ihre Wurzeln in der ehemaligen Kolonialherrschaft hatten. Auch darin spielte die Seeherrschaft eine zum Teil entscheidende Rolle. Zunächst war es Spanien, das entgegen der Monroe-Doktrin der USA, seinen Einfluß in Lateinamerika wieder zu verstärken versuchte. Dann waren es Auseinandersetzungen um Territorien, die durch die teilweise unnatürliche Grenzziehung aus der Zeit der Unabhängigkeitskämpfe herrührten. Und zuletzt waren es innenpolitische Streitigkeiten, die zu Bürgerkriegen führten, an denen auch Seestreitkräfte beteiligt waren.

Die Dominikanische Republik stellte sich 1861 wieder unter spanische Herrschaft. Die Spanier hofften, somit wieder mehr Einfluß in Lateinamerika zu erlangen. Doch bald zwangen neuerliche Aufstände die Spanier, die Insel 1865 wieder zu räumen. Auch das Eingreifen in Südamerika (Chile und Peru) 1864 führte nur zu einem kostspieligen Seekrieg, der nicht zu gewinnen war. Wegen offener Schuldforderungen und Mißhandlung baskischer Bürger in Peru besetzte das spanische Pazifikgeschwader die Chincha-Inseln nahe von Callao. Unter dem Druck der Blockadedrohung kam ein Übereinkommen mit der Regierung von Peru zustande. Letztere wurde jedoch im folgenden Jahr durch eine nationale Revolution gestürzt, das Abkommen von der neuen Regierung nicht anerkannt. Schließlich schlossen Peru und Chile ein Bündnis, dem sich Anfang 1866 noch Ekuador und Bolivien anschlossen. Am 14. Jänner 1866 erfolgte die Kriegserklärung an **Spanien**. Es kam dann zu zwei Seegefechten, in denen sich die Südamerikaner gut hielten, und zu der Beschießung von Valparaiso und Callao durch die Spanier. Spanien konnte die vor Callao beschädigten Schiffe nicht ersetzen und mußte sein Geschwader abziehen, die Kampfhandlungen kamen zu einem Ende.

Zur selben Zeit kam es zum Krieg von Paraguay gegen die **Tripleallianz** Brasilien, Argentinien und Uruguay. In diesem Konflikt spielten die Flußkriegsschiffe die entscheidende Rolle. Nur auf den beiden großen Flüssen Parana und Paraguay konnten größere Mengen an Material und Truppen schnell transportiert werden.

Kriegsursache waren bürgerkriegsähnliche Unruhen in Uruguay. Brasilien unterstützte eine der beiden Parteien und als seine Truppen trotz eines Ultimatums des Diktators von Paraguay, Lopez II., in Uruguay einrückten, erklärte dieser den Krieg.

Lopez hatte ein gut organisiertes Heer, eine Flußflotte von 21 bewaffneten Dampfern und eine Anzahl mit je einem Geschütz bewaffneten Prähme zur Verfügung. Damit unternahm er Offensivstöße am Parana nach Süden. Als Lopez im argentinischen Hafen Corrientes brasilianische Schiffe wegnahm und dann sogar die Stadt besetzte, erklärte auch Argentinien den Krieg an Paraguay. Der Vorstoß Paraguays wurde in der Flußschlacht bei Riachuelo gestoppt. Die Hauptlast des Kampfes hatte jedoch Brasilien zu tragen. Denn die beiden anderen Länder waren noch immer durch innere Unruhen geschwächt. Erst als Brasilien seine Flotte in Stärke von einem Dutzend kleinen Panzerschiffen und rund 30 Dampfern auf den Parana brachte, konnten die Truppen von Paraguay niedergerungen werden. Schließlich stieß die brasilianische Flotte bis nach Asuncion vor, drängte die restlichen Einheiten von Paraguay in das Landesinnere ab, wo sie nach langwieriger Verfolgung aufgerieben wurden. Paraguay verlor drei Viertel seiner Bevölkerung durch die Kämpfe, durch Seuchen und Hunger und war gänzlich ruiniert. Den nördlichen Teil des Staatsgebietes mußte es an Brasilien abtreten. Flußsperren und Minen spielten in diesem Krieg ebenfalls eine große Rolle, letzteren war eines der brasilianischen Panzerschiffe zum Opfer gefallen.

Ein Krieg, in dem die Seeherrschaft die entscheidende Rolle spielte, war der **Pazifikkrieg** zwischen Chile einerseits und Peru und Bolivien andererseits. Streitpunkt des Krieges waren die auf bolivianischem Territorium liegenden, unter chilenischer Verwaltung stehenden Salpetergruben von Antofagasta. Im Februar 1879 besetzte Chile die Stadt und als daraufhin Bolivien und Peru ein Bündnis schlossen, erklärte es den Krieg. Da der Nord-Süd-Verkehr in den Gebirgsgegenden der Anden fast ausschließlich zur See abgewickelt wurde, kam ihrer Beherrschung entscheidende Bedeutung zu. Chile verfügte über zwei Panzerschiffe, zwei Korvetten und mehrere Transportdampfer, Peru über vier kleine Küstenpanzer und zwei Korvetten. Der von Kpt. Miguel Grau zunächst geschickt geführte Küstenpanzer >Huascar< konnte den Chilenen zunächst die Seeherrschaft erfolgreich streitig machen. Als er sich jedoch zu weit vorwagte, wurde er von den beiden Panzerschiffen gestellt und erobert. Dadurch verfügte Chile über die unbeschränkte Seeherrschaft, die übrigen peruanischen Küstenpanzer waren nicht einsatzfähig. Die Flotte Chiles unterstützte zunächst Landungen im Süden von Peru. Da dies zu keiner Entscheidung führte, wurden Truppen bei Callao gelandet. Die Flotte blockierte diesen Haupthafen von Peru, nach dem Sieg des Heeres bei Miraflores entschied die Eroberung von Lima den Krieg für Chile. Peru mußte schließlich seine südlichste Provinz, Bolivien seine ganze Pazifikküste an Chile abtreten. Die Möglichkeit, Heerestruppen ungehindert über die See verlegen zu können, entschied den Krieg.

Im letzten Jahrzehnt des 19. Jahrhunderts kam es in den drei großen Staaten Südamerikas zu Bürgerkriegen, in denen die Seestreitkräfte teilweise eine bedeutende Rolle spielten. In **Chile** revoltierte 1891 die Kriegsflotte gegen das autokratische Regime von Präsident Balmaceda und unterstützte die Opposition der Kongresspartei, deren Führer auf den Schiffen von Valparaiso nach dem Norden des Landes flohen, wo sie in der reichen Salpeterprovinz ein eigenes Heer aufstellten. Dieses wurde von der Flotte in der Nähe von Valparaiso gelandet und errang nach kurzem Kampf den Sieg über Balmaceda. Zwei aus Großbritannien eingetroffene moderne Torpedoboote konnten zwar in einem Nachtangriff eines der Panzerschiffe der Aufständischen versenken, dem Kampf aber keine Wendung mehr geben. Die Seeherrschaft, über die die Aufständischen verfügten, ermöglichte es ihnen, ohne Behinderung ihre Position auszubauen und ihre Offensive an jedem gewünschten Ort anzusetzen.

Nach dem Sturz der Monarchie in **Brasilien** wurde das Land von den Präsidenten nacheinander entgegen der Verfassung wie von Diktatoren regiert. Schließlich revoltierte die im Hafen von Rio de Janeiro liegende Flotte. Statt nach dem Beispiel von Chile sich eine gesicherte Basis zu suchen, duellierten sich die Schiffe monatelang ohne Ergebnis mit den Forts am Hafen. Als sie sich endlich mit den Sympathisanten im Süden des Landes vereinigen wollten, war es zu spät. Die Regierung hatte aus dem Ausland neue Schiffe beschafft, ein Torpedoboot konnte das stärkste Panzerschiff der Aufständischen versenken und die Revolte brach zusammen.

Bei einer Erhebung der Provinz Santa Fe gegen die Zentralregierung von **Argentinien** schloß sich ein alter Küstenpanzer den Aufständischen an. Er wurde nach einem kurzen Feuergefecht mit einem Panzerschiff der Regierungstruppen zur Aufgabe gezwungen. Ein altes Schiff konnte auf den Gang der Ereignisse sichtlich keinen Einfluß nehmen.
In diesem **halben Jahrhundert** vollzog sich in einer raschen Entwicklung der Übergang vom hölzernen Linienschiff zum gepanzerten eisernen Linienschiff mit Dampfmaschine und Hinterladerkanonen von großem Kaliber mit mechanischer Bedienung. Die neuen Linienschiffe hatten wegen der Notwendigkeit, in kurzen Abständen Treibstoff ergänzen zu müssen, nur einen begrenzten Aktionsradius. Der Rammsporn als taktische Waffe war von der Seeschlacht bei Lissa bis zu jener vor dem Yalu nur eine Episode geblieben. Das Minen- und Torpedowesen hatte zum Bau von neuen Schiffstypen wie Torpedobooten und Minenlegern geführt. Die zahlreichen Versuche, brauchbare Unterwasser-Kampfschiffe zu konstruieren, waren noch nicht von Erfolg gekrönt, da ein von der Luft unabhängiger Motor für die Unterwasserfahrt noch fehlte. Die Verlegung von unterseeischen Kabeln ermöglichte in kurzer Zeit die Verbindung der Zentralstellen mit fernen Flottenstützpunkten. Die Führer von Verbänden oder einzelnen Schiffen im Ausland waren nicht mehr wie bisher unabhängig und manchmal gezwungen, riskante Entscheidungen auf eigene Verantwortung zu treffen. Ihre Eigeninitiative wurde dadurch aber eingeschränkt, die Führung ging immer mehr auf die Zentralstellen über.
Die **geopolitische Situation der Weltmeere** wurde in diesem Zeitraum an einigen Punkten verändert. Durch die Eröffnung des Suezkanals 1869 wurde die Entfernung von Europa zum Indischen Ozean teilweise bis über die Hälfte verringert. Die Bedeutung der Kontrolle über Ägypten war daher noch wesentlich größer als zur Zeit von Napoleon I. Es war jedoch nicht Frankreich, sondern Großbritannien, das sich schon 13 Jahre später diese Kontrolle sichern konnte. Ähnliche Bedeutung wie der Suezkanal für das Britische Weltreich, hatte für das Deutsche Reich der Bau des Kaiser-Wilhelm-Kanals (heute Nord-Ostsee-Kanal), der 1895 eröffnet wurde. Er verbindet die Ostsee mit der Nordsee allein über deutsches Staatsgebiet. Dies ermöglichte der deutschen Flotte eine rasche Verlegung ihrer Streitkräfte unter Vermeidung des Umweges um die Halbinsel von Jütland. Dieser Weg wäre von eventuellen Gegnern Deutschlands leicht zu sperren gewesen.
In einer viel schwierigeren Lage war Rußland, dessen Flotten in der Ostsee, im Schwarzen Meer, im Eismeer und im Pazifik weit voneinander getrennt waren. Die Erschließung des Seeweges durch das nördliche Eismeer vom Atlantik in den Stillen Ozean war daher für die russische Flotte von großer Bedeutung. Auch eine Erschließung Sibiriens über die in das Eismeer mündenden großen Flüsse war auf diesem Wege leichter möglich. Erstmals gelang diese Passage 1878 bis 1879 dem Schweden Nordenskjöld. Zwei Jahrzehnte später begann Rußland auf Anregung von Konteradmiral Makarow mit dem Bau von Eisbrechern, um sich diesen Seeweg zu erschließen.
Nach fast drei Jahrhunderten wurde auch die Suche nach einer Nordwestpassage vom Atlantik in den Stillen Ozean wieder aufgenommen. Sie erlangte jedoch wegen der Eisverhältnisse weder eine strategische noch eine wirtschaftliche Bedeutung. Bei diesen Fahrten in das Nordmeer und auch in das Südpolgebiet wurden die letzten unbekannten Gebiete der Weltmeere erforscht.
Die Kunst wurde nun vom **Historismus** und dem folgenden **Jugendstil** dominiert. Es zeigte sich aber eine allgemeine Richtungslosigkeit, die Architekten bauten nach individuellen Vorstellungen in Neuromanik, Neugotik, Neurenaissance und alle möglichen Stile wurden versucht. Die Möglichkeit, sich mit gewagteren Plänen zu befassen, hatte die industrielle Entwick-

lung seit der Mitte des 18. Jahrhunderts geschaffen. Dampfmaschine, Schmiedeeisen, Gußeisen, Stahl, Stahlbeton und Spannbeton ermöglichten ab der Jahrhundertwende den Bau von Brücken, Hochhäusern und Tunnels sowie den Bau der weiter vorne beschriebenen neuen Dampfschiffe aus Eisen.

Gegen Ende des 19. Jahrhunderts etablierte sich der Jugendstil in ganz Europa. Als Beispiele für viele Bauten seien die Secession in Wien (1898), das Hôtel Solvay in Brüssel (1895–1900), und die Kunstakademie in Glasgow genannt.

19. Jh.	**Nordwestpassage.** Wiederaufnahme der Suche nach einem Seeweg vom Atlantik in den Stillen Ozean im Norden um Amerika. Hervorragend beteiligt sind Parry (1819–1820), Franklin (1845–1848, †) und McClure (1850–1855). Die erste Durchfahrt gelingt dem Norweger Roald Amundsen von Ost nach West (1903–1907). Wirtschaftliche Bedeutung hat dieser Seeweg nicht erlangt.
1850	**Tauchboot.** Der bayerische Artillerieunteroffizier Wilhelm Bauer baut den >Brandtaucher<, ein primitives Unterseeboot mit Handantrieb. Damit will er die dänische Blockadeflotte angreifen. Ein mißglückter Tauchversuch veranlaßt ihn, Techniken zur Hebung gesunkener Schiffe zu entwickeln.
1850	**Nachrichtentechnik.** Das erste unterseeische Telegraphenkabel wird zwischen England und Frankreich verlegt.
23. Oktober 1850	**Unglück.** Im Hafen von Istanbul gerät das türkische Flottenflaggschiff, das Linienschiff >Neir i Schefket< (90), in Brand und explodiert. Das Unglück fordert über 500 Tote.
1851	**Marokko.** Ein französisches Geschwader mit dem Linienschiff >Henry IV.< und mehreren Dampffregatten unter Konteradmiral Dubourdieu beschießt die marokkanische Küste bei Salé als Vergeltung für Piraterie.
27. Februar 1852	**Schiffbruch.** An der Küste von Südafrika strandet der britische Truppentransporter >Birkenhead<. Es sind 436 Tote zu beklagen.
1853–1854	**Politik.** Öffnung von **Japan** im Vertrag von Kanagawa für internationale Handelsbeziehungen unter dem Druck eines US-Geschwaders unter Com. Matthew C. Perry, Flaggschiff >Mississippi< (3220), mit drei Dampffregatten und sieben Segelschiffen.

1853–1856 Der Krimkrieg

2. Juli 1853	Die Russen eröffnen die Kampfhandlungen mit dem Einmarsch des Heeres in das Moldaufürstentum.
30. November 1853	**Seeschlacht bei Sinope.** Ein türkisches Geschwader unter Vizeadmiral Osman Pascha ankert im November auf der Reede von Sinope. Es umfaßt sieben Fregatten, drei Korvetten und drei Dampfer. Auf der Reede wird es von einem russischen Geschwader entdeckt und blockiert, bis aus Sewastopol Verstärkung herankommt. Am Nachmittag des 30. November greift Vizeadmiral Nachimow an. Er legt sein Geschwader mit den sechs Linienschiffen >Imperatritsa Maria< (84, F), >Parish< (120), >Tri Swetitelja< (120), >Welikij Knjas Konstantin< (120), >Tschesma< (84), >Rostislaw< (84), zwei Fregatten und einer Brigg den Türken gegenüber vor Anker. Die russischen Schiffe schießen erstmalig gegen Schiffsziele mit den neuen Sprenggranaten. Nach zwei Stunden fliegt eine

Nordwestpassage
über Melville Sund

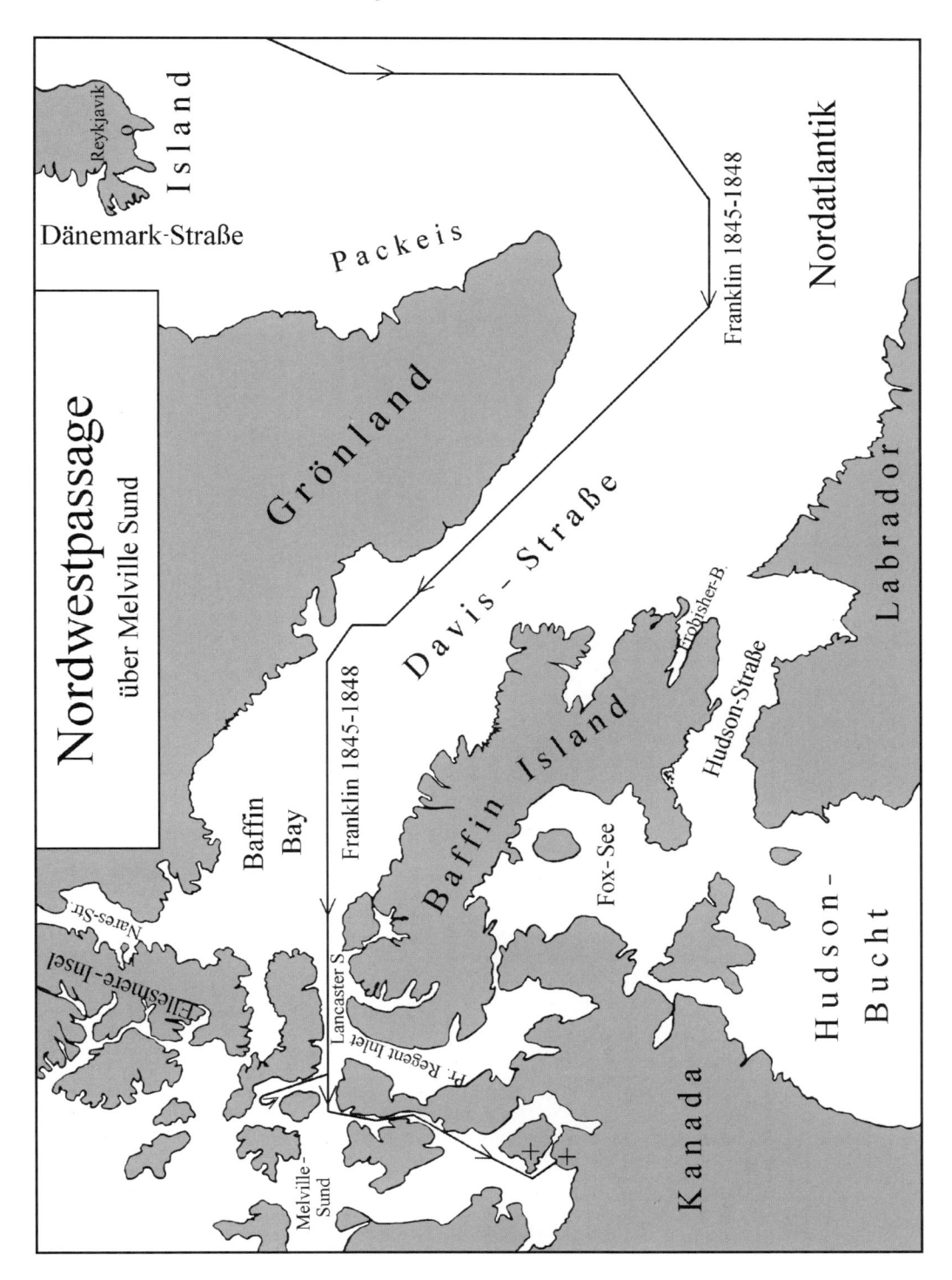

türkische Fregatte in die Luft, drei weitere stehen in Brand. Nur ein kleiner Dampfer kann schließlich entkommen. Der Rest des türkischen Geschwaders ist zusammengeschossen. Die Türken beklagen 2960 Tote, die Russen nur 37. Die alten Kanonenkugeln sind den Granaten klar unterlegen.

Nach diesem Kampf treten Großbritannien und Frankreich an der Seite der Türkei in den Krieg ein. Im Jänner 1855 folgt auch das Königreich Sardinien.

16. August 1854 In der **Ostsee** wird von einem französischen Landungskorps nach Beschießung die russische Festung Bomarsund auf den Ålands-Inseln erobert. Da sie über den Winter nicht gehalten werden kann, wird die Festung wieder geräumt.

3. Jänner 1854 Der Hauptkriegsschauplatz befindet sich aber im **Schwarzen Meer**. Kurz nach der Schlacht bei Sinope läuft bereits ein britisch-französisches Geschwader unter den Admiralen Dundas (E) und Hamelin (F) durch den Bosporus in das Schwarze Meer ein. Bei dieser Flotte befindet sich das erste Schraubenlinienschiff, die französische >Napoléon I<. Ein britisch-französisch-türkisches Expeditionsheer wird zunächst nach Varna gebracht. Beim Truppentransport über größere Entfernungen beweisen die Dampffahrzeuge bereits ihren Wert.

April 1854 Fünf britische und drei französische Dampffregatten beschießen den Hafen von **Odessa**. Einige Handelsschiffe werden versenkt, die Befestigungen getroffen. Nur ein französisches Schiff erleidet Schäden.

12. Mai 1854 Die britische Radfregatte >Tiger< (1220) gerät im Nebel vor Odessa auf Grund und muß nach Beschießung durch einige russische Feldgeschütze die Flagge streichen.

4. September 1854 **Ostasien.** Ein kleines britisch-französisches Geschwader versucht Petropawlowsk auf Kamtschatka zu erobern. Der Landungsversuch wird aber abgewiesen, das Geschwader muß sich mit Verlusten zurückziehen.

1854 und 1855 **Eismeer.** Ein kleines Geschwader der Verbündeten operiert im Hohen Norden und führt gelegentlich Küstenbeschießungen durch.

14. September 1854 **Landung auf der Krim.** Das Expeditionsheer der Verbündeten von rund 60.000 Mann wird mit rund 400 Kriegsschiffen und Transportern von Varna nach Eupatoria gebracht und dort gelandet. Die russische Flotte bleibt in Sewastopol liegen. Ein Teil davon wird von den Russen zur Verteidigung in der Hafeneinfahrt versenkt.

17. Oktober 1854 **Beschießung von Sewastopol.** Zur Unterstützung der Landtruppen bei der Belagerung der Festung greift die Flotte der Verbündeten die Forts von der Seeseite her an. An der Beschießung sind die sechs Schraubenlinienschiffe >Montebello< (120, F), >Napoléon I.< (92, F), >Charlemagne< (90, F), >Jean Bart< (90, F), >Agamemnon< (90, E), >Sans Pareil< (70, E) und 21 Segellinienschiffe mit 2360 Geschützen (die Hälfte in einer Breitseite) beteiligt. Letztere werden von Dampfern auf ihre Positionen geschleppt. Die Russen können in den Küstenforts 73 Geschütze zum Tragen bringen. Das Bombardement beginnt mittags und dauert sechs Stunden. Die russischen Werke erleiden nur geringe Schäden. Die Verluste auf den noch ungepanzerten Schiffen sind jedoch beträchtlich. Die Verbündeten haben 340 Tote und Verwundete zu beklagen. Zwei britische Linienschiffe sind so schwer beschädigt, daß sie in das Arsenal von Istanbul geschleppt werden müssen. Auch die anderen Schiffe

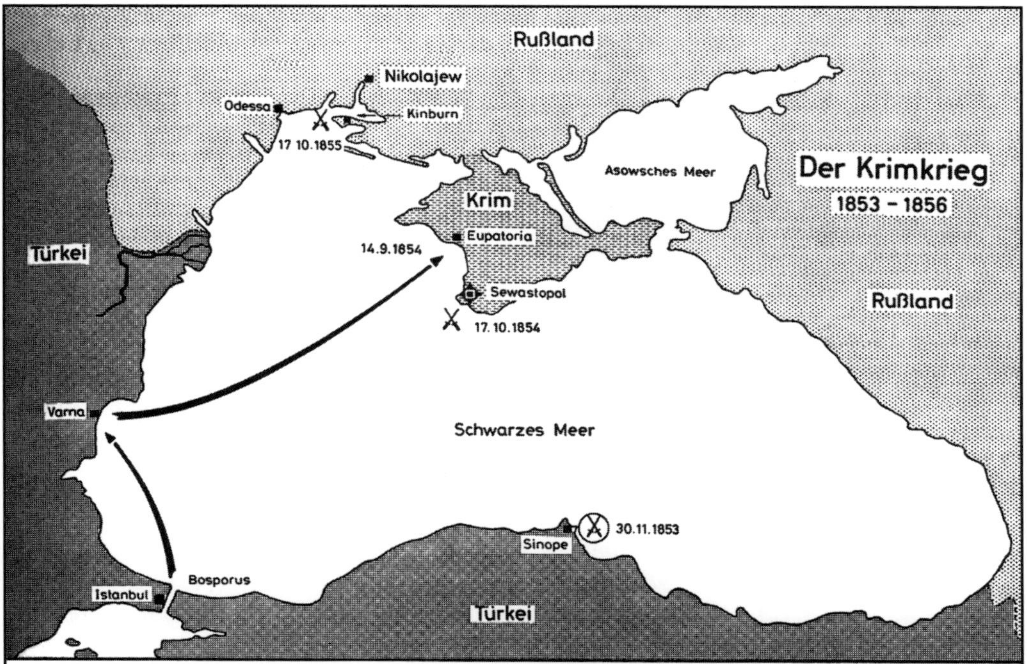
Der Krimkrieg
1853 - 1856
Rußland
Nikolajew
Odessa
Kinburn
17.10.1855
Asowsches Meer
Krim
Eupatoria
14.9.1854
Türkei
Sewastopol
17.10.1854
Rußland
Varna
Schwarzes Meer
30.11.1853
Sinope
Bosporus
Istanbul
Türkei

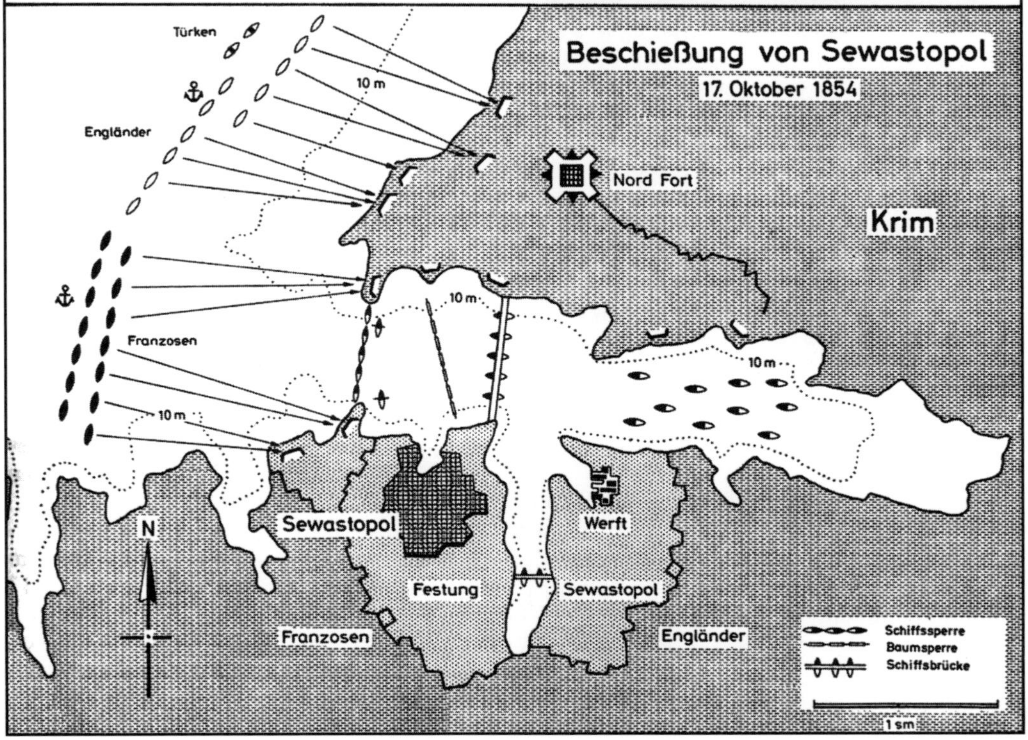
Beschießung von Sewastopol
17. Oktober 1854
Türken
10 m
Engländer
Nord Fort
Krim
10 m
Franzosen
10 m
10 m
Sewastopol
Werft
N
Festung
Sewastopol
Franzosen
Engländer
Schiffssperre
Baumsperre
Schiffsbrücke
1 sm

haben zum Teil schwer gelitten. Hölzerne Schiffswände können den neuen Granaten nicht standhalten.
Der Wettlauf Granate-Panzer beginnt. Es wird sofort mit dem Bau von gepanzerten Kriegsschiffen begonnen.

ab Mai 1855 Ein Geschwader der Verbündeten operiert im **Asowschen Meer** und zerstört dort große Mengen an Vorräten und behindert dadurch die Versorgung der russischen Truppen auf der Krim.

Juni 1855 **Minenkrieg.** Vor Kronstadt laufen einige britische Dampfer auf russische Minen. Die noch kleinen Sprengladungen richten jedoch nur geringe Schäden an. In den folgenden Tagen fischen die Briten über 30 Sprengkörper aus dem Meer. Erste gezielte Minenräumaktion.

9.–11. August 1855 In der Ostsee beschießt die britisch-französische Flotte mit Erfolg die russische Festung Sveaborg.

9. September 1855 **Eroberung von Sewastopol.** Nach schweren, verlustreichen Kämpfen gelingt es den Belagerungstruppen die Festung zu erobern. Vor der Kapitulation versenken die Russen die Reste ihrer Schwarzmeerflotte von 14 Linienschiffen und rund 100 weiteren Kriegsschiffen.

17. Oktober 1855 **Bombardement von Kinburn.** Das Fort Kinburn beherrscht die Zufahrt zum Hafen von Nikolajew. Gegen dieses schwache Fort setzen die Verbündeten ein Geschwader von zehn Linienschiffen und 80 weiteren Kriegsschiffen ein. Darunter befinden sich die drei neuen französischen Panzerbatterien >Tonnant<, >Lave< und >Devastation<. Das Feuer dieser gepanzerten Schiffe kann das Fort zum Schweigen bringen. Die Panzerbatterien erleiden fast keine Verluste.

30. März 1856 **Friede von Paris.** Dort wird unter anderem die „Pariser Deklaration" festgelegt mit dem Begriff „Frei Schiff-frei Gut", der die Kaperei seerechtlich abschafft. Rußland darf im Schwarzen Meer keine Kriegsflotte mehr unterhalten.

März 1854 **Japan.** Ein Geschwader der USA aus drei Dampffregatten und mehreren Segelschiffen unter Commodore Matthew C. Perry nötigt in der Bucht von Jedo/Tokio die Japaner zum **Abschluß eines Handelsvertrages** und zur Öffnung einiger Häfen (Vertrag von Kanagawa).

1855 **Tauchboot.** Wilhelm Bauer baut in St. Petersburg ein großes Tauchfahrzeug, den >Diable Marin< (Seeteufel), mit dem er eine Reihe von erfolgreichen Tauchfahrten unternimmt. Auch dieses Fahrzeug wird noch mit Handkurbeln fortbewegt. Nach Ende des Krimkrieges verlieren die Russen das Interesse an dieser Konstruktion.

1856–1860 Krieg Großbritannien und Frankreich gegen China

Aus geringfügigem Anlaß erklären die beiden europäischen Mächte den Krieg.

Oktober– Dezember 1856 Leichte britische Seestreitkräfte kämpfen die chinesischen Forts, welche die Zufahrt nach Kanton kontrollieren, nieder und nehmen die Stadt unter Beschuß.

6. November 1856 Vor Kanton vernichten zwei britische Sloops und die Beiboote der anderen Schiffe des Geschwaders eine Flottille von 23 Kriegsdschunken. Die Admiralsdschunke wird als Beute eingebracht.

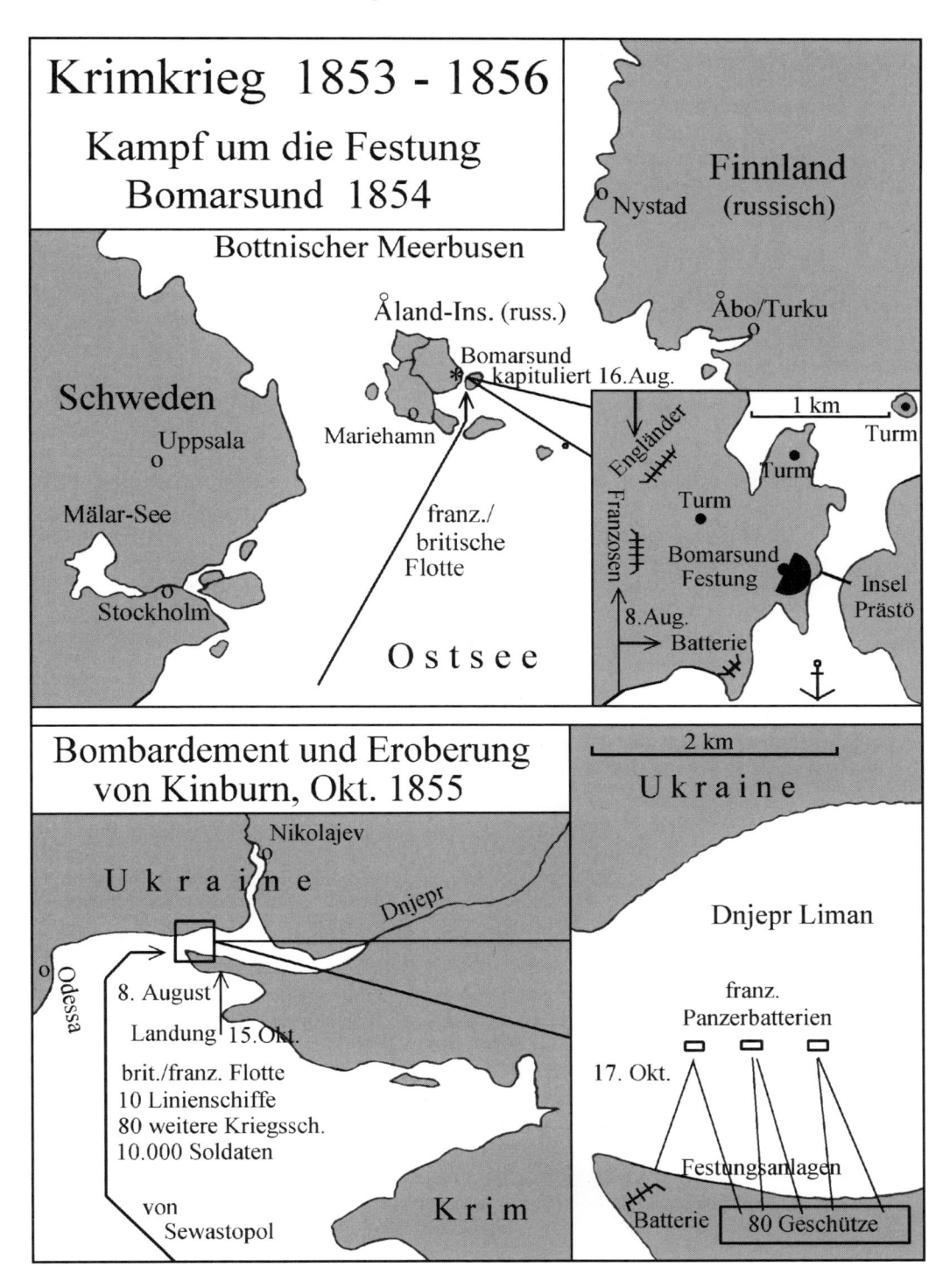

Krimkrieg 1853 - 1856
Kampf um die Festung Bomarsund 1854

Finnland (russisch)
o Nystad

Bottnischer Meerbusen

Åland-Ins. (russ.)
Åbo/Turku

Bomarsund
kapituliert 16. Aug.

Schweden

Uppsala o

Mariehamn

1 km
Turm

Engländer

Turm

Franzosen

Mälar-See

franz./
britische
Flotte

Turm

Bomarsund
Festung

Insel
Prästö

o Stockholm

8. Aug.
Batterie

O s t s e e

Bombardement und Eroberung von Kinburn, Okt. 1855

2 km

Ukraine

Nikolajev o

Ukraine

Dnjepr

Dnjepr Liman

o Odessa

8. August
Landung 15. Okt.

brit./franz. Flotte
10 Linienschiffe
80 weitere Kriegssch.
10.000 Soldaten

von
Sewastopol

franz.
Panzerbatterien

17. Okt.

K r i m

Festungsanlagen
Batterie | 80 Geschütze

14. April 1857	Vor Macao strandet das britische Linienschiff >Raleigh< (50) und wird ein Totalverlust. Die Besatzung und ein Teil der Ausrüstung können geborgen werden.
25. Mai 1857	Leichte britische Seestreitkräfte vernichten südlich von Kanton 27 chinesische Kriegsdschunken.
1. Juni 1857	**Gefecht im Fatschan/Fa-shan-Fluß.** Die britische Flottille vernichtet westlich von Kanton ein chinesisches Dschunkengeschwader, wobei rund 50 Dschunken erobert werden.
20. Mai 1858	Leichte Seestreitkräfte der Verbündeten erobern nach einstündigem Artillerieduell die Taku/Dagu-Forts an der Mündung des Peiho.
1858	Friedensverhandlungen scheitern zunächst an den übermäßigen Forderungen der Europäer.
25. Juni 1859	Bei einem zweiten Versuch, die im Vorjahr wieder geräumten Taku-Forts erneut zu erobern, werden die Kanonenboote der Verbündeten unter Verlusten abgewiesen. Drei Kanonenboote gehen verloren.
August 1860	Ein Expeditionsheer der Verbündeten landet in der Nähe der Peihomündung, erobert die Taku-Forts von der Landseite und anschließend Peking. China muß die Bedingungen von 1858 annehmen und verliert gleichzeitig die Küstenprovinzen jenseits des Amur an Rußland.
23. September 1857	**Schiffbruch.** Im Golf von Finnland kentert das russische Linienschiff >Lefforet< (84) in einem Sturm, wobei alle an Bord befindlichen Personen, darunter 53 Frauen und 17 Kinder, ertrinken.
1857–1858	**Technik.** Es wird das erste unterseeische Telegraphenkabel durch den Atlantik von Irland nach Neufundland verlegt. Es fällt jedoch bald aus. Nach der zweiten Verlegung im Jahr 1866 wird die Verbindung endgültig hergestellt. Es folgt der Ausbau eines weltweiten **Nachrichtennetzes**.
1857–1859	**Forschung.** Die österreichische Fregatte >Novara< unter Kpt. Wüllerstorf-Urbair unternimmt eine große Weltumsegelung, die reiches, wissenschaftliches Material einbringt.

1858–1883 Frankreich erobert Indochina

	Wegen der Ermordung mehrerer Missionare unternimmt das französische Asiengeschwader unter Admiral Rigault de Genouilly mehrere Strafexpeditionen.
Februar 1859	Das französische Geschwader erobert Saigon, aus China herangezogene Truppen unter Vizeadmiral Charner erobern und sichern das umliegende Gebiet.
1862	Im Friedensvertrag von Saigon muß der König von Annam diese Gebiete an Frankreich abtreten.
November 1873	Der Schiffsleutnant Francis Garnier erobert mit nur zwei kleinen Schiffen im Handstreich die Stadt Hanoi und im folgenden Jahr den Großteil von Tonkin.
18.–20. August 1883	Das französische Ostasiengeschwader unter Konteradmiral Courbet beschießt die alte Kaiserstadt Huë und kämpft deren Außenforts nieder. Courbet erzwingt dadurch die Anerkennung des Protektorates über Tonkin durch die lokalen Behörden. Damit kommt Frankreich in die engere chinesische Einflußzone.

Krieg Großbritannien und Frankreich gegen China (2. Opiumkrieg) 1856 - 1860

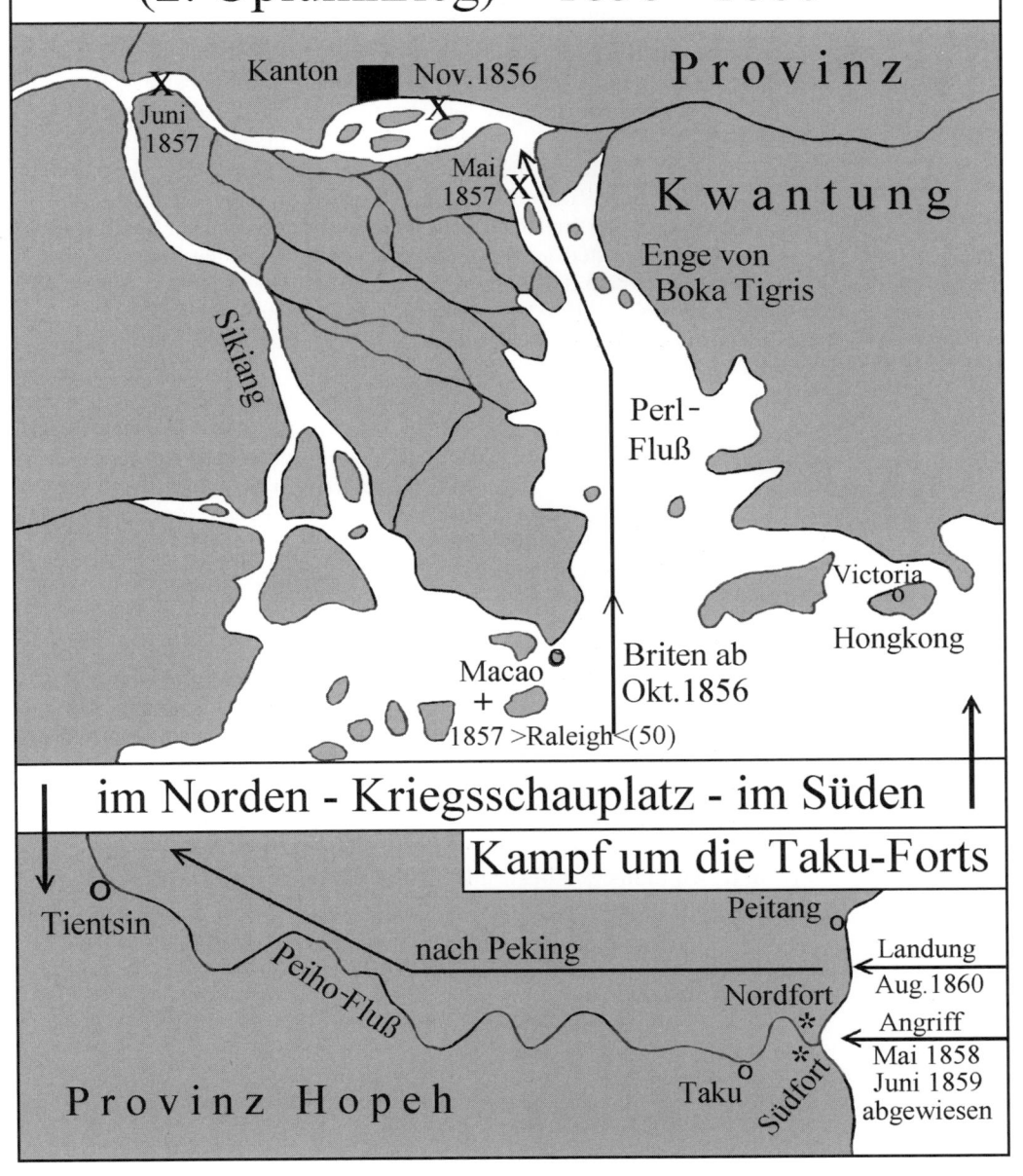

Provinz Kwantung

Kanton — Nov. 1856
X Juni 1857
X Mai 1857
Enge von Boka Tigris
Perl-Fluß
Sikiang
Victoria
Hongkong
Macao
Briten ab Okt. 1856
1857 >Raleigh< (50)

im Norden - Kriegsschauplatz - im Süden

Kampf um die Taku-Forts

Tientsin
Peitang
nach Peking
Peiho-Fluß
Nordfort
Taku
Südfort
Provinz Hopeh

Landung Aug. 1860
Angriff Mai 1858 Juni 1859 abgewiesen

	Erst im Krieg gegen China (1883–1885) kann es den Besitz von Indochina sichern.
1859	**Schiffbau.** In Frankreich läuft das erste als solches konstruierte Hochsee-Panzerschiff, die vom Schiffbauer und Ingenieur Dupuy de Lôme gebaute >Gloire< (5630 t) vom Stapel.
1859	**Krieg Österreichs gegen Sardinien und Frankreich**
	Im April wird der Krieg zu Lande begonnen.
24. Juni 1859	**Landkrieg.** Der Sieg in der Schlacht bei Solferino entscheidet den Krieg zugunsten der Verbündeten gegen die Österreicher. Das österreichische Heer unter Kaiser Franz Joseph I. steht den Verbündeten unter Kaiser Napoleon III. gegenüber. Die Verluste von fast 40.000 Mann auf beiden Seiten sind der Anstoß zur Gründung des Roten Kreuzes durch den Schweizer Henry Dunant. Eine Demonstration der französischen Flotte in der Adria bringt kein Ergebnis, die weit unterlegene österreichische Flotte bleibt in den Häfen liegen.
10. November	Im **Frieden von Zürich** muß Österreich die Lombardei zugunsten von Sardinien abtreten, das für die Hilfe Savoyen und Nizza an Frankreich abtritt.
1860–1861	Im Zuge der **italienischen Einigungskriege** landet der Freischärler Giuseppe Garibaldi im Mai 1860 auf Sizilien und erobert in wenigen Monaten gegen geringen Widerstand die Insel. Anschließend setzt er auf das Festland über und okkupiert zusammen mit den Truppen des Königreiches Sardinien den Rest des Königreiches beider Sizilien. Die Flotte Sardiniens unterstützt das Heer bei der Einnahme von Ancona (29. September). Der letzte Stützpunkt der Neapolitaner, die starke Festung Gaeta, kapituliert erst nach langer Beschießung von Heer und Flotte am 18. Februar 1861. Der Erfolg von Garibaldi ist nur möglich, da sich die verhältnismäßig starke Flotte von Neapel völlig passiv verhalten hat.
1861	**Mexiko.** Das Land stellt die Zahlungen an ausländische Schuldner ein. Deshalb landen Frankreich, Großbritannien und Spanien mit starken Flottenkontingenten Truppen und erobern die Hafenstadt Vera Cruz. Kaiser Napoleon III. will zur höheren Ehre Frankreichs ganz Mexiko erobern, die beiden anderen Mächte ziehen sich aber schon im folgenden Jahr von dem Abenteuer zurück. Der Führer der französischen Expeditionsflotte von einem Linienschiff, fünf Fregatten und zahlreichen Transportern, Konteradmiral Jurien de la Gravière, warnt vergeblich vor diesem Unternehmen. Die Franzosen erobern die Hauptstadt und lassen Erzherzog Maximilian von Österreich zum Kaiser von Mexiko proklamieren. Nach dem Ende des Sezessionskrieges der USA 1866 erzwingen diese den Rückzug der französischen Truppen, worauf die Regierung von Maximilian gegen die Nationalisten unter Benito Juarez unterliegt. Maximilian wird 1867 erschossen.

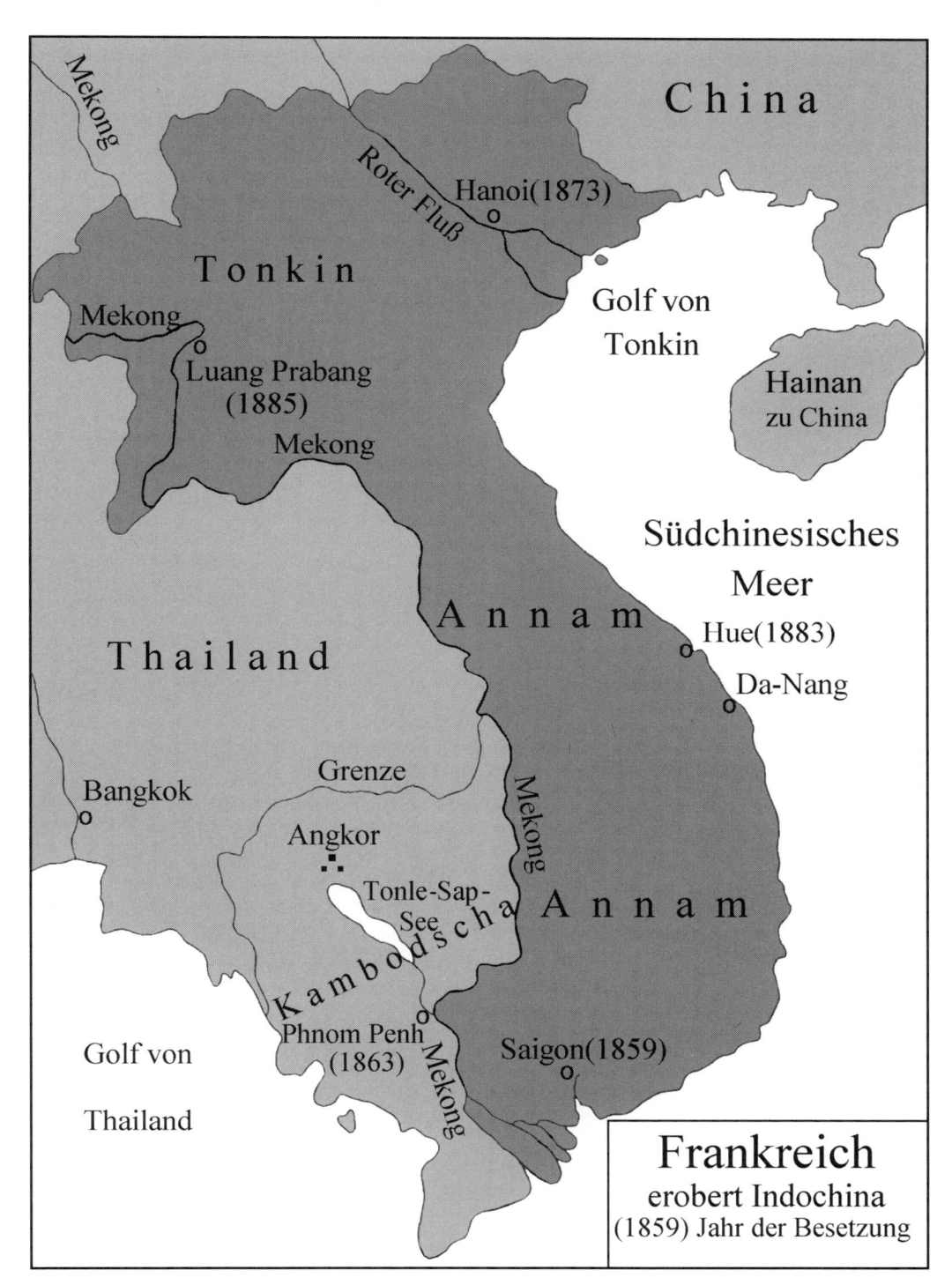

Frankreich erobert Indochina
(1859) Jahr der Besetzung

1861–1865 Der amerikanische Sezessionskrieg

14. April 1861   Beginn der Feindseligkeiten nach der Einnahme von Fort Sumter an der Einfahrt des Hafens von Charleston durch die Südstaaten. Die Nordstaaten erklären die Blockade, um den Süden wirtschaftlich zu isolieren.

3. August 1861   Die Union (der Norden) verwendet in Hampton Roads einen Fesselballon zur Artilleriebeobachtung vom Ballonschiff >Fanny< aus.
Mit der Einnahme von Fort Hatteras (August 1861) und Port Royal Sound (November 1861) beginnt die enge Blockade der Küsten der Südstaaten durch die Union.

Dezember 1861   In den ersten acht Monaten des Krieges erobern die Nordstaaten 153 Schiffe des Südens, meistens Blockadebrecher.

Dezember 1861   Vor den Hafeneinfahrten von Savannah und Charleston versenken die Nordstaaten mit Steinen beladene Blockschiffe, um die Überwachung zu erleichtern.

6. Februar 1862   Gepanzerte Flußkanonenboote der Nordstaaten zwingen Fort Henry am Tennessee zur Übergabe. Die Kanonenboote beginnen sich darauf flußabwärts vorzukämpfen.

8. Februar 1862   Landungstruppen der Union besetzen die Insel Roanoke in North Carolina. Die rückwärtigen Verbindungen des Marinestützpunktes Norfolk sind dadurch bedroht.

16. Februar 1862   Nach dem Fall von Fort Donelson am Columbia-Fluß müssen sich die Schiffe der Konföderierten (Südstaaten) in den Mississippi zurückziehen.

8.–9. März 1862   **Kampf in der Chesapeake-Bucht.** Der Süden hat die Dampffregatte >Merrimac< in der Werft von Norfolk zu einem Panzerschiff umgebaut und auf >Virginia< umgetauft. Am 8. März läuft der Panzer unter Kpt. Buchanan auf die Reede von Hampton Roads zum Angriff auf die dort liegenden Blockadeschiffe des Nordens. In einem heftigen Gefecht vernichtet die >Virginia< die Fregatte >Congress< und die Korvette >Cumberland<. Die >Virginia< erleidet nur oberflächlichen Schaden. Noch am selben Abend trifft der neue Küstenpanzer der Nordstaaten >Monitor< vor Hampton Roads ein. Am 9. März findet der **erste Kampf zwischen Panzerschiffen** statt. Der Panzer der Schiffe hält dem Artilleriebeschuß stand. Die Rammversuche der >Virginia< schlagen fehl. Nach über zwei Stunden wird das Gefecht ohne Entscheidung abgebrochen.

6. und 7. April 1862   **Landkrieg.** In der Schlacht bei Shiloh am Tennessee-Fluß im Westen des Staates Tennessee östlich von Memphis siegen die Konföderierten unter Gen. Johnston (†) über die Nordtruppen unter Gen. Grant.

7. April 1862   Die Flußkanonenboote der Union erobern die stark verteidigte Insel Nr. 10 im Mississippi.

24. April 1862   **Forcierung der Mississippiforts.** Zum Angriff auf die Flußmündung bei New Orleans stellt die Union ein Geschwader von acht Korvetten, neun Kanonenbooten und einigen Mörserbooten unter Kpt. Farragut zusammen. Die Konföderierten unter Commodore Mitchell verfügen dort über das Rammschiff >Manassas<, den Panzer >Louisiana< und einige armierte Dampfer. Südlich von New Orleans wird der Fluß durch die Forts Jackson und Philipp gesichert. Am 18. beginnt Farragut mit der Beschießung der Forts durch die Flotte. Das Bombardement dauert acht Tage. Am 24. April gelingt Farragut die Forcierung. Er verliert nur einen armierten Dampfer. Bei den Konföderierten gehen

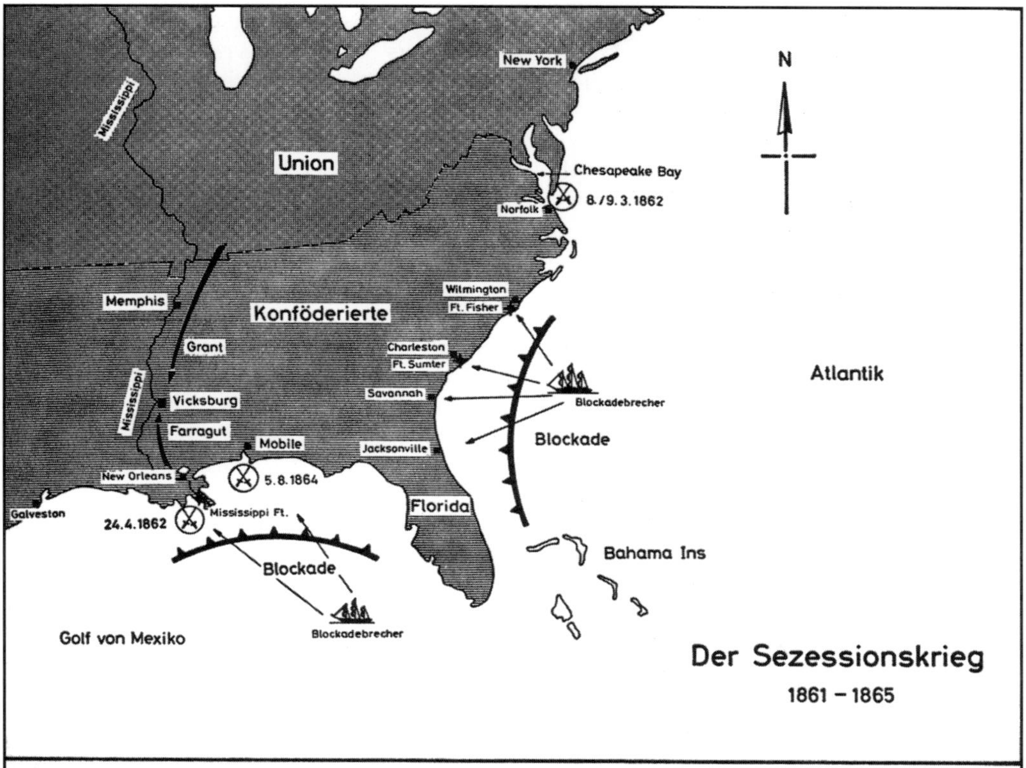
New York
N
Mississippi
Union
Chesapeake Bay
8./9.3.1862
Norfolk
Wilmington
Ft. Fisher
Memphis
Konföderierte
Grant
Charleston
Ft. Sumter
Atlantik
Savannah
Blockadebrecher
Mississippi
Vicksburg
Farragut
Mobile
Jacksonville
Blockade
New Orleans
5.8.1864
Galveston
Mississippi Ft.
Florida
24.4.1862
Bahama Ins
Blockade
Golf von Mexiko
Blockadebrecher
Der Sezessionskrieg
1861 – 1865

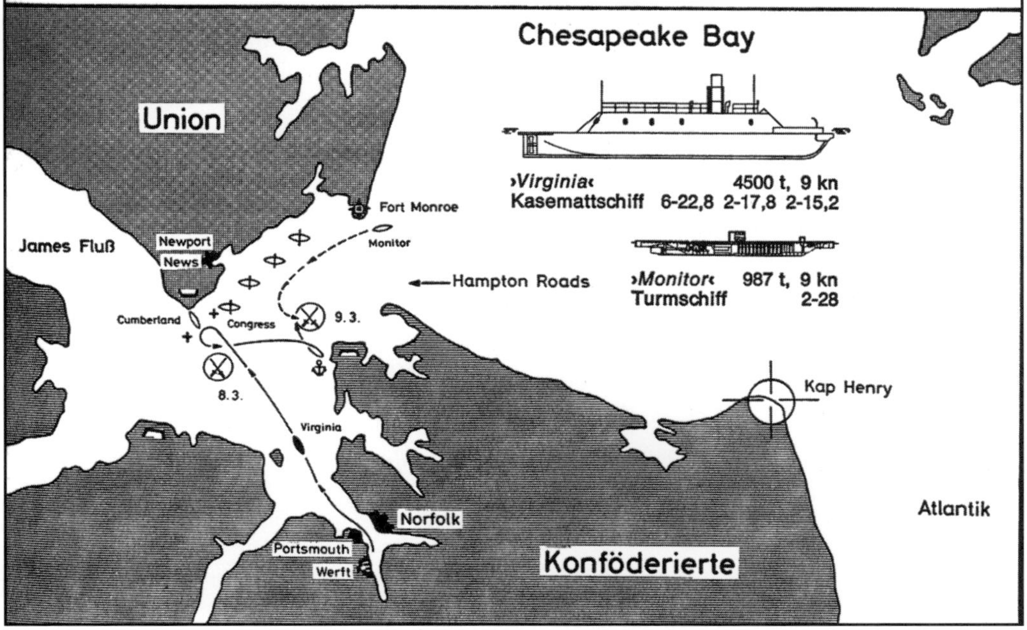
Chesapeake Bay
Union
›Virginia‹ 4500 t, 9 kn
Kasemattschiff 6-22,8 2-17,8 2-15,2
Fort Monroe
James Fluß
Newport News
Monitor
Hampton Roads
›Monitor‹ 987 t, 9 kn
Turmschiff 2-28
Cumberland
Congress
9.3.
8.3.
Kap Henry
Virginia
Atlantik
Norfolk
Portsmouth
Werft
Konföderierte

	die Ramme ›Manassas‹ und einige Dampfer verloren. Die Forts sind schwer mitgenommen. New Orleans und fast der ganze Mississippi geraten in die Hand der Union. Nur die Stadt Vicksburg stellt noch eine Verbindung zwischen dem östlichen und westlichen Teil der Südstaaten her.
10. Mai 1862	Die Konföderierten müssen den Flottenstützpunkt Norfolk räumen. Neben anderen Schiffen muß auch die ›Virginia‹ vernichtet werden, damit sie nicht in die Hände der Union fallen.
31. Mai–1. Juni 1862	**Landkrieg.** In der Schlacht bei Seven Pines (Fair-Oaks) in Virginia weisen die Konföderierten unter Gen. Johnston den Angriff der Union unter Gen. McClellan verlustreich ab.
6. Juni 1862	**Schlacht bei Memphis.** Ein am Mississippi von Norden kommendes Geschwader der Union von fünf Panzerkanonenbooten unter Kpt. C. H. Davis und zwei Rammschiffen unter Oberst Ch. Elliot geraten ins Gefecht mit sieben Panzerkanonenbooten der Südstaaten unter Kpt. Montgomery. In hartem Kampf Schiff gegen Schiff werden sechs Fahrzeuge der Konföderierten entweder versenkt oder erobert. Memphis muß daraufhin kapitulieren.
25. Juni–1. Juli 1862	**Siebentageschlacht bei Richmond.** In einer der blutigsten Schlachten dieses Krieges schlagen die Konföderierten unter Gen. Lee den Angriff der Unionstruppen unter Gen. McClellan verlustreich ab.
15. Juli 1862	**Gefecht** an der Mündung des Yazoo-Flusses in den Mississippi nördlich von Vicksburg zwischen dem konföderierten Flußpanzerschiff ›Arkansas‹ und Panzerbooten der Nordstaaten. Beide Seiten erleiden beträchtliche Schäden.
17. September 1862	**Landkrieg.** In der Schlacht am Antietam treffen die Nordarmeen der Konföderierten unter Gen. Lee und der Union unter Gen. McClellan erneut in einem verlustreichen Kampf aufeinander.
12. Dezember	In einem Nebenfluß des Mississippi sinkt das Kanonenboot ›Cairo‹ (US) auf einer **Mine der Südstaaten**. Erster Erfolg dieser Art.
11.–15. Dezember 1862	**Landkrieg.** In der Schlacht bei Fredericksburg in Virginia siegt die Nordarmee der Konföderierten unter Gen. Lee über die Unionstruppen unter General Burnside.
1. Jänner 1863	Zwei Küstenpanzer der Südstaaten greifen die Blockadeflottille der Union vor **Charleston** an. Nachdem sie mehrere Schiffe beschädigt haben, müssen sie sich wieder zurückziehen.
14. März	Beim Passieren von **Fort Hudson** oberhalb von New Orleans erleidet das Geschwader von Konteradmiral Farragut beträchtliche Verluste. Ein Dampfer geht verloren, nur zwei Schiffen gelingt der Durchbruch.
7. April	Das Blockadegeschwader der Union vor **Charleston** unter Konteradmiral Du Pont versucht, die Forts an der Hafeneinfahrt zu forcieren, wird aber abgewiesen. Am folgenden Tag sinkt einer der Küstenpanzer.
27. April	Fort Hudson am Mississippi weist einen weiteren Angriff des Geschwaders von Farragut ab.
2.–4. Mai 1863	**Landkrieg.** Gen. Lee schlägt in Virginia nahe Fredericksburg den weit überlegenen Gegner unter Gen. Hooker in der Schlacht bei Chancellorsville und versucht nun, in das Gebiet der Union vorzudringen.

Kämpfe an der Atlantikküste der Konföderierten, 1861 - 1865

Charleston
Fort Moultrie
Fort Beauregard
Ft. Johnson
Fort Sumter
Fort Wagner
Blockadeflotte
5 km

Chesapeake-Bucht X 1862
Norfolk
Virginia
Roanoke-Insel
Albermarle-Sund
>Albermarle<+ 1864
Pamlico-Sund
Kap Hatteras und Fort 1861

North Carolina
Konföderierte Staaten

Wilmington
Fort Fisher

Atlantik

South Carolina
Charleston

Port Royal-Sund 1861

<<< Savannah

Jänner 1865
Kap Fear-Fluß
Sumpf
1 km
Panzerschiffe
Batterien
Fort Buchanan
Holzschiffe

Beschießung von Fort Fisher

17. Juni	Das Rammschiff der Südstaaten >Atlanta< rammt vor **Savannah** ein hölzernes Blockadeschiff, gerät dabei aber auf Grund und wird von zwei Küstenpanzern der Union erobert.
1.–3. Juli 1863	**Landkrieg.** Der Angriff der Nordarmee der Konföderierten unter Gen. Lee wird von der Unionsarmee unter Gen. Meade in der Schlacht bei Gettysburg unter schweren Verlusten für beide Seiten abgewiesen. Die Schlacht ist einer der Wendepunkte des Krieges.
4. Juli	Nach wiederholten Angriffen gelingt der Union beim achten Versuch die **Einnahme von Vicksburg**. Die Südstaaten sind dadurch in zwei Teile gespalten und der Union steht der wichtige Wasserweg des Mississippi offen.
9. Juli	Die Union erobert Fort Hudson am Mississippi. Der ganze Fluß ist dadurch unter ihrer Kontrolle.
6. September	Nach langer Beschießung müssen die Konföderierten die Forts an der Hafeneinfahrt nach Charleston räumen.
19. und 20. September 1863	**Landkrieg.** In der Schlacht von Chickamauga am Tennessee können die Konföderierten unter Gen. Bragg den Angriff der Unionstruppen unter Gen. Rosecrans noch einmal abschlagen.
13.–15. November 1863	**Landkrieg.** In der Schlacht bei Chattanooga siegt Gen. Grant über die Konföderierten und erobert diesen wichtigen Bahnknotenpunkt. Mit der Eroberung von Vicksburg am Mississippi ist das Territorium der Konföderierten nun in zwei Teile geteilt. Gen. Grant beginnt seinen Vernichtungszug durch ganz Georgia. Die noch folgenden Siege von Gen. Lee in Virginia können dem Krieg keine Wendung mehr geben.
17. Februar 1864	**Unterwasserkrieg.** Das Tauchboot der Südstaaten >Hunley< unter Leutnant Dixon versenkt vor Charleston das Blockadeschiff der Union, die Schraubenkorvette >Housatonic< (1240 t). Auch die >Hunley< sinkt. Erster Erfolg eines primitiven U-Bootes mit einem Spierentorpedo.
März–Mai 1864	**Ingenieurleistung.** Eine Flottille von Flußkanonenbooten der Union unter Konteradmiral David D. Porter unternimmt einen Vorstoß in den Red River. Durch sinkenden Wasserstand ist die Rückkehr versperrt. Ing. Oberstleutnant Bailey läßt einen Damm über den Fluß bauen und das Wasser aufstauen. Nach der Öffnung des Dammes können die Schiffe ablaufen. Truppen des Südens haben schon die Flußufer besetzt und die Schiffe Porters unter Beschuß genommen gehabt.
19. April	Der Rammpanzer >Albemarle< (KS) versenkt im **Albemarle-Sund** südlich von Norfolk ein Schiff der Union und vertreibt die Blockadeflottille.
5. Mai 1864	In einem Gefecht im Albemarle-Sund verliert jede Seite ein Schiff. Der Rammpanzer der Südstaaten bleibt eine ständige Gefahr.
5. August 1864	**Seeschlacht bei Mobile.** Die Atlantikhäfen der Südstaaten sind praktisch ausgeschaltet. Die Union geht daher verstärkt gegen die Häfen im Golf von Mexiko vor. Konteradmiral Farragut greift die Einfahrt zur Bucht von Mobile an, um diesen Hafen auszuschalten. Die Einfahrt wird von den Forts Morgan und Gaines gedeckt. Das Geschwader der Südstaaten in der Bucht unter Konteradmiral Buchanan besteht aus dem Rammpanzer >Tennessee< und drei Kanonenbooten. In der Einfahrt ist eine Minensperre angelegt, hinter der Buchanan seine Schiffe aufstellt. Farragut verfügt über die Küstenpanzer >Tecumseh<,

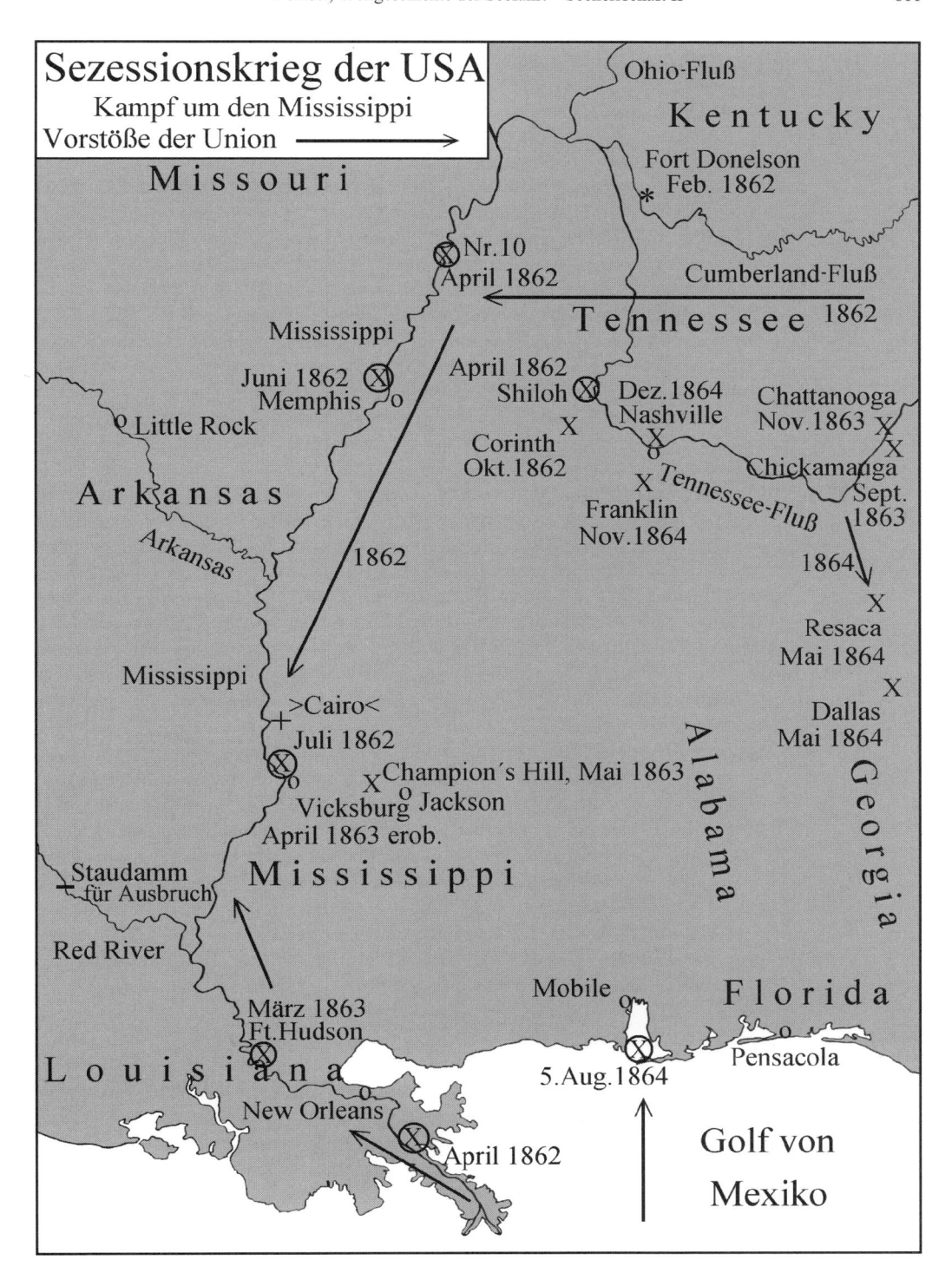

Sezessionskrieg der USA
Kampf um den Mississippi
Vorstöße der Union ⟶

Ohio-Fluß

Kentucky

Missouri

Fort Donelson
Feb. 1862

Nr. 10
April 1862

Cumberland-Fluß

Mississippi

Tennessee 1862

Juni 1862
Memphis

April 1862
Shiloh

Dez. 1864
Nashville

Chattanooga
Nov. 1863

Little Rock

Corinth
Okt. 1862

Chickamauga
Sept. 1863

Arkansas

Franklin
Nov. 1864

Tennessee-Fluß

Arkansas

1862

1864

Resaca
Mai 1864

Mississippi

Dallas
Mai 1864

Cairo
Juli 1862

Champion's Hill, Mai 1863

Alabama

Georgia

Vicksburg Jackson
April 1863 erob.

Mississippi

Staudamm
für Ausbruch

Red River

Mobile

Florida

März 1863
Ft. Hudson

5. Aug. 1864

Pensacola

Louisiana

New Orleans

April 1862

Golf von Mexiko

>Manhattan<, >Chickasaw< und >Winnebago<, sieben Schraubenfregatten und Schraubenkorvetten sowie sieben Kanonenboote.

Am Morgen greift Farragut in zwei Kolonnen an. Rechts, auf der Seite von Fort Morgan, die vier Küstenpanzer. Links die sieben größten Fregatten und Korvetten mit je einem Dampfer an Backbord längsseits. Fort Morgan wird mit starkem Feuer niedergehalten und erwidert nur schwach. Auf der Höhe des Forts läuft der führende Küstenpanzer >Tecumseh< auf eine Mine und sinkt rasch. Die Schiffe der Union geraten in Unordnung. Farragut befiehlt „Volle Fahrt voraus" und geht mit seinem Flaggschiff, der Fregatte >Hartford<, als erster über die Minensperre. Auch alle anderen Schiffe passieren die Sperre ohne Verlust. Rammversuche der >Tennessee< mißglücken. Der Panzer wird dann kampfunfähig geschossen und muß sich um 10 Uhr ergeben. Zwei Kanonenboote werden versenkt. Die >Hartford< und zwei Korvetten der Union sind ebenfalls schwer beschädigt. Die Bucht von Mobile ist aber nun in der Hand des Nordens. Auf Minen der Südstaaten gehen in der Bucht bis Kriegsende noch acht Kriegsschiffe, darunter die Küstenpanzer >Osage< (US) und >Milwaukee< (US), verloren.

27. Oktober Mit einer Dampfbarkasse versenkt Leutnant W. B. Cushing mit Hilfe eines Spierentorpedos den Rammpanzer >Albemarle< (KS). Seine Barkasse sinkt ebenfalls, Cushing kann sich zunächst schwimmend und dann mit einem Ruderboot zur Flottille der Union retten.

15. Jänner 1865 Nach Beschießung durch die Flotte erobern Heeres- und Marinetruppen Fort Fisher an der Mündung des Kap-Fear-Flusses. Der knapp oberhalb gelegene Hafen Wilmington der Konföderierten ist dadurch ebenfalls von der See abgeschnitten.

18. Jänner 1865 Bei der Räumung von Charleston vernichten die Konföderierten ihre drei dort liegenden Küstenpanzer.

Während des ganzen Kriegs führen die Südstaaten einen erfolgreichen **Kreuzerkrieg**. Die insgesamt aufgebrachten 260 Handelsschiffe mit rund 110.000 BRT sind jedoch nur ein Bruchteil des Seetransportes der Nordstaaten. Erfolgreichstes Schiff ist die >Alabama< unter Kpt. Semmes. In 20 Monaten Kaperkrieg bringt sie 71 Schiffe der Union auf, ehe sie am 19. Juni 1864 vor Cherbourg von der US-Fregatte >Kearsarge< im Zweikampf vernichtet wird. Weitere erfolgreiche Handelskreuzer sind die >Shenandoah< mit 36 Prisen, die >Florida< mit 37 und die >Tallahassee< mit 29 Prisen.

9. April 1865 **Ende des Krieges.** Die erfolgreiche Blockade zwingt die Konföderierten aus Mangel an Kriegsmaterial und Nahrungsmitteln zur Kapitulation.

1860–1868 Bürgerkrieg in Japan

In die Kämpfe greifen mehrfach Geschwader europäischer Mächte auf der Seite der von ihnen bevorzugten Partei ein.

14. und 15. August 1862 **Beschießung von Kagoschima.** Ein britisches Geschwader unter Vizeadmiral A. L. Kuper mit den Raddampffregatten >Euryalus< (35) und >Pearl< (21) und fünf kleinen Fahrzeugen nimmt die Stadt unter Beschuß. Dies übt eine nicht unbeträchtliche moralische Wirkung auf die Japaner aus.

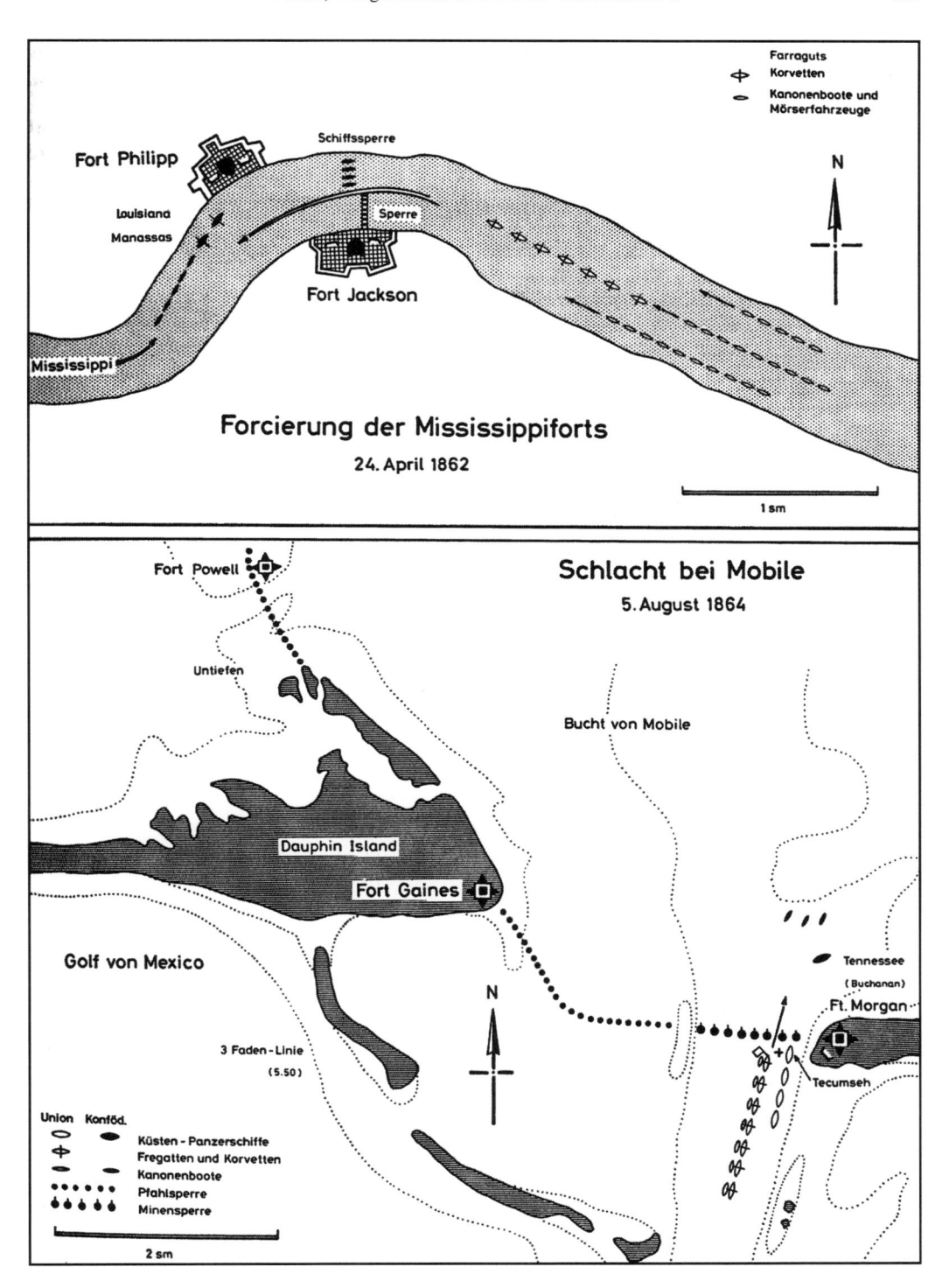

Forcierung der Mississippiforts
24. April 1862

- Fort Philipp
- Schiffssperre
- Louisiana
- Manassas
- Sperre
- Fort Jackson
- Mississippi

Farraguts
- Korvetten
- Kanonenboote und Mörserfahrzeuge

1 sm

Schlacht bei Mobile
5. August 1864

- Fort Powell
- Untiefen
- Bucht von Mobile
- Dauphin Island
- Fort Gaines
- Golf von Mexico
- 3 Faden-Linie (5.50)
- Tennessee (Buchanan)
- Ft. Morgan
- Tecumseh

Union | Konföd.
- Küsten-Panzerschiffe
- Fregatten und Korvetten
- Kanonenboote
- Pfahlsperre
- Minensperre

2 sm

5. September 1864 **Forcierung der Straße von Schimonoseki.** Ein internationales Geschwader von Schiffen aus Großbritannien, Frankreich, den Niederlanden und der USA unter dem Briten Vizeadmiral Kuper mit dem Segellinienschiff >Conqueror< (E, 78), den Schraubenfregatten >Euryalus< (E, 35), >Sémiramis< (F, 35), der Radfregatte >Leopard< (E, 18) sowie zwölf Korvetten und Sloops und zwei bewaffneten Dampfern eröffnen die Kampfhandlungen. Am folgenden Tag sind die japanischen Batterien zum Schweigen gebracht und Landungstruppen nehmen gegen geringen Widerstand die Kanonen und Beutestücke an Bord.

1863–1864 **Maori-Aufstand in Neuseeland.** Im sogenannten Waikato-Krieg setzen die Briten auf dem gleichnamigen Fluß mit Erfolg einige gepanzerte Flußkanonenboote ein.

1864 Zweiter Krieg Deutschland gegen Dänemark

Der Kampf geht um den Besitz des Herzogtums Schleswig.

17. März 1864 Im **Gefecht bei Jasmund** liefern zwei preußische Korvetten und ein Aviso unter Kommodore Jachmann dem dänischen Blockadegeschwader mit dem Linienschiff >Skjold<, der Schraubenfregatte >Sjelland< der Segelfregatte >Tordenskjold< und zwei Korvetten ein kurzes Treffen. Es ist ein moralischer Erfolg für die junge preußische Flotte.

9. Mai **Seegefecht bei Helgoland.** Die zwei österreichischen Schraubenfregatten >Schwarzenberg< (48), >Radetzky< (31) und einige Avisos unter Kommodore Tegetthoff kämpfen gegen das etwas stärkere Blockadegeschwader unter Kommodore Suenson mit den Schraubenfregatten >Niels Juel< (42), >Jylland< (44) und der Korvette >Hejmdal< (16). Fast zur gleichen Zeit wird ein Waffenstillstand geschlossen. Die dänische Blockade ist aufgehoben.

1864–1866 Krieg Peru und Chile gegen Spanien

Wegen Mißhandlung spanischer Bürger in Peru schickt Spanien ein Geschwader, bestehend aus dem Panzerschiff >Numancia< (7200 t), den Dampffregatten >Villa de Madrid< (56), >Almansa< (52), >Blanca< (38) und >Berenguela< (36), einer Korvette und zwei Kanonenbooten in den Pazifik.

April 1864 Das spanische Geschwader unter Konteradmiral Pinzon besetzt die Guano-Inseln vor der peruanischen Küste und übt von dieser Operationsbasis wirtschaftlichen Druck auf das Land aus. Pinzon hat damit seine Befugnisse überschritten und wird von Konteradmiral Pareja abgelöst.

26. November 1865 Vor Fort Papudo bei Valparaiso erobert die chilenische Korvette >Esmeralda< den spanischen Schoner >Covadonga<. Der spanische Geschwaderkommandant Pareja begeht daraufhin Selbstmord. Sein Nachfolger wird Kpt. Méndez Nuñez.

7. Februar 1866 **Gefecht in der Bucht von Ancud.** Bei der Insel Chiloe wird der Angriff der spanischen Fregatten >Villa de Madrid< und >Blanca< von den Seestreitkräften Chiles und Perus nach einstündigem Artillerieduell abgewiesen.

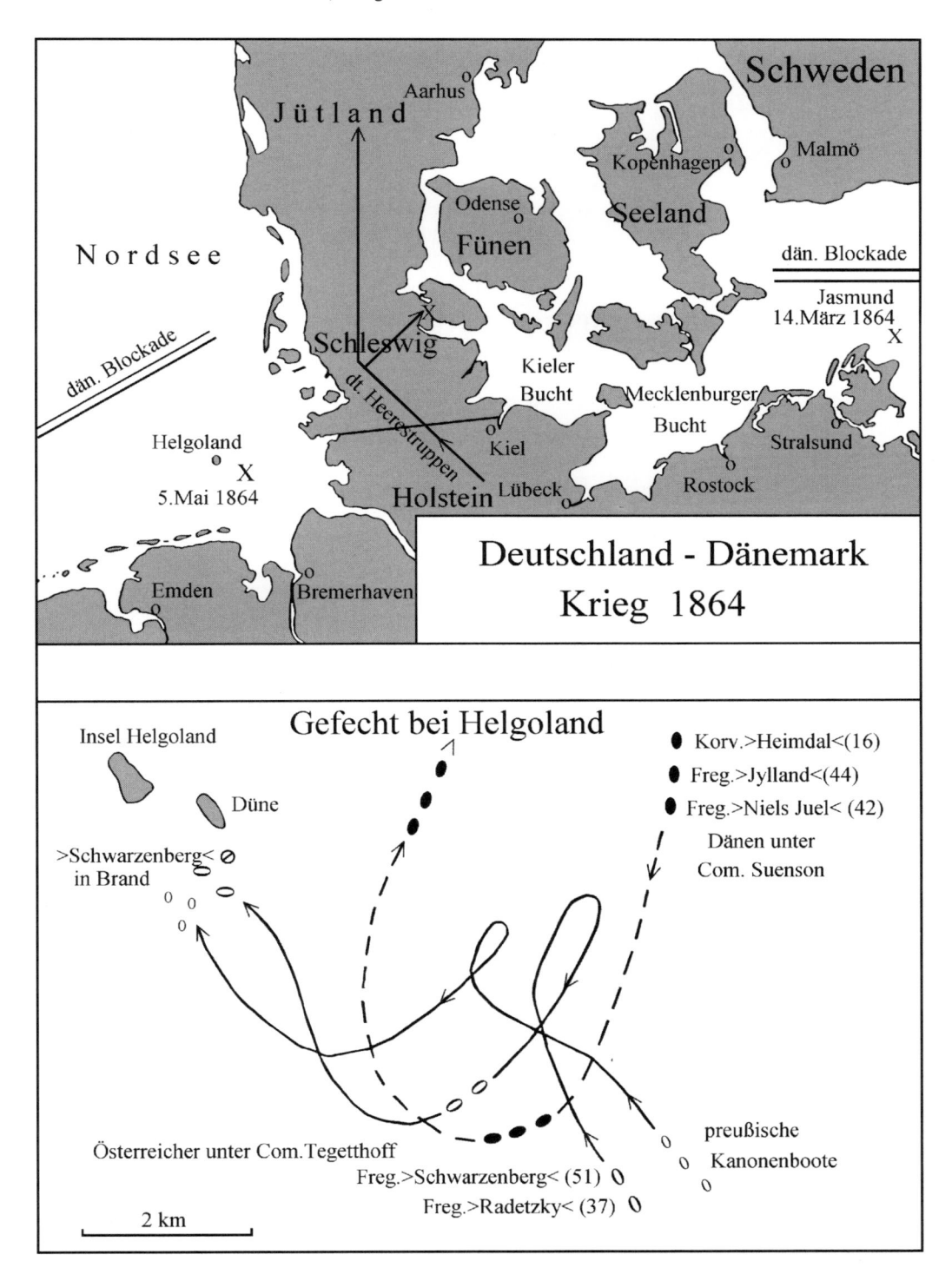

Pemsel, Weltgeschichte der Seefahrt – Seeherrschaft II 815

Deutschland - Dänemark Krieg 1864

Nordsee · Jütland · Aarhus · Schweden · Kopenhagen · Odense · Fünen · Seeland · Malmö · dän. Blockade · Jasmund 14. März 1864 · Schleswig · Kieler Bucht · Mecklenburger Bucht · Kiel · Stralsund · Helgoland 5. Mai 1864 · Holstein · Lübeck · Rostock · dt. Heerestruppen · Emden · Bremerhaven · dän. Blockade

Gefecht bei Helgoland

Insel Helgoland · Düne

- Korv. >Heimdal< (16)
- Freg. >Jylland< (44)
- Freg. >Niels Juel< (42)

Dänen unter Com. Suenson

>Schwarzenberg< in Brand

Österreicher unter Com. Tegetthoff
Freg. >Schwarzenberg< (51)
Freg. >Radetzky< (37)

preußische Kanonenboote

2 km

31. März	Das spanische Geschwader beschießt den unverteidigten chilenischen Haupthafen Valparaiso.
27. April 1866	**Beschießung von Callao.** Das spanische Geschwader beschießt den befestigten Hafen Callao und die beiden dort liegenden Küstenpanzer >Victoria< und >Loa< (je 1000 t). Am Land entstehen beträchtliche Schäden. Von den 300 Toten sind ein Teil durch die Explosion einer spanischen Granate in einem Panzerturm, darunter auch hohe Offiziere, zu beklagen. Auch das spanische Geschwader hat stark gelitten und zählt 200 Tote und Verwundete. Die Spanier ziehen sich daraufhin zurück.

1864–1870 Krieg Paraguay gegen die Tripelallianz (Brasilien, Argentinien, Uruguay)

13. November 1864	Der Diktator Lopez II. von Paraguay beschuldigt Brasilien der Einmischung in die inneren Angelegenheiten von Uruguay und erklärt den Krieg.
Dezember 1864	Ein Expeditionskorps aus Paraguay von 3000 Mann wird von sechs Dampfern den Rio Paraguay aufwärts transportiert und erobert die Flußhäfen Coimbra und Corumba in der brasilianischen Provinz Mato Grosso.
13. April 1865	Ein Geschwader von fünf Schiffen aus Paraguay greift den argentinischen Flußhafen Corrientes an und kapert dort liegende Schiffe aus Brasilien. Am folgenden Tag werden 3000 Mann gelandet und die Stadt erobert. Argentinien befindet sich von da an ebenfalls im Krieg mit Paraguay.
25. Mai	Die Verbündeten können Corrientes nicht im Handstreich zurückerobern. Sie richten daher knapp südlich davon an der Mündung des kleinen Flusses Riachuelo einen Stützpunkt für die Flußkriegsschiffe ein.
11. Juni 1865	**Flußschlacht bei Riachuelo.** Acht Schiffe aus Paraguay mit 38 Kanonen und 2500 Mann greifen am Morgen das brasilianische Geschwader von neun stärkeren Schiffen mit 59 Kanonen und 2300 Mann an. Knapp unterhalb der Mündung des Riachuelo hatten die Paraguayaner zusätzlich eine Batterie von 22 Geschützen am Ufer des Parana errichtet. Das Geschwader von Paraguay passiert von Humaita kommend feuernd den Gegner und geht im Schutz der Uferbatterie in Stellung. Dort erfolgt der Gegenangriff des Geschwaders von Brasilien. Nach erbittertem Kampf sind die Brasilianer siegreich. Paraguay verliert vier Schiffe und über 300 Mann, Brasilien zwei Schiffe und fast 250 Mann.
18. Juni und 18. August 1865	Bevor sie zur Offensive übergehen kann, muß die Flotte der Verbündeten die erneut von Paraguay südlich von Corrientes errichteten Uferbatterien zum Schweigen bringen. Dies gelingt in zwei Anläufen unter Personalverlusten auf fast allen Schiffen.
April 1866	**Rio Paraguay.** Die mittlerweile um mehrere Panzerschiffe verstärkte Flotte der Verbündeten unterstützt die Heerestruppen bei der Eroberung des Forts Itapiru durch Artilleriebeschuß. Das Fort beherrscht die Mündung des Paraguay in den Parana. Rund 42.000 Soldaten und umfangreiches Kriegsmaterial werden dann von den Transportdampfern über den Parana gesetzt. Das Feldheer von Paraguay zieht sich daraufhin in den Festungskomplex Curupaiti-Humaita am Rio Paraguay zurück.

Krieg Peru und Chile gegen Spanien 1864 - 1866

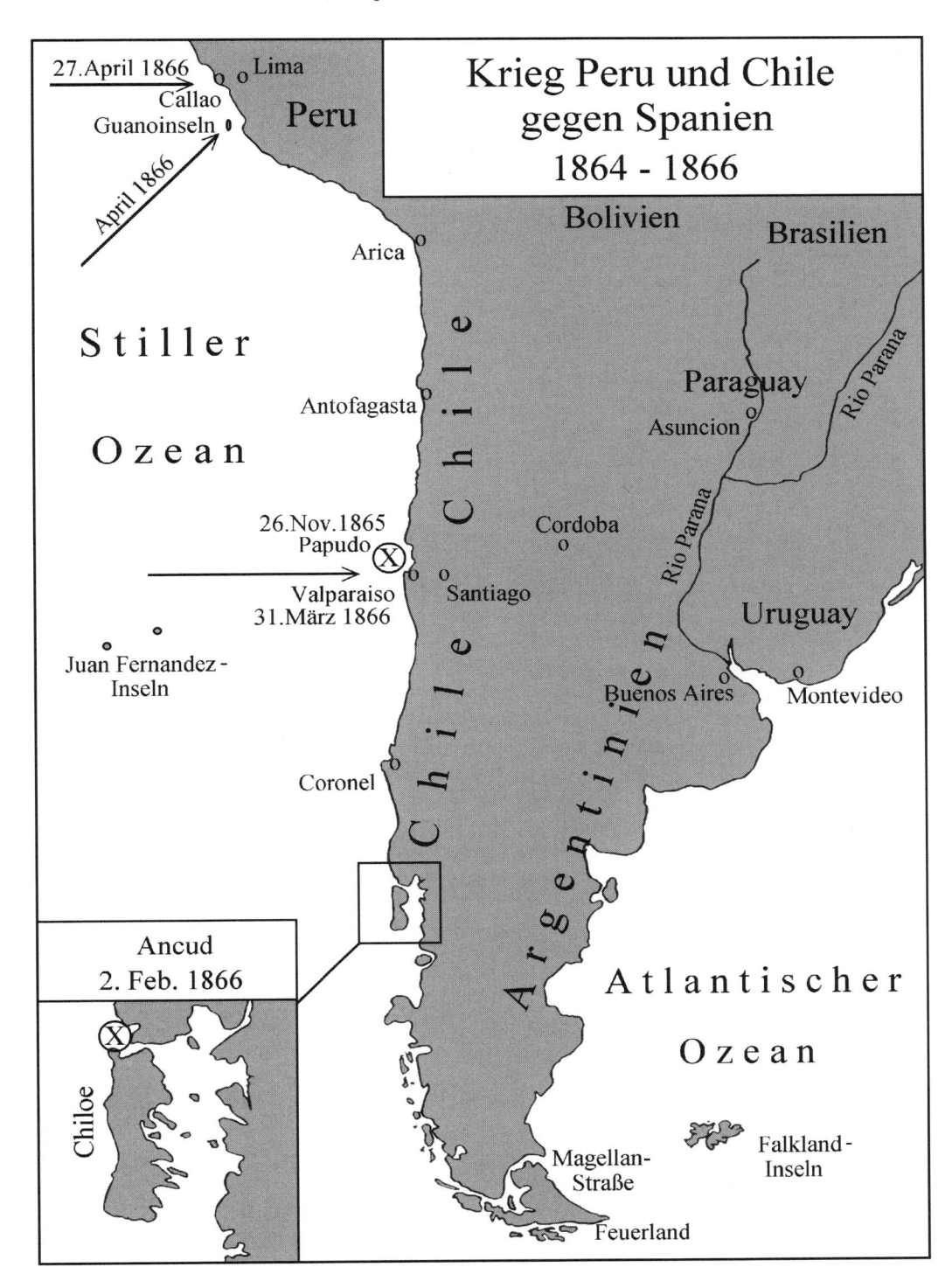

27. April 1866
Lima
Callao
Guanoinseln
April 1866

Peru

Bolivien

Brasilien

Arica

Stiller Ozean

Antofagasta

Chile

Paraguay
Asuncion
Rio Parana

26. Nov. 1865
Papudo ⊗
Valparaiso
31. März 1866

Cordoba

Rio Parana

Santiago

Uruguay

Juan Fernandez-Inseln

Argentinien

Buenos Aires
Montevideo

Coronel

Ancud
2. Feb. 1866

⊗

Chiloe

Atlantischer Ozean

Magellan-Straße
Feuerland
Falkland-Inseln

1. September	Beim Beschuß der Festungen Curupaiti und Curuzu gerät das brasilianische Panzerschiff >Rio de Janeiro< (1500 t) auf eine Mine und sinkt. Die Festung Curuzu wird erobert. Gegenüber von Curupaiti haben die Paraguayaner eine starke Flußsperre aus Balken und Minen errichtet.
15. August 1867	Die Flotte der Verbündeten durchbricht die Flußsperre unter schwerem Feuer. Die Schiffe erhalten zwar rund 250 Treffer, die Ausfälle sind jedoch relativ gering.
2. November	Das Heer der Verbündeten erreicht oberhalb der Festung Humaita wieder den Rio Paraguay. Die Heeresartillerie nimmt die dort liegenden vier Flußkampfschiffe unter Feuer und beschädigt sie schwer. Zwei der Schiffe sinken schließlich. Die Flußverbindung von Humaita nach Asuncion ist dadurch unterbrochen.
18. und 19. Februar 1868	Die Flotte der Verbündeten forciert die zweite Flußsperre von Paraguay gegenüber von Humaita. In den folgenden Tagen werden die Befestigungen oberhalb von Humaita beschossen. Dabei werden drei Schiffe der Verbündeten manövrierunfähig.
24. Februar	Drei Panzerschiffe der Verbündeten stoßen bis Asuncion vor und beschießen die Stadt.
März und Juli	**Nahkampf.** Ohne eigene einsatzfähige Kriegsschiffe versucht Paraguay in Überraschungsangriffen mit Kanus (!) die brasilianischen Panzerschiffe zu entern. Diese tollkühnen Angriffe scheitern nur knapp, weil die bereits an Deck befindlichen Entermannschaften von anderen Schiffen heruntergeschossen werden.
Juli 1868	Nach mehrmonatiger Beschießung durch die Flotte der Verbündeten und nach Aufbrauchen der eigenen Vorräte unternimmt die Besatzung der Festung Humaita einen Ausbruchsversuch. Er wird zurückgeschlagen und die restliche Besatzung muß sich eine Woche später der Übermacht ergeben.
Anfang 1870	**Kriegsende.** Der Kampf zieht sich noch ein halbes Jahr im Landesinneren hin. Nach der völligen Erschöpfung aller Kriegsmittel muß sich der Rest des Heeres von Paraguay, 400 Mann (!), ergeben, wobei Diktator Lopez im Kampf fällt. Paraguay hat drei Viertel seiner Bevölkerung verloren. Da nur mehr wenige Männer am Leben sind, werden für einige Zeit Ehen mit mehreren Frauen erlaubt.
23. April 1865	**Katastrophe.** Der Mississippi-Raddampfer >Sultana< (1720 t) ist mit weit über 2000 ehemaligen Kriegsgefangenen der Nordstaaten flußaufwärts unterwegs. Knapp oberhalb von Memphis explodiert der Kessel, über 1600 Personen finden den Tod.

1866 Krieg Österreichs und Verbündete gegen Italien und Preußen

16. Juni	**Landkrieg.** Preußen beginnt die Kampfhandlungen im Westen gegen die Verbündeten von Österreich zunächst mit dem Einmarsch in Sachsen und einen Tag später gegen Hannover.
24. Juni	**Landkrieg.** In der Schlacht bei Custozza/Custoza siegt die österreichische Südarmee unter Erzherzog Albrecht von Österreich gegen das italienische Heer

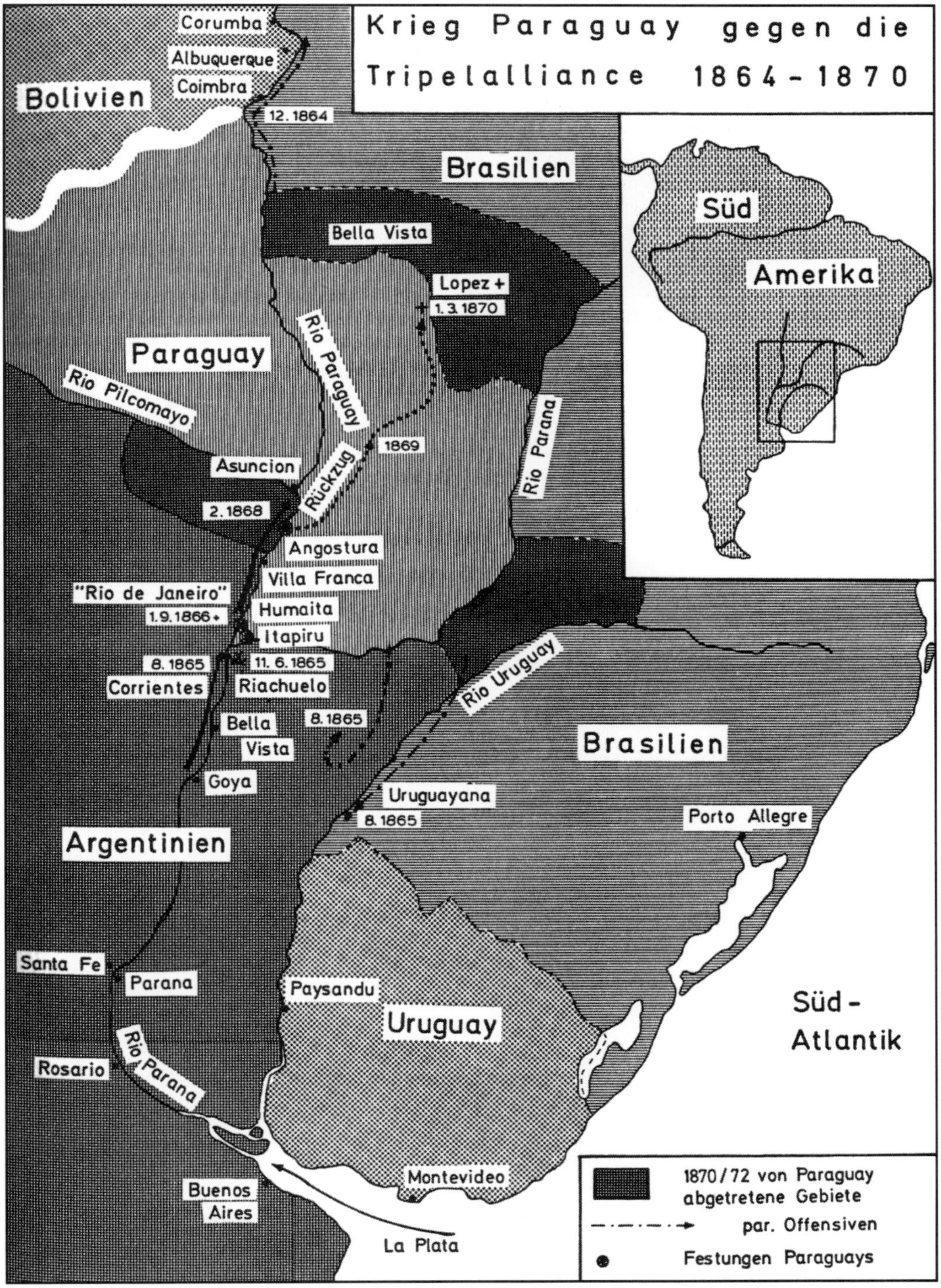
Krieg Paraguay gegen die Tripelalliance 1864-1870
Corumba
Albuquerque
Coimbra
Bolivien
12.1864
Brasilien
Bella Vista
Lopez +
1.3.1870
Paraguay
Rio Paraguay
Rio Pilcomayo
1869
Rio Parana
Asuncion
Rückzug
2.1868
Angostura
Villa Franca
"Rio de Janeiro"
1.9.1866 +
Humaita
Itapiru
8.1865
11.6.1865
Corrientes
Riachuelo
Bella Vista
8.1865
Rio Uruguay
Goya
Uruguayana
8.1865
Brasilien
Porto Allegre
Argentinien
Santa Fe
Parana
Paysandu
Uruguay
Rio Parana
Rosario
Süd-Atlantik
Buenos Aires
Montevideo
La Plata
Süd Amerika
1870/72 von Paraguay abgetretene Gebiete
par. Offensiven
Festungen Paraguays

	unter der Führung von König Viktor Emanuel und Generalstabschef La Marmora. Den 75.000 Österreichern stehen 90.000 Mann der Verbündeten gegenüber. Beide Seiten verlieren rund 8000 Mann. Nach der Niederlage bei Königgrätz und der Abtretung von Venetien an Frankreich geht der Großteil der Südarmee zur Verteidigung von Wien ab.
27. Juni 1866	Konteradmiral Tegetthoff erscheint mit der österreichischen Flotte überraschend vor dem italienischen Kriegshafen Ancona, die Italiener nehmen aber die angebotene Schlacht nicht an.
3. Juli	**Landkrieg.** In der Schlacht bei Königgrätz in Böhmen siegt das preußische Heer unter Gen. Moltke entscheidend über die österreichische Nordarmee unter Gen. Benedek. Die Österreicher verlieren 44.000 Mann (13.000 Gefangene) gegen 9000 der Preußen.
	Nach der Niederlage des italienischen Heeres bei Custozza ergreift die italienische Flotte auf Drängen der Regierung und der Bevölkerung endlich die Initiative.
16. Juli	Der italienische Flottenkommandant Admiral Persano läuft mit der ganzen Schlachtflotte zum Angriff auf Lissa aus. Die Flotte soll die Landung decken.
18. Juli	Die Italiener beschießen die Küstenbefestigungen, können die österreichischen Geschütze aber nicht ausschalten.
19. Juli	Zwei Panzerschiffe dringen in den Hafen von San Giorgio ein, werden aber von den Batterien der Verteidiger erfolgreich beschossen. Die >Formidabile< wird beschädigt und muß sich zurückziehen. Auf die Meldung vom Angriff auf Lissa hin läuft Konteradmiral Tegetthoff mit der österreichischen Flotte aus Pola aus.
20. Juli 1866	**Seeschlacht bei Lissa.** Die Stärke der Flotten beträgt:

Schiffe	Italiener	Österreicher
Panzerschiffe	>Re d'Italia< (5700) +	>Erzherzog Ferdinand Max< (5210)
	>Re di Portogallo< (5700)	>Habsburg< (5210)
	>Ancona< (4250)	>Kaiser Max< (3590)
	>Maria Pia< (4250)	>Prinz Eugen< (3590)
	>Castelfidardo< (4250)	>Don Juan d'Austria< (3590)
	>San Martino< (4250)	>Drache< (3065)
	>Principe di Carignano< (3500)	>Salamander< (3065)
	>Terribile< (2700)	
	>Palestro< (2200) +	

Flußkampf am Rio Paraguay 1864 - 1870

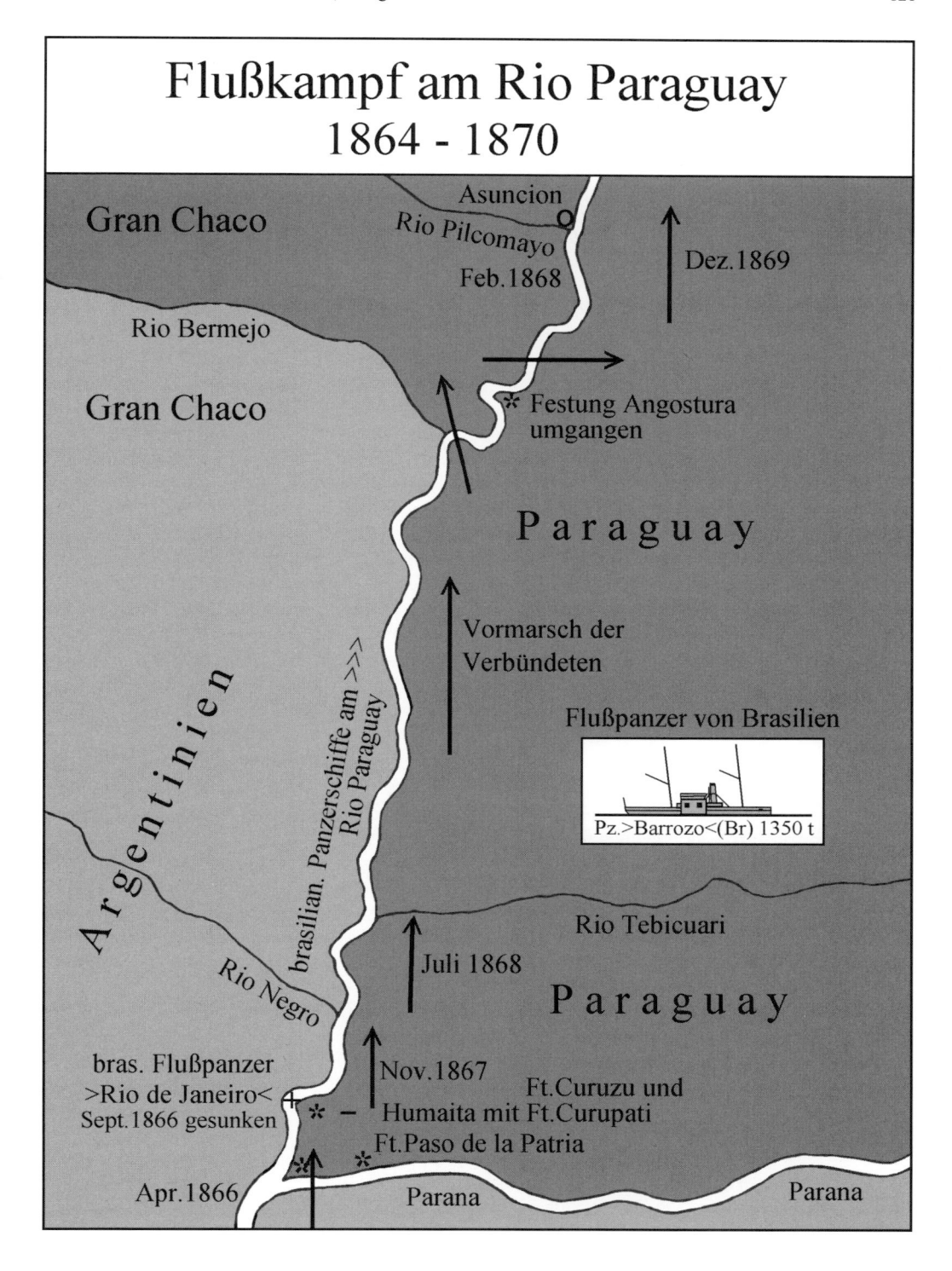

Gran Chaco

Asuncion

Rio Pilcomayo

Feb. 1868

Dez. 1869

Rio Bermejo

Gran Chaco

* Festung Angostura umgangen

Paraguay

Argentinien

brasilian. Panzerschiffe am >>> Rio Paraguay

Vormarsch der Verbündeten

Flußpanzer von Brasilien

Pz.>Barrozo<(Br) 1350 t

Rio Tebicuari

Rio Negro

Paraguay

Juli 1868

bras. Flußpanzer
>Rio de Janeiro<
Sept. 1866 gesunken

Nov. 1867

Ft. Curuzu und
Humaita mit Ft. Curupati
Ft. Paso de la Patria

Apr. 1866

Parana

Parana

Schiffe	Italiener	Österreicher
Panzerschiffe	>Varese< (2200)	
	>Affondatore< (4370)	
hölzernes Schraubenlinienschiff		>Kaiser< (5200)
Dampffregatten	7	5
Dampfkorvetten	3	1
Avisos und Kanonenboote	8	13

10.00 Uhr   Jede Flotte ist in ein gepanzertes und ein ungepanzertes Geschwader eingeteilt. Tegetthoff nähert sich der Insel. Persano bricht die begonnene Landungsoperation ab und geht den Österreichern mit seinen elf Panzerschiffen (>Formidabile< ist auf dem Heimmarsch) in unregelmäßiger Kiellinie entgegen. Die ungepanzerten Schiffe der Italiener halten sich aus dem Kampf heraus. Um seine Unterlegenheit an Panzerschiffen auszugleichen, setzt Tegetthoff auch seine

10.45 Uhr   Holzschiffe voll ein. Er nähert sich in drei Divisionen in Keilformation, die sieben Panzerschiffe voran. Mit diesen durchbricht er die Kiellinie der Italiener

11.30 Uhr   und die Schlacht geht in einen ungeregelten Nahkampf über. Das österreichische Flaggenschiff >Erzherzog Ferdinand Max< rammt dabei die >Re d'Italia<, die in wenigen Minuten mit großem Menschenverlust sinkt. Sogar

14.30 Uhr   das hölzerne Linienschiff >Kaiser< rammt einen italienischen Panzer, wird dabei aber selbst schwer beschädigt. Das italienische Panzerschiff >Palestro< wird in Brand geschossen und fliegt in die Luft. Persano bricht den Kampf ab. Die Italiener verlieren über 600 Mann an Toten, die Österreicher drei Offiziere und 35 Mann.

Gardasee. Die österreichische Flottille unter Korvettenkapitän Manfroni von Montfort hält die italienischen Schiffe auf dem See in Schach und verhindert die Eroberung von Riva am Nordufer durch die Italiener. Die Stadt bleibt dadurch auch weiter im Besitz von Österreich.

23. August   **Friede von Prag.** Preußen erhält Schleswig-Holstein, Hannover, Kurhessen, Nassau und Frankfurt/Main und gründet den Norddeutschen Bund. Die Forderung von Frankreich nach Abtretung aller deutschen Gebiete westlich des Rheins mit Mainz wird von Bismarck zurückgewiesen. Italien erhält im Frieden von Wien Venetien.

ab 1866   Neben Ramme, Granate und Mine gewinnt nun der **Fischtorpedo** mit Eigenantrieb großen Einfluß auf die Entwicklung der Kriegsflotten. Erdacht vom Österreicher Luppis und vom Engländer Whitehead in Fiume/Rijeka entwickelt, wird er in Pola erstmalig vorgeführt. Nach weiteren Tests wird die Erfindung 1868 an die österreichisch-ungarische Kriegsmarine verkauft. Es folgen dann Großbritannien (1870), Frankreich (1872) und Deutschland (1873).

September 1868   **Revolution in Spanien.** Das Geschwader von Cádiz unter Admiral Topete meutert gegen das Regime von Königin Isabella II. Der Großteil von Spanien schließt sich der Revolte an und Isabella muß ins Exil gehen.

Seeschlacht bei Lissa
20. Juli 1866
①

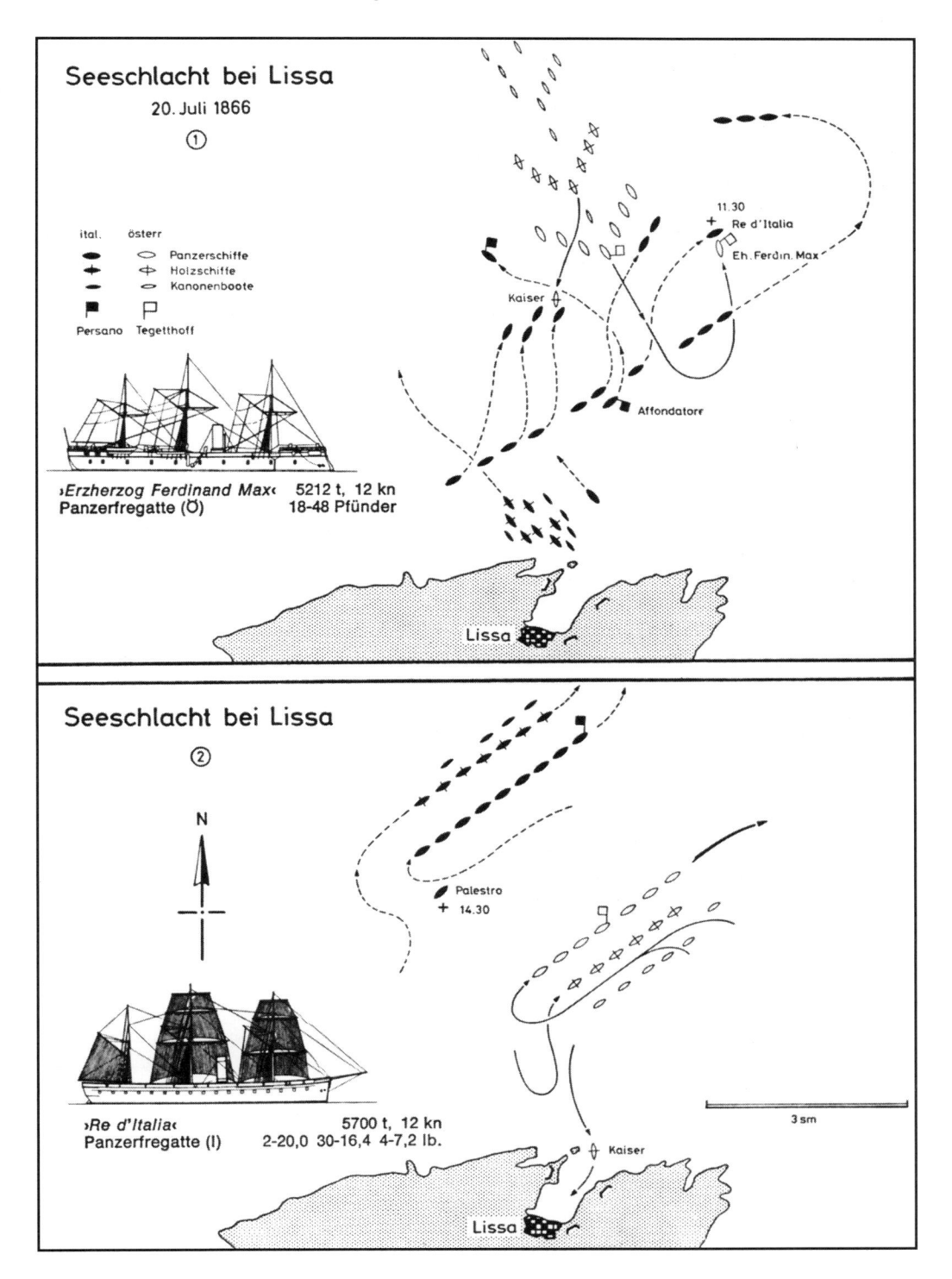

ital.	österr	
○	○	Panzerschiffe
✦	✧	Holzschiffe
▬	▭	Kanonenboote
▐ Persano	▯ Tegetthoff	

›Erzherzog Ferdinand Max‹   5212 t, 12 kn
Panzerfregatte (Ö)   18-48 Pfünder

Seeschlacht bei Lissa
②

N

›Re d'Italia‹   5700 t, 12 kn
Panzerfregatte (I)   2-20,0 30-16,4 4-7,2 lb.

3 sm

1869	**Eröffnung des Suezkanals.** Unter Anwesenheit des Khedive, der Kaiserin Eugenie von Frankreich und des Kaisers Franz Joseph I. von Österreich durchfährt eine festlich geschmückte Flotte von Jachten die neue Wasserstraße vom Mittelmeer zum Roten Meer.
1869	**Aufstand auf Haiti.** Beide Seiten verfügen über bewaffnete Handelsdampfer.
14. September	Je zwei der Hilfskreuzer treffen bei Port de Paix an der Nordküste der Antilleninsel aufeinander und liefern sich ein verlustreiches Gefecht.
18. Dezember	Das „Flaggschiff" der Regierungstruppen, die >Pétion<, geht zu den Aufständischen über. Mit zwei weiteren Schiffen der Rebellen greift es die Hauptstadt Port au Prince an. Dort wird ein Schiff der Regierungstruppen erobert, der Präsidentenpalast beschossen und dadurch den Rebellentruppen zum Sieg verholfen.

1869 Ende des Bürgerkrieges in Japan

	Gegen Ende des Krieges (der Meiji-Restauration mit Ausschaltung des Shogunates) kommt es noch zu mehreren Zusammenstößen der Schiffe der Rebellen mit dem Geschwader der Regierungstruppen.
6. Mai 1869	Gefecht in der Bucht von Miyako. Das Panzerkanonenboot >Kwaiten<, Kpt. Koga (†), der Rebellenflotte greift das Regierungsgeschwader überraschend an und versucht das Flaggschiff >Kotetsu< (ex >Stonewall Jackson<, später >Azuma<) vergeblich zu entern.
22. Mai–20. Juni 1869	**Gefechte in der Bucht von Hakodate.** Das Geschwader des Shoguns unter Admiral Enomoto unterliegt nach mehrtägigen Kämpfen dem überlegenen kaiserlichen Geschwader von acht Kriegsschiffen mit dem Panzerschiff >Kotetsu<. Das Regierungsgeschwader verliert dabei die Radkorvette >Choyo< (700) durch Artillerietreffer der >Banryu< (400). Enomoto wird später begnadigt und baut die moderne japanische Flotte auf. In diesen Kämpfen waren erstmals Dampfsegelschiffe unter japanischer Flagge im Einsatz. Der Widerstand der Rebellentruppen ist nach diesen Gefechten endgültig gebrochen.
7. September 1870	**Schiffbruch.** Das britische Turm-Panzerschiff >Captain< (7000) kentert im Sturm vor Finisterre; 470 Tote. Das Schiff war mit hoher Takelage und den schweren Geschütztürmen toplastig.

1870–1871 Krieg zwischen Frankreich und Deutschland

Aus nichtigem Anlaß erklärt Frankreich an Preußen und den Norddeutschen Bund den Krieg. An die Seite von Preußen treten auch die süddeutschen Staaten Bayern, Württemberg, Baden und Hessen. Österreich bleibt neutral. Die vereinigten deutschen Heere dringen bald in Frankreich vor. Die Deutschen können frühzeitig die zum Küstenschutz zurückgelassenen Korps an die Front heranziehen. Zur See ist Frankreich jedoch weit überlegen und kann auch die Mittelmeerflotte nach Norden verlegen.
Die Stärke der Flotten beträgt:

Seegefechte während des Bürgerkrieges in Japan, 1860 - 1869

China
Wladiwostok
Rußland
China
Hokkaido
Hakodate
1869
Tsugaru-Straße
Japanische See
Miyako 1869
Sado Shima
Korea
Oki Shoto
Honshu
Tokio
Stiller Ozean
Tsuschima
1864
Kobe
Shikoku
Kyushu
Kagoschima
1863

Batt.
Shimonoseki
Batterien
Straße von Shimonoseki

	Frankreich	Deutschland
Hochseepanzerschiffe	26	3
Küstenpanzerschiffe	13	2
Segellinienschiffe (Holz)	24	–
Fregatten und Korvetten	130	9
Kanonenboote	68	25

Die französische Flotte geht nur sehr zögernd zur Offensive über. Auf den meisten Schiffen befinden sich nicht einmal Seekarten von Nord- und Ostsee. Die deutschen Panzerschiffe werden in Wilhelmshaven stationiert, die kleinen Fahrzeuge werden über mehrere Häfen zur Verteidigung verteilt.

24. Juli 1870 — Aus Cherbourg läuft ein französisches Geschwader unter Vizeadmiral Bouet-Willaumez, Flaggschiff Panzerschiff >Surveillante< (6000 t), von sieben Panzerschiffen und einem Aviso in die **Ostsee** aus, wo es am 7. August eintrifft. Ein zweites Geschwader mit Truppentransportern und schwimmenden Batterien zum Angriff auf die deutschen Küsten verläßt nie den Hafen.

12. August — Auch das französische Mittelmeergeschwader von acht Panzerschiffen und mehreren Kreuzern trifft in der **Nordsee** ein. Die Blockade der deutschen Küsten wird erklärt, sie wird aber nie voll wirksam.

14.–18. August 1870 — **Landkrieg.** In der Schlachtentrilogie rund um Metz wird die französische Hauptarmee unter FM Bazaine in der Festung von der deutschen 1. und 2. Armee eingeschlossen. In den drei Schlachten verlieren die deutschen 41.000, die Franzosen 34.000 Mann. Den weiteren Vormarsch treten die 3. Armee und die Maasarmee unter Gen. Moltke an. Am 27. Oktober muß sich Bazaine mit der Festung und der Armee ergeben.

18. August — Treffen bei Hiddensee. Der deutsche Aviso >Grille< und drei Kanonenboote führen ein kurzes Artillerieduell mit dem Blockadegeschwader und ziehen sich dann in die flachen Gewässer bei Rügen zurück.

21./22. August — Vor Danzig greift in der Nacht die deutsche Korvette >Nymphe< die Blockadeflotte an, feuert einige Breitseiten auf das Flaggschiff >Surveillante< und zieht sich wieder zurück.

1. und 2. September 1870 — **Landkrieg.** Die französische Nordarmee unter FM Mac Mahon wird von der deutschen Armeegruppe unter Generalstabschef Moltke bei Sedan geschlagen und muß sich am nächsten Tag ergeben. Der in Sedan befindliche Kaiser Napoleon III. gerät in deutsche Gefangenschaft.

11. September — Die Franzosen heben nach der Niederlage bei Sedan die Blockade der deutschen Küsten auf. Am 26. September passiert das Ostseegeschwader auf dem Heimweg die Jade. Bis gegen Ende des Jahres erscheinen noch einige Male französische Schiffe in der Nordsee, ohne dort aktiv zu werden. Ein großer Teil der Schiffsbesatzungen wird zur Verteidigung von Paris herangezogen.

9. November — Gefecht vor Havanna. Das deutsche Kanonenboot >Meteor< führt ein unentschiedenes Artillerieduell mit dem französischen Kanonenboot >Bouvet<.

30. November–2. Dezember — Bei einem Ausbruchsversuch der Franzosen aus dem belagerten Paris werden die Landtruppen wirkungsvoll durch das Feuer der französischen Flußkanonenboote auf der **Seine** unterstützt.

3. und 4. Dezember — Bei der zweiten Einnahme von Orleans erobern die Deutschen neben anderem Kriegsmaterial auch vier auf der **Loire** eingesetzte Flußkanonenboote.

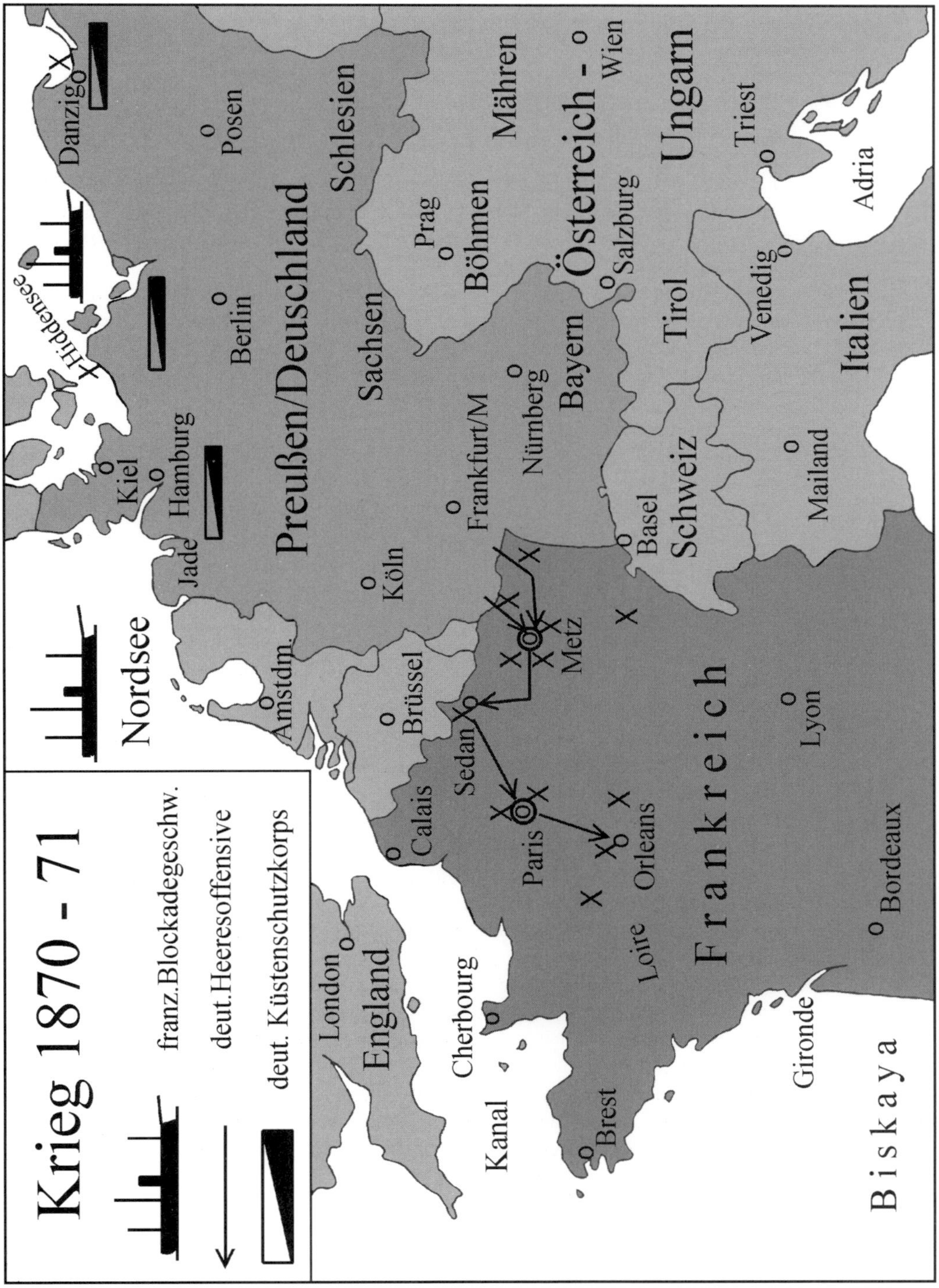
Krieg 1870 - 71
franz.Blockadegeschw.
deut.Heeresoffensive
deut. Küstenschutzkorps
Nordsee
Danzig
Hiddensee
Kiel
Hamburg
Jade
Amstdm.
Posen
Berlin
Köln
Brüssel
Preußen/Deuschland
Schlesien
Sachsen
Frankfurt/M
Nürnberg
Metz
Prag
Böhmen
Mähren
Bayern
Österreich - o Wien
Salzburg
Ungarn
Triest
Adria
Tirol
Venedig
Italien
Basel
Schweiz
Mailand
Sedan
Calais
Paris
Orleans
London
England
Cherbourg
Kanal
Brest
Loire
F r a n k r e i c h
Lyon
Bordeaux
Gironde
B i s k a y a

4. Jänner 1871	Vor der Girondemündung erobert die deutsche Korvette >Augusta< zwei Segelschiffe und einen Truppentransporter. Die französische Flotte kann im Verlauf des Krieges nur 45 deutsche Handelsschiffe aufbringen.
5. Jänner 1871	Bei Beginn der Beschießung der Festungswerke von Paris sind die französischen Flußkanonenboote auf der Seine eines der Hauptziele der Belagerungsartillerie.
10.–12. Jänner 1871	**Landkrieg.** In dreitägigen Kämpfen siegen die Deutschen unter Prinz Friedrich Karl von Preußen in der Schlacht bei Le Mans über die Franzosen unter Gen. Chanzy, die 20.000 Gefangene verlieren. Das Gebiet nördlich der Loire ist nun in deutscher Hand.
18. Jänner 1871	**Deutschland.** Im Spiegelsaal von Versailles wird König Wilhelm von Preußen die deutsche Kaiserwürde angeboten und von ihm als Kaiser Wilhelm I. von Deutschland angenommen.
28. Jänner 1871	**Landkrieg.** Paris muß sich nach einer Belagerung von 131 Tagen mit über 200.000 Mann an Kampftruppen (ohne Mobilgarde) ergeben. Nur ein Teil der Stadt und die Außenforts werden von den Deutschen besetzt.
1. Februar 1871	**Landkrieg.** Die letzte französische Armee unter Gen. Bourbaki wird nach mehreren Schlachten in Burgund von den Deutschen zum Übertritt in die Schweiz gezwungen, wo sie sofort entwaffnet wird.
16. Februar 1871	**Landkrieg.** Die starke französische Festung Belfort an der Burgundischen Pforte, 78 km südwestlich von Colmar, mit einer Besatzung von 18.000 Mann muß sich nach dreimonatiger Belagerung den Deutschen ergeben. Es war das letzte größere Ereignis in diesem Krieg.
26. Februar 1871	**Vorfriede von Versailles** und Kriegsende. Frankreich muß Elsaß-Lothringen an Deutschland abtreten und eine Kriegsentschädigung bezahlen. Die Besatzungstruppen werden schon vorzeitig abgezogen.
10. Juni 1871	**Korea.** Ein US-Geschwader unter Konteradmiral John Rodgers mit der Schraubenfregatte >Colorado<, zwei Korvetten und einem Kanonenboot versucht Seoul anzulaufen, um wie mit Japan auch mit Korea Handelsbeziehungen aufzunehmen. Es wird dabei von den Küstenforts beschossen, die es daraufhin in heftigem Artillerieduell niederkämpft.
1872–1874	**Eismeer.** Eine österreichisch-ungarische Forschungsexpedition unter Schiffsleutnant C. Weyprecht und Oberleutnant J. Payer mit der >Tegetthoff< (200 t) entdeckt im nördlichen Eismeer das Franz-Josephs-Land.
Juni 1873–April 1876	**Forschung.** Die deutsche Schraubenkorvette >Gazelle< (2300) unter Kpt. Freiherr von Schleinitz unternimmt eine große Forschungsreise, die sie rund um die Welt führt und reiches wissenschaftliches Material einbringt.
1874	**Stiller Ozean.** Großbritannien besetzt die Fidschi-Inseln und macht sie zu einer Kronkolonie. Die Aufteilung der weiten Inselwelt ist im Gang. Im Jahr 1889 wird es zwischen Deutschland einerseits und Großbritannien und den USA andererseits um die Samoa-Inseln beinahe zum Krieg kommen.
1875	**Schiffbau.** Das britische Panzerschiff >Devastation< (9400) ist das erste Hochseepanzerschiff ohne jegliche Takelage.

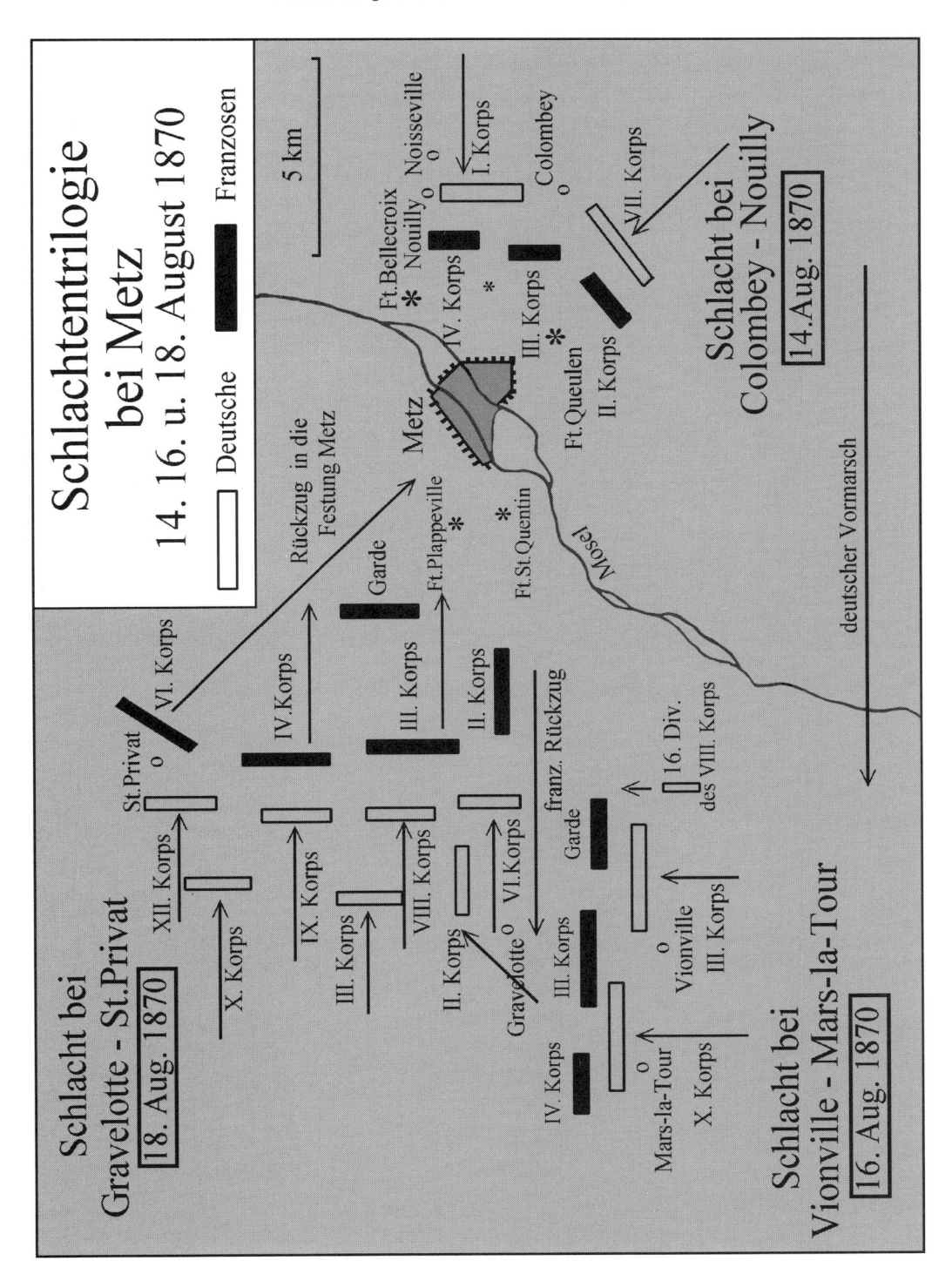

Schlachtentrilogie bei Metz
14. 16. u. 18. August 1870

Deutsche □   Franzosen ■

5 km

Schlacht bei Colombey - Nouilly
14. Aug. 1870

- Noisseville o I. Korps
- Colombey o VII. Korps
- Ft. Bellecroix * Nouilly o
- IV. Korps
- III. Korps *
- Ft. Queulen II. Korps

deutscher Vormarsch →

Schlacht bei Gravelotte - St.Privat
18. Aug. 1870

- St. Privat o VI. Korps
- XII. Korps
- X. Korps
- IX. Korps
- III. Korps
- VIII. Korps
- II. Korps
- Gravelotte o VI. Korps
- IV. Korps

Rückzug in die Festung Metz

Metz
Garde
Ft. Plappeville *
Ft. St. Quentin *
Mosel

Schlacht bei Vionville - Mars-la-Tour
16. Aug. 1870

- franz. Rückzug
- 16. Div. des VIII. Korps
- Garde
- Vionville o III. Korps
- Mars-la-Tour o X. Korps
- IV. Korps

1873–1874	**Bürgerkrieg in Spanien**
Februar 1873	König Amadeus von Savoyen legt die Krone nieder. Aufständische im Flottenstützpunkt Cartagena bringen vier Panzerschiffe und weitere Kriegsschiffe in ihre Gewalt und setzen die rote Flagge.
Juli	Die Panzerschiffe der Aufständischen drohen mit der Beschießung der Städte Alicante und Malaga, falls diese keine Kontribution leisten. Sie werden daran von dem deutschen Panzerschiff >Friedrich Carl< (6800) und der britischen >Swifture< (6900) gehindert.
1. August	>Friedrich Carl< und >Swifture< zwingen vor Malaga das Panzerschiff >Victoria< (7100) und die Fregatte >Almansa< (3900) der Aufständischen zur Übergabe und händigen sie den Republikanern in Cádiz aus.
6. Oktober	Zwei Panzerschiffe der Aufständischen greifen die Forts von Alicante an, werden aber abgewiesen.
10. Oktober	**Gefecht vor Cartagena.** Das Geschwader der Republikaner mit der >Victoria< und drei weiteren Schiffen duelliert sich mit den Panzerschiffen der Aufständischen >Numancia< (7200), >Tetuan< (6200) und >Mendez Nuñez< (3490). Die Aufständischen werden einige Male getroffen und laufen Cartagena an, ihre Gegner erleiden keine Verluste.
Mitte Oktober	Das britische Mittelmeergeschwader hindert die Aufständischen an der Beschießung von Valencia. Die Schiffe der Rebellen werden dann vom Geschwader der Republikaner in Cartagena blockiert und vom britisch-deutschen Geschwader überwacht.
30. Dezember 1873	Das Panzerschiff >Tetuan< wird in Cartagena von der eigenen Besatzung gesprengt.
1874	Bei der Einnahme von Cartagena im folgenden Jahr fallen Regierungstruppen die dort liegenden Schiffe in die Hände. Mit der **Wiedererrichtung der Monarchie** gegen Jahresende ist dieser Kampf wieder zu Ende.
Dezember 1872– Mai 1876	**Forschung.** Eine der längsten wissenschaftlichen Forschungsreisen unternimmt die britische Schraubenkorvette >Challenger< unter Kpt. Nares, ab Anfang 1875 unter Kpt. Thomson, durch den Atlantik, rund um die Antarktis und durch den Stillen Ozean.
1874	**Japan** schickt ein Geschwader zu einer Flottendemonstration nach Formosa/Taiwan. Diese Aktion bringt ihm 1879 die Anerkennung des Besitzes der Ryukyu-Inseln durch China.
1876	**Flottendemonstration.** Damit erzwingt Japan die Öffnung von Korea für den japanischen Handel nach dem Muster, nach dem es die USA mit Japan 1853 durchgeführt hat.
1877	Beim **Satsuma-Aufstand** in Japan ist die kaiserliche Flotte an dessen Niederschlagung wesentlich beteiligt. Die zu Lande fast ebenbürtigen Streitkräfte der Aufständischen können durch Landungen und Beschießungen der kaiserlichen Flotte immer wieder ausmanövriert werden.
1. September 1875	**Schiffbruch.** Das britische Panzerschiff >Vanguard< (6000) wird bei Manövern in der Irischen See vom Panzerschiff >Iron Duke< gerammt und sinkt.

Bürgerkrieg in Spanien 1873 - 1876
ab 1874 wieder Monarchie
Aufständische kursiv

Pz. >Friedrich Carl< (D), 6820 t, 13,5 kn, 16-21cm

internat. Überwachungsgeschwader

Frankreich
Bordeaux
Toulouse
La Coruña
Bilbao
Basken
Katalanen
Porto
Barcelona
Karlisten
Republikaner
Baleares
Madrid
Valencia
Lissabon
Ibiza
Spanien
Republikaner
Alicante
Cartagena
Anarchisten
Republikaner
Sevilla
Malaga
Überwachungsgeschwader (brit.-deut.)
Cadiz
Gibraltar
Algier
Tanger
Oran
Atlantik
Algier
Marokko

1876–1880	**Schiffbau.** Der italienische Schiffbauingenieur Benedetto Brin konstruiert und baut die Schlachtschiffe vom Typ >Duilio< (11.610), die ersten schweren Turmschiffe mit über 10.000 Tonnen.
29. Mai 1877	**Gefecht bei Ilo.** Der peruanische Küstenpanzer >Huascar< ist in der Hand von Rebellen. Der britische Kreuzer >Shah< führt mit dem Panzer ein kurzes, ergebnisloses Feuergefecht. Dabei wird von der >Shah< zum erstenmal ein Fischtorpedo im Gefecht lanziert, der jedoch sein Ziel verfehlt.

1876–1878 Krieg Serbien und Rußland gegen die Türkei

Juli 1876	Wegen Unterdrückung der Christen durch die Osmanen in Bosnien erklärt Serbien der Türkei den Krieg und hofft zu Recht auf die Hilfe von Rußland. Rußland verfügt im Schwarzen Meer nur über die zwei unbrauchbaren kreisrunden Panzerschiffe vom Typ >Popow< sowie bewaffnete Dampfer und Torpedoboote. Der Türkei stehen rund 20 Hochseepanzerschiffe und Flußmonitore zur Verfügung.
11. Mai 1877	Der türkische Küstenpanzer >Luft-ü-Celil< (2450) sinkt in der Donau nach Treffer in den Kesselraum durch eine russische Heeresbatterie.
25./26. Mai	In der Donaumündung bei Braila versenken russische Torpedoboote mit Spierentorpedos den türkischen Küstenpanzer >Seyfi< (450).
September 1877	**Landkrieg.** In einer blutigen Schlacht von mehreren Tagen weist die türkische Besatzung von Stadt und Festung Plewna unter Gen. Osman Pascha den Angriff der dreifach überlegenen Russen und Rumänen ab. Am 10. Dezember muß Plewna aber doch kapitulieren, womit der Krieg entschieden ist.
7. November 1877	**Flußkrieg.** Eine rumänische Mörserbatterie versenkt das bei Vidin am linken Donauufer hinter einer Balkensperre liegende türkische Küstenpanzerschiff >Podgoritza<. Die Bedrohung für den Flußübergang des russischen Heeres ist im Westen beseitigt.
26. Jänner 1878	**Torpedoerfolg.** Vor Batum versenken russische Torpedoboote das türkische Kanonenboot >Intibah< (163 t). Dies ist der erste Erfolg mit einem Fischtorpedo vom Typ Whitehead. Die Torpedoboote sind vom bewaffneten Transporter >Großfürst Konstantin< unter Kpt. Makarow an ihr Ziel gebracht worden. Mit ihrem offensiven Mineneinsatz auf der Donau legen die russischen Kleinkampfschiffe die türkischen Flußmonitore lahm und sichern den Flußübergang der Landstreitkräfte.
März 1878	Dem Waffenstillstand folgt im Sommer der **Berliner Kongreß** zur Regelung der Balkanfrage. Rumänien, Serbien und Montenegro erhalten ihre volle Souveränität. Das Fürstentum Bulgarien ist Türkei tributpflichtig.
31. Mai 1878	**Schiffbruch.** Das deutsche Panzerschiff >Großer Kurfürst< (6800) geht nach Rammstoß durch das Panzerschiff >König Wilhelm< (D) bei Verbandsübungen vor der englischen Küste bei Folkstone unter.
Juni 1878–Juli 1879	**Forschung.** Der Schwede Adolf E. Nordenskjöld umfährt als erster mit dem Forschungsschiff >Vega< den Norden Europas und Asiens und erschließt dadurch die lange gesuchte **Nordostpassage** zwischen dem Atlantik und dem Stillen Ozean.

»Duilio«
Turmschiff (I)
11 610 t, 16 kn
4-45 3-12

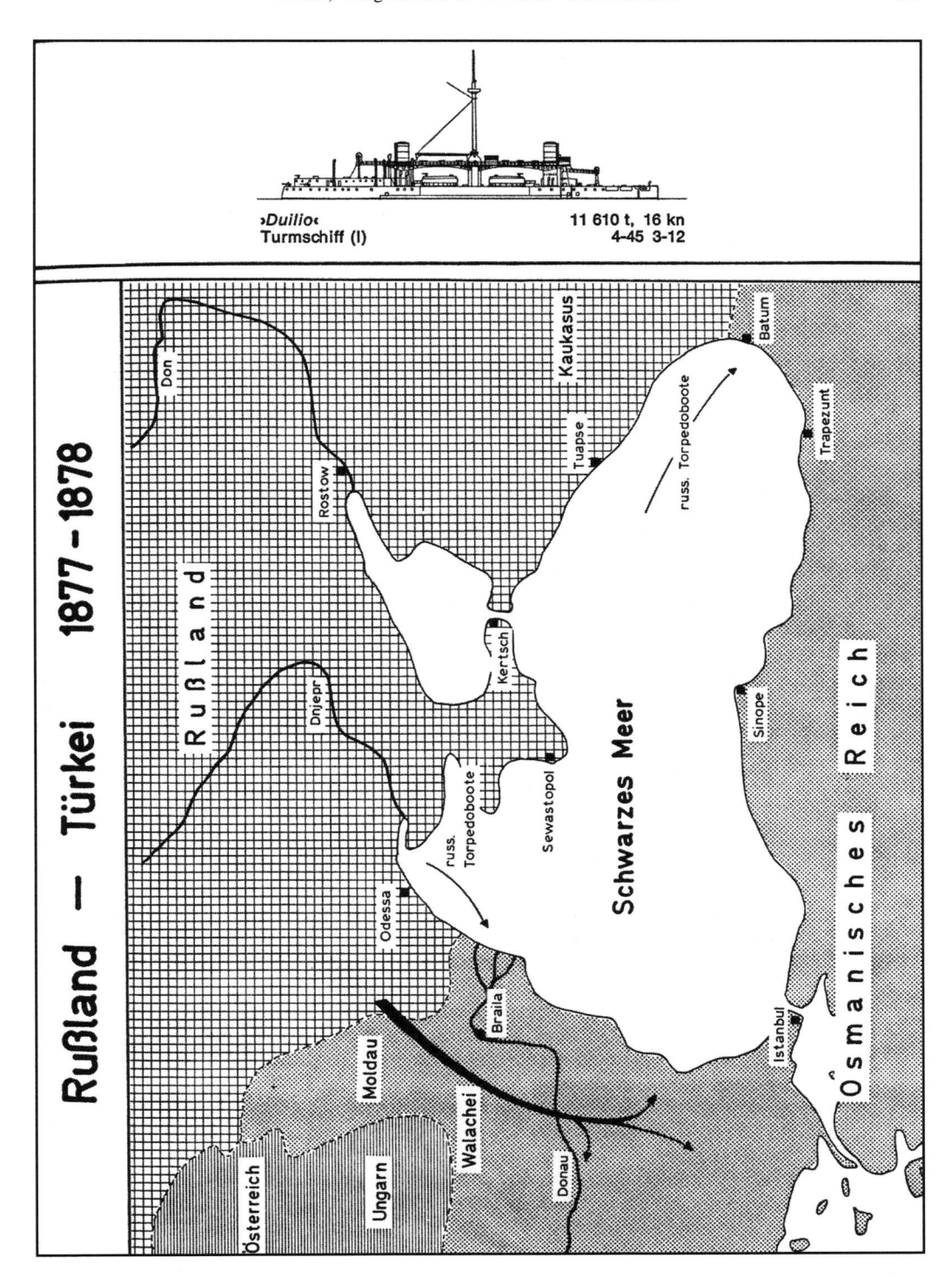

Rußland — Türkei 1877–1878

1879	**Schiffbau.** Der Amerikaner irischer Abstammung John P. Holland baut sein **Tauchboot** >The Fenian Ram< (Holland Nr. 3).

1879–1881 Krieg Chile gegen Peru und Bolivien

	Die lange Westküste von Chile, Bolivien und Peru verfügt weder über Bahn- noch über Straßenverbindungen. Der Seeherrschaft kommt daher besondere Bedeutung zu.
21. Mai 1879	**Gefecht bei Iquique.** Die peruanischen Küstenpanzer >Huascar< (1100) und >Independencia< (2000) treffen auf zwei chilenische Kanonenboote. Die >Es- meralda< (850) sinkt nach heroischem Kampf gegen die >Huascar<, ihr Kapi- tän Arturo Prat fällt bei einem Enterversuch. Die >Covadonga< (410) kann knapp unter der Küste entkommen, die verfolgende >Independencia< läuft dabei auf Grund und muß aufgegeben werden.
8. Oktober	**Gefecht bei Angamos.** Die chilenischen Panzerschiffe >Almirante Cochrane<, Kommandant Fregattenkapitän Latorre, und >Blanco Encalada< (je 3450) unter Konteradmiral Riveros zwingen die >Huascar< nach 90 Minuten Kampf zur Kapitulation. Konteradmiral Grau und drei seiner Nachfolger in der Schiffsführung fallen.
ab 1880	Im Besitz der Seeherrschaft blockiert die Flotte von Chile die peruanische Küste. Mehrfach wird der Haupthafen Callao mit mäßigem Erfolg beschossen.
25. Mai	Vor Callao treffen in der Nacht je ein kleines chilenisches und peruanisches Torpedoboot aufeinander und versenken sich gegenseitig mit Spierentor- pedos.
7. Juni	Nach zweitägiger Beschießung durch das Blockadegeschwader erobert das chilenische Heer die Hafenstadt Arica von der Landseite. Der im Hafen liegen- de alte Küstenpanzer >Manco Capac< (1000), ein Torpedoboot und mehrere Dampfer werden von den eigenen Besatzungen versenkt.
3. Juli	**Sprengfalle.** Die Chilenen entdecken ein mit Gemüse beladenes verlassenes Boot. Als sie es längsseits des Versorgungsschiffes >Loa< entladen, ereignet sich eine heftige Explosion, welche die >Loa< versenkt und 50 Mann tötet.
Jänner 1881	Nach mehreren Niederlagen zu Lande löst sich die staatliche Ordnung in Peru in Anarchie auf.
März 1884	**Friede von Lima.** Bolivien tritt die Provinz Atacama an Chile ab und wird dadurch ein Binnenstaat.

1881 Frankreich erobert Tunesien

	Die Unterstützung von Unabhängigkeitskämpfern in Algerien durch den Bei von Tunis gibt Frankreich den Anlaß, das Land zu annektieren. Die Flotte unterstützt dabei die aus Algerien vorrückenden Heereseinheiten.
25. April 1881	**Eroberung von Bizerta.** Leichte Seestreitkräfte beschießen das auf einer klei- nen Insel vor der Grenzstadt Tabarka liegende alte tunesische Fort, das Heer nimmt nach dessen Eroberung den Vormarsch Richtung Osten auf. Eine Wo- che später wird bereits Bizerta erobert und dort für die Mittelmeerflotte ein Stützpunkt eingerichtet.

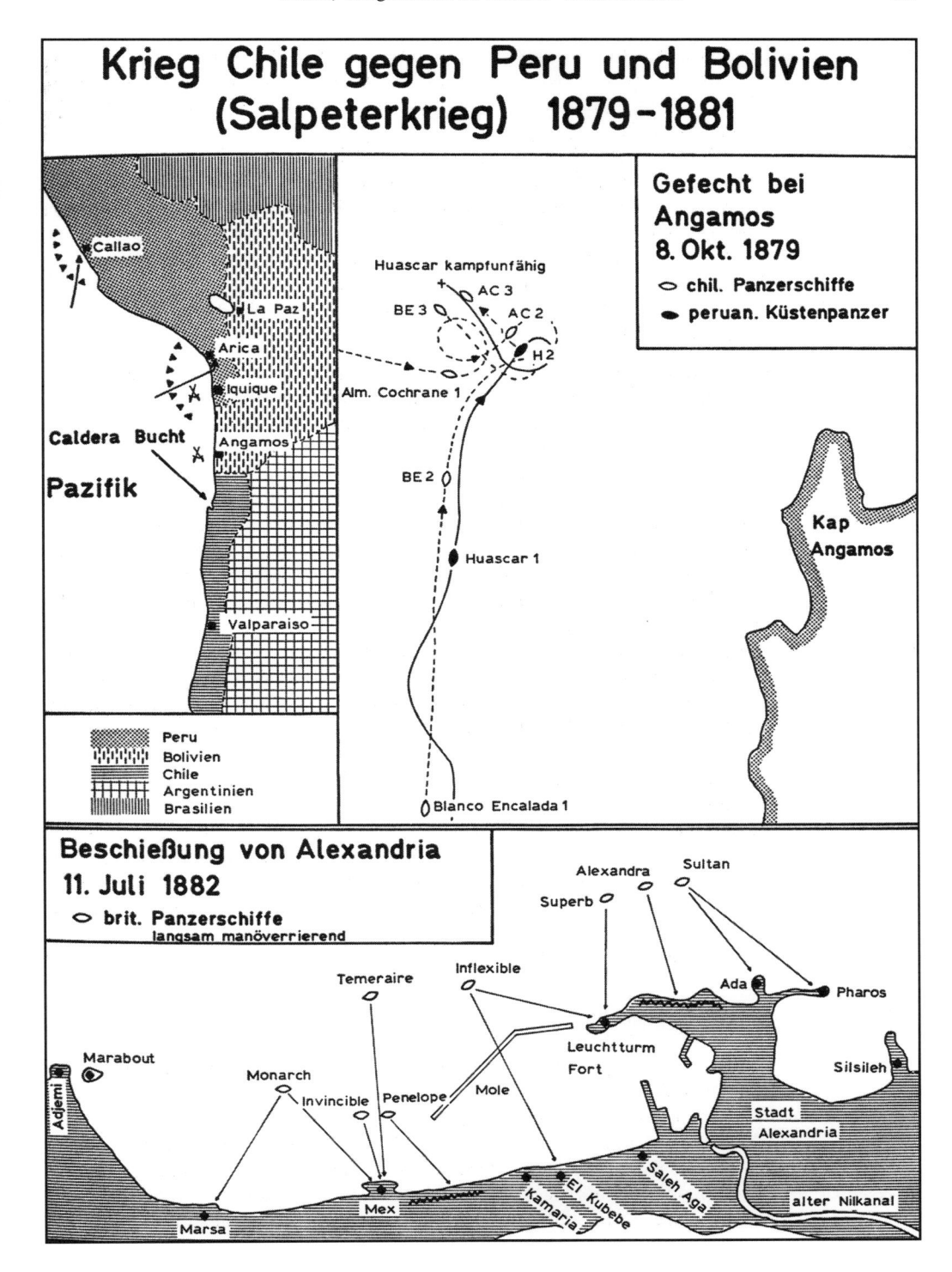

Krieg Chile gegen Peru und Bolivien (Salpeterkrieg) 1879-1881

Gefecht bei Angamos 8. Okt. 1879
○ chil. Panzerschiffe
● peruan. Küstenpanzer

Huascar kampfunfähig
AC 3
BE 3
AC 2
H 2
Alm. Cochrane 1
BE 2
Huascar 1
Blanco Encalada 1

Callao
La Paz
Arica
Iquique
Caldera Bucht
Angamos
Pazifik
Valparaiso
Kap Angamos

Peru
Bolivien
Chile
Argentinien
Brasilien

Beschießung von Alexandria 11. Juli 1882
○ brit. Panzerschiffe
langsam manövrierend

Alexandra
Sultan
Superb
Inflexible
Temeraire
Ada
Pharos
Marabout
Monarch
Invincible
Penelope
Mole
Leuchtturm Fort
Silsileh
Adjemi
Marsa
Mex
Kamaria
El Kubebe
Saleh Aga
Stadt Alexandria
alter Nilkanal

Mai	Der **Bei von Tunis** erkennt das „Protektorat" von Frankreich über Tunesien an und das französische Heer wird wieder abgezogen. Die arabische Bevölkerung will die Herrschaft der Franzosen nicht anerkennen und bringt zunächst die Stadt Sfax in Verteidigungszustand.
5.–16. Juli	**Beschießung und Eroberung von Sfax.** Die französische Mittelmeerflotte unter Vizeadmiral Garnault mit den Panzerschiffen >Colbert< (8800) F, >Marengo< (7600), >Surveillante< (5700), >Revanche< (5700), >Friedland< (8900), >Alma< (3600), >Reine Blanche< (3600) und >La Galissonière< (4650) sowie mehreren Kreuzern und Kanonenbooten beschießt über eine Woche lang die Stadt und die Batteriestellungen, die das Feuer nur schwach erwidern. Schließlich wird Infanterie von den Booten der Flotte gelandet und die Stadt erobert.
11. Juli 1882	**Beschießung von Alexandria.** Nach nationalistischen Ausschreitungen, bei denen 68 Europäer ums Leben kommen, beschießt die britische Mittelmeerflotte unter Admiral F. Seymour die Forts um die Hafenstadt. Beteiligt sind die Panzerschiffe >Alexandra< (9490), >Inflexible< (11.880), >Monarch< (8320), >Temeraire< (8540), >Sultan< (9200), >Invincible< (6100), >Superb< (9170), >Penelope< (4470) und fünf Kanonenboote. Die Forts sind mit 44 gezogenen, 211 glatten Geschützen sowie 38 Mörsern bestückt. Um sieben Uhr früh beginnt die Beschießung. Sie dauert zehn Stunden, danach schweigen die Forts. Großbritannien besetzt anschließend Ägypten. Durch das unterseeische Seekabel Alexandria-Zypern-Malta-London ist die britische Regierung über die Ereignisse laufend informiert.
1880–1890	**Schiffbau.** Seitdem die Dampfmaschinen stark und zuverlässig sind, wird die Takelage nutzlos und hinderlich. Die Kriegsschiffe werden entsprechend umgebaut, neue Schiffe nur mehr mit Gefechts- und Signalmasten ausgestattet. Mit Ausnahme der Schulschiffe verschwinden die Segelschiffe aus den Kriegsflotten.
1882	**Schiffbau.** Der Schwede Thorsten Nordenfelt konstruiert Tauchboote mit Fischtorpedos als Waffe.
1883	**Beginn der französischen Intervention in Madagaskar.** Ein französisches Geschwader greift in die Kämpfe der Eingeborenen ein, beschießt und erobert ein erstes Mal die Küstenplätze Majunga, Tamatave und Diego Suarez. Frankreich erzwingt im Dezember 1885 in einem ersten Vertrag praktisch ein Protektorat über die Insel. Nach neuen Aufständen wird Madagaskar 1896 zur Kolonie erklärt und gänzlich unterworfen.

1884–1885 Krieg zwischen Frankreich und China

Dies ist ein Kampf um die Anerkennung der französischen Oberhoheit über Indochina, die heutigen Staaten Vietnam, Kambodscha und Laos. Um die Chinesen zum Nachgeben zu zwingen, beschließt Vizeadmiral Courbet, der Befehlshaber der französischen Seestreitkräfte in Ostasien, einen Angriff auf die chinesische Südflotte, die auf der Pagoda-Reede von Futschau liegt.

23. August 1884 **Gefecht auf der Reede von Futschau/Fuzhou.** Courbet verfügt über fünf Kreuzer, drei Kanonenboote und zwei Torpedoboote. Das chinesische Ge-

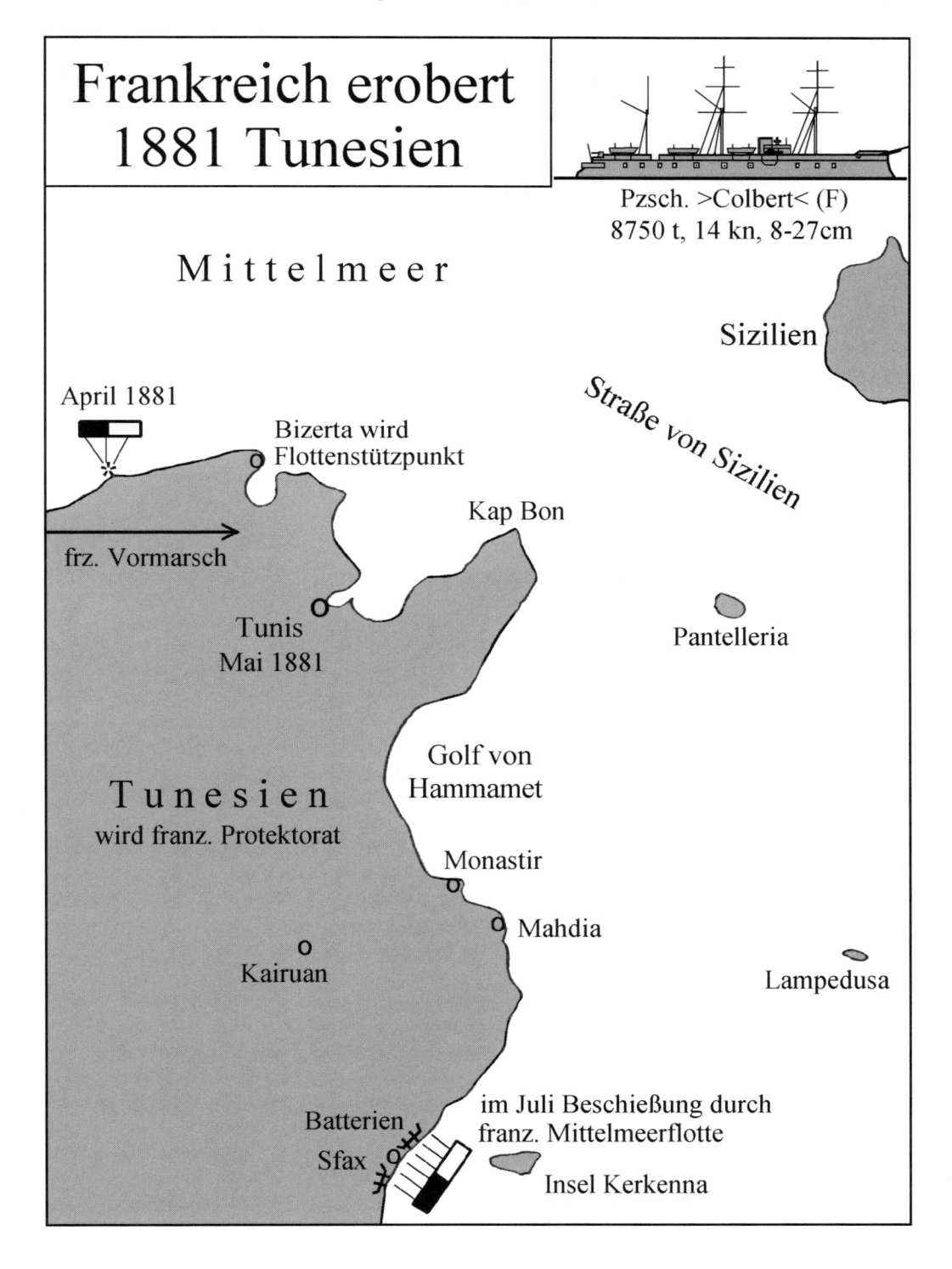

Frankreich erobert 1881 Tunesien

Pzsch. >Colbert< (F)
8750 t, 14 kn, 8-27cm

Mittelmeer

Sizilien

Straße von Sizilien

April 1881

Bizerta wird Flottenstützpunkt

Kap Bon

frz. Vormarsch

Tunis
Mai 1881

Pantelleria

Tunesien
wird franz. Protektorat

Golf von Hammamet

Monastir

Mahdia

Kairuan

Lampedusa

Batterien
Sfax

im Juli Beschießung durch
franz. Mittelmeerflotte

Insel Kerkenna

schwader unter Admiral Ding besteht aus sechs Kreuzern, einer Anzahl kleiner Fahrzeuge sowie neun bewaffneten Dschunken. Courbet eröffnet um 14 Uhr das Feuer. Ein Torpedoboot bringt mit einem geschleppten Torpedo das chinesische Flaggschiff zum Sinken. Nach einer halben Stunde ist das ganze chinesische Geschwader vernichtet. Die Verluste der Franzosen sind nur gering. Am nächsten Tag wird das Arsenal zerschossen.

25.– 29. August 1884 Während der Kämpfe auf der Reede besetzen die Chinesen die starken Forts an den Engstellen der Zufahrt über die Mündung des Min-Flusses. Beim Auslaufen müssen die Franzosen diese in mehrtägigem Kampf niederringen.

1. November **Landung auf Formosa/Taiwan.** Courbet bringt mit seinem Geschwader Landungstruppen bei Keelung/Jilong im Norden der Insel an Land und erobert die Stadt nach kurzer Beschießung. Eine weitere Landung bei Tamsui/Tan-shui weiter im Westen bringt keinen Erfolg. Keelung wird die Operationsbasis von Admiral Courbet.

14./15. Februar 1885 **Torpedos.** Zwischen dem chinesischen Festland und der Insel Tungnam versenken Barkassen des französischen Kreuzers >Bayard< (5900) die chinesische Schraubenfregatte >Yu-yuen< und das Kanonenboot >Tschen-kiang< mit Spierentorpedos. Es ist einer ihrer seltenen Einsätze.

29.–31. März 1885 **Landungsoperation.** Courbet bringt mit seinem Geschwader Landungstruppen zu den Pescadores-Inseln in der Straße von Formosa, deren Hauptort Makung erobert werden kann.

Juni 1885 **Friede von Tientsin.**

1886 **Burma.** Nach mehreren Kriegen hat Großbritannien das Land unterworfen und annektiert es nun als Pufferstaat für seinen Besitz in Indien gegen die Ausbreitung der Franzosen in Indochina.

1888 **Schiffbau.** Die Franzosen Dupuy de Lôme und Gustve Zédé bauen mit der >Gymnote< das erste einwandfrei arbeitende Tauchboot mit Elektromotor und Fischtorpedobewaffnung.

1888–1900 **Krieg von Deutschland gegen die Araber von Ostafrika.** Im Kampf gegen die Sklavenhändler in der neuen Kolonie des Deutschen Reiches sind die Landungsabteilungen mehrerer Kriegsschiffe an der Küste und die Schiffe selbst zum Küstenbeschuß eingesetzt. Beteiligt sind die Korvetten >Leipzig<, >Olga<, >Sophie< und drei Kanonenboote unter Konteradmiral Deinhard (†) sowie jene mehrerer britischer Schiffe.

15. März 1889 **Schiffbruch.** Deutschland, die USA und Großbritannien streiten um den Besitz von Samoa im Stillen Ozean. Aus diesem Grund liegen im Hafen von Apia die Korvette >Olga< (2150, D) und die Kanonenboote >Adler< (880, D) und >Eber< (580, D), die Fregatte >Trenton< (3900, US) und Korvetten >Vandalia< (2080, US) und >Nipic< (1380, US) sowie der Kreuzer >Calliope< (2770, E). Ein schwerer Orkan vernichtet einen Teil der deutschen und US-amerikanischen Schiffe und treibt die restlichen auf den Strand. Auch zwei Handelsschiffe sinken unter großen Menschenverlusten. Nur der britische Kreuzer kann die freie See gewinnen und den Orkan ausreiten.

1890 **Literatur.** Der Amerikaner Kpt. Alfred Th. Mahan veröffentlicht sein Buch *The Influence of Seapower upon History, 1660-1783*. Diese und seine folgenden Arbeiten haben großen Einfluß auf den Flottenbau der Jahrhundertwende.

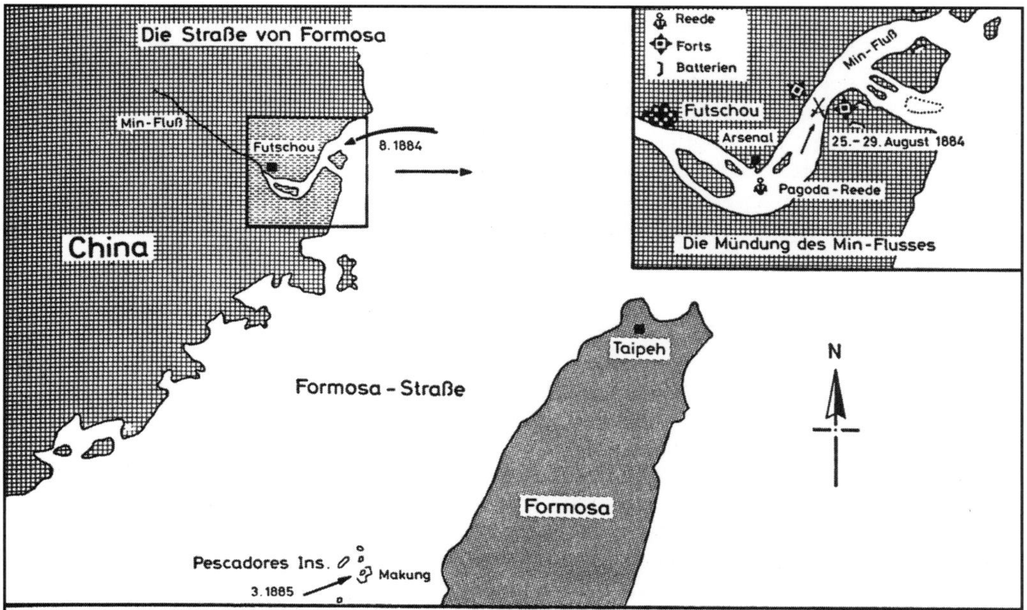
Die Straße von Formosa
Min-Fluß
Futschou
8. 1884
China
Reede
Forts
Batterien
Futschou
Min-Fluß
Arsenal
25.-29. August 1884
Pagoda-Reede
Die Mündung des Min-Flusses
Taipeh
N
Formosa-Straße
Formosa
Pescadores Ins.
Makung
3. 1885

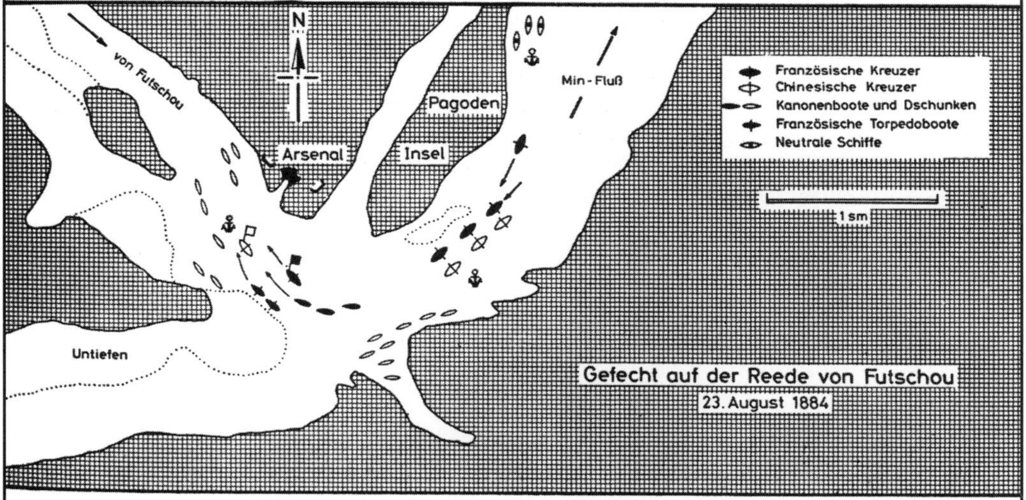
N
von Futschou
Pagoden
Min-Fluß
Arsenal
Insel
Französische Kreuzer
Chinesische Kreuzer
Kanonenboote und Dschunken
Französische Torpedoboote
Neutrale Schiffe
1 sm
Untiefen
Gefecht auf der Reede von Futschou
23. August 1884

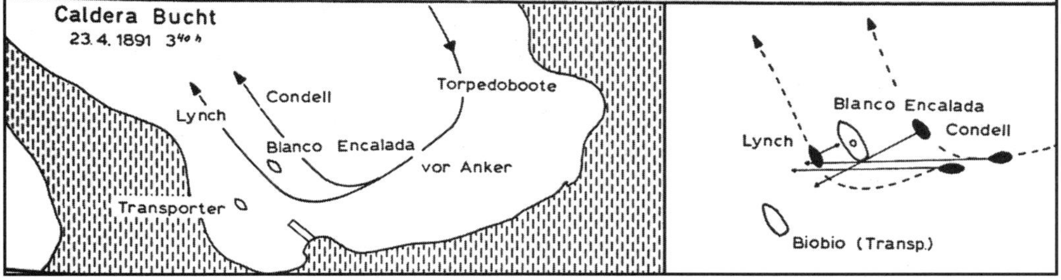
Caldera Bucht
23.4.1891 3⁴⁰ h
Condell
Lynch
Torpedoboote
Blanco Encalada
vor Anker
Transporter
Blanco Encalada
Condell
Lynch
Biobio (Transp.)

	Seine Folgerungen sind für die Seemächte weitgehend zutreffend. Sie werden aber im Deutschen Reich teilweise falsch interpretiert und führen u.a. zur deutsch-britischen Flottenrivalität.
18. September 1890	**Schiffbruch.** Südlich von Japan sinkt in einem Hurrikan die türkische Schulfregatte >Ertogrul< (2350). Alle 650 Mann an Bord ertrinken.
1. Juli 1890	**Helgoland-Sansibar-Vertrag.** Für die Abtretung von Helgoland von Großbritannien an Deutschland erkennt dieses das britische Protektorat über Sansibar an. In diesem Abkommen werden auch die Besitzansprüche über die Kolonien in Süd- und Ostafrika geregelt.

1891 — Bürgerkrieg in Chile

Jänner 1891	Zu Jahresbeginn erklärt sich die Flotte gegen das diktatorische Regime von Präsident Balmaceda und unterstützt die legitimistische Kongreßpartei.
16. Jänner	Die im Hafen von Valparaiso liegende Flotte unter Kpt. J. Montt nimmt die Führer der Kongreßpartei an Bord, bemächtigt sich aller im Hafen liegenden Schiffe und läuft nach dem Norden aus. In der reichen Salpeterprovinz Antofagasta wird ein eigenes Heer aufgestellt.
Jänner–Februar	Schiffe der Aufständischen unterstützen die Landtruppen bei der Einnahme der Hafenstadt Iquique mit Artilleriefeuer.
	Im März treffen aus Europa zwei große moderne Torpedofahrzeuge für die Flotte von Balmaceda ein. Sie sind ein gefährlicher Gegner für die Schiffe der Aufständischen.
22./23. April	**Gefecht in der Bucht von Caldera.** Die beiden Torpedofahrzeuge >Almirante Condell< und >Almirante Lynch< (je 750) unternehmen in der Morgendämmerung einen Angiff auf das dort liegende Panzerschiff >Blanco Encalada< (3450) der Kongreßpartei. Von mehreren abgefeuerten Fischtorpedos trifft einer und bringt das Panzerschiff zum Sinken. Erster derartiger Erfolg gegen ein großes Schiff.
19. August	Der moderne Kreuzer >Esmeralda< (3000) der Kongreßpartei beschießt die Hafenforts von Valparaiso.
20. August 1891	**Landungsoperation.** Die Truppen der Kongreßpartei werden von der Flotte in der Bucht von Quinteros nördlich von Valparaiso gelandet. Sie werfen die Truppen von Balmaceda in der Schlacht bei Viña-del-Mar zurück und beenden in wenigen Tagen den Bürgerkrieg zu ihren Gunsten.
	Der Besitz der Seeherrschaft hat diesen Kampf entschieden.
21. Mai 1892	**Schiffbruch.** Vor der Küste von Uruguay strandet der brasilianische Küstenpanzer >Solimoes< (3700) und geht mit fast der ganzen Besatzung verloren.
22. Juni 1893	**Schiffbruch.** Das britische Schlachtschiff >Victoria< (10.500) sinkt vor Beirut bei Manövern durch Rammstoß des Schlachtschiffes >Camperdown<. Mit ihm gehen der Admiral und 422 Mann unter.
29. September 1893	Bei einem der Aufstände in **Argentinien** schließt sich der Monitor >Andes< (1550) den Insurgenten an, wird aber nach kurzem Artillerieduell von dem Küstenpanzer >Independencia< (2500) bei Rosario zur Aufgabe gezwungen.

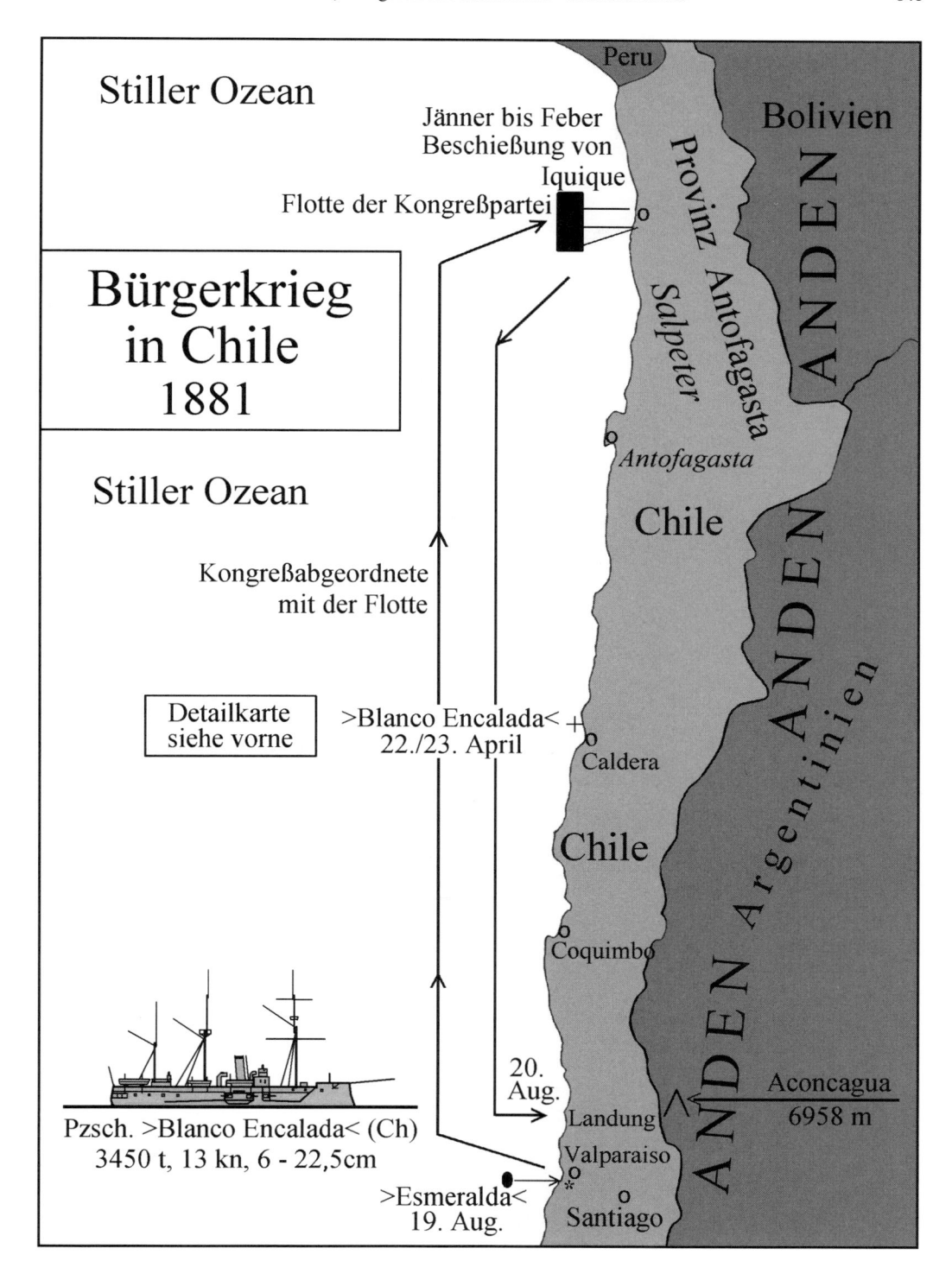

Bürgerkrieg in Chile 1881

Stiller Ozean

Peru

Bolivien

Jänner bis Feber Beschießung von Iquique

Flotte der Kongreßpartei

Provinz Antofagasta Salpeter

ANDEN

Antofagasta

Chile

Stiller Ozean

Kongreßabgeordnete mit der Flotte

Detailkarte siehe vorne

>Blanco Encalada< 22./23. April

Caldera

Chile

ANDEN Argentinien

Coquimbo

20. Aug. Landung

Aconcagua 6958 m

Pzsch. >Blanco Encalada< (Ch)
3450 t, 13 kn, 6 - 22,5cm

Valparaiso

>Esmeralda< 19. Aug.

Santiago

1893–1894 Bürgerkrieg in Brasilien

Im September 1893 revoltiert die Kriegsmarine unter Konteradmiral Jose de Mello gegen die Regierung. Drei Monate lang führen die im Hafen von Rio de Janeiro liegenden Schiffe sporadische Artillerieduelle mit den Hafenforts.

22. November 1893 Der Küstenpanzer >Javary< (3640) sinkt im Hafen von Rio, nachdem er durch das eigene Feuern und Nahtreffer leck geworden ist.

30. November In der Nacht durchbricht das Turmpanzerschiff >Aquidaban< (5000) die Sperre durch die Forts an der Hafeneinfahrt und läuft zu Sympathisanten im Süden Brasiliens.

14. März 1894 Die Schiffe der Aufständischen im Hafen von Rio de Janeiro ergeben sich den Regierungstruppen.

16. April In der Bucht von Sta. Caterina wird die >Aquidaban< von einem Torpedofahrzeug der Regierung torpediert und sinkt im flachen Wasser. Später gehoben sinkt sie nach Explosion 1906 erneut mit drei Admiralen und 210 Mann.

1893–1896 **Forschung.** Der Norweger Fritjof Nansen unternimmt mit der >Fram< seine große Expedition durch das nördliche Eismeer, wobei er die meiste Zeit mit dem Packeis driftet.

1894–1895 Der Seekrieg Japan gegen China

Um die Oberhoheit über Korea kommt es im Sommer 1894 zum Krieg zwischen den beiden Ländern. Zur Versorgung ihrer Heere sind beide Länder auf den Seeweg angewiesen.

25. Juli 1894 **Gefecht bei Asan.** Schon vor der Kriegserklärung am 1. August versenken die japanischen Kreuzer >Yoshino<, >Naniwa< und >Akitsushima< ein chinesisches Kanonenboot und beschädigen den Kreuzer >Tsi-yuen< schwer. Die >Naniwa< unter Kpt. H. Togo versenkt dann noch den britischen Dampfer >Kowshing< mit chinesischen Truppen an Bord.

15. September 1894 **Landkrieg.** Die japanische 1. Armee unter FM Graf Yamagata in Stärke von 12.000 Mann schlägt die etwas stärkeren Chinesen in der Schlacht bei Pjöngjang und kontrolliert nun Korea.

17. September 1894 **Seeschlacht vor der Yalumündung.** Die chinesische Nordflotte unter Admiral Ding besteht aus den Panzer-Turmschiffen >Ting-Yuen< und >Tschen-Yuen< (je 7600), acht Geschützten Kreuzern und drei Torpedobooten. Der japanische Admiral Graf Ito verfügt über acht Geschützte Kreuzer, das alte Panzerschiff >Fuso< (3700), einen alten Küstenpanzer, ein Kanonenboot und einen bewaffneten Transporter. Ito teilt seine Flotte: Die vier schnellsten und neuesten Kreuzer sind in eine schnelle Division zusammengefaßt. Der Rest bildet das Hauptgeschwader. Die chinesische Flotte fährt in breiter Keilformation (Muster Tegetthoff 1866), die Panzerschiffe in der Mitte.

Ito nützt die größere Geschwindigkeit seiner Schiffe. Die schnelle Division umfaßt die chinesische Steuerbordseite und schießt die beiden Schiffe an diesem Flügel zusammen. Dann schwenkt diese Division nach Backbord, drängt die chinesischen Torpedoboote ab und wendet sich erneut gegen die feindlichen Kreuzer. Das Hauptgeschwader umkreist die Chinesen im Uhrzeiger-

Bürgerkrieg in Brasilien 1893 - 1894

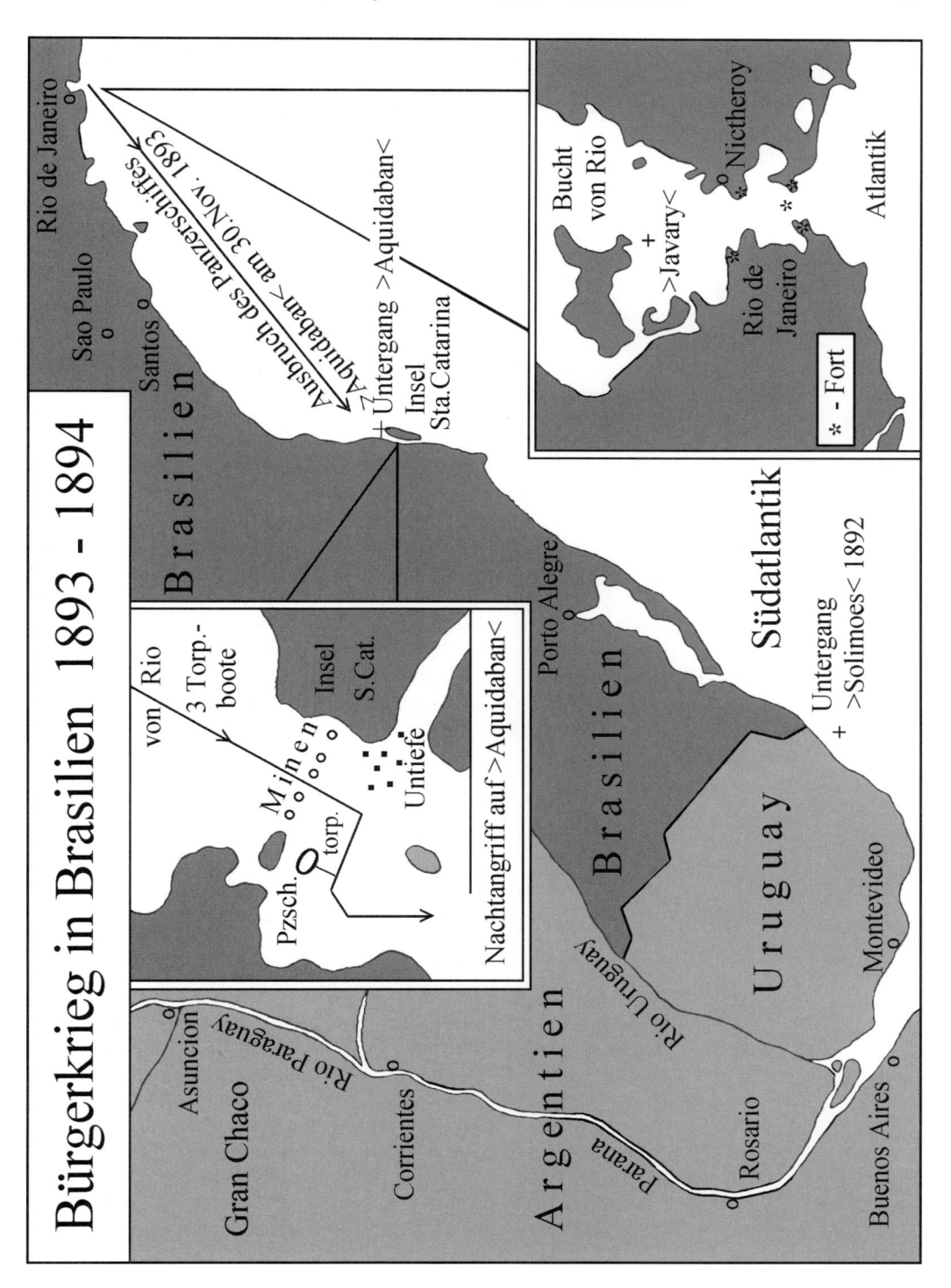

sinn. Die langsamsten japanischen Schiffe geraten dabei zu nahe an die chinesischen Panzerschiffe und werden schwer getroffen. Auch Itos Flaggschiff >Matsushima< erhält einen schweren Treffer von einem chinesischen Panzerschiff. Der Admiral muß auf die >Hashidate< umsteigen.

Noch mehr leiden die Chinesen. Von den linken Flügelschiffen sinkt eines, ein weiteres gerät in Brand. Am Tag nach der Schlacht werden noch zwei auf Strand gesetzte Kreuzer vernichtet. Die Panzerschiffe erhalten zahlreiche Treffer, ihr starker Panzer wird von den japanischen Granaten aber nicht durchschlagen. Nach fünf Stunden Kampf haben sich beide Flotten fast vollständig verschossen.

Die Chinesen ziehen sich nach Port Arthur zurück, die Japaner unterlassen eine Verfolgung. Die Chinesen verlieren fünf Kreuzer, die übrigen Schiffe sind schwer beschädigt. Bei den Japanern sind das Flaggschiff, der Küstenpanzer, das Kanonenboot und der Transporter schwer beschädigt.

Ende Oktober 1894	Die Japaner landen in der Nähe von **Port Arthur** und rücken zu dem Hafen vor. Die chinesische Flotte verlegt darauf nach Wei-hei-wei.
22. November	**Landkrieg.** Die Japaner erobern mit der 2. Armee unter Gen. Graf Ojama die Stadt Dalien und die Festung Port Arthur mit den Resten der 1. russischen Flotte. Im Winter kommen die Landkämpfe in Nordkorea zum Stillstand.
19. Jänner 1895	Die Japaner landen mit einem Armeekorps auf des Halbinsel Shantung, beiderseits von **Wei-hei-wei**.
29. Jänner	**Beginn der Belagerung.** Im Hafen liegen die beiden chinesischen Panzerschiffe, einige Kreuzer sowie zehn Torpedoboote. Die japanische Blockadeflotte erleidet einige Verluste durch das Feuer der beiden Panzerschiffe.
4./5. und 5./6. Februar	**Torpedobootsangriffe** auf die chinesische Flotte. In der ersten Nacht dringen die Boote in den Hafen ein und versenken mit Torpedos das Panzerschiff >Ting-Yuen<. Dabei geht ein Torpedoboot durch Strandung und eines durch Abwehrfeuer verloren. Auch in der folgenden Nacht können sie zwei Schiffe versenken. Am Abend des 7. Februar brechen die chinesischen Torpedoboote aus dem Hafen aus. Acht davon werden von dem Kreuzer >Joshino< und anderen Schiffen auf den Strand gejagt, nur zwei können entkommen.
12. Februar	**Kapitulation der Chinesen in Wei-hei-wei.** Japan hat endgültig die Seeherrschaft im Gelben Meer errungen. Die Flotte transportiert die beiden Armeen der Belagerungstruppen zum Kriegsschauplatz in der Mandschurei.
März 1895	**Landung auf den Pescadores-Inseln.** Die japanische Flotte gibt Feuerunterstützung bei den Landungsoperationen und der Eroberung von Makung. **Friede von Tschifu.** China muß Port Arthur und Formosa abtreten. Die Seeschlacht vor der Yalumündung zeigt den Vorteil der geschlossenen **Kiellinie** mit ihrer stärkeren Feuerkonzentration. Die langsamen Panzerschiffe können den schnellen Gegner nicht stellen, sind aber von den mittleren und leichten Geschützkalibern der Kreuzer nicht zu versenken. Es beginnt nun die Einteilung der Flotten in starke Linienschiffe, schnelle Panzerkreuzer und Kleine Kreuzer.
Juni–November 1895	Japan besetzt **Formosa** gegen den Widerstand der Bewohner der Insel. Die Flotte unterstützt das Heer durch eine Reihe von Küstenbeschießungen und Landungsoperationen. Das von den Japanern eroberte Port Arthur muß auf Druck der Großmächte an China zurückgegeben werden.

Seeschlacht vor dem Jalu
17. September 1894
①

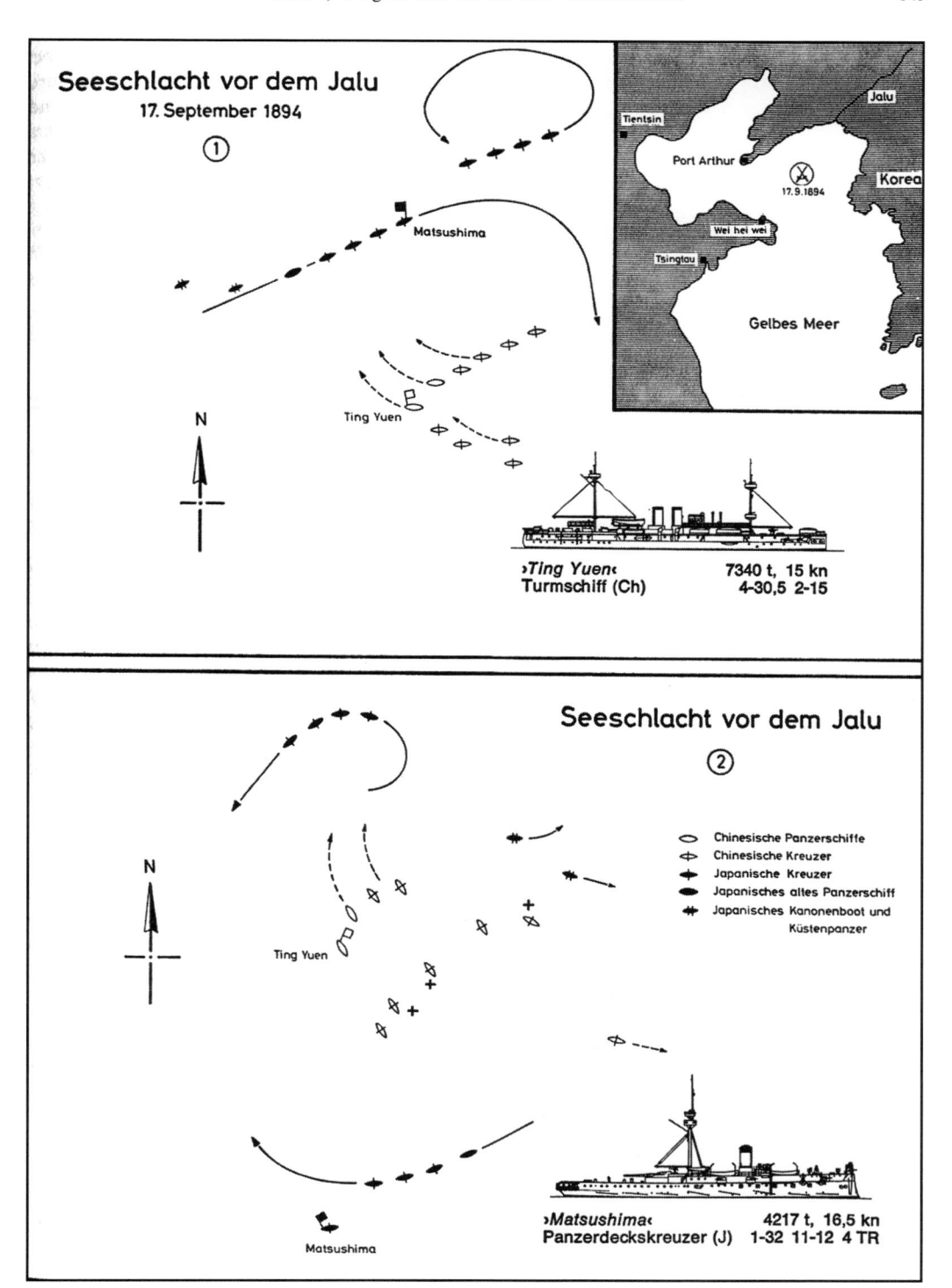

Matsushima

Ting Yuen

›Ting Yuen‹
Turmschiff (Ch)　　　7340 t, 15 kn
　　　　　　　　　　4-30,5 2-15

Tientsin　Jalu
Port Arthur
17.9.1894
Wei hei wei　Korea
Tsingtau
Gelbes Meer

Seeschlacht vor dem Jalu
②

○ Chinesische Panzerschiffe
⇔ Chinesische Kreuzer
➤ Japanische Kreuzer
● Japanisches altes Panzerschiff
✱ Japanisches Kanonenboot und Küstenpanzer

Ting Yuen

Matsushima

›Matsushima‹　　　　　4217 t, 16,5 kn
Panzerdeckskreuzer (J)　1-32 11-12 4 TR

10. März 1895	**Schiffbruch.** Vor Cádiz geht in einem Sturm der spanische Kreuzer >Reina Regente< (5000) mit der ganzen Besatzung verloren.
20. Juni 1895	**Nord-Ostsee-Kanal.** Der damals Kaiser-Wilhelm-Kanal genannte Wasserweg wird eröffnet. Er ersetzt den völlig unzulänglichen Eider-Kanal. Er ist strategisch wichtig zur raschen und sicheren Verlegung von deutschen Flotteneinheiten zwischen Nord- und Ostsee.
26. August 1896	**Sansibar.** Bei Unruhen auf der Insel vor Ostafrika beschießen britische Kreuzer und Kanonenboote Stadt und Hafen. Die Aufständischen beklagen 500 Tote und Verwundete.
1896–1898	**Wiedereroberung des Sudan.** Nach dem Fall von Khartoum und dem Tod von Gordon Pascha 1885 gegen die Mahdis zieht sich Ägypten aus dem Sudan zurück. Von Großbritannien wird das Heer reorganisiert und am Nil eine Flußflotte aus Kanonenbooten, Dampfern und Kähnen aufgestellt. Unter Herbert Kitchener beginnt im März 1896 die Armee mit dem Vormarsch entlang des Nils. Sie wird dabei erfolgreich von den Kanonenbooten unterstützt und der Nachschub wird auf dem Nil transportiert.
2. September 1898	**Landkrieg.** Schlacht bei Omdurman. Die Kanonenboote bringen die Artillerie der Mahdis zum Schweigen und am folgenden Tag wird deren Heer beim Angriff auf die ägyptische Armee vollständig vernichtet. Von den rund 60.000 Derwischen fallen 12.000, 16.000 Verwundete werden gefangen. Ohne die Flußstreitkräfte wäre diese Operation nicht möglich gewesen.
1897	**Schiffbau.** Bei der britischen Flottenrevue von Spithead vor Portsmouth wird das erste Schiff mit Turbinenantrieb, die vom britischen Ingenieur Charles Parsons gebaute >Turbinia<, der Öffentlichkeit mit großem Erfolg präsentiert. Großbritannien bestellt gleich Turbinen für seine neuen Zerstörerbauten.
1897	**Technik.** John P. Holland baut sein erstes brauchbares **Tauchboot** mit Benzinmotor für die Überwasserfahrt und Elektromotor für die Tauchfahrt. Im selben Jahr läßt Rußland auf Anregung von Konteradmiral Makarow den ersten speziell dafür konstruierten **Eisbrecher** >Yermak< in England bauen.
1898	Ebenfalls auf Anregung von Makarow bauen die Russen die ersten eigens zum Minenlegen eingerichteten Schiffe mit einer Kapazität von 300 Minen.
1898	**Technik.** In den USA läßt der Unterstaatssekretär im Marineministerium Theodore Roosevelt einige Offiziere den Flugapparat von Samuel Langley auf seine Brauchbarkeit für die Kriegsmarine untersuchen.
April–Mai 1897	**Griechenland.** Dieses beginnt einen Krieg gegen das Osmanische Reich, der in einem Fiasko endet. Die Flotte bringt Freiwillige nach Kreta zur Unterstützung der dortigen Erhebung. Auf Einspruch der Großmächte müssen sich die Griechen wieder zurückziehen. Die Waffenruhe auf Kreta wird von Seestreitkräften aus Großbritannien, Frankreich, Rußland und Italien überwacht. Die griechische Flotte transportiert auch Truppen in den Golf von Volos, in Thessalien erleiden diese durch das türkische Landheer zwei schwere Niederlagen. Die veraltete Flotte der Türken ist nicht einsatzbereit. Die Flottenstärken:

Osmanisches Reich	Griechenland
15 veraltete Panzerschiffe	3 kleine moderne Panzerschiffe
27 Torpedoboote	1 Kreuzer
2 Tauchboote (!)	3 Torpedoboote

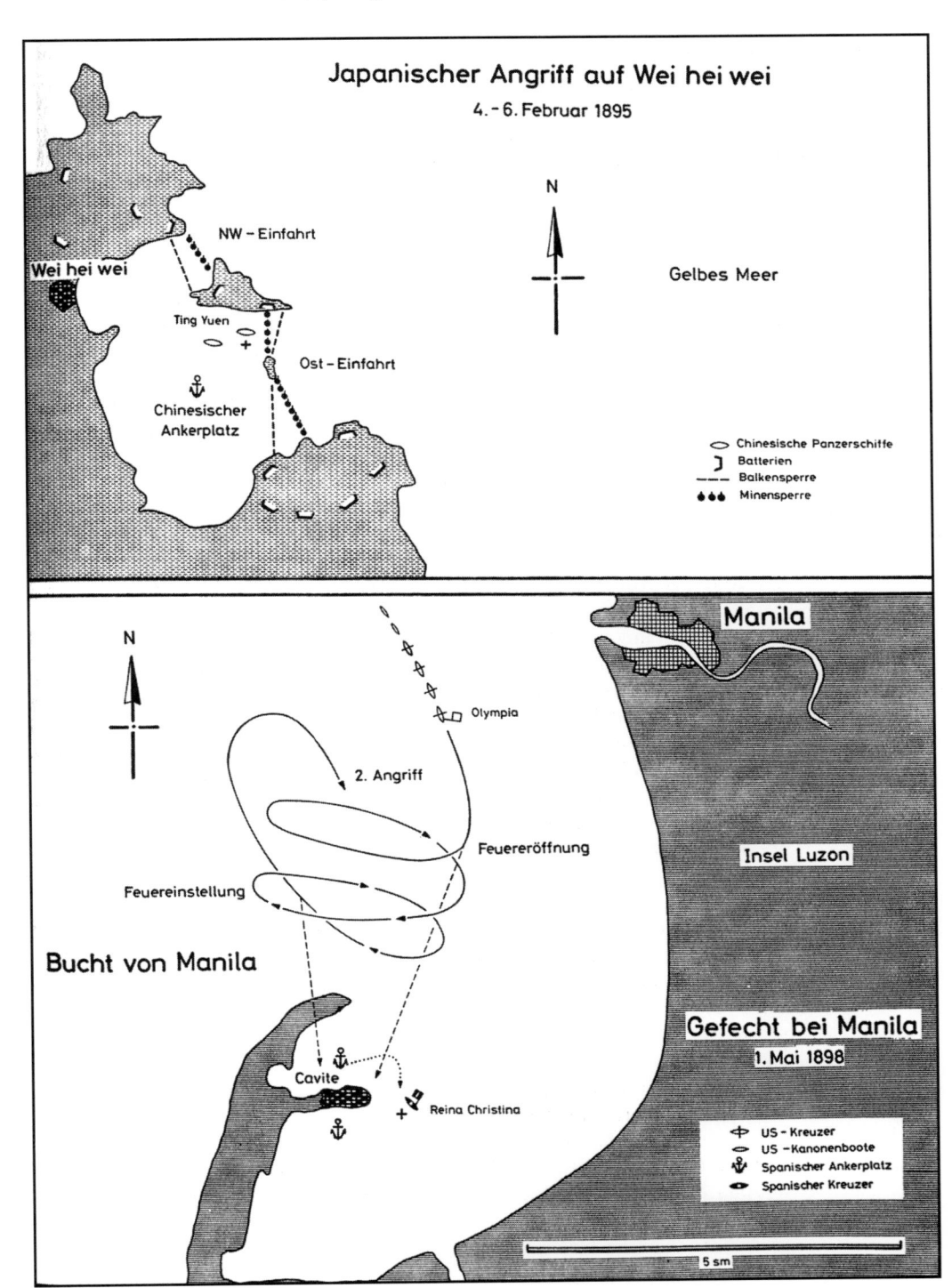

Japanischer Angriff auf Wei hei wei
4.-6. Februar 1895

- Wei hei wei
- NW-Einfahrt
- Ting Yuen
- Ost-Einfahrt
- Chinesischer Ankerplatz
- Gelbes Meer

Legende:
- ◯ Chinesische Panzerschiffe
- ⌐ Batterien
- ─── Balkensperre
- ●●● Minensperre

Gefecht bei Manila
1. Mai 1898

- Manila
- Olympia
- 2. Angriff
- Feuereröffnung
- Feuereinstellung
- Bucht von Manila
- Cavite
- Reina Christina
- Insel Luzon

Legende:
- ⊕ US-Kreuzer
- ⊖ US-Kanonenboote
- ⚓ Spanischer Ankerplatz
- ● Spanischer Kreuzer

5 sm

1897–1899 **China.** Nach dem Sieg Japans über China sichern sich die meisten europäischen Mächte Stützpunkte an der Küste des „Reiches der Mitte". Deutschland pachtet Tsingtau, Rußland besetzt Port Arthur, Frankreich pachtet Kwangchou-wan und Großbritannien erwirbt Wei-hei-wei und erweitert sein Pachtgebiet von Hongkong um das Vorfeld Kowlun.

1898

Der Seekrieg USA gegen Spanien

15. Februar 1898 Im Hafen von Havanna fliegt das US-amerikanische Linienschiff >Maine<, wahrscheinlich durch Selbstentzündung nicht lagerbeständigen Pulvers, in die Luft. Die USA bezichtigen die Spanier der Sabotage und erklären im April den Krieg, der um die spanischen Besitzungen in Westindien und auf den Philippinen geführt wird.

In **Ostasien** haben die USA ein Geschwader unter Com. Dewey mit den Kreuzern >Olympia<, >Baltimore<, >Boston<, >Raleigh< und zwei Kanonenbooten. Bei Kriegsausbruch läuft Dewey sofort mit seinem Geschwader von Hongkong nach Manila, um das dort liegende spanische Geschwader zu vernichten. Der spanische Befehlshaber Konteradmiral Montojo verfügt über zwei alte, schwache Kreuzer und fünf Kanonenboote. Sein Flaggschiff ist die >Reina Christina<.

1. Mai **Gefecht bei Manila.** Da sein Geschwader nicht voll einsatzfähig ist, bleibt Montojo im Schutz der Landwerke von Cavite liegen. Im Morgengrauen läuft Dewey mit seinen Schiffen in geschlossener Kiellinie in die Bucht von Manila ein. Auf rund 6000 Meter Entfernung eröffnen die Amerikaner das Feuer und passieren auf Westkurs die Spanier, bis sie wegen der nahen Küste wenden müssen. Einige Male wird so an den spanischen Schiffen entlanggelaufen, bis die Entfernung auf 1500 Meter verringert ist. Nach rund zwei Stunden sind alle spanischen Schiffe versenkt, verbrannt oder auf Strand gesetzt. Nach einer Gefechtspause werden auch die auf Strand gesetzten Schiffe vernichtet. Die Schiffe von Dewey haben nur 19 Treffer erhalten.

In **Westindien** beginnt die Flotte der USA die Offensive gegen die spanischen Besitzungen.

12. Mai Beschießung von San Juan de Puerto Rico. Spanien schickt zum Schutz seiner Besitzungen ein Geschwader unter Admiral Cervera nach Westindien.

19. Mai Admiral Cervera läuft in Santiago de Cuba ein. Dort wird er vom US-Geschwader unter Konteradmiral Sampson blockiert.

31. Mai Der Versuch der Amerikaner, die Hafeneinfahrt mit einem Blockschiff zu sperren, scheitert.

22. Juni Eine Invasionsarmee der USA landet bei Santiago. Admiral Cervera beschließt daher, den Ausbruch aus dem Hafen am Morgen des 3. Juli zu versuchen.

30. Juni und 1. Juli **Gefecht vor Manzanillo.** Am ersten Tag laufen drei Kanonenboote der US-amerikanischen Karibikflotte in den Hafen an der kubanischen Südküste ein und duellieren sich mit den sechs dort liegenden alten spanischen Kanonenbooten und einigen Küstengeschützen. Am folgenden Tag greifen auch zwei neu eingetroffene US-Kanonenboote ein, werden aber ebenfalls abgewiesen. Anschließend wird der Hafen von den Kanonenbooten blockiert.

Griechenland gegen die Türkei
April bis Mai 1897

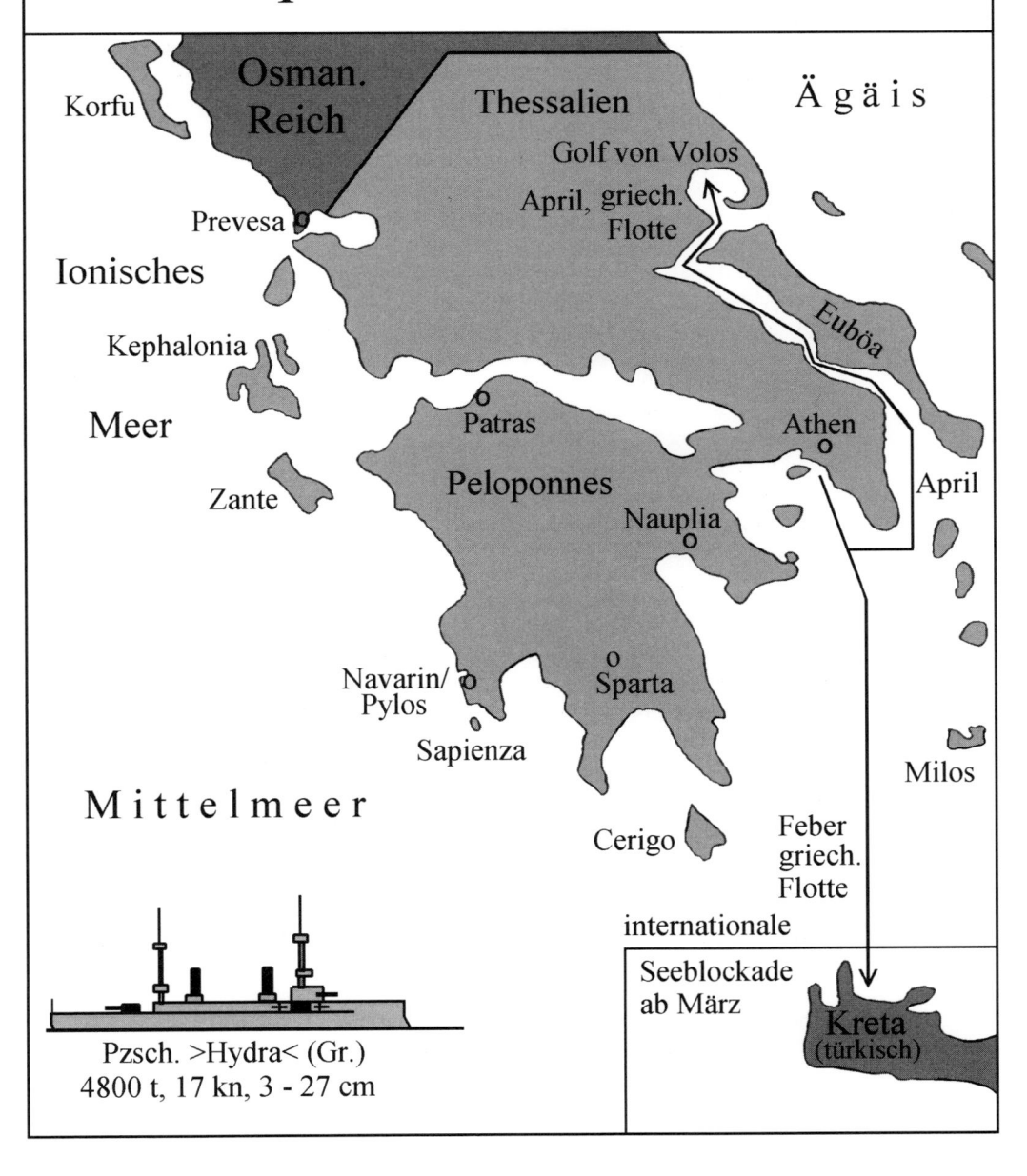

Korfu

Osman. Reich

Thessalien

Ägäis

Golf von Volos
April, griech. Flotte

Prevesa

Ionisches

Kephalonia

Meer

Euböa

Patras

Athen

April

Zante

Peloponnes

Nauplia

Navarin/Pylos

Sparta

Sapienza

Milos

Mittelmeer

Cerigo

Feber griech. Flotte

internationale Seeblockade ab März

Kreta (türkisch)

Pzsch. >Hydra< (Gr.)
4800 t, 17 kn, 3 - 27 cm

3. Juli 1898	**Seeschlacht vor Santiago de Cuba.** Am Morgen dieses Tages besteht die Blockadeflotte aus dem Panzerkreuzer >Brooklyn<, Flaggschiff von Commodore Schley, den Linienschiffen >Iowa<, >Indiana<, >Oregon< und >Texas< sowie einem Hilfskreuzer. Konteradmiral Sampson steht mit seinem Flaggschiff, dem Panzerkreuzer >New York<, zu weit östlich und übernimmt erst gegen Ende des Kampfes den Befehl.
9.30 Uhr	Admiral Cervera läuft mit seinen Schiffen aus. Sein Flaggschiff ist der Panzerkreuzer >Infanta Maria Teresa<, diesem folgen die Panzerkreuzer >Vizcaya<, >Cristobal Colon< und >Almirante Oquendo<. Zwei Torpedoboote folgen in kurzem Abstand. Die Spanier laufen entlang der Küste nach Westen.
9.40 Uhr	Die Amerikaner >Brooklyn<, >Texas< und >Iowa< kommen als erste ins Gefecht.
10.00 Uhr	Das spanische Flaggschiff und die >Oquendo< sind bereits schwer getroffen und laufen an den Strand.
12.00 Uhr	Auch die >Vizcaya< ist in Brand geschossen und wird auf Strand gesetzt. Die zwei Torpedoboote werden von dem Hilfskreuzer und den Linienschiffen versenkt.
13.30 Uhr	Die schnellere >Cristobal Colon< wird erst nach 50 Seemeilen von der >Brooklyn< und der >Oregon< eingeholt und läuft ebenfalls auf den Strand. Alle spanischen Schiffe werden vernichtet. Bei den Amerikanern erleiden nur zwei Schiffe leichte Schäden. Die Gefechtsentfernung beträgt bei diesem Kampf 1500 bis 3000 Meter.
18. Juli	Zweites Gefecht bei **Manzanillo**. Die sieben US-Kanonenboote, die den Hafen blockieren, dringen erneut ein und vernichten die sechs dort liegenden spanischen Kanonenboote und drei Frachtdampfer.
12. August 1898	Ein **Waffenstillstand** wird geschlossen. Im folgenden Friedensvertrag wird Kuba selbständig, die USA erhalten Puerto Rico, Guam und die Philippinen.
10. April 1898	**Deutschland.** Das zwei Wochen vorher vom Reichstag gebilligte Flottengesetz tritt in Kraft. Es sieht den Ausbau der deutschen Kriegsmarine auf 17 Linienschiffe (+ 2 Reserve), acht Küstenpanzerschiffe, neun Große Kreuzer (+ 3 Reserve) und 26 kleine Kreuzer (+ 4 Reserve) vor.
1898	**Nachrichtentechnik.** Das erste Schiff mit drahtloser Telegraphie ist ein Leuchtfeuer-Schiff vor der Küste von Kent. Als es im folgenden Jahr gerammt wird und sinkt, kann die Besatzung um Hilfe funken und wird gerettet. Alle größeren Kriegsschiffe werden nun mit Funkanlagen ausgerüstet.
1898/1900	**Hawaii-Inseln.** Die USA gliedern sich die Inselgruppe als Territorium ein und bauen die schon 1887 begonnene Marinebasis von Pearl Harbor zu einem ihrer wichtigsten Marinestützpunkte aus. Erst 1939 wird Hawaii der 50. Bundesstaat der USA.
12. Februar 1899	**Stiller Ozean.** Spanien ist nach dem verlustreichen Seekrieg gegen die USA zahlungsunfähig. Es verkauft daher die Inselgruppen der Marianen, der Karolinen und der Palau-Inseln an Deutschland.
1899	**Schiffbau.** Die >Narval< des Franzosen Laubeuf wird mit ihrer Rumpfkonstruktion der Prototyp der neuen Tauchboote.
1899–1902	Im **Burenkrieg** Großbritanniens (Krieg in Südafrika) hat die Marine keinen Gegner zur See. Ihre Aufgabe besteht in Truppentransport, Küstenüberwa-

Seeschlacht vor Santiago
3. Juli 1898

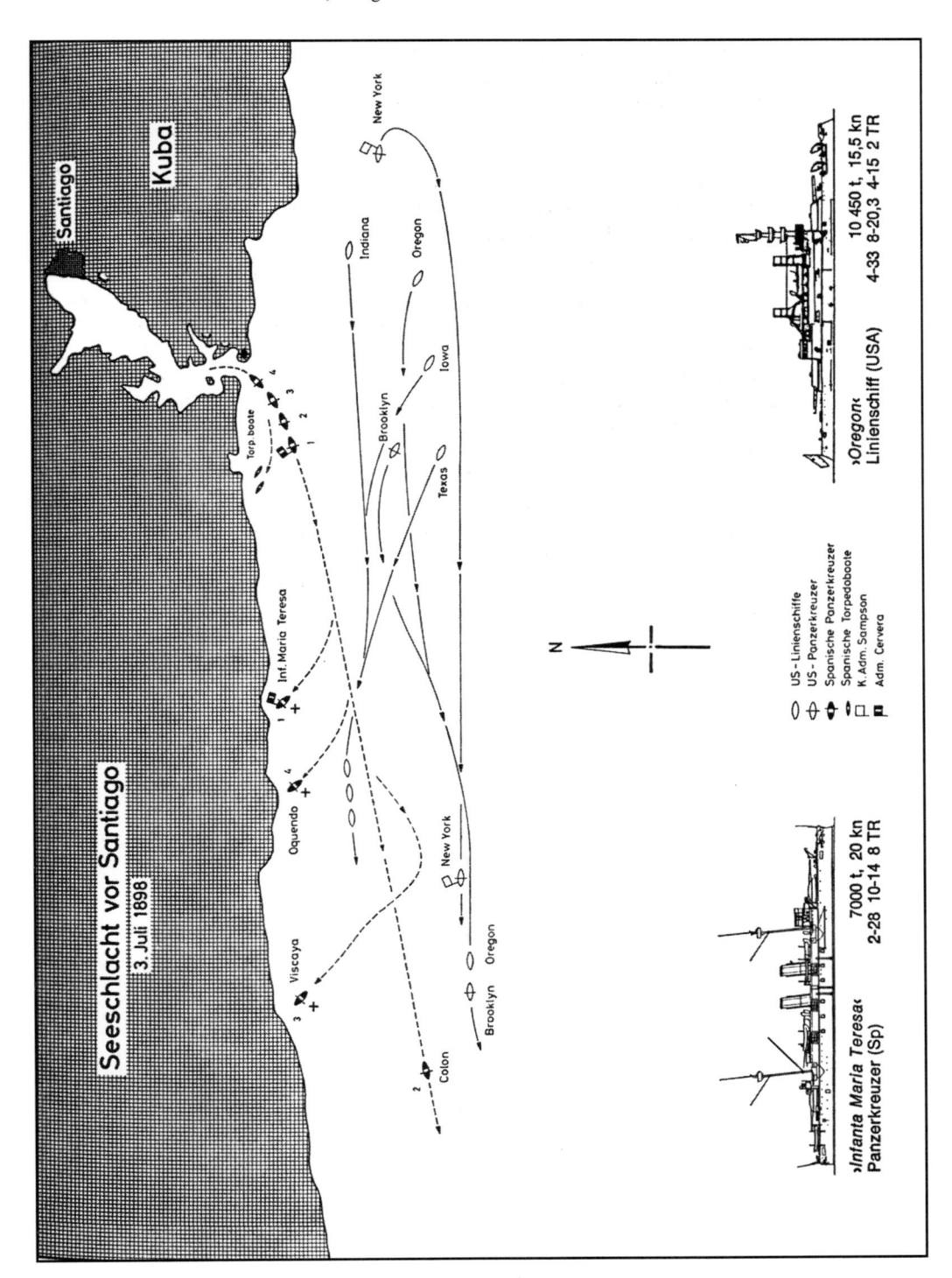

○ US-Linienschiffe
⊕ US-Panzerkreuzer
⬧ Spanische Panzerkreuzer
⬩ Spanische Torpedoboote
□ K.Adm. Sampson
■ Adm. Cervera

Infanta Maria Teresa (Sp)   7000 t, 20 kn
Panzerkreuzer   2-28 10-14 8 TR

Oregon (USA)   10 450 t, 15,5 kn
Linienschiff   4-33 8-20,3 4-15 2 TR

chung und Unterstützung der Landtruppen. Vor allem Marineinfanterie und behelfsmäßig beweglich gemachte Schiffsartillerie bewähren sich. Bei diesen Operationen sind erstmals einige Kreuzer mit einer **Funkstation an Bord** im Einsatz, wodurch die Überwachung der Küste auf Kontrabande wesentlich erleichtert wird.

Der **Landkrieg** wird nach zahlreichen Gefechten erst entschieden, als die Briten beginnen die Bevölkerung der Buren in Konzentrationslagern zu sammeln und einen Krieg der verbrannten Erde führen.

Ende 19. Jh. **Kriegsschiffbau.** Das Suchen der Admiralitäten nach den bestmöglichen Schiffstypen ist ab den neunziger Jahren wieder vorbei. Nach dem Sammelsurium von verschiedenen Konstruktionen und einzelnen Versuchsschiffen werden wieder ganze Serien gebaut. Großbritannien beginnt um 1890 mit den einheitlichen neun Schiffen der >Majestic< Klasse (14.150), Deutschland folgt mit den fünf Schiffen der ersten >Kaiser<-Klasse (11.150), die USA mit den drei Schiffen der >Alabama<-Klasse (11.720) und Österreich mit den drei kleinen Schiffen der >Monarch<-Klasse (5600). Man ist bemüht, für die einzelnen Schiffsdivisionen (drei bis fünf Schiffe) Linienschiffe mit gleicher Geschwindigkeit und Bewaffnung zu erhalten. Auch bei den Panzerkreuzern, Kreuzern und Torpedobooten/Zerstörern werden jetzt größere Serien von einheitlichen Schiffen gebaut.

Die Marinewerften können den Bau dieser großen Zahl von Schiffen nicht mehr bewältigen, immer mehr Kriegsschiffe werden daher auf privaten Werften gebaut.

Die Entwicklung der Kriegsschiffe von 1850 bis ~1900

Kurz vor dem Ersten Weltkrieg erfuhr die Größe der Kriegsschiffe wieder einen Quantensprung. Die neuen Schlachtschiffe (Großlinienschiffe), Schlachtkreuzer, Kreuzer und Zerstörer waren bereits mehr als doppelt so groß als jene vor noch einem Jahrzehnt. Erste Tauchboote/ Unterseeboote und Luftfahrzeuge wurden einsatzbereit.

In der Zeit, die in den letzten beiden Kapiteln geschildert wurde, fand der größte aller Entwicklungssprünge im Kriegsschiffbau statt. Die Entwicklung ging zwar noch weiter, der Übergang vom Holzschiffbau über das Eisen bis zum Stahl war aber vollzogen. Die Grundlagen dazu waren schon in den vorhergehenden 50 Jahren geschaffen worden, sie fanden aber zunächst kaum einen Niederschlag im Kriegsschiffbau. Der Kern der Flotten waren um 1850 noch immer die großen Segellinienschiffe mit zwei oder drei Artilleriedecks und zahlreichen Vorderladerkanonen in langen Batterien an der Breitseite.

Zuerst wurden Hilfsdampfmaschinen eingebaut, die bei den Seeoffizieren wegen ihres Schmutzes und Gestanks und bei den Matrosen wegen des Kohletrimmens verhaßt waren. Der Krimkrieg zwang schließlich mit seinen daraus gezogenen Lehren zum Einbau eines eisernen Panzerschutzes, wodurch die hölzernen Linienschiffe sofort unbrauchbar wurden. Die neuen Geschütze verschossen bald Granaten mit einer größeren Mündungsgeschwindigkeit, wodurch der Wettlauf in der Wirksamkeit zwischen Artillerie und Panzerung im Gang war.

Der Rammsporn konnte sich als Waffe nicht durchsetzen. Nur ein einziges Mal zu Beginn des Baues von Panzerschiffen konnte der österreichische Konteradmiral Tegetthoff bei Lissa ein italienisches Panzerschiff mit Rammstoß versenken. Die folgenden 30 Jahre wurde der Rammsporn aber nur eigenen Schiffen bei Manövern zum Verhängnis und wurde nicht mehr eingebaut.

Die Einführung der Elektrizität um diese Zeit ermöglichte es, die Schiffe durch elektrische Beleuchtung sicherer zu machen. Es konnten dann auch größere Lasten wie Geschütztürme, Aufzüge und Bordkräne leichter bewegt werden.

Die Einführung der Funkentelegraphie erleichterte die Führung von Flotten, Geschwadern und einzelnen Schiffen ganz beträchtlich. Der Flottenkommandant war fast in ständigem Kontakt mit detachierten Einheiten. Die Verbindung über Funk machte es notwendig, die Nachrichten zu verschlüsseln, um den Zugriff des Feindes auf die eigenen Nachrichten zu verhindern. Es begann der Wettlauf zwischen Verschlüsselung und Dechiffrierung.

Da Funksprüche von Hoher See vom Gegner eingepeilt werden konnten, wodurch der eigene Standort bekannt wurde, mußten diese Nachrichten möglichst kurz sein.

Die Dampfmaschinen wurden schließlich sicherer und leistungsfähiger und der Kohleverbrauch ging stark zurück. Die Einführung des Heizöls ersparte schließlich das äußerst mühsame Kohleschaufeln, zuerst in die Schiffsbunker und dann zu den Kesseln. Die Takelage wurde daher bei den Schlachtschiffen schon in den achtziger Jahren abgeschafft.

Mit Beginn des 20. Jahrhunderts ermöglichten Feuerleitgeräte bereits ein Schießen auf Entfernungen von bis zu 20 Kilometern (= 200 hm/Hektometer). Entfernungsmesser mit einer Basislänge von über zehn Metern ermöglichten auch auf diese Entfernung eine genaue Zielaufnahme und Bestimmung der Entfernung.

Am längsten führten die Kreuzer und Kanonenboote im Auslandsdienst noch eine Takelage. Dies ersparte Kohle bei den oft weit auseinanderliegenden Kohlestationen.

Einige Skizzen als Beispiele, die meisten im Maßstab 1:1000, sollen die Entwicklung der wichtigsten Schiffstypen illustrieren.

Vom Segellinienschiff zum Schlachtschiff, 1860 - 1890 (1)

Das Kriegsschiff mit Vollschifftakelung (Linienschiff und Fregatte) war für rund 300 Jahre das Hauptkampfschiff der Kriegsflotten. In nur 30 Jahren wurde es durch das eiserne Schlachtschiff mit Panzerung, Dampfmaschine, schwerer Artillerie, Elektrizität zur Bewegung der schweren Gewichte und Beleuchtung sowie mit Hinterladergeschützen und Sprenggranaten abgelöst.

Zunächst wurden die Schiffe mit Panzerung an der Breitseite (**Batterieschiffe**, Beispiel 1) gebaut. Dann folgten **Turmschiffe** mit schweren Drehtürmen, wegen der Stabilität knapp über der Wasserlinie (Beispiel 2). Nach der Seeschlacht bei Lissa 1866 wurden Schiffe mit Bugfeuer, **Kasemattschiffe** (3), gebaut. Es folgten die **Barbetteschiffe** (4) mit der SA auf Drehscheiben. Schließlich kam das fast perfekte **Schlachtschiff** (5), nun wieder als Linienschiff, das in der Schlachtlinie kämpft, bezeichnet

SA, 36 - 13,4 cm, in den beiden Seitenbatterien

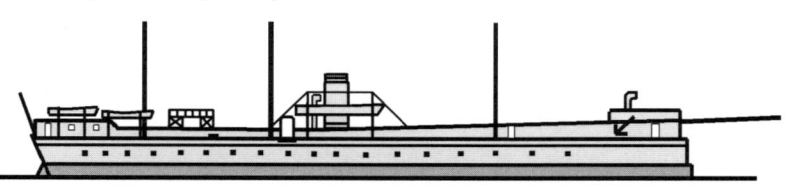

1 >Gloire< (F, 5360 t)
Bauzeit 1858 - 1860 Breitseitschiff
Schiff führt Vollschifftakelung, Panzerfregatte

Panzerung

SA (schwere Artillerie) in zwei Drehtürmen
2 - 30,2 cm   2 - 30,2 cm

2 >Captain< (E, 7770 t)
Bauzeit 1867 - 1870 Turmschiff, gekentert 1870
Schiff führt Vollschifftakelung

Vom Segellinienschiff zum Schlachtschiff (2)

▬ sichtbare Panzerung

Kasematte mit SA von 8 - 21,0 cm

3 >Hansa< (D, 4340)
Bauzeit 1972 - 1975 Kasemattschiff
Schiff führt Vollschifftakelung

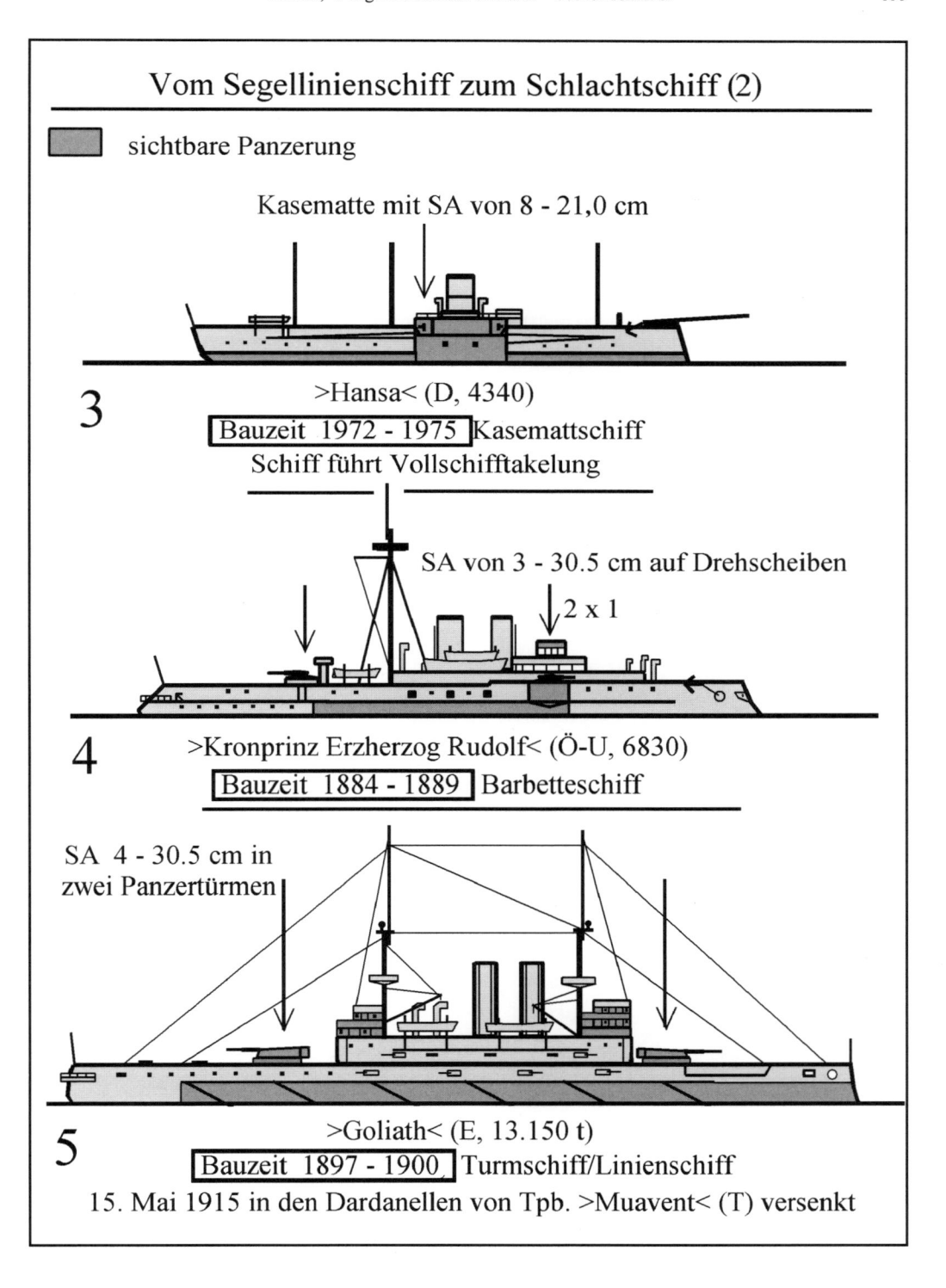

SA von 3 - 30.5 cm auf Drehscheiben
2 x 1

4 >Kronprinz Erzherzog Rudolf< (Ö-U, 6830)
Bauzeit 1884 - 1889 Barbetteschiff

SA 4 - 30.5 cm in zwei Panzertürmen

5 >Goliath< (E, 13.150 t)
Bauzeit 1897 - 1900 Turmschiff/Linienschiff
15. Mai 1915 in den Dardanellen von Tpb. >Muavent< (T) versenkt

Von der Fregatte zum Panzerkreuzer (1)

Nach den Schiffen erster Ordnung (Segellinienschiffe/Schlachtschiffe) waren die stärksten Schiffe zunächst die Fregatten. Dies waren Vollschiffe mit einem Batteriedeck. Sie führten je nach Größe 20 bis 40 Geschütze und wurden zum Kreuzerkrieg und in Übersee eingesetzt. Im 19. Jh. gab es Fregatten bis zu einer Größe von 1500 t mit 50 Geschützen, sog. "Linienfregatten", da sie auch in der Schlachtlinie eingesetzt werden konnten. Mit Beginn der Schiffspanzerung erhielten zunächst die Fregatten einen Gürtelpanzer und wurden dadurch als "Panzerfregatten" Schiffe erster Ordnung. Hier nun wird die Entwicklung der leichteren Rad- und Schraubenfregatten zum Panzerkreuzer illustriert.

Schiff fährt noch Vollschifftakelung

Bauzeit 1870 - 1876

1

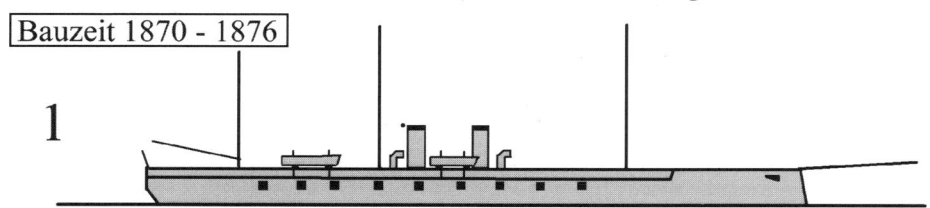

ungepanzerte, eiserne Fregatte >Shah< (E, 6250)
Bewaffnung: 2 - 23 cm, 16 - 18 cm, Fischtorpedo

Panzerung

Schiff führt noch Barktakelung

2

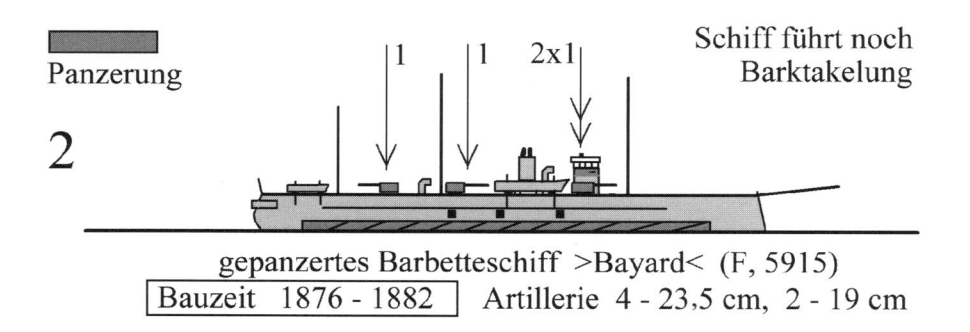

gepanzertes Barbetteschiff >Bayard< (F, 5915)
Bauzeit 1876 - 1882   Artillerie 4 - 23,5 cm, 2 - 19 cm

Von der Fregatte zum Panzerkreuzer (2)

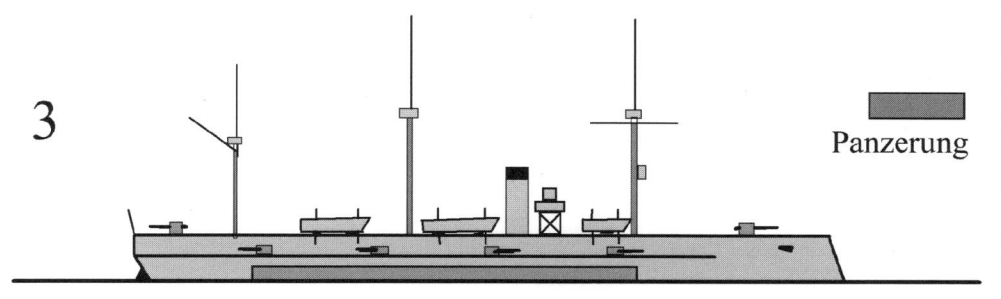

3

Panzerung

Panzerkreuzer >Chiyoda< (J, 2500)
Bauzeit 1888 - 1890   Artillerie 10 - 12 cm
hat an allen großen Kämpfen gegen China und Rußland teilgenommen

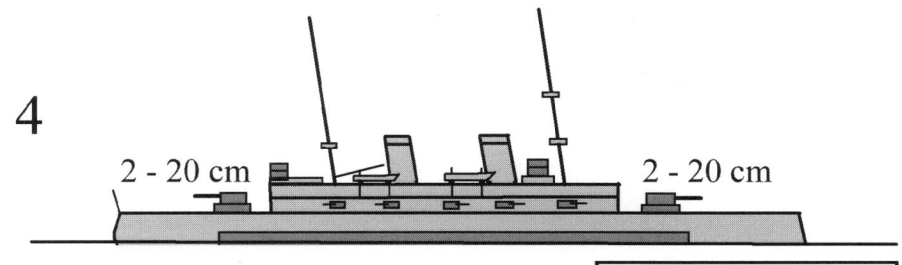

4

2 - 20 cm   2 - 20 cm

Panzerkreuzer >Olympia< (US, 6300)   Bauzeit 1892 - 1895

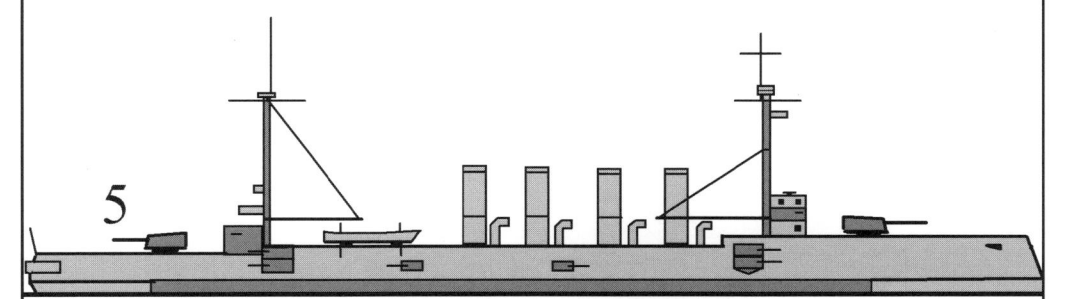

5

Panzerkreuzer >Aboukir< (E, 12.000)
Bauzeit 1898 - 1902 Artillerie 2 - 23 cm, 12 - 15 cm
zusammen mit den Schwesterschiffen >Cressy< und >Hogue<
am 22. Sept. 1914 von >U 9< (Weddigen) im Hoofden versenkt

Von der Korvette/Sloop zum (geschützten) Kreuzer (1)

Die Korvetten, auch Sloops genannt, waren in der Segelschiffszeit den Fregatten ähnlich, aber deutlich kleiner. Ihre Aufgabe war vor allem die Aufklärung, der Nachrichtendienst und die Befehlsübermittlung. Sie erreichten im 19. Jh. eine Größe von über 1000 t und führten um die 20 Geschütze an Deck. Noch kleiner waren die Briggs, die später von den Kanonenbooten ersetzt wurden. Diese führten manchmal Karronaden (Steilfeuergeschütze mit großer Splitterwirkung).

Aus diesen Segelschiffen entstanden die geschützten Kreuzer mit einem Panzerdeck und die ungeschützten Kreuzer, die später zu Kanonenbooten umklassifiziert wurden.

Hier einige Beispiele an geschützten Kreuzern.

Das Schiff behält für seine Weltreisen sehr lange die Takelage

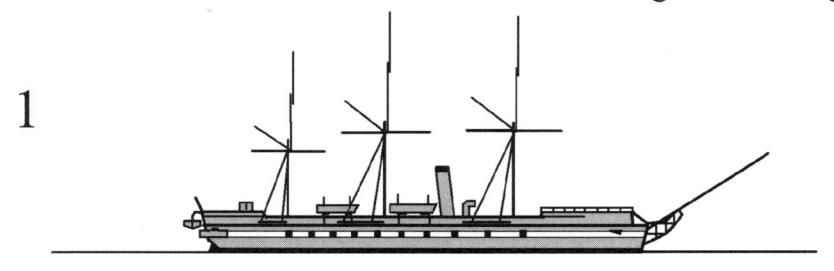

1

gedeckte Korvette >Erzherzog Friedrich< (Ö-U, 1700)
Bauzeit 1854 - 1858 | Artillerie 20 - 30 Pf. Vorderlader

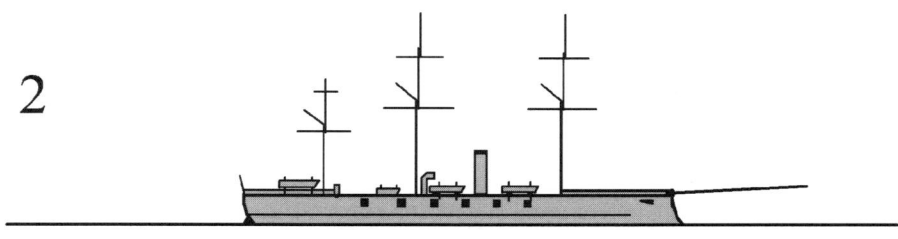

2

eiserne Glattdeckkorvette >Comus< (E, 2380)
Bauzeit 1876 - 1878 | Artillerie 4 - 15 cm, 8 - 64 Pf. Vorderlader

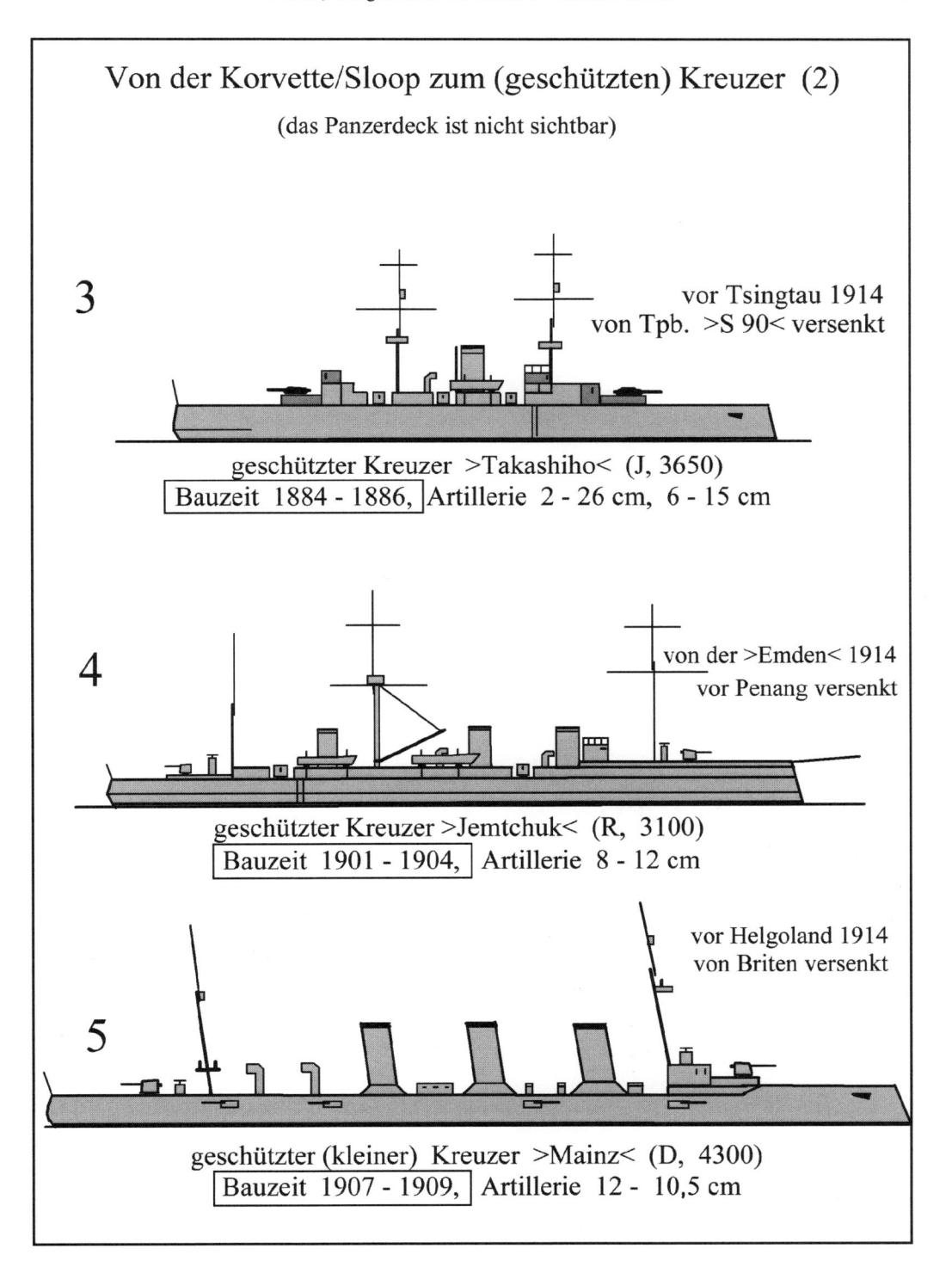

Von der Korvette/Sloop zum (geschützten) Kreuzer (2)
(das Panzerdeck ist nicht sichtbar)

3

vor Tsingtau 1914
von Tpb. >S 90< versenkt

geschützter Kreuzer >Takashiho< (J, 3650)
Bauzeit 1884 - 1886, Artillerie 2 - 26 cm, 6 - 15 cm

4

von der >Emden< 1914
vor Penang versenkt

geschützter Kreuzer >Jemtchuk< (R, 3100)
Bauzeit 1901 - 1904, Artillerie 8 - 12 cm

5

vor Helgoland 1914
von Briten versenkt

geschützter (kleiner) Kreuzer >Mainz< (D, 4300)
Bauzeit 1907 - 1909, Artillerie 12 - 10,5 cm

Frühe Minen und Torpedos im Einsatz (1)

Versuche, Sprengkörper im Wasser einzusetzen, reichen weit in das Mittelalter zurück. Aber erst in der zweiten Hälfte des 19. Jh. führten sie zum Erfolg. Ursprünglich wird jeder Sprengkörper (auch zu Land) als Mine bezeichnet. Erst mit dem Aufkommen der selbstlaufenden "Minen" wurden diese als Torpedo bezeichnet. Zuerst ließ man Minen mit der Strömung an Ziele treiben. Dann folgten Versuche mit elektrisch gezündeten Minen. Schließlich wurde die stationäre MINE von Überwasserfahrzeugen (Skizze 1) und U-Booten gelegt.

Der TORPEDO (Zitterrochen) wurde zunächst an einer langen Spiere (Sk. 2) oder durch Abwurf vor dem Ziel eingesetzt. Auch wurde er an einer Leine nachgeschleppt (Sk. 3)

Erst der selbstlaufende Torpedo, vom Österreicher Luppis entworfen und von Whitehead in Fiume entwickelt, erlaubte das Abfeuern in größerer Entfernung vom Gegner. Torpedoboote feuerten ihn von einem Bugrohr oder von einer Drehscheibe an Deck ab (Sk. 4) Gegen Ende der hier beschriebenen Periode gab es bereits Hochseetorpedoboote/(Torpedoboots)zerstörer (Sk. 5).

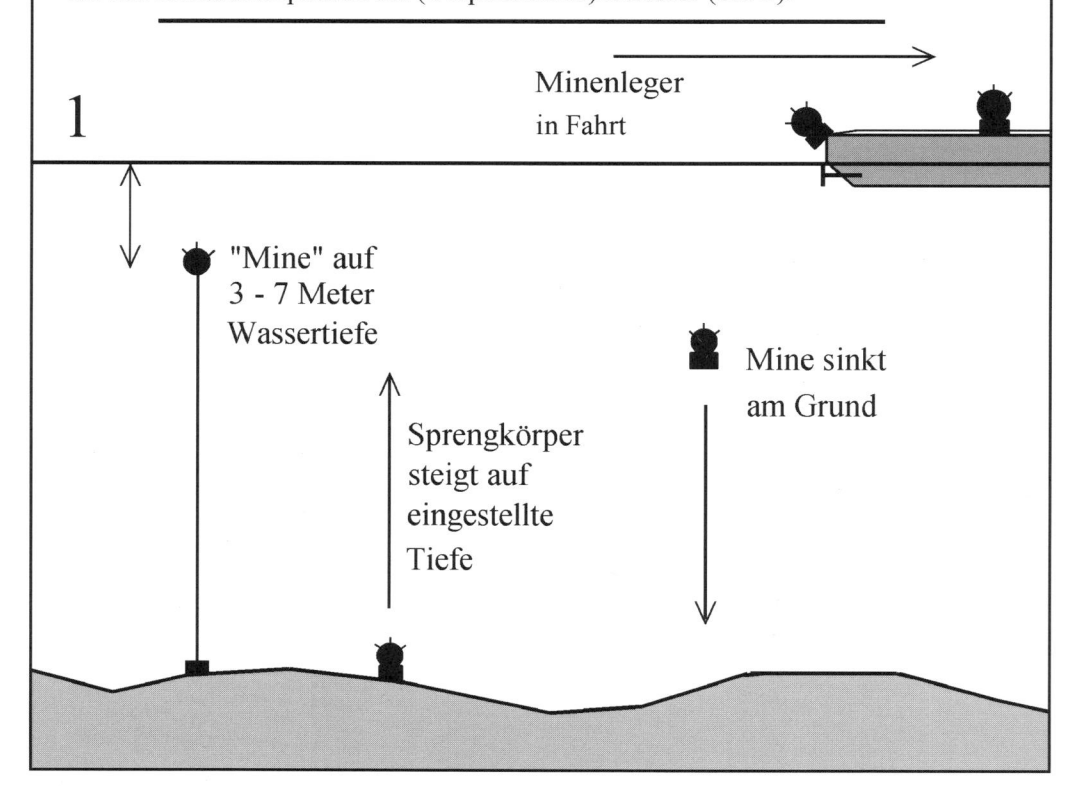

1

Minenleger in Fahrt

"Mine" auf 3 - 7 Meter Wassertiefe

Sprengkörper steigt auf eingestellte Tiefe

Mine sinkt am Grund

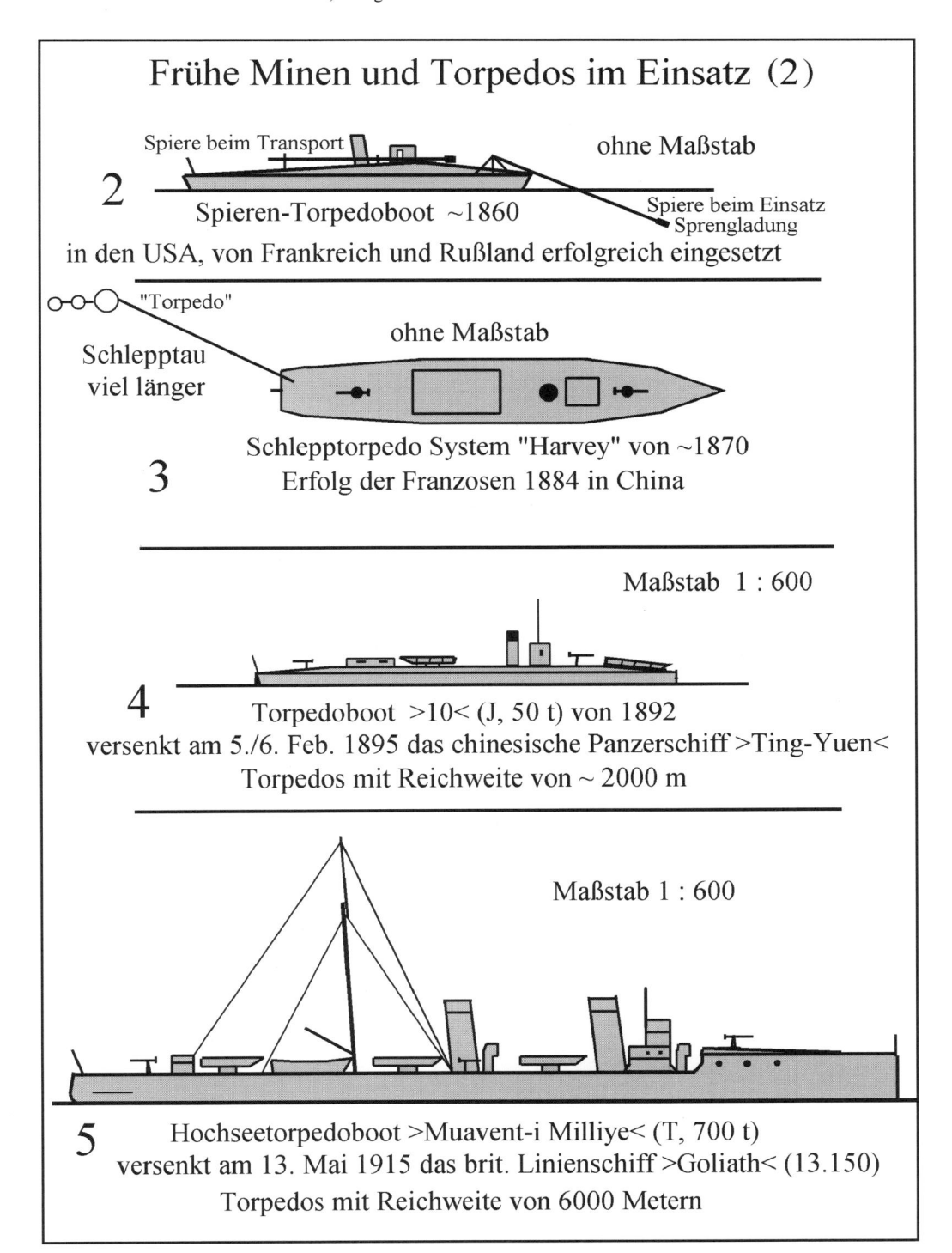

Frühe Minen und Torpedos im Einsatz (2)

2 Spiere beim Transport — ohne Maßstab
Spieren-Torpedoboot ~1860
Spiere beim Einsatz — Sprengladung
in den USA, von Frankreich und Rußland erfolgreich eingesetzt

---

3 "Torpedo"
Schlepptau viel länger
ohne Maßstab
Schlepptorpedo System "Harvey" von ~1870
Erfolg der Franzosen 1884 in China

---

4 Maßstab 1 : 600
Torpedoboot >10< (J, 50 t) von 1892
versenkt am 5./6. Feb. 1895 das chinesische Panzerschiff >Ting-Yuen<
Torpedos mit Reichweite von ~ 2000 m

---

5 Maßstab 1 : 600
Hochseetorpedoboot >Muavent-i Milliye< (T, 700 t)
versenkt am 13. Mai 1915 das brit. Linienschiff >Goliath< (13.150)
Torpedos mit Reichweite von 6000 Metern

Zeit der Dampfschiffe: Die Entwicklung der Kriegsschiffe von 1850 bis ~1900

Der Beginn des 20. Jahrhunderts

Die Jahre von der Jahrhundertwende bis 1914, dem Ausbruch des Ersten Weltkrieges, sahen den Aufstieg von Japan und der Vereinigten Staaten von Amerika in den Rang der großen Seemächte und die Formierung der Kräftegruppen, die sich dann in diesem großen Völkerringen gegenüberstehen sollten.

Es war dies einerseits der bereits 1882 geschlossene, geheime **Dreibund** zwischen dem Deutschen Reich, Österreich-Ungarn und Italien, der 1891 noch erweitert wurde. In dem Vertrag sicherten sich die Unterzeichner weitgehende militärische Hilfe bei Angriffen durch andere Großmächte zu. Dieser Dreibund wurde allerdings durch den Geheimvertrag von 1902 zwischen Frankreich und Italien weitgehend unterhöhlt.

Dem Dreibund stand auf der anderen Seite der **Dreiverband** oder die Triple-Entente gegenüber. Dieser entstand aus dem 1894 zwischen Frankreich und Rußland geschlossenen Bündnis, der britisch-französischen Entente Cordiale von 1904 und dem britisch-russischen Abkommen von 1907.

Die zunehmende außenpolitische Isolierung des Deutschen Reiches und sein Gegensatz vor allem zu Großbritannien hatte mehrere Ursachen. Zunächst einmal war Deutschland seit seiner Einigung im Krieg 1870–71 zu einer Wirtschaftsmacht geworden, die auf den Weltmärkten vor allem dem britischen Handel in zunehmendem Maße als Konkurrent entgegentrat. Durch den Erwerb von Kolonien trat es in die Reihe der imperialistischen Mächte und erhöhte die Berührungspunkte mit seinen europäischen und neuen überseeischen Rivalen. Kaiser Wilhelm II. führte im Stolz über die Leistungen des Reiches oft eine Sprache, die ihm in der Weltöffentlichkeit nicht immer Sympathien einbrachte. Um eine solche Sprache zu führen, fehlte ihm aber ein Kanzler mit dem außenpolitischen Geschick eines Bismarck, der schon 1890 entlassen worden war.

Aus der außenpolitischen Isolierung hoffte man durch den Aufbau einer starken Flotte ausbrechen zu können, indem man glaubte, mit dieser in erhöhtem Maße bündnisfähig zu werden. Die diesbezüglichen Flottengesetze von 1898 und 1900 wurden vom neuen Staatssekretär im Marineamt, Admiral von Tirpitz, erarbeitet. Er prägte den sogenannten **„Risikogedanken"**, nach dem die deutsche Flotte wohl deutlich schwächer als die britische sein sollte, jedoch so stark, daß ein Angriff auf die deutschen Küsten selbst für diese stärkste Flotte der Welt ein Risiko bedeuten sollte. Durch die großen Verpflichtungen der Royal Navy in Übersee konnte auch eine nur halb so starke deutsche Flotte einen Kräfteausgleich mit den Briten in den Gewässern von Nordeuropa (Nordsee, Ostsee, Ärmelkanal) herstellen.

Das Erstellen von umfangreichen **Flottenbauprogrammen** wurde damals von den meisten Seemächten praktiziert, um von den oft wechselnden parlamentarischen Mehrheiten unabhängiger zu werden. Die Tatsache allein, daß Deutschland ein umfangreiches Programm erstellte, war daher für Großbritannien zunächst noch kein Grund zur Beunruhigung. Was Großbritannien schließlich alarmierte, war das Faktum, daß dieses Programm auch bewilligt und zum Unterschied von allen anderen Seemächten auch voll und mit großer Präzision erfüllt wurde. Großbritannien nahm die Herausforderung an und begann seinerseits mit einem gewaltigen Flottenbauprogramm, auf das Deutschland mit den Novellen von 1906 und 1912 zu seinem Flottengesetz antwortete. Die Rüstungsspirale war dadurch in voller Drehung. Großbritannien ließ zur Werbung für den Schlachtschiffbau das Volk ausrufen „We want eight and we wont wait" (acht Schlachtschiffe im Jahr).

Großbritannien hatte im Ersten Seelord, Admiral John Fisher, einen Mann, der zum Unterschied von den meisten britischen Admiralen der Zeit allen Neuerungen aufgeschlossen war und die Royal Navy, die in der Mitte des 19. Jahrhunderts den Tiefpunkt an Organisation, Ausbildung und Technik erlebt hatte, wieder nicht nur zahlenmäßig, sondern auch qualitativ zur ersten Flotte der Welt machte.

Der Gegensatz zwischen Großbritannien und Deutschland hatte sich mit der „Krügerdepesche" und der deutschen Haltung im Burenkrieg erstmals deutlich gezeigt. Deutschland glaubte in der Marokkofrage, wo Frankreich große Interessen hatte, die Rivalität zwischen Großbritannien und seinem alten Widersacher Frankreich schüren zu können, war aber selbst bereits zu weit isoliert.

Großbritannien hatte beschlossen, die Nichteinmischungspolitik der letzten Jahrzehnte auf dem Kontinent aufzugeben und sich um Verbündete gegen das immer bedrohlicher erscheinende Deutschland zu bemühen. Die USA brachte es auf seine Seite, indem es diesen die Vorherrschaft in Westindien überließ und sich weitgehend aus den Problemen in der Neuen Welt heraushielt. Frankreich unterstützte es in der Marokkofrage, wofür dieses ihm freie Hand in Ägypten ließ. Das Erscheinen von Kaiser Wilhelm in Tanger und die Entsendung des Kanonenbootes >Panther< (1000) nach Agadir 1911 („Panthersprung") brachten für Deutschland das Gegenteil der erhofften Wirkung. Frankreich erreichte die allmähliche Lösung Italiens vom Dreibund, indem es dessen Interessen in Tripolitanien anerkannte, wofür ihm dieses ebenfalls freie Hand in Marokko ließ.

Italien wollte nach der Niederlage in Abessinien nun im zentralen Mittelmeer ein neues Römisches Imperium aufbauen. Es kam damit in Konflikt zum Osmanischen Reich, zu dem Tripolitanien noch immer gehörte. Großbritannien konnte auch mit Rußland einen Ausgleich finden. Das Zarenreich war nach der Niederlage gegen Japan als Seemacht kein Rivale mehr für das Britische Reich. Nur in Asien gab es noch Berührungspunkte, die aber ebenfalls entschärft werden konnten. Rußland anerkannte die Interessen von Großbritannien in Afghanistan, Persien wurde in eine nördliche russische und eine südliche britische Interessensphäre geteilt.

Großbritannien vermochte nun, seine über die ganzen Weltmeere verteilten Flottenverbände zum Teil in den Heimatgewässern zu konzentrieren und dadurch auch bei verstärkter deutscher Flottenrüstung immer noch eine fast doppelte Überlegenheit zu behalten. Die Umgruppierung der britischen Flotte zeigen die folgenden Tafeln über die Verteilung der Seestreitkräfte von Dreibund und Dreiverband.

In **Ostasien** war das Hegemoniestreben von Rußland für Japan immer bedrohlicher geworden. Japan war schon immer im Verlauf seiner Geschichte an den Besitzverhältnissen in Korea, dem seinen Inselreich nächsten Punkt am Festland, auf das stärkste interessiert gewesen. Genauso wie England es immer als eine Bedrohung betrachtet hatte, wenn die stärkste Macht am Kontinent in den Besitz der Küste von Flandern gelangt war (Spanien - 16. Jh., Frankreich - Ende 18. Jh., Deutschland - 20. Jh.), so war der Besitz von Korea durch die mongolische Yüan-Dynstie in China Ende des 16. Jahrhunderts fast gleichbedeutend mit einer tödlichen Bedrohung für Japan. Nun hatte Rußland als Folge der chinesischen Boxerunruhen weitgehende Konzessionen in der Mandschurei erhalten und begann sich auch für Korea zu interessieren. Eine ausgesprochene Herausforderung für Japan war jedoch die Pachtung von Port Arthur durch die Russen, jenes Stützpunkts, den Japan wenige Jahre zuvor unter großen Verlusten an Soldaten im Krieg gegen China erobert hatte und dann auf Druck der europäischen Mächte wieder an China hatte zurückgeben müssen. Japan hatte auch erkannt, daß Rußland von den übrigen Seemächten keine Unterstützung in einem Konflikt mit dem Inselreich erhalten würde.

Flottenverteilung (aktive Schiffe und 1. Reserve) 1906
(Zeichen aus Potter/Nimitz/Rohwer, Seemacht, Seite 325)

Land	Station	nordeuropäische Gewässer	Atlantik Westindien	Mittelmeer	Ind. Ozean Pazifik
Dreiverband	Großbritannien	Portland / Kanal-Flotte / Reserve-Division (Devonport, Portsmouth, Chatham)	Gibraltar / West-Ind.	Malta	Kap / Ost.Ind. / China / Austral. Res
	Frankreich	Brest / Res. (1. 2.)	Neuf.	(1. 2.)	
	Rußland	Baltische Flotte			Sib. Flotte
Dreibund	Deutschland	I. / II. / A.G.	West-Ind.		Kreuzer-Geschw.
	Österreich-Ungarn			Res.	
	Italien		Amerika		Rotes Meer

Zeichenerklärung:
- Schlachtschiff (Dreadnought)
- Schlachtkreuzer
- Linienschiff
- Küstenpanzerschiff
- Panzerkreuzer
- Großer Kreuzer
- Kleiner Kreuzer
- Schiff weniger als 5 Jahre in Dienst
- Schiff 5–10 Jahre in Dienst
- Schiff 10–15 Jahre in Dienst
- Schiff mehr als 15 Jahre in Dienst
- Geschwaderflaggschiff
- Divisionsflaggschiff

866　Zeit der Dampfschiffe: Der Beginn des 20. Jahrhunderts

Flottenverteilung (aktive Schiffe und 1. Reserve) 1908
(Zeichen aus Potter/Nimitz/Rohwer, Seemacht, Seite 327)

Flottenverteilung (aktive Schiffe und 1. Reserve) 1912

(Zeichen aus Potter/Nimitz/Rohwer, Seemacht, Seite 329)

Zeichenerklärung:
- Schlachtschiff (Dreadnought)
- Schlachtkreuzer
- Linienschiff
- Küstenpanzerschiff
- Panzerkreuzer
- Großer Kreuzer
- Kleiner Kreuzer
- Minenleger
- Schiff weniger als 5 Jahre in Dienst
- Schiff 5–10 Jahre in Dienst
- Schiff 10–15 Jahre in Dienst
- Schiff mehr als 15 Jahre in Dienst
- Flottenflaggschiff
- Geschwaderflaggschiff
- Divisionsflaggschiff

Denn diese betrachteten die wachsende Macht des Zarenreiches in Ostasien als eine größere Gefahr als das kleine Japan. Trotz seines Sieges über China zehn Jahre vorher und seines guten Auftretens während der Boxerunruhen, wurde Japan als Militärmacht noch nicht für voll genommen. Ein Sieg über eine europäische Großmacht war noch undenkbar. Da Rußland für Verhandlungen nicht zugänglich war, beschloß Japan, durch einen Präventivschlag möglichst viele militärische Erfolge zu erzielen, so daß Rußland zum Nachgeben bereit sein würde.

Diese Strategie wurde durch die militärgeographische Lage ermöglicht. Rußlands Besitzungen in Ostasien waren nur auf drei Wegen erreichbar: durch die eingleisige sibirische Eisenbahn, die noch eine geringe Leistungsfähigkeit hatte, weshalb größere Truppenverschiebungen viel Zeit in Anspruch nahmen; durch den Seeweg der Nordostpassage rund um Sibirien, den Vizeadmiral Makarow gerade mit Eisbrechern zu erschließen bemüht war. Diese Arbeiten waren aber kurz vorher von der russischen Regierung untersagt worden, um der sibirischen Eisenbahn keine Konkurrenz zu machen. Die dritte Möglichkeit war der Seeweg von Europa durch den Indischen Ozean. Dieser war der weiteste Weg und brauchte eine gute Nachschuborganisation, die Rußland nicht besaß. Somit waren Rußlands Streitkräfte in Ostasien in einem Krieg zunächst auf sich allein gestellt. Eine Verstärkung der Flotte war nur auf dem Seeweg möglich, sie war aber für die Seeherrschaft im Gelben Meer unverzichtbar.

Japan gedachte nun im ersten Anlauf die Seeherrschaft zu erringen. Anschließend sollte das japanische Heer Korea und die Halbinsel Kwantung erobern und in die Mandschurei vorstoßen. Es konnte dabei zu Kriegsbeginn den 150.000 Mann der Russen fast die doppelte Stärke gegenüberstellen. Rußland hatte in den letzten Jahren seine Seestreitkräfte in Ostasien laufend verstärkt, seine modernsten Einheiten waren dort bereits stationiert. In den Heimatgewässern befanden sich noch drei neue Linienschiffe und einige Kreuzer, der Rest der Kriegsschiffe war durchwegs veraltet und nur bedingt kriegsbrauchbar. Im Laufe eines Jahres konnten in der Ostsee je drei in Bau befindliche Linienschiffe und Kreuzer fertiggestellt werden. Die Flottenstärken in Ostasien zu Beginn des Jahres 1904 betrugen:

Schiffe	Japan		Rußland	
	Zahl	Größe in Tonnen	Zahl	Größe in Tonnen
Linienschiffe	6	12000 bis 15000	7	11000 bis 13000
Panzerkreuzer	6	9000 bis 10000	4	8000 bis 14000
Kreuzer	16	2500 bis 5000	7	3000 bis 7000
Kanonenboote/Ungesch. Kreuzer	17	600 bis 1700	8	1000 bis 1500
Zerstörer	19	300 bis 400	27	240 bis 400
Torpedoboote	28	70 bis 150	8	100 bis 180

Von den russischen Schiffen waren drei Panzerkreuzer und ein Kreuzer in Wladiwostok stationiert. Nach Kriegsausbruch waren diese wegen der Kontrolle der Straße von Tsuschima durch die Japaner von der Hauptmacht in Port Arthur abgeschnitten und operierten unabhängig. Nur beim Ausbruchsversuch des Ersten Pazifischen Geschwaders (das Zweite wurde in der Ostsee ausgerüstet) aus dem belagerten Port Arthur im August unternahmen sie einen gleichzeitigen Entlastungsvorstoß.

Der erste Angriff der Japaner auf Port Arthur brachte nur einen teilweisen Erfolg. Japans Flotte unter Admiral H. Togo mußte daher neben der Deckung der Truppengeleite zum Festland das russische Geschwader beobachten und womöglich blockieren. Mit Minenverlegen und Blockschiffen gelang dies nur unzulänglich. Der Minenkrieg erforderte auf beiden Seiten beträchtliche Verluste. Die Torpedowaffe kam hingegen nicht in der erhofften Weise zur Geltung. Nach der Eroberung der koreanischen Halbinsel stieß eine japanische Armee in die Mandschurei vor, eine zweite eroberte die Halbinsel Kwantung und begann mit der Belagerung von Port Arthur. Das nun von der japanischen Heeresartillerie bedrohte russische Geschwader versuchte nun einen Ausbruch, wurde von Togo aber in der Seeschlacht im Gelben Meer wieder zurückgeworfen und ging in Port Arthur verloren. Togo hatte seine Flotte sehr vorsichtig eingesetzt, um sie für eine bevorstehende Auseinandersetzung mit dem Zweiten Pazifischen Geschwader zu erhalten.

Dieses war seit dem Kriegsbeginn in der Ostsee in der Ausrüstung, war im Oktober 1904 von dort ausgelaufen und konnte im Frühjahr 1905 in Ostasien erwartet werden. Für die zu erwartende Entscheidungsschlacht hatte Togo seine Flotte bestens ausgebildet und hervorragend ausgerüstet. Die russische Flotte war nach ihrer Weltreise materiell in schlechtem Zustand und die Besatzungen psychisch arg mitgenommen. Die Flotte erlitt trotz tapferer Gegenwehr eine totale Niederlage. Der Krieg war dadurch praktisch entschieden. Rußland hatte keine Mittel mehr, um die Japaner in absehbarer Zukunft aus der Mandschurei und Korea zu vertreiben. Aber auch Japan war finanziell am Ende, und in der Mandschurei war über die noch intakte russische Armee kein entscheidender Sieg zu erringen, von einem Vorstoß nach Sibirien nicht zu reden. Beide Länder nahmen daher das Angebot des Präsidenten der USA, einen Frieden zu vermitteln, an. In den Friedensverhandlungen in Portsmouth, USA, konnte Theodore Roosevelt die Japaner zu einer Zurücknahme ihrer Forderungen veranlassen. Diese begnügten sich schließlich mit geringem territorialen Gewinn und der Hegemonie über Korea. Nach dem Ausfall von Rußland und der Schwäche von China wurden aber nun die USA der Hauptrivale Japans in Ostasien.

Zur Friedensbereitschaft von Rußland hatten auch die **Meutereien** auf seiner Flotte in den Heimatgewässern beigetragen. Sie waren ein Teil der ersten russischen Revolution von 1905 und hatten mit dem Massaker an Demonstranten vor dem Winterpalast von St. Petersburg am 22. Jänner ihren Ausgang genommen. Nach der Niederlage bei Tsuschima meuterte die Besatzung des Linienschiffes >Potjomkin< im Schwarzen Meer. Zeitweise schlossen sich auch andere Schiffe der Revolte an. Nach dem Friedensschluß kam es noch zu einem landesweiten Generalstreik, im Dezember wurde die Revolution mit Waffengewalt niedergeworfen.

Japan hatte nach dem Sieg über Rußland in **Korea** neben dessen König einen Generalresidenten eingesetzt. Als dieser ermordet wurde, setzte es den koreanischen König ab und gliederte das Land am 22. August 1910 als eine Provinz dem japanischen Kaiserreich ein.

In **China** hatte die kaiserliche Regierung schon im letzten Jahrhundert immer mehr an Ansehen und Einfluß verloren. Die Demütigung durch die westlichen Mächte nach den Boxerunruhen sowie wirtschaftliche Schwierigkeiten führten 1911 zur Revolution, zur Bildung einer neuen republikanischen Regierung unter Sun Yat-Sen in Nanking und zur Abdankung des letzten Kaisers.

Durch die Niederlage Spaniens gegen die **Vereinigten Staaten von Amerika** 1898 war die vorletzte Kolonialmacht auf dem amerikanischen Kontinent ausgeschaltet. Die letzte, Großbritannien, gewährte Kanada immer größere Freiheiten und überließ die Karibik dem Einfluß der USA. Dafür sicherte es sich dessen Freundschaft und Unterstützung gegen das aufstrebende Deutschland, das sich schon 1898 das Mißfallen der USA zugezogen hatte, als nach deren Seesieg in der Bucht von Manila über die Spanier das deutsche Ostasiengeschwader dort energisch auftrat und das Vorgehen der Amerikaner überwachte. Bei der Intervention in Venezuela vier Jahre später, weil dieses seine Schulden an europäische Kaufleute nicht bezahlte, waren es neben britischen auch deutsche Schiffe, die dort eingriffen. Präsident Roosevelt verschärfte daraufhin die **Monroe-Doktrin**, indem er erklärte, daß das Recht zur bewaffneten Intervention auf dem ganzen amerikanischen Kontinent sich ausschließlich die USA vorbehielten. Solch eine selbstbewußte Sprache konnte sich nur ein Land mit den entsprechenden Machtmitteln erlauben. Roosevelt war daher dabei, die US-Flotte zur drittstärksten – nach der britischen und deutschen – aufzubauen, fast gleichauf mit der letzteren. Dazu errichtete die USA Flottenstützpunkte auf Kuba (Guantamano) und Puerto Rico (Culebra) und begann den Bau eines Kanals durch die Meerenge von Panama, um die Kriegsschiffe schneller von einem Ozean zum anderen verlegen zu können. Die Reise der US-Schlachtflotte rund um die Welt zeigte den hohen Stand der Ausbildung, die technische Reife und die Leistungsfähigkeit der Versorgungsorganisation der US-Flotte.

Die USA selbst intervenierten in zunehmendem Maße bei den vielen Unruhen in Lateinamerika. Mehr als nur lokale Bedeutung hatte das Eingreifen auf Kuba 1906–1909 und in Mexiko 1914. In Mexiko war nach der Ermordung des Präsidenten Madero das Land in allgemeine Anarchie verfallen. Präsident Wilson (USA) verhängte als Reaktion ein Waffenembargo für Lieferungen an die diversen Privatarmeen und ließ dies durch eine Blockade von der US-Flotte überwachen. Am 9. April wurde von Mexikanern an einer Pier von Tampico eine Bootsabteilung der US-Marine festgehalten, bald darauf aber wieder freigelassen. Der Kommandant des Blockadegeschwaders, Konteradmiral H. T. Mayo, forderte daraufhin eine Entschuldigung und den Flaggengruß, beides wurde von den Mexikanern verweigert. Präsident Wilson nahm dies zum Anlaß für eine totale Blockade der Küsten Mexikos und begann mit bewaffneter Intervention. Der Vermittlung der südamerikanischen ABC-Staaten (Argentinen, Brasilien, Chile) war es zu verdanken, daß die Kämpfe nicht eskalierten und der Streit beigelegt werden konnte.

Italien hielt 1911 die Zeit für reif, sich die letzten türkischen Besitzungen in Nordafrika, Tripolis und die Cyrenaika, anzueignen. Von dem Rivalen im Mittelmeer, Frankreich, war kein Einwand zu erwarten. Großbritannien, die alte Schutzmacht der Türkei, machte ebenfalls keine Schwierigkeiten, da Italien zusagte, keine Aktionen gegen das engere türkische Staatsgebiet, vor allem Kleinasien, zu unternehmen. Darüber hinaus mußte dieses Unternehmen Italien seinen Partnern im Dreibund, Deutschland und Österreich-Ungarn, noch weiter entfremden, da beide immer bessere Beziehungen mit der Türkei unterhielten. Da kein Vorgehen gegen die Dardanellen geplant war, berührte diese Aktion auch Rußland, den alten Rivalen der Türkei, nur am Rande. Zwischenfälle mit italienischen Siedlern in Tripolitanien waren für Italien der Anlaß, von der Hohen Pforte in ultimativer Form die Abtretung der beiden Provinzen zu verlangen. Dieses nur mit wenigen Tagen befristete Ultimatum wurde von der Türkei glatt abgelehnt. Italien erklärte daher am 29. September 1911 den Krieg und begann sofort mit den militärischen Operationen.

Die Flottenstärken betrugen:

	Italien		Türkei	
Schiffe	Zahl	Tonnage	Zahl	Tonnage
Linienschiffe	11	10000 bis 14000	3	9200 bis 10000
Panzerkreuzer	10	4600 bis 10000	–	
Kreuzer	6	1300 bis 2500	2	3200 bis 3800
Zerstörer	23	300 bis 400	12	270 bis 900
Torpedoboote	31	130 bis 210	15	100 bis 160
Kanonenboote	2	950	22	120 bis 600

Italien war dabei nicht nur in der geostrategisch weitaus günstigeren Position (wesentlich kürzere Seewege in das Operationsgebiet), sondern seine Flotte war moderner, an Zahl der Schiffe weit überlegen und besser ausgerüstet.
Es verfügte außerdem noch über einen großen Flottentroß, mehrere U-Boote und die ersten Heeresflieger. Die Türkei besaß noch vier 50 Jahre alte Panzerschiffe, die erst wenige Jahre vorher modernisiert worden waren, aber nur mehr geringen Kampfwert besaßen.
Die Türkei rief ihre zu Manövern in der Levante befindlichen Seestreitkräfte in die Dardanellen zurück und überließ den Italienern die Seeherrschaft, die die im Ionischen Meer stationierten türkischen leichten Seestreitkräfte ausschalteten. Dagegen protestierte Österreich-Ungarn, da Italien gegen die Zusicherung, türkisches Gebiet im engeren Sinn nicht anzugreifen, verstieß und gleichzeitig in ein Gebiet eingriff, das in der Interessensphäre der Donaumonarchie lag. Dann begannen die Beschießungen und Truppenlandungen an den Hafenplätzen in Nordafrika, die bald in den Händen der Italiener waren. Im Landesinneren leisteten die wenigen türkischen Truppen mit Unterstützung der Bevölkerung energischen Widerstand, die Italiener konnten kaum Boden gewinnen. Nur so weit als die Schiffsartillerie reichte, war das Land fest in ihrer Hand. Um den Druck auf die Türkei zu verstärken, begannen die Italiener mit weiteren Offensiven. Einem Vorstoß eines Geschwaders in die Levante, der Besetzung von Rhodos und einigen benachbarten Inseln folgte schließlich eine Beschießung der Dardanellenforts. Ein Erkundungsvorstoß in die Dardanellen wurde von den Türken zurückgewiesen. Eine Gruppe von drei italienischen Kreuzern beherrschte das Rote Meer. Sie schützten die Küsten von italienisch Ostafrika und unternahmen Angriffe auf Hafenplätze im türkischen Südarabien.
Die drohende Haltung der Nachbarn der Türkei am Balkan veranlaßte diese schließlich, die beiden nordafrikanischen Provinzen an Italien abzutreten. Die als Faustpfand von den Italienern zurückgehaltenen Inseln der Dodekanes (Rhodos u.a.) wurden nicht zurückgegeben, da der Widerstand der Einwohner in Tripolitanien gegen die italienische Besetzung noch lange nicht erlosch. Bei der Blockade der Küste von Libyen ereignete sich der >Carthage</>Manouba<-Zwischenfall, der die Beziehungen zwischen Frankreich und Italien für kurze Zeit belastete. Italien hatte diese beiden französischen Dampfer bei Sardinien im Jänner 1912 aufgebracht, da sie verdächtigt wurden, Kontrabande für die Türken in Libyen an Bord zu haben.
Die Schwächung der Türkei durch den Krieg gegen Italien sowie ein Aufstand in Albanien nützten die mit russischer Vermittlung im **Balkanbund** zusammengeschlossenen Nachbarn der Türkei. Am 8. Oktober 1912, noch vor Unterzeichnung des Friedensvertrages der Türkei mit Italien, erklärte Montenegro der Türkei den Krieg und begann den Angriff auf Nordalbanien. Am 17. Oktober begannen Bulgarien, Serbien und Griechenland mit den Kampfhandlungen. Über nennenswerte Seestreitkräfte verfügten nur Griechenland und die Türkei. Einzig Bulgarien besaß noch einige kleine Torpedoboote, die es mit Geschick einsetzte.
Die Flottenstärken:

	Griechenland		Türkei	
Schiffe	Zahl	Tonnage	Zahl	Tonnage
Linienschiffe	–		3	9200 bis 10000
Küstenpanzer	3	je 5000	2	2400 bis 3800
Panzerkreuzer, modern	1	10100	–	
Kreuzer	–		2	3200 bis 3800
Zerstörer	8	350 bis 400	12	270 bis 900

Auf dem Papier schien die türkische Flotte wesentlich stärker zu sein. Doch der griechische Panzerkreuzer war ein modernes, schnelles Schiff und die griechische Flotte befand sich in besserem Zustand und war besser geführt. Die Türken konzentrierten zu Kriegsbeginn ihre Flotte im Marmarameer und im Schwarzen Meer. Sie verwendeten sie zur Unterstützung des Landheeres. Es war die Schiffsartillerie, die entscheidend mithalf, den Angriff der Bulgaren auf die Tschaladscha-Linien vor Istanbul abzuwehren. Die Türken überließen dadurch aber den Griechen die Seeherrschaft in der Ägäis. Die türkischen Divisionen aus der Levante mußten deshalb den zeitraubenden Landweg nehmen und konnten im Kampf um den Balken nicht mehr eingreifen. Die Halbinsel Gallipoli konnte mit Unterstützung der Schiffsartillerie gegen die Angriffe der Verbündeten gehalten werden. Im Ionischen Meer unterstützten gleich zu Kriegsbeginn leichte griechische Seestreitkräfte das Heer bei der Eroberung von Prevesa, wobei die dort von den Italienern versenkten und wieder gehobenen türkischen Fahrzeuge erneut versenkt wurden. Anfang Dezember schloß die Türkei mit den Gegnern einen Waffenstillstand, dem sich Griechenland jedoch nicht anschloß.

Die türkische Flotte versuchte daraufhin zweimal aus den Dardanellen auszubrechen, wodurch es zu zwei Treffen kam, in denen die Türken von den Griechen zurückgewiesen wurden. Die Griechen konnten daher mit der Eroberung von Inseln in der Ägäis, gedeckt durch die Flotte, fortfahren. Ende Jänner 1913 wurde der Waffenstillstand wieder aufgekündigt. Die Türken unternahmen vom Marmarameer aus eine Landungsoperation im Rücken der Bulgaren, die keinen Erfolg brachte, die bereits gelandeten 15.000 Mann wurden von der Flotte wieder eingeschifft. Da auch auf den übrigen Fronten eine Pattstellung erreicht war, wurde am 17. April 1913 erneut ein Waffenstillstand geschlossen. Diesem folgte der Friede von London, in dem die Türkei fast ihren ganzen europäischen Besitz sowie die meisten Inseln in der Ägäis an die Sieger abtreten mußte. Über die Verteilung der Beute kam es zum zweiten Balkankrieg, in dem Bulgarien gegen seine bisherigen Verbündeten und Rumänien kämpfte.

Im November 1912 hatten sich die **Albaner** für unabhängig erklärt. Diese Unabhängigkeit wurde bei der Londoner Friedenskonferenz anerkannt. Montenegro und Serbien, die bereits den Großteil von Albanien von den Türken erobert hatten, wollten das Gebiet aber nicht räumen. Zur Durchsetzung der internationalen Garantie für Albanien wurden daher vor der Küste von Albanien beträchtliche Seestreitkräfte zusammengezogen. Von diesen wurden Marineinfanteristen gelandet.

Folgende Schiffe waren beteiligt:

Staat	Linienschiff	Panzerkreuzer	Kreuzer
Österreich-Ungarn	>Erzherzog Franz Ferdinand<	>St. Georg<	>Aspern<
	>Radetzky<		
	>Zrinyi<		
Italien	>Ammiraglio di St. Bon<	>Ferruccio<	
		>Garibaldi<	
		>Varese<	
Großbritannien	>King Edward VII.<		>Dartmouth<
Frankreich		>Edgar Quinet<	
		>Ernest Renan<	
Deutschland			>Breslau<

Bei der **Revolution in Portugal** 1910 schloß sich ein Teil der im Hafen von Lissabon liegenden Flotte den Aufständischen an und trug wesentlich zum Erfolg der Republikaner bei.

Die **technische Entwicklung** ging in diesen wenigen Jahren mit großen Schritten voran. Die Seeschlacht bei Tsuschima wurde bereits auf Entfernungen von bis zu 7000 Metern ausgetragen. Die schnellfeuernde schwere **Artillerie** mit Feuerleitung und großer Sprengwirkung war wieder die Hauptwaffe. Bis zum Beginn des Ersten Weltkrieges wurde die Reichweite auf fast 20.000 Meter gesteigert. Die Geschütze erreichten mit den guten Entfernungsmessern und Zentralabfeuerung auch auf diese Entfernung eine beachtliche Treffsicherheit. Im **Minenkrieg** erzielten sowohl Russen als auch Japaner große Erfolge. Spezielle Minensucher und Minenleger wurden nun in allen Marinen entwickelt. Die Zerstörer und Torpedoboote erfüllten die Erwartungen, die man in die Torpedowaffe gesetzt hatte, jedoch nicht. Schnellfeuernde Abwehrgeschütze und Scheinwerfer bei Nacht zwangen die Angreifer meist, ihre Torpedos zu früh abzuschießen. Der Torpedo blieb eine Nebenwaffe bis zum Auftreten der U-Boote. Die **Funkentelegraphie** spielte bereits eine bedeutende Rolle in der Führung der Flotten.

Der britische erste Seelord, John Fisher, gab mit dem Bau der >Dreadnought< (17.900) den Anstoß zum Bau von **Großkampfschiffen** mit einer größeren Batterie einheitlicher schwerer Geschütze und größerer Geschwindigkeit. Dadurch waren jedoch alle früheren Linienschiffe mit einem Schlag veraltet. Großbritannien mußte mit doppelter Anstrengung seine Überlegenheit wieder aufbauen. Die Einführung der **Elektrizität** an Bord ermöglichte die zentrale Feuerleitung der Artillerie, die Bewegung der schweren Gewichte wie Geschütztürme, Munitionsaufzüge, Beiboote etc. Die **U-Boot-Waffe** wurde technisch so weit entwickelt, daß sie 1914 Frontreife erlangt hatte. Die ersten Luftschiffe und **Flugzeuge** begannen eine neue Dimension zu erobern.

Vorerst war jedoch noch das neue **Schlachtschiff/Großlinienschiff** der Kern der Flotten. Der Bau dieser Schiffe war daher auch ein Zeichen für die Machtstellung eines Staates und strategische Überlegungen gipfelten oft nur in der Auflistung dieser Schiffe. Alfred Th. Mahans Theorien wurden vor allem in Deutschland, für das sie am wenigsten Gültigkeit hatten, als Evangelium genommen und die Flottenrüstung erhielt bald ihre eigene Dynamik.

Durch zwei **Kanalbauten** wurde 1914 die strategische Position von zwei großen Seemächten verbessert. Gerade rechtzeitig vor Ausbruch des Ersten Weltkrieges wurde die Erweiterung und Vertiefung des Kaiser-Wilhelm-Kanals, heute Nord-Ostsee-Kanal, fertiggestellt. Die deutsche Flotte konnte nun auch ihre Großkampfschiffe, ohne den risikoreichen und langen Umweg um die Halbinsel Jütland, zwischen Nordsee und Ostsee verschieben. Im August wurde auch der Panamakanal eröffnet, wodurch der US-Flotte der lange Umweg rund um Südamerika erspart blieb.

Die **Flottenrivalität** zwischen Deutschland und Großbritannien fand ihren sichtbaren Ausdruck auch in der Passagierschiffahrt. Beide Staaten suchten sich mit dem Bau von immer größeren und luxuriöseren Schnelldampfern zu überbieten. Der Kampf um das „Blaue Band", die inoffizielle Auszeichnung für das schnellste Passagierschiff über den Nordatlantik, war zu einer Prestigeangelegenheit geworden. Erst der Untergang der >Titanic< (45.300 BRT), nachdem sie in der Nacht vom 14. zum 15. April 1912 einen Eisberg gestreift hatte, führte auch in der Handelsschiffahrt zu mehr **Sicherheitsvorkehrungen**. Für diese nahm man sich den Kriegsschiffbau zum Vorbild. Dort waren Schotteneinteilung, Doppelboden, Brandschutz und Rettungsmittel schon eine Selbstverständlichkeit.

In der Kunst herrschte bis zum Ersten Weltkrieg noch der **Jugendstil** vor. Als Bauwerke sind zu nennen die Postsparkasse in Wien (1904–1906), das „Loos-Haus" in Wien (1909–1912), die Kirche am Steinhof in Wien (1905–1907), das Sanatorium Purkersdorf bei Wien (1904), das

Palais Stoclet in Brüssel (1904–1911), das Warenhaus Tietz in Düsseldorf (1907–1909), die Bauten der Mathildenhöhe in Darmstadt und die Casa Milá in Barcelona (1905–1910).

ab 1900	Durch die Einführung der drahtlosen **Telegraphie**/Funkentelegraphie wird die Schiffs- und Flottenführung bedeutend erleichtert. Sie wird erstmals im Burenkrieg und bei den Boxerunruhen im militärischen Ernstfall eingesetzt.
1900–1901	**Kämpfe anläßlich der Boxerunruhen**
	Der Fremdenhaß, vor allem in Nordchina, führt im Frühjahr 1900 zu Ausschreitungen gegen Europäer und christliche Chinesen. Zum Schutz ihrer Angehörigen versammeln folgende Seemächte Kriegsschiffe im Golf von Petschili/Beizhili: Großbritannien, Frankreich, Deutschland, Japan, Rußland, USA, Italien und Österreich-Ungarn, später auch die Niederlande und Portugal.
Anfang Juni 1900	Von den insgesamt bereits versammelten fünf Linienschiffen, sieben Panzerkreuzern, sieben Großen Kreuzern, zwölf Kleinen Kreuzern und elf Kanonenbooten unter dem ranghöchsten Flaggoffizier Vizeadmiral E. Seymour (E) wird eine Abteilung Seesoldaten zum Schutz der Gesandtschaften nach Peking verlegt.
10. Juni	Nach der Bitte um weitere Hilfe werden 2100 Mann unter dem persönlichen Kommando von Vizeadmiral Seymour nach Peking in Marsch gesetzt, müssen aber nach schweren Kämpfen den Rückzug antreten.
17. Juni	**Kampf um die Peiho-Forts.** Die im Unterlauf des Peiho liegenden Kanonenboote >Algerine< (1050, E), >Iltis< (1030, D), >Bobr< (880, R), >Giljak< (880, R), >Korejetz< (880, R) und >Lion< (490, F) kämpfen daraufhin die chinesischen Forts an der Mündung des Flusses bei Taku in einem mehrstündigen Artillerieduell nieder und machen den Weg für neu eintreffende stärkere Entsatztruppen frei.
20. Juni	Über 5000 Mann unter dem russischen General Stoessel treten den Marsch nach Peking an. Mit Hilfe weiterer Verstärkungen vor allem aus Rußland und Japan wird schließlich nach wechselvollen Kämpfen Peking erreicht.
15. August	Das von den Chinesen zwei Monate lang belagerte Gesandtschaftsviertel wird von der internationalen Brigade entsetzt.
Ende September 1900	China unterzeichnet ein Protokoll, das es zu einer hohen Entschädigungszahlung und offiziellen Entschuldigung verpflichtet. Zuletzt sind über 100.000 Mann der internationalen Truppe unter dem deutschen Feldmarschall Graf Waldersee um Peking im Einsatz gewesen. Vor den Küsten Chinas sind 18 Linienschiffe, 28 Panzerkreuzer, 40 Kreuzer, drei Küstenpanzer, 60 Kanonenboote und zahlreiche Torpedoboote und Hilfsschiffe versammelt. Auf Betreiben der USA werden diese Flottenstreitkräfte nicht zu einer Aufteilung von China in Interessenszonen der europäischen Staaten benutzt, sondern es wird eine Politik der „Offenen Tür" begonnen.
1902–1903	**Venezuela.** Der Staat kann seinen finanziellen Verpflichtungen gegenüber deutschen, englischen und italienischen Firmen nicht nachkommen. Ein Geschwader der betroffenen Mächte nimmt daher die Flotte von Venezuela weg und blockiert dessen Küsten.

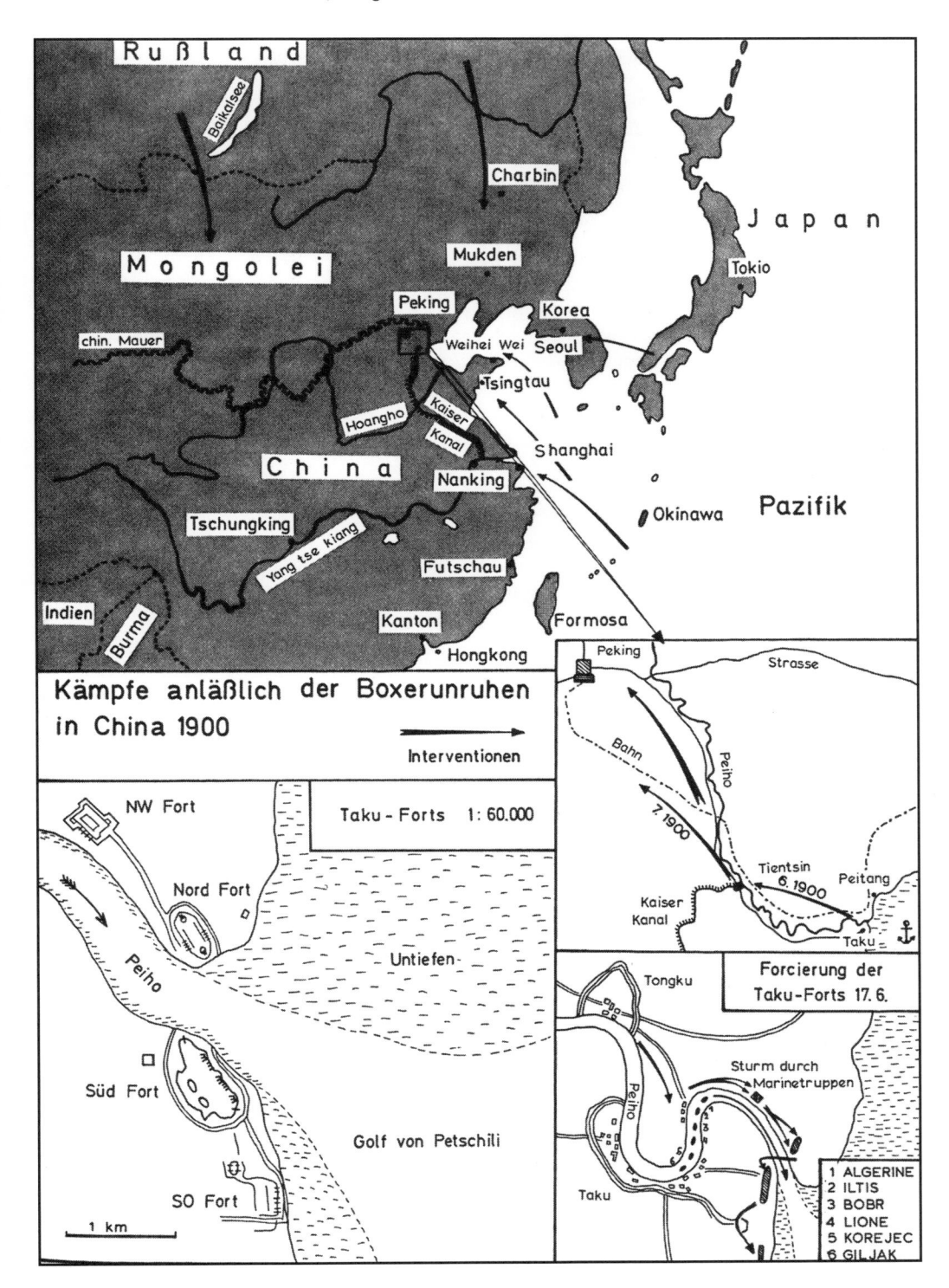

Kämpfe anläßlich der Boxerunruhen in China 1900

6. September 1902	**Aktion.** Das deutsche Kanonenboot >Panther< vernichtet das venezolanische Kanonenboot >Crête à Pierrot<, weil es den deutschen Dampfer >Markomannia< beschlagnahmt hat.
10. Oktober 1902	**Eroberung.** Die deutsche ostamerikanische Kreuzerdivision mit den Kreuzern >Vineta<, >Gazelle<, >Falke< und dem Kanonenboot >Panther< erobern den Kreuzer >Restaurador< und vernichten drei kleine Kriegsschiffe.
14. Dezember	**Aktion.** Die Kreuzer >Vineta< (D) und >Charybdis< (E) beschießen die Forts von Puerto Cabello.
22./23. Jänner 1903	**Maracaibo.** Die deutschen Schiffe >Vineta<, >Gazelle< und >Panther< beschießen die Forts von San Carlos an der Einfahrt zum Golf von Maracaibo.
14. Februar	Ende der Blockade und Beginn der **Friedensgespräche**. Die USA spielen den einseitigen Vermittler und dehnen in der Folge die **Monroe-Doktrin** von 1823 auch auf Südamerika aus.
1903–1906	**Forschung.** Dem Norweger Roald Amundsen gelingt mit der >Göa< erstmals die Durchfahrt durch die Nordwestpassage vom Atlantik zum Stillen Ozean. Im Jahr 1911 erreicht er auch als erster den Südpol.

1904–1905 Der Krieg Japan gegen Rußland

	Die seit Jahren aufgestauten Spannungen zwischen den beiden Staaten entladen sich nach dem Abbruch der diplomatischen Beziehungen durch Japan mit dessen Angriff auf das russische Geschwader vor Port Arthur. Dort liegt fast das ganze Erste Pazifische Geschwader, in Wladiwostok befinden sich nur drei Panzerkreuzer und ein Kreuzer, auf der Reede von Tschemulpo in Korea liegt ein Kreuzer und ein Kanonenboot.
6. Februar 1904	Die Japaner brechen die diplomatischen Beziehungen zu Rußland ab und eröffnen ohne Kriegserklärung die Feindseligkeiten.
8./9. Februar	**Angriff auf Port Arthur.** In der Nacht greifen zehn japanische Zerstörer die russische Flotte überraschend an. Ihre Torpedos treffen die Linienschiffe >Zesarewitsch<, >Retwisan< und den Kreuzer >Pallada<. Die Linienschiffe sind für Monate außer Gefecht.
9. Februar	**Treffen auf der Reede von Port Arthur.** Am Vormittag erscheint Vizeadmiral H. Togo mit der japanischen Flotte und führt ein kurzes Passiergefecht mit den noch auf Reede liegenden russischen Schiffen, die nur geringe Schäden erleiden.
9. Februar	Ein japanischer Kreuzerverband geleitet den ersten Truppentransport nach Tschemulpo, dem Hafen von Seoul. Dort werden der russische Kreuzer >Warjag< sowie ein Kanonenboot von den Japanern schwer beschädigt und von den eigenen Besatzungen versenkt.
10. Februar	Östlich von Port Arthur sinkt beim Legen einer Minensperre der russische Minenleger >Jenissej< auf einer eigenen Mine. Auf derselben Sperre sinkt zwei Tage später auch der russische Kreuzer >Bojarin<.
13./14. Februar 26./27. März	Nächtliche Versuche der Japaner, die Hafeneinfahrt von Port Arthur durch Versenken von zementbeladenen Schiffen zu sperren, bringen keinen Erfolg.
16. Februar 1904	Unter dem Schutz der Flotte landen die Japaner bei Tschemulpo eine Infanteriedivision und beginnen mit dem Vormarsch Richtung Yalu-Fluß.

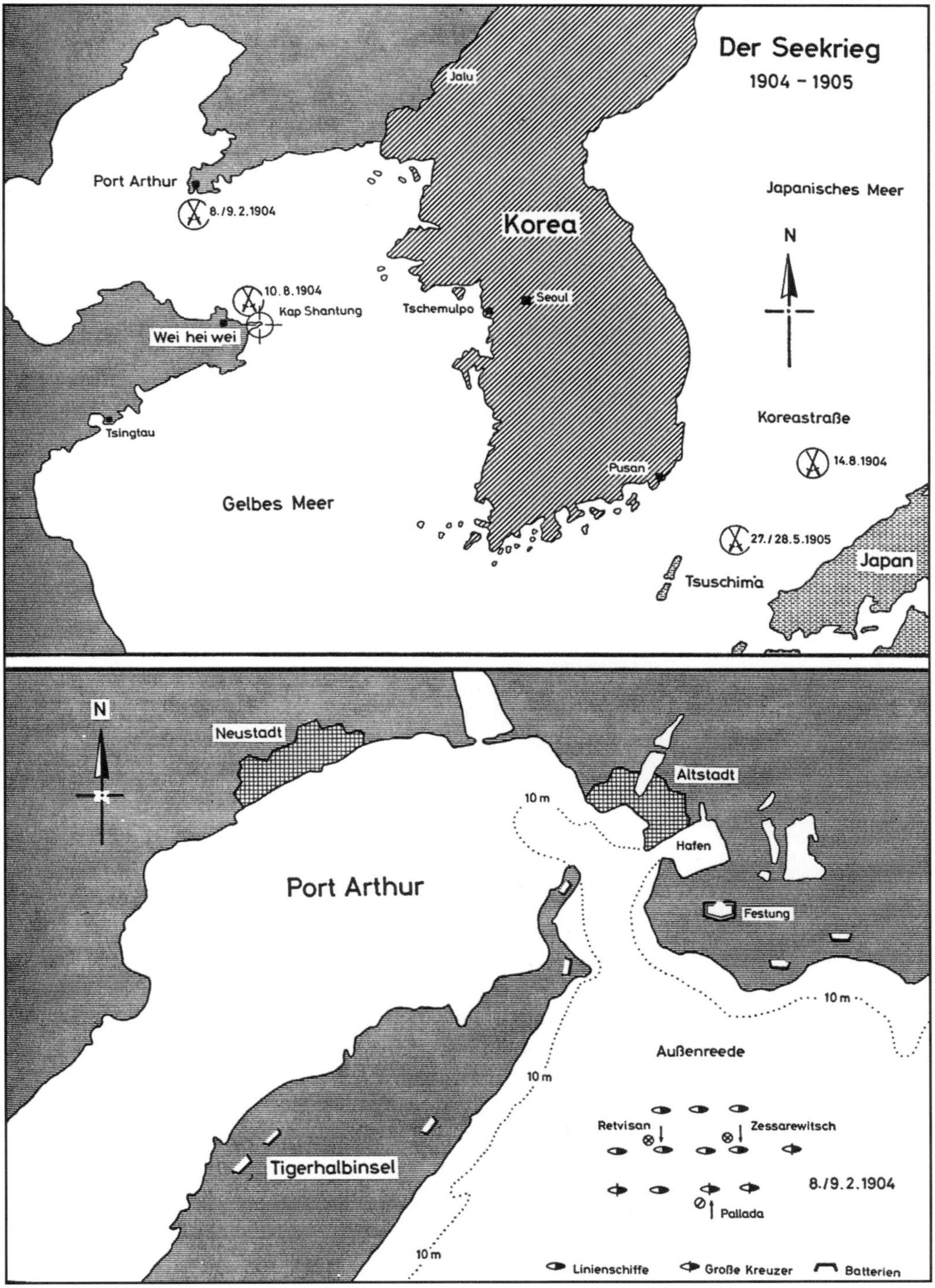
Der Seekrieg
1904 - 1905
Jalu
Port Arthur
8./9.2.1904
Korea
Japanisches Meer
N
10.8.1904
Kap Shantung
Tschemulpo
Seoul
Wei hei wei
Tsingtau
Koreastraße
Pusan
14.8.1904
Gelbes Meer
27./28.5.1905
Japan
Tsuschima
N
Neustadt
Altstadt
10 m
Hafen
Port Arthur
Festung
10 m
Außenreede
10 m
Retvisan
Zessarewitsch
Tigerhalbinsel
8./9.2.1904
Pallada
10 m
Linienschiffe
Große Kreuzer
Batterien

Anfang März 1904	Der tatkräftige russische Vizeadmiral **Makarow** übernimmt den Befehl über das Pazifische Geschwader.
13. April 1904	Die Linienschiffe >Petropawlowsk< und >Pobjeda< laufen auf eine Minensperre der Japaner. Vizeadmiral Makarow geht mit seinem Flaggschiff >Petropawlowsk< unter, die >Pobjeda< wird beträchtlich beschädigt.
April 1904	Die Japaner richten einen Flottenstützpunkt auf den Elliott-Inseln ein und decken von dort die Landung einer Armee auf der Halbinsel Kwantung zur Belagerung von Port Arthur.
3./4. Mai	Die Japaner unternehmen einen letzten vergeblichen Versuch, die Hafeneinfahrt von Port Arthur mit Blockschiffen zu sperren.
15. Mai	Auf einer russischen Minensperre sinken die japanischen Linienschiffe >Yashima< und >Hatsuse<.
23. Juni	Ein Ausbruchsversuch des russischen Geschwaders, jetzt unter Konteradmiral Witthöft, mißlingt.
7.– 9. August	Die japanische Belagerungsartillerie des Heeres beschießt die russischen Schiffe im Hafen, wobei das Feuer von einem Fesselballon geleitet wird. Einige Schiffe werden mehrfach getroffen. Vizeadmiral Witthöft versucht nun zum zweiten Mal nach Wladiwostok durchzubrechen.
10. August 1904	**Seeschlacht bei Kap Shantung.** Am Morgen läuft das russische Geschwader aus. Die Stärke der Flotten beträgt:

Erstes Pazifisches Geschwader	Japanische Flotte
Konteradmiral Witthöft	Vizeadmiral Togo
Linienschiff >Zesarewitsch<	Linienschiff >Mikasa<
Linienschiff >Retwisan<	Linienschiff >Asahi<
Linienschiff >Pobjeda<	Linienschiff >Fuji<
Linienschiff >Pereswjet<	Linienschiff >Shikishima<
Linienschiff >Sewastopol<	Panzerkreuzer >Nishin<
Linienschiff >Poltawa<	Panzerkreuzer >Kasuga<
4 Kreuzer	8 Kreuzer
14 Zerstörer	18 Zerstörer und 30 Torpedoboote

12.00 Uhr	Das japanische Gros kommt in Sicht und versucht den Russen den Weg zu verlegen.
13.00 Uhr	Beginn des Artilleriekampfes. In einem Passiergefecht von knapp einer Stunde gelingt es den Russen zunächst, sich den Weg freizukämpfen. Togo nimmt die Verfolgung auf. Vom Südwesten dampft er mit seinen schnelleren Schiffen langsam an der russischen Linie auf.
16.00 Uhr	Auf Entfernungen von 9000 bis 8000 Metern wird das laufende Artilleriegefecht geführt.
18.00 Uhr	Witthöft wird von einem Granatsplitter getötet.
18.12 Uhr	Ein Treffer auf dem russischen Flaggschiff tötet den Kommandanten und fast das ganze Brückenpersonal. Die russische Linie gerät daraufhin in Unordnung. Der Großteil der Schiffe nimmt Kurs auf Port Arthur. Da es bald finster wird, bricht Togo den Kampf ab und gibt seinen Zerstörern Gelegenheit zum Nachtangriff. Diese Angriffe werden von den Russen alle abgewehrt. Port Arthur

Seeschlacht bei Kap Shantung
10. August 1904

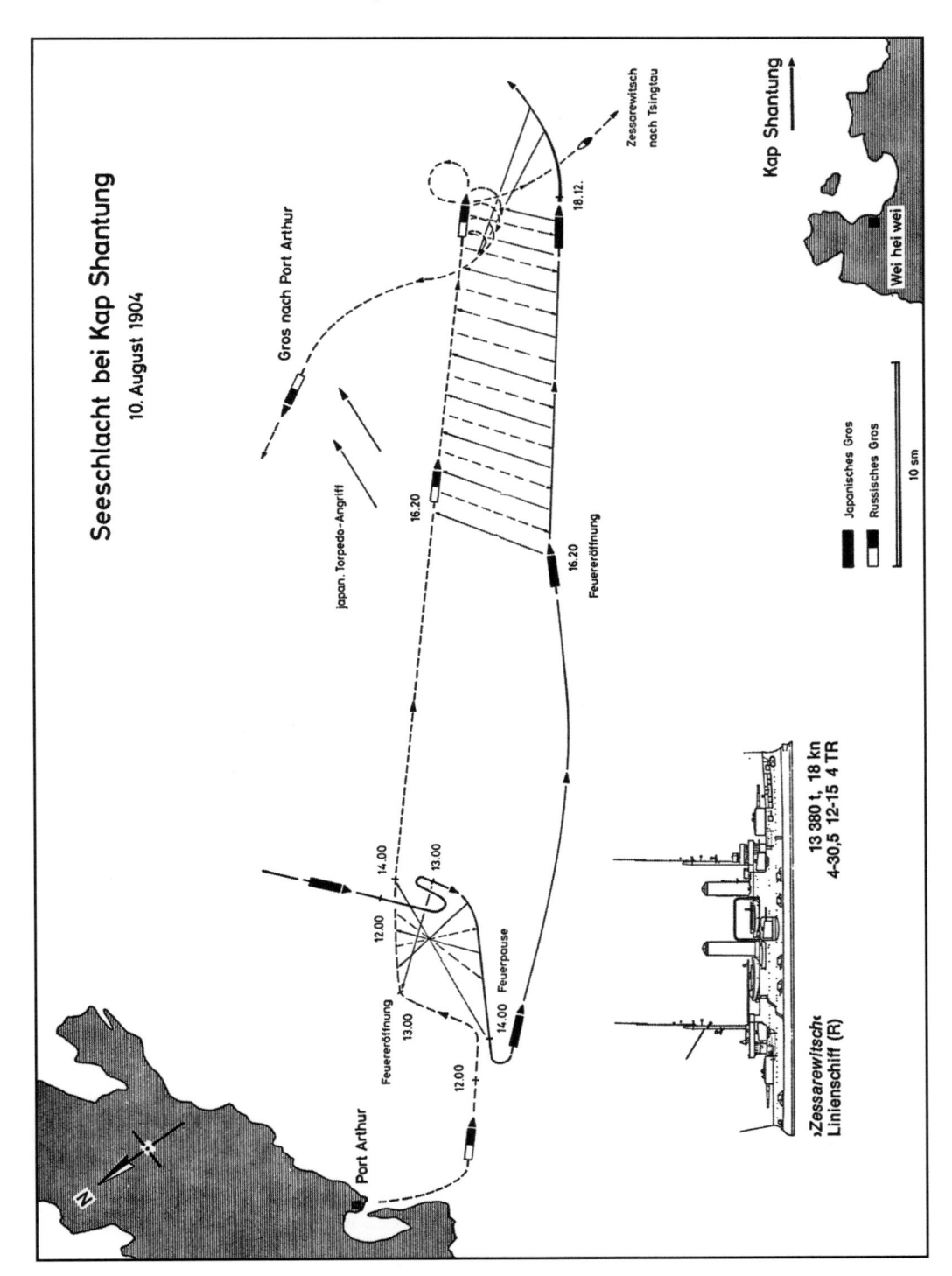

erreichen fünf Linienschiffe, ein Kreuzer und neun Zerstörer. >Zesarewitsch< und drei Zerstörer gehen nach dem deutschen Tsingtau/Quingdao, der Kreuzer >Askold< und ein Zerstörer nach Shanghai, der Kreuzer >Diana< nach Saigon. Diese Schiffe werden interniert. Nur der Kleine Kreuzer >Nowik< geht östlich von Japan Richtung Wladiwostok und wird bei Sachalin von japanischen Kreuzern auf den Strand gejagt. Die japanische Flotte bleibt voll einsatzfähig. Die Russen haben 343, die Japaner 226 Tote und Verwundete zu beklagen.

1904

In **Wladiwostok** verfügen die Russen über drei Panzerkreuzer und einen Kreuzer, mit denen sie Handelskrieg im Japanischen Meer führen.

In den Monaten Februar, April, Juni und Juli unternimmt das Kreuzergeschwader von Wladiwostok Vorstöße und erobert und vernichtet mehrere japanische Handelsschiffe. Der letzte Vorstoß führt die Kreuzer sogar bis in die Gewässer vor Yokohama.

14. August

Seegefecht in der Koreastraße. Unter Konteradmiral Jessen sind die Panzerkreuzer >Rossija< (13.900), >Gromoboi< (13.430) und >Rjurik< (11.690) nach Süden unterwegs, um den Durchbruch des Ersten Pazifischen Geschwaders zu unterstützen. Alle Schiffe haben ihre schwere Artillerie (20,3 und 15 cm) in der alten Breitseitaufstellung. Im Morgengrauen des 14. August treffen sie mit Südkurs auf die japanischen Panzerkreuzer >Idzumo< (9900), >Azuma< (9500), >Tokiwa< (9900) und >Iwate< (9900) sowie zwei Kreuzer unter Vizeadmiral Kamimura.

Admiral Jessen wendet auf Kurs Ost und es beginnt ein laufendes Gefecht auf Entfernungen von rund 70 hm. Die etwas schnelleren Japaner beginnen ihren Gegner allmählich zu überflügeln. Die Russen gehen daher auf Kurs Nordwest. Bei der Drehung erhält die schon mehrmals getroffene >Rjurik< einen schweren Treffer in das Heck, kann nur mehr mit den Maschinen steuern und langsame Fahrt machen. Jessen kann dem Schiff keine Hilfe bringen und dreht ab. Die beiden Leichten Kreuzer versenken die >Rjurik<, die Panzerkreuzer setzen die Verfolgung fort, brechen sie aber bald wegen des guten Feuers der Russen wieder ab.

Die beiden entkommenen Schiffe treten als Handelsstörer nicht mehr in Erscheinung. Bis auf weiteres besitzen die Japaner die unumschränkte Seeherrschaft im Gelben Meer.

In der **Ostsee** ist seit Kriegsbeginn ein zweites Geschwader für den Pazifik in der Ausrüstung, zu dem einige in der Überholung befindliche Schiffe gehören. Ferner werden je vier in Bau befindliche Linienschiffe und Kreuzer beschleunigt fertiggestellt.

30. August–
4. September
1904

Landkrieg. Die japanische Hauptarmee stößt in die Mandschurei vor. In der Schlacht von Liao-yang siegen die Japaner unter FM Oyama über die etwas stärkeren Russen unter Gen. Kuropatkin und drängen sie nach Mukden zurück.

Oktober 1904

Das **Zweite Pazifische Geschwader** unter Vizeadmiral Roschestwenskij läuft von der Ostsee nach Ostasien aus.

22. Oktober
1904

Die Russen beschießen beim Passieren der Doggerbank in der Nacht irrtümlich eine englische Fischereiflottille, die sie für japanische Torpedoboote halten.

Die nach der Seeschlacht bei Kap Shantung nach **Port Arthur** zurückgekehrten Schiffe des Ersten Pazifischen Geschwaders werden dort repariert, unter-

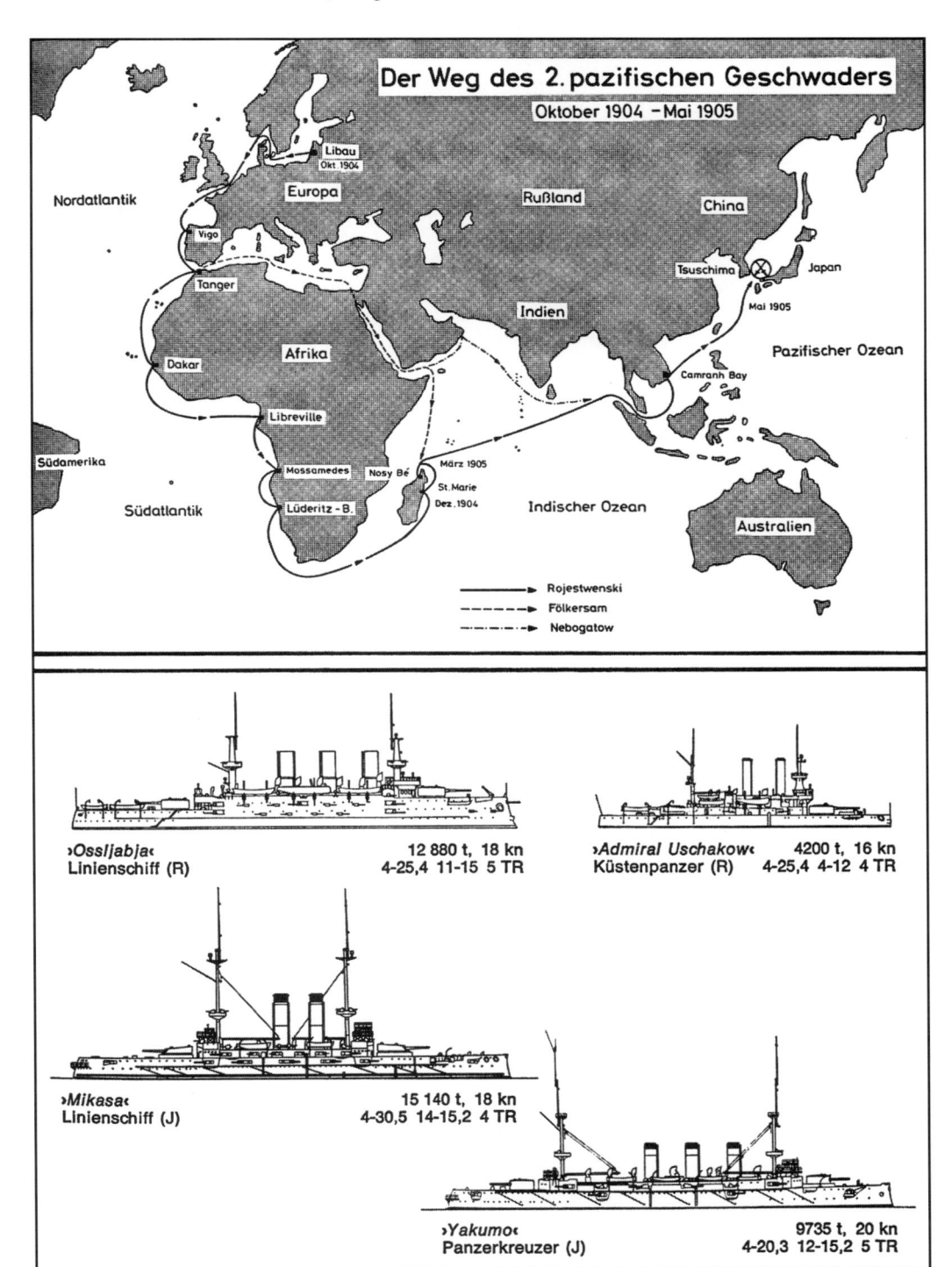

Der Weg des 2. pazifischen Geschwaders
Oktober 1904 – Mai 1905

→ Rojestwenski
--→ Fölkersam
-·-·→ Nebogatow

›Ossljabja‹ Linienschiff (R) — 12 880 t, 18 kn — 4-25,4 11-15 5 TR

›Admiral Uschakow‹ Küstenpanzer (R) — 4200 t, 16 kn — 4-25,4 4-12 4 TR

›Mikasa‹ Linienschiff (J) — 15 140 t, 18 kn — 4-30,5 14-15,2 4 TR

›Yakumo‹ Panzerkreuzer (J) — 9735 t, 20 kn — 4-20,3 12-15,2 5 TR

	nehmen aber keinen Ausbruchsversuch mehr. Sie greifen zunächst mit ihrer Artillerie in die Landkämpfe ein, geben dann aber immer mehr Personal und Waffen zur Verteidigung der Landfront ab. Bis Dezember 1904 wehrt die Festung die japanischen Sturmangriffe erfolgreich ab.
6. Dezember 1904	Die Japaner erobern an der **Landfront** die wichtige Höhe 203. Von dort leiten sie das Feuer der Belagerungsartillerie auf die russischen Schiffe im Hafen. Noch am Tag der Feuereröffnung sinken die Linienschiffe >Retwisan< und >Pobjeda<. Die >Poltawa< ist bereits auf Grund gesetzt, die >Pereswjet< wird von den Russen selbst versenkt. Die >Sewastopol< geht auf die Außenreede, wo sie mehrere Tage lang heftige Angriffe von japanischen Zerstörern und Torpedobooten erfolgreich abwehren kann. Kurz vor dem Fall der Festung wird sie von den Russen im tiefen Wasser versenkt.
Dezember 1904	Vizeadmiral Roschestwenskij trifft mit dem **Zweiten Pazifischen Geschwader** vor Madagaskar ein. Für die Fahrt rund um Afrika und Asien werden die Russen von gecharterten Frachtern der HAPAG mit Kohle versorgt. Die Briten weigern sich, ihre weltweiten Kohlestationen zur Verfügung zu stellen.
2. Jänner 1905	Die Festung Port Arthur kapituliert.
24. Februar– 10. März 1905	**Landkrieg.** Die Entscheidung des Landkrieges in der Mandschurei fällt in der Schlacht bei Mukden. Die rund 310.000 Russen unter Gen. Kuropatkin werden von der japanischen Hauptarmee von 314.000 Mann unter FM Oyama angegriffen. Nach zwei Wochen Kampf muß Kuropatkin nach Norden zurückweichen. Die ebenfalls erschöpfte japanische Armee folgt nur zögernd und vorsichtig. Die Japaner verlieren rund 41.000 Mann an Toten und Verwundeten, die Russen 96.000 Mann, davon 20.000 Gefangene. Bei dieser Schlacht sind um 120.000 Kombattanten mehr (!) beteiligt als in der Völkerschlacht bei Leipzig 1813.
März 1905	Das **Zweite Pazifische Geschwader** setzt seinen Marsch von Madagskar aus fort. Vor Indochina erwartet Roschestwenskij ein durch den Suezkanal nachgesandtes Geschwader von einigen älteren Küstenpanzerschiffen.
Ende Mai	Das vereinigte Zweite Pazifische Geschwader nähert sich der Küste von Korea. Durch guten Informationsdienst und Einsatz von drahtlosem Funk ist Admiral Togo über die Bewegungen des russischen Geschwaders informiert. Er erwartet den Gegner in der Straße von Korea südlich der Insel Tsushima.
27. und 28. Mai 1905	**Seeschlacht bei Tsushima.** Die Stärke der Flotten beträgt:

Japaner unter VAdm. Togo	Russen unter VAdm. Roschestwenskij
Linienschiff >Mikasa<, F	Linienschiff >Knjas Suworow< F +
Linienschiff >Shikishima<	Linienschiff >Imperator Alexander III.< +
Linienschiff >Fuji<	Linienschiff >Borodino< +
Linienschiff >Asahi<	Linienschiff >Orel<
Panzerkreuzer >Nishin<	Linienschiff >Ossljabja< +
Panzerkreuzer >Kasuga<	Linienschiff >Sissoi Weliki< +
Panzerkreuzer >Idzumo<	Linienschiff >Nawarin< +
Panzerkreuzer >Azuma<	Linienschiff >Imperator Nikolai I.<
Panzerkreuzer >Tokiwa<	Panzerkreuzer >Admiral Nachimow<

Krieg Japan gegen Rußland
1904 - 1905
Landoperationen- und Schlachten

Mandschurei (gehört zu China)

Rußland
Wladiwostok

Mukden/Shen-yang
X 24. Feb. - 10. März 1905

30. Aug. - 4. Sept.
X Liao-yang

Landung der Japaner
Pyöngyang

Port Arthur ⊗ 8./9. Feb. 1904

⊗ 10. Aug. 1904
Wei hei wei ○ ⊕ Kap Shantung

Tschemulpo
Landung der Japaner

Seoul

Gebirge Korea

Vorstöße russischer Kreuzer

Japanisches Meer

Korea

Pusan

Koreastraße
14. Aug. 1904 ⊗

27. u. 28. Mai 1905
Tsuschima ⊗

Gelbes Meer

Japaner unter VAdm. Togo	Russen unter VAdm. Roschestwenskij
Panzerkreuzer >Jakumo<	Küstenpanzer >General Admiral Apraxin<
Panzerkreuzer >Asama<	Küstenpanzer >Admiral Senjawin<
Panzerkreuzer >Iwate<	Küstenpanzer >Admiral Uschakow<
3 alte Panzerkreuzer	2 alte Panzerkreuzer
2 alte Panzerschiffe	6 Kreuzer
14 Kreuzer	1 Hilfskreuzer
21 Zerstörer	9 Zerstörer
viele Torpedoboote, Kanonenboote und Hilfskreuzer	8 Hilfsschiffe

27. Mai   Die russische Flotte wird von Aufklärern gesichtet, die japanische Flotte durch Funksprüche alarmiert.

5.00 Uhr   Roschestwenskij bildet Gefechtslinie mit Kurs Nordost.

13.40 Uhr   Die japanische Schlachtflotte kommt in Sicht. Der russische Troß wird, gedeckt durch die Kreuzer, entlassen. Togo geht nordwestlich von den Russen, in 7000 Metern Entfernung, auf Kurs Ostnordost.

14.10 Uhr   Von beiden Seiten wird das Feuer eröffnet. Die Japaner konzentrieren sich zunächst auf die russischen Spitzenschiffe.

14.30 Uhr   Die >Osslajabja< wird als erste schwer getroffen, schert aus der Linie aus und kentert gut eine halbe Stunde später. Die schnelleren japanischen Schiffe umfassen die russische Linie und zwingen sie zum Abdrehen nach SO.

15.00 Uhr   Die >Suworow< ist bewegungsunfähig geschossen, ein Zerstörer nimmt den verwundeten Roschestwenskij mit einem Teil seines Stabes an Bord. Das russische Schiff wird um 19.30 Uhr von japanischen Zerstörern mit Torpedos versenkt. Unter der Führung von >Imperator Alexander III.< gehen die russischen Schiffe wieder auf Kurs Nord. Togo folgt auf diesem Kurs und überflügelt die russische Linie erneut, so daß diese wieder nach Süden ausweichen muß.

16.00 Uhr   In Nebel, Rauch und Pulverqualm kommen die Schlachtflotten gegenseitig außer Sicht. Gleichzeitig mit dem Kampf der Schlachtflotten entspinnt sich ein heftiges Gefecht zwischen den Kreuzergeschwadern etwas südlich des Hauptkampfes. Im starken Seegang sind die Trefferaussichten der Kreuzer jedoch gering. Zeitweise von der 3. Division (den Küstenpanzerschiffen) unterstützt, können die russischen Kreuzer den überlegenen Gegner abweisen.

18.00 Uhr   Konteradmiral Nebogatow, der Führer der 3. Division, übernimmt den Befehl über die russische Flotte, da Roschestwenskij zeitweise bewußtlos ist.

18.10 Uhr   Die russische Flotte ist wieder fast vollständig versammelt und nimmt den Kurs auf Wladiwostok erneut auf.

18.20 Uhr   Die japanischen Linienschiffe entdecken die russische Flotte erneut im Nordwesten und laufen zum Angriff an. Der Artilleriekampf ist bald wieder in vollem Gange. Die zum Teil schon schwer beschädigten russischen Schiffe erhalten erneut Treffer.

19.00 Uhr   >Imperator Alexander III.< sinkt.

19.30 Uhr   >Borodino< fliegt in die Luft.
Togo zieht kurz darauf seine schweren Einheiten aus dem Kampf und schickt die Zerstörer und Torpedoboote zum Nachtangriff vor.

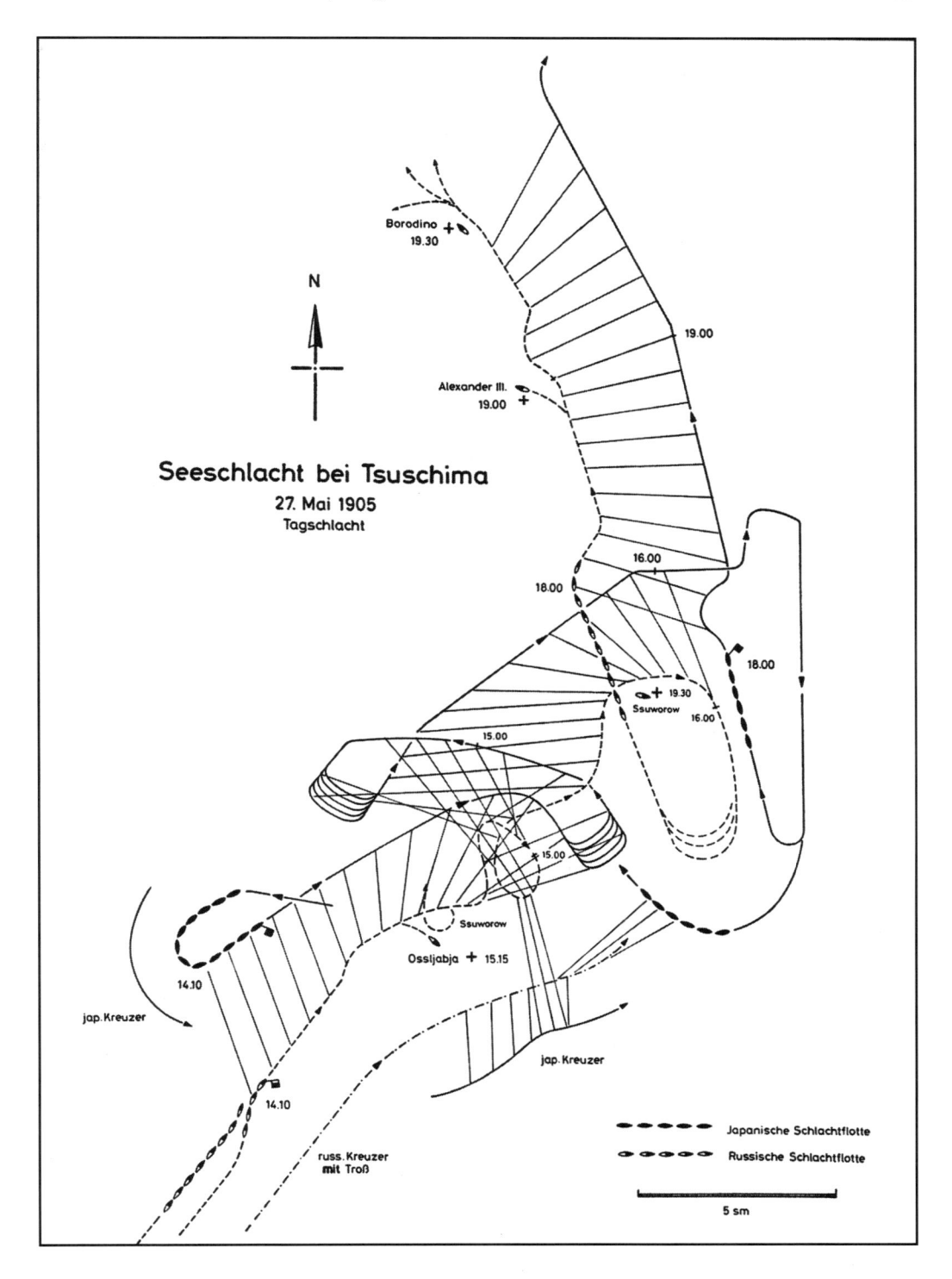

Seeschlacht bei Tsuschima
27. Mai 1905
Tagschlacht

20.30–24.00 Uhr	Diese treffen auf heftige Gegenwehr und erleiden auch einige Verluste. Auf mehreren russischen Schiffen erzielen sie trotzdem Torpedotreffer. >Nawarin< sinkt schließlich um zwei Uhr, >Admiral Nachimow< folgt um fünf Uhr. >Sissoi Weliki< hält sich noch bis zum Morgen, sinkt dann aber ebenfalls. Der Großteil der russischen Schiffe hält den Kurs nach Norden durch, drei Kreuzer und einige weitere Schiffe fliehen nach Süden. Die Kreuzer lassen sich in Manila internieren.
28. Mai	Am Morgen hat Konteradmiral Nebogatow noch die Linienschiffe >Imperator Nikolai I.< und >Orel<, die Küstenpanzer >Admiral Senjawin< und >Admiral Apraxin< sowie einen Kreuzer bei sich.
10.30 Uhr	Als er von der japanischen Flotte gestellt wird, läßt er die weiße Flagge hissen und übergibt die noch kampffähigen Schiffe den Japanern, um weiteres unnötiges Blutvergießen zu verhindern. Nur der Kreuzer kann entkommen, strandet aber später.
18.00 Uhr	Der langsam folgende Küstenpanzer >Admiral Uschakow< verweigert die Übergabe und geht kämpfend unter. Auch der alte Panzerkreuzer >Dimitri Donskoi< wehrt am 28. Mai mehrere Angriffe von Kreuzern und Zerstörern ab und wird erst am nächsten Tag um sieben Uhr von der eigenen Besatzung versenkt. Am Nachmittag wird auch der Zerstörer mit Roschestwenskij an Bord von den Japanern gestellt und auf Befehl des russischen Stabschefs übergeben. Roschestwenskij gerät schwer verwundet in Gefangenschaft.

Nur einem Kreuzer und zwei Zerstörern gelingt es, nach Wladiwostok zu entkommen. Die Seeschlacht bei Tsuschima ist eine der wenigen durchgefochtenen, entscheidenden Seeschlachten der Geschichte. Die russischen Verluste sind gewaltig:

von 8 Linienschiffen:	6 gesunken	2 genommen	
von 3 Küstenpanzerschiffen:	1 gesunken	2 genommen	
von 3 Panzerkreuzern:	3 gesunken		
von 6 Kreuzern:	2 gesunken	3 interniert	
von 9 Zerstörern:	5 gesunken	1 genommen	1 interniert
von 8 Transportschiffen:	4 entkommen.		

Die Russen haben 5000 Tote, 500 Verwundete und 6000 Gefangene zu beklagen. Den Japanern kostet der Sieg 600 Tote und Verwundete, drei Torpedoboote sind gesunken, zwei Kreuzer schwer beschädigt. Bei der Schlachtflotte haben nur drei Schiffe größere Schäden.

Juni 1905	**Meuterei.** Im Schwarzen Meer meutert die Mannschaft des russischen Linienschiffes >Knjas Potjomkin Tawritschewski<. Der Kommandant und sechs Offiziere werden ermordet und die rote Flagge gesetzt. Zeitweise schließen sich auch andere Schiffe der Meuterei an. Erst am 8. Juli übergeben die Meuternden das Schiff in Konstanta den rumänischen Behörden und lassen sich internieren.
1905	Japanische Seestreitkräfte unterstützen Truppenlandungen gegen schwachen Widerstand auf der Insel Sachalin.
5. September 1905	Auf Vermittlung der Vereinigten Staaten von Amerika kommt der **Friede von Portsmouth**, USA, zustande. Rußland tritt die Südhälfte der Insel Sachalin an Japan ab, anerkennt dessen Okkupation der Halbinsel Kwantung mit Port Ar-

Seeschlacht bei Tsuschima
28. Mai 1905
2. Tag

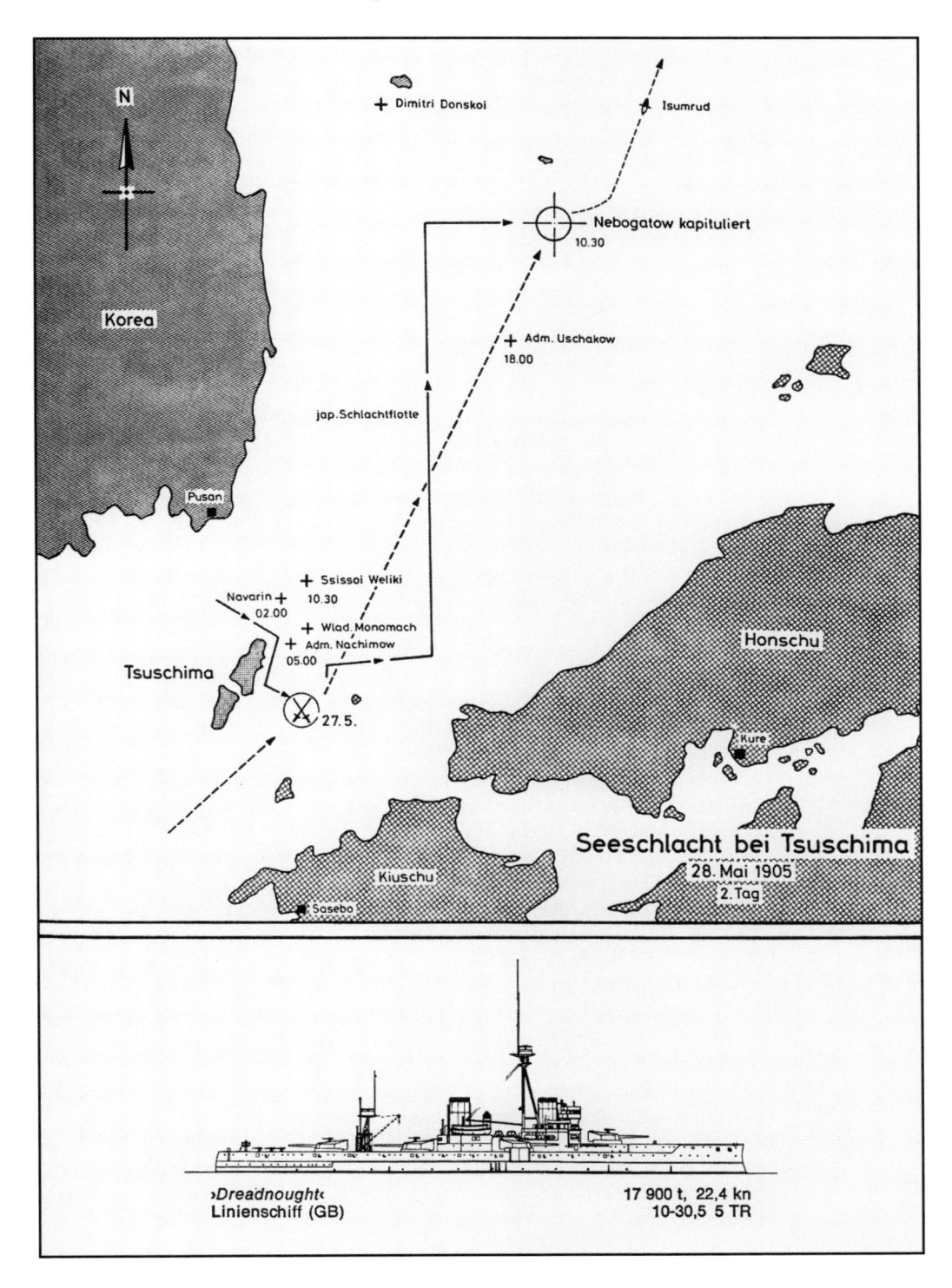

- Dimitri Donskoi
- Isumrud
- Nebogatow kapituliert 10.30
- Adm. Uschakow 18.00
- jap. Schlachtflotte
- Navarin 02.00
- Ssissoi Weliki 10.30
- Wlad. Monomach
- Adm. Nachimow 05.00
- 27.5.

Korea — Pusan
Tsuschima
Honschu — Kure
Kiuschu — Sasebo

›Dreadnought‹ Linienschiff (GB) — 17 900 t, 22,4 kn, 10-30,5 5 TR

	thur, läßt Japan freie Hand in Korea und schließt ein Handels- und Fischereiabkommen. Beide Staaten verpflichten sich zur Räumung der Mandschurei.
10. September 1905	**Unglück.** In der Marinestation Sasebo in Japan fliegt das japanische Flottenflaggschiff >Mikasa< nach innerer Explosion in die Luft. Über 250 Tote und fast 350 Verletzte sind zu beklagen. Das Schiff wird gehoben und wieder repariert.
Oktober 1905	**Norwegen** löst sich von Schweden und wird ein selbständiges Königreich, das schnell international anerkannt wird.
1906	**Schiffbau.** Stapellauf des ersten Großlinienschiffes, der britischen >Dreadnought<, nach der Marineplanung unter dem Ersten Seelord John Fisher of Kilverstone.
12. März 1907	**Unglück.** In einem Dock im Hafen von Toulon wird das französische Linienschiff >Iéna< (12.050) durch Explosion der eigenen Munition vernichtet. Es gibt 103 Tote.
1907	**Haager Konvention (Zweite Haager Friedenskonferenz)** über das internationale Seerecht. Die Pariser Deklaration von 1856 wird erweitert. Bewaffnete Handelsschiffe werden dann als reguläre Kriegsschiffe betrachtet, wenn sie in der Liste der Kriegsschiffe geführt werden und eine Marinebesatzung haben. Ferner regelt sie die Rechtsstellung von Lazarettschiffen im Krieg.
16. Dezember 1907–22. Februar 1909	**Die „Große Weiße Flotte".** Die US-Schlachtflotte von 16 Linienschiffen unternimmt eine 15 Monate dauernde Weltreise. Sie läuft dabei unter anderem Häfen in Hawaii, Neuseeland, Australien, Japan, China, Ceylon und dem Mittelmeer an.
30. April 1908	**Unglück.** Bei den Pescadores-Inseln fliegt der japanische Kreuzer >Matsushima< (4300) nach innerer Explosion in die Luft. Rund 200 Tote. Er ist 1894 Flaggschiff von Admiral Ito bei der Seeschlacht vor dem Yalu gewesen.
30. Mai 1908	**Schiffbruch.** Das britische Linienschiff >Montagu< (14.000) strandet im Nebel auf einer Untiefe im Bristolkanal und wird ein Totalverlust.
1908	**Technik.** Erfindung des Kreiselkompasses durch Anschütz-Kaempfe.
4. Oktober 1910	**Revolution in Portugal.** Beim Sturz der Monarchie und der Machtübernahme der Republikaner schließen sich die Kleinen Kreuzer >Adamastor< (1700) und >São Raphael< (1800) den Aufständischen an. Sie beschießen den Königspalast und das königstreue Flottenflaggschiff, den Geschützten Kreuzer >Dom Carlos< (4300), das daraufhin zur Übergabe gezwungen wird. Die Schiffe tragen damit zum Erfolg der Revolution bei.
14. November 1910	**Fliegerei.** Die Kriegsmarinen suchen Flugzeuge für ihre Zwecke einzusetzen. Dazu werden manchmal Apparate an Bord eingeschifft. An diesem Tag gelingt dem US-Amerikaner Eugene Ely erstmals der Start mit einem Radflugzeug von dem Kreuzer >Birmingham< mit einer provisorischen Startrampe in der Chesapeake-Bucht.
18. Jänner 1911	Schon zwei Monate später landet Eugene Ely als erster Flieger auf einem provisorischen Landedeck am Panzerkreuzer >Pennsylvania<.
22. November 1910	**Revolution in Brasilien.** Die neuen Schlachtschiffe >São Paulo< und >Minas Geraes< (je 21.200) beschießen Rio de Janeiro, bis ihren Forderungen entsprochen wird. Drei Wochen später beschießen die Schiffe noch die meuternde Marinestation auf der Insel Cobras vor der Stadt.

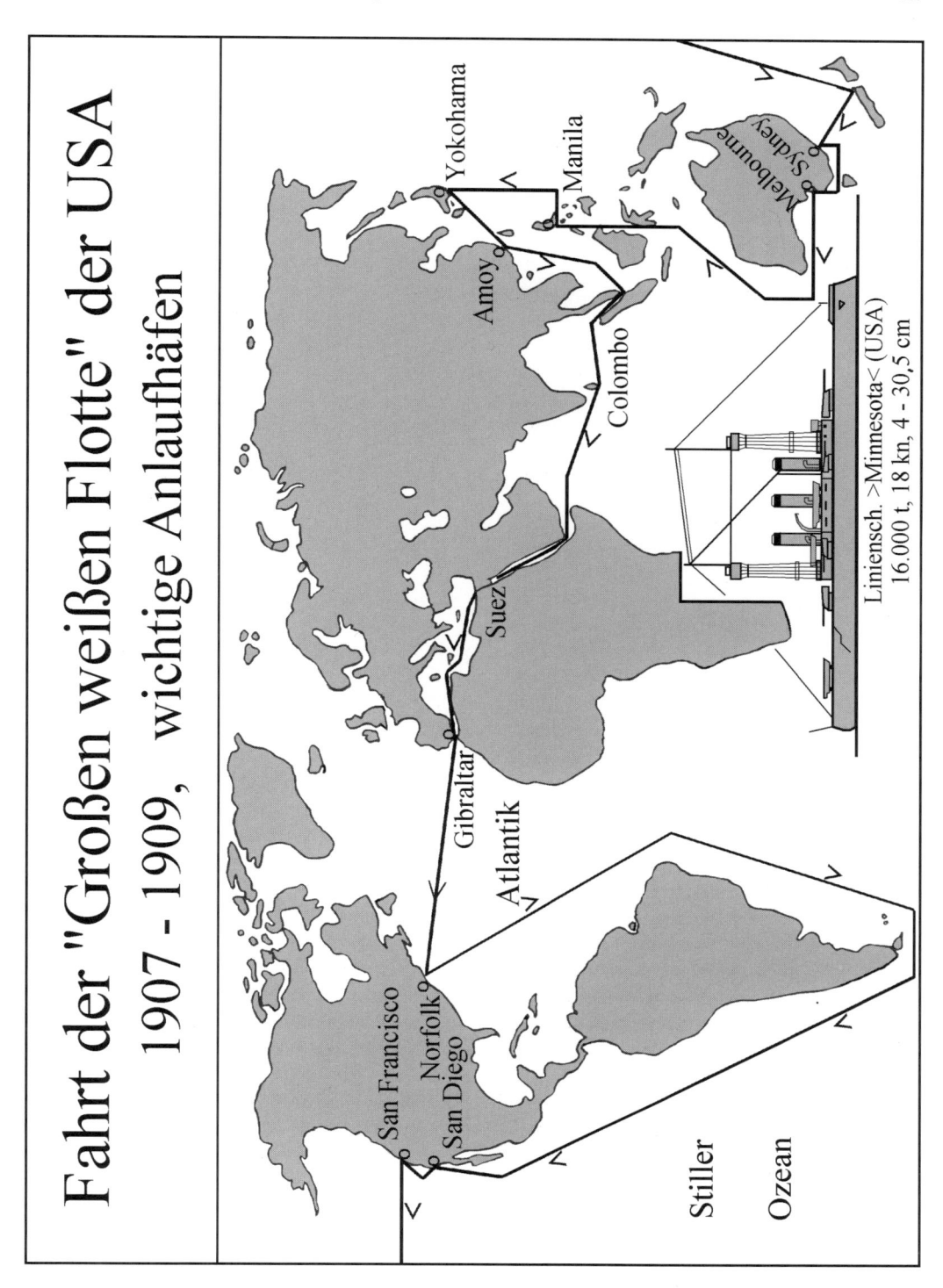

Fahrt der "Großen weißen Flotte" der USA 1907 – 1909, wichtige Anlaufhäfen

San Francisco · San Diego · Norfolk · Atlantik · Gibraltar · Suez · Colombo · Amoy · Yokohama · Manila · Melbourne · Sydney · Stiller Ozean

Liniensch. >Minnesota< (USA) 16.000 t, 18 kn, 4 – 30,5 cm

10. Juli 1911	**Peru und Kolumbien** liegen im Streit um die Grenzziehung im Amazonasgebiet. Das peruanische Kanonenboot >America< und ein Truppentransporter erobern die Stadt La Pedrerea an einem Nebenfluß des Amazonas.
25. September 1911	**Unglück.** Im Hafen von Toulon fliegt das französische Linienschiff >Liberté< (14.870) nach Explosion einer Munitionskammer in die Luft. Es werden 204 Menschen getötet.
1911	**Agadir-Zwischenfall.** Deutschland schickt zur Wahrung seiner Interessen das Kanonenboot >Panther< nach Marokko (bekannt als „Panthersprung"). Es muß sich aber auf Grund der profranzösischen Haltung von Großbritannien wieder zurückziehen und festigt nur die Entente Frankreich-Großbritannien.
1911	**Literatur.** Der Engländer Julian Corbett veröffentlicht sein Werk „*Some Principles of Maritime Strategy*". Es ist die umfassendste und genaueste Studie zu diesem Thema zu Beginn des 20. Jahrhunderts.

1911–1912 Der Seekrieg Italien gegen die Türkei

	Wegen Unruhen in Tripolitanien fordert Italien ultimativ die Abtretung dieser türkischen Provinz.
29. und 30. September 1911	Leichte italienische Seestreitkräfte vernichten vor Albanien drei türkische Torpedoboote und kontrollieren anschließend die südliche Adria und das Ionische Meer.
3. und 4. Oktober	Schwere italienische Einheiten, die Linienschiffe >Benedetto Brin< (13.430), >Emanuele Filiberto< (9800), >Sizilia< (13.300), >Sardegna< (13.900), >Re Umberto< (13.900), die Panzerkreuzer >Francesco Ferruccio< (7350), >Giuseppe Garibaldi< (7350), >Varese< (7350), >Carlo Alberto< (6500) sowie weitere Fahrzeuge, beschießen Tripolis. Landungstruppen erobern am nächsten Tag die Stadt. Am 4. Oktober wird nach kurzer Beschießung auch das schwach verteidigte Tobruk besetzt.
14. Oktober	Nach Beschuß durch den Panzerkreuzer >Pisa< (10.100) wird vier Tage später die Stadt Derna besetzt. Nach einem Monat sind die wichtigen Küstenplätze in Tripolitanien und der Cyrenaika in der Hand der Italiener. Der Vormarsch in das Landesinnere kommt jedoch nicht voran.
7. Jänner 1912	**Rotes Meer.** Die dort stationierten italienischen Seestreitkräfte, der Kreuzer >Piemonte< und zwei Zerstörer, vernichten bei einem Angriff auf die Hafenstadt Al Qunfidbah, südlich von Jiddah, die sieben dort liegenden türkischen Hilfskanonenboote. Die Kreuzer >Puglia< und >Calabria< beschießen andere Ziele an der Küste der arabischen Halbinsel.
24. Februar	Vor Beirut vernichten die italienischen Panzerkreuzer >Varese<, >Garibaldi< und >Ferruccio< das alte türkische Küstenpanzerschiff >Avn-i-Illah< (2400) und ein Torpedoboot.
	Da die Türkei die italienischen Forderungen noch immer nicht annimmt, ergreift Italien die Offensive in der Ägäis.
18. April	Die italienische Flotte beschießt die türkischen Festungen am Eingang der Dardanellen.
Mai	Gegen mäßigen Widerstand besetzen die Italiener die Insel Rhodos und die umliegenden Inseln.

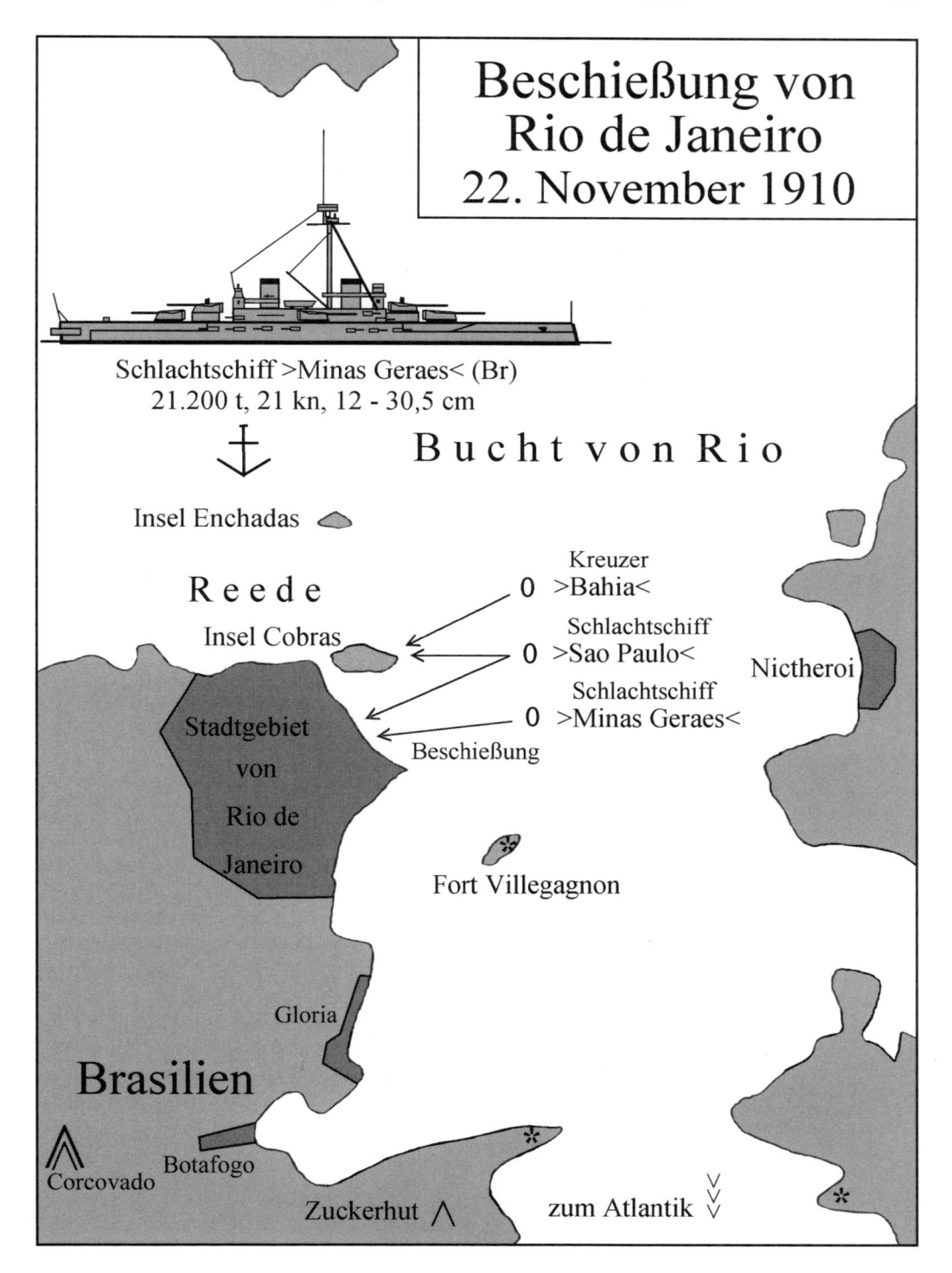

Beschießung von Rio de Janeiro
22. November 1910

Schlachtschiff >Minas Geraes< (Br)
21.200 t, 21 kn, 12 - 30,5 cm

Bucht von Rio

Insel Enchadas

Reede

Insel Cobras

Kreuzer >Bahia<
Schlachtschiff >Sao Paulo<
Schlachtschiff >Minas Geraes<

Beschießung

Nictheroi

Stadtgebiet von Rio de Janeiro

Fort Villegagnon

Gloria

Brasilien

Corcovado Botafogo
Zuckerhut

zum Atlantik

Oktober 1912 **Friedensschluß.** Mit dem Beginn der Balkankriege nimmt die Türkei die italienischen Bedingungen an und tritt Tripolitanien, die Cyrenaika und die Dodekanes an Italien ab.

1912–1913 **Technik.** Die Kriegsflotten der USA und Großbritanniens werden immer mehr auf reine Ölfeuerung umgestellt. Großbritannien schließt mit der US Eagle Oil Transport Company einen Liefergroßauftrag ab. Diese läßt dafür in Großbritannien 19 Großtanker von 9000 bis 16000 tdw bauen. Die ersten Schlachtschiffe mit Ölfeuerung sind in den USA die Einheiten der >Nevada<-Klasse.

1912 **Technik.** Der deutsche Physiker Alexander Behm ist in Wien wissenschaftlich tätig. Auf Grund der Katastrophe mit der >Titanic< macht er Versuche mit Schallortung unter Wasser und entwickelt das Echolot, das er in Österreich und Deutschland zum Patent anmeldet. Es wird zu einem wichtigen Instrument im Kampf gegen Unterseeboote.

Oktober 1912–Mai 1913: Der erste Balkankrieg

Griechenland, Serbien, Bulgarien und Montenegro entreißen der Türkei fast die ganzen Besitzungen auf dem Balkan. Die kleine griechische Flotte beherrscht die Ägäis und verhindert die türkischen Truppentransporte.

November 1912 Die türkische Flotte unterstützt mit ihrer Artillerie das Heer wirksam bei der Abwehr des bulgarischen Angriffes auf Istanbul.

31. Oktober/1. November **Ägäis.** In einem Nachtangriff auf den Hafen von Saloniki versenkt ein griechisches Torpedoboot das alte türkische Küstenpanzerschiff >Feth-i-Bülend< (2800).

16. Dezember **Erstes Treffen vor den Dardanellen.** Der türkische Flottenbefehlshaber Kpt. Ramsi Bey unternimmt mit den Linienschiffen >Heireddin Barbarossa< (10.060), >Turgut Reis< (10.060) und der alten >Messudieh< (9060) sowie dem alten Küstenpanzerschiff >Assar-i-Tewfik< (4700) einen Vorstoß in die Ägäis. Die griechische Flotte unter Konteradmiral Kondouriotis tritt ihnen mit dem neuen und schnellen Panzerkreuzer >Georgios Averoff< (10.100) und den Küstenpanzern >Hydra<, >Spezai< und >Psara< (je 5500) entgegen. Nach einstündigem Kampf auf Entfernungen von 3000 bis 7000 Metern trennen sich die Flotten ohne nennenswerte Schäden und ohne Entscheidung.

15. Jänner–17. April 1913 **Kreuzfahrt der >Hamidije< (3800).** Der türkische Kreuzer bricht aus den Dardanellen aus, vernichtet vor der Kykladeninsel Syra den griechischen Hilfskreuzer >Makedonia<, geht durch den Suezkanal in das Rote Meer, kehrt nach kurzer Kreuzfahrt wieder zurück, greift die von den Serben besetzten Hafenorte Durazzo und San Giovanni di Medua an, wo mehrere Truppentransporter versenkt werden, geht über Alexandria und Beirut erneut in das Rote Meer, wo er vom Waffenstillstand erfährt.

18. Jänner **Zweites Treffen vor den Dardanellen.** Die Flotten treffen in gleicher Stärke wie im Dezember erneut aufeinander. Nach drei Stunden Feuerwechsel trennen sich die Verbände. Wieder wird die türkische Flotte mit mäßigen Schäden in die Dardanellen zurückgewiesen.

6. Februar **Seeflieger.** Ein griechisches Wasserflugzeug klärt über den Dardanellen auf. Es ist der erste Kriegseinsatz eines Seeflugzeuges.

Krieg Italien gegen Türkei 1911–1912

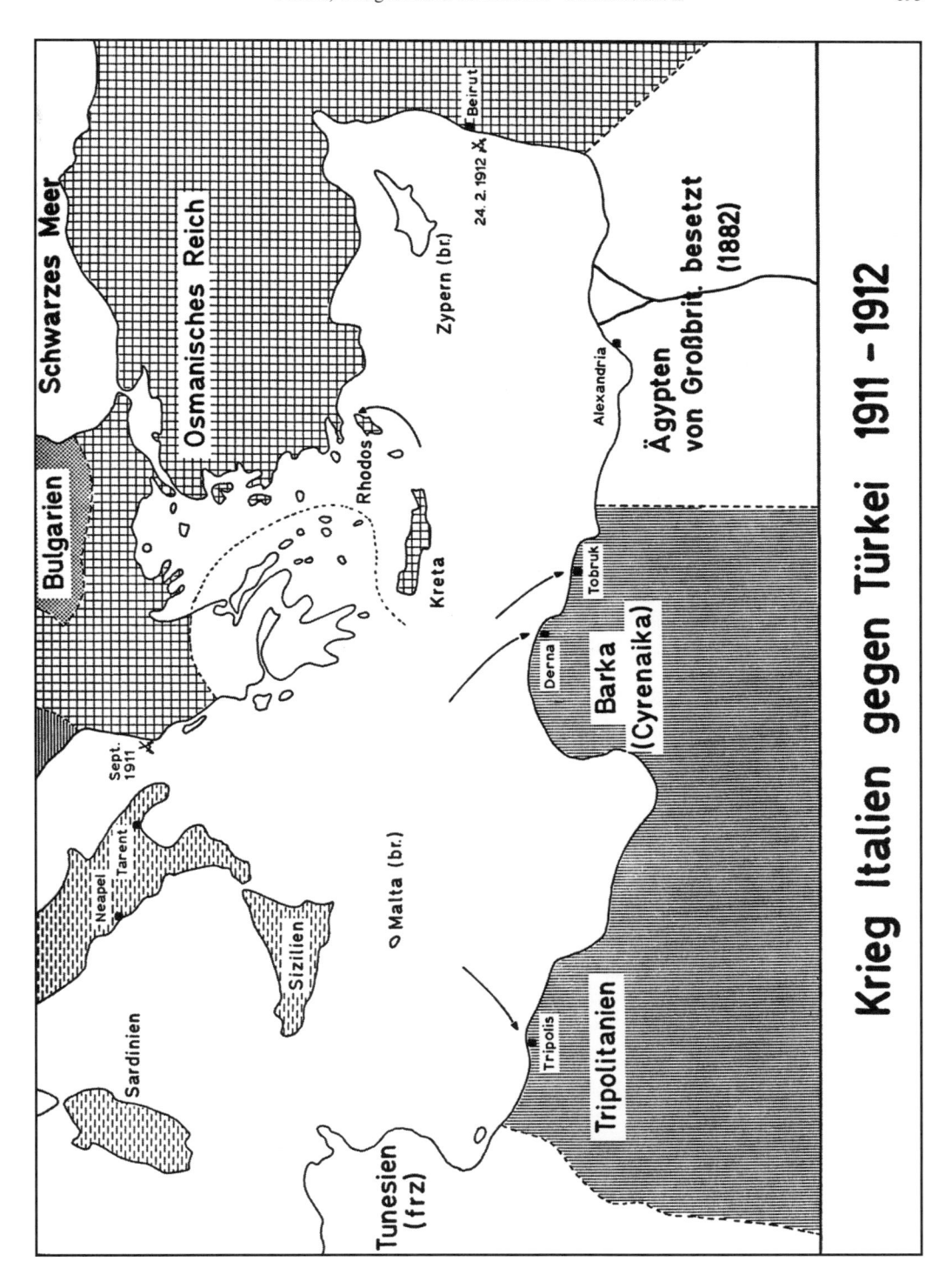

16. Februar Bei der Unterstützung der Landfront im Schwarzen Meer geht westlich des Bosporus der alte türkische Küstenpanzer >Assar-i-Tewfik<, vermutlich auf einer bulgarischen Mine, verloren.

Mai 1913 Im **Friedensvertrag** tritt die Türkei fast ihre gesamten europäischen Besitzungen ab. Um die Aufteilung der Beute führen die Siegermächte den **zweiten Balkankrieg**. Albanien erhält seine Unabhängigkeit.

Mai 1913– Anfang 1915 Beim Aufstand der Kabylen in **Spanisch Marokko** ist ein großer Teil der spanischen Flotte im Einsatz. Truppentransporter bringen Verstärkungen nach Marokko. Das alte Linienschiff >Pelayo< (9900), die Panzerkreuzer >Carlos V.< (10.000) und >Princesa de Asturias< (7500) sowie die Kreuzer >Reina Regente< (5900), >Extrematura< (2130) und >Rio de la Plata< (1950) und eine Reihe von Kanonenbooten und Küstenwachschiffen unternehmen Küstenbeschießungen. Mit dem Ausbruch des Ersten Weltkrieges werden die schweren Einheiten an die spanische Küste und zu den Kanarischen Inseln zur Küstenüberwachung verlegt.

22. April 1914 **Mexiko.** In der Auseinandersetzung der USA mit der revolutionären Regierung landen Seesoldaten und Matrosen bei Vera Cruz und erobern mit Feuerunterstützung durch die Kreuzer >Chester< (3750) und >San Francisco< (4090) sowie des Hilfskreuzers >Prairie< die Stadt. US-Marineflieger, denen das Linienschiff >Mississippi< (13.000) als Mutterschiff dient, sind ebenfalls an der Operation beteiligt. Auf Vermittlung von Argentinien, Brasilien und Chile wird der Streit beigelegt.

15. August 1914 Eröffnung des **Panamakanals** (15. August) und Fertigstellung der Verbreiterung und Vertiefung des **Nord-Ostsee-Kanals**, den nun auch Großkampfschiffe passieren können.

Erster Balkankrieg 1912 – 1913

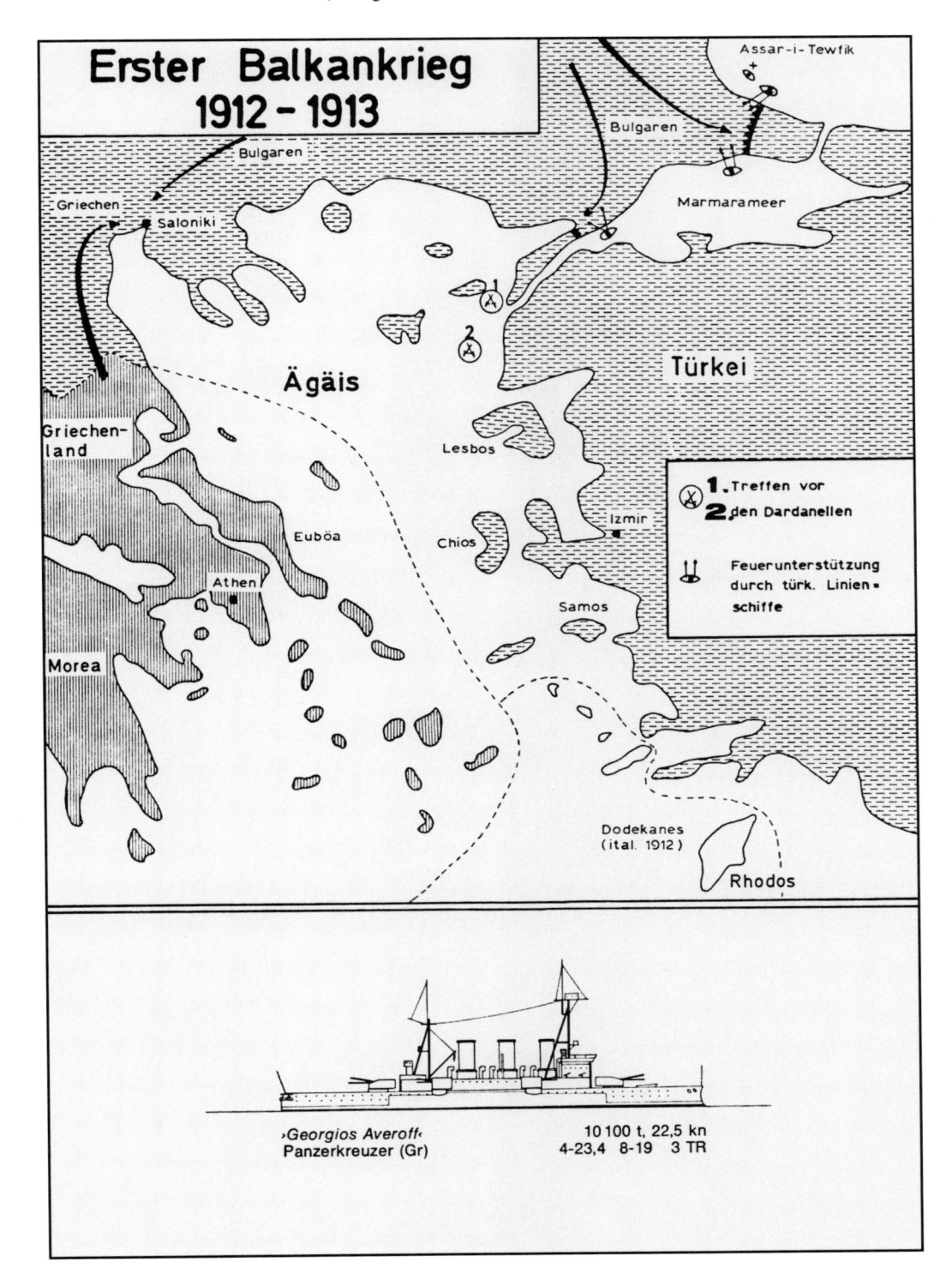

Assar-i-Tewfik
Bulgaren
Marmarameer
Bulgaren
Griechen
Saloniki
Türkei
Ägäis
Griechenland
Lesbos
Euböa
Izmir
Chios
Athen
Samos
Morea
Dodekanes (ital. 1912)
Rhodos

1. Treffen vor
2. den Dardanellen

Feuerunterstützung durch türk. Linienschiffe

›Georgios Averoff‹
Panzerkreuzer (Gr)

10 100 t, 22,5 kn
4-23,4 8-19 3 TR

Zeit der Dampfschiffe: Der Beginn des 20. Jahrhunderts

Anhang

5. Die britische Flotte in der Seeschlacht bei Outer Gabbard, 1653

Rotes Geschwader (Zentrum)

Schiffe (Kanonen)	Besatzung	Kommandanten	Bemerkung
>Resolution< (88)	550	die Generale zur See	Flottenflaggschiff
>Worcester< (50)	220	George Dakins	
>Advice< (42)	180	Jeremy Smyth	
>Diamond< (42)	180	William Hill	
>Sapphire< (38)	140	Nicholas Heaton	
>Marmaduke< (42)	160	Edward Blagg	
>Pelican< (40)	180	Peter Mootham	
>Mairmaid< (26)	100	John King	
>Golden Fleece< (44)	180	Nicholas Forster	bew. Handelsschiff
>Loyalty< (34)	150	John Limbry	bew. Handelsschiff
>Society< (44)	140	Nicholas Lukas	bew. Handelsschiff
>Malaya Merchant< (36)	140	Henry Collins	bew. Handelsschiff
>Triumph< (62)	350	James Peacock	Vizeadmiral
>Laurel< (48)	200	John Stoakes	
>Adventure< (40)	160	Robert Nixon	
>Providence< (33)	140	John Peirce	
>Bear< (46)	200	Francis Kirby	
>Heartsease< (36)	150	Thomas Wright	
>Hound< (36)	120	Jonah Hide	
>Anne and Joyce< (34)	120	William Pilr	bew. Handelsschiff
>London< (40)	200	Arthur Browne	
>Hannibal< (44)	180	William Haddock	bew. Handelsschiff
>Mary< (37)	120	Henry Massison	
>Thomas and William< (36)	140	John Jefferson	bew. Handelsschiff
>Speaker< (56)	300	Samuel Howett	Konteradmiral
>Sussex< (46)	180	Roger Cuttance	
>Guinea< (34)	150	Edmund Curtis	
>Tiger< (40)	170	Gabriel Sanders	
>Violet< (40)	180	Henry Southwood	
>Sophia< (38)	160	Robert Kirby	
>Falmouth (26)	100	John Jeffries	
>Four Sisters< (30)	120	Robert Becke	bew. Handelsschiff
>Hamburg Merchant< (34)	110	William Jessel	bew. Handelsschiff
>Phoenix< (34)	120	Henry Eaden	
>Martin< (14)	90	Vessy	
3 Brander (je 10)	je 30		

Anhang 5., Fortsetzung

Weißes Geschwader (Vorhut)

Schiffe (Kanonen)	Besatzung	Kommandant	Anmerkung
›James‹ (66)	360	William Penn	Admiral
›Lion‹ (50)	220	John Lambert	
›Ruby‹ (42)	180	Robert Sanders	
›Assistance‹ (40)	180	William Crispin	
›Foresight‹ (42)	180	Richard Stayner	
›Portsmouth‹ (38)	170	Robert Danford	
›Anne Piercy‹ (33)	130	Thomas Ware	bew. Handelsschiff
›Peter‹ (32)	100	John Littleton	
›Exchange‹ (30)	100	Henry Tedman	bew. Handelsschiff
›Merlin‹ (12)	90	George Crapnell	
›Richard and Martha‹ (46)	180	Eustace Smith	bew. Handelsschiff
›Sarah‹ (34)	140	Francis Steward	bew. Handelsschiff
›Lissa Merchant‹ (38)	160	Simon Baily	bew. Handelsschiff
›Victory‹ (60)	300	Lionel Lane	Vizeadmiral
›Centurion‹ (42)	200	Walter Wood	
›Expedition‹ (32)	140	Thomas Foules	
›Gillyflower‹ (32)	120	John Heyward	
›Middelburg‹ (32)	120	Thomas Withing	
›Raven‹ (38)	140	Robert Taylor	
›Exchange‹ (32)	120	Jeffrey Dare	bew. Handelsschiff
›Globe‹ (30)	110	Robert Coleman	
›Prudent Mary‹ (28)	100	John Tailor	bew. Handelsschiff
›Thomas and Lucy‹ (34)	125	Andrew Rand	bew. Handelsschiff
›Andrew‹ (56)	360	Thomas Graves	Konteradmiral
›Assurance‹ (36)	160	Phillip Holland	
›Crown‹ (36)	140	Thompson	
›Duchess‹ (24)	90	Richard Seafield	
›Princess Maria‹ (38)	170	Seth Hawley	
›Waterhound‹ (30)	120	Giles Shelly	
›Pearl‹ (26)	100	James Cadman	
›Reformation‹ (40)	160	Anthony Earning	
›Industry‹ (30)	100	Ban Salmon	bew. Handelsschiff
1 Brander (10)	30		

Die Geschütze sind:
„Cannon" = 32-Pfünder mit 8 Mann Bedienung;
„Demi-Cannon" = 32-Pf. mit 6 Mann; „Culverines" = 18-Pf. mit 5 Mann;
12-Pfünder mit 4 Mann; „Saker" mit 3 Mann und 3-Pfünder mit 2 Mann.

Anhang 5., Fortsetzung

Blaues Geschwader (Nachhut)

Schiff (Kanonen)	Besatzung	Kommandanten	Bemerkung
>George< (58)	350	John Lawson	Admiral
>Kentish< (50)	180	Jacob Reynolds	
>Great President< (40)	180	Francis Park	
>Nonsuch< (40)	170	Thomas Penrose	
>Success< (38)	150	William Kendall	
>Welcome< (40)	200	John Harman	
>Oak< (32)	120	John Edwin	
>Brasil< (30)	120	Thomas Heath	bew. Handelsschiff
>Eastland Merchant< (32)	110	John Walters	bew. Handelsschiff
>Adventure< (38)	160	Edward Greene	bew. Handelsschiff
>Sameritan< (30)	120	Shadrach Blake	bew. Handelsschiff
>Vanguard< (56)	390	Joseph Jordan	Vizeadmiral
>Happy Enteance< (42)	200	Richard Newbery	
>Dragon< (38)	260	John Seaman	
>Convert< (32)	120	Philip Gethings	
>Paul< (38)	120	Anthony Spatchurt	
>Gift< (34)	130	Thomas Salmon	
>Crescent< (30)	115	Thomas Thorowgood	
>Samuel Taboat< (30)	110	Joseph Ames	bew. Handelsschiff
>Benjamin< (32)	120	Robert Sparks	bew. Handelsschiff
>King Ferdinando< (36)	140	Richard Paine	bew. Handelsschiff
>Roebuck< (30)	100	Henry Fenn	
>Rainbow< (58)	300	William Goodsonn	Konteradmiral
>Convertine< (44)	210	Anthony Joyn	
>Amity< (36)	150	Henry Pack	
>Dolphin< (30)	120	Robert Davis	
>Arms of Holland< (34)	120	Francis Mandrig	
>Tulip< (32)	130	Joseph Cubitt	
>Jonathan< (30)	110	Robert Graves	bew. Handelsschiff
>Dragoneare< (3)	110	Edward Smith	bew. Handelsschiff
>William and John< (36)	120	Nathaniel Jesson	bew. Handelsschiff
>Nicodemus< (12)	40	William Ledgart	
>Blossom< (30)	110	Nathaniel Cock	bew. Handelsschiff
1 Brander (10)	30		

Es fällt auf, daß die Zahl der Besatzungsmitglieder für die starke Bestückung sehr gering ist. Außerdem sind viele Handelsschiffe nach ihrem Fahrgebiet benannt oder haben Namen, die in Beziehung damit stehen.

6. Flotten in der Seeschlacht bei Malaga, 1704

Engländer und Niederländer	Kanonen	Franzosen	Kanonen
Vorhut		**Vorhut**	
>Yarmouth<	70	>Eclatant<	70
>Norfolk<	80	>Eole<	62
>Berwick<	70	>Oriflamme<	60
>Prince George< **VAdm. Leake**	90	>St. Philippe< **VAdm. d'Infreville**	92
>Boyne<	80	>Heureux<	70
>Newark<	80	>Rubis<	56
1 Fregatte, 1 Brander		>Arrogant<	60
>Lenox<	70	>Marquis<	56
>Tilbury<	50	>Constant<	68
>Swifture<	70	>Fier< **VAdm. Villette-Murcai**	88
>Barfleur< **Adm. Shovell**	96	>Intrepide<	84
>Orford<	70	>Excellent<	60
>Assurance<	66	>Sage<	56
>Nottingham<	60	>Ecureuil<	64
>Warspite<	70	>Magnifique<	86
1 Fregatte		>Monarque<	88
3 Brander		>Perle<	54
		8 Galeeren	
Zentrum		2 Sloops	
>Burford<	70	3 Brander	
>Monck<	60		
>Cambridge<	80	**Zentrum**	
>Kent< **KAdm. Dilkes**	70	>Furieux<	60
>Royal Oak<	76	>Vermandois<	60
>Suffolk<	70	>Parfeit<	74
>Bedford<	70	>Tonnant< **KAdm. de Bellisle**	92
2 Fregatten		>Orgueilleix<	86
1 Brander		>Mercure<	54
>Shrewsbury<	80	>Sérieux<	58
>Monmouth<	70	>Fleuron<	56
>Eagle<	70	>Vainqueur<	88
>Royal Katherine< **Adm. G. Rooke**	90	>Foudroyant< **Adm. de Toulouse**	104
>St. George<	96	>Terrible<	96
>Montagu<	60	>Entreprenant<	58
>Nassau<	70	>Fortune<	58
>Grafton<	70	>Henri<	64
2 Fregatten,		>Magnamine< **KAdm. de Pointis**	74
3 Brander		>Lys<	84
1 Sloop		>Fendant<	58
2 Bombarden		>Zelande<	58

Engländer und Niederländer	Kanonen	Franzosen	Kanonen
1 Jacht		>Saint-Louis<	60
		>Amiral< **VAdm. de Cebeville**	92
Nachhut		>Couronne<	80
>Ferme<	70	>Cheval Marin<	54
>Kingston<	60	>Diamant<	58
>Centurion<	50	6 Galeeren	
>Torbay<	80	5 Schoner	
>Ranelagh< **KAdm. G. Byng**	80	3 Brander	
>Dorsetshire<	80		
>Triton Prize<	50	**Nachhut**	
>Somerset<	80	>Gaillard<	56
>Essex<	70	>Invincible<	70
1 Galeone		>Soleil Royal< **VAdm. Langeron**	102
1 Brander		>Sceptre<	88
Niederländer		>Trident<	58
>Wapen van Vriesland<	64	>Content<	58
>Wapen van Utrecht<	64	>Maure<	58
>Graaf van Albemarle< **VAdm. Callenburgh**	64	>Toulouse<	62
>Vlissingen<	64	>Triomphant< **KAdm. Harteloire**	92
>Damiaten<	52	>Saint-Esprit<	74
>Leeuw<	64	>Ardent<	68
>Bannier<	64	8 Galeeren	
>Nijmwegen<	54	1 Fregatte	
>Karwijk<	72	2 Schoner	
>Unie< **VAdm. van Wassenaer**	90	3 Brander	
>Gelderland<	72		
>Dordrecht<	72		
kleine Fahrzeuge			

7. Verluste von England/Großbritannien an großen Kriegsschiffen 1688–1714

Datum	Schiff	K	Bemerkung
1689, 26.10.	>Pendennis<	70	gestrandet vor Kentish Knock
1689, 25.12.	>Henrietta<	62	gestrandet bei Plymouth
1690, 06.07.	>Anne<	70	nach der Schlacht bei Beachy Head verbrannt
1690, 12.10.	>Breda<	70	ohne Feindeinw. bei Cork in die Luft geflogen
1690, 16.10.	>Dreadnought<	62	vor North Foreland gesunken
1691, 03.09.	>Coronation<	90	an den Scilly-Inseln gestrandet
1691, 03.09.	>Harwich<	70	nahe Plymouth gestrandet
1691, 12.09.	>Exeter<	70	ohne Feindeinw. bei Plymouth in die Luft gefl.
1691, 04.11.	>Happy Return<	54	von den Franzosen erobert
1694, 19.02.	>Sussex<	80	vor Gibraltar im Sturm gesunken
1694, 19.02.	>Cambridge<	70	vor Gibraltar im Sturm gesunken
1694, 19.02.	>Lumley Castle<	56	vor Gibraltar im Sturm gesunken
1695, 04.02.	>Dartmouth<	52	von den Franzosen erobert
1695, 16.04.	>Hpoe<	70	von den Franzosen erobert
1696, 29.01.	>Royal Sovereign<	100	im Medway abgebrannt
1700, 19.09.	>Carlisle<	60	ohne Feindeinw. in den Downs in die Luft gefl.
1702, 24.11.	>York<	60	vor Harwich gestrandet
1702, 27.11.	>Vanguard<	90	im Medway außer Dienst gesunken
1702, 27.11.	>Restoration<	70	an den Goodwin Sanden gestrandet
1702, 27.11.	>Stirling Castle<	70	an den Goodwin Sanden gestrandet
1702, 27.11.	>Resolution<	70	vor Sussex gestrandet
1702, 27.11.	>Northumberland<	70	an den Goodwin Sanden gestrandet
1702, 27.11.	>Mary<	60	an den Goodwin Sanden gestrandet
1704, 12.11.	>Elisabeth<	70	von den Franzosen erobert
1705, 11.08.	>Plymouth<	60	gesunken mit ganzer Besatzung
1707, 21.03.	>Resolution<	70	selbst verbrannt um Eroberung zu verhindern
1707, 01.05.	>Grafton<	70	von den Franzosen erobert
1707, 01.05.	>Hampton Court<	70	von den Franzosen erobert
1707, 10.10.	>Cumberland<	80	von den Franzosen erobert
1707, 10.10.	>Devonshire<	80	im Kampf in die Luft geflogen
1707, 22.11.	>Association<	90	an den Scilly-Inseln gestrandet
1707, 22.10.	>Eagle<	70	an den Scilly-Inseln gestrandet
1709, 05.01.	>Arrogant<	60	gesunken mit der ganzen Besatzung
1709, 29.12.	>Pembroke<	64	von den Franzosen erobert
1711, 10.01.	>Resolution<	70	bei Barcelona gestrandet
1711, 09.10.	>Edgar<	70	ohne Feindeinw. bei Spithead in die luft gefl.
1711, 09.11.	>Restoration<	70	bei Livorno gestrandet

Achtung! Die Zeitangaben sind noch nach dem alten Kalender.

K = Kanonen; gefl. = geflogen; Feindeinw. = Feindeinwirkung

8. Spanische Flotte beim Angriff auf Sizilien, 1718

Schiff	K.	Besatzung	Bemerkung
>San Felipe el Real<	74	550	Flaggschiff Adm. Antonio Gatañeta
>La Real<	62	450	KAdm. Marqués de Mari
>Principe de Asturias<	72	450	KAdm. Fernando Chacón
>San Luis<	60	450	KAdm. Baltasar de Guevara
>San Fernando<	60	450	KAdm. Jorge Cammock
>Santa Isabel<	60	450	Kpt. Andrés Reggio
>San Pedro<	60	450	Kpt. Antonio Arizaga
>San Carlos<	60	450	El principe Chalois
>La Hermiona<	60	450	Kpt. Rodrigo de Bay
>Santa Rosa<	64	450	Kpt. Antonio Gonzales
>El Aquila<	36	300	
>La Juno<	36	300	
>La Sorpresa<	40	350	
>La Esperanza<	28	200	
>La Perla<	60	450	Kpt. Gabriel Alderete
>El Puerco Espin<	50	350	
>San Isidoro<	50	350	
>San Felipe<	30	200	
>El Burlandin<	50	350	
>La Galera<	40	350	
>San Fernando el Pequeño<	28	200	
>San Juanico<	22	150	
>El Volante<	40	300	
>La Tolosa<	30	200	
>El León<	20	180	
>El Tigre<	50	350	
>La Flecha<	18	180	
>San Juan<	60	450	Kpt. Francisco Guerrero
>Pingue Pintado<	40	300	
Summe			
29 Schiffe	1.360	10.110	

Dazu 7 Galeeren mit KAdm. Francisco Grimau und KAdm. Pedro Montemayer.
Der Großteil davon ist an der Seeschlacht bei Kap Passaro beteiligt.

9. Artillerie der britischen Schiffe 1743/57

Geschütz	Rohrlänge in Fuß/Inch	Rohrgewicht	Kaliber
42-Pfünder	10 / 0	65.0 centerweight	17,5 cm
32-Pfünder	9 / 6	55.0 centerweight	16,1 cm
24-Pfünder	9 / 6	50.0 centerweight	14,6 cm
18-Pfünder	9 / 6	42.0 centerweight	13,2 cm
12-Pfünder	9 / 6	36.0 centerweight	11,6 cm
9-Pfünder	9 / 0	28.5 centerweigt	10,5 cm
6-Pfünder	9 / 0	24.5 centerweigt	9,2 cm
4-Pfünder			8,2 cm
3-Pfünder	4 / 6	7.0 centerweight	7,3 cm
½-Pfünder	auf Brüstungen 3 / 6	1.5 centerweight	4,25 cm

Bestückung der einzelnen Schiffsklassen

Klasse	erstes Deck	Mitteldeck	Oberdeck	Achterdeck	Vorkastell
100	28 – 42er	28 – 24er	28 – 12er	12 – 6er	4 – 6er
90	26 – 32er	26 – 18er	26 – 9er	10 – 6er	2 – 6er
80	26 – 32er	26 – 12er	24 – 6er	4 – 6er	–
74	28 – 32er	–	28 – 18er	14 – 9er	4 – 9er
70	28 – 32er	–	28 – 18er	12 – 9er	2 – 9er
64	26 – 32er	–	26 – 18er	10 – 9er	2 – 9er
60	26 – 24er	–	26 – 12er	6 – 6er	2 – 6er
50	22 – 24er	–	22 – 12er	4 – 6er	2 – 6er
44	20 – 18er	–	20 – 9er	4 – 6er	–
36	–	–	26 – 12er	8 – 6er	2 – 6er
32	–	–	26 – 12er	4 – 6er	2 – 6er
24	2 – 9er	–	20 – 9er	2 – 3er	–
20	–	–	20 – 9er	–	–
14	Rahtakelung	–	14 – 6er	–	–
10	Rahtakelung	–	10 – 4er	–	–

10. Geschwader der Seeschlacht bei Toulon, 1744

Briten	Gesch.	Mann	Franzosen und Spanier	Gesch.	Mann
Vorhut			**Vorhut**		
>Sterling Castle<	70	480	>Borée<	64	650
>Warwick<	60	400	>Toulouse<	60	600
>Nassau<	70	480	>Duc d'Orléans<	74	800
>Barfleur<	90	765	>Espérance<	74	820
>Princess Caroline<	80	600	>Trident<	64	650
>Berwick<	70	480	>Alcion<	54	500
>Chichester<	80	600	>Aquilon<	48	500
>Boyne<	80	600	>Eole<	64	650
>Kingston<	60	400	1 Fregatte	20	
>Oxford<	50	300	1 Brander	8	
2 Fregatten					
Zentrum			**Zentrum**		
>Dragon<	60	400	>Furieux<	60	600
>Belford<	70	480	>Sérieux<	64	650
>Somerset<	80	600	>Ferme<	74	800
>Princesa<	74	550	>Tigre<	50	550
>Norfolk<	80	600	>Saint Esprit<	74	800
>Namur<	90	780	>Terrible<	74	850
>Marlborough<	90	750	>Diamant<	50	550
>Dorsetshire<	80	600	>Solide<	64	650
>Essex<	70	480	2 Fregatten		
>Rupert<	60	400	2 Brander		
>Royal Oak<	70	480			
>Guernsey<	50	300			
>Salisbury<	50	300			
1 Fregatte, 2 Brander					
Nachhut			**Nachhut (Spanier)**		
>Dunkirk<	60	400	>Oriente<	60	600
>Cambridge<	80	600	>America<	60	600
>Torbay<	80	600	>Neptuno<	60	600
>Neptune<	90	770	>Poder<	60	600
>Russell<	80	600	>Constante<	70	750
>Buckingham<	70	480	>Real Felipe<	114	1350
>Elisabeth<	70	480	>Hercules<	64	650
>Revenge<	70	480	>Alción<	58	600
>Nonsuch<	50	300	>Brillante<	60	600
>Romney<	50	300	>San Fernando<	64	650
1 Fregatte	40	250	>Sobiero<	60	600
1 Brander	8	45	>Isabella<	80	900
			1 Fregatte, 1 Brander		

11. Beteiligte an den Seeschlachten vor Kap Finisterre

14. Mai 1747

Briten unter VAdm. Anson		Franzosen unter Jonquières	
Schiffe	Art.	Schiffe	Art.
>Prince George< **VAdm. George Anson**	90	Fregatte	30
>Devonshire<	66	Fregatte	30
>Namur< Kpt. Boscaven	74	Fregatte	20
>Monmouth<	64	Fregatte	36
>Prince Frederick<	64	>Rubis< (en flûte)	52
>Yarmouth<	64	>Jason<	50
>Princess Louisa<	60	>Sérieux< **KAdm. Jonquières**	64
>Nottingham<	60	>Invincible<	74
>Defiance<	60	Fregatte	30
>Pembroke<	60	Fregatte	22
>Windsor<	60	Fregatte	18
>Centurion<	50	Fregatte	40
>Falkland<	50	Fregatte	40
>Bristol<	50	Fregatte beim Geleit	18
2 Fregatten, 1 Brander			

25. Oktober 1747

Briten		Franzosen	
Schiffe	Art.	Schiffe	Art.
>Devonshire< **KAdm. Edward Hawke**	66	>Tonnant< **KAdm. de L'Etenduère**	80
>Kent<	74	>Intrépide<	74
>Edinburgh<	70	>Trident< *	64
>Yarmouth< Kpt. Sounders	64	>Terrible< *	74
>Monmouth<	64	>Monarque< *	74
>Princess Louisa<	60	>Severn< *	56
>Windsor<	60	>Fougueux< *	64
>Lion<	60	>Neptune< *	74
>Tilbury<	60	Fregatte	26
>Nottingham<	60	>Content< beim Geleit	64
>Defiance<	60		
>Eagle< Kpt. Rodney	60		
>Gloucester<	50		
>Portland<	50		

* = Schiffe erobert

12. Die Briten vor Havanna, 1762

britische Linienschiffe	Art.	spanische Schiffe erobert oder versenkt	Art.
>Namur< **Adm. George Pocock**	90		
>Valiant< **Com. Keppel, Kpt. Duncan**	74	>Tigre<	70
>Cambridge<	80	>Reina<	70
>Culloden<	74	>Soberano<	70
>Téméraire<	74	>Infante<	70
>Dragon<	74	>Neptuno<	70
>Centaur<	74	>Aquilon<	70
>Dublin<	74	>Asia<	64
>Marlborough<	70	>America<	60
>Temple<	70	>Europa<	60
>Orford<	66	>Conquistador<	60
>Devonshire<	64	>San Genaro<	60
>Bellisle<	64	>San Antonio<	60
>Edgar<	64	3 Fregatten	
>Alcide<	64	9 Schoner	
>Hampton Court<	64	ferner sechs Fregatten einer Handelskompanie aus Caracas	
>Sterling Castle<	64		
>Pembroke<	60		
>Ripon<	60		
>Nottingham< **Kpt. Collingwood**	60		
>Defiance<	60		
>Intrepid<	60		
>Centurion<	50	in der Werft zwei unfertige	80
>Deptford<	50	Linienschiffe zerstört	60
>Sutherland<	50		
>Hampshire<	50		
15 Fregatten			
8 Sloops			
1 Kutter			
3 Bombarden			

13. Verluste an großen Kriegsschiffen 1714–1763

Großbritannien

Datum	Schiff	Art.	Bemerkung
1716, 10.11.	>Auguste<	60	in der Ostsee gestrandet
1719, 29.01.	>Crown<	50	an der Einfahrt nach Lissabon verloren
1719, 29.01.	>Burford<	70	im Mittelmeer verloren
1720, 24.11.	>Monck<	50	auf der Reede von Yarmouth gescheitert
1741, 16.04.	>Galizia< (Prise)	70	in Cartagena, Sp., als unbrauchbar verbrannt
1742, 12.01.	>Tiger<	50	in Westindien gestrandet
1742, 15.08.	>Gloucester<	50	verbrannt
1742, 21.09.	>Tilbury<	60	in Westindien verbrannt
1744, .01.	>Orford<	70	im Golf von Mexiko gestrandet
1744, 08.05.	>Northumberland<	70	von den Franzosen erobert
1744, 05.10.	>Victory<	100	in einem Sturm im Ärmelkanal
1744, 20.10.	>St. Albans<	50	in Westindien in einem Hurrikan
1744, 20.10.	>Greenwich<	50	in Westindien in einem Hurrikan
1744, 20.10.	>Colchester<	50	vor Kenish Knock gestrandet
1745, 16.02.	>Weymouth<	60	in Westindien gestrandet
1746, 19.10.	>Severn<	50	von den Franzosen erobert
1747, 07.07.	>Maidstone<	50	bei Belle Isle gestrandet
1747, 08.10.	>Dartmouth<	50	im Kampf in die Luft geflogen
1749, .01.	>Namur<	74	im Indischen Ozean gestrandet
1749, 13.04.	>Pembroke<	60	im Indischen Ozean gestrandet
1755, .06.	>Mars<	64	vor Halifax gestrandet
1756, 11.03.	>Warwick<	60	vor Martinique erobert
1757, 18.03.	>Greenwich<	50	in Westindien erobert
1757, 24.09.	>Tilbury<	60	vor Louisbourg in einem Hurrikan
1758, 19.02.	>Invincible<	74	beim Auslaufen aus Portsmouth gestrandet
1758, 13.04.	>Prince George<	90	in der Biskaya verbrabbt
1758, 29.11.	>Lichfield<	50	an der Küste von Afrika gestrandet
1759, 20.11.	>Resolution<	74	in der Bucht von Quiberon gestrandet
1759, 21.11.	>Essex<	64	in der Bucht von Quiberon gestrandet
1760, 15.02.	>Ramillies<	90	bei Plymouth gestrandet
1760, 04.10.	>Harwich<	50	gestrandet
1760, 02.11.	>Cumberland<	56	im Indischen Ozean gesunken
1760, 02.11.	>Conqueror<	70	bei der Insel St. Nicholas gestrandet
1761, 01.01.	>Newcastle<	50	vor Pondicherry in einem Hurrikan
1761, 01.01.	>Duc d'Aquitaine<	64	vor Pondicherry in einem Hurrikan
1761, 01.01.	>Sunderland<	60	vor Pondicherry in einem Hurrikan
1762, .02.	>Raisonnable<	64	vor Martinique verloren
1762, 29.11.	>Marlborough<	70	am Heimweg von Havanna im Sturm
1762, 18.12.	>Temple<	70	am Heimweg von Havanna im Sturm
1763, .01.	>San Genaro< (Prise)	60	am Heimweg von Havanna im Sturm

Anhang 13., Fortsetzung

Franzosen

Datum	Schiff	Art.	Bemerkung
1745, 10.01.	>Fleuron<	64	in Brest verbrannt
1745, 19.05.	>Vigilante<	64	vor Louisbourg erobert
1746, 04.08.	>Mercure< (en flûte)	56	von Briten erobert
1746, 04.08.	>Ferme<	54	von Briten erobert
1746, 11.10.	>Mars<	64	von Briten erobert
1746, 19.11.	>Ardent<	64	von Briten erobert und verbrannt
1746	>Casaubon<	64	ohne Feindeinwirkung abgebrannt
1746	>Parfait<	54	ohne Feindeinwirkung abgebrannt
1747, 03.05.	>Invincible<	74	von Briten erobert
1747, 03.05.	>Sérieux<	64	von Briten erobert
1747, 03.05.	>Diamant<	52	von Briten erobert
1747, 03.05.	>Jason<	50	von Briten erobert
1747, 14.10.	>Monarque<	74	von Briten erobert
1747, 14.10.	>Terrible<	74	von Briten erobert
1747, 14.10.	>Neptune<	70	von Briten erobert
1747, 14.10.	>Fouroueux<	64	von Briten erobert
1747, 14.10.	>Trident<	64	von Briten erobert
1747, 14.10.	>Severne<	50	von Briten zurückerobert
1748, 31.01.	>Magnamine<	74	von Briten erobert
1755, 08.06.	>Lys< (en flûte)	64	in Louisbourg erobert
1755, 08.06.	>Alcide<	64	in Louisbourg erobert
1755, 13.11.	>Espérance< (en flûte)	74	von Briten erobert und verbrannt
1756, 12.07.	>Arc en Ciel<	50	von Briten erobert
1757, 14.05.	>Aquilon<	50	von Briten vernichtet
1757, 30.05.	>Duc d'Aquitaine<	50	von den Briten erobert
1757, 23.11.	>Alcion<	50	von Briten versenkt
1758, 28.02.	>Foudroyant<	80	von Briten erobert
1758, 28.02.	>Oriflamme<	50	von Briten vernichtet
1758, 28.02.	>Orphée<	64	von Briten erobert
1758, 30.04.	>Bien Aimé<	58	im Indischen Ozean gestrandet
1758, 29.05.	>Raisonnable<	64	von Briten erobert
1758, 28.06.	>Apollon<	50	in Louisbourg selbst versenkt
1758, 21.07.	>Entreprenant<	74	in Louisbourg durch Unfall verbrannt
1758, 21.07.	>Capricieux< (en flûte)	64	in Louisbourg durch Unfall verbrannt
1758, 21.07.	>Cèlébre< (en flûte)	64	in Louisbourg durch Unfall verbrannt
1758, 25.07.	>Prudent<	74	in Louisbourg von Briten erobert
1758, 25.07.	>Bienfaisant<	64	in Louisbourg von Briten erobert
1758, 31.10.	>Belliqueux<	64	von Briten erobert
1758, .12.	>Opiniátre<	64	nahe Brest gestrandet
1758, .12.	>Greenwich<	50	nahe Brest gestrandet
1762, 18.12.	>Temple<	70	am Heimweg von Havanna im Sturm

Datum	Schiff	Art.	Bemerkung
1763, .01.	>San Genaro< (Prise)	60	am Heimweg von Havanna im Sturm
1759, 27.03.	>Duc de Chartres<	60	von Briten erobert
1759, 18.08.	>Océan<	80	von Briten an Küste von Portugal zerstört
1759, 18.08.	>Redoutable<	74	von Briten an Küste von Portugal zerstört
1759, 18.08.	>Téméraire<	74	von Briten vor Portugal erobert
1759, 18.08.	>Centaure<	74	von Briten vor Portugal erobert
1759, 18.08.	>Modeste<	64	von Briten vor Portugal erobert
1759, .11.	>Soleil Royal<	80	in der Bucht von Quiberon verbrannt
1759, .11.	>Formidable<	80	von Briten in der Bucht von Quiberon erob.
1759, .11.	>Héros<	74	von Briten in der Bucht von Quiberon erob.
1759, .11.	>Thesée<	74	von Briten in der Bucht von Quiberon vers.
1759, .11.	>Superb<	70	von Briten in der Bucht von Quiberon vers.
1759, .11.	>Juste<	70	an der Mündung der Loire gestrandet
1759, .11.	>Inflexible<	64	an der Mündung der Vilaine gestrandet
1761, 24.01.	>Warwick< (en flûte)	60	von Briten zurückerobert
1761, 01.04.	>Oriflamme<	50	von Briten erobert
1761, 03.04.	>Bertin< (en flûte)	64	von Briten erobert
1761, 05.06.	>Ste. Anne< (en flûte)	64	von Briten erobert
1761, 17.07.	>Achille<	62	von Briten erobert
1761, 13.08.	>Courageux<	74	von Briten erobert
1761, 13.08.	>Leopard<	60	wegen Pest an Bord selbst verbrannt
1762, 23.10.	>Dragon<	64	in Westindien verloren
1762, 23.10.	>Aigle<	50	bei Belle Isle verloren

erob. = erobert; vers. = versenkt

Anhang 13., Forstsetzung

Spanier

Datum	Schiffe	Art.	Bemerkung
1718, 11.08.	>Real San Felipe<	74	von Briten bei Sizilien erobert
1718, 11.08.	>Principe de Asturias<	70	von Briten bei Sizilien erobert
1718, 11.08.	>San Carlos<	60	von Briten bei Sizilien erobert
1718, 11.08.	>Santa Isabela<	60	von Briten bei Sizilien erobert
1718, 11.08.	>Santa Rosa<	60	von Briten bei Sizilien erobert
1718, 11.08.	>Real<	60	von Briten bei Sizilien erobert
1718, 11.08.	>San Isidoro<	54	von Briten verbrannt
1718, .08.	>San Fernando<	60	von den Briten in Messina versenkt
1719	>Santa Rosalia<	64	gestrandet
1719	>San Pedro<	60	in der Bucht von Tarent verloren
1740, 08.04.	>Princesa<	64	von Briten erobert
1741, .02.	>Guipuscoa<	74	vor Santa Martha verloren
1741, .03.	>Hermione<	54	auf Hoher See gesunken
1741, .03.	>Galicia<	70	von Briten in Cartagena erobert
1741, .03.	>San Carlos<	70	in Cartagena selbst versenkt
1741, .03.	>Africa<	60	in Cartagena selbst versenkt
1741, .03.	>Conquistador<	60	in Cartagena selbst versenkt
1741, .03.	>San Felipe<	80	in Cartagena selbst versenkt
1741, .03.	>Dragon<	60	in Cartagena selbst versenkt
1742, .02.	>Fuerte<	60	gestrandet
1742, 14.06.	>Invincible<	70	in Havanna verbrannt
1743, 20.06.	>N. S. de Cabadonga<	56	von den Briten erobert, bew. Handelsssch.
1743, 20.06.	>San Isidoro<	70	bei Ajaccio verbrannt
1744, 11.02.	>Poder<	60	von den Briten erobert
1747, 09.10.	>Glorioso<	74	von den Briten erobert
1748, 01.10.	>Conquistador<	64	von den Briten in Westindien erobert
1748, 03.10.	>Africa<	70	von den Briten in Westindien verbrannt
1762, 03.06.	>Neptuno<	70	in der Einfahrt von Havanna selbst versenkt
1762, 03.06.	>Asia<	64	in der Einfahrt von Havanna selbst versenkt
1762, 03.06.	>Europa<	60	in der Einfahrt von Havanna selbst versenkt
1762, 13.08.	>Tigre<	70	in Havanna den Briten ergeben
1762, 13.08.	>Reina<	70	in Havanna den Briten ergeben
1762, 13.08.	>Soberano<	70	in Havanna den Briten ergeben
1762, 13.08.	>Infante<	70	in Havanna den Briten ergeben
1762, 13.08.	>Aquilón<	70	in Havanna den Briten ergeben
1762, 13.08.	>America<	60	in Havanna den Briten ergeben
1762, 13.08.	>Conquistador<	60	in Havanna den Briten ergeben
1762, 13.08.	>San Genaro<	60	in Havanna den Briten ergeben
1762, 13.08.	>San Antonio<	60	in Havanna den Briten ergeben

bew. Handelssch. = bewaffnetes Handelsschiff

14. Flottenverteilung von Spanien

(Eintritt in den amerikanischen Unabhängigkeitskrieg) Linienschiffe mit Namen

Ferrol		
>Santissima Trinidad< (114)	>Gallardo< (70)	>San Juan Nepomuceno< (70)
>San Carlos< (80)	>Guerrero< (70)	>San Lorenzo< (70)
>San Fernando< (80)	>Magnamino< (70)	>San Pablo< (70)
>San Luis< (80)	>Oriente< (70)	>San Pascual< (70)
>San Vicente< (80)	>Poderoso< (70)	>San Pedro< (70)
>Africa< (70)	>San Augustin< (70)	>Santa Isabel< (70)
>Arrogante< (70)	>Santo Domingo< (70)	>San Isidoro< (70)
>Brillante< (70)	>San Francisco de Asis< (70)	>Campéon< (60)
>Dichoso< (70)	>San Gabriel< (70)	32 Linienschiffe
>Diligente< (70)	>San Jenaro< (70)	3 Fregatten
>Firme< (70)	>San José< (70)	4 Korvetten
>Galicia< (70)	>San Joaquin< (70)	1 Bombarde
Cádiz		
>Fénix< (80)	>San Francisco de Paula< (70)	6 Linienschiffe
>Rayo< (80)	>San Julián< (70)	6 Fregatten
>Princesa< (70)	>San Rafael< (70)	4 Korvetten
Cartagena/Spanien		
>San Nicolás< (80)	>Triunfante< (70)	>Astuto< (60)
>Arlante< (70)	>Vencedor< (70)	11 Linienschiffe
>Monarca< (70)	>San Juan Bautista< (70)	4 Fregatten
>Serio< (70)	>El Angel de la Guarde< (70)	6 Korvetten
>Velasco< (70)	>Septentrión< (64)	1 Urca
Havanna		
4 Fregatten	2 Schebeken	9 Bergantinen
4 Urcas	2 Galeoten	
Cartagena/Westindien		
2 Fregatten	2 Urcas	
Vera Cruz		
>Santiago< (64)	>Dragón< (60)	>España< (60)
2 Urcas		
Puerto Rico		
1 Schoner		
Buenos Aires		
3 Fregatten	2 Goleten	
Philippinen		
>Principe< (70)	>Victorioso< (70)	2 Fregatten
>Glorioso< (70)	>Terrible< (70)	
Cumaná		
2 Urcas		

15. Die Flotten in der Seeschlacht bei Quessant, 1778

Briten	Franzosen
Vorhut	**Vorhut**
>Monarch< (74)	>Curonne< (80) **VAdm. Duchaffault**
>Hector< (74)	>Duc de Bourgogne< (80)
>Centaur< (64)	>Glorieux< (74)
>Exeter< (64)	>Palmier< (74)
>Duke< (90)	>Bien-Aimé< (74)
>Queen< (90) **VAdm. Harland**	>Dauphin Royal< (70)
>Shrewsbury< (74)	>Vengeur< (64)
>Cumberland< (74)	>Alexandre< (64)
>Berwick< (74)	>Indien< (64)
>Sterling Castle< (64)	>Saint Michel< (60
	>Amphion< (50)
Zentrum	**Zentrum**
>Courageux< (74)	>Bretagne< (110) **VAdm. d'Orvilliers**
>Thunderer< (74)	>Ville de Paris< (100) **KAdm. de Guichen**
>Sandwich< (90)	>L'Orient< (74)
>Valiant< (74)	>Fendant< (74)
>Bienfaisant< (64)	>Magnifique< (74)
>Victory< (100) **Adm. Keppel**	>Actif< (74)
>Foudroyant< (80)	>Réfléchi< (64)
>Prince George< (90)	>Eveillé< (649
>Vigilant< (64)	>Artésien< (64)
>Terrible< (74)	>Actionnaire< (64)
>Vengeance< (74)	
Nachhut	**Nachhut**
>Worcester< (64)	>Saint Esprit< (80) **VAdm. de Chartres**
>Elisabeth< (74)	>Robuste< (74)
>Robust< (74)	>Conquérant< (74)
>Formidable< (90) **VAdm. Palliser**	>Intrépide< (74)
>Ocean< (90)	>Zodiaque< (74)
>America< (64)	>Diadéme< (74)
>Defiance< (64)	>Solitaire< (74)
>Egmont< (74)	>Roland< (64)
>Ramillies< (74)	>Sphinx< (64)
	>Triton< (64)
	>Fier< (50)
6 Fregatten	6 Fregatten
2 Brander	5 Korvetten
1 Kutter	3 Kutter

16. Verluste an großen Kriegsschiffen 1775–1783

Großbritannien

Datum	Schiffe	Art.	Bemerkung
1777, 23.10.	>Augusta<	64	durch Unfall verbrannt
1778, .10.	>Somerset<	70	nahe Kap Cod gestrandet
1779	>Leviathan<	50	am Rückweg von Jamaika gesunken
1779, .08.	>Ardent<	64	von der Flotte der Verbündeten erobert
1779, 24.09.	>Experiment<	50	von den Franzosen erobert
1780, 18.02.	>Defiance<	64	vor Savannah gestrandet
1780, 05.10.	>Sterling Castle<	64	in einem Hurrikan in Westindien
1780, 05.10.	>Thunderer<	74	in einem Hurrikan in Westindien
1780	>Cornwall<	74	als unbrauchbar in Westindien versenkt
1781, 23.01.	>Culloden<	74	vor New York gestrandet
1781	>Terrible<	74	als unbrauchbar in Amerika versenkt
1782, 21.01.	>Hannibal<	50	bei Sumatra von den Franzosen erobert
1782, 29.08.	>Royal George<	100	auf der Reede von Spithead gekentert
1782, .09.	>Ramillies<	74	als unbrauchbar verbrannt
1782, .09.	>Hector<, Prise	74	vor Neufundland gesunken
1782, .09.	>Glorieux<, Prise	74	am Rückweg von Jamaika gesunken
1782, .09.	>Centaur<	74	am Rückweg von Jamaika gesunken
1782, .09.	>Ville de Paris<, Prise	104	am Rückweg von Jamaika gesunken
1783, 05.11.	>Superb<	74	im Indischen Ozean gestrandet
1783	>Cato<	50	am Weg nach Ostindien gesunken

Frankreich

Datum	Schiffe	Art.	Bemerkung
1780, 24.02.	>Protée<	64	von den Briten erobert
1780, .10.	>Intrepide<	74	in Westindien in einem Hurrikan
1780, .10.	>Palmier<	74	in Westindien in einem Hurrikan
1780, .10.	>Magnifique<	74	in Westindien in einem Hurrikan
1782, 12.04.	>Ville de Paris<	104	von den Briten in Westindien erobert
1782, 12.04.	>Glorieux<	74	von den Briten in Westindien erobert
1782, 12.04.	>Hector<	74	von den Briten in Westindien erobert
1782, 12.04.	>César<	74	von den Briten in Westindien erobert
1782, 12.04.	>Ardent<	64	von den Briten in Westindien erobert
1782, 19.04.	>Caton<	64	von den Briten in Westindien erobert
1782, 19.04.	>Jason<	64	von den Briten in Westindien erobert
1782, 21.04.	>Pégase<	74	von den Briten in der Biskaya erobert
1782	>Bizarre<	64	auf Ceylon gestrandet
1782, 23.04.	>Actionaire<, en flûte	64	von den Briten in der Biskaya erobert
1782	>Dauphin< en flûte	64	von den Briten in Westindien erobert
1782, 18.10.	>Scipion<	74	in Westindien gestrandet
1782, 06.12.	>Solitaire<	64	von den Briten im Atlantik erobert
1782, 12.12.	>Menagére< en flûte	64	von den Briten erobert

Spanien

Datum	Schiffe	Art.	Bemerkung
1780, 16.01.	>Fenix<	80	von den Briten bei Kap St.Vincent erobert
1780, 16.01.	>Monarca<	70	von den Briten bei Kap St.Vincent erobert
1780, 16.01.	>Princesa<	70	von den Briten bei Kap St.Vincent erobert
1780, 16.01.	>Diligente<	70	von den Briten bei Kap St.Vincent erobert
1780, 16.01.	>San Domingo<	70	im Kampf mit den Briten in die Luft gefl.
1780, 17.01.	>San Juliano<	70	von Briten erobert und gestrandet
1780, 17.01.	>San Eugenio<	70	von Briten erobert und gestrandet
1882, 14.09.	>Miguel<	72	bei Gibraltar gestrandet

gefl. = geflogen

Niederlande

Datum	Schiffe	Art.	Bemerkung
1780, 30.12.	>Princeses Carolina<	54	von Briten im Ärmelkanal erobert
1780, 30.12.	>Hollandia<	64	von Briten auf der Doggerbank versenkt
1781, 05.01.	>Rotterdam<	50	von den Briten erobert
1781, 04.02.	>Mars<	60	von Briten in Westindien erobert

17. Französische Linienschiffe für die Expedition nach Irland 1796–1797

VAdm. Morard de Galles		
>Séduisant< (74)	>Indomptable< (80)	>Nestor< (74)
>Pluton< (74)	>Fougoueux< (74)	>Cassard< (74)
>Trajan< (74)	>Mucius< (74)	>Droit de l'Homme< (74)
>Constitution< (74)	>Redoutable< (74)	>Tourville< (74)
>Wattignies< (74)	>Patriote< (74)	>Eole< (74)
	>Révolution< (74)	>Pégase< (74)
14 Fregatten	6 Briggs	7 Transporter

18. Angriff auf Kopenhagen 1801

Briten unter Vizeadmiral Nelson

Schiff	Art.	Kommandanten	Tote	Verw.
>Elefant<	74	VAdm. Horatio Nelson	10	13
>Defiance<	74	KAdm. Thomas Graves	24	51
>Edgar<	74	Kpt. George Murrey	31	111
>Monarch<	74	Kpt. James Mosse, gefallen	56	164
>Bellona<	74	Kpt. Bouldon-Thompson	11	72
>Ganges<	74	Kpt. Thomas Freemantle	7	1
>Russell<	74	William Cuming	–	6
>Agamemnon<	64	Robert Devereux Fancourt	?	?
>Ardent<	64	Thomas Bertie	30	64
>Polyphemus<	64	John Lawford	6	25
>Glatton<	54	William Bligh	18	37
>Isis<	50	James Walker	33	88
>Amazon<, Fregatte	38	Edward Rion, gefallen	14	23
>Désirée<, Fregatte	40	Henry Inman	–	4
>Blanche<, Fregatte	36	Graham Eden Hamond	7	9
>Alcmène<, Fregatte	32	Samuel Sutton	5	19
>Jamaica<, Fregatte	26	Jonas Rose	–	–
>Arrow<, Fregatte	30	William Bolton	–	–
>Dart<, Fregatte	30	John F. Devonshire	3	1

Ferner 2 Sloops, 7 Bombarden und 1 Brander
Nicht am Kampf beteiligt die Division von Adm. Hyde Parker mit acht Linienschiffen.
Verw. = Verwundete

Die schwimmende Verteidigung der Dänen unter Admiral Olfert Fischer

Schiffe	Art.	Bemerkung
>Prövesteen<	56	rasierter Dreidecker
>Valkyrien<	48	Zweidecker ohne Masten
>Rendsborg<	20	Pferdetransporter
>Nyberg<	20	Pferdetransporter
>Jylland<	48	Zweidecker ohne Masten
>Sverdfisken<	20	schwimmende Batterie
>Kronborg<	22	Fregatte ohne Masten
>Haien<	20	schwimmende Batterie
>Dannebrog<	62	Zweidecker ohne Masten
>Elven<	6	Sloop mit Takelung
>Gerner<	24	schwimmende Batterie
>Aggershus<	20	Pferdetransporter ohne Masten
>Sjælland<	74	Zweidecker ohne Masten
>Charlotte Amalie<	26	alter Ostindienfahrer
>Söhesten<	18	schwimmende Batterie

Schiffe	Art.	Bemerkung
>Holsteen<	60	getakeltes Linienschiff
>Infödstretten<	64	Zweidecker ohne Masten
>Hjælperen<	20	getakelte Fregatte
>Elefanten<	70	rasiertes Linienschiff
>Mars<	74	rasiertes Linienschiff
>Danmark<	74	getakeltes Linienschiff
>Trekroner<	74	getakeltes Linienschiff
>Isis<	40	getakelte Fregatte
>Sarpen<	18	getakelte Brigg
>Nidelven<	18	getakelte Brigg

Ferner 12 Schebeken mit je 4 Geschützen; dazu die Festungsartillerie und die Batterien an Land.

19. Verluste an großen Kriegsschiffen 1793 - 1815

Großbritannien

Datum	Schiffe	Art.	Bemerkung
1793, 20.11.	>Scipion<	74	durch Unfall vor Livorno verbrannt
1794, 11.04.	>Ardent<	64	vor Korsika in die Luft geflogen
1794, 24.08.	>Impétueux<	74	im Hafen von Portsmouth verbrannt
1794, 06.11.	>Alexander<	74	von den Franzosen vor Brest erobert
1795, 07.03.	>Berwick<	74	von den Franzosen im Mittelmeer erobert
1795, 14.03.	>Illustrious<	74	beschädigt bei La Spezia gestrandet
1795, 01.05.	>Boyne<	98	auf der Reede von Spithead verbrannt
1795, 07.10.	>Censeur<	74	von Franzosen vor Kap St. Vincent erob.
1796, 11.04.	>Ça Ira<	80	ohne Feindeinwirkung verbrannt
1796, 13.05.	>Salisbury<	50	auf Santo Domingo gestrandet
1796, 10.10.	>Malabar<	54	am Rückweg von Westindien gesunken
1796, 19.12.	>Courageux<	74	gestrandet
1796, 21.12.	>Bombay Castle<	74	vor Lissabon gestrandet
1797, 27.04.	>Albion< (Batterie)	60	gestrandet
1798, 15.08.	>Leander<	50	von den Franzosen erobert
1798, 12.11.	>Medusa<	50	an der Küste von Portugal gestrandet
1798, 10.12.	>Colossus<	74	an der Küste von Sizilien gestrandet
1799, 19.10.	>Impregnable<	98	gestrandet
1799, 05.12.	>Sceptre<	64	bei Kapstadt gestrandet
1800, 26.01.	>Repulse<	64	an der Bretagne gestrandet
1800, 17.03.	>Queen Charlotte<	100	vor Livorno verbrannt
1800, 04.11.	>Marlborough<	74	bei Belle Isle gestrandet
1801, 16.03.	>Invincible<	74	gestrandet
1801, 24.06.	>Swifture<	74	von Franzosen erobert
1801, 05.07.	>Hannibal<	74	von Franzosen erobert
1804, 06.01.	>York<	64	in der Nordsee gesunken
1804, 25.03.	>Magnificent<	74	bei Brest gestrandet
1804, 03.09.	>De Ruyter< (Transporter)	64	in Westindien gestrandet
1804, 19.11.	>Romney<	50	bei Texel gestrandet
1804, 24.11.	>Venerable<	74	an der Küste von Devon gestrandet
1805, 26.09.	>Calcutta<	64	von Franzosen bei Sizilien erobert
1806, 12.04.	>Brave<	74	bei den Azoren gesunken
1806, 27.10.	>Athénien<	64	an der Küste von Sizilien gestrandet
1807, 02.	>Blenheim<	74	im Indischen Ozean gesunken
1807, 14.02.	>Ajax<	74	im Mittelmeer verbrannt
1808, 10.12.	>Jupiter<	50	in der Vigo-Bucht gestrandet
1809, 20.06.	>Agamemnon<	64	im Rio de la Plata gestrandet
1810, 22.12.	>Minotaur<	74	bei Texel gestrandet
1811, 24.12.	>St. George<	98	an der Küste von Jütland gestrandet
1811, 24.12.	>Defence<	74	an der Küste von Jütland gestrandet

Datum	Schiffe	Art.	Bemerkung
1811, 25.12.	>Hero<	74	bei Texel gestrandet
1813, 22.03.	>Captain<	74	verbrannt
1814, 28.06.	>Leopard< (Transporter)	50	an der St. Lorenz-Mündung gestrandet

Franzosen

Datum	Schiffe	Art.	Bemerkung
1793, 15.02.	>Léopard<	74	bei Sardinien gesunken
1793, 23.08.	>Commerce de Marseilles<	120	in Toulon an Briten ausgeliefert
1793, 23.08.	>Pompée<	74	in Toulon an Briten ausgeliefert
1793, 23.08.	>Puissant<	74	in Toulon an Briten ausgeliefert
1793, 23.08.	>Scipion<	74	in Toulon an Briten ausgeliefert
1793, 18.12.	>Triomphant<	80	bei der Räumung von Toulon zerstört
1793, 18.12.	>Destin<	74	bei der Räumung von Toulon zerstört
1793, 18.12.	>Centaure<	74	bei der Räumung von Toulon zerstört
1793, 18.12.	>Duguay Trouin<	74	bei der Räumung von Toulon zerstört
1793, 18.12.	>Héros<	74	bei der Räumung von Toulon zerstört
1793, 18.12.	>Liberté< ex >Dictator<	74	bei der Räumung von Toulon zerstört
1793, 18.12.	>Suffisnat<	74	bei der Räumung von Toulon zerstört
1793, 18.12.	>Thémistocle<	74	bei der Räumung von Toulon zerstört
1793, 18.12.	>Tricolor< ex >Lys<	74	bei der Räumung von Toulon zerstört
1794, 01.06.	>Juste<	80	von den Briten bei Quessant erobert
1794, 01.06.	>Sans Pareil<	80	von den Briten bei Quessant erobert
1794, 01.06.	>America< ex >Impéueux<	74	von den Briten bei Quessant erobert
1794, 01.06.	>Achille<	74	von den Briten bei Quessant erobert
1794, 01.06.	>Northumberland<	74	von den Briten bei Quessant erobert
1794, 01.06.	>Impétueux<	74	von den Briten bei Quessant erobert
1794, 01.06.	>Vegeur du Peuple<	74	vor Quessant von den Briten versenkt
1794, 27.12.	>Républicaine<	110	bei Brest gestrandet
1795, 08.01.	>Neptune<	74	an den Kerguelen im Ind. Ozean gestr.
1795, 08.01.	>Scipion<	80	in einem Sturm gesunken
1795, 08.01.	>Neuf Thermidor<	80	in einem Sturm gesunken
1795, 08.01.	>Superb<	74	in einem Sturm gesunken
1795, 14.03.	>Ça Ira<	80	von den Briten vor Genua erobert
1795, 14.03.	>Censeur<	74	von den Briten vor Genua erobert
1795, 23.06.	>Tigre<	74	von den Briten vor Lorient erobert
1795, 23.06.	>Alexandre<	74	von den Briten vor Lorient erobert
1795, 23.06.	>Formidable<	74	von den Briten bei Lorient erobert
1795, 13.07.	>Alcide<	74	im Mittelmeer von Briten erobert
1796, 16.12.	>Séduisant<	74	nahe Brest gestrandet
1797, 13.01.	>Droits de l'Homme<	74	im Kampf mit Briten gestrandet
1798, 21.04.	>Hercule<	74	von den Briten vor Brest erobert
1798, 01.05.	>Quatorze Juillet<	74	in Loriet verbrannt
1798, 01.08.	>l'Orient<	120	im Kampf mit Briten in die Luft gefl.

Datum	Schiffe	Art.	Bemerkung
1798, 01.08.	>Franklin<	80	von Briten bei Aboukir erobert
1798, 01.08.	>Tonnant<	80	von Briten bei Aboukir erobert
1798, 01.08.	>Timoléon<	74	von eigener Besatzung verbrannt
1798, 01.08.	>Guerriere<	74	von Briten bei Aboukir erobert
1798, 01.08.	>Spartiate<	74	von Briten bei Aboukir erobert
1798, 01.08.	>Conquérant<	74	von Briten bei Aboukir erobert
1798, 01.08.	>Aquilon<	74	von Briten bei Aboukir erobert
1798, 01.08.	>Heureux<	74	von Briten bei Aboukir erobert
1798, 01.08.	>Marcure<	74	von Briten bei Aboukir erobert
1798, 01.08.	>Peuple Souverain<	74	von Briten bei Aboukir erobert
1798, 12.10.	>Hoche<	74	von Briten an der Küste von Irland erob.
1799, 03.03.	>Leander<	50	von Russen in Korfu erobert
1800, 18.02.	>Généreux<	74	von Briten bei Malta erobert
1800, 30.03.	>Guillaume Tell<	80	von Briten bei Malta erobert
1800, 04.09.	>Athénien< ehem. Malta	64	bei der Einnahme von Malta erobert
1800, 04.09.	>Dége< ehem. Malta	64	bei der Einnahme von Malta erobert
1801, 12.07.	>St. Antoine<	74	von Briten vor Gibraltar erobert
1801, 02.09.	>Causse<	64	bei Einnahme von Alexandria übergeben
1803, 25.07.	>Duquesne<	74	von Briten in Westindien erobert
1805, 21.10.	>Swifture<	74	von den Briten bei Trafalgar erobert
1805, 21.10.	>Achille<	74	bei Trafalgar im Kampf in die Luft gefl.
1805, 21.10.	>Fougueux<	74	von den Briten bei Trafalgar erobert
1805, 21.10.	>Fougueux<	74	von den Briten bei Trafalgar erobert
1805, 21.10.	>Aigle<	74	von den Briten bei Trafalgar erobert
1805, 21.10.	>Intrépide<	74	von den Briten bei Trafalgar erobert
1805, 21.10.	>Redoutable<	74	von den Briten bei Trafalgar erobert
1805, 21.10.	>Berwick<	74	von den Briten bei Trafalgar erobert
1805, 21.10.	>Bucentaure<	80	von den Briten bei Trafalgar erobert
1805, 21.10.	>Algéciras<	74	von Briten erobert und zurückerobert
1805, 21.10.	>Indomptable<	80	bei Cádiz gestrandet
1805, 03.11.	>Formidable<	80	von Briten bei Finisterre erobert
1805, 03.11.	>Douguay Touin<	74	von Briten bei Finisterre erobert
1805, 03.11.	>Mont Blanc<	74	von Briten bei Finisterre erobert
1805, 03.11.	>Scipion<	74	von Briten bei Finisterre erobert
1806, 06.02.	>Alexandre<	80	von Briten bei Santo Domingo erobert
1806, 06.02.	>Jupiter<	74	von Briten bei Santo Domingo erobert
1806, 06.02.	>Brave<	74	von Briten bei Santo Domingo erobert
1806, 06.02.	>Imperial< ex >Vengeur<	120	von Briten in Santo Domingo vernichtet
1806, 06.02.	>Rolla<	72	von Briten in Santo Domingo vernichtet
1806, 13.03.	>Marengo<	74	von Briten im Atlantik erobert
1806, 14.09.	>Impétueux<	74	vor Kap Henry im Kampf verbrannt
1808, 14.06.	>Neptune<	80	in Cádiz den Spaniern übergeben
1808, 14.06.	>Algésiras<	74	in Cádiz den Spaniern übergeben

Datum	Schiffe	Art.	Bemerkung
1808, 14.06.	>Pluton<	74	in Cádiz den Spaniern übergeben
1808, 14.06.	>Héros<	74	in Cádiz den Spaniern übergeben
1808, 14.06.	>Arogante<	74	in Cádiz den Spaniern übergeben
1808, 14.06.	>Atlas<	74	in Vigo den Spaniern übergeben
1809, 12.04.	>Ville de Varsovie<	80	von Briten vor Rochefort vernichtet
1809, 12.04.	>Tonnere<	74	von Briten vor Rochefort vernichtet
1809, 12.04.	>Aquilon<	74	von Briten vor Rochefort vernichtet
1809, 12.04.	>Calcutta< en flûte	50	von Briten vor Rochefort vernichtet
1809, 17.04.	>d'Hautpoult<	74	von Briten vor Puerto Rico erobert
1809, 26.10.	>Robuste<	80	bei Séte selbst versenkt
1809, 26.10.	>Lion<	74	bei Séte selbst versenkt
1812, 22.02.	>Rivoli<	74	von den Briten vor Venedig erobert
1814, 06.04.	>Regulus<	74	in der Gironde selbst versenkt
1814, 18.04.	>Brillant<	74	bei der Übergabe von Genua erobert

Ind. Ozean = Indischer(n) Ozean; gestr. = gestrandet

Spanien

Datum	Schiffe	Art.	Bemerkung
1797, 14.02.	>Salvador del Mundo<	112	von Briten vor Kap St. Vincent erobert
1797, 14.02.	>San Josef<	112	von Briten vor Kap St. Vincent erobert
1797, 14.02.	>San Nicolaus<	80	von Briten vor Kap St. Vincent erobert
1797, 14.02.	>San Ysidoro<	80	von Briten vor Kap St. Vincent erobert
1797, 17.02.	>San Vincente<	80	im Hafen von Trinidad selbst versenkt
1797, 17.02.	>Arrogante<	74	im Hafen von Trinidad selbst versenkt
1797, 17.02.	>Gallardo<	74	im Hafen von Trinidad selbst versenkt
1797, 12.03.	>San Damaso<	74	von den Briten bei Trinidad erobert
1801, 12.07.	>Real Carlos<	112	bei Gibraltar im Kampf verbrannt
1801, 12.07.	>San Hermenegildo<	112	bei Gibraltar im Kampf verbrannt
1805, 22.07.	>Firme<	74	von den Briten bei Finisterre erobert
1805, 22.07.	>San Rafael<	80	von den Briten bei Finisterre erobert
1805, 21.10.	>Bahama<	74	von den Briten bei Trafalgar erobert
1805, 21.10.	>San Juan Nepomuceno<	74	von den Briten bei Trafalgar erobert
1805, 21.10.	>San Ildefonso<	74	von den Briten bei Trafalgar erobert
1805, 21.10.	>Santissima Trinidad<	130	von den Briten bei Trafalgar erobert
1805, 21.10.	>San Augustin<	74	im Kampf bei Kap Trafalgar verbrannt
1805, 21.10.	>Argonauta<	74	im Kampf bei Trafalgar gesunken
1805, 21.10.	>Monarca<		von den Briten erobert und gestrandet
1805, 21.10.	>Neptuno<	74	von Briten erobert und zurückerobert
1805, 21.10.	>Santa Ana<	112	von Briten erobert und zurückerobert
1805, 21.10.	>Rayo<	100	von den Briten erobert und gestrandet

Niederlande

Datum	Schiffe	Art.	Bemerkung
1795, 22.10.	>Overijssel<	64	von den Breiten bei Queenstown erobert
1796, 04.03.	>Zeeland<	64	von den Briten bei Plymouth erobert
1796, 04.03.	>Brakel<	54	von den Briten bei Plymouth erobert
1796, 17.08.	>Dordrecht<	64	kapituliert vor den Briten bei Kapstadt
1796, 17.08.	>Revolutie<	64	kapituliert vor den Briten bei Kapstadt
1796, 17.08.	>Marten H. Tromp<	54	kapituliert vor den Briten bei Kapstadt
1797, 11.10.	>Vrijheid<	74	von Briten bei Camperdown erobert
1797, 11.10.	>Jupiter<	72	von Briten bei Camperdown erobert
1797, 11.10.	>Haarlem<	68	von Briten bei Camperdown erobert
1797, 11.10.	>Adm. Tjerk Hidde<	68	von Briten bei Camperdown erobert
1797, 11.10.	>Gelijkheid<	68	von Briten bei Camperdown erobert
1797, 11.10.	>Wassenaer<	64	von Briten bei Camperdown erobert
1797, 11.10.	>Hercules<	64	von Briten bei Camperdown erobert
1797, 11.10.	>Delft<	54	bei Camperdown gesunken
1797, 11.10.	>Alkmaar<	56	von Briten bei Camperdown erobert
1799, 28.08.	>Verwachting<	64	von Briten bei Texel erobert
1799, 28.10.	>Broederschap<	54	von Briten bei Texel erobert
1799, 30.10.	>Washington<	70	von Briten bei Texel erobert
1799, 30.10.	>Gelderland<	64	von Briten bei Texel erobert
1799, 30.10.	>Adm. de Ruyter<	64	von Briten bei Texel erobert
1799, 30.10.	>Utrecht<	64	von Briten bei Texel erobert
1799, 30.10.	>Cerberus<	64	von Briten bei Texel erobert
1799, 30.10.	>Leijden<	64	von Briten bei Texel erobert
1799, 30.10.	>Beschermer<	56	von Briten bei Texal erobert
1799, 30.10.	>Batavia<	56	von Briten bei Texel erobert
1806, 09.01.	>Bato<	68	bei Kapstadt selbst zerstört
1806, 28.05.	>Schrikverwekker<	68	im Indischen Ozean gestrandet
1807, .12.	>Revolutie<	68	bei Java von Briten erobert
1807, .12.	>Pluto<	68	bei Java von Briten erobert
1807, .12.	>Kortenaer<	68	bei Java von Briten erobert

Dänemark verliert in den Jahren 1801 und 1807 jeweils fast seine ganze Kriegsflotte in einem einzigen Kampf. Einmal waren es 14 Linienschiffe und Fregatten, das zweite Mal waren es gar 32.

Die Verluste von **Rußland**, der **Türkei** und der **USA** betragen nur wenige Schiffe, darunter nur ein türkisches Linienschiff.

20. Wichtige britische Marinegeschütze Anfang des 19. Jahrhunderts

Geschütz	Rohrgewicht centerweight	Rohrlänge Fuß/Inches	Kaliber inch/cm	Pulverladung Pfund/Unzen	Munition
10 inch	85	9 / 4	10.00 / 25,4	12 / 0	Granaten
8 inch	65	9 / 0	8.05 / 20,1	10 / 0	Granaten
68-Pfünder	95	10 / 0	8.12 / 20,3	16 / 0	Kugeln
32-Pfünder	56	9 / 6	6.41 / 16,0	10 / 0	Kugeln
32-Pfünder	45	8 / 6	6.35 / 15,9	7 / 0	Kugeln

21. Bombardement von Algier 1816

Briten

Schiffe	Art.	Kommandanten	Tote	Verwundete
>Queen Charlotte<	100	Kpt. James Brisbane **Adm. Lord Exmouth**	8	131
>Impregnable<	98	Kpt. Edward Brace **KAdm. David Milne**	50	160
>Superb<	74	Kpt. Charles Ekins	8	84
>Minden<	74	Kpt. William Paterson	7	37
>Albion<	74	Kpt. John Coode	3	15
>Leander<	50	Kpt. Edward Chatham	17	188
>Severn<	40	Kpt. Frederic W. Aylimer	3	34
>Glasgow<	40	Kpt. Anthony Maitland	10	37
>Granicus<	36	Kpt. William F. Wise	16	42
>Hebrus<	36	Kpt. Edmund Palmer	4	15
9 Bombarden zus.	116		2	17

Dazu Transporter, Depeschenboote, Kanonenboote mit Pionieren und Raketentruppen.

Niederländer

Schiffe	Art.	Kommandanten	Tote	Verwundete
>Melampus<	40	Kpt. A. W. de Man **VAdm. Theodor van Capellen**	3	15
>Frederica<	40	Kpt. J. A. van der Straaten	–	5
>Diana<	40	Kpt. Petrus Ziervogel	6	22
>Amstel<	40	Kpt. W. A. van der Hart	4	6
>Dageraad<	30	Kpt. J. M. Polders	–	4
>Eendracht<	18	Kpt. J. F. Wardenburg	–	–

Die Briten feuern 39.000 Schuß, die Niederländer 10.000

22. Flotte vor der Küste von Syrien 1840

Briten	
>Princess Charlotte< (104)	**Adm. Robert Stopford**
>Rodney< (92)	
>Revenge< (76)	
>Thunderer< (84)	
>Vanguard< (80)	
>Asia< (84)	
>Bellerophon< (80)	
>Benbow< (72)	
>Cambridge< (78)	
>Edinburgh< (72)	
>Ganges< (84)	
>Hastings< (72)	
>Implacable< (74)	
>Powerful< (84)	
5 Fregatten	
8 Raddampfer	
5 Sloops	
Österreicher	
>Medea< (48)	**KAdm. Franz Bandiera**
>Guerriera< (48)	Erzherzog Friedrich
6 Fahrzeuge	
Türken	
>Muhhademe-i Hayire< (74)	

23. Bombardement von Sewastopol, 17. Oktober 1854

Flotte der Verbündeten

Briten		Franzosen	
>Agamemnon<, Schr., KAdm. Edmund Lyons	91	>Charlemagne<, Schr.	90
>Sans Pareil<, Schr.	70	>Montebello<, Schr., VAdm. Bruat	120
>Tribune<, Schraubenfregatte	31	>Friedland<	120
>Terrible<, Radfregatte	21	>Ville de Paris<, **VAdm. Hamelin**	120
>Albion<	90		
>London<	90	>Valmy<, KAdm. Lugeol	120
>Arethusa<	50		
>Queen<	116	>Henry IV.<	100
>Britannia<, KAdm. M. Stopford, **VAdm. James Dundas**	120	>Napoléon<, Schr., KAdm. Charner	92
>Trafalgar<	120	>Alger<	80
>Vengeance<	84	>Marengo<	80
>Rodnay<	90	>Ville de Marseille<	80
>Bellerophon<	78	>Suffren<	90
		>Bayard<	90
		>Jupiter<	90
		>Jean Bart<, Schr.	90

Schr. = Schraubenlinienschiff

Ferner sind zwei türkische Linienschiffe an der Beschießung beteiligt.

Voran (im NO) liegen die britischen Schiffe, dann folgen im SW die französischen. Die Schraubenlinienschiffe dampfen langsam auf und ab. Die türkischen Linienschiffe liegen bei den Franzosen.

Die Segellinienschiffe werden von Dampffregatten oder Schleppern an ihre Positionen bugsiert. Die Bugsierer sind meist längsseits der Linienschiffe vertäut.

Die russische Küstenverteidigung

Küstenforts	Kanonen	Haubitzen	Mörser	Gesamt-artillerie	zur See einsetzbar	Besatzung
Quarantäne-Fort	31	21	6	58	33	277
Alexander-Fort	33	19	4	56	17	272
Konstantin-Fort	50	38	6	94	23	470
Summe	114	78	16	208	73	1019

24. Beschießung von Alexandria durch die Briten, 11. Juli 1882

Panzerschiffe	Größe in tons	Hauptpanzerung in inch	Hauptartillerie in inch/cm	Besatzung
Turmschiff >Inflexible<	11.880	14 – 24	4 – 16/40,6	484
Turmschiff >Monarch<	8.320	4 – 10	4 – 12/30,5	515
Kasemattschiff >Téméraire<	8.540	4 – 11	4 – 11/27,5; 4 – 10/25,4	534
Kasemattschiff >Alexandra< F	9.490	6 – 14	2 – 11/27,5; 10 – 10/25,4	670
Kasemattschiff >Sultan<	9.200	6 – 9	8 – 10/25,4; 4 – 9.2/23,4	400
Kasemattschiff >Invincible<	6.010	5 – 5	10 – 9.2/23,4	450
Kasemattschiff >Superb<	9.170	5 – 12	16 – 10/25,4	620
Batterieschiff >Penelope<	4.470	4 – 6	8 – 8/20,3	223
5 Kanonenboote			19 – leichte Geschütze	
1 Radaviso	1.000		2 – leichte Geschütze	

Die Schiffe der Briten verfügen über 134, fast durchwegs moderne gezogene Geschütze. Diese verschießen 2920 Granaten. Außerdem werden 34.000 Schuß von Maschinengewehren und 37 Raketen verfeuert. Munition wird von dem Torpedo-Depot-Schiff >Hecla< ergänzt.
Das unterseeische Kabel von Alexandria nach Malta und Zypern wird vom Telegraphenschiff >Chiltern< gefischt und damit ständig Kontakt mit London gehalten.
Die >Inflexible< steht unter dem Kommando des späteren Flottenbefehlshabers im Ersten Weltkrieg, John Arbuthnot Fisher.

Verteidiger

Befestigung	Kanonen	Mörser	gesamt	davon gezogen
Fort Silsileh	5	1	6	2
Fort Pharos	45	4	45	8
Fort Ada	19	5	24	5
Ras el Tin Linie	39	10	49	9
Fort Ras el Tin	34	3	37	6
Fort Saleg Aga	12	–	12	–
Batterie	4	–	4	–
Fort Um el Kubebe	18	2	20	2
Fort Kamaria	5	1	6	–
Fort Mex	14	5	19	5
Mex Linien	24	–	24	–
Fort Marsa	4	–	4	–
Fort Marabut	32	7	39	7

Literaturhinweise

Allgemeine Nachschlagwerke, Weltgeschichten, Lexika, Atlanten, Zeitschriften etc., die in den Bänden fünf bis sieben benützt worden sind, werden im Anhang des letzten Bandes aufgeführt. Hier soll nur jene Literatur genannt werden, die für diesen Band speziell verwendet worden ist.

Zeit der Segelschiffe

Allen, G. W., A Naval History of the American Revolution, Mifflin, Boston 1913
Al-Qasimi, Sultan, M., The Myth of Arab Piracy in the Gulf, Croom Helm, London 1986
Anderson, R. C., Naval Wars in the Baltic, Edwards, London 1969
Anderson, R. C., Naval Wars in the Levant, University Press, Liverpool 1952
Anonym (1724), History of the Russian Fleet under Peter the Great, Navy Records Society, London 1909
Archibald, E., The Wooden Fighting Ship of the Royal Navy, Blandford, London 1968
Bäckström, P. O., Svenska flottans historia, Stockholm 1884
Ballard, G. A., Rulers of the Indian Ocean, Duckworth, London 1927
Barthorp, M., War on the Nile, Blandford, Poole 1984
Bennett, G., The Battle of Trafalgar, Batsford, London 1977
Boxer, C. R., The Dutch Seaborne Empire, Hutchinson, London 1965
Boxer, C. R., The Portugese Seaborne Empire, Hutchinson, London 1969
Boxer, C. R., The Journal of H. M. Tromp, Anno 1639, University Press, Cambridge 1930
Braudel, F., The Mediterranean in the Age of Philipp II., Collins, London 1973
Brommy/Littrow, Die Marine, Hartleben, Wien 1878
Burney, J., Chronological History of North-eastern Voyages of Discovery, London 1819, N. Israel Repr., Amsterdam 1969
Burney, J., A Chronological History of the Voyages and Discovery in the South Sea, London 1813-1818, N. Isreal Repr. Amsterdam 1967
Carranza, A. J., Campañas Navales de la Republica Argentina, Argentinische Marine, Buenos Aires 1962
Corbett, J. S., Drake and the Tudor Navy, Longmans, Green & Co., New York 1898
Corbett, J. S., England in the Mediterranean, Longmans, Green & Co., London 1904
Corbett, J. S., England in the Seven Years War, Longmans, Green & Co., London 1918
Corbett, J. S., The Campaign of Trafalgar, Longmans, Green & Co., London 1910
Corbett, J. S., Fighting Instructions, Navy Records Society, London 1905
Dakin, D., The Greek Struggle for Independence, Batsford, London 1973
Destfani, L. H., El Combate Naval de Martin Garcia, Historia Naval Arg., Buenos Aires 1968
Dislière, P., Die Panzerschiffe, Gerold & Co., Wien 1874
Dislière, P., Die Kreuzerschiffe und der Kaperkrieg, Gerold & Co., Wien 1876
Goltz, C. Freiherr von, Kriegsgeschichte Deutschlands im 19. Jahrhundert, 2 Bde., Bondi, Berlin 1910
Jackson, T. St. (Hrsg.), Logs of the Great Sea Fights 1794 - 1805, Navy Records Society, Homewell 1981
James, W., The Naval History of Great Britain 1793 - 1820, Bentley, London 1822-1824
Jurien de la Gravière, E., Nelson und die Seekriege 1789 - 1815, Senf's Vg., Leipzig 1870
Khuepach, A., Geschichte der k.k. Kriegsmarine 1802 - 1814, Staatsdruckerei, Wien 1942

Khuepach/Bayer, Geschichte der k.k. Kriegsmarine 1814 - 1847, Böhlau, Wien 1966
Kirchhoff, H., Seemacht in der Ostsee, Cordes, Kiel 1907-08
Koudelka, A., Unsere Kriegsmarine, Hölder, Wien 1899
Lehnert, J., Geschichte der österreichisch-venezianischen Kriegsmarine 1797 - 1802, Gerold & Co., Wien 1891
Mahan, A. Th., The Influence of Sea-Power on the Wars of the French Revolution, Little, Brown & Co., Boston 1901
Mattingly, G., The Defeat of the Spanish Armada, J. Cape, London 1959
Padfield, P., Tide of Empires, Routledge & Kegan, London 1979-82
Pakenham, Th., The Boer War, Weidenfeld and Nicolson, London 1979
Parry, J. H., The Spanish Seaborne Empire, Hutchinson, London 1966
Piccirilli, R., Lecciones de Historia Naval Argentina, Estado de Marine, Buenos Aires 1967
Radogne, L., Storia della Marina Militare delle due Sizilie (1734-1860), Mursia, Mailand 1978
Rechberger, J., Österreichs Seewesen in dem Zeitraume von 1500 bis 1797, Gerold & Co., Wien 1882
Regensberg, F., 1870/71, Der deutsch-französische Krieg, 3 Bde., Frankh, Stuttgart 1907
Reilly/Scheina, American Balleships 1886 - 1923, US Naval Institute, Annapolis 1980
Roy, A. Ch., A History of the Mughal Nava and Naval Warfare, Press Ltd., Kalkutta 1972
Spate, O. H. K., The Pazific since Mafellan, Croom Helm, London 1979-83
Vasconcelos, A., Efemérides Navales Brasilairas, Servicio de Marinha, Rio de Janeiro 1961
Whiteway, R. S., The Rise of the Portugese Power in India 1497 - 1550, A. Constable & Co., Westminster 1899

Zeit der Dampfschiffe

Attlmayr, F., Der Krieg Österreichs in der Adria 1866, Gerold & Co., Wien 1896
Burgess, R. F., Ships beneath the Sea, Hale & Co., London 1975
Clowes, W., L., Four modern Naval Campaignes, Unit Library, London 1902
Greenhill/Giffard, The British Assault on Finland 1854-1855, Conway, London 1988
Halperen, P. G., The Mediterranean Naval Situation 1908-1814, Harvard Uni Press, Cambridge, Mass., 1971
Hocking, Ch., Dictionary of Disasters at Sea during the Age of Steam, Lloyds, London 1969
Jameson, W., The most Formidable Thing, (frühe U-Boote), Hart-Davies, London 1965
Korotkin, I., Seeunfälle und Katastrophen von Kriegsschiffen, Brandenbg. Vgh., Berlin 1991
Langensiepen/Güleryüz, The Ottoman Steam Navy 1828-1923, Conway, London 1995
Ledebur, G., Die Seemine, Lehmanns Vg., München 1977
Maltzahn, K., Der Seekrieg zwischen Rußland und Japan 1905 - 1905, Mittler, Berlin 1912-14
Pawlik, G., Des Kaisers schwimmende Festungen, NWV – Neuer Wissenschaftlicher Verlag, Wien 2003
Preston/Mayor, Send a Gunboat, Longmans, Green & Co., London 1967
Sharf, J. Th., History of the Confederate States Navy, Thomas & Sherwood, New York 1887
Sleeman, C. W., Torpedos and Torpedo Warfare, Griffin & Co., Portsmouth 1880
Treue, W., Der Krimkrieg und die Entwicklung der modernen Flotten, Musterschmitt, Göttingen 1954
U.S. Navy, Civil War Naval Chronology 1861 - 1865, Navy Department, Washington 1961
Wilson, H. W., Ironclads in Action, Sampson, Low, Marston & Co., London 1896
Winterhalder, Th., Kämpfe in China, Hartleben, Wien 1902

Witthöft, H. J., Lexikon zur deutschen Marinegeschichte, Koehler, Herford 1977-78

Biographien

Anson, W. V., The Life of John Jervis, Murrey, London 1913
Anson, W. V., The Life of Lord Anson, Murrey, London 1912
Arosemena, G., El Almirante Miguel Grau, Banco de Credita, Lima 1979
Barford, J. H., Niels Juel, Marinehistork Selskap, Kopenhagen 1977
Barrow, J., The Life og R. Earle Howe, Murrey, London 1838
Bradford, E., Drake, Hodder and Stoughton, London 1965
Bradford, E., The Sultans Admiral, Hodder and Stoughton, London 1969
Bushnell, G. H., Sir Richard Grenville, Harrap & Co., London 1936
Campbell, J., Leben und Thaten der Admirale (aus engl.), Luzak, Göttingen 1755
Da Mosto, A., I Dogi di Venezia, Martello, Florenz 1977
Handel-Mazzetti/Sokol, Wilhelm von Tegetthoff, Oberösterreichischer Landesverlag, Linz 1952
Hutcheon, W. S. jr., Robert Fulton, US Naval Institute, Annapolis 1981
Johnson/Malone (Hrsg.), Dictionary of American Biography, Scribner's, New York 1943
Kenny, R. W., Elisabeth's Admiral, Hopkins, Baltimore 1970
Kirchhoff, H., Seehelden und Admirale, Quelle Meyer, Leipzig 1910
Mackay, R. F., Admiral Hawke, Clarendon, Oxford 1965
Macintyre, D., Admiral Rodney, Davies, London 1962
Mahan, A. Th., Admiral Farragut, Sampson, Low. Marston & Co., London 1893
Michaud, M., (Hrsg.), Biographie Universelle, 45 Bde., Desplaces/Michaud, Paris 1854ff
Osagawara, N., Life of Admiral Togo, Seto Shorin, Tokyo 1934
Oxford, Dictionary of National Biographies, Uni Press, Oxford 1917ff
Pohl, F. J., Amerigo Vespucci, Cass & Co., London 1966
Thomas, D. A., Royal Admirals 1327 - 1981, deutsch, London 1982

Index Band VI

Namen aus **Tabellen, Karten** und aus dem **Anhang** sind im Index nicht aufgenommen, da es nur eine Wiederholung wäre.
Manche Stichworte liegen in fast allen Kapiteln. Zum leichteren Auffinden, welche Seitenzahl das gewünschte Kapitel mit dem gesuchten Inhalt angibt, wird hier die Reichweite der einzelnen Kapitel angeführt.

Die Seekriege in der zweiten Hälfte des 17. Jahrhunderts	489–564
Die Seekriege in der ersten Hälfte des 18. Jahrhunderts	565–606
Die Seekriege in der zweiten Hälfte des 18. Jahrhunderts	607–668
Die Seekriege von 1792 bis 1815	669–744
Die Seekriege in der ersten Hälfte des 19. Jahrhunderts	745–772
Die Ereignisse zur See in der zweiten Hälfte des 19. Jahrhunderts	773–852
Die Entwicklung der Kriegsschiffe von 1850 bis ~1900	853–862
Der Beginn des 20. Jahrhunderts	863–896

A

Aaron Manby 773
Abbessinien 785
Abercromby 700
Aboukir 671, 694
— Seeschlacht bei 692
Achille 578, 622, 718
Achilles 616
Active 732
Adamastor 888
Aden 748, 766
Adler 838
Admiraal de Ruijter 638
Admiral Apraxin 886
Admiral Nachimow 886
Admiral Senjawin 886
Admiral Uschakow 886
Adria 530, 688, 764, 782, 804
Adroit 572
Æolous 622
Afghanistan 864
Africaine 700, 742
Afrika 704
— 2. Kolonisation 786
Agadir
— Zwischenfall 890
Ägäis 542, 628, 684, 747, 872, 890, 892
Agréable 572
Ägypten 596, 630, 694, 700, 748, 766, 795, 846
— Expedition nach 692
— Franzosen in 671
Ahoms, Volk der 512
Ajaccio 598
Ajax 720
Akitsushima 842
Akko 696, 766
Akropolis 560
Alabama 791, 812, 852
Ålands-Inseln 588, 782, 798
Alaska 708, 791
Albaner 872
Albanien 890, 894
Albemarle 626, 810, 812
Albemarle-Sund 810
Albrecht von Österreich 818
Alcide 684
Alcion 614
Alecto 774
Aleuten-Inseln 791
Alexander 682, 694
Alexandre 684
Alexandria 692, 698, 700, 704, 722, 785, 892
— Beschießung 836
Alexiano 630
Alfons XII. von Spanien 784
Algeçiras 640, 702, 761
„allgemeine Jagd" 554, 600, 620, 644
Algerine< 874

Algier 542, 612, 632, 634, 656, 746, 750, 756, 764
Ali Fessan 730
Alicante 576, 830
Allemande 704
Allen 516, 640
Almansa 814, 830
Almirante Cochrane 834
Almirante Condell 840
Almirante Lynch 840
Almonde 552, 558
Alvarado 770
Amazon 686
Amazonaskrieg 890
Amboina 706, 742
Ambuscade 696
America 890
Amerika
— Entkolonialisierung 789, 869
Amoy 768
Amphion 732
Amundsen 876
Amur 802
Anapa 722
Anckarstjerna 582
Ancon 756
Ancona 698, 804, 820
Anderson 590
Andes 840
Andros 562, 758
Angamos 834
Angostura 750
Angria 594, 622
Anna von England 565
Anna von Großbritannien 588
Annam 802
Annibal 646
Anschütz-Kaempfe 888
Anson 569, 600, 602
Antelope 574, 614, 616
Antietam, Schlacht am 808
Antigua 522
Antillen 642
Antofagasta 794, 840
Antwerpen 556, 673, 732
Apia 838
Apollon 572
Apraxin 584
Aquidaban 842
Aquilon 614
Arabische See 498, 562
Arbuthnot 646

Archangelsk 582
Archimedes 773
Arcole
— Schlacht bei 684
Ardent 544, 576, 600, 636, 682
Arendal 734
Arethusa 740
Argentinien
— Aufstand 795, 840
Arica 834
Aristizábal 704
Arkansas 808
Arkona 584
Ärmelkanal 489, 497, 546, 550, 554, 556, 558, 570, 572, 574, 611, 636, 638, 684, 710
— Dreitageschlacht 500
— Seeherrschaft 491, 673
— Viertageschlacht im 516
Armstrong 776
Arnold 609, 640, 642
Arrogant 576
Artillerie 774, 873
Artillerieduell 676
Artillerieprahme 656
Artois 638
Asan 842
Ashby 552
Asia 760
Asientorecht 582
Askold 880
Asow 497, 568, 598, 760
Asowsches Meer 632, 800
Aspern und Eßling, Schlacht bei 732
Assam 512
Assar-i-Tewfik 892, 894
Association 578
Astrachan 594
Asuncion 794, 818
Athen 560
Athénien 700
Athos, Klosterberg 724
Atjeh 758
Atlanta 810
Atlas 728
Audacious 680
Aufklärungsgeschwader 692
August II. von Polen/Sachsen 582
August III. von Polen 609
Augusta 530, 624, 642, 828
— Seeschlacht bei 532
Auguste 574
Aurangsib, Großmogul 510, 512

Austerlitz
— Schlacht bei 718
Austin 766
Australien 749
Aviso 493
Avn-i-Illah 890
Ayala 634
Ayscue 500, 508, 516
Azoren 746, 764
Azuma 880

B

Baden, Markgraf Ludwig von 560
Badere i-Zafer 730
Bahia 522, 761
Bahrein 592
Bailén, Kapitulation in 730
Bailey 810
Bainbridge 708, 734
Balchen 600
Balearen 580, 698
Balkanbund 871
Balkankrieg 892
Balkensperre 582, 832
Ballé 660
Balmaceda 794, 840
Baltikum 567, 611
Baltischport 728
Banckers 526, 528
Banda Oriental/Uruguay 634
Bandiera 764
Banryu 824
Bantam 536, 544
Bantry Bay 544
Barbados 552, 642, 652
Barbaresken 504, 514, 524, 542, 628
Barbareskenstaaten 497, 570, 606, 746
Barceló 656
Barcelona 530, 534, 566, 576, 578, 600
Barclay 734
Barfleur 574, 592, 646, 648, 650
Barham
— siehe Middleton 712
Barletta 530
Barock 570
Barock, frühes 498
Barösund 662
Barrington 640, 644
Bart, Jean 546, 554, 556, 558
Basken 784
Basra 634
Basse 536

Basse-Terre 706
Bastia 682
Bastille 666
Batavia/Djakarta 740
Batavische Republik 682
Batterien
— schwimmende 640
Batum 832
Baudin 732, 766
Bauer 777, 796, 800
Baukunst 570
Bayard 838
Bayern 569
Bayonnaise 696
Bazaine, FM 826
Beachy Head 502, 576
— Seeschlacht bei 546
Bedford 574, 684
Befreiungskriege 736
Behm, A., Physiker 892
Beirut 630, 840, 890, 892
Belfast 622
Belfort 828
Belgien 746, 764
Belgrad 590, 658
— Eroberung von 590
Belle Alliance/Waterloo 738, 744
Belle Isle 532, 622, 682
Belle Poule 638, 740
Bellerophon 694, 744
Belliqueux 616, 708
Bellona 622, 638, 732
Benbow 554, 558, 572
Benedek, Gen. 820
Bengalen 498, 512, 622
Bennigsen, Gen. 720, 722
Berenguela 814
Beresina
— Schlacht an der 736
Bergen 516
Berie 742
Berkely 518, 558
Berlin 673, 720
Berliner Kongreß 785, 832
Berwick 682, 718
Beveren 540
Bewaffnete Neutralität 610, 638, 672, 700
Beyrande 698
Biddle 642
Bigot de Morogues 628
Binkes 534
Birkenhead 796

Birmingham
— Flugzeugstart 888
Bischaret 724
Biskaya 592, 614, 640
Bismarck 783, 822
Bizerta 628, 632, 750, 785, 834
Bjelke 506
Bjelkenstjerna 506, 508
Björkö-Sund 664
Blake, Robert 489, 491, 492, 498, 500, 502
Blanca 814
Blanche 704, 720
Blanco Encalada 754, 834, 840
Blenheim 740
Blockade 736
Blockadebereich 673
Blockadeerklärung 806, 826
Blockadekrieg 672, 676
Blockschiffe 806, 878
Blücher, FM 738
Bobr 874
Bodensee 696
Bogota 750
Böhmen 614
Bojarin 876
Bolivar 750, 756
Bolivien 794, 834
Bomarsund 798
Bombay 512
Bombay Marine 594
Bomben 774
Bombenabwürfe 778
Bombenfahrzeuge 616, 628, 632, 708
Bonhomme Richard 636
Boni, Sultanat 758
Bootsangriff 554, 640
Borodino 884
Borodino
— Schlacht bei 736
Boscawen 604, 613, 618, 626
Bosnien 832
Boston 646, 648
Bottnischer Meerbusen 728
Bouchard 754
Bouet-Willaumez 826
Bouffone 622
Bougie 524
Boulogne 704, 710, 720
Bourbaki, Gen. 828
Bourgoyne 642
Bouvet 686, 826
Boxerunruhen 789, 874

— Flottenaufmarsch 874
Boyne 704
Bragg, Gen. 810
Brahmaputra 512
Brandenburg 494, 496, 506, 526, 536, 540, 542, 616
Brander 494, 495, 518, 532, 538, 552, 554, 664, 710, 730, 747, 758, 760
Branderangriff 630
Brandtaucher 796
Brasilianer 816
Brasilien 510, 566, 580, 634, 674, 708, 726, 745
— Bürgerkrieg 842
— Revolution 794, 888
— Unabhängigkeitskampf 761
Breda 550, 572, 580
Brederode 500, 502, 508
Bregenz 696
Breslau 760
Brest 546, 554, 556, 600, 602, 614, 636, 680, 682, 688, 692
Bretagne 600, 636
Brillant 596
Brin 832
Brión 750
Brisbane 740
Bristol 642, 646
Bristolkanal 888
Britannia 552, 682, 684
Briten
— in Ägypten 785, 836
— in Südamerika 770
Broke 734
Brooklyn 850
Brown 752, 754, 762
Brueys 688, 692
Bruix 672
Brunei 770
Brunel 773
Brunswick 680
Bucentaure 712, 716
Buchanan 806, 810
Bucht
— von Ancud 814
— von Bengalen 708
— von Caldera 840
— von Kronstadt
— Seeschlacht in der 662
— von Maracaibo 752
— von Miyako 824

- von Mobile 810
- von Morbihan 616
- von Navarin 628
    - Seeschlacht in der 760
- von Praia 764
- von Quiberon 600, 618
    - Seeschlacht 618
- von San Francisco 634
- von Wiborg 664

Buenos Aires 740, 752, 762
Bulgarien 892
Bulinbruk 584
Bundesrath 786
Burenkrieg 786, 850
Burford 602
Burma 748, 761, 838
Burnside, Gen. 808
Bushnell 642, 777
Byng, George 592
Byng, John 614
Bynkershoek 588, 596
Byron 644

C

Ça Ira 682
Cacique 762
Cádiz 492, 522, 554, 572, 618, 622, 674, 686, 698, 712, 714, 718, 728, 761, 822
- Nachtschlacht vor 702
- Revolte in 784
Cagliari 676
Cairo 808
Calabria 890
Calais 556, 558
Calder 712
Caledonia 730
Calkutta 714
Callao 754, 793, 794, 834
- Beschießung 816
Callenburgh 574
Calliope 838
Calvi 682
Cambridge 556, 626
Campagne du Large 550
Campeche 766
Camperdown 840
Canada 696
Canopus 732
Capri 720
Captain 688, 824
Caracas 750
Caracciolo 698

Carlos V. 894
Carnot 670
Carolina 732, 764
Cartagena, Spanien 576, 614, 784, 830
Cartagena, Westindien 558, 572, 602, 750, 768
- Seeschlacht vor 578
Carthago/Manouba-Zwischenfall 871
Casma 768
Cassard 580
Castaños, Graf 730
Causse 704
Cavite 848
Cayenne 534, 742
Celebes/Sulawesi 522, 742, 758
Censeur 682, 684
Centaur 652, 696, 728, 738
Centaure 618
Centurion 602, 738
Centurione 706
Cerberus 732
Cervera 848
Cette und Rosas 732
Ceuta 612, 666
Ceylon 506, 706
- Seeschlacht bei 654
Chabarow, J. P. 562
Challenger 830
Champlainsee 609, 640, 642, 675, 736
Chancellorsville
- Schlacht bei 808
Chandernagore 514, 622
Chanzy, Gen. 828
Charente 732
Charles Edward Stuart 600
Charleston 642, 646, 806, 808, 810, 812
Charlotte Dundas 773
Charner 802
Charybdis 768, 876
Chateau-Renault 534, 544, 572
Chatham 648
Chattanooga
- Schlacht bei 810
Chemulpo 788
Cherbourg 554, 616, 673, 826
Chesapeake 734
Chesapeake-Bucht 610, 646, 648, 734, 806
Chester 578, 894
Chickamauga
- Schlacht bei 810
Chickasaw 812
Chile 754, 793, 794, 814, 834
- Bürgerkrieg 794, 840

— Seeherrschaft 794
Chiloe 814
China 498, 510, 544, 594, 748, 786, 800, 869
— Pachtgebiete 848
— Taiping-Revolution 772
Chincha-Inseln 793
Chinesen
— in Korea 788
Chios
— Seeschlacht bei 560, 628
Choiseul 608, 609
Chotusitz
— Schlacht bei 598
Choyo 824
Christian 706
Christian V. von Dänemark 540
Christian VIII. 772
Christiana/Oslo 660
Christianus V. 538
Chronometer 588
Churprinds 536
Cintra, Konvention von 730
City of Clermont 773
Clausewitz, Karl von 756
Cleopatra 710
Clerk, John 613, 654
Clio 766
Clive, Robert 608, 622, 624
Cochrane 702, 730, 754, 761, 770
Cochrane, A. F. 736, 742
Codrington 760
Coëtlogon 572
Coimbra 816
Colaba 594
Colbert, Jean B. 492, 496, 514, 524
Collier 644
Collingwood 688, 714, 718
Colombo 506, 706
Colonia 628, 634
Colorado 828
Colt, Samuel 768, 778
Columbia-Fluß 806
Comet 773
Confiance 708
Congress 806
Congreve 720
Conner 770
Conqueror 814
Constellation 706, 708
Constitution 708, 734
Contarini 562
Content 600

Cook, James 612, 632
Corbett 890
Cordoba 640, 686
Corner 590
Cornish 624
Cornwall 580, 592, 604
Cornwallis 610, 642, 646, 682, 712
„Cornwallis Retreat" 682
Corona 732
Coronation 546, 550
Coronel 754
Corrientes 793, 816
Corriera 632
Cortenaer 516
Corumba 816
Cosmao 718
Cotentin 552, 572
Courageux 622, 638
Courbet 786, 802, 836, 838
Couronne 646
Court de la Bruyere 598
Covadonga 814, 834
Coventry 578
Crête à Pierrot 876
Creutz 536, 538
Cristobal Colon 850
Cromwell, Oliver 489, 492, 498, 500, 502
Culloden 688, 694, 740
Culloden
— Schlacht bei 600
Cumberland 578, 806
Cumberland, Herzog von 600
Curaçao 534, 740
Curupaiti 818
Curuzu 818
Cushing 812
Custozza/Custoza 820
— Schlacht bei 818
Cyane 770
Cyrenaika 870, 890

D

d'Aché 624
d'Amfreville 552
d'Estaing 610, 644
d'Estrées 524, 528, 534
d'Estrées d. J. 542
d'Ibreville 558
d'Infreville 574
d'Orvilliers 636
Dacca 510
Dalien 844

Daman 562
Damietta 596, 630
Dampffregatten 798
Dampfmaschine 506, 588, 628, 745, 773
Dampfschiff 726
Danae 732
Danebrog 584, 702
Dänemark 491, 492, 495, 506, 567, 582, 584, 606, 632, 674, 700, 724, 730, 756, 772, 782
— Flotte 724
— in Ostindien 596
Dänen 538, 586
Danzig 506, 596
Darby 638
Dardanellen 630, 673, 720, 722, 872, 890
— Seeschlacht vor den 562
— Treffen vor den 892
Dardanellenforts 871
Dardanellen-Vertrag 768
Dartmouth 602
Daun, Leopold Graf 614
Davis 808
de Conflans 618
de Cordoba 611
de Garbaret 552
de Gastañeta 592
de Grasse 646, 648, 650
de Haen 524, 532
de Kersaint 624
de l'Etenduère 602
de la Cerda 532
de la Clue 618
de la Cueva 530
de la Gravière 791
de la Jonquières 600
de Langerre 574
de Mari, Herzog 596
de Nesmond 558
de Pointis 558, 576
de Ruyter, Michiel 493, 495, 500, 502, 508, 514, 516, 518, 520, 524, 526, 528, 530, 532, 534
de Saint-Pol 572, 576
de Vries 518
de Winter 690
de Witt, Jan 492
de Witt, Jan 494
De Zeven Provincien 524
Dean 500
Decatur 708, 734, 736
Decrés 673
Defence 734

Defensionsschiffe 700
Deinhard, KAdm. 838
Deklination, magnetische 570
Delaval 546, 554, 592
Delaweare-Fluß 642
Delmenhorst 606
Demologos 773
Den Haag
— Konferenz 493
Den Helder 698
Deptford 546
Derna 890
des Augiers 554
des Touches 646
Desaix 702
Deschnew, Semen 562
Dettingen
— Schlacht bei 598
Deutscher Bund 783
Deutschland 512, 588, 814
— Einigungskriege 781
— Flottengesetz 850
— Flottenrüstung 863
— in Ostafrika 838
— Isolierung 863
— Kaiserreich 784
— Pazifik 850
— Zweites Kaiserreich 828
Devastation 800, 828
Devolutionskrieg 494, 522
Devonshire 578, 586, 602
Dewey 848
Diable Marin 800
Diadem 738, 740
Diadème 624
Diamond 514
Diana 761, 773, 880
Dictator 734
Diedo 590
Diego Suarez 836
Dieppe 524, 556
Diligente 638
Dilkes 572
Dimitri Donskoi 886
Ding 838, 842
Diu 522, 562
Division, schnelle 842
Dixon 810
Dnjepr 568, 656
Dnjepr-Liman 656
— Seeschlacht im 656
Dodekanes 871

Doggerbank 514, 526, 558, 880
— Seeschlacht auf der 638
Dolphin 614
Dom Carlos 888
Dom Miguel 746
Dominica 626, 644, 738
— Seeschlacht bei 650
Dominikanische Republik 793
Don 562, 568
Donau 562, 590, 782, 785, 832
— Mineneinsatz 832
Donauflottille 590, 658
Donaumündung 658
Dorpat 582
Dorsetshire 592, 616
Douglas 626, 642
Dover 502, 558
— Seeschlacht bei 498
Drake 506, 540, 650
Dreadnought 873, 888
Dreibund 863
Dreiverband 863
Droits de l'Homme 686
du Casse 558, 572
Du Pont 770, 808
Dubourdieu 732, 796
Duc d'Aquilaine 624
Duckworth 696, 720, 740
Duguay-Trouin 556, 558, 574, 576, 578, 580, 738
Duilio 832
Dumanoir 716, 718
Dunant, Henry 804
Dunbar
— Schlacht bei 498
Duncan 690, 698
Dundas 798
Dungeness
— Seeschlacht bei 500
Dunkerk 556
Dünkirchen 491, 516, 536, 556, 558, 616
Duperré 742, 761, 764
Dupetit-Thouars 694
Dupleix 569
Dupuy de Lôme 773, 776, 804, 838
Duquesne 530, 542, 544, 738
Duquesne, Fort 626
Durazzo 892
Durchbruchsmanöver 650
Dynekil 586

E
Eagle 578, 642
Eagle Oil Transport Company 892
Eber 838
Echevarria 750
Echolot 892
Eckernförde 772
Edikt von Nantes 496
Eendracht 508, 514, 516
Ehrensköld 584
Ehrensvärd 660
Erzherzog Ferdinand Max 822
EIC 498, 512, 536, 544, 594, 608, 622, 748, 750, 766
Eider-Kanal 846
Eisbrecher 795, 846
Eismeer 720, 798, 828
El Araisch 764
El Ferrol 712
Elba 504, 736
Elefanten 584
Elektrizität 873
— an Bord 779
Elephant 700
Elephanten 700
Elisabeth 544
Elisabeth I. von Rußland 607
Elliot 622, 808
Elliott-Inseln 878
Elphinstone 628, 698, 700, 704, 706
Elsaß-Lothringen 828
Ely 888
Emden 613
Emo 632
Ems 516
England 493, 495, 510, 514, 528, 542, 552
— Bürgerkrieg 489
— Flottenstärke 566
— Glorious Revolution 544
— Pest 516
— Pest in 493
— Privileg 524
Engländer 493, 520, 524, 546
Enighet 664
Enomoto 787, 824
Enseñada 762
Enterversuch 834
Erdbeben 666
Ericsson 773
Eriesee 734
Eritrea 785

Ertogrul 840
Esmeralda 756, 814, 834, 840
Essex 734
Eugenie von Frankreich 824
Eupatoria 798
Europa 630
– Bündnisse 607
– Flottenstärken 710
Europäer
– in China 789
Euryalus 812, 814
Eveillé 624
Evertsen d. Ä., Cornelis 516, 518
Evertsen d. Ä., Jan 516
Evertsen d. J., Jan 520
Evertsen III., Cornelis 534, 546, 550
Evertsen, Jan 500, 504
Evesham
– Schlacht bei 498
Excellent 688
Exeter 654
Expedition 578
Experiment 636
Extrematura 894

F

Falke 876
Falkland-Inseln 628, 766
Falmouth 574
Falsterbo 506
Färöer-Inseln 720
Farragut 806, 808, 810
Faschoda-Zwischenfall 785
Fatschan-Fluß 802
Faulknor 704
Favorite 732
Fehmarn 584
Fehrbellin
– Schlacht bei 536
Fenian Ram 834
Fénix 636
Ferdinand IV. von Neapel 696
Ferdinand Max, Erzherzog 782
Ferdinand VII. von Spanien 745, 752, 761
Ferrol 700
Ferruccio 890
Fesselballon 791, 806, 878
Feth-i-Bülend 892
Feuerleitung 776
Fidèle 580
Fidschi-Inseln 828
Finisterre 554, 580, 698

– Seeschlacht vor 712, 718
Finnischer Meerbusen 567, 582, 660
Finnland 674, 726, 728
Fischer 702
Fischereiflotte 526
Fischtorpedo 776, 777, 785, 822, 832
– erster Erfolg 832
Fisher 864, 873
Fiume/Rijeka 822
Flaggengruß 498
Flamborough Head 636
Flandern 516, 574, 578
– Sände 502
Fleuron 596
Fleurus
– Schlacht bei 546
Flore 732
Florida 648, 812
Floriszoon 508
Floßsperre 572
Flottenbauprogramme 863
Flottenbewegungen 672, 712
Flottenrevue von Spithead 774
Flottenrivalität 840, 873
Flottenstärke 676, 824
– im Gelben Meer 788
Flottenstärken 607, 609
– in Ostasien 868
– USA, Spanien 792
Flottenverteilung 710, 864
Flugapparat 846
Flugboote 778
Flugwesen 888
Flugzeuge 778, 873
Flugzeugträger 778
– erste Erfolge 779
Flußflotte am Nil 846
Flußkanonenboote 785, 806, 826
Flußkrieg 510, 512, 793
Flußkriegsschiffe 816
Flußsperren 520, 794, 818
Fontenoy
– Schlacht bei 600
Forbin, Claude 546, 554, 576, 578
Foresight 556
Formidabile 820
Formidable 620, 650, 684, 702, 716
Formosa/Taiwan 510, 544, 838, 844
Forrest 624
Forschung 710, 802, 828, 830, 832, 842, 876
Forschungsreisen 612
Fort Churchill 652

Fort Donelson 806
Fort Fisher 812
Fort Gaines 810
Fort Hatteras 806
Fort Henry 806
Fort Hudson 808, 810
Fort Itapiru 816
Fort Jackson 806
Fort Morgan 810
Fort Moultrie 642, 646
Fort Philipp 806
Fort Sumter 806
Fort York 652
Forte 708
Fortidude 638, 684
Foudroyant 574, 614, 696, 700
Fougueux 558, 716
Fox 602
Fram 842
François 554, 558
Franklin 694
Franklin, Benjamin 609
Frankreich 489, 493, 494, 496, 516, 522, 524, 536, 570, 598, 602, 607, 609, 613, 634, 642, 669, 710, 746, 748, 764, 776, 783, 798, 820, 824, 864
— Aufstände 670
— Flottenstärke 566
— gegen China 836
— Hungersnot 670
— Kriegsfolgen 611
— Revolution in 666, 669
— Seehandel 560
— Zustand der Flotte 669
Franz Joseph I. von Österreich 804, 824
Franz-Josephs-Land 828
Franzosen 524, 542, 696
— in Indochina 786, 802
— in Madagaskar 836
— in Mexiko 804
— in Südamerika 770
— Mittelmeerflotte 578
Fraternité 686
Fredericksburg
— Schlacht bei 808
Frederickstad 756
Fredrikshamn
— Seeschlacht bei 662
Fregatten 492
Fregattenkämpfe 744
Freiheitskriege 674
Frejus 698

Friede
— von Aachen 570, 604
— von Abo 606
— von Adrianopel 761
— von Altranstädt 582
— von Amiens 672, 708
— von Basel 671, 682
— von Breda 493, 522
— von Breslau 598
— von Bukarest 674
— von Campoformio 671, 690
— von Den Haag 592
— von Dresden 600
— von Fredriksborg 588
— von Fredrikshamn 728
— von Gent 675, 736
— von Hubertusburg 608, 628
— von Ildefonso 634
— von Jassy 612, 658
— von Karlowitz 497, 544, 562
— von Kiel 756
— von Kopenhagen 493, 510
— von Kutschuk-Kainardsche 609, 632
— von London 872
— von Lund 496, 542
— von Lunéville 672, 700
— von Nanking 768
— von Nimwegen 495, 536
— von Nystad 588
— von Oliva 510
— von Paris 608, 628, 782, 800
  – erster 736
  – zweiter 738
— von Passarowitz 590
— von Peking 787
— von Portsmouth 869, 886
— von Preßburg 673, 718
— von Rijswijk 497, 560
— von Roskilde 492, 508
— von Santo Stephano 785
— von Schönbrunn 674, 732
— von Stockholm 588
— von Tientsin 838
— von Tilsit 673, 724
— von Traventhal 567
— von Tschifu 788, 844
— von Utrecht 566, 582
— von Versailles 611, 654, 828
— von Werelä 612, 666
— von Westminster 491, 495, 506, 530
— von Wien 783

Friedland
— Schlacht bei 722
Friedrich Carl 784, 830
Friedrich I., „König in Preußen" 588
Friedrich II. von Preußen 569, 598, 600, 607, 613, 614, 616, 622
Friedrich Karl, Prinz 828
Friedrich W. von Brandenburg 540
Friedrich, Erzherzog von Österreich 766
Fulton 704, 726, 773, 777
Fünen 508
Funkentelegraphie 779, 873, 874
Funksprüche 884
Funkstation an Bord 852
Fürstenparlament 512
Fuso 842
Futschau 786

G

Gabel 584
Gaeta 720, 804
Galeeren 497, 530, 560, 574, 586, 640
— letzter Erfolg 574
Gallipoli 872
Gambier 724, 730
Ganges 510, 622
Ganteaume 684, 702
Gardasee 572, 822
Garibaldi 770, 782, 804, 890
Garnault 836
Garnier 802
Gates 642
Gazelle 828, 876
Gefion 772
Gelbes Meer 868
Geleitflugzeugträger 779
Geleitschlachten 777
Geleitzug 500, 602
— erobert 638
Geleitzüge 491, 528
General 786
General Brandsen 762
Généreux 694, 698
Genouilly 802
Genua 544
— Seeschlacht bei 682
Georg I. von Großbritannien 588
Georg II. von England/Großbritannien 598, 622
Georg III. von Großbritannien 608
Georg zu Hessen Darmstadt 574
George 502

Georgetown 644
Georgia 810
Georgios Averoff 892
Geschützflöße 700
Gesundheitswesen 613, 779
Gettysburg
— Schlacht bei 810
Gewürzhandel 498
Giambelli 556
Gibraltar 566, 574, 576, 596, 610, 616, 636, 638, 640, 684, 700
Giljak 874
Gloire 596, 776, 804
Glorieux 652
Glorioso 602
Glorious Revolution 496
Gloucester 578
Goa 506
Göa 876
Goldküste 644
Goldladung 708
Golf
— von Arta 785
— von Bengalen 624
— von Korinth 560
— von Mexiko 648, 790, 810
— von Patras 760
— von Volos 846
Golowin 570
Gombroon 562
Gondolas 640
Gordon Pascha 846
Gorée 514, 626
Göta Lejon 584
Gothenburg/Göteborg 586
Gouda 544
Graaf van Albemarle 574
Graf Orlow 630
Graf Vivonne 530
Graf von Toulouse 574
Grafton 576
Granaten 766, 774, 796
— Reichweite 776
Grant, Gen. 806, 810
Granville 558
Grau 794, 834
Graves 648
Gravesend 520
Gravina 712, 716
Great Britain 774
Greenwich 604, 624
Greigh 630, 660

Grenada 706
— Seeschlacht bei 644
Griechen 609
Griechenland 747, 758, 846, 892
Griffon 580
Grille 826
Grom 630
Gromoboi 880
Grönviksund 728
Großbritannien 566, 567, 580, 592, 602, 607, 610, 634, 666, 669, 673, 676, 710, 748, 798
— Flottenbau 863
— größte Kolonialmacht 608
— Handelskonzessionen 569
— im Sudan 846
— Meutereien 672, 692
— Personalunion mit Hannover 588
— Polizist der Weltmeere 748
— Preis für Ortsbestimmung 588
— Regierungswechsel 580
— Seeherrschaft 608, 745
— Subsidien an Preußen 622
— Übergriffe der Marine 674
— Union England-Schottland 576
— Weltseemacht 675
— Zustand der Flotte 670
Große Seen 734
Große weiße Flotte 888
Großer Kurfürst 832
Großfürst Konstantin 832
Großkampfschiffe 873
Großmogul 510
Guadeloupe 626, 644, 704
Guano-Inseln 814
Guayana 650
Guayquil 754
Guericke, Otto von 506
Guerriera 766
Guerriéra 720
Guerrière 734
Guichen 640, 646
Guillaume Tell 694, 698
Guise 756
Gustav III. 660
Gustav III. von Schweden 612, 660, 662
Gyldenlöwe 584
Gymnote 838

H

Haager Konvention 888
Habsburger 565, 566, 576
Hafen von San Giorgio 820

Hafenschlepper 773
Haifa 766
Haiphong 772
Haiti 626, 666, 824
Hakodate 824
Halley, Edmund 564, 570
Hamelin 798
Hamidije 892
Hamidou Reis 750
Hampton Court 576, 580
Hampton Roads 806
Handelsflotte 489
Handelskreuzer 558, 560, 574, 742, 790
Handelskrieg 493, 500, 534, 536, 556, 560, 566, 569, 578, 580, 608, 611, 672, 674, 880
Hangö Udde/Gangut 584, 606
Hannibal 654
Hannover 607, 673, 818
— Kurfürstentum 588
Hanoi 786, 802
HAPAG 882
Happy Return 550
Hardy 580
Harmann 518, 522
Harrison, John 588
Hartford 812
Harvey 706
Harwich 542, 550
Hashidate 844
Hassan el Ghasi 656
Hassan Pascha 630
Hatsuse 878
Hautpoult 742
Havanna 604, 626, 792, 826, 848
Hawaii-Inseln 792, 850
Hawke 602, 609, 614, 616, 618
Heiden 760
Heilige Liga 497
Heiliger Nikolaus 630
Heinsius, Ratspensionär 565
Heireddin Barbarossa 892
Heißluftballon, erster 656
Hejmdal 814
Helgoland 726, 789, 814
Helgoland-Abkommen 789
Helgoland-Sansibar-Vertrag 840
Henrietta 542
Henry 518
Henry IV. 796
Herbert 544, 546, 550
Hercule 692
Héros 620, 652, 654, 734

Herzog 786
Herzog Karl von Schweden 660, 662
Herzog von York 492, 514, 524
Heureux 572
Hibernia 726
Hiddensee 826
Hilfskreuzer 824
Hippopotame 613
Hispaniola/Haiti 604
Historismus 795
Hjelmstjerna 728
Hoche 686, 696
Hochkirch
— Schlacht bei 616
Höchstädt
— Schlacht bei 574
Hogland
— Seeschlacht bei 660
Hohe Pforte 781
Hohenfriedberg
— Schlacht bei 600
Holland 834, 846
Hollandia 544, 546
Holmes, Robert 514, 520
Holstein 567
Hongkong 748
Hood (II), S. 720, 738
Hood, A. 614, 684
Hood, Samuel 646, 648, 650, 652, 678, 682
Hooglant 632
Hoogly, Fluß und Ort 498
Hooker, Gen. 808
Hormus 522, 562
Horn 538, 540
Hoste, Paul 564, 613
Hoste, William 732
Hotham 682, 684, 770
Housatonic 810
Howe 616, 640, 642, 644, 666, 678, 680, 690
Huascar 794, 832, 834
Hudson-Bucht 524, 652
Hudson-Fluß 726
Hudsontal 642
Huë 802
Hughes 652, 654
Hull 734
Humaita, Festung 816, 818
Hunley 810
Hussar 614
Hutchins 578
Hvaler Inselgruppe 756
Hyde Parker 638, 672, 700

Hyder Ali 652, 654
Hydra 892
Hyerische Inseln 684

I

Ibarra, Diego de 522
Iberische Halbinsel 730
Ibiza 576
Ibrahim Pascha 747, 760
Idzumo 880
Iéna 888
Ile de France 590
Illustrious 682, 742, 744
Ilo vor Peru 832
Iltis 874
Imperator Alexander III.< 884
Imperator Nikolai I. 886
Impérial 740
Implacable 728
Indefeatigable 686
Independencia 762, 834, 840
Indien 498, 510, 512
— Visagapatam 738
Indischer Ozean 506, 569, 588, 604, 652
Indivisible 702
Indochina 772, 836, 882
Indomptable 680, 702
Indonesien 758
Industrielle Revolution 745
Infanta Maria Teresa 850
„infernal mashines" 556
Ingenieurleistung 810
Insel Chiloe 756
Insel d'Aix 614, 616
Insel San Lorenzo 756
Insel Santa Maria 754
Insulinde 522, 536, 542, 740, 742, 758, 770
— Piraten 749
Insurgente 706
Intibah 832
Intrepid 708
Invasionsvorbereitungen 616, 673
Invincible 556, 600, 604, 626, 700
Ionische Inseln 724, 732
Ionisches Meer 588, 688, 696, 871
Iowa 850
Ipswich 598
Iquique 834, 840
Irische See 830
Irland 497, 546, 671, 686, 690, 696
Iron Duke 830
Isabella II. von Spanien 822

Isle de Groix
— Seeschlacht bei der 684
Ismaïl, Festung 658
Istanbul 720, 796
Istrien 734
Italien 671, 818, 864, 890
— Ausbreitung 870
— Einigungskriege 781, 804
Italien/Türkei
— Flottenstärken 870
Italiener 785
Ito 842
Iwate 880

J

Jachmann 814
Jaffa 766
Jakob II. von England 496, 546, 552
Jakob III. Stuart 565
Jamaika 512
James 502
Jan van Riebeck 506
Japan 787, 830, 864, 876
— annektiert Korea 869
— Bürgerkrieg 812, 824
— Öffnung 787, 796, 800
— Satsuma-Aufstand 830
— Seeherrschaft 844
— Vertrag mit USA 787
Japanisches Meer 880
Jasmund 536, 814
Jason 574, 600
Java 734, 740, 744
Javary 842
Jedo/Tokio 800
Jena und Auerstädt
— Schlachten bei 720
Jenissej 876
Jenkins 569
Jersey 636, 704
Jerusalem 766
Jervis 671, 672, 673, 684, 686, 688, 690, 704
Jessen 880
Jiddah 890
Johan Krestitel 662
Johann III. Sobieski von Polen 544
Johann IV. von Portugal 746
Johann, Erzherzog 700
Johanniter 524, 568, 588, 596, 613, 656
John Churchill, Earl von Marlborough 574
Johnston, Gen. 806, 808
Johnstone 652

Joinville, Prinz von Frankreich 768
Jones 636, 656
Joseph I., Kaiser 566
Joshino 844
Juarez 804
Juel, Niels 496, 536, 538, 540
Jugendstil 795, 873
Jumper 556, 558
Juncal 762
Junon 742
Junta von Sevilla 728
Jurien de la Gravière 804
Jütland 508, 730
Jylland 814

K

Kaas 632
Kadir Bey 696
Kagoschima 812
Kairo 692
Kaiser 822, 852
Kaiser Leopold I. 542
Kalabrien 720
Kalamata 560
Kaliabar
— Flußschlacht bei 512
Kalkutta 498, 622
Kalmar 542
Kambodscha 786
Kamimura 880
Kamperduin
— Seeschlacht bei 690
Kampfschwimmer 764
Kamtschatka 562
Kanada 512, 609, 626, 634, 642
Kanalgeleit 524
Kanalgeschwader 638
Kanalinseln 636
Kananor 512
Kanaris 758
Kanarische Inseln 688, 740, 744
Kanonade von Valmy 676
Kanonenbootflottille 656
Kanonenbootkrieg 674, 726
Kanonenjollen 666
Kanonenschaluppen 666
Kanton 768, 787, 800
Kap Barfleur 500
Kap Barfleur und La Hougue
— Seeschlacht bei 552
Kap Delgado 564
Kap-Fear-Fluß 812

Kap Finisterre
— Seeschlacht bei 600, 602
Kap Françoise 624
Kap Henry 610
— Seeschlacht bei 648
Kap Kaliakra 658
Kap Lizard 578
Kap Matapan
— Seeschlacht bei 590
Kap Musandam 710
Kap Passaro 568
— Seeschlacht bei 592
Kap Shantung
— Seeschlacht bei 878
Kap Spartel 640
Kap St. Vincent 542, 592, 638
— Geleitkampf bei 684
— Seeschlacht bei 636, 686, 764
Kap Sta. Maria
— Seeschlacht bei 616
Kap Trafalgar 673
— Seeschlacht bei 714
Kaperfahrt 754, 762
Kaperkrieg 497
Kaperschiffe 550
Kapitana 658
Kapkolonie 652, 704
Kapstadt 506, 738
Kapverden 652, 744
Karavane 524
Karibik 552, 792
— Piraten 749
Karl I. von England 489
Karl II. von England 492, 493, 496, 510, 512, 520
Karl II. von Spanien 565
Karl III. von Spanien 565, 578
Karl V. von Lothringen 544
Karl VI., Kaiser 566, 568, 569, 580, 588, 594
Karl X. Gustav von Schweden 492, 506
Karl XI. von Schweden 494
Karl XII. von Schweden 567, 568, 582, 584, 586
Karl, Erzherzog 732
Karlisten 784
Karlskrona 660
Karpfanger 542
Karronaden 611
Karteria 761
Kaspisches Meer 594, 611, 748, 762
Katalonien 556, 566, 576, 592
„Katamarane" 710

Katastrophe 818
Katharina II. von Rußland 609, 610, 622, 628, 660
Katharina von Braganza 512
Kattegat 502, 586
Katwyk-Scheveningen
— Seeschlacht bei 504
Kaukasus 594
Kearsarge 812
Keelung 786, 838
Kempenfelt 640
Kent 572, 596, 602, 698, 708
Kentish Knock
— Seeschlacht bei 500
Keppel 622, 626, 636
Kersaint 650
Kertsch 658
Kettensperre 634
Khajwa
— Schlacht bei 510
Kharg 748, 766
Khartoum 846
Kiel 772
Kieler Förde 508, 584
Kiellinie 844
Killigrew 558
Kilwa 564
Kinburn 656, 800
Kingston 578
Kirchenstaat 560, 782
Kitchener, Gen. 846
Kjögebucht
— Seeschlacht in der 538, 584
Klassizismus 749
Knjas Potjomkin 886
Knowles 604
Koalition
— dritte 673
— zweite 696
Koalitionskrieg
— dritter 714
— erster 669, 676
— fünfter 674, 732
— vierter 673, 720
— zweiter 671
Koga 824
Kolberg 622
Kolderstock 567
Kolin
— Schlacht bei 614
Kolonialkrieg 607
Kolonialoffensive 742

Kolonien 607
Kolumbien 750
Kondouriotis 892
Konföderierte Staaten 790
Kongreßpolen 675
König Wilhelm 832
Königgrätz 783
— Schlacht von 820
Konstanta 886
Kontinentalsperre 673, 720, 724, 726
Konzentrationslager 786, 852
Kopenhagen 492, 508, 582, 672, 674, 700
— Bombardement 724
Korea 788, 828, 830, 842, 864
— Krieg um 842
Koreastraße 880
Korejetz 874
Korfu 696
— Seeschlacht bei 590
Koromandelküste 654
Koron 560
Korsika 580, 609, 632, 682
Kotetsu 824
Kotlin 567, 582
Kotschin 512
Koxinga 498, 510, 544
Krankheiten
— Todesfälle 608
Krefeld, Schlacht bei 616
Kreiselkompaß 888
Kreta 785, 846
Kreuzergefechte 734
Kreuzerkrieg 504, 614, 636, 672, 732, 812
Kreuzfahrt 892
Krieger 682
Kriegsdschunken 748, 768, 800
Kriegskanus 749
Kriegsschiffbau 785, 852
Kriegsschiffe, Rangklassen 491
Krim 611, 656, 782
— Landung 798
Krimkrieg 781
— Lehren 782
Kronstadt 567, 660, 800
„Krügerdepesche" 864
Krupp 776
Kruse 662
Krusenstern 710
Kuba 792, 870
Kudalur 624
— Seeschlacht bei 654

Kunersdorf
— Schlacht bei 616
Kuper 812
Kurilen 788
Kuropatkin, Gen. 880, 882
Küstenforts 828
Küstenpanzer 806
Küstenpanzerschiffe 776
Kutusow, Gen. 718, 736
Kwaiten 824
Kwangtschauwan 789
Kwantung 869, 878

L

l'Eolo 688
l'Orient 694
La Argentina 754
La Bourdonnaye 604
La Caffinière 554
La Galissonnière 614
La Guayra 604
La Hougue 554
La Motte-Picquet 638, 646
La Pedrerea 890
La Plata, Vizekönigreich 752
La Rochelle 500
La Valetta 700
Laborde 752
Ladogasee 567
Lagos 554, 602, 618
Landkrieg 791
Landoperationen 671, 673, 868
Landungsoperation 586, 608, 626, 790, 798, 838, 840
Landungsunternehmen 592, 764, 770
Langara 636
Langley 846
Lateinamerika 761
— Unabhängigkeitskriege 745
Latif Khan 596
Latorre 834
Laubeuf 850
Laudon, FM Gideon Ernst, Frh. von 616
Lautaro 754
Lave 800
Lawson 502, 510
Le Havre 556, 616
Le Mans
— Schlacht bei 828
Leake 576, 578
Leander 688, 694, 696
Lee, Ezra 642

Lee, Gen. 808, 810
Leeposition 532
Leeuwen 544
Lefforet 802
Leharpe 698
Leipzig 838
Leissègues 740
Lemnos
— Seeschlacht bei 590, 722
Leopard 814
Leopold I., Kaiser 565
Leopold II., Kaiser 611
Lesbos 560, 630, 758, 760
Lestock 600
Leuthen
— Schlacht bei 614
Levante 497, 524, 630, 696, 747, 766
— Geleit 554
— Handel 491
Leviathan 696, 698
Lewe 582
Lexington 609, 640
Li Hung Tschang 788
Liao-yang
— Schlacht bei 880
Licorne 574
Liegnitz
— Schlacht bei 622
Liga von Augsburg 489, 496
Ligny 738
Lima 756, 768
Lind, James 613
Linienschiffe 491, 569
— Standfestigkeit 494
Linois 702, 738
Lion 646, 732, 744, 874
Liparische Inseln 530
Lissa 732, 783, 820
— Seeschlacht bei 820
Lissabon 522, 572, 674, 726, 730, 764
Literatur 564, 613, 628, 654, 756, 838, 890
Livland 567
Livorno 504
Loa 816, 834
Lockhart 614
Loire 826, 828
Loiremündung 638
Lombardei 804
London 586, 648, 652, 700
— der große Brand 493, 520
— WIC 512
Londonderry 546

Lopez II. von Paraguay 793, 816
Lord Clive 628
Lorient 600, 684, 734
Lough Swilly 696
Louisbourg 604, 626
— Fort 626
Louisiana 806
Lowestoft 524
— Seeschlacht bei 514
Ludwig XIV. von Frankreich 492, 493, 494, 496, 510, 516, 542, 565
Ludwig XVI. von Frankreich 676
Ludwig XVIII. von Frankreich 738
Luftballon 778
Luftfahrzeuge 778
Luftpumpe 506
Luftschiffe 778
Luft-ü-Celil 832
Lumley Castle 556
Luppis 776, 822
Luxemburg, Herzog von 546
Lys 576

M

Mac Mahon, FM 826
Macdonough 736
Macedonian 734
Madagaskar 594, 789, 836, 882
Madras 604, 624
— Seeschlacht bei 536, 654
Magellan 632
Magicienne 648
Magnamine 576, 580, 602
Mahan 838, 873
Mahdis 846
Maine 792, 848
Maitland 744
Majesteux 738
Majestic 694, 726, 852
Makarow 795, 832, 846, 868, 878
Makassar 522
Makedonia 892
Makung 838
Malabarküste 512, 594, 622, 738
Malaga 830
— Seeschlacht bei 574
Malakka 706, 748
Malindi 564
Malplaquet
— Schlacht bei 578
Malta 560, 592, 671, 673, 692, 698, 700
Malvasia 560

Manassas 806
Manco Capac 834
Mandschu-Dynastie 544, 786
Mandschurei 788, 789, 864, 869, 880, 882
Manfroni von Montfort 822
Manhattan 812
Manhattan 514
Manila 624, 792, 848, 886
Mansur el-Liwa 758
Mantua 684
Manzanillo 848
Maori 749, 768
Maracaibo 876
Marathen 512, 594
Marathenbund 666
Marengo 738, 740
Marengo
— Schlacht bei 698
Margerita 750
Maria II. von Portugal 746, 764
Maria Isabel 754
Maria Theresia von Österreich 569, 598, 608
Marineflieger 894
Markomannia 876
Marlborough 565, 576, 578, 580, 626, 638
Marmarameer 785, 872
Marokko 612, 747, 764, 768, 796
Marokkofrage 864
Marquis 576
Marrakesch 666
Mars 600, 692, 700
Marstrand 586
Martin 682, 684, 732
Martin Garcia 752
Martinique 522, 534, 604, 624, 626, 644, 646, 704, 738, 742
— Diamond Rock 738
— Seeschlacht bei 646
Mary 572
Maskat 498, 506, 562, 594
Mataram 542
Mathews 569, 598, 600
Matsushima 844, 888
Maure 554, 558, 580
Mauritius 569, 588, 654, 742
Maximilian von Mexiko 804
Mayo 870
McClellan, Gen. 808
Meade, Gen. 810
Medway 516, 520, 604
Meerengen, türkische 720
Mehmet Ali von Ägypten 766

Meiji-Restauration 824
Mélampe 614
Mêlée 504
Melilla 612, 666
Mello 842
Memel 614
Memphis
— Schlacht bei 808
Méndez Nuñez 814
Mendez-Nuñez 830
Menorca 566, 578, 613, 636, 640, 684, 696
— Seeschlacht bei 614
Menschenrechte 666
Merkuri 660, 761
Mermaid 514
Merrimac 806
Mers el Kebir 612, 666
Messina 530, 592
Messudieh 892
Meteor 826
Methuen-Vertrag 566, 572
Metz
— Schlachtentrilogie von 826
Meuterei 886
Mexiko 745, 766, 770, 791, 804, 870
— Unruhen 894
Mezzo Morto 560
Miaoulis 758, 760
Middleton 712
Mighel 580
Mighells 592
Miguel 764
Mikasa 888
Milwaukee 812
Minas Geraes 888
Minden 744
Minen
— erste Erfolge 778
— Einsatz 642, 772, 800
— Erfolg 808, 812, 818, 878
Minenkrieg 868, 873
Minenlegen 778, 785
Minenleger 846
Minensperre 810
Minenwaffe 768, 791
Minenwesen 777
Minerve 638
Min-Fluß 838
Ming-Dynastie 510
Minotaur 732
Miranda 740
Mischikow 622

Missiessy 738
Mississippi 708, 790, 796, 808, 810, 894
— Insel Nr. 10 806
Mississippiforts 806
Missolunghi 758
Mitau 596
Mitchell 806
Mittelmeer 497, 506, 530, 556, 570, 576, 596, 598, 610, 613, 671, 678
Mittelmeergeschwader, britisches 671
Mittelmeerkreuzfahrt 684
Mjasojedow 728
Mobile
— Seeschlacht bei 810
Modéré 554
Modeste 622
Modon/Methoni 632, 747, 758
Moen
— Seeschlacht bei 538
Mogador 768
Mogulreich 498, 512, 607
Mohammed Ali von Ägypten 747
Molino 560
Mollwitz
— Schlacht bei 598
Moltke, Gen. 783, 820, 826
Mombasa 506, 512, 564
Monarca 638
Monarch 704, 852
Mongolei 594
Mongolfier 778
Monitor 806
Monk 492, 500, 502, 510, 516, 520
Monroe-Doktrin 791, 870, 876
Mont Blanc 684
Montagne 678, 680
Montagu 510, 514, 524, 888
Monte Christi 646
Montenegro 892
Montevideo 596, 752, 770
Montgolfier 656
Montgomery 808
Montojo 848
Montreal 609, 626
Montt 840
Moore 626, 766
Morales 666
Morard de Galles 670, 686
Morea/Peloponnes 489, 497, 560, 568, 590
Moreau, Gen. 700
Moreno 702
Moritz von Sachsen, Graf 600

Morosini 560
Morse 770
Mörserboote 640
Mosambique 522
Moskau 736
Motorflugzeuge 778
Muirone 698
Mukaddeme i-Hayire 766
Mukden 880
— Schlacht bei 882
Murrey 742
Mustapha Köpröli, Großwesir 560
Mykonos 682

N

Nachimow 796
Nachrichtennetz 802
Nachrichtentechnik 770, 796, 850
Nachtangriff 884
Nachtgefecht 614, 730
Nachtschlacht 512
Nadir, Schah von Persien 596
Nagasaki 787
Nahkampf 818
Namur 598, 604, 606, 618, 626
Naniwa 842
Nanking 510, 786, 869
Nansen 842
Nantes 636
Napier 764, 766, 781
Napoléon I 773
Napoleon I. 670, 671, 672, 673, 684, 688, 692, 696, 698, 710, 712, 718, 720, 722, 724, 728, 730, 732, 736, 744, 798
Napoleon III. 781, 784, 791, 804, 826
Naragansett-Bucht 644
Narborough, John 542
Nares 830
Narval 850
Nassau-Siegen 656, 660, 664
Naupaktos 560
Navarin/Pylos 747
Navigation 588
Navigationsakte 493, 498, 506, 745, 772
Nawarin 886
Neapel 696
— Königreich 568, 598, 656, 684, 696, 720, 782
Nebogatow 884
Negapattinam 604, 624
— Seeschlacht bei 654
Negroponte 562

Neir i Schefket 796
Nelson, Horatio 671, 672, 682, 686, 688, 694, 696, 700, 712, 714
— ignoriert Befehl 702
Neptune 554, 626, 646, 742
Neptuno 718
Néréide 766
Neu-Amsterdam 493, 514
Neuengland 580, 644
Neufundland 558, 566, 706
Neugranada
— Unabhängigkeitskampf 750
Neuschottland 566, 580, 604, 626
Neuseeland 749, 768
— Maoriaufstand 814
Nevada 892
Neville 558
Nevis 522, 738
New Orleans 648, 675, 806
New York 493, 534, 642, 850
Newa 582
Newcastle 624
Newcomen, Thomas 588
Nicteroy 762
Niederlande 489, 493, 494, 500, 502, 510, 514, 520, 524, 528, 544, 554, 565, 567, 609, 638, 673, 682
— Landung in den 698
— österreichische 669
Niederländer 506, 508, 512, 530, 542, 546, 758
— im Pazifik 632
Nielly 682
Niels Juel 814
Nieuwport 574
Nikobaren 596
Nil 785
Nipic 838
Nizza 804
Noirmoutier 532
Nonsuch 546, 554, 558, 638
Nootka 666
Nordamerika 491, 607, 634, 640, 644
— Landkrieg 648
— Unabhängigkeitskrieg 609
— Wetterbedingungen 610
Norddeutscher Bund 822
Nordenfelt 836
Nordenskjöld 795, 832
Nordostpassage 832
Nord-Ostsee-Kanal 795, 846, 873, 894
Nordsee 514, 516, 520, 526, 542, 554, 572, 576, 682

Nordstaaten
— behalten die Marine 790
Nordwestpassage 795, 876
Nore 690
Norfolk 624, 734, 790, 806, 808
Norrköping 584
North Foreland
— Seeschlacht bei 520
North River of Clermont 726
Northumberland 572, 600, 734
Norwegen 586, 756
— selbständig 888
Nottingham 600
Novara 802
Nowik 880
Nuestra Senora del Rosario 596
Numancia 814, 830
Nyborg 508
Nymphe 678, 826

O

Obligado
— Gefecht bei 770
Odermündung 618
Odessa 798
Ogle 594
Ohio 626
Okinawa 788
Öland 660
— Seeschlacht bei 538
Oldenburg 606
Ölfeuerung 774, 892
Olga 838
Oman 498, 506, 512, 522, 592, 596, 634, 748
— Seeherrschaft 562
Omdurman
— Schlacht bei 846
Opiumkrieg 748, 768, 787
Oquendo 850
Oran 596, 612, 666
Oregon 850
Orel 662, 886
Öresund 492, 567, 700
— internationale Wasserstraße 493
— Seeschlacht im 508
Oriflamme 614
Orinoko 750
Orleans 826
Orlow 609, 628
Orphée 613, 614
Osage 812
Osborne 614

Ösel 586
Oslofjord 660
Osman Pascha 796
Osmanen 560, 748
– vor Wien 544
Osmanisches Reich 846
Osslajabja 884
Ostafrika 506, 512, 564, 838
Ostasien 798, 864
Ostende 694
Ostender Kompanie 594
Österreich 526, 544, 568, 569, 594, 607, 611, 656, 674, 732, 747, 758, 818
– Donauflottille 562
– Erbfolge 588
Österreicher 696
Österreichischer Erbfolgekrieg 569
Österreichischer Lloyd 747
Österreich-Ungarn 783, 871
Ostindien 534, 604, 611
Ostindienfahrer 738, 742
Ostsee 504, 586, 594, 612, 614, 660, 662, 674, 726
– Flottenstärken 567, 660
– Seehandel 495
Ostsee im Krimkrieg 798
Otschakow 568, 656
Oudenarde
– Schlacht bei 578
Outer Gabbard
– Seeschlacht bei 502
Oyama, FM 880, 882

P

Packeis 842
Paixhans 766, 774
Palästina 766, 781
Palermo 696
– Seeschlacht bei 532
Palestro 822
Pallada 876
Palma di Mallorca 576
Palvasund 728
Panamakanal 870, 873, 894
Pantelleria 558
Panther 876, 890
„Panthersprung" 864
Panzerbatterien 800
Panzerkanonenboot 824
Panzerschiffe 776, 791, 806
Papin, Denis 542, 773
Paraguay 752, 816

– gegen Tripelallianz 793
Parana 752, 793
Pareja 814
Paris 826
– Deklaration von 782
– Kapitulation von 828
Parker 642
Parsons 774, 846
Parthenon 560
Patagonien 762
Pate 564
Patras 630
Patrona 596
Paul I. von Rußland 672, 702
Paulucci 758
Payer 828
Pazifik 666
– Forschungsfahrten 632
Pazifikkrieg 794
Pearl 812
Pearl Harbor 792, 850
Pedro I. 761
Pedro I. von Brasilien 761, 764
Pégase 640
Peiho 787
Peiho-Forts 874
Peipussee 567, 582
Peking 787, 789, 802, 874
– Plünderung 787
Pelayo 894
Pelican 558
Pellew 678, 686, 740, 756
Peloponnes 761
Pemba 564
Pembroke 580, 606
Penn 500, 502, 514
Pennsylvania
– Flugzeuglandung 888
Pensacola 648
Pereira, Antonio 506
Pereswjet 882
Perle 554
Perl-Fluß 768
Perouse 652
Perry, M. C. 770, 787, 796, 800
Perry, O. H. 734
Persano 820, 822
Perser 592
Persien 562, 596, 762
– Teilung 864
Persischer Golf 504, 596, 634, 710, 748, 749

Peru 754, 793, 794, 814, 834
— Anarchie 834
Peru, Vizekönigreich
— Unabhängigkeitskampf 754
Pescadores-Inseln 544, 786, 838, 844, 888
Peter d. Gr. von Rußland 564, 567, 570, 582, 584
Peter III. von Rußland 609, 614, 622
Peterwardein
— Schlacht bei 590
Pétion 824
Petit-Smith 773
Petropawlowsk 798, 878
Petschili 874
Peyton 604
Pfälzischer Erbfolgekrieg 489, 544
Pfefferhandel 512
Phénix 572
Philadelphia 642, 708
Philipp IV. von Spanien 494
Philipp V. von Spanien 565
Philippinen 624, 749, 789
Phoebe 700, 734
Pickard 556
Piemontaise 742
Piemonte 890
Pinzon 814
Pique 704
Piraten 497, 512, 542, 594, 596, 770
Piräus 560
— Löwen von 560
Pirna 614
Pisa 890
Pisco 756
Pitt d.Ä., William 607
Pitt d. J., William 670, 672, 673, 710, 720
Pjöng-jang
— Schlacht bei 842
Plassey
— Schlacht bei 622
Plymouth 500, 546, 558
Pobjeda 878, 882
Pocock 624, 626
Podgoritza 832
Polen 544, 596
— erste Teilung 609, 634
Polen/Sachsen 582
Polnischer Thronfolgekrieg 568
Poltawa 567, 882
— Schlacht bei 584
Polyphemus 742
Pondicherry 514, 604, 624, 652

Popham 738, 740
Popow 832
Porkkala 662
Port Arthur 788, 844, 864, 868, 876, 880
Port au Prince 824
Port Louis 742
Port Mahon 522, 578, 613, 614, 640
Port Royal 534, 580, 648
Port Royal Sound 806
Port Stanley 766
Porta Coeli 574
Porter, D. D. 810
Porter, David 762
Portland 578
Porto 522, 600, 764
Porto Novo 624
Porto Praya 652
Portsmouth 542, 556, 712
Portsmut 586
Portugal 492, 494, 510, 522, 566, 568, 572, 656, 674, 726, 730, 761, 764
— Bürgerkrieg 746
— Flotte 726
— Revolution 872, 888
Portugiesen 506, 510, 512, 562, 594, 634
Potjomkin 869
Potomac-Fluß 736
Po-yang-See 772
Prag
— Friede von 822
Pragmatische Sanktion 568, 588
Prairie 894
Prat 834
Preble 708
President 736
Preßburg 569, 598
Preßgang 598
Preußen 510, 586, 598, 607, 613, 614, 671, 673, 818, 824
Preußisch-Eylau
— Schlacht bei 720
Prevesa 560, 872
Prince George 600, 616
Prince of Wales 644, 706, 712, 724
Princesa 598, 638
Princesa de Asturias 894
Princess 650
Princess Carolina 638
Princess Charlotte 766
Princess Royal 644
Prins Christian Frederik 726
Prins de Paard 544

Prinz Eugen 562, 564, 566, 568, 574, 576, 578, 590
Prinz Karl 662
Prinz Rupert 514, 516, 520, 528
Prinz von Joinville 746
Prisengeld 698
Protée 638
Provence 628, 764
Providence 646
Prudent 624
Psara 758, 892
Puerto Bello 602, 750
Puerto Cabello 604, 752, 876
Puerto Rico 652, 706, 792
Puglia 890
Pula Aor 738
Pustoschkin 722
Pyrenäen 736
Pyrenäenfriede 492

Q

„Quadrupelallianz" 568
Quebec 580, 626, 636
Quebec-Akt 634
Queen Charlotte 678, 698, 756
Queen of Francia 646
Quemoy 510
Quessant 500, 534, 640, 686, 714
— Seeschlacht bei 636, 678
Quieto 688
Quinteros 840
Quito 750

R

Rabe 586
Raddampfer 764, 770, 773
Radetzky 814
Radetzky, Joseph Graf 772
Radflugzeuge 778
Radfregatte 798, 814
Rafail 586
Railleuse 546
Rainier 706
Raisonnable 616, 644
Rajalin 728
Raketen 676, 720, 724, 774
Raketenboote 720
Raleigh 802
Ramillies 614, 652
Ramillies
— Schlacht bei 576
Rammpanzer 810

Rammschiff 806, 810
Rammsporn 777
Ramsi Bey 892
Randolph 642
Ranger 636, 646
Ras al Khaimah 750
Ratan 728
Ratnij 722
Rattler 774
Rätvisan 664
Raule 536
Re d'Italia 822
Real Carlos 702
Real Mustafa 630
Real San Felipe 592
Red River 810
Redoutable 716, 718
Reede
— von Futschau 836
— von Kopenhagen
 - Schlacht auf der 700
— von Oleron 730
— von Port Arthur 876
— von Reval
 - Seeschlacht auf der 662
Regensburg 512
Reina Christina 848
Reina Regente 846, 894
Republica 762
Resolution 502, 572
Ressel 773
Restaurador 876
Restoration 572
Retwisan 876, 882
Réunion 742
Reval 584, 662
Revenge 598
Revolutionnaire 680, 682
Rhein 676
Rhodos 871, 890
Riachuelo 793
— Flußschlacht bei 816
Richery 684, 706
Richmond,
— Schlacht bei 808
Riemenfahrzeuge 568
Riga 584
Rigny 760
Rio de Janeiro 580, 794, 818, 842, 888
Rio de la Plata 596, 634, 740, 762, 770, 894
Rio Negro 762
Rio Paraguay 793, 816

Rio Parana 770
Rio Uruguay 762, 770
Risikogedanke 863
Riva 572, 822
Riveros 834
Rivoli 734
Rjurik 880
Roanoke 806
Roberts 594
Robespierre 669
Robust 696
Robuste 732
Rochambeau 704
Rochefort 524, 616, 620, 712, 720, 730, 738, 744
Rodgers 828
Rodney 613, 616, 626, 636, 646, 650
Rodstehn 538
Rohrschach 696
Romney 578, 638, 652, 682
Rooke 546, 554, 572, 574, 582
Roosevelt, Th. 846, 869, 870
Roquefeuil 600
Rosario 840
Rosas 534
Rosas von Argentinien 770
Roschdestvo Christovo 658
Roschestwenskij 880, 882, 884
— gefangen 886
Rosecrans, Gen. 810
Rosily 728
Roßbach
— Schlacht bei 614
Rossija 880
Rostislaw 660, 662
Rostov 562
Roter Fluß 786
Rotes Kreuz 804
Rotes Meer 871, 890, 892
Roussin 764
Royal Charles 514, 520
Royal Fortune 594
Royal George 618, 640, 684, 720
Royal James 524
Royal Katherine 574
Royal Oak 596, 646
Royal Prince 518, 524
Royal Sovereign 546, 716
Rubis 600
Ruby 578
Ruderkanonenboote 656
Ruderkriegsschiffe 584

Rüdiger von Starhemberg, Graf 544
Rügen 540, 584, 586, 714
— Seeschlacht bei 586
Russell 550, 552, 554, 556, 602
Russen 616
— in Alaska 708
Rußland 497, 564, 568, 570, 582, 594, 598, 604, 607, 609, 628, 656, 660, 673, 698, 714, 720, 726, 789, 832
— Drang zur See 795
— Expansionsdrang 781
— in Ostasien 787, 868
— in Sibirien 562
— Meutereien 869
— Reisezeiten 710
— Schutzmachtfunktion 781
— Übergabe der Schiffe 886
Ryukyu-Inseln 788, 830

S

S. Antonio 596
S. Giorgio 596
S. Giovanni 596
S. Vincento 596
Sables d'Olonne 730
Sachalin 886
Sachsen 614, 818
Sachtouris 758
Sacramento 522
Sagittaire 628
Said Bey 658
Saida 766
Saigon 786, 802, 880
Saiyid Sultan von Oman 710
Saldanha-Bucht 706
Salé 796
Salisbury 572
Saloniki 892
Salpetergruben 794
Salzburg 673
Samoa-Inseln 828, 838
Samos 758
Samothrake 724
Sampson 848
San Agustin 718
San Carlos 634
San Damaso 706
San Feliu 530
San Fiorenzo 738, 742
San Francisco 894
San Genaro 628
San Giovanni 588

San Giovanni di Medua 892
San Hermenegildo 702
San Isidoro 598
San José 578, 688
San Juan d'Ulloa 745, 752, 766, 770
San Lorenzo Giustinian 562
San Martin 754
San Nicolas 688, 752
Sandström 726
Sandwich 636, 646
Sans-Culottes 682
Sansibar 506, 564, 748, 789, 846
Santa Catarina 634
Santa Theresa 574
Santiago de Kuba 792, 848
– Seeschlacht bei 850
Santissima Trinidad 686, 716
Santo Domingo 624, 636, 652, 704, 740
– Sklavenaufstand 738
São Paulo 888
São Raphael 888
Saratoga 609, 642
Sardinien 568, 578, 592, 782, 804
– Königreich 798, 804
Sartorius 764
Sasebo 888
Saumarez 702, 726
Savannah 644, 773, 806, 810
Savoyen 566, 592, 804
Sceptre 652
Schanghai 789, 880
Schärenflottille 584, 588, 604, 618, 662, 664, 726
Schärengewässer 568
Schatt al-Arab 748
– Seeschlacht im 634
Scheinwerfer 873
Schelde 764
Schiffbau 611, 804, 828, 834, 836, 838, 846, 850, 888
Schiffbruch
– an den Scilly-Inseln 578
– bei Texel 732
– im Ärmelkanal 572, 600, 832
– im Atlantik 626, 652
– im Ind. Ozean 606, 624, 740
– im Mittelmeer 512, 592, 632, 840
– im Nordatlantik 824, 830, 888
– im Pazifik 838, 840
– im Südatlantik 840
– in der Biskaya 542
– in der Nordsee 544, 700, 734

– in der Ostsee 802
– in Westindien 534, 590, 604, 646
– vor Cadiz 846
– vor Gibraltar 556
– vor Südafrika 796
– vor Südamerika 522
Schiffsantrieb 773
Schiffsbesatzungen 598
Schiffsdieselmotoren 774
Schiffsgröße 774
Schiffsschraube 773
Schiffstransport 612
Schiffsturbine 774
Schiffstypen 793, 852
– Größensprung 779
Schiffstypenbezeichnung 779
Schimonoseki 814
Schlachtschiff/Großlinienschiff 873
Schleinitz 828
Schlesien 569, 598, 608
Schleswig 594, 772, 782
Schleswig/Holstein 746
Schley 850
Schmuggel 745
Schnellboote 777
Schonen 536
Schonenscher Krieg 489, 495, 536
Schooneveldt
– Seeschlacht bei 526, 528
Schottland 578, 600
Schraubendampfer 773
Schraubenfregatten 814
Schraubenlinienschiff 773, 798
Schutzbriefe 594
Schwarzenberg 814
Schwarzenberg, Fürst 736
Schwarzes Meer 562, 570, 609, 632, 722, 747, 761, 784, 832, 872
– Flottenstärken 656, 781
– im Krimkrieg 798
Schweden 492, 495, 506, 538, 570, 582, 586, 594, 604, 607, 660, 674, 726
– erobert Norwegen 756
Scilly-Inseln 556, 558, 578
Scipion 652, 744
Scott 776
Seahorse 730
Sedan 784, 826
– Schlacht bei 826
Séduisante 686
See als Transportweg 781
Seeblockade 497, 791

Seefestungen 566, 782
Seeflieger 892
Seeherrschaft
— im Gelben Meer 788
Seekabel 836
Seekriegswesen 795
Seeland 508, 540, 582, 724
Seemacht gegen Landmacht 669
Seerecht 596, 782, 888
Seesoldaten 874
Seestreitkräfte
— vor Albanien 872
Seetaktik 564
Seeüberwachung 846
Seid Ali Pascha 722
Seine 708, 826
Sémiramis 814
Semmeringpaß 568
Semmes 812
Sénégal 644, 742
Senjawin 586, 632, 714, 722, 730
Seoul 876
Serapis 636
Serbien 832, 892
Serieux 600
Serpente 546
Seven Pines
— Schlacht bei 808
Sewastopol 656, 882
— Beschießung von 798
— Eroberung von 800
Sewold 728
Seyfi 832
Seymour 708, 789, 836, 874
Sezessionskrieg 790
Sfax 836
— Beschießung 836
Shah 832
Shannon 734
Shantung 788, 844
Sheerness 520
Shenandoah 812
Sheng-tsu, Kaiser 594
Shiloh
— Schlacht bei 806
Shogun 787
Shovel 574, 576, 578
Shrewsbury 592
Shuja, Prinz von Indien 510
Sibirien 562, 611, 795
Sibylle 708
Sicherheitsvorkehrungen 873

Sidney-Smith 696, 720, 726, 728
Siebenjähriger Krieg 607
Siemens 772
Sierra Leone 704
Signalwesen 611
Silberflotte 572, 578
Silberschatz 710
Simons-Bucht 704, 740
Simpson 768
Singapur 748
Sinope
— Seeschlacht bei 796
Sirius 696
Sissoi Weliki 886
Sitka 708
Sizilien 495, 530, 532, 568, 592, 772, 782, 804
Sjelland 814
Sjöblad 538, 586
Sjöhelm 508
Skagerrak 732
Skjold 814
Sklavenhandel 594, 749
Sklavenhändler 838
Sklaverei 749
Skorbut 613
Skorpion 570
Slankamen
— Schlacht bei 560
Slisow 662
Soeul 788
Solano 666
Solebay
— Seeschlacht in der 524
Soleil Royal 552, 554, 564, 574, 618, 620
Solferino
— Schlacht bei 804
Solimoes 840
Solitaire 652
Sophia Magdalena 664
Sophie 838
Sounders 626
Sousse 632
Spanien 492, 495, 512, 530, 565, 568, 598,
602, 608, 609, 612, 636, 666, 673, 684,
710, 728, 745, 761, 848
— Aufstand 674
— Bürgerkrieg 830
— Ende des Kolonialreiches 792
— Republik 784
— Revolution 746, 822
— verkauft Pazifikinseln 850

Spanier 592, 596, 628, 648, 754
- im Pazifik 632
- vor Südamerika 814
Spanisch Marokko
- Kabylenaufstand 894
Spanischer Erbfolgekrieg 565
Sparre 586
Speaker 500
Speedy 702
Speelman 522, 544
Spezai 892
Spierentorpedo 785, 812, 832, 834
Spierentorpedoboote 790, 791
Spinola 604
Spiridow 628
Spithead 638, 690
Sporaden 730
Spragge 524, 528
Sprengfalle 834
St. Albans 550, 604
St. Antoine 704
St. Austachius 630
St. George 734
St. Gotthardpaß 698
St. Helena, Insel 506, 738
St. Jean d'Acre/Akko 766
St. Kitts 522, 648, 738
- Seeschlacht bei 648
St. Lorenz-Strom 609
St. Lucia 644, 704
St. Malo 524, 554, 558, 616, 636, 708
St. Maura/Leukas 560
St. Paul 696
St. Petersburg 567, 582, 584, 662, 800, 869
St. Philippe 524, 574
St. Vincent 644, 706
Sta. Caterina 842
Stengel 698
Stettin 540
Steuerrad 567
Stiller Ozean 749, 828, 850
Stirling Castle 572, 646
Stockton 770
Stoessel 874
Stopford 744, 766
Stora Kronan 536, 538
Strachan 718, 732
Strafford 602
Stralsund 586
Straßburg 497, 542, 560
Straße
- von Gibraltar 493, 514

- von Kertsch 722
- von Malakka 498, 536
Stromboli
- Seeschlacht bei 530
Strömstad 586
Sturzbomber 778
Stützpunkte 566
Südafrika 652
Südamerika 596, 628, 650, 770, 793
- Aufstandsversuch 740
- Nachfolgekriege 746
Sudan 785, 846
Südstaaten
- Küstenblockade 790
Suenson 814
Suezkanal 795
- Eröffnung 824
Suffolk 604, 706
Suffren 611, 640, 652, 654, 768
Sultan bin Saif I. 506, 564
Sultan bin Seif II. 592
Sultan Mahmud II. 747
Sultana 818
Sultanat von Atjeh 512
Sumatra 512, 654, 706, 758
Sun Yat-Sen 869
Sunda-Straße 498, 536
Sunderland 624
Superb 654, 740
Superbe 580, 620
Surat 512, 562, 588
Surcouf 708
Surinam 708, 738
Surveillante 636, 826
Sussex 556
Suwarow, FM 698
Suworow 884
Svärd 538
Sveaborg 660, 726, 800
Svensksund
- Seeschlacht im 660, 664
Swallow 594
Swiftsure 518, 694, 698, 702, 830
Sybille 652, 682
Sydermanland 606
Symington 773

T

Tabarka 834
Taiping-Revolution 748, 786
Taiwan/Formosa 498
Taktik 495, 672, 676

taktische Instruktionen 491
Taku-Forts 787, 789, 802
Talavera
— Schlacht bei 732
Talcahuano 754
Tallahassee 812
Tamatave 744, 836
Tampico 870
Tanger 512, 524, 666, 768
Tapperhet 662
Tartar 614
Tasman 632
Tauchboot 790, 796, 800, 810, 838, 846
Tauchboot/Unterseeboot 777
Tauroggen
— Konvention zu 736
Technik 628, 642, 704, 726, 761, 846, 888, 892
— Schiffsbergung 796
— Unterwasserkabel 772
technische Entwicklung 873
Tecumseh 810
Tegetthoff 782, 783, 814, 820, 822, 828
Telegraphenkabel
— im Atlantik 802
— unterseeisch 796
Temeraire 716
Temple 626
Tendra
— Seeschlacht bei 658
Tenedos 722, 724
Tennessee 810
Tennessee-Fluß 806
Terekmündung 594
Ternate 742
Ternay 646
Terpsichore 684
Terrible 598, 648
Tetuan 830
Texas 745, 766, 850
Texel 516, 520, 526, 556, 682, 696
— Seeschlacht bei 528
Thasos 724
Themsemündung 522, 528
Thesée 620
Theseus 688, 696
Thomson 830
Thunderer 622, 646, 766
Tibet 594
Ticonderoga 640
Tiger 798
Tigre 684, 696

Tijdverdrijf 544
Tilly 634
Timoleon 694
Ting-Yuen 842, 844
Tippu Sahib 666
Tirpitz 863
Titanic 892
Tobago 534
Tobruk 890
Togo 842, 868, 876, 884
Tokiwa 880
Tombazes 758
Tonkin 802
Tonnant 694, 800
Topete 822
Torbay 613, 620, 652
Tordenskjold 814
— siehe Wessel 586
Torgau
— Schlacht bei 622
Torpedo 776, 838
Torpedoboote 776, 794, 832
Torpedobootsangriffe 844, 876
Torpedobootszerstörer 776
Torpedoerfolg 838, 840
Torpedoflieger 778
Toskana 560
Toulon 524, 570, 578, 670, 671, 678, 682, 684, 692, 712, 730, 888
— Seeschlacht bei 598
Toulouse 580
Tourville, Hilarion de 530, 542, 544, 546, 550, 552, 554
Tranquebar 596
Trebbia
— Schlacht an der 698
Trefoldighed 508
Trehouart 770
Trekroner 700, 702
Trenton 838
Triest 568, 724
Trinidad 706
Trinkomalee 534, 654, 706
— Seeschlacht bei 654
Trionfo 590
Tripelallianz 816
Tripolis 542, 596, 613, 676, 708, 870, 890
Tripolis in Libyen 542
Tripolitanien 864, 890
Triton 613
Triumph 500

Tromp, Cornelis 516, 520, 528, 530, 532, 538, 540
Tromp, Marten H. 498, 500, 502, 504
Truppentransport 876
Truxton 706
Tschaladschalinien 872
Tschemulpo 876
Tschen-Yuen 842
Tschesme 630
— Seeschlacht im Hafen 630
Tschitschagow 660, 662, 664
Tsingtau 789, 880
Tsi-yuen 842
Tsuschima 787
Tunesien 542, 628, 785, 834
Tunis 596, 632, 656
Turbinenantrieb 846
Turbinia 846
Turgut Reis 892
Turin 698
— Schlacht bei 576
Türkei 568, 598, 609, 628, 656, 660, 671, 673, 696, 720, 768, 798, 832, 870, 890
— Niedergang 784
Turm-Panzerschiff 824
Turmschiffe 832
Turtle 642
Tyrus 630

U

Überseehandel 489
U-Boot-Bekämpfung 777
U-Boot-Fallen 777
U-Boot-Waffe 873
Uferbatterien 816
Uggla 538
Ulla Fersen 662
Ulm
— Kapitulation von 718
Ungarn 598, 783
Unglück 640, 698, 710, 796, 888
United States 734
Unterseeboot 777, 892
Unterwasserkrieg 810
Untiefen 524
Uriil 586
Uruguay 612, 634, 740, 762
USA 610, 676, 678, 706, 708, 734, 745, 770, 792, 800, 848, 864
— Chinageschwader 848
— Flottenstützpunkte 870
— Hochseeflotte 792

— Imperialismus 870
— Kriegserklärung an GB 675
— Louisiana 708
— Pazifikküste 770
— Seefestungen 792
— Unabhängigkeitserklärung 642
— Wirtschaftsmacht 790
Uschakow 658, 696

V

Valdivia 754
Valencia 830
Valiant 622, 638
Valparaiso 734, 793, 794, 814, 840
Vameur 574
van Almonde 572, 582
van Galen 504
van Ghent 524, 526
van Goens, Rijkloff 512, 542
van Kinsbergen 666
van Nes 518
van Quaelbergen 536
Vancouver 666
Vandalia 838
Vanguard 500, 572, 694, 696, 830
Vannes 616
Varese 890
Vega 832
25 de Mayo 762
Venedig 497, 560, 568, 590, 612, 656, 671, 688, 690, 772
Venerable 690, 704, 732, 744
Venetien 820
Venezianer 560
Venezuela 740, 869, 874
Vengeance 708
Vengeur du Peuple 680
Venus 660
Vera Cruz 766, 770, 804, 894
Vereinbarung von Erfurt 674
Verfolgungegefecht 740
Vermandoise 554
Vernon 569, 602
Verona 684
Versailles 828
Verschlüsselung 779
Vertrag
— von Aix-la-Chapelle 494
— von Ildefonso 671, 684
— von Kanagawa 796, 800
— von London 760
— von Madrid 512

— von Nertschinsk 562
„Vertragsstaaten" 748
Vestal 684
Vicksburg 808, 810
Victoria 508, 816, 830, 840
Victorious 734
Victory 600, 636, 640, 686, 716, 718, 726
Vietnam 786
Vigilante 604
Vigo 572, 592, 622, 728
Viktor Emanuel von Italien 820
Villa de Madrid 814
Villaret de Joyeuse 678, 680, 682
Ville de Milan 710
Ville de Paris 648, 650, 652
Villeneuve 694, 712, 714
Viña-del-Mar
— Schlacht bei 840
Vincent 642
Vineta 876
Virgenia 808
Virginia 806, 808, 810
Vitoria
— Schlacht bei 736
Vivonne 532
Vizcaya 850
Vlissingen 732
VOC 492, 498, 506, 512, 534, 536, 544
Volage 732, 766, 768
Völkerrecht 588, 675
Völkerschlacht bei Leipzig 736
von der Tann 772
Vorderindien 498, 506, 594
Vrijheit 690

W
Wachtmeister 538, 584, 682
Wager 578, 596
Wahabiten 749
Walcheren 732
Waldersee 874
Wallace 636
Walther-Antrieb 777
Wapen van Monnikendam 544
Warakail 586
Warjag 876
Warren 696, 700, 734
Warspite 580
Warwick 624
Washington 675, 736
Washington, George 609, 610, 648
Wassenaer 506, 508, 514, 516

Wasserflugzeug 778, 892
Watson 622
Watt, James 628, 773
Wei-hei-wei 788, 844
Wellesley, Gen. 666, 732
Wellington/Wellesley 674, 736, 738
Weltmeere 795
Weltumsegelung 602
Werner 784
Wessel 586
Westafrika 514, 626, 644
— Piraterie 594
Westfrisia 544
Westindien 512, 522, 534, 558, 569, 578, 602, 604, 610, 624, 642, 644, 675, 706, 712, 738, 848
— Kreuzfahrt 738
Weymouth 556, 558
Weyprecht 828
Wharton 766
Whitehead 776, 822
Whitelock 742
Whitworth 776
Wiborg 584
Wiborgsund
— Seeschlacht im 664
Wien 718
— Belagerung von 544
— Friede von 822
Wiener Frieden 598
Wiener Kongreß 675, 744, 749
Wilhelm I., Kaiser 828
Wilhelm II., Kaiser 786, 863
Wilhelm III. von Oranien 494, 496, 544, 565
Wilhelmshaven 826
Willaumez 730
Williams 696
Wilmington 812
Wilson 870
Winnebago 812
Wirtschaftskrieg 494, 673
Wissenschaft 506, 542, 564, 570, 588, 656
Witt, Jan de 514
Witte de With 500, 502, 504, 508
Witthöft 878
Wladiwostok 787, 788, 868, 876, 880
Woerden 544
Wolfe, Gen. 626
Wolfsrudel 777
Wrangel 508
Wrenn 552
Wright 778

Wüllerstorf-Urbair 802
Wyborg 584

Y

Yagudiil 586
Yalumündung
— Seeschlacht vor der 842
Yamagata, FM Graf 842
Yang-tse-kiang 768, 772, 789
Yarmouth 514, 624, 642
Yashima 878
Yazoo-Fluß 808
Yermak 846
Yorck zu Wartenburg 736
York 710
Yorktown 610, 648
Yoshino 842
Yukatan 766
Yu-yuen 838

Z

Zealous 688
Zédé 838
Zeno 560
Zenta
— Schlacht bei 562, 564
Zerstörer
— Name 776
Zesarewitsch 876, 880
Zodiaque 624
Zorndorf
— Schlacht bei 616
Zoutman 638
Zündschloß 611
Zürich
— Friede von 804
Zwangsrekrutierung 598
Zweites Pazifisches Geschwader 880
Zypern 785

Ergänzungen und Korrekturen

zu Band 1

Chronik

Schriftforschung. Bei der Untersuchung der Vinča-Kultur am Balkan in Siebenbürgen und um Belgrad werden auf Gebrauchsgegenständen schriftartige Zeichen in größerer Zahl gefunden, die von ihrem Entdecker als älteste Schrift, noch vor der Keilschrift, angesehen werden. Die Interpretation als Schrift (nicht entziffert) wird von vielen Forschern noch als verfrüht angesehen. *5. Jtd. v. Chr.*

Felsbilder. Am Onegasee in Nordrußland wurde auf einer Decke einer Megalithkammer, dem „Dachstein", eine Felszeichnung gefunden, die neben der Abbildeung bildlicher Gegenstände wie Boote auch erste Piktogramme enthält, mit deren Hilfe man den Sinn der Darstellung enträtseln kann. *3. Jtd. v. Chr.*

Gütertransport. Unter Oktavian Augustus wird der Obelisk von Sethos I./Ramses II. von Heliopolis nach Rom gebracht und im Circus Maximus aufgestellt. Er wird im 16. Jahrhundert zerbrochen wieder gefunden und 1589 auf der Piazza del Populo wieder aufgerichtet. *um 10 n. Chr.*

Gütertransport. Unter Kaiser Konstantin I. wird ein Obelisk des Thutmosis III. aus Karnak nach Konstantinopel transprtiert, dort aber nicht aufgestellt. Ca. 357 läßt Kaiser Constantius II. diesen nach Rom verschiffen und im Circus Maximus als Gegenstück zu dem von Augustus aufstellen. Er wird im 16. Jahrhundert zerbrochen gefunden und nach Restaurierung 1588 auf der Piazza San Giovanni in Laterano erneut errichtet. *um 300 n. Chr.*

Korrekturen

Seite 186, oben: statt auch *aus*
Seite 196, unten: nach Europa *an*

zu Band 2

Korrekturen

Seite 476, oben: statt 271 *1271*
Seite 714, Mitte: statt 259.4988 soll heißen *259.498* und statt 0,4% soll heißen *80,4%*

zu Band 3

Chronik

1982 — **Internationale Organisationen.** Die schon 1948 gegründete internationale Schiffahrtsorganisation der UNO mit der Bezeichnung IMCo wird auf IMO (Intern. Maritime Organisation) umbenannt. Ihr gehören bereits alle seefahrenden Nationen, insgesamt 121 Staaten, an. Sie verfügt in diesem Jahr über ein Budget von 12 Mio. $ und berät die UNO in Schiffahrtsfragen wie Sicherheit, Umweltschutz u.a.

November 2002 — **Schiffbruch.** Vor der Küste von Spanien, westlich von Kap Finisterre, sinkt der Tanker >Prestige< mit rund 77.000 Tonnen Schweröl an Bord indem der auseinanderbricht. Die Küste der Provinz Galizien ist auf Jahre hinaus mit Öl verseucht, der Muschelfang ruiniert. Es werden beschleunigt Tanker mit Doppelhüllenrumpf gebaut, damit die alten Schiffe ausgeschieden werden können.

1. Februar 2003 — **Raumfahrt.** Beim Landeanflug zum Raumfahrtzentrum Cap Canaveral bricht 16 Minuten vor der Landung die Raumfähre >Columbia< auseinander. Nur kleinere Teile erreichen den Erdboden, alle sieben Besatzungsmitglieder sind tot. Die >Columbia< war am 14. Jänner zur ISS gestartet.

August 2003 — **Schiffsfund.** Ein Bergungsunternehmen ortet vor der Küste von Georgia, USA, das Wrack des 1865 gesunkenen Raddampfers >Republik<. Das Schiff war in einem Wirbelsturm gesunken und soll Gold im Wert von 150 Millionen Dollar an Bord haben. Mit den Bergundvorbereitungen wird begonnen.

August 2003 — **Schiffbruch.** Vor der Kolahalbinsel sinkt in der Barentssee das ausgemusterte russische U-Schiff >K 159<, als es zum Verschrotten geschleppt wird. Die neun Mann zur Konrolle des Schiffes an Bord gehen mit ihm unter.

25. September 2003 — **Schiffbau.** Das derzeit größte Kreuzfahrtschiff der Welt, die britische >Queen Mary< II. läuft aus ihrem Werfthafen St. Nazaire zur ersten Werftprobefahrt aus. Das Schiff mit 150.000 BRZ und 345 Metern Länge soll ab Dezember 2003 ihre Kreuzfahrten aufnehmen.

Ergänzung, Seite 1228

20. Juli 1976 — Die US-Raumfähre >Viking 1< landet nach einer Reise von fast genau einem Jahr nach dem Start auf der Erde am Mars. Schon sechs Wochen später folgt >Viking 2<. Es sind die ersten Raumschiffe, die erfolgreich am Mars landen und von dort Bilder und Daten zur Erde übermitteln. Gescheiterte Marsmissionen haben die UdSSR (seit 1960) und die USA (seit 1964) unternommen.

Ergänzung, Seite 1301

Tschad. Vom neuen Ölfeld bei Doba im Süden des Landes wird eine Rohölleitung über das Staatsgebiet von Kamerun zu dessen Ofshore-Terminal vor der Hafenstadt Kribi in Betrieb genommen. Die beiden armen Länder erhoffen sich aus dieser Kooperation eine wesentliche Steigerung ihrer Staatseinnahmen.

Helmut Pemsel
Weltgeschichte der Seefahrt

Bd. 1:
Geschichte der zivilen Schiffahrt.
Von den Anfängen der Seefahrt bis zum Ende des Mittelalters

450 Seiten, gebunden mit Schutzumschlag
ISBN 3-7083-0021-1 (für Österreich)
ISBN 3-7822-0821-8 (für Deutschland)
€ 40,00

Bd. 2:
Geschichte der zivilen Schiffahrt.
Vom Beginn der Neuzeit bis zum Jahr 1800 mit der Frühzeit von Asien und Amerika

452 Seiten, gebunden mit Schutzumschlag
ISBN 3-7083-0022-X (für Österreich)
ISBN 3-7822-0834-X (für Deutschland)
€ 42,00

Band 3:
Geschichte der zivilen Schiffahrt.
Von 1800 bis 2002. Die Zeit der Dampf- und Motorschiffahrt

554 Seiten, gebunden mit Schutzumschlag und 150 Abbildungen
ISBN 3-7083-0023-8 (für Österreich)
ISBN 3-7822-0835-8 (für Deutschland)
€ 54,00

Band 4:
Biographisches Lexikon.
Von der Antike bis zur Gegenwart

464 Seiten, gebunden mit Schutzumschlag und 800 Abbildungen
ISBN 3-7083-0024-6 (für Österreich)
ISBN 3-7822-0836-6 (für Deutschland)
€ 48,00

Band 5:
Seeherrschaft I.
Seekriege und Seepolitik von den Anfängen bis 1650

512 Seiten, gebunden mit Schutzumschlag und 176 Abbildungen
ISBN 3-7083-0025-4 (für Österreich)
ISBN 3-7822-0837-4 (für Deutschland)
€ 52,00

Korrekturen

Seite 1387, Mitte: statt Kippenflader soll es heißen *Kippentlader*

Herr Kapitän i.R. Nikolaus **Viehauser** macht auf folgende Korrekturen ausmerksam, wofür ich ihm sehr dankbar bin.

Seite 1173, oben: statt westliches Timor soll es heißen *östliches* Timor
Seite 1179, oben: statt Scheuerleute soll es heißen *Schauerleute*
Seite 1191, unten: zu Pamir als Ergänzung (3100 BRT/*4172 tdw*/6550 t)
Seite 1216, Mitte: Passagierschiffahrt der HAPAG *1970* eingestellt
Seite 1224, Dezember 1975:   Die beiden Schiffe sind *nicht* durch Verrutschen der Ladung untergegangen. Die Unfallursache ist unbekannt.
Seite 1226, Zeile 6:   statt Quessant *Ouessant*
Seite 1232, Schiffbruch: Die Untergangsursache der >München< kann *nicht* ungesicherte Ladung gewesen sein
Seite 1268, Zeile 3:   statt Djakarta gehört *Jakarta* (seit ~1972)
Seite 1366, Paragraph 3 soll lauten:
   3) Das Totgewicht (dead weight - tdw) ist die Tragfähigkeit in Gewichtstonnen (tdw) eines leeren und betriebsfertigen Schiffes über den Tiefgang hinaus (BRZ minus NRZ).
   4) Die Verdrängung (Deplacement - t) ist das Gewicht des verdrängten Wassers und damit das Gewicht des Schiffes in einem bestimmten Ausrüstungszustand.

zu Band 4

Korrekturen

Seite 274:   statt 1876 korrekt *1976* (laut Information von Herrn Otto Reinold)

zu Band 5

Korrektur

Seite XIII, Zeile 23:   statt 7. Jahrhundert korrekt *17. Jahrhundert*

Ich würde mich freuen, wenn ich weitere konstruktive Verbesserungen von Leserseite bekommen würde.

H. Pemsel